l'encyclopédi@

   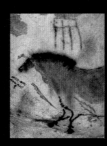 

Un livre Dorling Kindersley
www.dk.com

Pour l'édition originale

Édition Sue Nicholson, Fran Baines, Clare Lister,
Sarah Goulding, Jane Yorke, Karen O'Brien,
Katherine Pearce, Jayne Miller, Mariza O'Keeffe

Responsable éditoriale Camilla Hallinan

Directrice éditoriale Sue Grabham

Responsable artistique Sophia M Tampakopoulos Turner

Iconographes Sarah Pownall, Alison Prior, Fran Vargo
Responsable de l'iconothèque Sarah Mills
Couverture Natalie Godwin

Directeur artistique Mark Richards

Contributeurs et conseillers Simon Adams, Andy Catling, Ian Chilvers,
Dr Sue Davidson, Dr Roger Few, David Glover, David Goldblatt, Jen Green,
Dr John Haywood, Adam Hibbert, Elaine Jackson, Robin Kerrod, Claire Llewellyn,
Dr Jacqueline Mitton, Ben Morgan, Peggy Morgan, Alison Porter, Janet Sacks,
Keith Shadwick, Dr Tim Shakesby, Professor Robert Spicer,
Philip Steele, Dr Richard Walker, Jude Welton

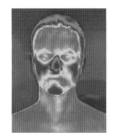  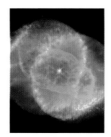  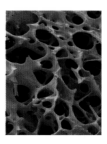 

Pour l'édition française
© 2004 Gallimard Jeunesse, Paris
© 2004 ERPI Pour l'édition française au Canada

Responsable éditorial : Thomas Dartige

Suivi éditorial : Éric Pierrat

Traduction, adaptation, réalisation :
ML ÉDITIONS, Paris sous la direction de Michel Langrognet

Édition : Anne Papazoglou-Obermeister
Traduction : Virginie de Bermond-Gettle (pages 8 à 125), Annick
de Scriba (pages 126 à 151 et 212 à 317), Pascale Hervieux
(pages 152 à 211), Christine Chareyre (318 à 435)

Conseillers : Brigitte Dutrieux, agrégée en sciences naturelles,
Jean-Claude Deroche, professeur de physique à l'université d'Orsay,
Stéphanie Morillon, agrégée d'Histoire

Pages Histoire du Québec et du Canada (p. 436 à 445) :
Benoit Grenier, M.A. histoire

Couverture : Raymond Stoffel et Aubin Leray

Site Internet associé : Françoise Dalex (constitution de la base de
données), Bénédicte Nambotin, Ariane Michaloux, Daniel Paquet
et Éric Duport.

5757, RUE CYPIHOT
SAINT-LAURENT (QUÉBEC)
H4S 1R3

www.erpi.com/documentaire

DANGER
LE PHOTOCOPILLAGE
TUE LE LIVRE

Dépôt légal: 4ᵉ trimestre 2004
Bibliothèque nationale du Québec
Bibliothèque nationale du Canada

ISBN 2-7613-1583-9
K 15839

Imprimé en Chine

l'encyclopédi@

Google

SOMMAIRE

Comment utiliser le site   6

L'ESPACE

L'espace	10
L'astronomie	11
Les observatoires	12
Les constellations	13
Le système solaire	14
Le Soleil	15
La Terre	16
La Lune	17
Mercure	18
Vénus	18
Mars	19
Jupiter	19
Saturne	20
Uranus	20
Neptune	21
Pluton	21
La vie extraterrestre	22
Les comètes	22
Les astéroïdes	23
Les météores	23
Les étoiles	24
L'Univers	26
Les galaxies	27
Les fusées	28
Les satellites	28
Les observatoires spatiaux	29
Les vaisseaux interplanétaires	29
Les voyages dans l'espace	30
Les spationautes	31
La navette spatiale	32
Les stations spatiales	33

LA TERRE

La Terre	36
Les sciences de la Terre	38
Les continents	39
Les océans	40
Les îles	42
Les tremblements de terre	43
Les volcans	44
Les montagnes	45
Les roches	46
Le sol	48
L'atmosphère	49
La météorologie	50
Les vents	51
La pluie	52
Les orages	54
L'érosion	55
Les cours d'eau	56
Les grottes	57
La glace	58
Les côtes	59
Les ressources énergétiques	60
Le climat	62
Les zones climatiques	63
L'impact humain	64
L'agriculture	66
La pêche	67
L'exploitation forestière	67

LA NATURE

La vie	70
La biologie	72
Les cellules	73
L'évolution	74
Les fossiles	76
Les animaux préhistoriques	77
Les dinosaures	78
L'écologie	80
Les habitats naturels	82
Les micro-organismes	85
Les champignons	86
Les algues	87
Les lichens	87
Les plantes	88
Les plantes sans fleurs	90
Les plantes à fleurs	92
Les arbres	94
Les animaux	96
L'alimentation	98
Les sens	99
La communication	100
La reproduction	101
Les invertébrés	102
Les vertébrés	102
Les cnidaires	103
Les échinodermes	104
Les spongiaires	104
Les vers	105
Les mollusques	106
Les arthropodes	107
Les arachnides	108
Les crustacés	109
Les insectes	110
Les poissons	112
Les amphibiens	114
Les reptiles	116
Les oiseaux	118
Les mammifères	120
Les espèces en danger	124
La protection de la nature	125

LE CORPS HUMAIN

Le corps	128
Le squelette	130
Les muscles	132
La peau	133
La circulation	134
Le cœur	135
La respiration	136
Les poumons	137
Le système nerveux	138
Le cerveau	139
Les yeux	140
Les oreilles	141
La bouche	142
Les dents	143
Le nez	143
La digestion	144
Le foie	146
Les reins	147
Les hormones	147
La reproduction	148
La croissance	149
La santé	150
La maladie	151

LES SCIENCES

Les sciences	154
La technologie	154
Les mesures	155
Les mathématiques	155
La matière	156
Les atomes	157
Le temps	158
La théorie quantique	159
Les éléments	160
La chimie	162
La physique	163
Les forces	164
Le mouvement	165
L'énergie	166
L'énergie nucléaire	167
La chaleur	168
Les matériaux	170
La transformation des matériaux	171
Les mélanges	172
La séparation des mélanges	173
Les alliages	174
Les nouveaux matériaux	175
Le son	176
La lumière	178
Les couleurs	180
Les lentilles optiques	181
L'électricité	182
Le magnétisme	183
Les circuits électriques	184
L'électromagnétisme	186
La production d'électricité	187
L'électronique	188
Les puces électroniques	189
Les ordinateurs	190
Les réseaux	191
Internet	191
Les télécommunications	192
Les robots	194
La nanotechnologie	195
Les machines	196
Les moteurs	198
Les transports	200
La construction	202
L'industrie	204
La fabrication industrielle	205
L'industrie chimique	206
La biotechnologie	208
La génétique	209
Le génie génétique	210

ABRÉVIATIONS

mm	millimètre
cm	centimètre
m	mètre
km	kilomètre
km²	kilomètre carré
km/h	kilomètre par heure
°C	degré Celsius
g	gramme
kg	kilogramme
t	tonne

LE MONDE AUJOURD'HUI

Le monde physique	214
Le monde politique	216
La population	218
La cartographie	220
L'Amérique du Nord	222
Le Canada, l'Alaska et le Groenland	224
L'est des États-Unis	226
L'ouest des États-Unis	228
Le Mexique, l'Amérique centrale et les Antilles	230
L'Amérique du Sud	232
Le nord de l'Amérique du Sud	234
Le sud de l'Amérique du Sud	236
L'Afrique	238
L'Afrique du Nord et de l'Ouest	240
L'Afrique de l'Est et centrale	242
L'Afrique australe	244
L'Europe	246
La Scandinavie et l'Islande	248
Les Îles Britanniques	250
L'Europe de l'Ouest	252
L'Europe centrale	255
L'Europe du Sud-Est	256
L'Europe orientale	258
L'Asie	260
La Fédération de Russie et l'Asie centrale	262
Le Proche- et le Moyen-Orient	264
L'Asie du sud	266
L'Extrême-Orient	268
L'Asie du Sud-Est	270
L'Australasie et l'Océanie	272
L'Australie et la Nouvelle-Zélande	274
L'Antarctique	276
L'Arctique	277

RELIGIONS ET SOCIÉTÉ

La religion	280
Les religions anciennes	282
Les religions traditionnelles	283
Le zoroastrisme	284
Le shintoïsme	284
Le confucianisme	285
Le taoïsme	285
L'hindouisme	286
Le judaïsme	287
Le christianisme	288
Le bouddhisme	289
L'islam	290
Le sikhisme	291
La philosophie	292
Les sociétés	294
La culture	296
Les médias	298
La famille	300
La vie sociale	301
L'économie	302
L'égalité sociale	304
La politique	306
L'État	308
La loi	310
Les nations	312
La guerre	313
Le nouvel ordre mondial	314
L'altermondialisme	316
Les droits de l'homme	317

LES ARTS ET LES LOISIRS

La peinture	320
Le dessin	322
La sculpture	323
Les artistes	324
La photographie	325
Le design	326
Les arts décoratifs	327
L'architecture	328
La musique	330
Les instruments de musique	332
La composition musicale	333
La musique pop	334
L'orchestre	335
La danse	336
L'opéra	338
La comédie musicale	338
L'écriture	339
L'imprimerie	339
La littérature	340
La poésie	343
Le théâtre	344
Le cinéma	346
Les écrivains	348
L'animation	349
Les jouets	350
Les jeux	350
Les loisirs domestiques	351
Les sports	352
Les compétitions sportives	354
Les jeux Olympiques	356

HISTOIRE DU MONDE

L'histoire	360
Les premiers hommes	362
Les premiers agriculteurs	364
L'Europe mégalithique	366
La céramique préhistorique	367
Le travail des métaux	367
La Mésopotamie	368
La vallée de l'Indus	368
Les premières écritures	369
L'Égypte ancienne	370
Les empires du Moyen-Orient	372
Les peuples de la mer	374
L'empire perse	375
La Grèce antique	376
Le premier empire chinois	378
L'Inde Maurya	379
L'Inde Gupta	379
Les premiers Américains	380
Les Mayas	381
La Rome antique	382
Les Celtes	383
Les grandes invasions	384
L'Empire byzantin	385
L'Empire de Charlemagne	385
La civilisation musulmane	386
Les Vikings	388
Les Normands	389
Les croisades	389
L'Europe médiévale	390
Les Mongols	392
Les samouraïs	392
La Chine impériale	393
L'Afrique médiévale	394
La Polynésie	396
Les royaumes d'Asie	397
L'Empire ottoman	397
La Renaissance	398
La Réforme	399
Les grandes découvertes	400
Les Incas	402
Les Aztèques	403
L'Europe du XVIᵉ siècle	404
Les conquistadores	405
La guerre de Trente Ans	406
La guerre civile anglaise	406
L'Inde moghole	407
Les Indiens d'Amérique	408
La colonisation de l'Amérique	409
La monarchie absolue	410
La révolution scientifique	411
La révolution agricole	412
La traite des esclaves	413
L'indépendance américaine	414
La Révolution française	415
Le siècle des Lumières	416
Le Premier Empire	416
Le Canada	417
Les guerres indiennes	417
La révolution industrielle	418
L'indépendance de l'Amérique du Sud	420
Le nationalisme	421
Les empires coloniaux	422
La guerre de Sécession	424
L'Australie	425
La Nouvelle-Zélande	425
La Première Guerre mondiale	426
La révolution russe	428
La révolution chinoise	429
Les conflits asiatiques	430
La crise de 1929	430
Le fascisme	431
La Seconde Guerre mondiale	432
Les organisations internationales	434
La décolonisation	434
La guerre froide	435
Le Moyen-Orient	435

Histoire du Québec et du Canada	436
Index	446
Remerciements	454

UNE ENCYCLOPÉDIE QUI S'OUVRE SUR INTERNET

ERPI et Google ont créé un site Internet consacré à l'**encyclopedi@**. Pour chaque sujet, vous trouverez dans le livre des informations claires, synthétiques et structurées, mais aussi un mot clé à saisir dans le site. Une sélection de liens Internet vous sera alors proposée.

1 **Saisissez cette adresse.**

Adresse : http://www.encyclopedia.erpi.com

2 **Choisissez un mot clé dans l'encyclopédie.**

spationautes

Vous ne pouvez utiliser que les mots clés du livre pour faire une recherche sur notre site.

3 **Saisissez le mot clé choisi.**

spationautes

Allez sur Internet l'esprit tranquille :

• Demandez toujours la permission à un adulte avant de vous connecter au réseau Internet.

• Ne donnez jamais d'informations sur vous.

• Ne donnez jamais rendez-vous à une personne rencontrée sur Internet.

• Avant de donner votre nom et votre adresse de courriel pour toute inscription dans un site, demandez la permission à un adulte.

• Ne répondez jamais aux messages d'un inconnu et parlez-en à un adulte.

Parents : ERPI met à jour régulièrement les liens sélectionnés ; leur contenu peut cependant changer. ERPI ne peut être tenu pour responsable que du contenu de son propre site. Nous recommandons que les enfants utilisent Internet en présence d'un adulte, ne fréquentent pas les forums de clavardage et utilisent un ordinateur équipé d'un filtre pour éviter les sites non recommandables.

4 Cliquez sur le lien choisi parmi ceux proposés.

▶▶ Visitez une station spatiale.

Ces liens sélectionnés peuvent comprendre :

▶▶ des animations 3D   ▶▶ des quiz

▶▶ des vidéos   ▶▶ des bases de données

▶▶ des bandes sonores   ▶▶ des chronologies

▶▶ des visites virtuelles ▶▶ des reportages

Google vous guide vers les meilleurs sites sur l'espace.

Téléchargez ou imprimez des images depuis le site ! À chaque thème est associée une galerie de photos, qui agrémenteront vos travaux de recherche.

Navette spatiale

Ces images sont libres de droits mais elles sont réservées à un usage personnel et non commercial.

5 Revenez à l'encyclopédie pour découvrir un autre sujet...

Titre de l'article   *Texte introductif définissant précisément le thème de l'article*   *De superbes illustrations clairement expliquées et légendées*

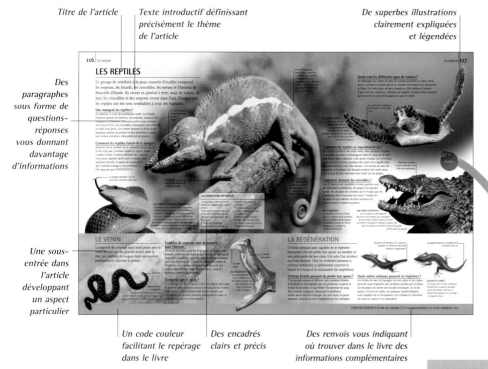

Des paragraphes sous forme de questions-réponses vous donnant davantage d'informations

Une sous-entrée dans l'article développant un aspect particulier

Un code couleur facilitant le repérage dans le livre   *Des encadrés clairs et précis*   *Des renvois vous indiquant où trouver dans le livre des informations complémentaires*

Dans l'encyclopédie

■ des chronologies

■ des biographies

■ des cartes

■ des tableaux

■ des mots clés

■ un index complet

... et saisissez un autre mot clé ! | reptiles | |

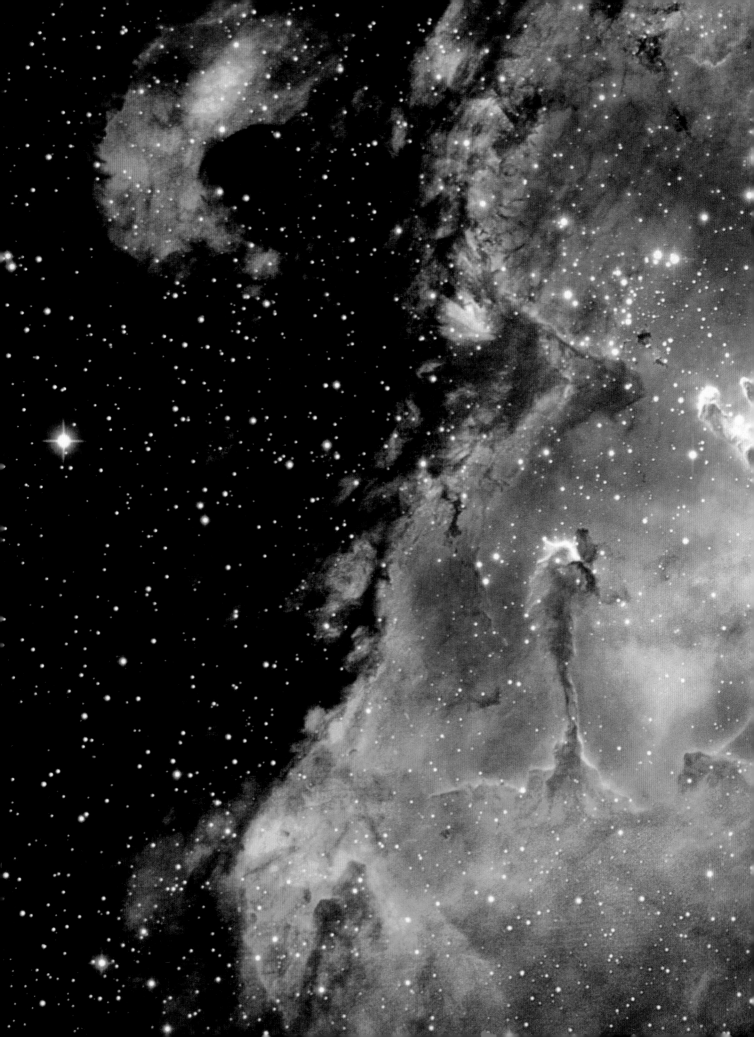

L'ESPACE

L'ESPACE	10
L'ASTRONOMIE	11
LES OBSERVATOIRES	12
LES CONSTELLATIONS	13
LE SYSTÈME SOLAIRE	14
LE SOLEIL	15
LA TERRE	16
LA LUNE	17
MERCURE	18
VÉNUS	18
MARS	19
JUPITER	19
SATURNE	20
URANUS	20
NEPTUNE	21
PLUTON	21

LA VIE EXTRATERRESTRE	22
LES COMÈTES	22
LES ASTÉROÏDES	23
LES MÉTÉORES	23
LES ÉTOILES	24
L'UNIVERS	26
LES GALAXIES	27
LES FUSÉES	28
LES SATELLITES	28
LES OBSERVATOIRES SPATIAUX	29
LES VAISSEAUX INTERPLANÉTAIRES	29
LES VOYAGES DANS L'ESPACE	30
LES SPATIONAUTES	31
LA NAVETTE SPATIALE	32
LES STATIONS SPATIALES	33

L'ESPACE

L'obscurité qui remplit le ciel, la nuit, c'est l'espace. C'est le grand vide où évoluent la Terre, la Lune, le Soleil, les planètes et les étoiles. Le silence le plus total y règne, et, presque partout, un froid incroyable, environ –270 °C.

Où commence l'espace ?

Pour nous, l'espace commence à la limite de l'atmosphère de notre planète. Il n'y a pas de véritable frontière entre l'atmosphère et l'espace : l'atmosphère disparaît peu à peu, puis fusionne avec l'espace à 500 km au-dessus de la Terre. On trouve pourtant de minuscules traces d'atmosphère encore plus loin.

Où est la Terre dans l'espace ?

La Terre est un minuscule grain de matière dans l'espace. C'est l'une des neuf planètes qui tournent autour du Soleil. Le Soleil, lui, fait partie des centaines de milliards d'étoiles qui forment toutes ensemble une grande île dans l'espace, la galaxie de la Voie lactée. L'espace compte des milliards de galaxies. Les galaxies et les énormes vides qui les séparent forment l'Univers.

Jusqu'où s'étend l'espace ?

Les astronomes pensent que l'espace est infini et qu'il n'a donc ni bord ni limite. La Lune, voisine la plus proche de la Terre, se situe en moyenne à 384 400 km de nous. Le Soleil est distant de 150 millions de km. La plupart des autres étoiles de la Voie lactée sont entre un million et un milliard de fois plus éloignées que le Soleil. D'autres galaxies sont des millions de fois plus lointaines.

Qu'est-ce qu'une année-lumière ?

L'année-lumière est l'unité de mesure des distances dans l'espace. C'est la distance que parcourt la lumière en une année, soit environ 9,5 millions de km. Proxima du Centaure est l'étoile la plus proche du Soleil. Elle se trouve à 4,2 années-lumière de la Terre, ce qui veut dire que sa lumière met 4,2 ans à nous atteindre.

Que pouvons-nous voir quand nous observons l'espace ?

Sans télescope, nous pouvons observer à peu près 2 500 étoiles par une nuit vraiment noire. Nous voyons souvent la Lune, et parfois les planètes Mercure, Vénus, Mars, Jupiter et Saturne, de même que des comètes. L'objet le plus éloigné que nous puissions voir à l'œil nu est la galaxie d'Andromède.

LA VOIE LACTÉE ▶
La Voie lactée, c'est ce ruban lumineux et pâle dans la nuit. Sa lumière provient des centaines de milliards d'étoiles de notre Galaxie. Des milliards d'autres étoiles sont cachées derrière des nuages géants et sombres de poussière et de gaz.

Espace

POUR EN SAVOIR PLUS ▶▶ Le système solaire 14 • Les étoiles 24-25 • L'Univers 26 • Les galaxies 27

L'HISTOIRE DE L'ESPACE

150 — Ptolémée déclare que la Terre est au centre de l'Univers

1543 — Copernic place le Soleil au centre de l'Univers

1609 — Galilée est le premier à étudier l'espace avec une lunette

1687 — Newton publie les lois de la gravitation

1781 — Herschel découvre la planète Uranus

1846 — Galle découvre la planète Neptune

1926 — Goddard lance la première fusée à carburant liquide

1930 — Tombaugh découvre la planète Pluton

1957 — Spoutnik 1, le premier satellite, fait le tour de la Terre

1961 — Iouri Gagarine est le premier homme dans l'espace

1965 — Mariner 4 renvoie des images de Mars

1969 — Apollon 11 se pose sur la Lune

1981 — Premier lancement d'une navette spatiale

1990 — Lancement du télescope spatial Hubble

1998 — Début de la construction de la Station spatiale internationale

◀ DÉPART POUR L'ESPACE
La fusée européenne Ariane est un engin puissant qui lance des satellites et des sondes dans l'espace pour explorer les étoiles et les planètes, et observer la Terre de l'espace.

L'ASTRONOMIE

L'astronomie est la science qui étudie les étoiles et les autres corps (objets) célestes. Le **TÉLESCOPE** est l'outil le plus utile de l'astronome puisqu'il permet de regarder des objets très éloignés.

Le télescope peut être pointé sur n'importe quel coin du ciel. Une fois qu'il a capté une étoile ou un corps céleste, il peut bouger pour le suivre.

Grâce à son cadre ajouré, le télescope est plus léger et facile à déplacer.

Quand les hommes ont-ils commencé à étudier le ciel ?
Selon des témoignages des plus anciennes civilisations, les hommes ont commencé à observer le Soleil, la Lune et les étoiles il y a plus de 5 000 ans. Les prêtres de Babylone et de l'Égypte antique avaient noté les mouvements de la Lune et des étoiles et s'en servirent pour créer un calendrier des événements agricoles et religieux – mais les hommes étudiaient sûrement le ciel depuis plus longtemps que ça.

Qu'est-ce que les astronomes étudient aujourd'hui ?
Les astronomes modernes essaient de répondre aux grandes questions sur l'Univers. En étudiant les étoiles à des étapes différentes de leur vie, ils comprennent comment elles naissent, vivent et meurent. En étudiant les galaxies, ils découvrent comment et quand l'Univers a commencé et comment il pourrait finir. De plus, ils explorent les planètes et les autres corps du système solaire.

UN PUISSANT TÉLESCOPE ▶
Le télescope William Herschel se trouve à l'observatoire de Roque de los Muchachos, à La Palma (îles Canaries). C'est un grand réflecteur – son miroir principal a un diamètre de 4,20 m.

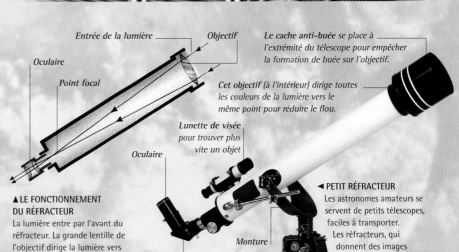

@▸ **Astronomie**

▲ L'OBSERVATION DES ÉTOILES
Autrefois, les astronomes indiens regardaient les étoiles avec un astrolabe. Cet instrument mesure les positions et les mouvements des étoiles.

LES TÉLESCOPES

Le télescope astronomique est équipé de lentilles ou de miroirs sur lesquels se réfléchit la lumière d'objets distants. Il facilite donc leur étude détaillée. En 1609, l'Italien Galilée fut le premier à utiliser une lunette, qui est l'ancêtre du télescope, pour observer le ciel.

Quels sont les types de télescopes ?
La lunette de Galilée comportait des lentilles de verre au travers desquelles la lumière se réfracte. On parle dans ce cas de réfracteur, car les lentilles font dévier la lumière. Le télescope ou réflecteur est doté d'un miroir concave pour capter la lumière des étoiles et leur image. Pour y voir plus clair, on lance certains télescopes dans l'espace. Les télescopes spatiaux captent la lumière et les rayons invisibles, gamma, ultraviolets, infrarouges et rayons X.

Entrée de la lumière — *Objectif*
Oculaire
Point focal
Oculaire

Le cache anti-buée se place à l'extrémité du télescope pour empêcher la formation de buée sur l'objectif.

Cet objectif (à l'intérieur) dirige toutes les couleurs de la lumière vers le même point pour réduire le flou.

Lunette de visée pour trouver plus vite un objet

▲ LE FONCTIONNEMENT DU RÉFRACTEUR
La lumière entre par l'avant du réfracteur. La grande lentille de l'objectif dirige la lumière vers un point situé près du fond. On regarde par un oculaire qui grossit l'image et la dirige vers l'œil. Pour faire la mise au point, on fait avancer ou reculer l'oculaire.

Le prisme reflète l'image pour qu'on la voie à l'endroit.

Monture

◀ PETIT RÉFRACTEUR
Les astronomes amateurs se servent de petits télescopes, faciles à transporter. Les réfracteurs, qui donnent des images nettes, conviennent particulièrement bien à l'observation de la Lune et des planètes.
Trépied

POUR EN SAVOIR PLUS ▸▸ Les observatoires 12 • La lumière 178-179 • Les lentilles 181

LES OBSERVATOIRES

Dans les observatoires, les astronomes recueillent des informations sur l'espace. La plupart des astronomes utilisent un télescope optique pour regarder la lumière venant de l'espace. Les radioastronomes travaillent avec un radiotélescope ou un **COMPLEXE DE RADIOASTRONOMIE.**

@ ▶▶ Observatoires

Pourquoi les observatoires sont-ils presque toujours au sommet de montagnes ?
Les observatoires équipés d'un télescope optique sont construits au-dessus des couches les plus épaisses de l'atmosphère terrestre. De là, les astronomes voient plus clair, parce que l'air y est plus pur et moins humide.

Comment fonctionnent les radiotélescopes ?
Les radiotélescopes, avec leurs immenses paraboles, captent les ondes radio venant de l'espace. La parabole recueille les signaux et les renvoie à une antenne. Celle-ci transmet à un récepteur, puis à un ordinateur qui les convertit en images radio en fausses couleurs.

Le dôme s'ouvre la nuit, découvrant le ciel au télescope.

Le bâtiment principal abrite un télescope de 3,60 m (diamètre du miroir).

Le télescope de nouvelle technologie, équipé d'un miroir de 3,50 m de diamètre, est situé dans une salle pivotante pour suivre le mouvement des astres.

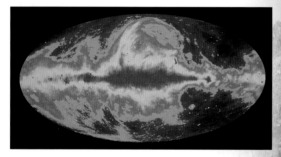

▲ CARTE RADIO DU CIEL
Si nos yeux pouvaient détecter les ondes radio, c'est ainsi que nous verrions le ciel de la Terre. La bande rouge montre les signaux les plus puissants.

OBSERVATOIRE DE LA SILLA ▶
Les dômes du télescope de l'observatoire de La Silla, au Chili, à 2 400 m au-dessus du niveau de la mer, sont loin de la lumière artificielle et de la pollution.

LES COMPLEXES DE RADIOASTRONOMIE

Les astronomes se servent souvent de radiotélescopes reliés les uns aux autres, qui forment un complexe. Le complexe, qui recueille des signaux sur une surface très étendue, peut révéler beaucoup plus de détails qu'un télescope isolé. L'interférométrie est la technique qui permet de combiner les signaux captés par chaque télescope.

Pourquoi utilise-t-on ces complexes ?
Grâce à ces complexes, les radioastronomes dressent des cartes détaillées de nombreux objets dans l'espace. Ils étudient par exemple les quasars et les radiogalaxies aux immenses panaches de gaz émetteurs d'ondes radio qui s'étendent sur des millions d'années-lumière, les restes des supernovae (étoiles explosées), les bulles de gaz échappées d'étoiles mourantes et les planètes comme Jupiter et Saturne.

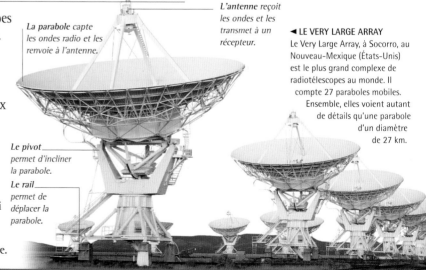

La parabole capte les ondes radio et les renvoie à l'antenne.

L'antenne reçoit les ondes et les transmet à un récepteur.

◀ LE VERY LARGE ARRAY
Le Very Large Array, à Socorro, au Nouveau-Mexique (États-Unis) est le plus grand complexe de radiotélescopes au monde. Il compte 27 paraboles mobiles. Ensemble, elles voient autant de détails qu'une parabole d'un diamètre de 27 km.

Le pivot permet d'incliner la parabole.

Le rail permet de déplacer la parabole.

POUR EN SAVOIR PLUS ▶▶ L'astronomie 11 • Les étoiles 24-25 • Les observatoires spatiaux 29 • Les télécommunications 192-193

LES CONSTELLATIONS

Les groupes d'étoiles brillantes qui semblent voisines dans le ciel sont appelés constellations. Depuis des centaines, voire des milliers d'années, leurs formes semblent n'avoir jamais changé. Le ciel se divise en 88 constellations.

Véga sera l'étoile Polaire dans environ 14 000 ans.

Bételgeuse fait 400 fois la taille du Soleil.

Le bord de la carte marque l'équateur céleste, c'est-à-dire la frontière entre les hémisphères Nord et Sud.

Les étoiles semblent tourner autour de l'étoile centrale, l'étoile Polaire.

▲ LES CONSTELLATIONS DE L'HÉMISPHÈRE NORD

1 Le Poisson, 2 Pégase, 3 Le Dauphin, 4 L'Aigle, 5 La Flèche, 6 Le Cygne, 7 Andromède, 8 Le Triangle, 9 Le Bélier, 10 La Baleine, 11 Le Taureau, 12 Persée, 13 Cassiopée, 14 Céphée, 15 La Lyre, 16 Ophiucus, le Serpentaire, 17 Le Serpent, 18 La Couronne boréale, 19 Hercule, 20 Le Dragon, 21 La Petite Ourse, 22 L'étoile Polaire (actuelle étoile du Nord), 23 Le Cocher, 24 Orion, 25 Les Gémeaux, 26 La Licorne, 27 Le Petit Chien, 28 L'Hydre femelle, 29 Le Cancer, 30 La Grande Ourse, 31 Le Petit Lion, 32 Le Lion, 33 Les Chiens de chasse, 34 La Vierge, 35 Le Bouvier

Qui a nommé les constellations ?

Les astronomes de l'Antiquité ont donné à de nombreuses constellations le nom de choses auxquelles elles ressemblent – par exemple, un lion, un cygne ou un personnage de leur mythologie comme le héros Hercule.

Position réelle des étoiles dans l'espace

DES ANNÉES-LUMIÈRE D'ÉCART ▶
Les traits qui relient les étoiles sur les cartes nous aident à identifier les constellations. Pourtant, le plus souvent, les étoiles d'une constellation n'ont aucun lien entre elles et sont situées à des centaines d'années-lumière les unes des autres.

La constellation vue de la Terre

Les étoiles des constellations sont-elles vraiment groupées dans l'espace ?

Les étoiles semblent voisines parce que, vues de la Terre, elles sont situées dans la même partie de l'espace, mais, en fait, elles peuvent se trouver aussi bien à 10 qu'à 1 000 années-lumière de nous.

La constellation de la Dorade comprend la galaxie la plus proche de nous, les Nuages de Magellan.

Au cours de l'année, les étoiles situées près du bord apparaissent les unes après les autres.

Constellations

Sirius est l'étoile la plus brillante la nuit.

La Voie lactée, de couleur blanchâtre, encercle le ciel.

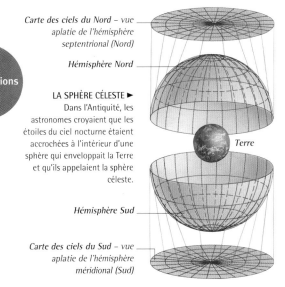

Carte des ciels du Nord – vue aplatie de l'hémisphère septentrional (Nord)

Hémisphère Nord

LA SPHÈRE CÉLESTE ▶
Dans l'Antiquité, les astronomes croyaient que les étoiles du ciel nocturne étaient accrochées à l'intérieur d'une sphère qui enveloppait la Terre et qu'ils appelaient la sphère céleste.

Terre

Hémisphère Sud

Carte des ciels du Sud – vue aplatie de l'hémisphère méridional (Sud)

▲ LES CONSTELLATIONS DE L'HÉMISPHÈRE SUD

1 La Baleine, 2 Éridan, 3 Orion, 4 La Licorne, 5 Le Grand Chien, 6 Le Lièvre, 7 La Colombe, 8 Le Burin, 9 L'Horloge, 10 Le Fourneau, 11 Le Phénix, 12 Le Sculpteur, 13 Le Verseau, 14 Le Poisson austral, 15 Le Capricorne, 16 Le Microscope, 17 La Grue, 18 L'Indien, 19 Le Toucan, 20 Le Paon, 21 L'Oiseau de Paradis, 22 L'Hydre mâle, 23 Le Réticule, 24 La Table, 25 Le Caméléon, 26 La Dorade, 27 Le Chevalet du Peintre, 28 Le Poisson volant, 29 La Carène, 30 La Poupe, 31 Les Voiles, 32 La Mouche, 33 La Croix du Sud, 34 La Machine pneumatique, 35 L'Hydre femelle, 36 Le Sextant, 37 La Coupe, 38 Le Corbeau, 39 La Vierge, 40 La Balance, 41 Le Centaure, 42 Le Loup, 43 La Règle, 44 Le Triangle austral, 45 L'Autel, 46 Le Sagittaire, 47 L'Aigle, 48 La Couronne australe, 49 Ophiucus, le Serpentaire, 50 Le Scorpion

Peut-on voir toutes les constellations ?

Si vous vivez à l'équateur, vous pourrez voir toutes les constellations au cours de l'année. Si vous vous trouvez au nord ou au sud de l'équateur, vous n'apercevrez jamais certaines étoiles situées près du pôle opposé – elles seront toujours au-dessous de votre horizon.

POUR EN SAVOIR PLUS ▶▶ L'espace 10 • L'astronomie 11 • Les étoiles 24-25

LE SYSTÈME SOLAIRE

Le système solaire se compose de notre étoile locale, le Soleil, et de tout ce qui gravite autour. Le Soleil, par sa gravitation, maintient en orbite (trajectoire ovale) autour de lui les planètes, astéroïdes, comètes, poussières et autres corps célestes. Cette gravitation est si puissante que des objets situés à des milliers de milliards de kilomètres du Soleil tournent autour de lui.

@ ▶▶ Système solaire

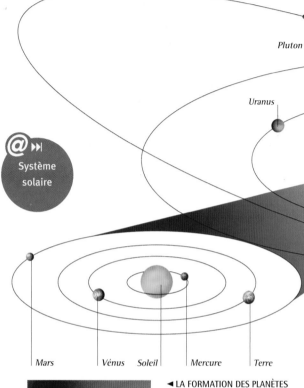

Pluton

Saturne

Uranus

Neptune

Jupiter

Mars | *Vénus* | *Soleil* | *Mercure* | *Terre*

▼ **AUTOUR DU SOLEIL**
Les orbites des planètes forment de grandes ellipses (ovales) autour du Soleil. Les quatre planètes intérieures (les plus proches du Soleil) sont beaucoup plus chaudes, rapides et voisines les unes des autres que les cinq planètes extérieures. Les orbites se trouvent toutes plus ou moins sur le même plan (niveau) dans l'espace.

◄ **LA FORMATION DES PLANÈTES**
Les planètes géantes gazeuses telles que Jupiter se sont formées aux confins du système solaire, où la gravitation du Soleil est plus faible, l'espace plus froid et où évoluaient de grandes quantités de glace et de gaz. Cette photo montre une géante gazeuse qui commence juste à se former (à droite).

LES PLANÈTES

Les planètes tournent autour d'une étoile. Neuf planètes sont en orbite autour du Soleil : Mercure, Vénus, la Terre, Mars, Jupiter, Saturne, Uranus, Neptune et Pluton. Elles ne tournent pas toutes à la même vitesse : il faut 88 jours à Mercure, mais presque 250 ans à Pluton.

De quoi sont faites les planètes ?
Les quatre planètes les plus proches du Soleil sont formées surtout de roches, comme la Terre, et sont appelées planètes telluriques (de la Terre). Les quatre planètes suivantes, beaucoup plus grandes, sont constituées surtout d'hydrogène et d'hélium. On les nomme géantes gazeuses. Pluton, astre de roche et de glace, terriblement froid, est une planète à part.

Quels sont les principaux corps du système solaire ?
La Terre est l'une des neuf **PLANÈTES** du système solaire. La plupart des planètes ont des satellites naturels qui tournent autour d'elles. Des essaims de mini-planètes, les astéroïdes, voyagent aussi dans le système solaire. Beaucoup plus loin, des blocs de glace se transforment en comètes qui s'embrasent en approchant du Soleil.

Comment s'est formé le système solaire ?
Le Soleil et les planètes sont nés dans un immense nuage de gaz froids et tourbillonnants appelé la nébuleuse solaire. Sous l'effet de sa propre gravitation, le nuage s'est effondré, formant une masse ronde tournant très vite sur elle-même. La partie centrale est devenue plus dense et plus chaude, puis s'est mise à briller : c'était le Soleil. Les roches, les poussières et les gaz qui tournaient autour du Soleil commencèrent à s'agglutiner, pour former les planètes.

Atmosphère d'hydrogène et d'hélium

Hydrogène et hélium liquides

Hydrogène se comportant comme du liquide métallique

Éventuel noyau solide

Écorce dure et rocheuse

Manteau rocheux

Noyau dur en fer

▲ **UNE PLANÈTE GÉANTE**
Jupiter se compose surtout d'hydrogène et d'hélium. Sous l'atmosphère nuageuse, la pression est si forte que ces gaz se transforment en un grand océan liquide.

▲ **UNE PLANÈTE TELLURIQUE**
Une planète tellurique, comme Mars, comporte une fine croûte de roches dures. Dessous se trouve une autre couche rocheuse, le manteau. Le centre, ou noyau, se compose d'une immense masse de fer.

LE SOLEIL

Le Soleil, immense boule de gaz incandescents qui envoie son énergie dans l'espace sous forme de lumière et de chaleur, occupe le centre du système solaire. De la Terre, il semble avoir la même taille que la Lune, qui le recouvre lors des ÉCLIPSES SOLAIRES.

De quoi se compose le Soleil ?
Le Soleil se compose principalement d'hydrogène (73 %) et d'hélium (25 %). Il compte aussi des traces d'une soixantaine d'éléments (environ 2 %). L'hydrogène est le combustible des réactions nucléaires qui produisent l'énergie solaire.

À quoi ressemble la surface du Soleil ?
La surface du Soleil se soulève et bouillonne au rythme des bulles de gaz qui gonflent puis retombent. Cela lui donne un aspect granuleux, appelé granulation. De violentes explosions, les sursauts, déchirent la surface, et des éruptions géantes, les protubérances, envoient des jets de gaz incandescents très loin dans l'espace. Des zones plus foncées, les taches solaires, apparaissent souvent. Elles font 1 500 °C de moins que les gaz qui les entourent.

LE SOLEIL EN CHIFFRES	
Diamètre (distance d'un bord à l'autre)	1,4 million de km
Distance moyenne jusqu'à la Terre	149 millions de km
Journée	25,4 jours (à l'équateur)
Masse	330 000 fois la masse de la Terre
Densité	1,4 fois la densité de l'eau
Température moyenne en surface	5 500 °C
Température du noyau	15 millions de °C
Âge	4,6 milliards d'années

Sursaut, violente explosion à la surface

▲ LES BOUCLES MAGNÉTIQUES
Les protubérances, formées par des gaz atteignant 1 million de °C, s'élèvent à des milliers de kilomètres au-dessus de la surface visible du Soleil.

À L'INTÉRIEUR DU SOLEIL ▶
Les réactions nucléaires produisent l'énergie solaire à l'intérieur du noyau, où les températures atteignent 15 millions de °C. L'énergie est transportée à la surface tout d'abord par radiation, puis par convection.

Zone convective, où les courants ascendants de gaz chauds apportent l'énergie jusqu'à la surface.

Noyau, où des réactions nucléaires massives produisent des quantités considérables d'énergie.

Zone radiative, où l'énergie du noyau est conduite à l'extérieur par radiation.

Protubérance, immense jet de gaz chaud qui s'élève à des milliers de kilomètres au-dessus de la surface du Soleil.

LES ÉCLIPSES SOLAIRES

Les éclipses du Soleil ont lieu quand la Lune s'interpose entre la Terre et le Soleil. On dit qu'une éclipse est partielle si la Lune ne couvre qu'une partie du Soleil et totale si elle le cache complètement. Chaque année, de la Terre, on observe de deux à cinq éclipses du Soleil.

Que se passe-t-il lors d'une éclipse totale du Soleil ?
Quand le Soleil est complètement couvert, le jour s'assombrit brusquement et l'air se refroidit. La totalité (durée de l'obscurité) peut durer jusqu'à 7 minutes et 30 secondes, mais elle est en général plus brève. Pendant la totalité, l'atmosphère intérieure rose du Soleil, la chromosphère, apparaît. L'atmosphère extérieure d'un blanc nacré, la couronne, est également visible. Parfois, on remarque des protubérances autour du disque sombre de la Lune.

La Lune couvre de plus en plus le Soleil.

Totalité

Grâce au mouvement de la Lune, le Soleil réapparaît peu à peu.

@ ▶▶ Soleil

▲ LES PHASES DE L'ÉCLIPSE
En tout, une éclipse totale du Soleil dure à peu près deux heures. La lumière disparaît peu à peu au fur et à mesure que la Lune recouvre le Soleil. Pendant la totalité, quand le Soleil est entièrement recouvert, son atmosphère extérieure forme un brouillard blanc autour du disque de la Lune.

POUR EN SAVOIR PLUS ▶▶ La Lune 17 • Les étoiles 24-25 • L'énergie nucléaire 167 • La chaleur 168-169

LA TERRE

La planète sur laquelle nous vivons est la troisième à partir du Soleil. Elle met une année à tourner autour du Soleil et un jour à pivoter sur son **AXE**. De l'espace, la Terre semble bleue, parce que c'est la couleur de ses océans, qui recouvrent plus de 70 % de sa surface.

De quoi la Terre est-elle faite ?

La Terre est l'une des quatre planètes telluriques (rocheuses) du système solaire. Sous son atmosphère, constituée surtout de gaz – oxygène et azote –, on trouve une croûte dure et rocheuse. Celle-ci repose sur une couche de roche plus dure, le manteau. Le centre de la Terre, appelé noyau, se compose d'une masse gigantesque de fer, qui est en fusion à l'extérieur mais solide à l'intérieur.

Pourquoi la Terre est-elle différente des autres planètes ?

La Terre est l'unique planète qui offre les conditions nécessaires à la vie. Les températures ne sont ni trop chaudes, ni trop froides, on y trouve de l'eau sous forme liquide et de l'oxygène dans l'atmosphère. Grâce à cette chaleur, à cette eau et à l'oxygène, la Terre fait vivre des millions d'espèces différentes, des minuscules bactéries aux gigantesques baleines bleues.

LA TERRE EN CHIFFRES	
Diamètre (largeur) à l'équateur	12 756 km
Distance moyenne jusqu'au Soleil	149 millions de km
Année	365,25 jours
Journée	23,93 heures
Masse	6 000 millions de millions de millions de t
Température à la surface	de –70 °C à + 55 °C
Nombre de satellites	1 (la Lune)

L'AXE

Tout en tournant lentement autour du Soleil, la Terre pivote également autour d'une ligne imaginaire appelée son axe. Cette ligne droite passe par les pôles Nord et Sud. Ce mouvement autour de l'axe produit le jour et la nuit : une moitié de la Terre fait face au Soleil, l'autre est dans le noir.

L'axe est-il incliné ?

L'axe de la Terre ne forme pas un angle droit avec son orbite : il est incliné de 23,5°. Cette inclinaison est à l'origine des saisons. Tandis que la Terre tourne autour du Soleil, en un an, le pôle Nord s'incline tout d'abord vers le Soleil, puis, quelques mois plus tard, il bascule de l'autre côté. Les pays du nord de la planète deviennent ainsi plus chauds, puis plus froids, ce qui nous donne l'été et l'hiver. Quand le pôle Nord est incliné dans un sens, le pôle Sud l'est dans l'autre sens, et le nord et le sud de la Terre ont donc des saisons opposées.

@ ▸▸
Planète
Terre

L'AXE DE LA TERRE VACILLE ▶
Tout en tournant sur son axe et autour du Soleil, la Terre vacille très, très lentement. Au cours d'une vie, l'axe semble toujours être dirigé dans la même direction, mais, en 26 000 ans, il dessine un cercle imaginaire. Actuellement, l'axe est presque pointé sur l'étoile Polaire, au nord.

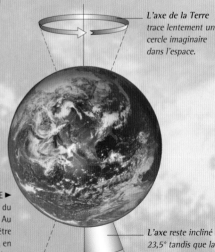

L'axe de la Terre trace lentement un cercle imaginaire dans l'espace.

L'axe reste incliné à 23,5° tandis que la Terre vacille.

23,5°

POUR EN SAVOIR PLUS ▸▸ La Terre 36-37 • La vie 70-71

LA LUNE

L'objet le plus proche de la Terre dans l'espace, c'est la Lune. Elle tourne autour de la Terre et semble changer de forme tout en se déplaçant. Ses différentes formes sont appelées **PHASES**. La Lune n'émet pas de lumière mais brille en reflétant celle du Soleil. C'est la seule autre planète où les hommes aient posé le pied.

De quoi se compose la Lune ?

La Lune est constituée de roches. Comme aucune atmosphère ne la protège, tout ce qui se dirige vers la Lune s'écrase dessus. C'est pourquoi elle est couverte de cratères. Sa croûte externe dure est formée de roches granitiques. Les roches typiques des mers (les plaines) sont semblables au basalte volcanique de la Terre. Le noyau de la Lune est sans doute partiellement en fusion (liquide).

Quel est l'effet de la Lune sur la Terre ?

La gravitation de la Lune attire les océans de la Terre et les déforme, ce qui provoque les marées. L'eau de la partie de la Terre la plus proche de la Lune subit la plus forte attraction, ce qui la fait gonfler. L'eau située de l'autre côté gonfle aussi et ces deux mouvements suivent ceux de la Lune et la rotation de la Terre.

LES MARÉES DES OCÉANS SUR LA TERRE

Terre — Soleil

Lune

Terre — Lune — Soleil

FAIBLE MARÉE
L'attraction du Soleil et de la Lune influe sur les marées. Les marées les plus basses (dites faibles) ont lieu quand le Soleil et la Lune sont à angle droit l'un par rapport à l'autre et que leurs attractions s'annulent en partie.

GRANDE MARÉE
Quand le Soleil et la Lune s'alignent dans l'espace, leurs gravitations, en se cumulant, provoquent les plus hautes marées.

▲ UN PAYSAGE LUNAIRE
Les cratères sont partout sur la Lune. La plupart comptent des milliards d'années. Certains ont un diamètre de plus de 250 km.

Une mer, plaine plate et poussiéreuse

Un cratère, trou creusé par une météorite

▲ LA LUNE VUE DE L'ESPACE
On ne peut voir la Lune ainsi que de l'espace. Cette photo fut prise lors de la mission lunaire d'Apollo 16.

LA LUNE EN CHIFFRES

Diamètre (largeur) à l'équateur	3 476 km
Distance moyenne de la Terre	384 400 km
Durée de l'orbite autour de la Terre	27,3 jours
Durée de l'orbite sur son axe	27,3 jours
Durée des différentes phases	29,5 jours (1 mois)
Masse	0,01 fois la masse de la Terre
Gravitation	0,17 fois la gravitation de la Terre
Température moyenne	−20 °C

LES PHASES

Les différents aspects de la Lune correspondent à ses phases. Tout comme la Terre, une moitié de la Lune est toujours éclairée par le Soleil, tandis que l'autre est dans l'obscurité. Pendant que la Lune tourne autour de la Terre, le Soleil l'éclaire sous des angles différents. Vue de la Terre, elle semble changer de forme.

Comment se déroulent les phases de la Lune ?

Les phases commencent quand la Lune se place entre le Soleil et la Terre. Le côté éclairé de la Lune nous est caché et la face que nous voyons est plongée dans l'ombre. C'est la nouvelle Lune. Tandis que la Lune continue sur son orbite, la face visible brille de plus en plus, jusqu'à ce qu'elle soit complètement illuminée : c'est la pleine Lune. Ensuite, nous voyons de moins en moins la partie éclairée de la Lune, qui se réduit à un croissant, puis disparaît à la nouvelle Lune suivante.

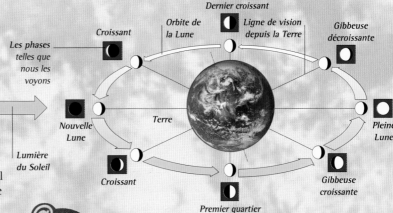

Dernier croissant · Orbite de la Lune · Ligne de vision depuis la Terre · Croissant · Gibbeuse décroissante · Les phases telles que nous les voyons · Nouvelle Lune · Terre · Pleine Lune · Croissant · Premier quartier · Gibbeuse croissante · Lumière du Soleil

Lune

LES DIFFÉRENTS ASPECTS DE LA LUNE ▲
Quand la Lune semble grossir de nuit en nuit, nous disons qu'elle croît. Quand elle semble rétrécir, elle décroît. Une Lune croissante est presque entièrement plongée dans l'ombre et une Lune gibbeuse est éclairée en majorité. En tournant autour de la Terre, la Lune pivote sur son axe, de telle sorte que nous voyons toujours le même côté – sa face cachée mérite bien son nom.

POUR EN SAVOIR PLUS ▶▶ Les météores 23 • Les voyages dans l'espace 30 • Les côtes 59 • Les forces 164

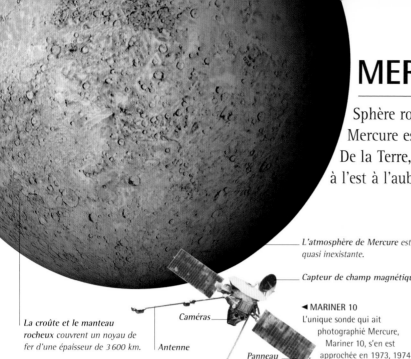

MERCURE

Sphère rocheuse avec un immense noyau de fer,
Mercure est la planète la plus proche du Soleil.
De la Terre, on peut l'apercevoir près de l'horizon,
à l'est à l'aube ou à l'ouest au coucher du Soleil.

L'atmosphère de Mercure est quasi inexistante.

Capteur de champ magnétique

◄ MARINER 10
L'unique sonde qui ait photographié Mercure, Mariner 10, s'en est approchée en 1973, 1974 et 1975.

La croûte et le manteau rocheux couvrent un noyau de fer d'une épaisseur de 3 600 km.

Caméras

Antenne

Panneau solaire

@ ►► Mercure

Quelle est la température sur Mercure ?

De jour, les températures montent jusqu'à 450 °C, parce que Mercure tourne si lentement sur son axe qu'une partie reste exposée 88 jours de suite à la chaleur du Soleil. La nuit, l'atmosphère étant réduite, la planète se refroidit rapidement et les températures tombent jusqu'à –180 °C.

À quoi ressemble la surface de Mercure ?

La sonde spatiale Mariner 10 a découvert une surface couverte de cratères arrondis, la plupart dus à des impacts de météorites datant de plusieurs milliards d'années. Le bassin de Caloris, large de 1 300 km et entouré de chaînes de montagnes, fut créé par la chute d'un corps gigantesque.

◄ UNE SURFACE DÉFIGURÉE
Immenses ou petits, les cratères recouvrent 60 % de la surface sombre de Mercure. Le sol rocheux est aussi traversé par des fissures et des crêtes. Les anciennes coulées de lave ont formé des plaines.

MERCURE EN CHIFFRES

Diamètre (largeur) à l'équateur	4 880 km
Distance moyenne jusqu'au Soleil	57,9 millions de km
Année	88 jours
Journée	58,7 jours
Masse	0,06 fois la masse de la Terre
Gravitation	0,38 fois la gravitation de la Terre
Température moyenne à la surface	167 °C
Nombre de satellites	0

POUR EN SAVOIR PLUS ►► Les météores 23 • Les vaisseaux interplanétaires 29 • Les volcans 44

VÉNUS

Vénus, qui brille à l'ouest au coucher du Soleil, est appelée
l'étoile du Berger. C'est une planète tellurique, la deuxième
depuis le Soleil.

Pourquoi ne voyons-nous pas la surface de Vénus ?

Les épais nuages de l'atmosphère de Vénus nous empêchent de voir sa surface. Des sondes équipées de radar, comme Magellan, ont dressé une carte de la surface qui la montre couverte de volcans et de plaines de lave vallonnées.

D'épais nuages d'acide sulfurique cachent la surface de Vénus.

Quelle chaleur fait-il sur Vénus ?

Les températures sur Vénus dépassent 460 °C, ce qui en fait la planète la plus chaude de toutes. Son atmosphère de gaz carbonique, cent fois plus lourde que celle de la Terre, retient la chaleur comme une serre.

@ ►► Vénus

VÉNUS EN CHIFFRES

Diamètre (largeur) à l'équateur	12 104 km
Distance moyenne jusqu'au Soleil	108,2 millions de km
Année	224,7 jours
Journée	243 jours
Masse	0,82 fois la masse de la Terre
Gravitation	0,9 fois la gravitation de la Terre
Température moyenne à la surface	464 °C
Nombre de satellites	0

◄ DES VOLCANS ÉNORMES
Maat Mons, l'un des nombreux volcans de Vénus, culmine à environ 9 000 m. Les images radar nous le montrent entouré de coulées de lave dues à des éruptions répétées.

POUR EN SAVOIR PLUS ►► Le système solaire 14 • La Terre 16 • Les volcans 44

MARS EN CHIFFRES	
Diamètre (largeur) à l'équateur	6 794 km
Distance moyenne jusqu'au Soleil	227,9 millions de km
Année	687 jours
Journée	24,63 heures
Masse	0,11 fois la masse de la Terre
Gravitation	0,38 fois la gravitation de la Terre
Température à la surface	–63 °C
Nombre de satellites	2 (Phobos et Deimos)

MARS

Cette planète tellurique est recouverte d'une mince atmosphère et de calottes glaciaires aux pôles. Les vents puissants peuvent déclencher des tempêtes de poussière qui balaient toute la planète. Toute l'eau sur Mars est gelée dans des roches – une vie primitive aurait pu naître autrefois.

Pourquoi Mars est-elle appelée la planète rouge ?
Vue de la Terre, la nuit, Mars semble rouge. Elle a reçu le nom du dieu de la Guerre, car sa couleur symbolise le feu et le sang. Les photographies prises de près montrent une surface de couleur rouille due à la présence de fer dans les roches et le sol.

◄ UNE SURFACE PARSEMÉE DE ROCHES
La sonde Pathfinder de la NASA a envoyé cette vue de la surface de Mars en 1997. Nous voyons une sorte de sol sableux jonché d'une quantité de petites roches.

Des calottes glaciaires formées de neige carbonique couvrent le pôle Sud (pas le pôle Nord).

 Mars

À quoi ressemble la surface de Mars ?
Mars dispose de pôles couverts de calottes glaciaires, de déserts de sable immenses, de régions cratérisées et de hautes chaînes volcaniques. Elle a le plus grand volcan du système solaire, Olympus Mons, et la plus grande fracture, Valles Marineris.

POUR EN SAVOIR PLUS ▶▶ La vie extraterrestre 22 • Les volcans 44

JUPITER

La plus grande des planètes, Jupiter, fait onze fois la taille de la Terre. Elle se compose principalement d'hydrogène et d'hélium. Elle tourne si vite sur elle-même que les nuages de son atmosphère forment des bandes.

GANYMÈDE

CALLISTO

IO

EUROPE

Qu'est-ce qu'un satellite galiléen ?
En 1610, Galilée, un astronome italien, découvrit les quatre principaux satellites de Jupiter. Ganymède est le plus grand satellite du système solaire (5 268 km de diamètre). Callisto est l'objet le plus cratérisé du système solaire et Io, le plus volcanique. Europe est couverte d'un manteau d'eau glacé qui abrite peut-être une forme de vie primitive.

@ ▶▶ Jupiter

Les régions claires sont des bandes de gaz qui descendent.

Les régions sombres correspondent aux gaz qui montent.

La Grande Tache rouge est un ouragan, trois fois grand comme la Terre, qui se déchaîne depuis des siècles.

JUPITER EN CHIFFRES	
Diamètre (largeur) à l'équateur	142 984 km
Distance moyenne jusqu'au Soleil	778,4 millions de km
Année	11,87 ans
Journée	9,93 heures
Masse	318 fois la masse de la Terre
Gravitation	2,36 fois la gravitation de la Terre
Température en haut des nuages	–110 °C
Nombre de satellites	61

POUR EN SAVOIR PLUS ▶▶ Les volcans 44 • Les tempêtes 54 • Les éléments 160-161

SATURNE

Cette planète géante se distingue par ses anneaux brillants qui l'entourent à l'équateur. Saturne, qui se compose d'hydrogène et d'hélium, est la deuxième planète du système solaire par sa taille.

Que sont les anneaux de Saturne ?

Si les sept anneaux de Saturne semblent solides, ce sont en fait des morceaux éparpillés de roche et de glace. Les plus gros font des centaines de mètres de diamètre, les plus petits sont de simples grains de poussière. Les anneaux sont peut-être les vestiges d'une ou plusieurs comètes.

À quoi ressemble Titan ?

Titan, qui est plus grand que la planète Mercure, est le plus vaste satellite de Saturne. D'un diamètre de 5 150 km, c'est le deuxième satellite du système solaire par sa taille. Il y règne une température d'environ –180 °C et c'est le seul satellite ayant une atmosphère épaisse.

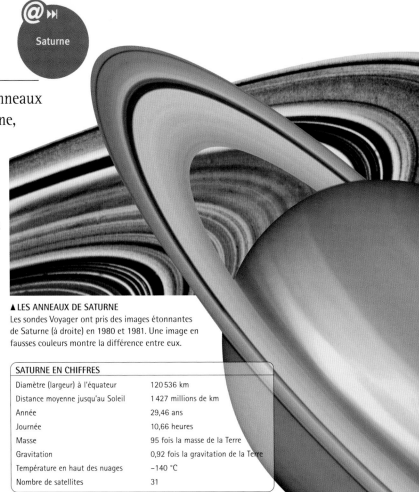

▲ LES ANNEAUX DE SATURNE
Les sondes Voyager ont pris des images étonnantes de Saturne (à droite) en 1980 et 1981. Une image en fausses couleurs montre la différence entre eux.

◄ TITAN
Ce brouillard de couleur caramel et les nuages de l'atmosphère cachent la surface de Titan. Certains astronomes pensent que le satellite est couvert de montagnes de méthane glacé et de lacs de méthane et d'éthane liquide.

SATURNE EN CHIFFRES	
Diamètre (largeur) à l'équateur	120 536 km
Distance moyenne jusqu'au Soleil	1 427 millions de km
Année	29,46 ans
Journée	10,66 heures
Masse	95 fois la masse de la Terre
Gravitation	0,92 fois la gravitation de la Terre
Température en haut des nuages	–140 °C
Nombre de satellites	31

POUR EN SAVOIR PLUS ▶▶ Le système solaire 14 • Mercure 18 • Les vaisseaux interplanétaires 29

URANUS

Incliné à 98°, Uranus semble tourner sur son côté. Au cours de son orbite, ses pôles sont situés face au Soleil, l'un après l'autre. Uranus, géante gazeuse encerclée par onze anneaux étroits, est la troisième planète par la taille.

Les anneaux étroits sont formés de particules sombres d'un diamètre de 1 m.

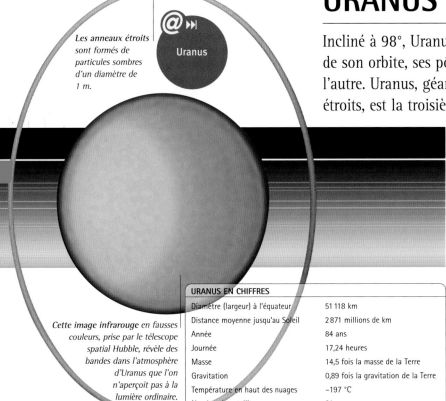

Cette image infrarouge en fausses couleurs, prise par le télescope spatial Hubble, révèle des bandes dans l'atmosphère d'Uranus que l'on n'aperçoit pas à la lumière ordinaire.

◄ LES ANNEAUX D'URANUS
Les onze anneaux d'Uranus semblent presque verticaux à cause de l'inclinaison de la planète. Epsilon, l'anneau extérieur, est le plus épais avec un diamètre de 100 km.

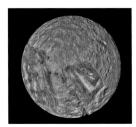

MIRANDA, SATELLITE ÉTONNANT ►
La surface de Miranda est un patchwork géologique d'étranges fissures, de monts et de vallées.

Qui a découvert Uranus ?

En 1781, l'astronome anglais William Herschel repéra Uranus grâce au télescope qu'il avait fabriqué. C'est la première planète qui fut découverte avec un télescope.

À quoi ressemblent les satellites d'Uranus ?

Uranus possède au moins 21 satellites, minuscules pour la plupart. Titania, avec un diamètre de 1 578 km, est le plus grand, et Stephano (20 km), le plus petit. Ils portent les noms de personnages de Shakespeare.

URANUS EN CHIFFRES	
Diamètre (largeur) à l'équateur	51 118 km
Distance moyenne jusqu'au Soleil	2 871 millions de km
Année	84 ans
Journée	17,24 heures
Masse	14,5 fois la masse de la Terre
Gravitation	0,89 fois la gravitation de la Terre
Température en haut des nuages	–197 °C
Nombre de satellites	21

POUR EN SAVOIR PLUS ▶▶ L'astronomie 11 • Le système solaire 14 • La Terre 16

NEPTUNE

Neptune, qui est trente fois plus loin du Soleil que la Terre, subit les plus puissants ouragans de tout le système solaire. Les anneaux de cette géante gazeuse sont à peine visibles. TRITON est le plus grand de ses onze satellites connus.

Neptune

Des taches sombres, entourées de nuages blancs de méthane, apparaissent parfois là où ont lieu de violentes tempêtes.

Les vents terribles atteignent 1 200 km/h.

De quoi se compose Neptune ?

L'atmosphère de Neptune se compose d'hydrogène, d'hélium et de méthane. Les nuages font des taches blanches. C'est à cause du méthane gazeux que l'atmosphère apparaît bleu foncé. Dessous, le vaste manteau liquide recouvre un petit noyau rocheux de silicate.

TRITON

Triton, le plus grand satellite de Neptune, dépasse la planète Pluton. Il possède la surface la plus froide de tout le système solaire : -235 °C.

À quoi ressemble la surface de Triton ?

La belle surface glacée de Triton est couverte de cratères gelés et de neige rose. Dans certaines régions, des geysers d'azote jaillissent du sol et projettent de fines particules portées par le vent. Une fois retombées au sol, elles forment des traînées sombres.

TRITON ▶
Triton est l'unique satellite du système solaire à tourner à l'envers par rapport à la rotation de sa planète. Certains astronomes pensent qu'il s'agit d'un astre indépendant qui fut capturé par la gravitation de Neptune.

NEPTUNE EN CHIFFRES	
Diamètre (largeur) à l'équateur	49 532 km
Distance moyenne jusqu'au Soleil	4 498 millions de km
Année	164,8 ans
Journée	16,11 heures
Masse	17,2 fois la masse de la Terre
Gravitation	1,13 fois la gravitation de la Terre
Température en haut des nuages	–200 °C
Nombre de satellites	11

POUR EN SAVOIR PLUS ▶▶ Le système solaire 14 • La Terre 16 • Les tempêtes 54 • Les éléments 160

PLUTON

Un astronome américain, Clyde Tombaugh, repéra en 1930 cet astre congelé de roche et de glace, la dernière planète à être découverte. C'est la plus petite des planètes et en général la plus éloignée du Soleil. À cause de son orbite très elliptique (ovale), elle s'approche parfois davantage du Soleil que Neptune.

Est-ce vraiment une planète ?

Pluton est très petite et ne ressemble à aucune autre planète. Sa surface est couverte d'azote et de méthane gelés, qui s'évaporent et forment une atmosphère légère quand elle se trouve en son point le plus proche du Soleil. Quelques astronomes pensent qu'il ne s'agit pas d'une vraie planète, mais du corps le plus vaste de la ceinture de Kuiper.

Qu'est-ce que la ceinture de Kuiper ?

Au-delà des planètes du système solaire s'étend un cercle de corps glacés, appelé la ceinture de Kuiper. Les télescopes les plus puissants du monde ont pu détecter des dizaines d'Objets de la ceinture de Kuiper (KBO). S'ils se rapprochent du Soleil, ils deviennent des comètes.

Pluton

Charon, découverte en 1978

DES EXTRÉMITÉS GLACÉES ▶
Cette image de synthèse montre des blocs glacés à la limite du système solaire. Le grand cercle est le nuage de Oort, à presque une année-lumière du Soleil, et la bande horizontale au milieu est la ceinture de Kuiper.

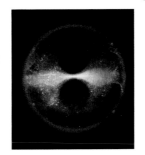

PLUTON EN CHIFFRES	
Diamètre (largeur) à l'équateur	2 274 km
Distance moyenne jusqu'au Soleil	5 900 millions de km
Année	24,7 ans
Journée	6,39 jours
Masse	0,002 fois la masse de la Terre
Gravitation	0,067 fois la gravitation de la Terre
Température à la surface	–223 °C
Nombre de satellites	1 (Charon)

POUR EN SAVOIR PLUS ▶▶ Le système solaire 14 • Les comètes 22

LA VIE EXTRATERRESTRE

La vie extraterrestre signifie la vie en dehors de la Terre. Les autres planètes du système solaire n'ont révélé aucun signe de vie, ce qui n'est peut-être pas le cas des planètes tournant autour d'autres étoiles.

Comment la vie peut-elle exister ailleurs ?

Il pourrait y avoir des formes de vie sur de lointaines planètes, les éléments qui lui sont nécessaires, comme le carbone, l'hydrogène et l'oxygène, étant fréquents dans l'espace. Pour qu'apparaisse la vie, une planète a aussi besoin de chaleur, de lumière et d'une atmosphère. Le PROJET SETI recherche des signes de vie intelligente.

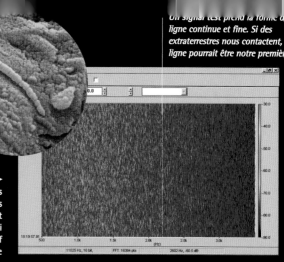

LA VIE SUR MARS ? ►
Les tubes microscopiques trouvés à l'intérieur d'une météorite martienne pourraient être des fossiles de bactéries. Cette météorite est tombée sur la Terre il y a 13 000 ans.

DES SIGNES D'INTELLIGENCE ►
Les ondes radio émises par les étoiles, les planètes et les autres corps célestes ressemblent à du bruit confus sur un écran d'ordinateur. Si les astronomes repèrent un motif dans les signaux, ce pourrait être une preuve de vie extraterrestre.

Un signal test prend la forme d'une ligne continue et fine. Si des extraterrestres nous contactent, cette ligne pourrait être notre première...

@ ▸▸
Vie extraterrestre

◄ LE RADIOTÉLESCOPE D'ARECIBO
Le radiotélescope géant d'Arecibo, à Porto Rico, écoute les systèmes stellaires lointains, à l'affût de signes de vie extraterrestre. Le principal réflecteur, d'un diamètre de 305 m, occupe une vallée en forme de bol.

LE PROJET SETI

SETI signifie Projet de recherche d'intelligence extraterrestre. Les astronomes écoutent les ondes radio venues de l'espace, à la recherche de signaux codés que pourraient nous envoyer d'autres êtres intelligents.

Envoyons-nous des messages dans l'espace ?

En 1974, le radiotélescope d'Arecibo a envoyé vers les étoiles un message radio en code numérique, qui décrit la vie sur Terre. Par ailleurs, les sondes Pioneer 10 et 11, ainsi que Voyager 1 et 2, ont emporté dans l'espace des enregistrements vidéo et audio.

POUR EN SAVOIR PLUS ▸▸ L'astronomie 11 • Les observatoires 12 • Les voyages dans l'espace 30 • La vie 70-71

LES COMÈTES

Une comète est un petit bloc de glace qui part des confins du système solaire pour se diriger vers le Soleil. Le réchauffement lui donne une tête brillante et deux queues.

Le noyau et le coma forment la tête de la comète.

D'où viennent les comètes ?

Les comètes semblent être des résidus de la formation du système solaire. Certaines se trouvent dans une ceinture au-delà de Neptune. Dans le nuage de Oort, un essaim sphérique géant à presque une année-lumière du Soleil, elles se comptent par millions. Si une comète quitte le bord du système solaire et est réchauffée par le Soleil, les gaz et la poussière qui s'échappent forment une chevelure brillante (ou coma).

Combien de fois a-t-on vu la comète de Halley ?

Edmond Halley, un astronome anglais, fut le premier à se rendre compte que la comète qu'il vit en 1682 revenait régulièrement dans le ciel, à peu près tous les 76 ans. Elle fut observée dès l'Antiquité, en 240 avant notre ère. Sa dernière apparition remonte à 1986 et elle doit revenir en 2061.

Le coma diminue derrière la tête.

Le gaz et les poussières s'échappant de la comète forment deux queues qui s'étirent parfois sur des centaines de millions de kilomètres.

▲ UNE TÊTE BIEN FAITE
Le nuage de gaz qui forme le coma de la comète contient un minuscule noyau solide de neige et de poussière, d'un diamètre de juste quelques kilomètres.

@ ▸▸
Comètes

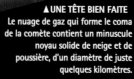

▲ LA COMÈTE DE HALLEY EN 1066...
La tapisserie de Bayeux, qui illustre la conquête de la Grande-Bretagne par les Normands, rappelle l'apparition de la comète en 1066.

▲ ... ET EN 1986
De la Terre, la comète de Halley était à peine visible. Il fallait des jumelles. La sonde spatiale Giotto s'en est approchée pour la mesurer.

POUR EN SAVOIR PLUS ▸▸ Le système solaire 14 • Pluton 21 • Les vaisseaux interplanétaires 29

LES ASTÉROÏDES

Un astéroïde est un bloc de roche en orbite autour du Soleil. On les appelle aussi les petites planètes. Le plus grand, Cérès, a un diamètre de 930 km.

Ceinture des astéroïdes

Mars

Jupiter

LES OBJETS PROCHES DE LA TERRE ▶
l'astéroïde Éros fait 33 km de longueur. Si un tel objet entrait en collision avec la Terre, ce serait une catastrophe pour toute la planète.

@ ▶▶
Astéroïdes

De quoi se composent les astéroïdes ?

Il existe trois types principaux d'astéroïdes, à base de roche, de métal ou d'un mélange des deux. Les premiers, également appelés carbonés (types C) sont en général foncés et difficiles à repérer. Ceux de couleur claire, dits siliceux (types S), contiennent un peu de métal. Les astéroïdes purement métalliques, de type M, sont les plus lumineux et les plus rares.

Qu'est-ce que la ceinture des astéroïdes ?

La plupart des astéroïdes tournent autour du Soleil dans une large bande entre Mars et Jupiter appelée la ceinture des astéroïdes d'une largeur de 345 millions de km. Les astéroïdes sont ce qui reste de la formation des grandes planètes à partir de petits blocs de roches. Certains des astéroïdes s'éloignent de la ceinture et se dirigent vers Saturne ou vers la Terre. Ceux qui s'approchent de la Terre sont appelés Objets proches de la Terre.

POUR EN SAVOIR PLUS ▶▶ Le système solaire 14 • Jupiter 19

LES MÉTÉORES

Un météore, ou étoile filante, morceau de poussière ou de roche venu de l'espace, brûle au contact de l'atmosphère terrestre, en laissant une trace lumineuse dans le ciel. Les roches qui tombent sur la Terre sont appelées MÉTÉORITES.

@ ▶▶
Météores

Qu'est-ce qu'une pluie de météores ?

Lors d'une pluie de météores, nous voyons plus de météores que d'habitude venant du même endroit dans le ciel. Ce phénomène a lieu en général le même jour chaque année. On aperçoit les Orionides en octobre, par exemple, quand la Terre passe à travers la traînée de poussières de la comète de Halley.

LES ÉTOILES FILANTES ▶
Lors d'une pluie de météores, vous pouvez en voir des dizaines. Ils semblent tous venir du même endroit dans le ciel, appelé le radiant.

LES MÉTÉORITES

Une météorite est un bloc de roche ou de métal provenant d'ordinaire d'un astéroïde, qui frappe la surface de la Terre, en laissant souvent un cratère.

De quoi se composent les météorites ?

La plupart des 3 000 météorites qui chutent sur notre planète chaque année sont des blocs de pierre. Les autres sont surtout métalliques et se composent de fer et de nickel et de petites quantités d'autres minéraux.

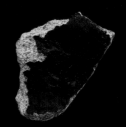

▲ UNE MÉTÉORITE ROCHEUSE
Sur cette météorite rocheuse, à la croûte sombre, on voit la partie fondue lors de sa traversée de l'atmosphère.

▲ UNE MÉTÉORITE EN FER
Cette météorite de fer et de nickel, taillée et polie, est tombée sur la Terre voici 50 000 ans.

▲ METEOR CRATER
Une météorite de 30 m de largeur a laissé ce cratère de 1,2 km de diamètre en Arizona, aux États-Unis.

POUR EN SAVOIR PLUS ▶▶ Les comètes 22 • Les roches 46-47

LES ÉTOILES

Les immenses boules de gaz brûlants appelées étoiles éclairent et chauffent l'espace. Les étoiles, qui naissent dans de vastes NÉBULEUSES de gaz et de poussière, peuvent briller de façon continue pendant des milliards d'années. Toutes les étoiles, à l'exception du Soleil, sont si éloignées que leur lumière met des années à nous atteindre.

Les étoiles sont-elles toutes pareilles ?

Les étoiles peuvent être très différentes les unes des autres par leur couleur, leur luminosité, leur température, leur taille et leur masse. Une étoile bleue très chaude peut par exemple atteindre 30 000 °C à sa surface, c'est-à-dire dix fois plus que les étoiles les plus froides. Une supergéante peut faire un diamètre d'un milliard de kilomètres, mais une étoile à neutrons ne dépasse pas la taille d'une ville.

Comment les étoiles produisent-elles leur énergie ?

L'énergie est produite au centre de l'étoile, dans son noyau, où les pressions sont énormes et où les températures avoisinent les 15 millions de °C. Cela provoque une fusion nucléaire : les atomes d'hydrogène sont déchirés puis fusionnent pour former de l'hélium. Ces réactions dégagent d'énormes quantités d'énergie, qui font briller les étoiles.

◄ UN AMAS D'ÉTOILES
Cet amas de centaines de milliers d'étoiles se trouve dans la constellation d'Hercule. C'est un amas globulaire, qui porte le nom de M13. Des amas globulaires sont en orbite au centre de notre Galaxie. Les bras en spirale de la galaxie abritent des amas moins denses de centaines d'étoiles.

Les autres étoiles ont-elles des planètes autour d'elles ?

Depuis 1995, les astronomes ont découvert beaucoup de planètes tournant autour d'autres étoiles. Ces planètes extra-solaires sont trop loin pour être visibles, mais nous pouvons les détecter parce que leur gravitation attire les étoiles et les fait vaciller.

LES NÉBULEUSES

Une nébuleuse est un immense nuage de gaz et de poussière situé dans l'espace entre les étoiles. Certaines luisent, d'autres sont obscures. Nous ne pouvons voir ces dernières que si elles se détachent sur des étoiles ou des nuages brillants. Les étoiles naissent à l'intérieur de nébuleuses obscures.

De quoi sont faites les nébuleuses ?

Les nébuleuses contiennent tous les ingrédients nécessaires pour former des étoiles et des planètes, y compris des atomes d'hydrogène, d'oxygène et d'azote et du graphite. Elles possèdent aussi de l'eau et bien d'autres molécules.

Comment les nébuleuses brillent-elles ?

Nombre de nébuleuses brillent. Certaines réfléchissent la lumière des étoiles voisines. Les autres créent leur propre lumière : leurs particules gazeuses brillent grâce à l'énergie que leur envoie le rayonnement des étoiles proches.

▼ LA SUPERNOVA 1987A
En 1987, les astronomes ont observé la supernova (explosion d'étoile) la plus lumineuse du siècle. Une supergéante bleue d'une galaxie voisine était en train de mourir. Cette simulation reproduit ce qui se passe dans le noyau 3 minutes après l'explosion. La matière s'échappe de l'écorce du noyau (orange clair) en créant de violentes turbulences.

Les couches externes de l'étoile sont projetées dans l'espace.

L'étoile qui explose avait à l'origine une masse égale à vingt fois celle du Soleil.

Le noyau de fer qui s'effondre envoie de gigantesques ondes de choc.

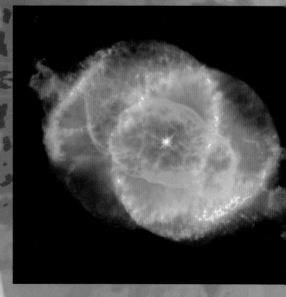

LA NÉBULEUSE DE L'ŒIL DE CHAT ►
Cette masse de gaz lumineux est une nébuleuse planétaire. Elle se compose de couches de gaz rejetés par l'étoile au centre, qui est en train de mourir. L'étoile, minuscule et très chaude, est une naine blanche. Les naines blanches ont en général la même masse que le Soleil, mais comprimée dans un corps de la taille de la Terre, avec une température de plus de 10 000 °C.

POUR EN SAVOIR PLUS ▶▶

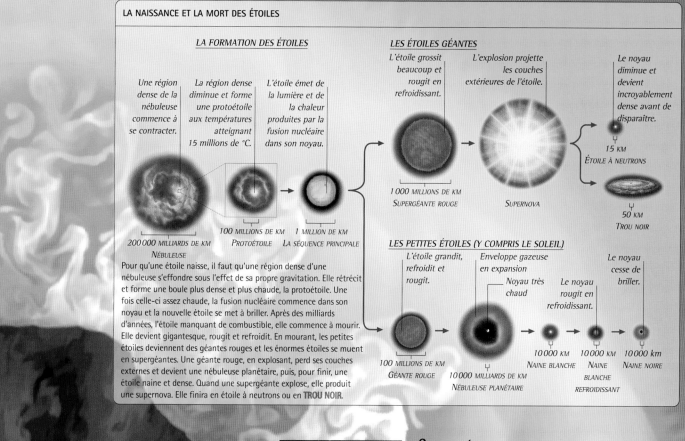

LA NAISSANCE ET LA MORT DES ÉTOILES

LA FORMATION DES ÉTOILES

Une région dense de la nébuleuse commence à se contracter.

La région dense diminue et forme une protoétoile aux températures atteignant 15 millions de °C.

L'étoile émet de la lumière et de la chaleur produites par la fusion nucléaire dans son noyau.

200 000 MILLIARDS DE KM
NÉBULEUSE

100 MILLIONS DE KM
PROTOÉTOILE

1 MILLION DE KM
LA SÉQUENCE PRINCIPALE

LES ÉTOILES GÉANTES

L'étoile grossit beaucoup et rougit en refroidissant.

L'explosion projette les couches extérieures de l'étoile.

Le noyau diminue et devient incroyablement dense avant de disparaître.

1 000 MILLIONS DE KM
SUPERGÉANTE ROUGE

SUPERNOVA

15 KM
ÉTOILE À NEUTRONS

50 KM
TROU NOIR

Pour qu'une étoile naisse, il faut qu'une région dense d'une nébuleuse s'effondre sous l'effet de sa propre gravitation. Elle rétrécit et forme une boule plus dense et plus chaude, la protoétoile. Une fois celle-ci assez chaude, la fusion nucléaire commence dans son noyau et la nouvelle étoile se met à briller. Après des milliards d'années, l'étoile manquant de combustible, elle commence à mourir. Elle devient gigantesque, rougit et refroidit. En mourant, les petites étoiles deviennent des géantes rouges et les énormes étoiles se muent en supergéantes. Une géante rouge, en explosant, perd ses couches externes et devient une nébuleuse planétaire, puis, pour finir, une étoile naine et dense. Quand une supergéante explose, elle produit une supernova. Elle finira en étoile à neutrons ou en **TROU NOIR**.

LES PETITES ÉTOILES (Y COMPRIS LE SOLEIL)

L'étoile grandit, refroidit et rougit.

Enveloppe gazeuse en expansion

Noyau très chaud

Le noyau rougit en refroidissant.

Le noyau cesse de briller.

100 MILLIONS DE KM
GÉANTE ROUGE

10 000 MILLIARDS DE KM
NÉBULEUSE PLANÉTAIRE

10 000 KM
NAINE BLANCHE

10 000 KM
NAINE BLANCHE REFROIDISSANT

10 000 km
NAINE NOIRE

◄ UNE ÉTOILE DOUBLE
Le grand cercle lumineux au centre de cette image radiographique n'est pas une étoile unique, mais est formé par deux étoiles qui tournent l'une autour de l'autre. C'est une étoile double ou binaire.

Comment mesurons-nous la brillance d'une étoile ?

Les astronomes mesurent la brillance d'une étoile en magnitude. Plus la magnitude est faible, plus l'étoile est brillante. Presque toutes les étoiles que nous voyons à l'œil nu ont des magnitudes entre 1 et 6, mais les moins visibles, pour lesquelles il faut un télescope, font 22. Les étoiles exceptionnellement brillantes ont une magnitude négative, celle de Sirius par exemple est de -1,44.

@ ▶▶
Étoiles

LES TROUS NOIRS

Un trou noir est une région de l'espace d'une gravitation si forte qu'il avale tout ce qui s'approche de lui, même la lumière. Il peut se former quand une étoile très massive explose (supernova). Le noyau de l'étoile explose avec tant de violence que toute sa matière s'écrase dans un espace presque nul, ce qui crée une zone de gravitation intense, le trou noir.

Qu'est-ce qu'un trou noir supermassif ?

Les trous noirs ordinaires, qui se forment à la mort d'une étoile massive, ont en général la même masse que cinq à dix soleils. Un trou noir supermassif, quant à lui, possède une masse des millions de fois plus importante et succède à l'explosion d'immenses nuages gazeux. Les trous noirs supermassifs semblent être la source d'énergie des galaxies actives comme les quasars. Les astronomes pensent qu'un trou noir supermassif se cache au centre de notre Galaxie.

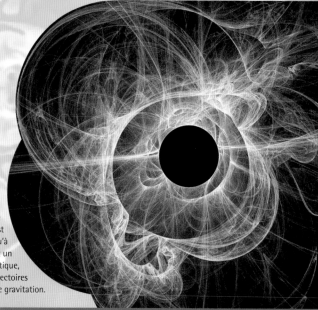

LE RAYONNEMENT D'UN TROU NOIR ▶
Cette image de synthèse montre le rayonnement dans l'espace autour d'un trou noir. La matière qui tourbillonne autour du trou est accélérée et chauffée jusqu'à 100 millions de °C. Elle émet un rayonnement fortement énergétique, comme les rayons X, dont les trajectoires sont courbées par l'intense gravitation.

Le système solaire 14 • Le Soleil 15 • L'univers 26 • Les galaxies 27 • La matière 156 • Les télécommunications 192

L'UNIVERS

L'Univers, c'est tout ce qui existe, l'espace ainsi que les étoiles, les planètes et tous les objets qu'il contient. Les astronomes pensent qu'une immense explosion, le **BIG BANG**, a créé l'Univers.

@ ▶▶
Univers

De quoi se compose l'Univers ?

Entre les galaxies, la plus grande partie de l'Univers semble vide. Il est pourtant plein d'une mystérieuse énergie noire et de rayonnements, comme la lumière et les ondes radio. Les étoiles, les nébuleuses et les planètes des galaxies sont constituées de matière ordinaire, mais les galaxies sont aussi entourées d'immenses quantités de matière noire invisible. Quatre forces fondamentales contrôlent l'Univers : l'électromagnétisme, les forces nucléaires faible et forte et la gravitation.

Quelle est la taille de l'Univers ?

L'Univers dépasse tout ce que nous pouvons voir ou imaginer. Les astronomes peuvent désormais observer des objets situés à plus de 12 milliards d'années-lumière de la Terre. Ils se trouvent à la distance incroyable de 115 000 000 000 000 000 000 000 km de nous !

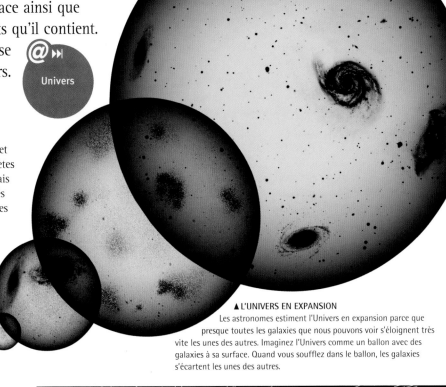

▲ L'UNIVERS EN EXPANSION
Les astronomes estiment l'Univers en expansion parce que presque toutes les galaxies que nous pouvons voir s'éloignent très vite les unes des autres. Imaginez l'Univers comme un ballon avec des galaxies à sa surface. Quand vous soufflez dans le ballon, les galaxies s'écartent les unes des autres.

LE BIG BANG

D'après les astronomes, une explosion géante, le big bang, aurait créé l'Univers il y a 14 millions d'années environ. Avant, il n'y avait rien, ni matière, ni espace, ni temps. L'Univers a commencé à grandir lors du big bang et est toujours en expansion.

Que s'est-il passé après le big bang ?

En une fraction de seconde, l'Univers nouveau-né est passé de la taille d'un atome à celle d'une boule de feu plus grande qu'une galaxie. En s'étendant et en refroidissant, il a formé une soupe épaisse de particules minuscules de matière. Il a fallu encore 300 000 ans pour que les premiers atomes apparaissent.

Comment connaissons-nous le big bang ?

L'Univers étant en expansion, il était plus petit autrefois, et, à un moment donné, il a dû être minuscule. Par ailleurs, les scientifiques ont découvert que la température générale de l'espace correspond à leurs calculs de la chaleur à la fin du big bang.

▲ LES ONDULATIONS DU BIG BANG
Les minuscules ondulations de la température générale montrent comment les étoiles et les galaxies ont pu se former à partir de la matière créée par le big bang (en haut).

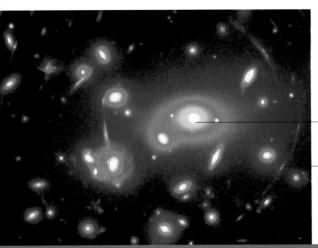

◀ LA LENTILLE GRAVITATIONNELLE
La gravitation de cet amas de galaxies agit comme une lentille. Elle fait dévier la lumière des galaxies lointaines et l'étire en lui donnant la forme de courbes et d'anneaux brisés. La gravitation provient de matière noire invisible.

La gravitation de cet amas de galaxies déforme l'image des galaxies situées derrière.

La gravitation courbe la lumière d'une galaxie située à 10 milliards d'années-lumière.

LA MATIÈRE NOIRE

Nous savons uniquement que la matière noire existe parce que sa gravitation attire les étoiles et les galaxies et courbe les rayons lumineux. Personne n'a découvert de quoi elle est faite. Il y a dix fois plus de matière noire que de matière ordinaire.

Est-ce que la matière noire ralentit l'Univers ?

Jusqu'à une date récente, quelques scientifiques croyaient que la gravitation de la matière noire et ordinaire freinait l'expansion de l'Univers. De nouvelles découvertes montrent qu'une mystérieuse énergie noire s'oppose à la gravitation et accélère en fait l'expansion de l'Univers.

POUR EN SAVOIR PLUS ▶▶ L'espace 10 • Les étoiles 24-25 • La matière 156 • Le temps 158 • Les forces 164 • L'énergie 166 • La lumière 17

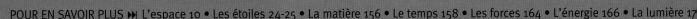

LES GALAXIES

Une galaxie est un immense amas d'étoiles, de gaz et de poussières qui tournent dans l'espace et restent ensemble grâce à la gravitation. Toutes les étoiles du ciel appartiennent à notre propre Galaxie, la VOIE LACTÉE.

Combien y a-t-il de galaxies différentes ?

L'Univers contient une centaine de milliards de galaxies, divisées en quatre types principaux. Les galaxies spirales ont un noyau central d'étoiles et des bras courbes formés par d'autres étoiles. Dans les spirales barrées, les bras sont reliés par une barre centrale. Les galaxies elliptiques sont rondes ou ovales, sans bras spiraux. Une galaxie irrégulière n'a pas de forme spéciale. Les galaxies regroupées dans des AMAS sont surtout des spirales et des elliptiques.

Qu'est-ce qu'une galaxie active ?

Quelques galaxies, appelées actives, créent des quantités formidables d'énergie. Leur centre consiste en un trou noir massif qui produit des milliards de fois plus d'énergie que notre Soleil et rejette des traînées de particules chargées. Les quasars et les radiogalaxies sont deux types de galaxies actives.

Galaxies

LES COLLISIONS ENTRE GALAXIES ▶
Parfois, les galaxies se cognent l'une dans l'autre. La galaxie de la Roue du chariot, ici la plus grande, était autrefois une spirale ordinaire. Or, il y a 300 millions d'années, une galaxie plus petite l'a traversée, en brisant ses spirales et en produisant un anneau de nouvelles étoiles.

GALAXIE SPIRALE ▲

▲ GALAXIE IRRÉGULIÈRE

▲ SPIRALE BARRÉE

LES TYPES DE GALAXIE
Au début du XXᵉ siècle, l'astronome Edwin Hubble a classé les galaxies en fonction de leur forme.

▲ GALAXIE ELLIPTIQUE

LA VOIE LACTÉE

Nous sommes chez nous dans la Voie lactée. Cette galaxie spirale contient notre Soleil et 200 milliards d'autres étoiles, au milieu d'immenses nuages de poussière et de gaz. Le diamètre de la Voie lactée est d'environ 100 000 années-lumière.

◀ VUE PLONGEANTE
Vue de haut, avec ses bras spiraux spectaculaires, la Voie lactée ressemble à la fontaine lumineuse d'un feu d'artifice.

À quoi ressemble la Voie lactée vue de la Terre ?

Comme la Terre est située près de l'extrémité de l'un des bras de la Voie lactée, nous en avons une vue excellente. De la Terre, notre Galaxie apparaît comme une bande de lumière pâle qui traverse le ciel nocturne. C'est une spirale plate et, comme nous la voyons de côté, elle nous semble longue et mince. Les trouées sombres dans la Voie lactée sont d'immenses nuages de poussière qui cachent les étoiles placées derrière.

LES AMAS DE GALAXIES

Un amas de galaxies est un grand nombre de galaxies groupées dans l'espace. L'amas de la Vierge par exemple, en contient au moins 2 000.

Qu'est-ce que le Groupe local ?

Notre Voie lactée appartient à un amas de galaxies appelé le Groupe local. Il en compte une trentaine, dont nos proches voisins, la galaxie d'Andromède et les Nuages de Magellan, que l'on peut voir à l'œil nu. La plupart des galaxies sont elliptiques ou irrégulières.

LA CARTE DE L'UNIVERS ▶
Un superamas est un groupe d'amas. Cette carte simulée par ordinateur montre les superamas de galaxies qui forment notre partie de l'Univers. Ils sont séparés par d'immenses espaces, les vides.

L'AMAS DE LA CHEVELURE DE BÉRÉNICE ▶
Voici une vue d'un amas qui contient jusqu'à 3 000 galaxies. Il se trouve à 300 millions d'années-lumière, dans la constellation de la Chevelure de Bérénice. Sur cette photo, la plupart des objets sont des galaxies.

POUR EN SAVOIR PLUS ▶▶ L'espace 10 • Le système solaire 14 • Le Soleil 15 • La Terre 16 • Les étoiles 24-25

LES FUSÉES

Les fusées, seuls engins assez puissants pour échapper à la gravitation terrestre et emporter des objets dans l'espace, servent à lancer les vaisseaux spatiaux. La plupart des vaisseaux spatiaux utilisent des lanceurs à plusieurs étages.

Comment fonctionnent les fusées ?

Les fusées brûlent des mélanges de carburant appelés PROPERGOL. La combustion du carburant crée un flux de gaz chauds qui jaillit de la tuyère d'échappement de la fusée. La puissance du flux gazeux, dirigée vers l'arrière, pousse la fusée vers l'avant : c'est la poussée. Grâce à cette poussée, la fusée peut propulser le vaisseau spatial dans l'espace.

LE PROPERGOL

Le propergol se compose de carburant et d'oxydant. Pour brûler, le carburant a besoin de l'oxygène que lui fournit l'oxydant. Les moteurs ordinaires trouvent leur oxygène dans l'atmosphère terrestre, mais, dans l'espace dépourvu d'air, la fusée doit emporter sa réserve.

Quels types de propergols les fusées utilisent-elles ?

La plupart des fusées marchent au propergol liquide, certaines au propergol solide. Les moteurs principaux de la navette spatiale utilisent de l'hydrogène et de l'oxygène liquides. Ses propulseurs brûlent du propergol solide. Quand une navette décolle, le propergol représente presque 90 % de son poids.

Le vaisseau spatial Soyouz

@ ▸▸ Fusées

L'étage supérieur fonctionne pendant 4 minutes après la mise à feu.

L'étage central fonctionne pendant 5 minutes après la mise à feu.

Les quatre propulseurs fonctionnent pendant 2 minutes après la mise à feu.

DÉCOLLAGE DE SOYOUZ ▸
Les Russes utilisent depuis 1967 le même type de fusée pour lancer Soyouz, leur vaisseau spatial habité.

POUR EN SAVOIR PLUS ▸▸ Les voyages dans l'espace 30 • Les éléments 160-161 • Les forces 164 • Les moteurs 198-199

LES SATELLITES

Un vaisseau spatial qui suit une trajectoire régulière, ou orbite, autour de la Terre est appelé satellite. Les satellites reçoivent et transmettent des signaux de communication, observent la météo, dressent des cartes de la Terre et étudient l'espace.

Comment les satellites restent-ils dans l'espace ?

Les satellites restent dans l'espace grâce à leur vitesse. Un satellite en orbite à 300 km de la Terre doit avancer à 28 000 km/h pour rester dans l'espace. C'est la vitesse de révolution orbitale. Il existe divers types d'ORBITES pour les satellites.

LES ORBITES DES SATELLITES

Les satellites tournent autour de la Terre en suivant des orbites elliptiques (ovales), en survolant l'équateur, les pôles ou en suivant une ligne entre les deux.

Les satellites reviennent-ils sur la Terre ?

Les satellites situés à basse altitude retombent parfois sur la Terre au bout de quelques mois seulement, parce qu'ils traversent des traces d'air dans l'atmosphère supérieure, ce qui les ralentit. Les satellites de haute altitude peuvent rester dans l'espace indéfiniment.

◂ **LE SATELLITE INTEGRAL**
Placé en orbite en 2002, Integral est un satellite d'astronomie qui étudie les sources de rayons gamma dans l'espace. Son orbite elliptique l'emmène jusqu'à 150 000 km de la Terre.

La soute contient les instruments scientifiques.

Le module de service renferme l'électronique du vaisseau spatial.

Les panneaux solaires fournissent l'électricité.

@ ▸▸ Satellites

Orbite fortement elliptique

Orbite géostationnaire

Orbite équatoriale

◂ **LES ORBITES**
Les orbites des satellites autour de la Terre ne sont pas toutes les mêmes. Un satellite en orbite géostationnaire suit la rotation de la Terre et reste toujours au-dessus du même point.

Orbite polaire

POUR EN SAVOIR PLUS ▸▸ La météorologie 50 • Les télécommunications 192-193 • Les médias 298-299

LES OBSERVATOIRES SPATIAUX

Les vaisseaux spatiaux qui observent le Soleil, les étoiles et les galaxies lointaines sont appelés observatoires spatiaux. Le **TÉLESCOPE SPATIAL HUBBLE** fut le premier observatoire spatial vraiment important.

Pourquoi lance-t-on des observatoires dans l'espace ?

Les mouvements de l'atmosphère terrestre font dévier et déforment la lumière des étoiles et des galaxies lointaines. Dans l'espace, les observatoires peuvent voir beaucoup plus nettement. De plus, ils détectent des radiations (comme les rayons X) que nous ne pouvons pas déceler sur Terre, parce qu'elles sont absorbées par les molécules de l'atmosphère.

LE TÉLESCOPE SPATIAL HUBBLE

Lancé en 1990 par la navette spatiale Discovery, Hubble est placé en orbite à 600 km de la Terre. Il envoie certaines des images de l'Univers les plus détaillées que nous ayons jamais vues.

Comment Hubble fonctionne-t-il ?

Le télescope Hubble est un réflecteur : il se sert de miroirs pour recueillir la lumière et la diriger. La lumière est transmise à des appareils photo électroniques et à des détecteurs à infrarouges qui produisent les images. Les principaux capteurs de lumière sont des dispositifs à couplage de charge, comme ceux des appareils photo numériques.

@ ▸▸ Observatoires spatiaux

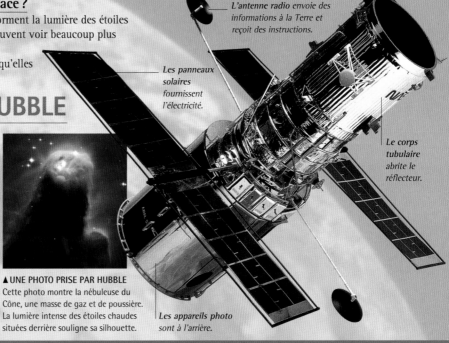

Le pare-soleil protège le télescope des rayons directs du Soleil.

L'antenne radio envoie des informations à la Terre et reçoit des instructions.

Les panneaux solaires fournissent l'électricité.

Le corps tubulaire abrite le réflecteur.

Les appareils photo sont à l'arrière.

▲ UNE PHOTO PRISE PAR HUBBLE
Cette photo montre la nébuleuse du Cône, une masse de gaz et de poussière. La lumière intense des étoiles chaudes situées derrière souligne sa silhouette.

POUR EN SAVOIR PLUS ▸▸ L'astronomie 11 • Les observatoires 12 • La lumière 178-179

LES VAISSEAUX INTERPLANÉTAIRES

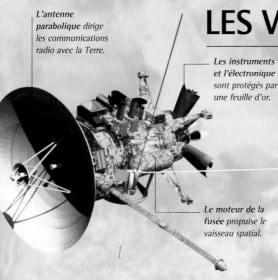

L'antenne parabolique dirige les communications radio avec la Terre.

Les instruments et l'électronique sont protégés par une feuille d'or.

Le moteur de la fusée propulse le vaisseau spatial.

◀ LE VAISSEAU SPATIAL CASSINI
Lancé en 1994, Cassini explore Saturne et ses satellites, depuis qu'il est en orbite autour de cette planète.

Les vaisseaux interplanétaires explorent les planètes et les autres corps du système solaire. Ils sont équipés d'appareils photo et d'instruments sophistiqués pour détecter les rayonnements, le magnétisme et les minuscules particules de matière.

@ ▸▸ Vaisseaux interplanétaires

Où sont allés les vaisseaux interplanétaires ?

Les premiers vaisseaux spatiaux sont partis explorer la Lune, puis les planètes les plus proches, Vénus et Mars. Aujourd'hui, ils ont visité toutes les planètes, sauf Pluton. La plupart se contentent de vols d'approche, mais quelques-uns éjectent une **SONDE** qui explore la surface. Les vaisseaux interplanétaires ont par ailleurs exploré les comètes et les astéroïdes.

LES SONDES

Une sonde est une partie d'un vaisseau plus grand qui est éjectée pour tomber dans l'atmosphère ou à la surface d'une planète ou d'un satellite naturel.

Qu'est-ce que la sonde Huygens ?

L'orbiteur Cassini a emporté la sonde Huygens. En 2005, celle-ci sera parachutée dans l'atmosphère de Titan, le plus grand satellite de Saturne. Au cours de sa descente, elle enverra des informations.

▲ LE MODULE VIKING SUR MARS
Deux modules se sont posés sur Mars en 1976, pour prendre des photos et étudier la météo.

LES PRINCIPALES MISSIONS INTERPLANÉTAIRES

ANNÉE	MISSION	OBJECTIF
1959	Luna 2	Premières photographies de la face cachée de la Lune
1965	Mariner 4	Premières prises de vue rapprochées d'une autre planète
1973	Pioneer 10	Premières prises de vue rapprochées de Jupiter
1976	Viking 1, 2	Premier atterrissage sur Mars
1986	Voyager 2	Premier à explorer Uranus
1986	Giotto	Premier à s'approcher d'une comète (celle de Halley)
2000	NEAR	Premier à se poser sur un astéroïde (Éros)
2004	Mars Express	Elle détecte de la glace d'eau au pôle Sud de Mars
2004	Opportunity	Ce «rover» explore avec Spirit la surface de Mars

POUR EN SAVOIR PLUS ▸▸ Le système solaire 14 • Mars 19 • Saturne 20

LES VOYAGES DANS L'ESPACE

Les hommes ont commencé à voyager dans l'espace en 1961, dans de minuscules vaisseaux spatiaux appelés capsules. De puissantes fusées assuraient le lancement. Les équipes russes continuent à voyager dans des capsules Soyouz, mais les Américains utilisent désormais des navettes, qui sont des avions spatiaux propulsés par des fusées.

Les astronautes occupaient la capsule Apollo.

Le moteur du troisième étage a propulsé le vaisseau spatial sur la Lune.

Les moteurs du deuxième étage ont soulevé la fusée à 185 km au-dessus du sol.

Les moteurs du premier étage ont soulevé la fusée à 65 km du sol.

Comment les hommes survivent-ils dans l'espace ?

En l'absence d'oxygène dans l'espace, tous les vaisseaux spatiaux habités comportent un équipement de vie. Celui-ci fournit aux spationautes de l'air pour respirer. De plus, cet équipement possède un dispositif pour maintenir l'air à une pression et à une température agréables, et pour éliminer le gaz carbonique et les odeurs.

Quels sont les effets des voyages spatiaux sur les hommes ?

Dans l'espace, la gravitation est beaucoup plus faible que sur Terre. Les hommes qui voyagent dans l'espace deviennent tout légers. Souvent, cela leur donne mal au cœur. Ils n'ont pas besoin de faire des efforts et de lutter contre la gravitation pour s'asseoir ou se lever. S'ils restent assez longtemps dans l'espace, l'absence de gravitation commence à faire fondre leurs muscles. L'exercice et un régime spécial permettent de lutter contre ces effets.

Quelle est la plus grande distance parcourue par un homme dans l'espace ?

Les astronautes du **PROJET APOLLO** sont allés jusqu'à la Lune, à environ 385 000 km. Le cosmonaute russe Valeri Poliakov a parcouru environ 280 millions de km autour de la Terre, dans la station spatiale Mir.

◄ LE LANCEMENT DE SATURN V
La fusée Saturn V a servi à toutes les missions lunaires des années 1960 et 1970. Au décollage, sa poussée était supérieure à celle de trente avions gros-porteurs.

LA SALLE DE CONTRÔLE ►
Toutes les missions spatiales habitées américaines sont placées sous la surveillance de Mission Control, au Johnson Space Center, au Texas.

LE PROJET APOLLO

Dans les années 1960, les Américains et les Russes ont rivalisé pour la conquête de l'espace. Les Américains ont gagné en marchant les premiers sur la Lune. Le 20 juillet 1969, Neil Armstrong et Buzz Aldrin, de l'équipage d'Apollo 11, furent les premiers humains à mettre le pied sur un autre astre.

À quoi ressemblait la capsule Apollo ?

Apollo fut lancé par la fusée Saturn V. Sur le pas de tir, la fusée et la capsule mesuraient 111 m. La capsule Apollo pesait à elle seule 45 t. Elle comportait trois modules principaux. Le module de commande pour diriger le vol abritait les trois hommes de l'équipage. Le module de service emportait l'équipement, le carburant et un moteur de fusée. Le module lunaire se détacha du vaisseau et déposa deux astronautes sur la Lune.

▲ LE MODULE LUNAIRE
Le module lunaire d'Apollo 11, Eagle, a tourné autour de la Lune lors de sa mission d'atterrissage lunaire.

▲ UN HOMME SUR LA LUNE
Buzz Aldrin a marché sur la mer de la Tranquillité pendant les deux heures qu'il a passées sur la Lune.

▲ LE GRAND PLONGEON
Trois parachutes géants ont ralenti le module de commande Apollo pour amortir sa chute dans l'océan Pacifique.

Combien de missions Apollo y a-t-il eu sur la Lune ?

D'Apollo 11 en juillet 1969 à Apollo 17 en décembre 1972, il y a eu six atterrissages sur la Lune. Au cours de ces missions, douze astronautes ont exploré la surface de la Lune pendant en tout 80 heures et rapporté près de 400 kg de cailloux et de poussière lunaires pour les étudier sur Terre.

@ ►►
Voyages dans l'espace

LES SPATIONAUTES

Les hommes qui voyagent dans l'espace sont appelés spationautes. Chez les Russes, ce sont des cosmonautes, chez les Américains, des astronautes. Les spationautes ne passent en général que quelques jours dans l'espace, mais certains y restent des mois dans des stations spatiales habitées.

Quel genre de tâches effectuent les spationautes ?
Dans les missions en orbite, le commandant et le pilote dirigent le vaisseau spatial. Les spécialistes de la mission font des observations et effectuent des expériences. Si nécessaire, ils se livrent à des activités extravéhiculaires (EVA).

Comment les spationautes s'entraînent-ils ?
Ils s'entraînent au vol dans des avions à réaction et des simulateurs de vol. Ils répètent les procédures et les expériences des missions. Il leur arrive de s'entraîner aux EVA dans des bassins remplis d'eau, où les conditions sont semblables à celles de l'apesanteur dans l'espace.

Casque au viseur enrobé d'or pour refléter la lumière et la chaleur

Équipement de vie portable dans un sac dorsal avec oxygène, eau (pour refroidir la combinaison) et électricité. Grâce à lui, l'astronaute peut survivre jusqu'à 8 heures.

Les gants sont chauffés pour que les doigts restent souples dans le froid extrême.

Les attaches pour les outils : perceuses, tournevis et clés

Spationautes

Cage de l'astronaute

L'une des deux roues pivotantes

Le boîtier de contrôle du sac dorsal

▲ **ROUE MULTIAXIALE**
Les spationautes sont secoués dans tous les sens pour se préparer aux sensations bizarres du vol dans l'espace.

▲ **LE PREMIER HOMME DANS L'ESPACE**
Le cosmonaute Iouri Gagarine a accompli une orbite autour de la Terre dans une capsule Vostok le 12 avril 1961.

▲ **PARÉ POUR MARCHER DANS L'ESPACE**
La combinaison spatiale, qui comporte de nombreuses couches, fournit à l'astronaute de l'oxygène pressurisé et une protection contre les dangers de l'espace : froid et chaleur extrêmes, radiations et particules de météorites.

LES ACTIVITÉS EXTRAVÉHICULAIRES

Les travaux qu'effectuent les spationautes en dehors du vaisseau spatial sont appelés activités extravéhiculaires (EVA). Lors des EVA, les spationautes doivent revêtir des combinaisons spatiales de protection. En général, ils sont attachés au vaisseau spatial par une amarre de sécurité. Parfois, ils se déplacent sans attaches, dans leur unité de manœuvre (MMU), une sorte de fauteuil à réaction.

Pourquoi les spationautes doivent-ils sortir du vaisseau spatial ?
Les spationautes doivent aider à sauver et à réparer les satellites. Ceux qui viennent avec la navette effectuent régulièrement des travaux de maintenance sur le télescope spatial Hubble et remplacent les équipements défectueux ou périmés. Par ailleurs, ils peuvent participer à des travaux de construction dans l'espace. Des activités extravéhiculaires de longue durée permettent de monter la Station spatiale internationale (ISS) avec des pièces amenées en orbite par d'autres vaisseaux.

TRAVAILLER DANS L'ESPACE ▶
Très loin au-dessus de la Terre, un astronaute travaille sur l'ISS. Ses outils sont amarrés à sa combinaison pour qu'ils ne s'envolent pas et lui-même est attaché au vaisseau.

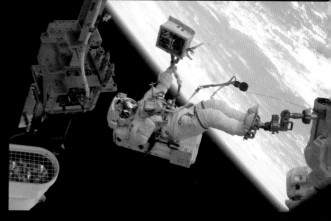

MMU

BADGE D'UN PROJET DE LA NASA

LES GRANDES EVA			
ANNÉE	MISSION	ASTRONAUTE	EVA
1965	Voshkod 2	Alexei Leonov	1er à marcher dans l'espace (10 min)
1969	Apollo 11	Neil Arsmtrong	1er à marcher sur la Lune (2 h 30)
2001	ISS	Jim Voss	Plus longue marche dans l'espace (8 h 56)

POUR EN SAVOIR PLUS ▸▸ Les observatoires spatiaux 29 • Les stations spatiales 33 • Les forces 164

LA NAVETTE SPATIALE

Les Américains ont inventé la navette spatiale, un lanceur qui emporte des astronautes et des chargements dans l'espace et les rapporte. Elle compte trois parties : un **ORBITEUR** avec deux ailes, un réservoir de carburant externe et deux propulseurs à propergol solide.

Comment fonctionne la navette ?

Au décollage, les moteurs principaux de l'orbiteur et les propulseurs se déclenchent en même temps. Au bout de 2 minutes, les propulseurs sont largués et parachutés sur la Terre pour être réutilisés. Environ 6 minutes plus tard, le réservoir de carburant externe se détache et se dissout dans l'atmosphère terrestre. L'orbiteur se sert de son système orbital de manœuvre (OMS) pour atteindre l'orbite correcte.

Le compartiment de l'équipage a deux étages habitables : le cockpit et l'entresol.

Cargaison

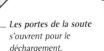

L'aile delta a une forme aérodynamique pour que l'orbiteur puisse glisser dans l'atmosphère terrestre.

Les nacelles logent les moteurs OMS et les réservoirs de carburant.

Les trois principaux moteurs de la navette (SME), qui servent au décollage, fonctionnent à l'hydrogène et à l'oxygène liquides.

Soute

Les portes de la soute s'ouvrent pour le déchargement.

◄ **L'ORBITEUR DE LA NAVETTE SPATIALE**
L'orbiteur, d'une longueur de 27 m, a une envergure de presque 24 m.

▲ **LES TYPES DE VOL DE LA NAVETTE**
La navette spatiale décolle (haut). Le réservoir externe et les propulseurs sont largués avant que l'orbiteur n'atteigne son orbite (milieu). Après sa mission, l'orbiteur retourne sur la Terre sans moteur, comme un planeur. Il atterrit sur une piste et se sert d'un parachute pour freiner (bas).

Que transporte la navette ?

La navette est le principal véhicule utilisé pour placer en orbite les parties de la Station spatiale internationale (ISS). De plus, elle emporte en orbite les nouveaux satellites et le matériel pour réparer les satellites existants. Elle transporte d'autres cargaisons : laboratoires spatiaux et télescopes ou vaisseaux spatiaux plus petits qui iront explorer le système solaire.

L'ORBITEUR

C'est la partie principale de la navette, qui transporte l'équipage et la cargaison. L'orbiteur est propulsé dans l'espace par des fusées, fonctionne comme un vaisseau spatial une fois dans l'espace, retourne dans l'atmosphère et atterrit tel un planeur.

De quoi se compose l'orbiteur ?

L'orbiteur est conçu pour supporter les dures conditions dans l'espace. La structure principale est en aluminium résistant. Pour le protéger de la chaleur, on le recouvre d'épais carreaux de céramique. Les piles à combustible mélangent de l'hydrogène et de l'oxygène pour fournir l'électricité et l'eau nécessaires pour boire et se laver.

◄ **LE PONT ARRIÈRE**
Le panneau de commande se trouve à gauche dans le pont arrière. L'astronaute devant son ordinateur, à droite, est le mécanicien de bord. Un autre astronaute vient du cockpit, où le commandant et le pilote dirigent la navette.

Navette spatiale

LES PRINCIPALES MISSIONS DE LA NAVETTE			
ANNÉE	MISSION	ORBITEUR	ÉVÉNEMENT
1981	STS-1	Columbia	Première mission
1995	STS-71	Atlantis	Première liaison avec Mir, la station spatiale russe
1998	STS-88	Endeavour	Première mission pour la Station spatiale internationale

POUR EN SAVOIR PLUS ►► Les fusées 28 • Les satellites 28 • Les voyages dans l'espace 30 • Les stations spatiales 33

LES STATIONS SPATIALES

Dans une station spatiale, un grand vaisseau habité qui tourne autour de la Terre, les spationautes peuvent vivre et travailler dans l'espace pour des périodes prolongées. La **STATION SPATIALE INTERNATIONALE** (ISS) est la plus grande construction jamais réalisée dans l'espace.

À quoi servent les stations spatiales ?

Dans les stations spatiales, les spationautes effectuent des recherches. Ils étudient le comportement des matériaux et des êtres vivants dans un environnement de micro-gravité (proche de l'apesanteur). Ils observent aussi les effets des vols spatiaux sur le corps.

Les radiateurs thermiques contrôlent la température.

Les panneaux solaires fournissent l'énergie.

La poutrelle forme la charpente de l'ISS.

Laboratoires de recherche

Plate-forme externe d'équipement

L'orbiteur réutilisable s'arrime sur l'ISS.

▲ MIR
La station spatiale russe, Mir, est montrée arrimée (attachée) à un vaisseau spatial américain. Lancée en 1986, Mir fut habitée en permanence par un équipage de deux ou trois cosmonautes et des invités de dizaines de pays. Mir est retombée sur Terre en 2001.

◀ L'ISS
Une fois achevée, l'ISS sera la station spatiale la plus grande et la plus complexe jamais construite. D'une longueur de 80 m et d'une envergure de 110 m, elle pèsera près de 500 t.

Comment construit-on les stations spatiales ?

Les premières stations spatiales comme Saliout (russe) et Skylab (américaine) furent construites sur Terre avant d'être placées en orbite. Les grandes stations comme Mir et l'ISS ont été montées en orbite avec des modules (parties) qui sont amenées de la Terre une fois prêtes.

▲ SKYLAB
Skylab, une station spatiale américaine, fut lancée en 1973. Trois équipes de trois hommes y ont travaillé pendant 28, 59 et 84 jours, battant tous les records de durée dans l'espace.

LA STATION SPATIALE INTERNATIONALE

L'ISS, qui compte plus de cent pièces principales en cours de montage, sera un centre mondial de recherche dans l'espace. Les États-Unis, par l'intermédiaire de la NASA (National Aeronautics and Space Administration), fournissent la majeure partie du matériel et sont responsables de la construction. La Russie, l'Europe (à travers l'Agence spatiale européenne), le Japon et le Canada livrent aussi des pièces importantes.

À quoi ressemble la vie dans l'ISS ?

L'espace pour vivre et travailler dans l'ISS fait le double de celui réservé aux passagers d'un avion 747. Les spationautes se livrent à des recherches scientifiques dans les quatre modules laboratoires. La principale partie habitable, prévue pour un équipage de sept personnes, est dans le module d'habitation américain. Elle contient deux niveaux et des couchettes, une cuisine, une infirmerie, une salle de sport, des toilettes et une douche dans un espace de 8 m de longueur sur 4 m de largeur.

▲ EVA SUR L'ISS
Les robots de la navette et de l'ISS relient les nouvelles sections de la station, mais il faut que les spationautes sortent dans l'espace pour terminer le travail. Ils devront accomplir plus de 850 heures d'EVA pour achever le montage de la station. Ensuite, les spationautes devront effectuer des EVA régulièrement pour l'entretien et les réparations.

@ ▶▶
Stations spatiales

POUR EN SAVOIR PLUS ▶▶ Les voyages dans l'espace 30 • Les spationautes 31 • Les forces 164

LA TERRE

LA TERRE	36
LES SCIENCES DE LA TERRE	38
LES CONTINENTS	39
LES OCÉANS	40
LES ÎLES	42
LES TREMBLEMENTS DE TERRE	43
LES VOLCANS	44
LES MONTAGNES	45
LES ROCHES	46
LE SOL	48
L'ATMOSPHÈRE	49
LA MÉTÉOROLOGIE	50
LES VENTS	51
LA PLUIE	52
LES ORAGES	54
L'ÉROSION	55
LES COURS D'EAU	56
LES GROTTES	57
LA GLACE	58
LES CÔTES	59
LES RESSOURCES ÉNERGÉTIQUES	60
LE CLIMAT	62
LES ZONES CLIMATIQUES	63
L'IMPACT HUMAIN	64
L'AGRICULTURE	66
LA PÊCHE	67
L'EXPLOITATION FORESTIÈRE	67

La Terre est une boule dense et rocheuse d'un diamètre de 12 756 km. C'est l'une des neuf planètes qui tournent autour de notre étoile locale, le Soleil. La Terre est l'unique planète connue qui réunisse les conditions pour la vie. De l'espace, sa surface bleue semble froide, mais il fait si chaud à l'intérieur que les roches entrent en fusion.

UNE JEUNE PLANÈTE

Il y a environ 4,5 milliards d'années, d'immenses météorites et astéroïdes rocheux bombardaient la jeune Terre. Des milliers de volcans crachaient de la roche en fusion (liquide) qui provenait du noyau incandescent. Quand la Terre commença lentement à refroidir, des nuages de gaz et de vapeur d'eau s'échappèrent des fissures de l'écorce (la mince couche extérieure de la planète) et formèrent la première atmosphère. Finalement, la condensation de la vapeur d'eau donna naissance aux océans.

Comment s'est formée la Terre ?

Le Soleil a commencé à se former il y a environ 5 milliards d'années, dans un nuage de poussière et de gaz qui tourbillonnait dans l'espace. Au cours de sa naissance, sa gravitation transforma peu à peu les poussières et les gaz en boules qui devinrent les planètes. Au début, la Terre était un globe de roche en fusion. Sa surface rocheuse se mit lentement à refroidir et à durcir voici 4,2 milliards d'années.

Quelles sont les couches de la Terre ?

Notre planète compte quatre couches principales. La couche externe est appelée la croûte. En dessous se trouve le manteau, qui est solide vers le haut et liquide plus bas. Les températures s'élèvent en allant de la croûte vers le centre de la Terre. Le noyau externe est une masse de roche en fusion. La température du noyau interne dépasse 5 000 °C.

@ ▸▸
Terre

L'ATMOSPHÈRE TERRESTRE

L'atmosphère terrestre est une couche de gaz d'une épaisseur d'environ 700 km. Sans elle, la vie ne serait pas possible sur la Terre. Elle nous protège des rayons dangereux du Soleil et empêche la Terre de devenir trop chaude ou trop froide.

Atmosphère

Croûte

Manteau

Noyau externe en fusion

Noyau interne solide de nickel et de fer

▲ LA STRUCTURE DE LA TERRE

La croûte se compose de la croûte océanique, sous les océans, et de la croûte continentale, qui porte les pays. D'une épaisseur de seulement 6 à 35 km, c'est la couche la plus mince de la Terre. Le manteau est la plus épaisse avec 2 900 km. Le noyau externe fait environ 2 000 km. Le noyau interne, au centre de la Terre, s'étend sur quelque 2 740 km.

Comment la Terre permet-elle la vie ?

La Terre est juste à la bonne distance du Soleil pour que les températures soient supportables, ni trop chaudes, ni trop froides. L'atmosphère terrestre et les océans aident aussi à contrôler les températures. Par ailleurs, l'air qui nous permet de respirer et l'eau, tous deux présents sur la Terre, sont deux éléments essentiels pour la vie.

Comment se déplace la Terre dans l'espace ?

La Terre met une année ou 365,242 jours pour orbiter ou tourner autour du Soleil. En même temps, elle pivote sur son axe (une ligne imaginaire qui relie le pôle Nord au pôle Sud). Tout en tournant, la Terre est inclinée de 23,5° par rapport à son axe. Cette inclinaison produit les SAISONS.

— Continent (vaste étendue de terre)

— Océan

◄ LES OCÉANS

Les océans couvrent presque les deux tiers de la surface de la Terre, ce qui lui donne sa couleur bleue quand on l'observe de l'espace. Ils se sont formés il y a 4,2 milliards d'années, quand la surface de la Terre s'est refroidie.

LA FORMATION DE LA TERRE	
-5 milliards d'années	Le système solaire commence à se constituer à partir d'un nuage de gaz et de poussière dans l'espace.
-4,6 milliards d'années	La Terre, boule de roche en fusion, commence à se former.
-4,5 milliards d'années	Les volcans crachent gaz, vapeur (qui donnera les océans) et roches en fusion.
-4,2 milliards d'années	La surface de la Terre se refroidit et la croûte durcit.
-3,6 milliards d'années	Les premiers continents apparaissent, ainsi que la vie.

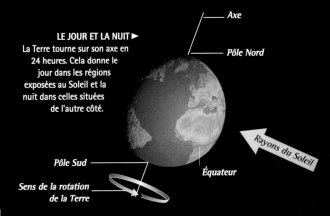

LE JOUR ET LA NUIT ►
La Terre tourne sur son axe en 24 heures. Cela donne le jour dans les régions exposées au Soleil et la nuit dans celles situées de l'autre côté.

Axe
Pôle Nord
Pôle Sud
Équateur
Rayons du Soleil
Sens de la rotation de la Terre

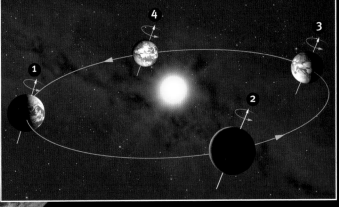

▲ L'ORBITE DE LA TERRE ET LES SAISONS
Quand le pôle Nord penche vers le Soleil, c'est l'été dans les régions de l'hémisphère Nord, et l'hiver dans l'hémisphère Sud (1). La Terre continuant son trajet sur son orbite, les saisons passent à l'automne dans l'hémisphère Nord et au printemps dans l'hémisphère Sud (2). Quand le pôle Sud bascule vers le Soleil, c'est l'été dans l'hémisphère Sud et l'hiver dans l'hémisphère Nord (3). Puis, peu à peu, c'est l'automne dans l'hémisphère Sud et le printemps dans l'hémisphère Nord (4) au fur et à mesure que la Terre continue sur son orbite.

LES SAISONS

Les saisons sont des périodes caractérisées par un type de climat qui diffère selon les régions. Elles sont provoquées par l'inclinaison de la Terre. À tout moment, un hémisphère (la moitié de la Terre à partir de l'équateur) penche vers le Soleil, ce qui l'expose davantage à la lumière et à la chaleur et donne les chaudes journées d'été. Dans l'autre moitié, qui penche de l'autre côté, c'est l'hiver.

Toutes les régions ont-elles des saisons ?

La plupart des régions connaissent des changements saisonniers durant l'année. Pourtant, les saisons sont moins marquées dans les régions tropicales près de l'équateur (une ligne imaginaire qui encercle la Terre en son milieu), parce qu'il reste toujours exposé de la même façon au Soleil.

▲ LES CHANGEMENTS DE SAISONS
Les pays tempérés, qui sont situés entre les tropiques et les pôles, ont quatre saisons distinctes. Au printemps, les journées se réchauffent et s'allongent, et les jeunes feuilles apparaissent sur les arbres. L'été est la saison la plus chaude. En automne, les jours raccourcissent et se refroidissent. L'hiver est la saison la plus froide.

▲ LES SAISONS SOUS LES TROPIQUES
Les régions proches de l'équateur sont chaudes et humides toute l'année. Plus au nord et plus au sud, on rencontre les savanes (ci-dessus). Il y fait toujours chaud, mais elles ont une saison sèche et une saison humide.

POUR EN SAVOIR PLUS ►► Le système solaire 14 • Les astéroïdes 23 • L'atmosphère 49 • Les zones climatiques 63 • La vie 70-71

LES SCIENCES DE LA TERRE

Les sciences de la Terre étudient les caractéristiques physiques de notre planète, des tremblements de terre aux inondations et aux fossiles. Elles se subdivisent en plusieurs branches comme la **GÉOLOGIE** et l'océanographie (l'étude des océans).

Quelle est l'utilité des sciences de la Terre ?

Ces sciences touchent notre vie de tous les jours. Les météorologues, par exemple, observent le temps et sont à l'affût de tempêtes dangereuses. Les hydrologues étudient l'eau et prédisent les inondations. Les sismologues, spécialistes des tremblements de terre, essaient de les prévoir. Les géologues étudient les roches et aident à trouver les minéraux utiles.

Comment ces scientifiques travaillent-ils ?

Ils travaillent surtout «sur le terrain», escaladent des montagnes, explorent les fonds marins, rampent dans les grottes ou pataugent dans les marais. Ils prennent des mesures et ramassent des échantillons, puis inscrivent leurs trouvailles sur des tableaux et des cartes.

@ ▸▸
Sciences
de la Terre

DES CONDITIONS EXTRÊMES ▶
Les volcanologues étudient de très près les éruptions. Ils portent des combinaisons et des casques résistants qui les protègent de la chaleur et des gaz mortels.

◀ LA TERRE ÉTUDIÉE DEPUIS L'ESPACE
Le satellite TOPEX / Poséidon tourne autour de la Terre à une altitude de 1 300 km. Il se sert de capteurs spéciaux pour recueillir des informations sur les océans puis les renvoie vers la Terre.

LA GÉOLOGIE

La géologie est l'étude des roches qui forment la surface de la Terre. Cette science renseigne sur l'histoire de la Terre et sa formation.

Comment les géologues datent-ils les roches ?

Ils disposent de plusieurs méthodes. Certains géologues, les stratigraphes, étudient la répartition et l'ordre des couches de roches, ou strates. Les roches jeunes se trouvent en général près de la surface ; les plus vieilles sont situées en profondeur. On peut dater les éléments radioactifs de certaines roches, parce qu'ils se dégradent (changent) à un certain rythme.

Les fossiles permettent-ils de dater les roches ?

Les fossiles (vestiges ou empreintes d'êtres vivants conservés dans certains types de roches) révèlent aux scientifiques l'âge relatif d'une roche – c'est-à-dire si elle est plus jeune ou plus vieille que d'autres roches. Cela aide les chercheurs à découvrir l'histoire de la formation des roches dans différentes zones. Les premiers fossiles datent d'il y a 3,6 milliards d'années.

▲ UN FOSSILE DE LIBELLULE
Les fossiles les plus fréquents sont de petits coquillages. Ceux de mammifères ou d'insectes, comme cette libellule, sont plus rares.

POUR EN SAVOIR PLUS ▸▸ Les tremblements de terre 43 • Les roches 46-47 • Les fossiles 76 • L'énergie nucléaire 167

LES CONTINENTS

Les terres émergées ne couvrent pas tout à fait un tiers de la surface de notre planète. Elles se composent de sept énormes étendues, les continents, et de nombreuses petites îles. Le plus grand continent, l'Asie, s'étend sur 43 608 000 km², le plus petit, l'Australie, sur 7 686 850 km².

ALFRED LOTHAR WEGENER
Allemand, 1880-1930
Alfred Wegener, un savant allemand, a formulé la théorie de la dérive des continents en 1919. Il remarqua que les continents s'assemblent comme un puzzle gigantesque, ce qui lui donna l'idée qu'ils avaient été unis autrefois. Sa théorie ne fut reconnue que dans les années 1960.

Les continents ont-ils toujours eu le même aspect ?

Il y a des millions d'années, la Terre présentait un visage très différent. Les continents formaient une immense masse ou supercontinent, la Pangée. Un océan gigantesque, Panthalassa, l'entourait. La Pangée a mis plusieurs millions d'années pour se diviser en continents plus petits qui ont dérivé à la surface de la Terre.

Pourquoi les continents dérivent-ils ?

Les continents (et les océans) reposent sur des plaques géantes, les PLAQUES LITHOSPHÉRIQUES, formées de la croûte et du manteau supérieur, dont l'ensemble constitue la lithosphère. Ces plaques flottent comme des radeaux sur le manteau inférieur chaud et semi-liquide. De lents courants à l'intérieur de la Terre font dériver les plaques (ainsi que la Terre et les océans reposant dessus).

PANGÉE — EURASIE — Océan Atlantique — GONDWANA — Amérique du Nord — Asie — Europe — Afrique — Amérique du Sud — Inde — Australie — Antarctique

220 MILLIONS D'ANNÉES — **180 MILLIONS D'ANNÉES** — **65 MILLIONS D'ANNÉES**

◄ **LA DÉRIVE DES CONTINENTS**
La Pangée s'est lentement divisée en deux immenses masses terrestres – Gondwana et Eurasie. Plus tard, avec la formation de l'océan Atlantique, elles se sont séparées en continents plus petits. Les continents dérivent depuis des millions d'années et le font encore aujourd'hui.

LES PLAQUES LITHOSPHÉRIQUES

La lithosphère se divise en sept grandes plaques lithosphériques et en une douzaine de plus petites. L'étude du mouvement des plaques (leurs déplacements) aide les scientifiques à comprendre les tremblements de terre, les éruptions volcaniques et la formation des montagnes.

Que font les plaques lithosphériques ?

En dérivant lentement à la surface de la planète, les plaques glissent l'une contre l'autre, entrent en collision, s'étirent ou font les trois en même temps. La limite entre deux plaques lithosphériques est appelée frontière. Les montagnes, les tremblements de terre et les volcans sont en général situés sur ces limites, où l'écorce terrestre est plus mince qu'au centre des plaques.

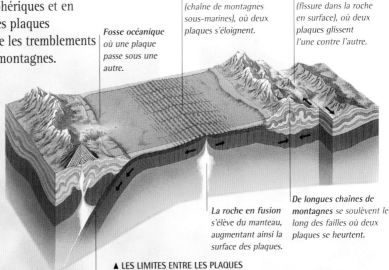

Dorsale médio-océanique (chaîne de montagnes sous-marines), où deux plaques s'éloignent.

Faille transformante (fissure dans la roche en surface), où deux plaques glissent l'une contre l'autre.

Fosse océanique où une plaque passe sous une autre.

La roche en fusion s'élève du manteau, augmentant ainsi la surface des plaques.

De longues chaînes de montagnes se soulèvent le long des failles où deux plaques se heurtent.

Zone de subduction où la lithosphère océanique s'enfonce dans le manteau.

▲ **LES LIMITES ENTRE LES PLAQUES**
Les volcans et les tremblements de terre sont fréquents dans les zones marquant la frontière entre deux plaques. Les plaques dérivent toujours, très lentement, de 2 à 20 cm par an.

Qu'arrive-t-il quand des plaques se rencontrent ?

Quand des plaques portant des continents rentrent l'une dans l'autre, le sol peut se soulever et former une grande chaîne montagneuse. Si une plaque passe sous l'autre, l'écorce océanique s'enfonce dans le manteau et fond. Si les plaques s'écartent l'une de l'autre, elles font jaillir de la roche en fusion de l'intérieur de la Terre. La roche refroidit et cette nouvelle matière s'ajoute aux plaques.

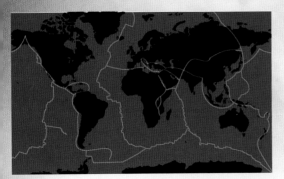

Continents

▲ **UN PUZZLE GÉANT FAIT DE PLAQUES LITHOSPHÉRIQUES**
Les plaques s'assemblent tel un puzzle. Les plaques océaniques forment la majeure partie du fond des mers. Les continents s'inscrivent dans les plaques continentales. Certaines plaques supportent des terres et des mers.

POUR EN SAVOIR PLUS ►► Les tremblements de terre 43 • Les volcans 44 • Les montagnes 45 • Les roches 46-47

LES OCÉANS

Les cinq océans de la Terre (Pacifique, Atlantique, Indien, Austral et Arctique) sont en mouvement constant, à cause des marées qui montent et descendent et des vents qui forment les vagues et créent les courants océaniques.

LA VIE DANS L'OCÉAN ►
Les océans abritent toutes sortes de plantes et d'animaux. Les plantes microscopiques qui flottent près de la surface éclairée forment la base de presque toute la chaîne alimentaire des océans. Elles nourrissent le minuscule plancton animal que mangent des poissons dévorés à leur tour par de grands prédateurs tels les requins (à droite).

◄ LA ZONE ÉCLAIRÉE
0 à 200 m
Les eaux recevant la lumière du soleil abritent à faible profondeur la plupart des plantes et des animaux, plancton, méduses, poissons volants, poissons en bancs, thons, poissons-scies et requins.

◄ LA ZONE DE PÉNOMBRE
200 à 2 000 m
Sous les eaux éclairées, la lumière diminue peu à peu puis disparaît complètement vers 1 000 m. La faune comprend poissons lanternes, pieuvres, crevettes et cachalots.

◄ LES ABYSSES
2 000 à 10 000 m
Les parties les plus profondes des océans sont presque glaciales et il y règne une obscurité totale. Là vivent des calmars géants, des baudroies et des grenadiers.

Pourquoi la mer est-elle salée ?

L'eau de mer contient des traces de minéraux arrachés à la Terre par les rivières. Ces minéraux dissous sont en majeure partie du chlorure et du sodium, dont l'association produit du sel. La plupart des océans contiennent environ 35 grammes de sel par litre d'eau. Dans la mer la plus salée de la Terre, la mer Morte, on trouve 270 grammes de sel par litre d'eau, ce qui la rend sept fois plus salée que les autres mers et océans.

Qu'est-ce qui provoque les courants océaniques ?

L'eau des océans tourne lentement et en permanence, formant d'immenses cercles appelés tourbillons. Les vents dominants (réguliers) qui soufflent de part en part des océans font démarrer près de la surface de l'eau les courants qui peuvent parcourir des milliers de kilomètres. Les courants chauds en surface sont dus à l'action du soleil. Certains ont une influence sur le climat des pays qu'ils longent. Le Gulf Stream, par exemple, empêche la glace de bloquer les ports du Nord en hiver. Par ailleurs, des courants froids, qui partent des pôles, traversent les profondeurs des océans jusqu'à l'équateur.

▼ LES COURANTS À LA SURFACE DES OCÉANS
Les océans de la Terre sont reliés. Les vents perturbent cette eau en formant des courants. Sur cette carte, les courants chauds de la surface sont montrés en rouge. Les courants froids sont en bleu.

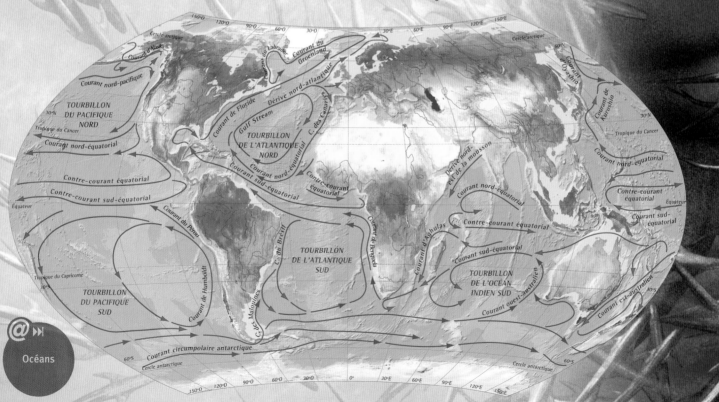

LES FONDS MARINS

Au fond des océans, les paysages sont aussi spectaculaires et variés que sur les continents. On y rencontre des gouffres, des montagnes vertigineuses ou des volcans. Ailleurs s'étendent des plaines immenses et sans relief. Les mouvements des plaques lithosphériques qui forment l'écorce terrestre sont à l'origine d'une bonne partie de ce relief.

Les océans sont-ils en expansion ?

Certains océans grandissent à cause de la roche en fusion qui remonte à la limite des plaques lithosphériques pour former une nouvelle croûte. Dans l'océan Atlantique, une nouvelle croûte se forme le long de la dorsale médio-atlantique qui longe le milieu de l'océan. L'Atlantique s'élargit d'environ 2,5 cm chaque année.

▼ LES CARACTÉRISTIQUES DU FOND SOUS-MARIN
La vaste plaine plate au fond des océans est ponctuée de montagnes isolées, les collines abyssales, qui furent sans doute autrefois des îles volcaniques. Des dorsales se forment là où le magma (roche chaude et liquide) perce l'écorce, puis se refroidit et durcit.

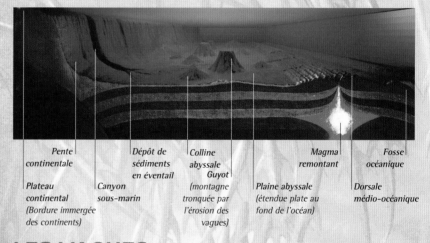

Pente continentale

Plateau continental (Bordure immergée des continents)

Dépôt de sédiments en éventail

Canyon sous-marin

Colline abyssale Guyot (montagne tronquée par l'érosion des vagues)

Plaine abyssale (étendue plate au fond de l'océan)

Magma remontant

Dorsale médio-océanique

Fosse océanique

LES VAGUES

La surface de la mer n'est jamais tout à fait tranquille, même par temps calme. Les vents font onduler la surface et, s'ils soufflent plus fort, forment des vagues. Les vagues, en s'approchant de la côte, grandissent et deviennent plus fortes. Puis elles se brisent sur le rivage et déposent du sable ou érodent les côtes.

Qu'est-ce qu'un raz de marée ?

Les raz de marée (ou tsunamis dans le Pacifique) sont des vagues gigantesques provoquées par des tremblements de terre ou des éruptions volcaniques sous la mer. S'ils ont lieu en pleine mer, on ne les remarque pas trop. Mais quand ils s'approchent du littoral, ils peuvent atteindre 75 m de hauteur. Les raz de marée géants ont détruit des ports et même submergé des îles entières.

▼ LES BRISANTS
Les vagues peuvent franchir de grandes distances sur l'océan mais l'eau qui les forme reste au même endroit : elle tourne sur elle-même. Quand une vague atteint le littoral, la circulation de l'eau en bas de la vague est bloquée par le sol et le sommet de la vague bascule par-dessus.

Brisant – type de vague haute et tumultueuse qui se brise sur une plage plate.

Crête (sommet de la vague)

Écume produite quand la crête retombe et se brise sur le rivage.

POUR EN SAVOIR PLUS ►► Les continents 39 • Les côtes 59 • La pêche 67 • Les poissons 112-114

LES ÎLES

Une île est une étendue de terre plus petite qu'un continent et entièrement entourée d'eau. Les îles sont parfois de simples rochers ou des territoires immenses, comme le Groenland. Il en existe deux grands types : les îles continentales et les îles volcaniques. On trouve aussi des îles dans les rivières et les lacs.

Qu'est-ce qu'une île continentale ?

Les îles continentales émergent des mers peu profondes, au large de grandes étendues de terre. Elles se sont formées quand le niveau de la mer a monté (à la fin d'une ère glaciaire, par exemple) et les a coupées du continent. La Grande-Bretagne est un exemple d'île continentale.

▼ UNE ÎLE EST NÉE

En novembre 1963, des marins virent un panache de fumée et de cendre s'élever au-dessus de la mer, au large de l'Islande, à la suite d'une éruption volcanique sous-marine. Le lendemain, comme l'éruption se poursuivait, la lave surgit à la surface et forma une île. La nouvelle île fut nommée Surtsey, d'après le dieu scandinave du Feu.

Comment se forment les îles volcaniques ?

Les îles volcaniques sont le fruit de l'activité volcanique au fond de la mer, qui a lieu souvent près des limites des plaques lithosphériques formant l'écorce terrestre. Quand deux plaques se séparent, une éruption de lave forme une dorsale sous-marine. Les couches de lave se superposent jusqu'à ce que la dorsale dépasse de la surface de l'eau et devienne une île. Parfois, toute une chaîne d'îles volcaniques – un arc insulaire – se forme ainsi. Certains arcs insulaires comptent des milliers d'îles.

Comment se forment les récifs coralliens ?

Les récifs coralliens sont formés de coraux. Ces minuscules polypes vivent dans de grandes colonies sur des rochers, dans les eaux peu profondes et éclairées par le Soleil. Quand ils meurent, ils laissent leurs squelettes calcaires et tubulaires que recouvrent de nouveaux coraux. Les squelettes de coraux s'accumulent au fil des ans, jusqu'à ce qu'ils atteignent la surface de la mer et forment un récif.

▲ LES ÎLES VOLCANIQUES

Les îles volcaniques sont souvent éloignées des continents. Vues de haut, elles ressemblent à de petites taches au milieu du vaste océan. Elles sont habituellement bordées de récifs coralliens, à moins qu'un lagon ne les sépare d'une barrière de corail.

FORMATION D'UN ATOLL

Un récif corallien commence à encercler le pied d'une île volcanique, dans une mer tropicale chaude.

Une barrière ou cordon littoral se forme grâce à l'accumulation lente du corail, tandis que le cône est érodé et s'enfonce jusqu'à être recouvert par la mer.

Une fois l'île volcanique submergée, il ne reste que l'atoll corallien en forme d'anneau, avec son lagon central.

LA PLUS GRANDE ÎLE DU MONDE ▼

Le Groenland, dans l'océan Arctique, est la plus grande île du monde, avec ses 2,2 millions de km². En dépit de sa superficie considérable, peu de gens y vivent, car il est presque tout le temps couvert de neige et de glace.

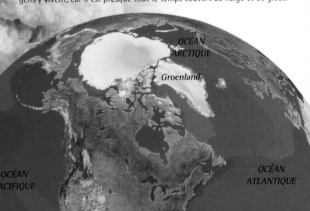

OCÉAN ARCTIQUE

Groenland

OCÉAN PACIFIQUE

OCÉAN ATLANTIQUE

POUR EN SAVOIR PLUS ▶▶ Les océans 40-41 • Les volcans 44 • Les cnidaires 103

LES TREMBLEMENTS DE TERRE

Les tremblements de terre, ou séismes, sont des secousses déclenchées par de soudains mouvements des roches dans les profondeurs, qui font trembler la surface de la Terre. Les plus violents peuvent raser des villes entières, faire de nombreux morts et provoquer l'effondrement des immeubles et des ponts.

Qu'est-ce qui provoque les tremblements de terre ?

Les tremblements de terre sont dus aux mouvements des plaques lithosphériques qui constituent l'écorce terrestre. Poussées par les courants de la couche semi-liquide située sous la lithosphère, les plaques dérivent lentement à la surface de la Terre et entrent en collision, s'écrasent ou se séparent. La plupart des séismes ont lieu le long des failles – des fentes de l'écorce terrestre où deux plaques se rencontrent et poussent l'une contre l'autre.

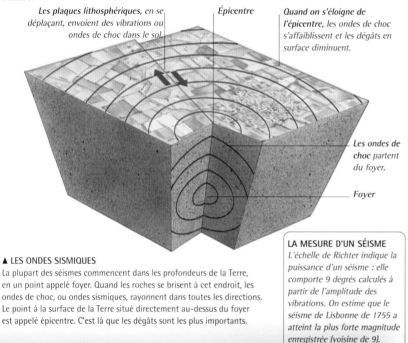

Les plaques lithosphériques, en se déplaçant, envoient des vibrations ou ondes de choc dans le sol.

Épicentre

Quand on s'éloigne de l'épicentre, les ondes de choc s'affaiblissent et les dégâts en surface diminuent.

Les ondes de choc partent du foyer.

Foyer

▲ LES ONDES SISMIQUES
La plupart des séismes commencent dans les profondeurs de la Terre, en un point appelé foyer. Quand les roches se brisent à cet endroit, les ondes de choc, ou ondes sismiques, rayonnent dans toutes les directions. Le point à la surface de la Terre situé directement au-dessus du foyer est appelé épicentre. C'est là que les dégâts sont les plus importants.

> **LA MESURE D'UN SÉISME**
> *L'échelle de Richter indique la puissance d'un séisme : elle comporte 9 degrés calculés à partir de l'amplitude des vibrations. On estime que le séisme de Lisbonne de 1755 a atteint la plus forte magnitude enregistrée (voisine de 9).*

▲ APRÈS LE TREMBLEMENT DE TERRE
La plupart des tremblements de terre ne durent que quelques secondes, mais il faut parfois des années pour réparer les dégâts. À cause des secousses, certains types de sol se liquéfient et les immeubles s'enfoncent ou s'écroulent. Au Japon, le tremblement de terre qui eut lieu à Kobe en 1995 (ci-dessus) a détruit une bonne partie du réseau routier.

Que se passe-t-il pendant un séisme ?

Quand les plaques lithosphériques frottent l'une contre l'autre le long d'une faille, les roches de chaque côté s'étirent pour amortir une partie de la pression. Si celle-ci devient trop forte, les roches se brisent en créant des ondes de choc qui secouent la surface.

Où ont lieu la plupart des séismes ?

Les tremblements de terre, mais aussi les éruptions volcaniques, ont lieu en général sur les limites des plaques lithosphériques ou aux abords. L'endroit où on en rencontre le plus est la «ceinture de feu», qui correspond au bord de la vaste plaque pacifique située au fond de l'océan Pacifique. Le Japon, les Philippines, la Nouvelle-Zélande et la côte Ouest de l'Amérique du Nord et du Sud longent cette importante zone de faille.

Comment mesure-t-on les séismes ?

L'étude des tremblements de terre est appelée sismologie. Les scientifiques se servent de sismographes pour mesurer et enregistrer les séismes. On mesure un séisme d'après son amplitude (la taille des ondes de choc et l'énergie produite) ou ses effets.

◄ LA FAILLE DE SAN ANDREAS
La région de San Andreas, sur la côte Ouest de l'Amérique du Nord, est située sur la «ceinture de feu». Le long d'une faille où deux plaques se heurtent, les roches sont fissurées et déformées.

Tremblements de terre

POUR EN SAVOIR PLUS ►► La Terre 36-37 • Les sciences de la Terre 38 • Les continents 39 • Les volcans 44

LES VOLCANS

Un volcan est une cheminée ou un point faible de l'écorce terrestre par où le magma (roche chaude et fondue) s'échappe sous forme de **LAVE**. À certains endroits, la lave s'écoule lentement du sol, mais, ailleurs, l'éruption sera violente.

Un nuage de gaz, de vapeur et de fragments de roche surgit du volcan.

Le magma est poussé le long de la cheminée principale et des cheminées latérales.

La chambre magmatique se forme à une grande profondeur sous la surface de la Terre.

La lave rouge et brûlante coule sur les pentes du volcan.

Comment se produit une éruption volcanique?

Lors d'une éruption volcanique, le magma surgit des entrailles de la Terre. S'il s'agit d'une éruption violente, il remplit une chambre située sous une cheminée et bloquée par des roches refroidies et dures. Le gaz et l'eau s'intègrent au magma, formant un mélange explosif. La pression augmente dans la chambre jusqu'à ce que le magma, le gaz et la vapeur soient projetés vers le haut.

Tous les volcans sont-ils dangereux?

Chaque année, environ vingt-cinq grandes éruptions se produisent sur la Terre, ainsi que des milliers de plus petites, souvent sous la mer. Dans les volcans actifs, une éruption peut se déclencher à tout moment. Les volcans en repos n'en ont pas connu depuis des siècles, mais risquent de se réveiller un jour. Quant aux volcans éteints, ils semblent ne plus avoir la moindre activité.

Les couches de cendre et de lave, en s'accumulant, forment une montagne volcanique.

◄ **UNE ÉRUPTION VIOLENTE**
Dans les éruptions violentes, des blocs de roche incandescente et des cendres brûlantes sont projetés dans l'air, puis, en se refroidissant, forment une montagne conique.

@ ▶▶ **Volcans**

▲ **UN NUAGE DE CENDRES**
L'éruption du Saint Helens, dans l'État de Washington (États-Unis), a projeté un nuage de cendres fines à 20 km dans le ciel.

▲ **UNE FONTAINE DE FEU**
Dans certains volcans à la cheminée étroite, le magma jaillit jusqu'à 200 m dans le ciel, en éclaboussant les alentours.

▲ **APRÈS**
Une immense coulée de lave peut détruire tout sur son passage, comme ce village près du Kilauea, un volcan de Hawaii (États-Unis).

LA LAVE

La lave est le nom donné au magma une fois qu'il a atteint la surface de la Terre. Selon les minéraux qu'elle contient, la température et la pression au moment de sa formation, la lave peut être épaisse et visqueuse ou fluide.

Les volcans ont-ils tous la même forme?

Les volcans ont des formes différentes, selon leur type de lave et la forme de leurs cheminées. Les volcans boucliers, constitués de lave fluide, ont de larges cônes peu profonds. Sur les volcans fissuraux, la croûte présente de longues fissures. Les éruptions violentes, en général, produisent des monts coniques aux pentes escarpées. Dans les strato-volcans, les couches de lave et de cendre alternent.

Magma — Cheminée

VOLCAN BOUCLIER

Magma — Fissure

VOLCAN FISSURAL

Magma — Cheminée — Cendre — Lave — Cheminée latérale

STRATO-VOLCAN

POUR EN SAVOIR PLUS ▶▶ Les îles 42 • Les tremblements de terre 43 • Les roches 46-47

LES MONTAGNES

Les montagnes sont des masses rocheuses aux pentes abruptes, qui s'élèvent au moins à 600 m au-dessus de la mer. On en trouve sur terre comme sous la mer. Certaines sont des pics isolés, mais la plupart appartiennent à des CHAÎNES.

Mauna Kea

Comment se forment les montagnes ?

Les montagnes sont formées par les mouvements des immenses plaques lithosphériques. Elles peuvent provenir de plissements, quand des plaques entrent en collision, ou, pour les massifs, du soulèvement d'une région. Les montagnes volcaniques sont constituées de couches de lave et de cendre refroidies et durcies.

Les montagnes grandissent-elles encore ?

Certaines montagnes relativement jeunes grandissent encore, car les plaques continuent à s'affronter. En même temps, les montagnes sont constamment érodées par la glace, la pluie et le vent.

Pourquoi les cimes sont-elles enneigées ?

Il fait froid sur les cimes, parce que la rareté de l'air dans les hauteurs ne retient pas bien la chaleur du Soleil, et la température chute de 1 °C tous les 150 m. Le froid est donc suffisant pour que la neige couvre les pics élevés (même à l'équateur) et, comme les températures dépassent rarement 0 °C, la neige ne fond jamais.

▲ DES MONTAGNES EN PLEINE MER
Certaines des montagnes les plus hautes du monde sont presque entièrement immergées : seul leur sommet dépasse de la surface. Mauna Kea, à Hawaii, s'élève du fond marin sur une hauteur de 10 205 m, dépassant ainsi l'Everest.

LA FORMATION DES MONTAGNES

Des failles apparaissent sur les bords des plaques.

L'affaissement d'un bloc situé entre deux failles donne un fossé appelé rift.

Une montagne par plissement est due à la compression, à la déformation et au soulèvement des roches.

Les massifs montagneux résultent du soulèvement d'une région située entre deux failles.

LA CHAÎNE DE L'HIMALAYA ▶
L'Himalaya, une montagne par plissement, s'est formé quand la plaque portant l'Inde a heurté celle de l'Asie du Sud. Cette chaîne continue à grandir d'environ 1 m tous les 1 000 ans.

L'Everest, qui culmine à 8 850 m, est le plus haut sommet du monde.

Les corniches sont des masses de neige en surplomb, que le vent dépose sur les crêtes.

@ ▸▸ Montagnes

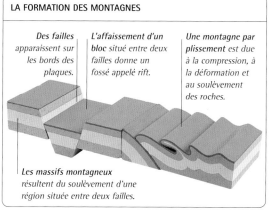

▲ LA CORDILLÈRE DES ANDES
Les Andes se sont formées quand l'une des plaques lithosphériques de la Terre, la plaque de Nazca, a heurté celle de l'Amérique du Sud, soulevant lentement les roches et formant une série de cimes élevées et déchiquetées.

LES CHAÎNES DE MONTAGNES

La plupart des montagnes font partie de chaînes ou de massifs, comme le Jura, les Alpes ou la sierra Nevada en Californie (États-Unis). Souvent, une série de chaînes est reliée à une chaîne plus grande, appelée cordillère.

Où se trouve la plus longue chaîne de montagnes du monde ?

Les Andes, qui longent la côte ouest de l'Amérique du Sud, sont la plus longue chaîne de montagnes sur la Terre. Il existe une chaîne sous-marine, la dorsale médio-atlantique, qui est encore plus longue. Elle traverse l'océan Atlantique sur 11 300 km.

POUR EN SAVOIR PLUS ▸▸ Les continents 39 • Les roches 46-47 • L'érosion 55 • La glace 58 • L'Amérique du Sud 232-233

LES ROCHES

L'écorce terrestre est constituée de roches qui elles-mêmes se composent de substances naturelles, appelées MINÉRAUX. On distingue trois grands types de roches : sédimentaires, éruptives et métamorphiques. Chaque type est formé d'une façon différente. Les plus vieilles roches sur Terre datent d'il y a environ 3,8 milliards d'années.

Qu'est-ce qu'une roche éruptive ?

Les roches éruptives se forment quand le magma (roche en fusion) surgit des profondeurs de la Terre, puis se refroidit et se solidifie à la surface ou près de la surface de la Terre. Les roches éruptives qui se sont formées sous terre peuvent parvenir à la surface plus tard, à cause d'un soulèvement géologique. Elles peuvent aussi apparaître à la suite de l'érosion des roches qui les recouvrent.

Le basalte, une roche éruptive, est la roche la plus commune à la surface de la Terre.

Ces colonnes hexagonales se sont formées quand la lave basaltique en fusion s'est refroidie, contractée et fissurée.

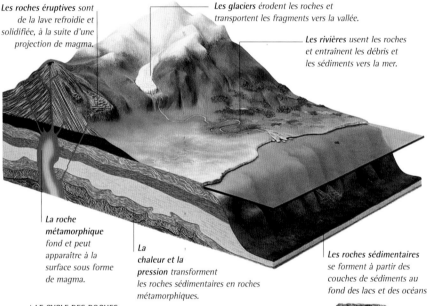

Les roches éruptives sont de la lave refroidie et solidifiée, à la suite d'une projection de magma.

Les glaciers érodent les roches et transportent les fragments vers la vallée.

Les rivières usent les roches et entraînent les débris et les sédiments vers la mer.

La roche métamorphique fond et peut apparaître à la surface sous forme de magma.

La chaleur et la pression transforment les roches sédimentaires en roches métamorphiques.

Les roches sédimentaires se forment à partir des couches de sédiments au fond des lacs et des océans.

▲ LE CYCLE DES ROCHES

Les roches sont sans cesse détruites et refaçonnées au cours d'un cycle infini. Elles sont soumises à divers processus : mélange, refroidissement et solidification, variation de pression et de température, érosion, compression et agglomération.

Qu'est-ce qu'une roche sédimentaire ?

Les roches sédimentaires sont formées de fines particules qui se sont détachées sous l'effet de l'usure puis ont été transportées par les rivières, les glaciers ou le vent pour finir dans des lacs ou des océans. Ces fragments minuscules sont ensuite compressés et agglomérés pour former une roche sédimentaire.

Qu'est-ce qu'une roche métamorphique ?

Les roches transformées sous la Terre par une chaleur ou une pression importantes, ou les deux, sont appelées métamorphiques. Lors des éruptions volcaniques ou quand le mouvement des plaques lithosphériques fait surgir des montagnes, les roches sont chauffées et compressées. Les minéraux qu'elles contiennent se modifient alors et ces roches deviennent des roches métamorphiques.

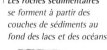

ROCHE ÉRUPTIVE
Le granite (ci-dessus) et le basalte font partie des roches éruptives.

ROCHE SÉDIMENTAIRE
Cette catégorie comprend le grès (ci-dessus), le calcaire et la craie.

ROCHE MÉTAMORPHIQUE
Le marbre (ci-dessus) et le schiste sont des roches métamorphiques.

◀ **LA CHAUSSÉE DES GÉANTS**
C'est en Irlande du Nord que s'étend cette célèbre formation de colonnes hexagonales (à six côtés) de basalte, une roche éruptive.

LES MINÉRAUX

Les roches sont formées de substances chimiques naturelles, appelées minéraux. Certaines ne contiennent qu'un minéral. Le marbre, par exemple, se compose de calcite, un minéral blanc. Cependant, la plupart des roches contiennent des CRISTAUX de plusieurs minéraux différents.

Quels sont les minéraux les plus précieux?

Certains des minéraux les plus précieux sont des minerais, qui renferment des métaux comme l'or, le fer et l'aluminium. L'or est sans doute le plus précieux d'entre eux, parce qu'il est mou, facile à travailler et ne s'oxyde pas. Les GEMMES sont aussi des minéraux très appréciés. Les combustibles fossiles, comme le charbon, donnent de l'énergie. Le soufre et le mica sont utilisés dans l'industrie. Le granit et le grès servent à construire des bâtiments.

@ ▶▶
Roches

Or

Quartz

▲ **MINERAI D'OR**
Dans la plupart des minerais, les métaux sont mêlés à d'autres substances. L'or, toutefois, se présente sous sa forme pure dans des roches tel le quartz (ci-dessus).

LES CRISTAUX

Les cristaux sont des formes solides, régulières et géométriques que l'on rencontre chez la plupart des minéraux. Ils ont des surfaces lisses (appelées facettes), des bords droits et des angles symétriques parce qu'ils sont constitués d'une structure régulière d'atomes (minuscules particules) appelée treillis.

Comment se forment les cristaux?

Les cristaux sont dus au refroidissement d'un solide en fusion (comme la roche) ou à l'évaporation (quand l'eau se transforme en vapeur) d'un liquide provenant d'une solution contenant un minéral dissous. De plus en plus d'atomes rejoignent le treillis de base, ce qui augmente la taille du cristal. Les cristaux à croissance lente sont plus grands que ceux qui se forment vite.

Cristaux d'améthyste pyramidaux

LES CRISTAUX D'AMÉTHYSTE ▶
Ces cristaux violets sont un type de quartz. Ils se sont formés dans de l'eau chaude, riche en silice – un minéral.

LES GEMMES

Les gemmes (ou pierres précieuses et semi-précieuses) représentent une cinquantaine des 3 000 minéraux trouvés sur Terre. Elles ne brillent pas toujours à l'état naturel, mais on peut les tailler et les polir pour obtenir des pierres étincelantes. Le diamant, le minéral le plus dur qui soit, est du carbone pur et cristallisé. Il compte parmi les gemmes les plus appréciées.

Où trouve-t-on des gemmes?

On trouve souvent des gemmes dans les régions montagneuses, en général dans des roches qui ont subi une chaleur ou une pression importantes. Il en existe aussi dans les sédiments couvrant les lits des lacs et des cours d'eau. Les diamants sont extraits de mines très profondes.

▲ **ROUGE RUBIS**
Les rubis sont issus d'un minéral, le corindon. Les rubis rouge foncé sont des pierres rares et précieuses comme les émeraudes.

POUR EN SAVOIR PLUS ▶▶ Les volcans 44 • L'érosion 55 • La glace 58 • Les atomes 157 • La chimie 162

LE SOL

Le sol est l'une des ressources les plus précieuses sur la Terre. Il fournit le soutien et la nourriture nécessaire à la croissance des plantes. Les plantes, à leur tour, nourrissent les animaux et les hommes. Les COUCHES DU SOL contiennent des fragments de roche, de l'air et de l'eau, ainsi que des résidus de plantes et d'animaux.

▲ ARGILE
Les sols argileux sont en général collants et imbibés d'eau.

Comment se forme le sol ?

Le sol est formé de roches brisées par la glace, le gel, le vent et l'eau. Les plantes, en prenant racine parmi ces fragments, les agglomèrent. Quand les plantes meurent, elles fertilisent le sol. Le sol met de nombreuses années à se former, mais de mauvaises méthodes de culture peuvent le détruire très vite, comme la déforestation (l'élimination des arbres).

Existe-t-il différents types de sol ?

Il existe trois principaux types de sol : argile, sable et humus. On en trouve d'autres, selon le type de la roche sous-jacente, le climat et la végétation. Les humus, un mélange d'argile, de sable et de sédiments, sont plus fertiles que les autres sols.

◄ SABLE
Les sols sableux sont friables et secs.

TOURBE ▶
Les sols à base de tourbe, constitués de plantes décomposées, sont acides.

▲ CRAIE
Les sols crayeux sont légers et secs.

Herbe   Fleurs sauvages   Racines   Humus   Feuilles en décomposition

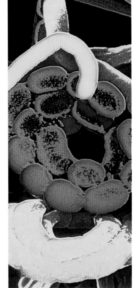

◄ LA VIE DANS LE SOL
Un petit morceau de terre de seulement 1m² contient jusqu'à 1 milliard d'êtres vivants. Les insectes cohabitent avec des araignées, des vers, des mille-pattes, des champignons et des dizaines de milliers de bactéries (agrandies, à gauche).

@ ▶▶ Sols

Comment les êtres vivants enrichissent-ils le sol ?

Les êtres vivants jouent un rôle important, puisqu'ils aident à recycler les substances nutritives (les minéraux nourrissants) qui enrichissent le sol. Quand les plantes ou les animaux meurent, des charognards comme les coléoptères, des bactéries microscopiques et des champignons mettent en morceaux leurs cadavres. Les minéraux ainsi libérés vont dans le sol. Ils fertilisent les plantes, qui peuvent pousser, et le cycle de la vie recommence.

◄ LE SOL ET SES HABITANTS
Le sol forme une zone vitale au-dessus de la roche, où prospèrent toutes sortes de créatures.

LES COUCHES DU SOL

Les scientifiques divisent le sol en trois couches, de la surface à la roche sous-jacente. C'est ce qu'on appelle le profil du sol. Les couches du sol sont appelées horizons. La profondeur de l'horizon dépend du type de sol.

Combien y a-t-il de couches de sol ?

Une couche d'humus sombre et fertile, issu de plantes en décomposition, s'étend à la surface du sol. Dessous, la couche arable contient les racines des plantes, ainsi que les résidus de plantes et d'animaux que les bactéries et les champignons aident à décomposer. Le sous-sol contient moins de résidus de plantes et d'animaux, mais beaucoup de substances minérales descendues des couches supérieures. Dessous, on trouve des fragments de roche, puis le soubassement.

◄ LE PROFIL DU SOL
Cette tranche d[e] sol, de la surfac[e] au soubasseme[nt] présente cinq couches.
Humus

Couche arable (horizon A) souvent riche [en] humus et en minéraux

Sous-sol (horizon B), pauvre en hum[us] riche en miné[...]

Fragment de r[oche] érodée (horizo[n...] (peu ou pas [de] animale ou vé[...]

Roche mère (horizon D)

◄ L'ACTIVITÉ SOUS LA TERRE
Les vers de terre et les animaux vivant dans des terriers comme les taupes, les souris et les lapins élisent domicile dans la couche arable. Ils creusent des tunnels qui laissent entrer l'eau et l'air dans le sol, ce qui contribue à l'enrichir. Jusqu'à 1 million de vers de terre vivent dans seulement 1km² de sol.

POUR EN SAVOIR PLUS ▶▶ Les roches 46-47 • L'érosion 55 • Les micro-organismes 85 • Les plantes 88-89

L'ATMOSPHÈRE

Presque toute la vie sur Terre dépend de l'atmosphère, la couche de gaz qui enveloppe notre planète. Cette couche, qui s'étend sur environ 700 km jusqu'à l'espace, nous protège des météorites et réchauffe la surface de la Terre. Elle contient la **COUCHE D'OZONE**, qui forme un bouclier contre les rayons nocifs du Soleil.

L'atmosphère reste-t-elle la même de la Terre à l'espace ?

L'atmosphère terrestre se compose de cinq couches principales : la troposphère, la stratosphère, la mésosphère, la thermosphère et l'exosphère. Les principaux gaz de l'atmosphère sont l'azote (78 %) et l'oxygène (21 %). Par ailleurs, elle contient de petites quantités d'argon, de gaz carbonique et de vapeur d'eau.

Qu'est-ce que la pression atmosphérique ?

La pression atmosphérique (de l'air) est la force produite par l'air qui pousse ce qui l'entoure. Elle s'élève à 1 kg/cm². Toutefois, nous ne la sentons pas, car l'air appuie de façon uniforme dans tous les sens et les fluides organiques (de notre corps) exercent une poussée vers l'extérieur. La pression atmosphérique est à son maximum au niveau de la mer et décroît avec l'altitude.

Les sommets noirs des nuages qui se détachent sur la lumière du Soleil couchant marquent la limite de la troposphère – la couche qui détermine le temps qu'il fait sur Terre.

L'air dense et poussiéreux de la partie inférieure de l'atmosphère apparaît en rouge.

Soleil

L'air plus léger et sans poussière des hauteurs de l'atmosphère semble bleu.

LES COUCHES DE L'ATMOSPHÈRE

5. L'EXOSPHÈRE
Située entre 450 et 900 km au-dessus de la surface de la Terre, à la limite de l'espace, l'exosphère est la couche externe de l'atmosphère.

4. LA THERMOSPHÈRE
La thermosphère s'étend de 80 à 450 km au-dessus de la Terre et contient l'ionosphère, une couche de particules chargées qui permettent de renvoyer sur la Terre les ondes radio et de communiquer.

3. LA MÉSOSPHÈRE
La mésosphère se trouve entre 50 et 80 km au-dessus de la Terre. C'est souvent ici que les météores (fragments de roches et poussières tombés de l'espace) s'enflamment, produisant les étoiles filantes.

2. LA STRATOSPHÈRE
Située entre 12 et 50 km au-dessus de la Terre, la stratosphère est une couche calme, au-dessus des vents et des intempéries. La couche d'ozone se trouve dans sa partie inférieure.

1. LA TROPOSPHÈRE
Épaisse de 12 km, la troposphère contient 75 % de l'air et de l'eau présents dans l'atmosphère.

LA COUCHE D'OZONE

La couche d'ozone (un gaz), qui est située dans la stratosphère, nous protège contre les rayons ultraviolets (UV) nocifs du Soleil. Les UV peuvent provoquer des cancers de la peau, abîmer les yeux et créer d'autres problèmes de santé chez les hommes comme chez les animaux. Dans les années 1980, les scientifiques ont découvert que la couche d'ozone diminue et que des «trous» (des parties contenant moins d'ozone) apparaissent chaque printemps au-dessus de l'Antarctique et de l'Arctique.

Qu'est-ce qui provoque les trous dans l'ozone ?

Les CFC (chlorofluorocarbones), des produits chimiques qui servent à fabriquer les réfrigérateurs et les aérosols, sont responsables des trous de la couche d'ozone. Les CFC s'amassent dans l'atmosphère supérieure, où ils détruisent l'ozone. Dans les années 1990, les trous n'ont cessé de grandir. Aujourd'hui, presque tous les pays ont arrêté d'utiliser les CFC, ce qui devrait empêcher ce problème de s'aggraver.

Atmosphère

En septembre 2000, on a mesuré un trou d'ozone de 28 millions de km².

L'Antarctique apparaît ici en jaune foncé, sous la couche d'ozone en jaune clair.

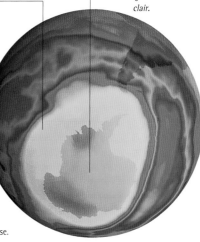

LA PERTE D'OZONE ▶
Cette photo de la Terre en fausses couleurs, prise par un satellite, montre le trou au-dessus de l'Antarctique. Le jaune indique la couche la plus mince, le bleu, la plus épaisse.

POUR EN SAVOIR PLUS ▶▶ L'espace 10 • La météorologie 50 • L'impact humain 64-65

LA MÉTÉOROLOGIE

Le temps est l'état de l'atmosphère à un moment donné, à n'importe quel endroit de la Terre. Le temps englobe les températures, les pluies et les vents ou la sécheresse et le calme.

Qu'est-ce qui provoque le temps ?

Le Soleil fournit l'énergie nécessaire à la circulation des masses d'air. Il réchauffe plus ou moins l'air dans diverses parties de l'atmosphère terrestre. Les masses d'air chaud et d'air froid se déplacent alors, ce qui crée les vents. Les vents font la pluie et le beau temps – et les tempêtes. Pour savoir quel temps il fera, les gens consultent la MÉTÉO.

▲ LE BROUILLARD MATINAL
Le brouillard qui recouvre le pont du Golden Gate, à San Francisco, se lève assez vite sous l'effet du soleil matinal. Les conditions météo peuvent changer chaque jour, chaque heure, ou même de minute en minute.

@ ▶▶ Météorologie

LA MÉTÉO

Les prévisions météorologiques annoncent le temps qu'il fera dans une zone particulière, soit pour quelques jours (prévision à court terme), soit pour quelques semaines (prévision à long terme). Les hommes qui étudient le temps et font des prévisions météorologiques sont les météorologues.

Pourquoi avons-nous besoin des prévisions ?

Les prévisions météorologiques permettent aux gens d'anticiper pour savoir : les vêtements qu'ils vont mettre, le bon moment pour se déplacer ou les produits à proposer dans les supermarchés. Elles sont particulièrement importantes pour les agriculteurs, les marins, dans la construction et pour tous ceux qui travaillent dehors. Parfois, la précision d'une prévision se révèle une affaire de vie ou de mort.

◄ LA CARTE DU TEMPS
Les météorologues suivent les mouvements des masses d'air et des nuages à l'aide d'images satellite. L'ordinateur colorie ces images pour faire ressortir les déplacements des nuages. Cette image satellite en fausses couleurs montre un tourbillon de vent au-dessus de l'Atlantique, ce qui indique un temps instable et des tempêtes.

Les vents tourbillonnent autour d'une zone de basse pression. Celle-ci est produite par une masse d'air chaud qui s'élève sous l'effet de l'arrivée d'une masse d'air froid.

Les nuages de basse altitude sont montrés en jaune; ceux de haute altitude sont en blanc.

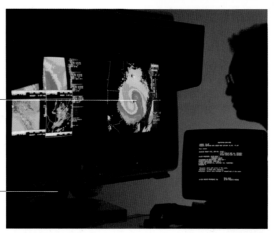

LE SUIVI DES TEMPÊTES ►
Un météorologue suit une tempête sur des images prises par satellite. Les stations de météo envoient des alertes aux régions situées dans la trajectoire de la tempête.

L'image du tourbillon de vent photographié par un satellite météo s'affiche à l'écran de l'ordinateur.

Les superordinateurs condensent la multitude des données fournies par les satellites.

Comment les experts prédisent-ils le temps ?

Les météorologues reçoivent des informations sur la température de l'air, les vitesses des vents, les nuages et la pluie de plus de 50 000 stations météorologiques du monde entier, installées sur la terre ou en mer. Ils entrent les données dans des ordinateurs qui produisent des tableaux et des prévisions.

Que font les satellites météo ?

Les satellites météo sont équipés de deux types de capteurs. Le capteur prend des photographies des mouvements de l'atmosphère terrestre. Le sondeur lit la température de l'air et des nuages.

POUR EN SAVOIR PLUS ▶▶ L'atmosphère 49 • Les vents 51 • La pluie 52-53 • Le climat 62

LES VENTS

Les vents sont des courants d'air en déplacement, qui peuvent souffler de façon très locale ou sur une région très vaste. Les vents mondiaux aident à modérer les températures dans le monde entier en éloignant l'air chaud des tropiques et l'air froid des pôles. Ils modifient les conditions météo : beau temps, ciel ensoleillé ou **MOUSSON** torrentielle. Parfois, les vents forts provoquent des tempêtes et des cyclones.

Pourquoi les vents soufflent-ils ?

Le Soleil, en réchauffant de façon inégale les masses d'air dans différentes parties du monde, donne naissance aux vents. L'air réchauffé par le Soleil devient moins dense, ou plus léger, et s'élève. Cela crée une zone de basse pression où il y a moins d'air faisant pression sur la Terre. Comme l'air se déplace toujours d'une région de haute pression vers une région de basse pression, l'air froid s'installe dans l'espace laissé par l'air qui s'est élevé. C'est le vent.

Quelles forces déterminent les vents ?

La rotation de la Terre agit sur les vents réguliers à la surface de la Terre. C'est la force de Coriolis. Dans l'hémisphère Nord, la force de Coriolis fait tourner les vents dans le sens des aiguilles d'une montre. Dans l'hémisphère Sud, elle leur fait suivre le mouvement inverse. Les courants d'air soufflant au-dessus de montagnes, par exemple, modifient aussi la rapidité et le sens du vent.

@ ▶▶ Vents

LES VENTS MONDIAUX
Trois ceintures ou bandes principales de vents dominants soufflent de part et d'autre de l'équateur. Sous les tropiques, les alizés soufflent du nord-est ou du sud-est vers l'équateur. Dans les régions tempérées, les vents dominants sont des vents d'ouest (soufflant de l'ouest). Les vents d'est froids soufflent dans les régions polaires.

Les vents soufflent autour de la Terre en six mouvements circulaires principaux, les cellules.

Dans chaque cellule, une masse d'air froid remplace l'air chaud qui monte.

Rotation de la Terre

Vents d'est polaires

Vents d'ouest

Vents alizés

Équateur

Vents alizés

Vents d'ouest

Vents d'est polaires

◀ **RAFALES OU BRISES**
Les brises légères agitent les feuilles et les petites branches. Les rafales plus fortes secouent des branches entières. Quant aux vents vraiment puissants, ils peuvent briser ou déraciner des arbres et provoquer de grands dégâts. Un vent dominant est celui qui souffle le plus souvent dans une région donnée.

LA MOUSSON

Les vents de mousson sont des vents puissants qui, en été, apportent de fortes pluies saisonnières dans les régions subtropicales comme l'Asie du Sud-Est et l'Inde. En hiver, ils donnent un temps sec et froid. Particulièrement forts en Asie, ils soufflent aussi en Afrique de l'Ouest, dans le nord de l'Australie et dans certaines régions d'Amérique du Nord et du Sud.

Les vents de mousson changent-ils de sens ?

Les vents de mousson changent de direction à cause des différences de températures saisonnières entre la terre et la mer. L'eau absorbe la chaleur plus lentement que la terre sèche, mais la retient plus longtemps. Ainsi, la mer est plus froide que la terre en été et plus chaude en hiver. En raison de cet écart de température, les vents de mousson soufflent vers le rivage (de la mer vers la terre) en été et vers le large (de la terre vers la mer) en hiver.

▲ **LA MOUSSON**
Après une longue saison sèche, la mousson apporte une pluie précieuse à des régions telles que le Bangladesh en Asie. Parfois, les pluies trop fortes provoquent d'immenses inondations qui détruisent les cultures et les maisons.

POUR EN SAVOIR PLUS ▶▶ L'atmosphère 49 • La pluie 52-53 • Les orages 54 • L'Asie 260-261

LA PLUIE

La Terre se distingue des autres planètes de notre système solaire par son atmosphère qui contient de l'humidité. L'humidité de l'air se rassemble dans les **NUAGES**, puis retombe sous forme de **NEIGE**, de **GRÊLE**, de neige fondue ou de pluie. On appelle précipitations ces différentes formes de retombées d'humidité.

@ ▶▶
Pluie

Les nuages d'orage contiennent des milliards de gouttelettes d'eau qui leur donnent une couleur gris foncé.

Pourquoi pleut-il ?

La chaleur du Soleil, en faisant s'évaporer dans l'air l'humidité des océans et des lacs, produit de la vapeur d'eau. Cette vapeur s'élève, se refroidit et se condense (se transforme en liquide) sous forme de gouttelettes d'eau minuscules qui constituent les nuages. Si les nuages continuent à absorber de l'humidité, ils se saturent. Les gouttelettes d'eau des nuages entrent en collision, grossissent et s'alourdissent jusqu'à ce que l'air ne puisse plus les porter. Elles tombent alors : c'est la pluie.

Certaines régions du monde reçoivent-elles plus de pluie que d'autres ?

La pluviosité varie d'une région à l'autre. Il peut pleuvoir presque tous les jours à certains endroits alors que, dans les déserts, il peut ne pas pleuvoir pendant des années. Il fait en général humide sous les tropiques, mais les régions polaires sont sèches car l'humidité est retenue dans la glace.

Les gouttelettes d'eau, trop lourdes pour rester dans l'air, tombent à terre sous forme de pluie.

◀ UN ARC-EN-CIEL
La lumière du Soleil, en traversant les gouttes de pluie qui tombent, produit un arc-en-ciel. La lumière est réfractée en sept couleurs qui la composent : violet, indigo, bleu, vert, jaune, orange, rouge.

SOMBRES NUAGES D'ORAGE ▶
Ces nuages laissent tomber une pluie torrentielle dans une région vallonnée. L'eau est recueillie dans les lacs de la plaine. Les gouttes qui tombent des nuages d'orage mesurent parfois 5 mm de largeur.

Les rayons du Soleil brillent à travers une fente dans les nuages.

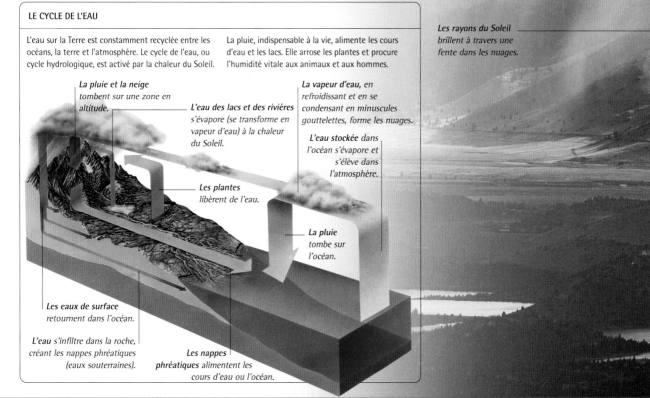

LE CYCLE DE L'EAU

L'eau sur la Terre est constamment recyclée entre les océans, la terre et l'atmosphère. Le cycle de l'eau, ou cycle hydrologique, est activé par la chaleur du Soleil.

La pluie, indispensable à la vie, alimente les cours d'eau et les lacs. Elle arrose les plantes et procure l'humidité vitale aux animaux et aux hommes.

La pluie et la neige tombent sur une zone en altitude.

L'eau des lacs et des rivières s'évapore (se transforme en vapeur d'eau) à la chaleur du Soleil.

La vapeur d'eau, en refroidissant et en se condensant en minuscules gouttelettes, forme les nuages.

L'eau stockée dans l'océan s'évapore et s'élève dans l'atmosphère.

Les plantes libèrent de l'eau.

La pluie tombe sur l'océan.

Les eaux de surface retournent dans l'océan.

L'eau s'infiltre dans la roche, créant les nappes phréatiques (eaux souterraines).

Les nappes phréatiques alimentent les cours d'eau ou l'océan.

LES NUAGES

Les nuages sont des masses visibles d'humidité, constituées de cristaux de glace ou de gouttelettes d'eau minuscules, qui sont si légers que l'air peut les porter. Les nuages se forment dans la troposphère quand la vapeur d'eau qui s'est élevée haut dans le ciel refroidit et se condense.

▼ LES NUAGES
On distingue trois grands types de nuages : les cirrus (ce qui veut dire filament), les cumulus (amas) et les stratus (étendu). Les autres sont des mélanges de ces trois types. Les nuages sont constitués d'eau ou de glace, selon leur altitude.

CIRRUS

CUMULUS

STRATUS

STRATO-CUMULUS

Comment se forment les nuages ?

Quand le Soleil brille sur les mers et les lacs, une partie de leur eau s'évapore dans l'air chaud. Si des courants d'air soufflent de l'air chaud vers la terre et qu'il s'élève au-dessus de montagnes, ou si l'air froid s'insinue sous l'air chaud et le fait monter, cet air chaud refroidit. L'air froid ne pouvant pas retenir autant d'humidité que l'air chaud, la vapeur d'eau se condense et forme des nuages.

Pourquoi les nuages ont-ils des formes différentes ?

La formation des nuages dépend de leur altitude et du mouvement de l'air. Les légers cirrus naissent très haut, dans la troposphère. Composés de cristaux de glace, ils doivent leur forme effilée au vent. À moyenne altitude, les poches d'air chaud qui s'élèvent rapidement donnent naissance à des cumulus cotonneux. Les stratus de basse altitude sont dus à l'air qui s'élève lentement au-dessus d'une zone étendue.

LA NEIGE

Par temps froid, les cristaux de glace apparus en altitude dans les nuages s'assemblent pour former des millions de minuscules flocons, puis tombent à terre : c'est la neige. Parfois, il tombe de la neige fondue, un mélange de pluie et de neige.

Pourquoi neige-t-il ?

La neige se forme dans les nuages élevés de l'atmosphère, où il fait si froid que les gouttelettes d'eau gèlent en formant des cristaux de glace. Ceux-ci s'entrechoquent et s'assemblent pour former des cristaux plus gros. Une fois qu'ils sont trop lourds pour que l'air les porte, ces flocons de neige tombent. Quand il neige, l'air est juste assez froid pour laisser les flocons atteindre le sol avant qu'ils ne fondent.

◄ FLOCONS DE NEIGE
Chaque flocon de neige a une structure hexagonale (à six côtés) différente. Leur aspect varie selon la température et leur altitude dans l'atmosphère au moment de leur formation.

Flocon de neige stellaire (en étoile) à six côtés.

Certains flocons de neige stellaires peuvent atteindre une taille de 5 à 7 cm.

LA GRÊLE

Les grêlons sont des boules de glace formées par les cristaux des nuages d'orage glacials, qui tombent ensuite à terre. Les gros grêlons peuvent briser le verre, cabosser les toits des voitures et anéantir les cultures.

D'où provient la grêle ?

La grêle se forme dans les cumulo-nimbus qui contiennent de puissants courants d'air verticaux. Les gouttelettes d'eau des nuages gèlent et tourbillonnent de haut en bas. Chaque fois qu'un grêlon remonte vers le sommet glacé du nuage, il se forme une nouvelle couche de glace autour de lui. La glace s'accumule, couche après couche, jusqu'à ce que les grêlons devenus trop lourds tombent au sol.

LES COUCHES DE GLACE ►
On distingue clairement les couches de glace dans ce grêlon de la taille d'un pamplemousse. Les grêlons sont rarement aussi énormes, mais ont souvent la taille d'une bille.

POUR EN SAVOIR PLUS ►► L'atmosphère 49 • La météorologie 50 • Les vents 51 • Les cours d'eau 56-57 • La glace 58 • Le climat 62

LES ORAGES

Un orage est une courte période de mauvais temps, accompagné de vents forts dépassant 88 km/h, d'éclairs, de tonnerre et de pluies violentes. En cas de CYCLONES et de tornades, le vent forme un tourbillon qui peut détruire une ville entière.

▲ LES TORNADES
Les tornades sont des colonnes d'air sombres et tourbillonnantes qui se forment sous les nuages d'orage. Certaines produisent des vents atteignant 450 km/h, qui peuvent démolir des habitations et projeter des trains entiers dans les airs.

Qu'est-ce qui provoque les éclairs ?
Dans les nuages d'orage, les cristaux de glace et les gouttelettes d'eau tourbillonnent et se heurtent. Cela crée des charges électriques positives au sommet du nuage et des charges négatives à sa base. La Terre a une charge positive. Quand la différence entre les charges devient suffisamment importante, la charge électrique à l'intérieur du nuage se libère sous forme d'éclair en nappe ou descend à terre, produisant un éclair en zigzag.

Qu'est-ce qui cause le tonnerre ?
Quand des éclairs se produisent, la température de l'air monte instantanément à 25 000 °C. L'air chaud se dilate et envoie une onde de choc à travers l'air : ce bruit d'explosion est appelé tonnerre.

LES CYCLONES

Également appelé typhon ou ouragan, le cyclone est une violente tempête qui forme un tourbillon. On le rencontre dans les tropiques. Il peut faire des dégâts considérables au sol.

Comment se forment les cyclones ?
Les cyclones se forment au-dessus des océans tropicaux par temps humide. L'air chaud chargé d'humidité marine s'élève en tourbillonnant autour d'une zone calme appelée l'œil. L'air froid, aspiré par le centre, prend la place de l'air chaud et alimente le cyclone.

◄ LE CYCLONE FRAN
Les cyclones, qui sont énormes, se voient bien de l'espace. Sur cette image satellite de 1996, le cyclone Fran quitte la mer des Antilles pour s'approcher du continent nord-américain.

Des spirales de pluie entourent l'œil.

L'œil du cyclone, une zone de calme qui peut faire 50 km de diamètre.

Les vents tourbillonnants autour de l'œil peuvent atteindre des vitesses de 360 km/h.

L'ÉCLAIR ▶
Les éclairs en zigzag suivent le chemin le plus rapide jusqu'au sol et descendent souvent le long des arbres et des grands immeubles.

POUR EN SAVOIR PLUS ▶▶ La météorologie 50 • Les vents 51 • La pluie 52 • Le climat 62

L'ÉROSION

L'érosion est l'action d'usure et de transformation que font subir à l'écorce terrestre les vents et les eaux. Elle est particulièrement rapide sur les pentes escarpées après de fortes pluies qui provoquent parfois des **GLISSEMENTS DE TERRAIN**.

Comment se produit l'érosion ?

Le vent, la pluie, la neige et le gel réduisent peu à peu les roches en petits morceaux. Quand de l'eau gèle dans une anfractuosité, par exemple, la glace ayant un volume supérieur à celui de l'eau, elle agrandit lentement la fissure et brise la roche. Ensuite, les fragments de roche érodée sont éparpillés par le vent ou bien transportés par l'eau des cours d'eau, la glace des glaciers ou par les vagues qui attaquent la côte.

Érosion

L'ÉROSION PAR LE VENT ►
Dans les déserts, ces têtes sculptées sont le fruit de l'érosion par les vents chargés de sable. Le vent est la première cause d'érosion dans les régions sèches et désertiques. Les écarts de températures considérables dans certains déserts, les journées brûlantes succédant à des nuits glaciales, font également éclater les roches. Si de violentes pluies tombent après une longue sécheresse, les crues subites emportent le sol et les roches friables.

▲ L'ÉROSION PAR LA GLACE
Quand la glace recouvrait une bonne partie du nord de l'Europe, les glaciers creusèrent de larges vallées en fer à cheval. Les glaciers sont d'immenses fleuves de glace qui charrient lentement des galets et des roches. Ceux-ci, situés au fond et sur les côtés, raclent la surface et creusent la vallée.

▲ L'ÉROSION PAR L'EAU
Aux États-Unis, le Colorado a creusé dans la roche d'étroites gorges et des canyons vertigineux. L'érosion est particulièrement prononcée après de fortes pluies. La roche érodée, les graviers et les sédiments sont entraînés par le cours d'eau, puis déposés dans des lacs, des deltas ou la mer.

LES GLISSEMENTS DE TERRAIN

L'usure et l'érosion ont en général une action assez lente. Les glissements de terrain surviennent quand d'énormes masses de roche et de terre se détachent brusquement du versant d'une colline, engloutissant tout sur leur passage. Les destructions peuvent être considérables et rayer de la carte des villes entières.

Qu'est-ce qui cause les glissements de terrain ?

Ils ont souvent lieu après des pluies ou des chutes de neige importantes. Le sol friable et les rochers dévalent la pente, puis, sous l'effet de leur poids, ils entraînent tout le versant. Ils sont souvent la conséquence de l'abattage des arbres. Sans les racines des arbres pour retenir la terre, les fortes pluies n'ont pas de mal à l'entraîner. Les glissements de terrain, coulées de boue et avalanches sont appelés mouvements en masse. Ces phénomènes sont parfois la conséquence d'une éruption volcanique ou d'un tremblement de terre.

Le glissement de terrain, entraîné par son poids, a balayé ce versant couvert de forêt.

En dévalant, la terre et les cailloux peuvent dégager d'énormes roches qui aggravent les dégâts.

Les roches et la terre s'arrêtent finalement sur un terrain plus plat.

◄ UN GLISSEMENT DESTRUCTEUR
Le glissement de terrain montré ici a déclenché une avalanche monstrueuse de terre et de roches qui a englouti plusieurs rues de la ville de Santa Tecla, au Salvador, en Amérique centrale. C'est un petit tremblement de terre qui l'a provoqué. En 1970, un séisme considérable avait enterré la ville de Yungai au Pérou, tuant 18 000 personnes.

POUR EN SAVOIR PLUS ▶▶ Les roches 46-47 • Les cours d'eau 56 • La glace 58 • Les côtes 59

LES COURS D'EAU

Les rivières sont des cours d'eau qui se jettent dans un **LAC** ou un fleuve ; ce dernier a son embouchure dans la mer. Tout au long de notre histoire, les rivières et les fleuves nous ont donné de l'eau pour notre consommation, l'agriculture et l'industrie, mais ils sont aussi des voies de communication, des sources de nourriture et de distractions. La plupart des grandes villes du monde ont vu le jour sur les rives d'un fleuve.

Où commencent les rivières ?

En général, les rivières débutent par un filet d'eau en haut d'une colline ou d'une montagne. La plupart émergent de rivières souterraines, formées par les infiltrations d'eau ou de pluie qui remontent à la surface (c'est la source). En descendant la pente, le filet d'eau devient ruisseau, puis se transforme en rivière, si d'autres cours d'eau – les affluents – le rejoignent.

Que sont les alluvions ?

Tout en coulant, une rivière entraîne des matières, ou débris, appelés alluvions. Ces roches, cailloux et autres grosses particules descendent le long du lit de la rivière. Les particules plus fines flottent dans l'eau.

Comment les rivières dessinent-elles le paysage ?

Les alluvions érodent le lit de la rivière et le creusent. La vitesse de l'eau qui coule use les berges, ce qui les élargit. Tout en se frayant un chemin, la rivière sculpte peu à peu de profondes vallées dans la roche et dépose des quantités énormes d'alluvions qui se transformeront en plaine fertile. Si la rivière passe sur du calcaire tendre, l'eau s'infiltrant dans la roche la dissout peu à peu et creuse des galeries et des cavernes.

Les méandres forment de grandes boucles sur les pentes douces des vallées larges.

CARACTÉRISTIQUES D'UNE RIVIÈRE ▶
Dans son cours supérieur, la rivière est petite et rapide. Plus en aval, la pente devenant moins escarpée, elle se fait moins turbulente. Les affluents qui la rejoignent augmentent le volume d'eau. Plus bas, la rivière coule lentement sur un terrain plat. Elle creuse alors de larges vallées et forme des boucles appelées méandres.

◀ LES RAPIDES ET LES CASCADES
Les rapides se forment sur le cours supérieur d'une rivière, sur un terrain très pentu, où les eaux dégringolent sur des rochers qui résistent à l'érosion. Quand une rivière use les roches friables de son lit en laissant une plaque de roches dures au-dessus, cela crée une cascade.

Sur terrain plat, le lit de la rivière se subdivise en plusieurs bras.

Si la rivière isole une élévation en la contournant, elle forme une île.

En ralentissant, la rivière dépose des sédiments.

La berge est érodée sur le côté externe de chaque coude, ce qui creuse et élargit le lit.

Qu'est-ce qu'un estuaire ?

Quand un fleuve se jette dans la mer, il s'élargit et forme un golfe évasé appelé estuaire. Les marées font remonter de l'eau salée qui se mélange à l'eau douce du cours d'eau. À cause du sel, les particules d'argile présentes dans l'eau douce s'agglutinent et tombent. Les sédiments s'accumulent donc souvent à cet endroit.

Comment se forment les deltas ?

Un delta est une zone de terre plate et fertile à l'embouchure d'un cours d'eau. Quand un fleuve dépose ses sédiments en se jetant dans la mer, il forme un delta. Les sédiments, qui s'accumulent et sèchent peu à peu, forcent le fleuve à se subdiviser en plusieurs bras.

▲ L'EMBOUCHURE D'UN FLEUVE
Les marais et les marécages se forment souvent à l'embouchure des cours d'eau, où ils s'écoulent sur un terrain plat. Ces habitats humides sont le refuge de nombreuses espèces animales, en particuliers d'oiseaux.

Cours d'eau

LE DELTA DU MISSISSIPPI (ÉTATS-UNIS) ►
Cette photo satellite du delta du Mississippi, en forme de patte d'oiseau, montre dans des couleurs reconstituées la terre en bleu clair, l'eau en bleu foncé et les sédiments en vert. Les deltas peuvent avoir des côtes arrondies ou en éventail.

LES LACS

Un lac est une étendue d'eau qui s'est accumulée dans un creux du terrain et n'a pas pu s'écouler par la roche sous-jacente. La plupart des lacs sont alimentés par des cours d'eau et, dans une moindre mesure, par la pluie.

Comment se forment les lacs ?

En montagne, les petits lacs s'installent dans les cuvettes creusées par les glaciers. Les lacs volcaniques sont formés par l'eau qui s'accumule dans les cratères des volcans inactifs. Le plus grand lac du monde, la mer Caspienne, est situé dans une dépression due à un soulèvement géologique. Les barrages retiennent des lacs artificiels appelés réservoirs.

LA VIE D'UN LAC ►
Ce lac est alimenté par l'eau des cours d'eau descendant des collines voisines. Les lacs de ce type finissent par s'assécher. Ils sont lentement comblés par les sédiments charriés par une rivière ou disparaissent si les pluies se raréfient. Ce qui reste du lac se transforme en marais ou en tourbière.

POUR EN SAVOIR PLUS ▶▶ Les océans 40-41 • Les roches 46-47 • L'érosion 55 • Les premiers agriculteurs 364-365

LES GROTTES

Les grottes sont des cavités (espaces creux) creusées dans les collines ou sous la terre par l'action de l'eau et du vent. Le long des côtes, le choc continu des vagues sculpte parfois des grottes au pied des falaises.

Grottes

Les bancs de sable sont dus aux dépôts d'alluvions sur les coudes internes, quand la rivière ralentit.

Comment se forment les grottes ?

Les grottes se rencontrent surtout en terrain calcaire. L'eau de pluie, qui contient un léger acide, dissout le calcaire tendre et s'infiltre dans les fissures, puis creuse des canaux qui, en s'élargissant, deviennent des galeries et des grottes. On trouve également des grottes dans les glaciers et dans la lave refroidie.

◄ LES STALACTITES ET LES STALAGMITES
L'eau qui suinte du plafond d'une cave calcaire contient des minéraux dissous, comme la calcite. Il faut des milliers d'années pour que les minuscules dépôts de calcite forment des colonnes pointues qui pendent, les stalactites, ou qui s'élèvent, les stalagmites.

POUR EN SAVOIR PLUS ▶▶ Les volcans 44 • Les roches 46-47 • La glace 58

LA GLACE

Sur les pôles et les hautes montagnes, la glace recouvre de vastes étendues : les calottes glaciaires, la banquise et les glaciers, véritables fleuves de glace. Elle est l'un des principaux moteurs de l'érosion des paysages, où les glaciers creusent de profondes vallées.

Comment se forment les glaciers ?

Un glacier apparaît quand il tombe plus de neige en hiver qu'il n'en fond en été. La neige s'amoncelant, les couches supérieures appuient sur les couches inférieures qui se transforment en glace. Quand suffisamment de glace s'est formée, le glacier descend la pente à raison de 1 m par jour, sous l'effet de son poids considérable et de la gravitation. Le glacier continue à avancer tant qu'il neige plus sur son sommet qu'il ne fond de glace à sa pointe.

Que sont les calottes glaciaires ?

Ce sont d'immenses plaques de glace en forme de dômes qui recouvrent les régions polaires. Elles sont dues à la neige qui s'accumule, créant une couche épaisse de glace. Les trois quarts de l'eau douce du monde se trouvent dans les calottes glaciaires. Celle qui recouvre l'Antarctique, au pôle Sud, a une profondeur de plus de 4 km.

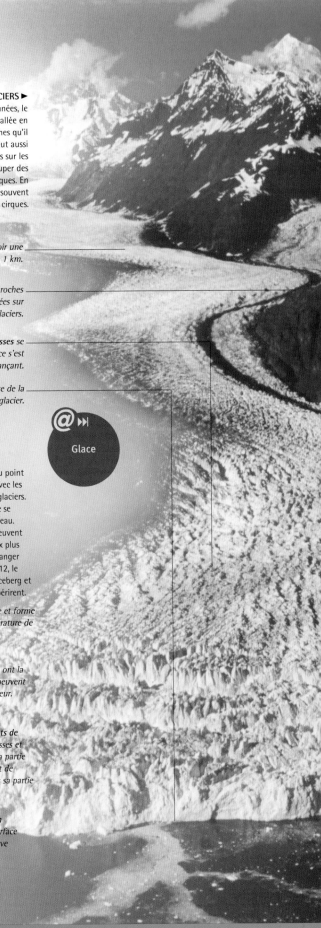

L'ÉROSION PAR LES GLACIERS ▶
En plusieurs milliers d'années, le glacier creuse une large vallée en fer à cheval, grâce aux roches qu'il fait rouler sur le sol. Il peut aussi tailler des cimes pointues sur les montagnes et découper des vallées arrondies, les cirques. En fondant, le glacier laisse souvent de petits lacs dans les cirques.

Un glacier peut avoir une profondeur de plus de 1 km.

Les moraines ou tas de roches et de débris sont entraînées sur les côtés des glaciers.

De profondes crevasses se forment là où la glace s'est fendue en avançant.

L'eau fondue suinte de la pointe du glacier.

@ ▶▶ Glace

◀ UN ICEBERG
Les icebergs se forment au point de rencontre de l'océan avec les calottes glaciaires ou les glaciers. D'immenses pans de glace se détachent et tombent à l'eau. Les courants de l'océan peuvent les entraîner vers des eaux plus chaudes, d'où un grand danger pour la navigation. En 1912, le *Titanic* fut coulé par un iceberg et plus de 1 500 personnes périrent.

La surface de la mer gèle et forme une banquise si la température de l'eau descend à –2,2 °C.

Les plus grands icebergs ont la taille d'un petit pays et peuvent atteindre 160 m de hauteur.

Les vagues et les courants de l'océan sculptent des bosses et des escarpements dans la partie supérieure de l'iceberg et de profondes cavernes dans sa partie immergée.

Près d'un neuvième d'un iceberg dépasse de la surface de l'eau ; le reste se trouve sous l'eau.

LES CÔTES

Les côtes sont des zones frontières où la terre rencontre la mer.
On en compte 502 000 km dans le monde entier.
Les marées, les vagues et les courants ne cessent de grignoter
la terre, produisant toutes sortes de paysages : falaises
escarpées, promontoires déchiquetés, plages sableuses et
vasières immenses et solitaires.

Comment les vagues changent-elles l'aspect des côtes ?

Les vagues, en se jetant sans cesse contre les côtes
rocheuses, font tourbillonner le sable, les galets et les
roches qui sculptent ainsi le relief. Au fur et à mesure
qu'elles emportent les falaises de la côte, celle-ci recule
vers l'intérieur des terres. Ailleurs, pourtant, les marées
et les cours d'eau déposent du sable, de la boue et
des cailloux qui forment de nouvelles terres : deltas,
plages et langues de terre.

LES MARÉES

Une ou deux fois par jour, les côtes sont
recouvertes par la montée et la baisse régulières
du niveau de la mer. Sur certaines côtes,
les marées puissantes affichent des écarts
de 15 m ou plus par jour. Sur d'autres rivages,
il ne s'agit que de quelques centimètres, la marée
étant alors imperceptible.

Qu'est-ce qui provoque les marées ?

Les marées sont dues principalement à l'attraction de la
Lune. Cette attraction fait gonfler l'eau et produit une
marée haute à la surface de l'eau. La Terre tournant sur
son axe vers l'est, ce gonflement se déplace vers l'ouest,
poussant la marée haute vers d'autres régions du monde.

Que sont les grandes marées ?

Les grandes marées ont lieu deux fois par mois, quand
l'attraction du Soleil se conjugue avec celle de la Lune,
faisant gonfler encore plus la surface des mers.
Les faibles marées se produisent également deux fois
par mois, quand le Soleil et la Lune étant à angle droit
par rapport à la Terre, leurs attractions s'opposent.

Côtes

▲ MARAIS SALANT
Situés à l'embouchure d'un
cours d'eau sur terrain plat,
ils sont régulièrement
recouverts par la marée.

▲ FJORD
Les fjords sont des vallées
creusées par des glaciers
puis envahies par la mer.

▲ LANGUE DE TERRE
Les langues de terre, bordées
par une lagune tranquille,
sont dues aux dépôts de
sédiments par les vagues.

▲ LES DOUZE APÔTRES
Cette formation rocheuse dans la
province de Victoria, en Australie,
est l'œuvre des vagues qui ont
creusé des grottes au pied des
falaises. Avec le temps, les toits
des grottes se sont effondrés,
formant des arcs de roche. Puis
leur sommet s'est effrité, laissant
cette série de piliers isolés.

▲ LA MARÉE BASSE
Les bateaux sont échoués à marée basse, dans le port de Polperro, en
Cornouailles (Grande-Bretagne), qui se vide de son eau. La marée suit
un cycle de 28 jours, lié à l'orbite de la Lune autour de la Terre.

▲ LA MARÉE HAUTE
À marée haute, les bateaux se balancent sur les vagues. Les marées montent
et descendent une fois ou deux toutes les 24 heures et 50 minutes. Tous les
jours, la marée haute ou basse a donc lieu 50 minutes plus tard que la veille.

POUR EN SAVOIR PLUS ▶▶ Le Soleil 15 • La Lune 17 • Les océans 40-41 • Les forces 164

LES RESSOURCES ÉNERGÉTIQUES

L'énergie est la force qui permet de produire un travail. Au fil des siècles, les hommes ont appris à se servir de diverses sources d'énergie : **ÉNERGIES FOSSILES**, **NUCLÉAIRE** et **RENOUVELABLES**.

Qu'est-ce qu'un combustible ?

Les combustibles, en brûlant, produisent de l'énergie sous forme de chaleur ou d'électricité. Le charbon, le pétrole, le gaz naturel et le bois sont des combustibles. Depuis les débuts de la civilisation, les hommes brûlent du bois pour se chauffer, éclairer leurs demeures et cuire leurs aliments. Or, dans certaines régions, ils ont abattu tellement d'arbres que le bois vient à manquer.

◄ L'UTILISATION DE L'ÉNERGIE
Cette ville ruisselle de lumière. Les habitants des pays développés consomment d'énormes quantités d'énergie par jour.

DU BOIS AU FEU ►
Dans cette région isolée de Chine, le bois sert pour cuire les aliments. C'est le principal combustible pour la moitié de l'humanité.

LES ÉNERGIES FOSSILES

Les énergies fossiles se composent de résidus fossilisés de créatures mortes il y a des millions d'années : charbon, pétrole et gaz sont les énergies fossiles les plus importantes. Aujourd'hui, elles fournissent la majeure partie de l'énergie mondiale.

Comment se sont formés le pétrole et le gaz ?

Le pétrole provient des restes de plantes et d'animaux minuscules qui furent enterrés et écrasés au fond des mers. Le gaz naturel, qui se forme de la même manière, se trouve dans des réservoirs souterrains.

Comment l'énergie est-elle produite ?

Les centrales électriques brûlent les énergies fossiles pour chauffer de l'eau et produire de la vapeur. La vapeur actionne les turbines d'un générateur qui font tourner un aimant, ce qui crée un courant électrique. Dans les raffineries, on transforme le pétrole en carburant pour les voitures, les trains, les bateaux et les avions.

Il faut des millions d'années pour que les plantes en décomposition, entassées dans des marais chauds et boueux, se transforment en charbon.

La tourbe humide et fibreuse provient de vestiges de plantes décomposées, puis enterrées et écrasées. La combustion de la tourbe fournit de la chaleur.

Le lignite est un charbon brun proche de la surface. De mauvaise qualité, il contient jusqu'à 60 % de carbone, ainsi que des résidus végétaux et de l'humidité.

La houille grasse se trouve plus en profondeur. Ce combustible solide de meilleure qualité contient plus de 80 % de carbone. Il sert surtout dans l'industrie.

L'anthracite, dur et noir, occupe les gisements les plus profonds. Composé de plus de 90 % de carbone, c'est le meilleur combustible pour l'industrie et le chauffage.

LA FORMATION DU PÉTROLE

 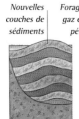 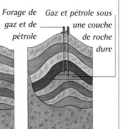

Résidus végétaux et animaux — *Nouvelles couches de sédiments* — *Forage de gaz et de pétrole* — *Gaz et pétrole sous une couche de roche dure*

1. Les plantes et animaux en décomposition, tombés au fond de la mer, sont recouverts de sédiments.

2. Chaleur et pression augmentent sous le poids des sédiments. Les résidus organiques se transforment en pétrole et en gaz.

3. Le gaz et le pétrole remontent à travers la roche poreuse et forment une nappe sous une couche de roche dure.

Ressources énergétiques

▲ LA FORMATION DU CHARBON
Les plantes se décomposent puis, quand elles sont enterrées et écrasées, forment de la tourbe brune et friable. Au bout de plusieurs milliers d'années, les couches s'accumulant, la chaleur et la pression transforment les résidus tout d'abord en lignite, puis en houille et enfin en anthracite, la meilleure qualité de charbon.

L'ÉNERGIE NUCLÉAIRE

Dans les années 1930, les scientifiques ont découvert qu'il était possible de produire des quantités fabuleuses d'énergie en cassant les atomes (minuscules particules) d'un minerai rare, l'uranium. Cette technologie servit tout d'abord à fabriquer les bombes atomiques. Plus tard, elle fut appliquée à la production d'électricité.

Quels sont les avantages et les inconvénients de l'énergie nucléaire ?

L'énergie nucléaire ne dégage pas les mêmes gaz polluants que les énergies fossiles et n'épuise pas les ressources naturelles de la Terre. Cependant, l'uranium et les autres matériaux nucléaires sont radioactifs : ils émettent des radiations dangereuses pour les êtres vivants. Leur traitement et leur transport exigent donc les plus grandes précautions. Par ailleurs, après leur utilisation, il est difficile de les éliminer dans de bonnes conditions de sécurité.

▲ LE DÉSASTRE DE TCHERNOBYL
En 1986, un réacteur de la centrale nucléaire de Tchernobyl, en Russie, a pris feu, explosé et produit un nuage radioactif. Cette image montre l'étendue de la contamination 6 jours après l'accident.

LES ÉNERGIES RENOUVELABLES

Pour produire les énergies renouvelables, on se sert de forces naturelles comme la lumière du Soleil. Les énergies fossiles dégagent des gaz nocifs lors de leur combustion et disparaîtront un jour, une fois les réserves taries. En revanche, les énergies renouvelables ont l'avantage de ne pas s'épuiser et de très peu polluer.

Quelles sont ces sources d'énergies renouvelables ?

La majeure partie de l'énergie sur Terre provient du Soleil. L'énergie solaire utilise directement la lumière et la chaleur du Soleil. Le mouvement de l'eau (sous forme de vagues, de marées et de rivières) et du vent contient de l'énergie qui peut faire tourner des turbines pour produire de l'électricité. L'énergie géothermique fait appel à la chaleur de l'intérieur de la Terre.

Quels sont les avantages et les inconvénients ?

Les énergies renouvelables dureront aussi longtemps que le Soleil brillera, que le vent soufflera et qu'il y aura des vagues et des rivières. Ces technologies, qui ne polluent pas l'environnement, offrent des garanties de sécurité. Cependant, la construction des centrales peut revenir cher et elles risquent de ne pas produire assez d'énergie pour satisfaire les besoins locaux.

L'ÉNERGIE SOLAIRE ▶
Dans une centrale solaire, chaque parabole recueille le rayonnement du Soleil pour l'envoyer à un générateur thermoélectrique. Un ordinateur oriente les paraboles afin qu'elles soient toujours tournées vers le Soleil pendant la journée.

▲ L'ÉNERGIE ÉOLIENNE
Pendant des siècles, les moulins à vent ont fourni de l'énergie pour faire fonctionner des machines. Les pales des éoliennes modernes font tourner un arbre qui produit de l'électricité.

▲ L'ÉNERGIE HYDRAULIQUE
Le courant de l'eau fait tourner des turbines qui actionnent des générateurs électriques. Le barrage, situé en amont de la centrale hydroélectrique, contrôle l'écoulement de l'eau.

▲ L'ÉNERGIE GÉOTHERMIQUE
Les centrales géothermiques, comme ici en Islande près d'une source chaude naturelle, prélèvent la chaleur de l'intérieur de la Terre et s'en servent pour produire de l'électricité.

POUR EN SAVOIR PLUS ▶▶ Les fossiles 76 • Les atomes 157 • L'énergie nucléaire 167 • Les moteurs 198 • L'industrie 204

LE CLIMAT

Chaque partie du monde a son climat, qui correspond au temps qu'il y fait sur une période prolongée. Le climat d'une région a une influence sur les plantes et les animaux, sur le mode de vie des habitants, sur leurs types de constructions et sur les vêtements qu'ils portent...

Qu'est-ce qui fait le climat d'une région ?

Trois facteurs principaux conditionnent le climat d'une région : sa latitude (sa distance par rapport à l'équateur, que ce soit au nord ou au sud), son altitude au-dessus du niveau de la mer et son éloignement de la mer. Les régions tropicales situées à l'équateur ont un climat chaud. Les températures refroidissent vers les pôles. Le climat est aussi plus froid sur les hautes montagnes. Grâce aux mers et aux océans, le climat des zones côtières est en général plus doux et humide.

Pourquoi les régions tropicales ont-elles des climats chauds ?

La Terre étant une sphère, les rayons du Soleil n'atteignent pas tous sa surface incurvée selon le même angle. Les régions sur ou près de l'équateur ont un climat chaud parce que les rayons du Soleil arrivent à angle droit et sont plus concentrés que dans les régions proches des pôles.

Qu'est-ce qu'un climat continental ?

D'ordinaire, les régions au centre des continents ont un climat plus rude que les zones côtières, marqué par des hivers froids et des étés chauds. Les terres se réchauffent et se refroidissent plus vite que les grandes étendues d'eau comme les océans. C'est pourquoi les régions situées loin à l'intérieur des terres subissent de plus forts écarts de température entre l'été et l'hiver.

Climat

▲ **LES TEMPÉRATURES SUR LA TERRE**
Cette carte des températures de l'air montre les trois principales zones climatiques de la Terre. Les régions tropicales les plus chaudes sur ou près de l'équateur figurent en rouge foncé et en orange. Les régions tempérées, plus éloignées de l'équateur, apparaissent en jaune. Le temps y est doux en général, avec des étés chauds et des hivers frais. Les zones les plus froides, près des pôles, sont en bleu.

La neige et la glace couvrent les régions situées au-dessus de la limite des neiges éternelles, qui se trouve au niveau de la mer aux pôles, mais à 5 000 m près de l'équateur.

Des plantes alpines résistantes, des mousses et des lichens poussent entre la limite des arbres et celle des neiges éternelles.

Les forêts de conifères couvrent les versants élevés jusqu'à la limite des arbres. Au-delà, le froid et le vent les empêchent de survivre.

▲ **LE CLIMAT EN MONTAGNE**
En montagne, le climat est plus froid que dans les terres basses, l'air rare des hauteurs absorbant moins bien la chaleur du Soleil. Les cimes élevées qui sont situées dans la trajectoire des vents humides sont aussi plus humides que les terres basses.

À cause des nuages chargés de pluie soufflant depuis l'océan, les régions côtières sont en général plus humides que l'intérieur des terres.

Les cumulus qui gonflent indiquent un temps variable, typique des climats maritimes ou côtiers.

Les arbres se penchent vers la terre, sous l'effet des vents forts venant de la mer.

La végétation prospère dans le climat doux et humide.

◄ **CLIMAT MARITIME**
L'océan se réchauffe plus lentement que la terre, mais retient sa chaleur plus longtemps. Les brises marines humides qui se lèvent sur l'océan et soufflent vers la terre apportent de la pluie, rafraîchissent la terre en été, mais la réchauffent en hiver. Le climat maritime est donc doux et humide en général.

POUR EN SAVOIR PLUS ▶▶ La Terre 36-37 • Les montagnes 45 • Le sol 48 • Les vents 51

LES ZONES CLIMATIQUES

La Terre possède trois zones climatiques principales : tropicale, tempérée et polaire. Elles se subdivisent en zones plus petites, chacune dotée d'un climat typique. Le climat d'une région, associé à ses caractéristiques physiques, détermine la vie végétale et animale.

Qu'est-ce qu'un microclimat ?

On dit d'une petite zone bénéficiant d'un climat différent de ses environs qu'elle a un microclimat. Il peut s'agir d'une ville ou d'un jardin sur une terrasse. En agglomération, la température est parfois supérieure de 6 °C à celle des alentours, parce que les constructions et l'asphalte retiennent plus longtemps la chaleur du Soleil que la végétation. Le chauffage des immeubles contribue aussi à élever la température des villes.

Zones climatiques

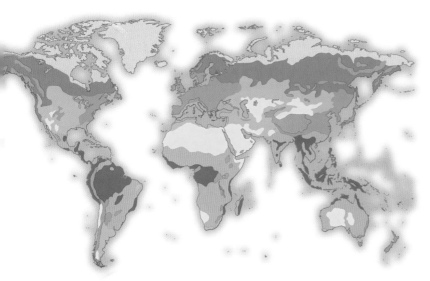

POLAIRE ET TOUNDRA
FORÊT BORÉALE
MONTAGNE

FORÊT TEMPÉRÉE
MÉDITERRANÉEN
DÉSERT

PRAIRIE SÈCHE
PRAIRIE TROPICALE
FORÊT HUMIDE

▲ LES PRINCIPALES ZONES CLIMATIQUES DE LA TERRE
Il existe de nombreuses méthodes de classement du climat. La plupart (y compris celle-ci, qui divise la Terre en neuf zones climatiques) associent températures et pluviosité.

LOUIS AGASSIZ
Suisse, 1807-1873
Le naturaliste Louis Agassiz étudia les glaciers et les effets de l'érosion glaciaire dans des régions où les glaciers avaient disparu. Selon sa théorie, une bonne partie de l'Europe et de l'Amérique du Nord était autrefois recouverte par la glace. Son travail fit admettre au public l'idée des « ères glaciaires ».

Le climat de la Terre a-t-il changé ?

Au cours des 2 derniers millions d'années, le climat de la Terre s'est lentement modifié. De longues périodes de grand froid, les ères glaciaires, ont alterné avec des périodes plus chaudes. La dernière ère glaciaire s'est achevée il y a environ 10 000 ans. À son apogée, des plaques de glace atteignant jusqu'à 1 000 m couvraient tout le nord de l'Europe et des parties de l'Amérique du Nord, la Sibérie, la Nouvelle-Zélande, la Tasmanie et la pointe sud de l'Amérique du Sud.

Le climat de la Terre changera-t-il encore ?

Certains scientifiques s'attendent à une autre ère glaciaire dans quelques milliers d'années. Cependant, ils estiment tous que la pollution due aux activités humaines est à l'origine du réchauffement de la planète.

CLASSIFICATION DES ZONES CLIMATIQUES

POLAIRE ET TOUNDRA
Les climats polaires sont froids et secs, avec de longs hivers où la nuit dure 6 mois. Dans la toundra (une région sans arbres à la limite de l'Arctique), les températures ne dépassent 0 °C que 3 mois par an.

FORÊT BORÉALE
Les forêts boréales (forêts froides de conifères), au sud de la toundra, s'étendent sur une partie du nord du Canada, de la Scandinavie et de la Russie. Les températures sont inférieures à 0 °C pendant 4 à 6 mois par an.

MONTAGNE
En montagne, la température baisse avec l'altitude et beaucoup de sommets sont toujours couverts de neige. Le climat y est en général davantage marqué par le vent et l'humidité que dans les régions plus basses.

FORÊT TEMPÉRÉE
Les climats tempérés ont des étés chauds et des hivers froids avec de la pluie toute l'année. Les forêts tempérées sont caractérisées par des arbres à feuillage caduc, qui perdent leurs feuilles en automne.

MÉDITERRANÉEN
Les pays autour de la mer Méditerranée, l'Australie et la Californie (États-Unis) bénéficient d'un climat méditerranéen, caractérisé par des étés chauds et secs et des hivers doux et humides.

DÉSERT
Les déserts sont chauds et secs toute l'année, avec d'habitude moins de 250 mm de pluie par an. Ils sont souvent loin de la mer, au centre des continents.

PRAIRIE SÈCHE
Les prairies sèches sont situées au centre des continents, où les écarts de températures sont très forts. Elles ont des étés chauds, des hivers froids et peu de pluie, et donc très peu d'arbres.

PRAIRIE TROPICALE
Les prairies tropicales, comme la savane africaine, sont situées entre les zones désertiques et la forêt tropicale humide. Il y fait chaud toute l'année, mais avec une saison humide et une saison sèche bien marquées.

FORÊT TROPICALE HUMIDE
Les forêts tropicales humides sont situées dans les régions tropicales près de l'équateur. Ici, le climat reste chaud et humide toute l'année, avec des températures stables autour de 27-28 °C.

POUR EN SAVOIR PLUS ▶▶ Les vents 51 • L'impact humain 64-65 • Les habitats 82-84

L'IMPACT HUMAIN

Plus de 6 milliards d'hommes vivent sur la Terre. La population ne cessant de croître, nous occupons de plus en plus de terres pour vivre et consommons de plus en plus de ressources naturelles. En outre, nombre de nos activités provoquent une **POLLUTION** qui nuit à l'environnement.

Comment l'agriculture change-t-elle la nature ?

Depuis les débuts de l'agriculture il y a 10 000 ans, les hommes ont transformé beaucoup de régions sauvages en champs pour leurs cultures et en prés pour leur bétail. Ils ont asséché les marécages et les marais des zones côtières. Ils ont abattu les forêts et labouré les plaines. Or, si on élimine les racines des arbres et des plantes qui retiennent le sol, celui-ci s'effrite. Les vents forts ou les pluies violentes risquent alors de l'emporter. Dans certaines régions, l'érosion du sol a transformé de riches terres agricoles en étendues désolées.

LES FUMÉES D'USINE ▶
Pendant le processus de fabrication et quand elles consomment des énergies fossiles, les usines comme cette usine chimique dégagent des gaz qui nuisent à l'environnement. Les technologies « propres », même si leur installation et leur fonctionnement coûtent cher, réduisent la pollution de l'air. Désormais disponibles, elles devraient se multiplier à l'avenir.

◀ LA TERRE APPRIVOISÉE
Dans les prairies du nord de l'Amérique, où vivaient autrefois des milliers de plantes et d'animaux, les champs s'étendent à perte de vue. Dans le monde entier, les régions sauvages sont converties à la culture pour nourrir la population ou détruites au bulldozer pour construire maisons, usines, routes et chemins de fer.

▼ LA MULTIPLICATION DES VILLES
En 1900, seuls 10 % de la population mondiale habitaient en ville. Aujourd'hui, 50 % des hommes y vivent. Dans le monde entier, les villes ont poussé comme des champignons, attirant les gens par le travail qu'elles offrent.

Comment l'industrie change-t-elle le paysage ?

L'ère industrielle, née aux XVIIIe et XIXe siècles, a révolutionné les méthodes de fabrication, en les rendant plus efficaces. Depuis, les usines se sont multipliées partout dans le monde. Elles consomment des quantités considérables de ressources naturelles et d'énergie et souvent produisent des déchets chimiques qui créent des problèmes comme la pollution de l'air et de l'eau et le RÉCHAUFFEMENT DE LA PLANÈTE.

Quels défis les hommes doivent-ils relever ?

L'un des principaux défis, c'est l'équilibre entre l'utilisation et la conservation des ressources naturelles de la Terre. Jamais une espèce n'avait dominé la Terre comme le fait l'humanité. Nos besoins en combustible, eau, terre et nourriture commencent à menacer les ressources limitées de la Terre. Or, ce qui nous différencie des autres espèces, c'est que nous sommes en mesure de reconnaître ces problèmes mondiaux et d'inventer les moyens de les résoudre.

POUR EN SAVOIR PLUS ▶▶

LA POLLUTION

Partout dans le monde, les usines, les centrales électriques, les exploitations agricoles, les industries et les habitations produisent une pollution considérable en relâchant des produits chimiques et des substances qui polluent ou salissent la nature. Les hommes utilisant toujours plus d'énergie et de ressources naturelles, la Terre devient de plus en plus polluée.

Impact humain

Quelles sont les causes de pollution ?

Les déchets industriels, les eaux usées et les pesticides des exploitations agricoles s'écoulent dans les rivières et les fleuves. Les voitures, les usines et les centrales électriques fonctionnant aux énergies fossiles émettent des fumées qui polluent l'air. Les chlorofluorocarbones (ou CFC), des produits chimiques utilisés dans les aérosols, détruisent la couche d'ozone qui nous protège des rayons nocifs du Soleil. Les déchets ménagers enterrés polluent également.

Combien de temps dure la pollution ?

Certains types de pollution sont vite dispersés par le vent ou dilués dans l'eau. D'autres, comme les déchets radioactifs, restent très dangereux pendant des milliers d'années. Les plastiques et autres déchets ménagers qui sont entassés dans des décharges mettent plusieurs années à se décomposer complètement.

Que peut-on faire pour réduire la pollution ?

Dans le monde entier, les scientifiques étudient les dégâts de la pollution. Les États ont instauré des contrôles pour faire baisser la pollution produite par l'industrie et l'agriculture et limitent les zones constructibles, surtout dans les régions rurales. Chacun peut contribuer à réduire la pollution en économisant l'énergie et en recyclant les bouteilles de verre, les boîtes de conserve, le plastique et le papier pour qu'on puisse les réutiliser. Cela permet d'économiser de précieuses ressources naturelles et de réduire le gaspillage et les déchets.

▲ LES MARÉES NOIRES
Les marées noires accidentelles causées par des pétroliers endommagés tuent des milliers d'oiseaux, de poissons et d'habitants des mers. Les océans sont également pollués par les déchets industriels et les eaux usées qu'on y déverse.

▲ UN NUAGE DE POLLUTION
Les gaz d'échappement des voitures sont une source majeure de pollution. Souvent, ils forment un nuage épais et étouffant.

▲ LES PLUIES ACIDES
Les pluies acides détruisent les arbres, empoisonnent la faune et peuvent même attaquer la roche. Les gaz nocifs provenant des échappements des voitures et des centrales électriques, en se mélangeant à l'humidité de l'air, forment un acide légèrement corrosif.

LE RÉCHAUFFEMENT DE LA PLANÈTE

Le réchauffement de la planète est l'augmentation lente et régulière des températures du globe, qui est provoquée par la formation de « gaz à effet de serre » dans l'atmosphère, à cause de la pollution. Selon certains experts, les températures augmenteront de 1,4 à 4,5 °C au cours du siècle.

Qu'est-ce qui provoque ce réchauffement ?

Le réchauffement de la planète est dû à l'augmentation des taux de gaz carbonique et des gaz à effet de serre dans l'atmosphère. Ils proviennent des échappements des voitures et de la combustion des énergies fossiles dans les usines et les centrales électriques. Les gaz à effet de serre comprennent également les CFC des aérosols et des vieux réfrigérateurs et le méthane produit par les marais, les tuyaux de gaz et les déchets en décomposition.

Quelles seront les conséquences du réchauffement sur la vie de tous les jours ?

Le réchauffement de la planète fera fondre une partie des calottes glaciaires, ce qui aggravera les risques d'inondation dans les régions peu élevées et le long des côtes. Canicules, sécheresses, cyclones et pluies torrentielles se multiplieront. Pour lutter contre le réchauffement de la planète, beaucoup de pays essaient maintenant de réduire leur production de gaz carbonique et d'utiliser des énergies renouvelables.

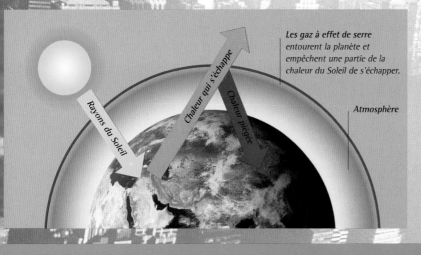

Les gaz à effet de serre entourent la planète et empêchent une partie de la chaleur du Soleil de s'échapper.

Rayons du Soleil

Chaleur qui s'échappe

Chaleur piégée

Atmosphère

◄ L'EFFET DE SERRE
Les gaz à effet de serre ont toujours existé. Dans un effet de serre normal, les gaz piègent une partie des rayons du Soleil, ce qui réchauffe assez la surface de la Terre pour rendre la vie possible.

Les ressources énergétiques 60-61 • Les transports 200-201 • La population 218-219 • La révolution industrielle 418-419

L'AGRICULTURE

Il y a des milliers d'années, les hommes ont commencé à cultiver la terre pour faire pousser des céréales comme le froment et à élever des animaux pour leur viande, leur lait et les produits dérivés. Aujourd'hui, beaucoup d'agriculteurs utilisent des techniques modernes pour obtenir des récoltes fabuleuses.

Quels types d'animaux a-t-on domestiqués ?

Au Moyen-Orient, les paysans se mirent à élever des moutons et des chèvres voici 10 000 ans. Aujourd'hui, les animaux domestiques les plus courants sont les vaches, les moutons et les porcs. Toutefois, on élève une grande variété d'animaux pour leur viande, leur lait ou leurs œufs : daims, lapins, canards, dindes... et même autruches.

L'ÉLEVAGE À L'AMÉRICAINE ▶
Les plus grands troupeaux de vaches paissent dans les immenses plaines d'Amérique du Nord ou du Sud. Ici, dans la pampa, les cow-boys sud-américains, appelés *gauchos*, continuent à capturer le bétail du haut de leur cheval.

◀ LA CULTURE MÉCANISÉE
Les moissonneuses-batteuses modernes accomplissent deux tâches : elles récoltent les céréales puis battent le grain pour séparer des tiges les épis contenant les grains. Les agriculteurs se servent de machines différentes pour labourer, semer, faucher et traiter les champs avec des engrais et des produits chimiques afin d'éliminer les mauvaises herbes et les parasites.

@ ▶▶
Agriculture

Comment ont évolué les plantes cultivées ?

Les plantes cultivées actuelles descendent des plantes sauvages qui donnaient des graines ou des fruits comestibles. Les premières céréales avaient de petites graines, d'où de maigres récoltes. Au bout de nombreux siècles de culture sélective (le paysan gardait et semait les meilleures graines), des variétés à grains plus gros sont apparues et les récoltes se sont donc nettement améliorées.

Que sont les cultures vivrières ?

Les cultures vivrières sont destinées à l'alimentation quotidienne. Elles comprennent les céréales comme le blé, le maïs et le riz. Tous les jours, 35 % des hommes mangent du blé. Les grains sont consommés entiers ou moulus pour donner de la farine qui sert à faire le pain ou les pâtes. Le maïs est cultivé dans les régions tempérées, mais surtout tropicales et subtropicales. On le consomme en légume, sous forme de farine ou d'huile.

Où cultive-t-on le riz ?

L'Asie cultive plus de 90 % du riz mondial, que consomment ses habitants. Les États-Unis en cultivent aussi, surtout pour l'exportation. Dans ce pays, la culture du riz est fortement mécanisée. En Asie, les semis, le repiquage et la récolte se font en général à la main.

LA RIZICULTURE ▶
Le riz est la principale nourriture de plus de la moitié de la population mondiale. On le cultive dans des champs inondés, les rizières, en Thaïlande, en Chine, au Japon, en Indonésie, par exemple, mais aussi en Camargue.

Pour augmenter la surface cultivable, les paysans ont aménagé les collines en terrasses.

Qu'est-ce que la culture biologique ?

Beaucoup d'agriculteurs aspergent leurs champs de pesticides et se servent d'engrais chimiques pour protéger et enrichir leurs récoltes. La culture biologique préfère l'utilisation de méthodes naturelles. Les engrais sont à base de fumier, de compost ou d'algues, et les insecticides sont remplacés par des insectes qui dévorent les parasites (comme la coccinelle) ou des associations de plantes (l'oignon planté à côté des carottes fait fuir la mouche de la carotte). Par ailleurs, les animaux sont élevés en liberté dans des champs au lieu d'être prisonniers de cages surpeuplées.

Les rizières sont inondées pendant la majeure partie de la saison de culture parce que le riz, une plante de marais, pousse les racines dans l'eau.

POUR EN SAVOIR PLUS ▶▶ Le génie génétique 210-211 • Les premiers agriculteurs 364-365 • La révolution agricole 412

LA PÊCHE

Le poisson étant un aliment important, la pêche est un secteur très développé dans de nombreux pays. Malheureusement, la surpêche a fait diminuer les populations de poissons.

Qu'est-ce que la surpêche ?

Il y a surpêche quand on prélève tant de poissons qu'il n'en reste plus assez pour qu'ils se reproduisent. De nombreuses espèces, comme la morue, risquent de disparaître victimes d'une pêche excessive. La surpêche est la conséquence des besoins alimentaires croissants et de l'efficacité des méthodes modernes de pêche.

Quelles sont les méthodes actuelles de pêche ?

Les flottes modernes pêchent aussi bien dans les eaux côtières qu'en haute mer, en se servant de sonars pour repérer les bancs de poissons et de toutes sortes de lignes, pièges et filets. Les filets flottants permettent d'attraper des poissons à la surface et dans des profondeurs moyennes. Les chaluts, des filets en forme de sac, traînent au fond des mers pour capturer les habitants des mers.

▲ **LA PISCICULTURE**
Les élevages, ici en Thaïlande, où poissons et crevettes sont élevés dans des enclos et des casiers, prennent de l'importance avec la baisse des quantités de poissons.

▲ **LA PÊCHE AU THON**
Ces thons surgelés sont empilés sur un quai du port de Tokyo, au Japon. Le hareng, le maquereau et l'anchois sont d'autres espèces visées par la pêche commerciale. On pêche chaque année le nombre incroyable de 100 millions de tonnes de poissons, sans compter les poulpes, crabes et crevettes.

@ ▸▸
Pêche

POUR EN SAVOIR PLUS ▸▸ Les océans 40-41 • Les poissons 112-113 • Les espèces en danger 124

L'EXPLOITATION FORESTIÈRE

L'exploitation forestière est la gestion des forêts en vue de récolter leurs produits : bois de construction ou de chauffage, charbon, résine, caoutchouc et pâte à papier. Les arbres donnent également de la nourriture : fruits, noix et huiles.

À quoi sert le bois ?

Le bois est un matériau incroyablement polyvalent qui trouve des milliers d'usages. On peut le brûler pour se chauffer, s'en servir pour la construction et en faire des meubles et des outils. Les bois exotiques comme le teck et l'acajou sont appréciés pour la beauté de leur grain et leur résistance. Les bois tendres à croissance rapide, comme le pin, servent à fabriquer de la pâte à papier.

PLANTATION DE CAOUTCHOUC ▶
Le latex, une résine gluante, coule sous l'écorce des arbres à caoutchouc. En séchant, il devient souple et, une fois traité, se transforme en caoutchouc. Les arbres à caoutchouc sont cultivés dans de vastes plantations, en Malaisie par exemple (à droite).

Le latex s'écoule quand on entaille l'écorce.

Les troncs liés forment des radeaux qui leur évitent de se disperser.

De petits bateaux permettent de diriger les troncs.

@ ▸▸
Exploitation forestière

Les récipients qui recueillent le latex sont souvent des noix de coco coupées en deux.

On pratique une incision en biais dans l'écorce.

◀ **LE SECTEUR FORESTIER**
Les arbres adultes sont abattus avec des tronçonneuses ou des lames géantes. Les troncs sont ensuite transportés par camion ou flottés jusqu'à une scierie où l'on en fait des planches de différentes longueurs. Parmi les pays producteurs de bois, citons le Canada, la Russie et la Finlande.

Qu'est-ce que la déforestation ?

Dans les forêts bien gérées, les arbres sont abattus un par un ou en rangées pour que la forêt ait le temps de se reconstituer. Or, aujourd'hui, beaucoup sont détruites par l'abattage à grande échelle, ou déforestation. Les forêts tropicales humides, en particulier, disparaissent à un rythme accéléré. C'est un désastre, car elles abritent plus de la moitié des espèces végétales et animales de la Terre.

POUR EN SAVOIR PLUS ▸▸ Les habitats 82-84 • Les arbres 94-95 • L'industrie 204

LA NATURE

LA VIE	70
LA BIOLOGIE	72
LES CELLULES	73
L'ÉVOLUTION	74
LES FOSSILES	76
LES ANIMAUX PRÉHISTORIQUES	77
LES DINOSAURES	78
L'ÉCOLOGIE	80
LES HABITATS NATURELS	82
LES MICRO-ORGANISMES	85
LES CHAMPIGNONS	86
LES ALGUES	87
LES LICHENS	87
LES PLANTES	88
LES PLANTES SANS FLEURS	90
LES PLANTES À FLEURS	92
LES ARBRES	94
LES ANIMAUX	96
L'ALIMENTATION	98
LES SENS	99
LA COMMUNICATION	100
LA REPRODUCTION	101
LES INVERTÉBRÉS	102
LES VERTÉBRÉS	102
LES CNIDAIRES	103
LES ÉCHINODERMES	104
LES SPONGIAIRES	104
LES VERS	105
LES MOLLUSQUES	106
LES ARTHROPODES	107
LES ARACHNIDES	108
LES CRUSTACÉS	109
LES INSECTES	110
LES POISSONS	112
LES AMPHIBIENS	114
LES REPTILES	116
LES OISEAUX	118
LES MAMMIFÈRES	120
LES ESPÈCES EN DANGER	124
LA PROTECTION DE LA NATURE	125

LA VIE

Des milliards d'organismes (êtres vivants),
animaux et plantes, vivent sur la Terre.
Ils peuplent les plaines et les montagnes,
les lacs, les rivières et les océans, mais
aussi l'air. Les scientifiques ont établi une
CLASSIFICATION pour reconnaître les liens
entre les différentes espèces d'organismes.

Qu'est-ce que tous les organismes ont en commun ?

Tous les organismes ont besoin de nourriture pour
trouver l'énergie de vivre et de grandir. Ils excrètent (se
débarrassent) tous des déchets, repèrent les changements
dans leur environnement et y réagissent. Tous suivent
un CYCLE DE CROISSANCE, de reproduction et de mort.

La vie peut-elle exister sans lumière solaire ?

La lumière du Soleil est indispensable à la vie sur la Terre.
Les plantes vertes se servent de l'énergie provenant de
cette lumière pour convertir l'eau et le gaz carbonique en
nourriture. Au cours de cette photosynthèse, elles libèrent
dans l'atmosphère le précieux oxygène, dont dépend la
vie. Absolument tous les autres organismes ont besoin
des plantes pour se procurer l'énergie qui les maintient
en vie. Même les carnivores absorbent indirectement
des végétaux à travers leurs proies herbivores.

Comment le mouvement de la Terre affecte-t-il la vie sur notre planète ?

La rotation de la Terre en 24 heures provoque l'alternance
jour-nuit. Certains animaux sont actifs pendant la journée,
d'autres la nuit. Sans lumière solaire, les plantes cessent de
produire de la nourriture et de l'oxygène. Le mouvement
annuel de la Terre autour du Soleil crée les saisons.
Les êtres vivants sont plus actifs au printemps et en été.

◄ LES DAURADES CORYPHÈNES
Ces daurades coryphènes, ou
mahi mahi, vivent dans l'océan
en vastes groupes appelés bancs.
Elles se nourrissent de petits
poissons et de crevettes.
Les poissons sont bien adaptés
à la vie dans l'eau. Les branchies
leur permettent d'absorber
l'oxygène de l'eau et leurs corps
fuselés de foncer à travers rivières,
lacs et océans.

LES ÉLÉPHANTS D'AFRIQUE ►
L'éléphant d'Afrique est le plus
gros mammifère terrestre. Quatre
pattes semblables à des piliers
soutiennent son corps massif.
Avec sa longue trompe souple, il
porte l'eau et la nourriture à sa
bouche ou se douche. Les
longues défenses courbes
servent à se défendre.

POUR EN SAVOIR PLUS ▸▸

LES CYCLES DE LA VIE

Chaque être vivant traverse une série de modifications correspondant à son cycle de vie. Au début, il grandit et se développe, puis change peu à peu de forme et de taille. Une fois adulte, il se reproduit. Ensuite, il meurt, et sa descendance le remplace.

Quels organismes vivent le plus longtemps?

Les éléphants peuvent atteindre 70 ans et les humains dépasser 100 ans. Les tortues de mer géantes vivent plus de 150 ans, mais il existe des plantes qui battent tous les records. En Californie, le pin aristé atteint 4 900 ans et le buisson de créosote a sans doute 12 000 ans.

Toutes les plantes ont-elles un cycle de vie d'un an?

Les plantes annuelles, comme les tournesols, vivent et meurent en une année, mais leurs graines survivent à l'hiver. Les plantes bisannuelles, telles les carottes, fleurissent et produisent des graines dans leur deuxième année, puis meurent. Les plantes vivaces, les chênes par exemple, vivent plusieurs années – elles fleurissent chaque année ou une seule fois dans toute leur vie.

5. *La fleur disperse ses graines.*

2. *Les feuilles se forment et la tige apparaît.*

1. *La graine germe: une racine et une pousse apparaissent.*

4. *La reproduction: la fleur donne des graines.*

3. *La fleur se forme et la croissance vers le haut ralentit.*

▲ LE CYCLE DE VIE D'UNE PLANTE
Le cycle de vie de ce tournesol s'accomplit en une saison. Chaque graine, qui contient un embryon de plante et sa réserve de nourriture, germe au printemps. La jeune plante pousse vite. Tout d'abord se forment une tige et des feuilles, puis des fleurs. En été, les fleurs produisent des graines qui tombent à terre, prêtes à germer au printemps suivant.

@ ▶▶ Vie

LA CLASSIFICATION

Les scientifiques utilisent la classification pour nommer les êtres vivants. Ils les trient par groupes en étudiant les points communs ou les différences qui indiquent leur degré de parenté.

Comment fonctionne la classification?

Les groupes d'organismes sont classés par ordre de taille. Le plus petit, l'espèce, contient les organismes qui se reproduisent entre eux. Les espèces apparentées forment un genre; plusieurs genres donnent une famille. Les familles apparentées appartiennent à un ordre; plusieurs ordres constituent une classe. L'embranchement contient quelques classes. Au-dessus, plus vaste, se trouve le règne.

Quels sont les cinq règnes des organismes?

Les monères groupent les organismes simples à une seule cellule comme les bactéries. Les protistes comptent les protozoaires et les algues. Les champignons font partie du même règne que les moisissures. Les plantes incluent fleurs, arbres et fougères. Lions et poux sont des animaux.

LA CLASSIFICATION DU TIGRE

RÈGNE	*Animalia* (animaux) – organismes pluricellulaires qui mangent pour se procurer de l'énergie.
EMBRANCHEMENT	*Chordata* (cordés) – surtout des vertébrés, tels les oiseaux et les mammifères.
CLASSE	*Mammalia* (mammifères) – vertébrés possédant des poils et allaitant leurs petits.
ORDRE	*Carnivora* (carnivores) – animaux qui se nourrissent de viande.
FAMILLE	Felidae (félins) – carnivores qui peuvent rétracter (rentrer) leurs griffes acérées.
GENRE	*Panthera* (grands félins) – les gros félins rugissent, comme les lions, léopards et tigres.
ESPÈCE	*Panthera tigris* (tigre) – gros félin à fourrure tigrée, vivant en Asie.

PANTHERA TIGRIS ▼
Le nom d'espèce se compose du nom générique (*Panthera*) et du nom spécifique (*tigris*).

▼ LES CINQ RÈGNES
Les photos ci-dessous illustrent une espèce de chacun des cinq règnes.

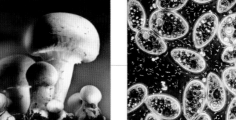

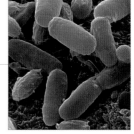

ANIMAL (LION)   PLANTE (RHODODENDRON)   CHAMPIGNON (CHAMPIGNON DE PARIS)   PROTISTE (PROTOZOAIRE)   MONÈRE (BACTÉRIE)

La Terre 36-37 • Les micro-organismes 85 • Les champignons 86 • Les algues 87 • Les plantes 88-89 • Les animaux 96-97

LA BIOLOGIE

La biologie est l'étude de la vie et des êtres vivants. Les scientifiques qui étudient la biologie sont appelés biologistes. Les principales branches de la biologie sont la zoologie (étude des animaux), la botanique (étude des plantes) et la **MICROBIOLOGIE** (étude des organismes microscopiques).

Qu'étudient exactement les biologistes?

Les biologistes s'intéressent à des branches encore plus spécialisées de la zoologie, de la botanique et de la microbiologie. La biologie cellulaire, par exemple, consiste à étudier l'une des plus petites unités de tout être vivant, la cellule. L'anatomie, en revanche, se penche sur la structure entière des organismes. La physiologie observe le fonctionnement des organismes.

Les biologistes n'étudient-ils que la structure?

Tout en approfondissant la structure d'un organisme, les biologistes découvrent son mode de reproduction et de croissance, son comportement, son habitat et son interaction avec les autres êtres vivants. Ainsi, les biologistes modernes construisent une image complète de la biologie d'un organisme. Autrefois, les scientifiques ne connaissaient pas beaucoup plus que l'aspect extérieur de leur objet d'étude.

L'étamine en forme de tube est l'organe de reproduction mâle qui produit des grains de pollen.

▲ **L'HIBISCUS ROUGE**
Sur cette fleur tropicale en forme de trompe, les anthères jaunes (organes sexuels mâles), sortes de brosses, entourent les stigmates plats (organes sexuels femelles). Les biologistes ont découvert que les colibris, en buvant le nectar (liquide sucré) de l'hibiscus, transfèrent les grains de pollen des anthères aux stigmates. En cas de fécondation, la plante fabrique des graines et se reproduit.

@ ▸▸
Biologie

▲ **L'ÉTUDE DU COMPORTEMENT ANIMAL**
La zoologiste Jane Goodall prend des notes en observant un membre d'un groupe de chimpanzés dans le parc national de Gombe Stream, en Tanzanie (Afrique). Elle a passé de nombreuses années à étudier le comportement des chimpanzés.

LA MICROBIOLOGIE

Les micro-organismes sont des êtres vivants trop petits pour être vus à l'œil nu. La microbiologie est l'étude de ces micro-organismes, qui englobent les bactéries, les virus et certains champignons.

Que font les microbiologistes?

Les microbiologistes s'intéressent aux micro-organismes responsables de maladies chez les animaux et les plantes ou qui servent à fabriquer des médicaments et des aliments comme le pain. De plus, ils étudient ceux qui recyclent des substances nutritives essentielles dans la terre et l'atmosphère.

Comment fonctionne un microscope électronique?

Le microscope électronique fait traverser la surface d'un objet à un rayon de particules minuscules, les électrons, qui sont transformés en une image. Il agrandit énormément l'image. Le microscope électronique à balayage (MEB) produit des images à trois dimensions que l'on peut photographier.

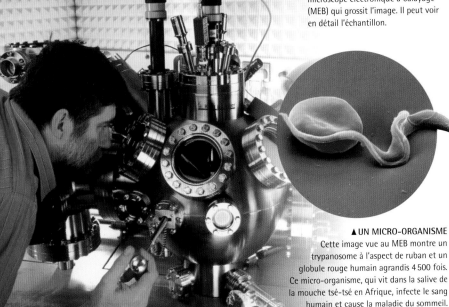

◀ **LE MICROSCOPE ÉLECTRONIQUE**
Un chercheur regarde l'écran d'un microscope électronique à balayage (MEB) qui grossit l'image. Il peut voir en détail l'échantillon.

▲ **UN MICRO-ORGANISME**
Cette image vue au MEB montre un trypanosome à l'aspect de ruban et un globule rouge humain agrandis 4 500 fois. Ce micro-organisme, qui vit dans la salive de la mouche tsé-tsé en Afrique, infecte le sang humain et cause la maladie du sommeil.

POUR EN SAVOIR PLUS ▸▸ Les micro-organismes 85 • Les plantes à fleurs 92-93 • Les animaux 96-97

LES CELLULES

La cellule est la plus petite unité vivante. Les cellules sont à la base de tous les organismes. Chacune possède un noyau contenant une série d'instructions appelées GÈNES.

Trouve-t-on différents types de cellules dans le même organisme?

La plupart des organismes se composent de nombreux types différents de cellules, chacune avec un rôle précis à remplir. Les cellules ayant une tâche semblable, comme celles du muscle d'un animal, sont organisées en groupe. Ce groupe, appelé tissu, effectue une fonction particulière, comme plier une patte.

Quelle est la différence entre les cellules des plantes et des animaux?

Les cellules végétales et animales ont un noyau, une membrane plasmique et contiennent un cytoplasme. Cependant, les cellules végétales ont une vacuole remplie de fluide et des structures vertes appelées chloroplastes. Les chloroplastes fabriquent de la nourriture par un processus, la photosynthèse. Les cellules animales doivent s'alimenter pour survivre.

Cellules

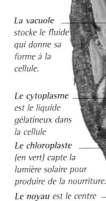

La vacuole stocke le fluide qui donne sa forme à la cellule.

Le cytoplasme est le liquide gélatineux dans la cellule

Le chloroplaste (en vert) capte la lumière solaire pour produire de la nourriture.

Le noyau est le centre de contrôle.

Paroi de la cellule

La membrane plasmique est poussée contre la paroi.

▲ CELLULE VÉGÉTALE
Cette coupe transversale d'une cellule de feuille montre comment le liquide de la vacuole (en bleu) pousse le cytoplasme (en jaune-vert) contre la paroi (en marron). Cela donne sa forme à la cellule.

CELLULE ANIMALE ►
Les cellules animales ont des formes plus variées que les cellules végétales, pourvues de parois rigides.

Une double membrane entoure le noyau.

Le cytoplasme est la partie de la cellule vivante, en dehors du noyau, qui est entourée par la membrane cellulaire. Il contient les matières qui aident la cellule à fonctionner.

La membrane plasmique est la mince barrière qui entoure la cellule.

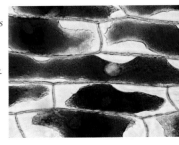
▲ CELLULES DE BULBE D'OIGNON
Ces cellules d'oignon ont été agrandies et leurs vacuoles teintes en rouge. Noyau et membrane plasmique sont bien visibles.

LES GÈNES

Les gènes contrôlent les caractéristiques des êtres vivants. Les gènes à l'intérieur des cellules contiennent les instructions pour fabriquer les protéines, qui forment cette cellule et déterminent son fonctionnement. Les parents transmettent leurs gènes à leur progéniture.

Qu'est-ce que l'ADN?

Les gènes sont constitués d'une substance chimique, l'acide désoxyribonucléique (ADN). Il est stocké dans les noyaux de toutes les cellules. L'ADN détient les instructions pour fabriquer les protéines nécessaires à la croissance et au développement de nouveaux organismes. Il transmet de plus des informations génétiques à la génération suivante.

Qu'est-ce qu'un chromosome?

Dans le noyau d'une cellule, l'ADN se présente sous forme de structures ressemblant à des fils, les chromosomes. Pendant la division cellulaire, les chromosomes raccourcissent et s'épaississent, puis se divisent en moitiés identiques, une pour chaque nouvelle cellule. Les espèces n'ont pas toutes le même nombre de chromosomes.

▲ LES DIFFÉRENCES GÉNÉTIQUES
Ces deux hamsters doivent leur diversité à des versions différentes des gènes contrôlant taches et couleurs de la fourrure. Mais ils se ressemblent à cause de l'identité entre la plupart de leurs gènes.

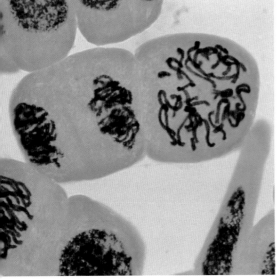
▲ LA DIVISION CELLULAIRE À LA POINTE DE LA RACINE D'UN OIGNON
Les cellules d'oignon (en bleu) se divisent lors d'un processus appelé mitose. Les seize chromosomes (en noir) se divisent aussi et se séparent pour que chaque nouvelle cellule en ait une série complète.

Les êtres vivants changent peu à peu au fil des générations, au cours d'un processus appelé évolution. Avec l'évolution, les organismes s'adaptent pleinement à leur environnement et donnent naissance à de nouvelles espèces, tandis que d'autres disparaissent. La SÉLECTION NATURELLE est le moteur de l'évolution.

Quelle est la preuve de l'évolution ?

Les fossiles, vestiges d'organismes très anciens, donnent des indices sur l'évolution. Les créatures vivantes aujourd'hui partagent certains traits avec leurs ancêtres fossiles et en ont développé de nouveaux. De plus, les fossiles montrent que les millions d'espèces vivantes et éteintes sont issues de quelques organismes simples qui vivaient il y a des milliards d'années.

Comment se forme une nouvelle espèce ?

Une espèce est un groupe d'êtres vivants semblables, comme les lions, qui se reproduisent entre eux. Si un groupe d'individus est séparé de tous les autres groupes de son espèce, il ne peut plus se reproduire avec eux. Avec le temps, il évolue séparément et devient de plus en plus différent. À la fin, l'écart est tel qu'on parle de nouvelle espèce.

Combien de temps prend l'évolution ?

L'évolution est un processus continu de changement. Elle peut être très rapide chez les petits organismes, comme les bactéries, mais chez la plupart des êtres vivants, elle prend des milliers d'années. L'ÉVOLUTION DE L'HOMME, parti d'un ancêtre primate, a duré des millions d'années et a abouti à plusieurs espèces différentes, pas seulement la nôtre.

EUPHORBE CACTUS

▲ ÉVOLUTION CONVERGENTE
Des traits similaires sont apparus chez des espèces différentes vivant dans les mêmes conditions. L'euphorbe et le cactus sont des plantes non apparentées aux tiges épaisses et épineuses qui retiennent l'eau pour survivre dans le désert.

Phiomia, aussi gros qu'un cheval moderne, avait des pattes comme des piliers et une courte trompe. Ses défenses pointues servaient au combat et à la recherche de nourriture.

Moeritherium, un ancêtre de l'éléphant, avait un corps massif, de courtes pattes et une longue lèvre supérieure. Il vivait en Afrique. On pense qu'il se baignait dans les lacs et les rivières et mangeait des plantes aquatiques.

MOERITHERIUM
50 MILLIONS D'ANNÉES

PHIOMIA
35 MILLIONS D'ANNÉES

LA SÉLECTION NATURELLE

CHARLES DARWIN
Britannique, 1809-1882
Entre 1831 et 1836, le naturaliste Charles Darwin, voyagea dans le monde entier et décrivit les animaux et les plantes qu'il voyait. Ce voyage le convainquit que les êtres vivants évoluent, même si le monde scientifique croyait le contraire. En 1859, il publia sa théorie dans L'Origine des espèces.

Les êtres vivants produisent plus de petits qu'il n'en faut pour les remplacer. Seuls les mieux adaptés à leur environnement survivront. Grâce à cette sélection naturelle, les qualités nécessaires à la survie se transmettent de génération en génération et s'affirment, ce qui fait évoluer progressivement l'espèce.

Comment survit un individu bien adapté ?

Certains individus ont des qualités qui leur permettent de mieux lutter pour la nourriture, l'eau, l'abri ou les partenaires. Ces individus doués ont davantage de chances de survivre, de se reproduire et de transmettre leurs avantages à leurs petits. Charles Darwin, un naturaliste britannique, voyait ainsi le processus de l'évolution.

@ ▶▶
Évolution

▲ LA COURSE POUR LA VIE
Les petits du crabe rouge, un habitan[t] forêts, naissent en grandes quantités la mer. Au bout d'un mois, ils se préci[...] dans la forêt. Beaucoup meurent en r[...]

Chez **Gomphotherium**, les défenses situées dans la mâchoire supérieure servaient à se battre. C'est l'ancêtre des mammouths et des éléphants modernes.

Deinotherium n'avait pas de défenses sur la mâchoire supérieure, mais deux défenses tournées vers le bas portées par la mâchoire inférieure. Sa trompe était plus courte que celle des éléphants actuels.

L'éléphant d'Asie est l'une des deux espèces vivantes aujourd'hui, toutes deux possédant des défenses et une trompe très longues. Il agite ses oreilles pour avoir l'air plus grand et plus terrible.

▼ L'ÉVOLUTION DE L'ÉLÉPHANT
Voici 5 des 150 espèces d'éléphants qui ont existé au cours de l'évolution. Les scientifiques ont reconstitué cette évolution en étudiant des fossiles. Les premiers ancêtres, plus petits, avaient des trompes plus courtes. Au fil du temps, ils ont grossi, les défenses et la trompe se sont allongées.

GOMPHOTHERIUM
20 MILLIONS D'ANNÉES

DEINOTHERIUM
2 MILLIONS D'ANNÉES

ÉLÉPHANT D'ASIE
ÉPOQUE ACTUELLE

L'ÉVOLUTION HUMAINE

L'évolution de l'homme a commencé en Afrique, il y a 5 millions d'années. Nos ancêtres étaient des sortes de singes. En quittant les épaisses forêts pour la savane, ils acquièrent de nouvelles qualités, comme la faculté de marcher debout.

Pourquoi marcher debout fut-il si important ?
Comme ils marchaient sur deux jambes, les premiers humains pouvaient se servir de leurs mains pour ramasser, porter et utiliser des objets. La position debout leur permettait aussi de surveiller les environs pour repérer les proies ou les ennemis. Ces nouvelles facultés aidèrent le cerveau à se développer, ce qui leur permit de penser, faire des projets et communiquer.

HOMO HABILIS
2,5 MILLIONS D'ANNÉES

HOMO ERECTUS
1,75 MILLION D'ANNÉES

HOMO NEANDERTHALENSIS
200 000 ANS

HOMO SAPIENS
160 000 ANS

▲ LE GENRE HUMAIN
Homo est le nom du genre auquel appartiennent les hommes actuels (*Homo sapiens*). Nos ancêtres, dont certains figurent ici, faisaient aussi partie de ce groupe. Au fil du temps, la taille du cerveau et l'intelligence augmentant, la faculté de se tenir debout et de fabriquer des outils se développa.

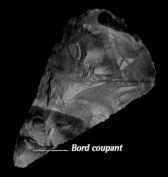

— *Bord coupant*

▲ HACHE EN SILEX
Ce silex taillé de plus de 200 000 ans montre que les premiers humains avaient la faculté de fabriquer et d'utiliser des outils. Le bord coupant servait peut-être à dépecer les animaux.

LES FOSSILES

Les fossiles sont les vestiges d'êtres vivants conservés dans des roches. En général, ils sont formés de parties dures d'animaux ou de plantes, comme les os, les coquilles ou le bois. L'étude des fossiles relève de la **PALÉONTOLOGIE**.

Comment se forment les fossiles ?

Quand un animal meurt, il est vite recouvert de sédiments comme la boue ou le sable. Ses parties molles se décomposent (pourrissent), mais les parties dures sont peu à peu remplacées par des minéraux, ou fossilisées. En même temps, les sédiments voisins se transforment en roche. Des millions d'années plus tard, la roche refait surface, avec l'empreinte de l'organisme – son fossile.

Que nous montrent les fossiles ?

Les fossiles prouvent que les formes de vie anciennes étaient différentes de celles d'aujourd'hui. Ils reposent dans des couches de roches, chacune plus vieille que celle du dessus. L'évolution modifiant peu à peu les êtres vivants avec le temps, les couches de fossiles retracent l'histoire de ses diverses étapes.

LA PALÉONTOLOGIE

Cette science étudie l'évolution, le mode de vie et l'extinction d'organismes très anciens. Les paléontologues sont les scientifiques qui étudient les fossiles des espèces qui vivaient autrefois.

AMMONITES FOSSILES ▲
Voici des coquilles fossilisées d'ammonites (mollusques apparentés au calmar actuel). Les ammonites, des prédateurs, vécurent entre 500 et 65 millions d'années avant notre ère.

La coquille enroulée est divisée en chambres remplies de gaz qui permettait à l'animal de flotter.

@ ▶▶
Fossiles

Qu'est-ce que les fossiles apprennent aux paléontologues ?

Les fossiles montrent comment les qualités des organismes actuels ont évolué. Les paléontologues identifient des organismes qui peuvent être les ancêtres de ceux vivant aujourd'hui. En regardant les fossiles d'une même couche de roche, ils peuvent aussi imaginer comment ils cohabitaient.

Que sont les fossiles intermédiaires ?

Les fossiles intermédiaires fournissent un lien entre un nouveau groupe d'organismes et un groupe plus ancien. Ils indiquent aussi l'évolution d'un groupe à l'autre. *Archaeopteryx*, par exemple, vivait il y a 150 millions d'années. Ses fossiles montrent comment les oiseaux ont pu descendre de certains dinosaures : le squelette d'*Archaeopteryx* était celui d'un dinosaure, mais il avait des plumes comme un oiseau.

LES FOSSILES EN DATES	
4,5 milliards d'années	La Terre se forme
3,8 milliards d'années	Premières formes de vie
500 millions d'années	Premiers vertébrés (poissons)
440 millions d'années	Premières plantes terrestres
360 millions d'années	Premiers vertébrés terrestres (amphibiens)
248 millions d'années	Premiers mammifères
150 millions d'années	Premiers oiseaux
65 millions d'années	Extinction des dinosaures
60 millions d'années	Diversification des mammifères
2 millions d'années	Périodes glaciaires
160 000 ans	Apparition de l'homme moderne

▲ UN OISEAU TRÈS VIEUX
Ce fossile d'*Archaeopteryx* montre les empreintes des plumes sur le corps. Les scientifiques ont étudié ce fossile et fabriqué une reproduction d'*Archaeopteryx*.

REPRODUCTION D'*ARCHAEOPTERYX*

POUR EN SAVOIR PLUS ▶▶ L'évolution 74-75 • Les dinosaures 78-79

LES ANIMAUX PRÉHISTORIQUES

La période qui s'étend de l'apparition des premiers organismes, il y a 3,8 milliards d'années, aux premiers écrits, voici quelques milliers d'années, s'appelle la préhistoire. Au cours de cette période, la vie s'est parfois développée de façon fabuleuse, mais non sans extinctions en masse, par exemple lors des ÈRES GLACIAIRES.

Quelles furent les premières formes de vie ?

Les premiers êtres vivants furent des bactéries et des organismes unicellulaires qui vivaient dans la mer. Ils restèrent l'unique forme de vie pendant des milliards d'années. Certains rejetaient de l'oxygène dans l'air, ce qui permit le développement d'organismes pouvant l'utiliser. Les premiers animaux apparurent sans doute il y a 600 millions d'années, ceux pourvus de coquille ou de carapace voici 550 millions d'années et les vertébrés (animaux ayant une colonne vertébrale), comme les poissons, il y a 500 millions d'années.

Quelles furent les premières formes de vie à terre ?

Les premières plantes terrestres, prêles et lycopodes, descendaient d'algues vertes qui vivaient au bord des mers et des rivières il y a 440 millions d'années. Les forêts suivirent et abritèrent les premiers animaux terrestres : scorpions et mille-pattes, vers de terre et sangsues apparurent voici 400 millions d'années. Ensuite ce fut le tour des premiers vertébrés terrestres, descendus des poissons et ancêtres à quatre pattes des amphibiens.

LA MER AUTREFOIS ▶
Ce dessin, qui se fonde sur les fossiles trouvés au Canada, dans les schistes de Burgess, présente la vie dans la mer il y a 500 millions d'années. Au cours de cette période, appelée Cambrien, les espèces et populations animales se multiplièrent à un rythme fabuleux.

Anomalocaris, un prédateur de 60 cm, était l'un des plus grands animaux vivant à Burgess. Il avait une bouche circulaire et des appendices préhensiles.

Hallucigenia
arpentait les fonds marins sur ses pattes épineuses.

LES ÈRES GLACIAIRES

Une ère glaciaire est une période où le climat devient beaucoup plus froid que d'habitude et la glace recouvre de vastes régions. Une vingtaine d'ères glaciaires se sont succédé au cours des 2,5 derniers millions d'années, chacune d'une durée d'environ 100 000 ans.

Qu'est-ce qui a provoqué les ères glaciaires ?

Des changements dans l'orbite de la Terre autour du Soleil ont provoqué des étés plus froids, de sorte que la neige hivernale ne fondait pas. Les plaques de glace qui se formaient reflétaient et renvoyaient dans l'espace la lumière du Soleil qui donc ne réchauffait pas la Terre. Ces changements touchèrent aussi les océans et firent augmenter la quantité de plancton végétal qui prélevait le gaz carbonique de l'atmosphère. Comme ce gaz aide à retenir la chaleur autour de la Terre, sa diminution accéléra le refroidissement.

◀ LE MAMMOUTH LAINEUX
Sous son épaisse fourrure isolante, l'énorme mammouth laineux était adapté au grand froid d'une ère glaciaire. Apparu il y a 2 millions d'années, il s'éteignit voici 10 000 ans.

Animaux préhistoriques

POUR EN SAVOIR PLUS ▸▸ La vie 70-71 • L'évolution 74-75 • Les dinosaures 78-79 • Les vertébrés 102

LES DINOSAURES

Le groupe des reptiles terrestres connus sous le nom de dinosaures est apparu il y a à peu près 230 millions d'années. Comme les reptiles actuels, ils avaient une peau écailleuse et imperméable et pondaient des œufs pour se reproduire. Pendant 165 millions d'années, au cours d'une période appelée Mésozoïque, les dinosaures dominèrent la vie sur la Terre. Ils s'éteignirent brusquement il y a 65 millions d'années.

Pourquoi beaucoup de dinosaures étaient-ils si grands?

La grande taille des dinosaures herbivores les protégeait contre les terribles carnivores. En évoluant, les prédateurs devinrent assez gros pour s'attaquer à leurs proies, qui grandirent à leur tour. En plusieurs millions d'années, proies et prédateurs ne cessèrent de se développer.

Combien de types de dinosaures y avait-il?

Les dinosaures se divisent en deux groupes. Les ornithischiens étaient herbivores, tandis que les saurischiens comptaient des herbivores et des carnivores. Il existait d'autres reptiles à cette époque. Ce n'étaient pas de vrais dinosaures, comme les reptiles volants appelés **PTÉROSAURES** et des reptiles marins tels les **ICHTYOSAURES** et les plésiosaures.

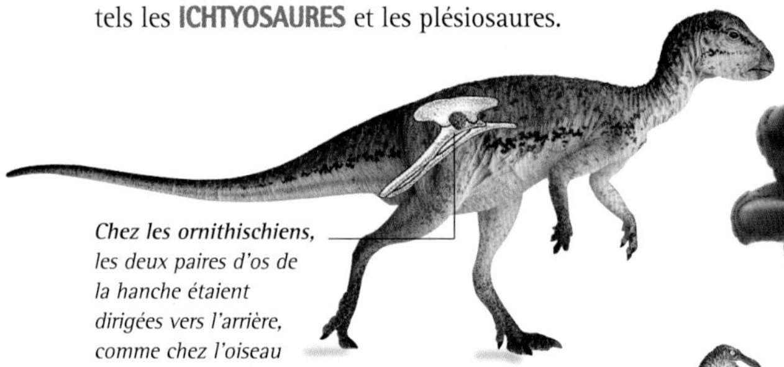

Chez les ornithischiens, les deux paires d'os de la hanche étaient dirigées vers l'arrière, comme chez l'oiseau moderne.

HYPSILOPHODON

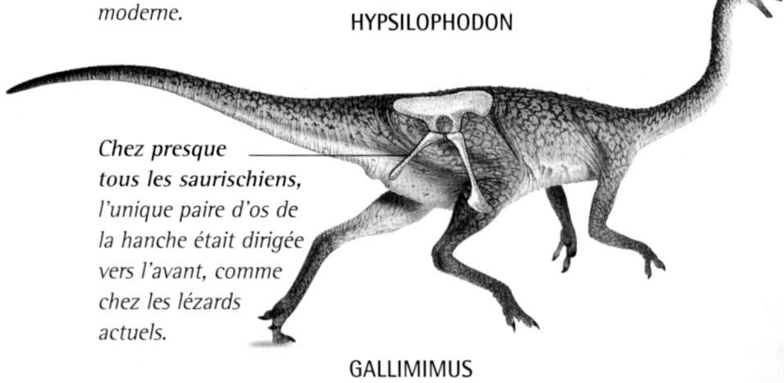

@ ▶▶

Dinosaures

Chez presque tous les saurischiens, l'unique paire d'os de la hanche était dirigée vers l'avant, comme chez les lézards actuels.

GALLIMIMUS

GIGANOTOSAURUS ▶
Ce couple de giganotosaures charge dans une forêt d'Amérique du Sud, il y a 95 millions d'années. Le giganotosaure, qui pesait autant que 125 personnes ou environ 7 t, était plus grand que *Tyrannosaurus rex*. C'est sans doute le plus grand prédateur de toute l'histoire de la Terre.

La queue est renforcée par des os en forme de tiges.

Les ailes de peau sèche sont renforcées par de fines fibres résistantes.

◄ LE DIMORPHODON
Ce ptérosaure atteignait 1 m de longueur, de son bec garni de dents à la pointe de sa queue.

Le quatrième doigt, très long, borde l'aile.

LES PTÉROSAURES

Les ptérosaures, proches des dinosaures, font partie du même groupe de reptiles. Le plus grand, le ptéranodon, avait une envergure de 9 m.

Le ptérosaure est-il l'ancêtre de l'oiseau ?

Oiseaux et ptérosaures ont évolué séparément. Les similitudes des squelettes montrent que les oiseaux descendent des saurischiens. Mais les oiseaux et les ptérosaures ont des points communs : une forme fuselée, des ailes, des os creux et un bec léger. Leur corps couvert de fourrure suggère que, comme les oiseaux, ils avaient le sang chaud. Des êtres vivants, sans pour autant être parents, évoluaient parfois de façon parallèle pour s'adapter à un mode de vie similaire.

LES ICHTYOSAURES

Ces reptiles vivaient dans l'eau et remontaient à la surface pour respirer. Les ichtyosaures, ou «lézards poissons», mettaient au monde des petits vivants et se nourrissaient de poissons et de calmars. Le plus gros mesurait 15 m de longueur.

La vie dans les océans était-elle très différente à l'époque des dinosaures ?

La vie sous l'eau ressemblait beaucoup à l'actuelle. L'océan regorgeait de créatures tels les requins, étoiles de mer, coraux, mollusques, méduses et homards. Toutefois, ils avaient pour voisins d'énormes reptiles marins désormais éteints, plésiosaures ou ichtyosaures.

En courant, Giganotosaurus *gardait l'équilibre grâce à sa longue et lourde queue.*

Ses mâchoires puissantes garnies de dents comme des scies déchiraient la proie en lambeaux.

Giganotosaurus *plantait ses trois griffes acérées dans sa proie pour la dévorer.*

Les grands pieds à quatre doigts soutenaient le dinosaure quand il courait sur deux pattes.

ALLURE DU DINOSAURE

ALLURE DU LÉZARD

Quelle est la différence entre les dinosaures et nos reptiles ?

Les dinosaures se tenaient debout sur des pattes arrière droites. Ainsi, ils relevaient toujours le haut du corps. Cela leur permit de grandir de plus en plus et de se déplacer plus vite. Les reptiles actuels ont des articulations placées sur les côtés. Leur corps repose sur le sol ou reste tout près. Cela limite leur taille et leur aptitude à se déplacer.

▲ L'ICHTYOSAURE
L'ichtyosaure, qui ressemblait à un dauphin, avait un corps fuselé avec des nageoires, des ailerons et une longue et étroite mâchoire garnie de dents pointues. Pour nager, il donnait un coup de queue d'un côté puis de l'autre, atteignant des vitesses de 40 km/h.

POUR EN SAVOIR PLUS ▶▶ L'évolution 74-75 • Les reptiles 116-117 • Les oiseaux 118-119

L'ÉCOLOGIE

Tous les êtres vivants ont des relations complexes avec les autres espèces et leur environnement. L'étude de ces interactions est appelée écologie. L'écologie étudie la CHAÎNE ALIMENTAIRE qui relie celui qui mange à celui qui est mangé. Elle décrit aussi le recyclage des substances chimiques vitales qui passent d'un organisme à l'autre.

Qu'est-ce qu'un écosystème ?

Petite flaque d'eau ou immense forêt, l'écosystème englobe une communauté vivante, son environnement et toutes leurs interactions. Une communauté est un groupe d'animaux, de plantes et de micro-organismes qui vivent ensemble dans la même zone ou habitat. Son environnement comprend la lumière du Soleil, l'air et le sol.

Les crevasses abritent anguilles, crabes et poulpes.

L'anthias se nourrit de plancton.

De nombreuses espèces de poissons se nourrissent et se reproduisent dans le récif.

Le corail pousse lentement et est facilement détruit.

Le **poisson** fournit au héron l'énergie pour survivre.

▲ UN ÉCOSYSTÈME HUMIDE
Un grand héron dévore un poisson tandis que la lumière du Soleil stimule la croissance des plantes. Ce ne sont que deux des nombreuses interactions complexes qui constituent cet habitat humide en Floride, aux États-Unis.

Qu'est-ce que la biodiversité ?

Les récifs coralliens, qui abritent des quantités d'espèces différentes, ont une biodiversité élevée. Dans les déserts, où vivent beaucoup moins d'espèces, elle est plus faible. L'homme a réduit la biodiversité dans de nombreux écosystèmes par des activités nuisibles, comme la surpêche.

UN RÉCIF DE CORAIL DANS LA MER ROUGE (ÉGYPTE)
Les récifs coralliens, que l'on trouve dans les mers tropicales peu profondes, débordent de vie. Les coraux sont des animaux minuscules dont les squelettes calcaires forment le récif. Cet écosystème nourrit et abrite poissons et autres espèces.

◄ UN CHAMP DE LAVE
Une éruption volcanique a bouleversé cet écosystème à Hawaii. La lave dure et refroidie est un environnement hostile pour les êtres vivants et pourtant une plante pionnière a réussi à pousser dans un peu de terre apportée par le vent.

La coulée de lave a détruit l'ancien écosystème.

Écologie

La plante pionnière provient sans doute d'une spore apportée par le vent.

Pourquoi les écosystèmes changent-ils

Les écosystèmes changent sans cesse, souvent très lentement, parfois très vite. Un feu de forêt, par exemple, peut détruire tout un écosystème en un rien de temps. Et pourtant, une nouvelle communauté va se reconstituer. Tout d'abord arrivent des plantes pionnières, à la vie courte, et les animaux qui les mangent. Des plantes plus grandes, comme les arbres, les remplacent peu à peu, avec les animaux qui leur sont associés. Enfin, un mélange stable d'espèces s'établit.

LA CHAÎNE ALIMENTAIRE

Dans tout écosystème, des espèces mangent et sont dévorées par d'autres. La chaîne alimentaire relie jusqu'à six espèces selon ce qu'elles consomment. Elle décrit le trajet suivi par l'énergie et par les substances nutritives passant d'un organisme à l'autre.

Qu'est-ce qu'un réseau trophique ?

La communauté d'un écosystème peut contenir des milliers d'espèces. Chaque espèce peut faire partie de deux chaînes alimentaires ou plus. Ces chaînes constituent un réseau trophique au sein de l'écosystème. On y trouve les espèces ressources, qui fabriquent leur nourriture par photosynthèse, les consommateurs, qui mangent des plantes ou des animaux, et les décomposeurs, qui décomposent les organismes morts.

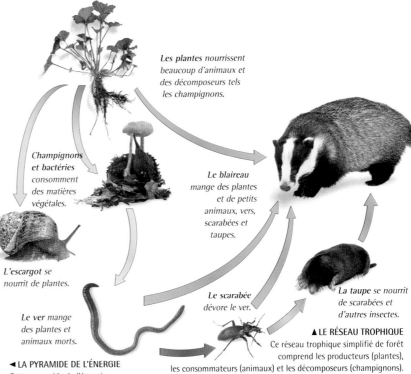

Les plantes nourrissent beaucoup d'animaux et des décomposeurs tels les champignons.

Champignons et bactéries consomment des matières végétales.

Le blaireau mange des plantes et de petits animaux, vers, scarabées et taupes.

L'escargot se nourrit de plantes.

Le ver mange des plantes et animaux morts.

Le scarabée dévore le ver.

La taupe se nourrit de scarabées et d'autres insectes.

▲ LE RÉSEAU TROPHIQUE
Ce réseau trophique simplifié de forêt comprend les producteurs (plantes), les consommateurs (animaux) et les décomposeurs (champignons).

Le consommateur principal, le phoque gris, mange les harengs.

Le consommateur secondaire, le hareng, mange les copépodes.

Le consommateur primaire, le copépode, se nourrit de plancton végétal.

Les producteurs sont les algues unicellulaires qui forment le plancton végétal.

◄ LA PYRAMIDE DE L'ÉNERGIE
Cette pyramide de l'énergie montre quatre niveaux d'une chaîne alimentaire dans la mer. La quantité d'énergie diminue chaque fois qu'on monte d'un niveau. À chaque niveau de la chaîne alimentaire, un peu d'énergie se perd et un peu se transmet.

Pourquoi y a-t-il moins de prédateurs que de proies ?

Les prédateurs sont moins nombreux, car ils sont plus hauts dans la chaîne alimentaire. Dans une chaîne alimentaire, tout organisme ne transmet qu'une partie de l'énergie qu'il a reçue de sa nourriture. Comme l'énergie diminue, chaque niveau de la chaîne alimentaire fait vivre moins d'individus que le niveau inférieur.

LES RELATIONS TROPHIQUES

L'être vivant prélève des substances chimiques (carbone, azote et eau) dans son environnement. Il les restitue en respirant ou en mourant.

Quel est le rôle des bactéries et des champignons dans le cycle du carbone ?

Les décomposeurs, des champignons et des bactéries, jouent un rôle essentiel. Ils décomposent les restes d'organismes morts. Ils rejettent ainsi dans l'air du gaz carbonique que les plantes peuvent utiliser de nouveau.

Qu'est-ce que le cycle de l'azote ?

Les plantes prélèvent dans le sol des substances chimiques contenant de l'azote, les nitrates. Les animaux en mangent lorsqu'ils ingèrent des plantes ou des animaux herbivores. Les bactéries libèrent l'azote des plantes et animaux morts, ce qui lui permet de retourner dans le sol. L'azote est un constituant important des protéines.

Quel est le rôle des plantes dans le cycle de l'eau ?

L'eau de pluie retourne à la mer en suivant les rivières, mais les racines des plantes en prélèvent une partie. L'eau des plantes s'évapore dans l'air. Avec celle qui s'évapore de la mer, elle s'élève dans l'air et retombe sous forme de pluie.

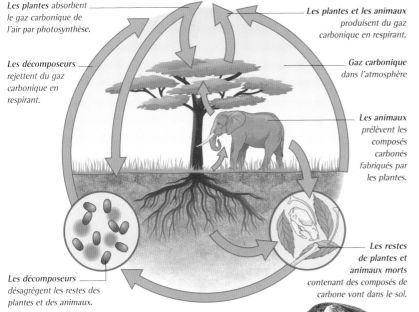

Les plantes absorbent le gaz carbonique de l'air par photosynthèse.

Les décomposeurs rejettent du gaz carbonique en respirant.

Les plantes et les animaux produisent du gaz carbonique en respirant.

Gaz carbonique dans l'atmosphère

Les animaux prélèvent les composés carbonés fabriqués par les plantes.

Les restes de plantes et animaux morts contenant des composés de carbone vont dans le sol.

Les décomposeurs désagrègent les restes des plantes et des animaux.

LE CYCLE DU CARBONE ▲
Tous les organismes, y compris ces espèces de la savane africaine, ont besoin de carbone pour construire leur corps. Grâce au cycle du carbone, le carbone est recyclé et ne manque jamais.

UNE PÊCHE EN DÉCOMPOSITION ►
Quand une pêche pourrit, des champignons et des bactéries la décomposent. Ces organismes qui décomposent les autres sont appelés décomposeurs.

mpact humain 64-65 • Les micro-organismes 85 • Les champignons 86 • Les plantes 88-89 • Les animaux 96-97 • L'alimentation 98

LES HABITATS NATURELS

Les organismes sont adaptés à un environnement particulier offrant des conditions spécifiques, comme la pluviosité et la température. C'est leur habitat. Les plus vastes sont les **OCÉANS**, les **ZONES HUMIDES**, les **FORÊTS**, les **PRAIRIES**, les **DÉSERTS** et les **RÉGIONS POLAIRES**.

Qu'est-ce qu'un habitat ?

L'habitat est une zone occupée par de nombreuses espèces. À l'intérieur de cet habitat, chaque espèce trouve un refuge pour se protéger, avec ses petits, du climat et des prédateurs. Un même habitat englobe ainsi les nids construits par les oiseaux et les guêpes ou les terriers des taupes.

Qu'est-ce qu'un micro-habitat ?

Un micro-habitat est une petite partie d'un habitat ayant ses propres conditions de température et de lumière, par exemple, et des espèces caractéristiques. Un micro-habitat peut être la zone d'ombre sous un arbre ou le dessous d'un galet dans un ruisseau.

▲ **LES RATONS LAVEURS**
Les ratons laveurs d'Amérique du Nord n'ont pas de problèmes, car ils peuvent vivre partout et mangent de tout. Ils habitent même dans des villes où ils fouillent les poubelles.

LES OCÉANS

Les océans, qui recouvrent environ 70 % de la surface de la Terre, constituent le plus vaste des habitats au monde. La vie s'y plaît à toutes les profondeurs, des rivages aux fosses situées à 11 km de profondeur.

Pourquoi le plancton végétal est-il important ?

Toute la vie dans l'océan dépend d'algues microscopiques, le plancton végétal. Le plancton végétal, qui flotte près de la surface, capte l'énergie du Soleil pour s'alimenter. Le plancton animal (animaux minuscules et protistes) se nourrit de plancton végétal. C'est la base de l'alimentation des poissons, crabes, calmars et autres animaux.

Trouve-t-on de la lumière au fond de l'océan ?

La lumière ne pénètre dans l'eau des océans que jusque vers 200 m. En dessous, dans la zone intermédiaire, la lumière est très diffuse. Plus bas, dans les grandes profondeurs, il fait complètement noir et très froid. Une communauté d'êtres vivants correspond à chaque zone, y compris le fond de la mer.

@ ▶▶
Habitats naturels

Les broméliacées poussent sur les branches d'arbres, très haut sous la canopée de la forêt tropicale humide – elles aiment l'humidité.

Les grenouilles pondent dans l'eau retenue par les broméliacées. Les têtards s'y nourrissent et y grandissent.

▲ **LE MICRO-HABITAT D'UNE BROMÉLIACÉE**
Dans la forêt tropicale humide, les feuilles rouges de la broméliacée retiennent une petite flaque d'eau. C'est le micro-habitat idéal des grenouilles, larves de moustiques et autres organismes.

▲ **LES BARRACUDAS À CHEVRONS**
Un banc de barracudas à chevrons nage dans les eaux superfici large de Bornéo, en Malaisie. Ces terribles chasseurs rassemble autres poissons et les tuent d'un coup de dent.

LES ZONES HUMIDES

Les zones humides se forment partout où l'eau douce ou salée ne parvient pas à s'écouler. Elles recouvrent plus de 6 % de la Terre. Elles groupent les marais, marécages, forêts détrempées, tourbières et deltas.

Pourquoi les zones humides sont-elles importantes ?

En général, les zones humides abritent une grande variété d'espèces : oiseaux, mammifères, reptiles, insectes, amphibiens et plantes. Par ailleurs, elles fournissent des poussinières où les jeunes poissons et d'autres espèces aquatiques naissent et grandissent.

Qu'est-ce qu'une mangrove ?

C'est un marécage d'eau salée, près d'un littoral tropical, où poussent des palétuviers. Les mangroves débordent de vie et par ailleurs protègent la côte contre les tempêtes tropicales.

Quelle est la différence entre une tourbière et un marais ?

Une tourbière se forme dans un endroit frais et humide où un lac s'est rempli de terre et de végétation. Les marais se trouvent dans les endroits comme les deltas où l'eau coule assez lentement pour inonder la zone en permanence. La végétation abondante procure nourriture et abri aux animaux des marais.

▲ LES FLAMANTS ROSES
Ces oiseaux des habitats humides tropicaux vivent dans des lacs salés et des lagunes. Pour se nourrir, ils avalent de l'eau puis la filtrent dans leur bec pour retenir les crevettes et les petits animaux aquatiques.

LES FORÊTS

Les habitats dominés par les arbres et les arbustes sont appelés forêts. On distingue les forêts tropicales humides, les forêts de conifères des climats froids et celles d'arbres feuillus des climats tempérés. Toutes grouillent de vie.

▲ LE PARESSEUX
Ce mammifère d'Amérique du Sud passe son temps pendu la tête en bas aux arbres de la forêt tropicale humide.

Pourquoi la forêt tropicale humide est-elle si pleine de vie ?

Les arbres à feuillage persistant, qui ne cessent de grandir, sont une source de nourriture permanente dans la forêt tropicale toujours chaude et humide. Une quantité incroyable d'animaux y trouve de quoi manger et s'abriter à tous les niveaux, du sol jusqu'à la canopée. La forêt tropicale humide contient la moitié de toutes les espèces animales et végétales. Pourtant, elle ne couvre que 10 % de la surface de la Terre.

Armés de puissantes mandibules, les cerfs-volants luttent pour un territoire et une compagne.

LES PRAIRIES

Les prairies occupent les terrains où il fait trop sec pour les forêts ou trop humide pour les déserts. Les deux principaux types sont la savane tropicale africaine et la prairie tempérée, comme la pampa d'Amérique du Sud.

Comment résiste l'herbe broutée ?

L'herbe supporte d'être broutée sans cesse, parce que les nouvelles pousses partent du pied et non du bout des tiges. Plus on en mange, plus elle pousse. Les prairies abritent une grande quantité d'animaux herbivores (qui mangent de l'herbe) – et leurs prédateurs.

Comment autant d'espèces herbivores peuvent-elles vivre dans la savane ?

La savane africaine nourrit de nombreuses espèces d'herbivores parce qu'elles mangent soit des parties différentes des herbes, soit des plantes différentes. Le zèbre, par exemple, broute les bouts coriaces des herbes, tandis que le gnou préfère la partie feuillue du milieu.

Pourquoi les petits animaux des prairies vivent-ils souvent sous terre ?

Les arbres qui offrent un abri étant peu nombreux, les petits animaux se réfugient dans des terriers. Ils y trouvent une protection contre les prédateurs mais aussi contre le froid ou la chaleur.

▲ LA SAVANE AFRICAINE
La savane africaine, un habitat chaud, abrite de vastes troupeaux d'herbivores, comme ces zèbres et ces gnous. Ils sont la proie de prédateurs tels que les lions et les léopards.

▲ LES CERFS-VOLANTS
Ces cerfs-volants en train de se battre vivent dans une forêt de feuillus. Les jeunes larves mangent du bois pourri, les adultes, la sève qui coule des troncs.

POUR EN SAVOIR PLUS ▶▶ Les déserts 84 • Les montagnes 84 • Les régions polaires 84

LES DÉSERTS

Cet habitat sec et hostile reçoit souvent moins de 10 cm de pluie par an. Il y fait très chaud le jour, mais froid la nuit. Peu d'animaux et de plantes se sont adaptés à ces conditions difficiles.

Comment survivent les plantes du désert ?

Certaines plantes, comme les cactus, ont des racines profondes et étalées qui atteignent l'eau disponible ainsi que de petites feuilles et une peau imperméable qui limitent leur transpiration. D'autres passent presque toute leur vie sous forme de graine. Quand il pleut enfin, elles germent, fleurissent et produisent des graines en deux semaines. Le désert se couvre alors de fleurs.

Les feuilles en forme de rubans absorbent la vapeur d'eau.

▲ LE WELWITSCHIA
Cette plante pousse dans le désert extrêmement sec du Namib. Elle survit grâce à ses grandes feuilles qui absorbent la nuit la condensation du brouillard venu de l'océan tout proche.

L'aiguillon au bout de la queue articulée et flexible permet au scorpion de se défendre et de tuer ses proies.

▲ LE SCORPION
Comme nombre d'animaux du désert, ce scorpion vit la nuit, quand les températures baissent. Une fois qu'il a repéré une proie, il l'attrape puis la pique.

LES MONTAGNES

Les montagnes sont des régions situées à 600 m ou plus au-dessus du niveau de la mer. Plus on s'élève et plus l'air est rare, plus la température est basse et plus les vents sont violents. Seules les espèces vraiment résistantes survivent.

Quelles sont les différentes zones ?

Les montagnes ont plusieurs zones de végétation. Des zones boisées d'arbres feuillus couvrent les contreforts. Ensuite viennent les forêts de conifères qui supportent mieux le froid et le vent. Au-dessus de la limite des arbres (où ils ne peuvent plus pousser), s'étend une prairie alpine aux plantes robustes. Plus haut, la roche dénudée est recouverte d'étendues de neige.

Quels animaux vivent en montagne ?

Chaque zone de végétation a ses espèces typiques. Les régions boisées et les forêts abritent des herbivores, comme les chevreuils, et des oiseaux. Dans les plaines habitent des rongeurs et des lapins et, en été, des insectes et les oiseaux qui les mangent. Les chamois et les bouquetins vivent sur les versants rocheux et les oiseaux de proie planent dans le ciel, à la recherche de nourriture.

Les étendues de neige au sommet des montagnes sont trop froides et ventées pour la plupart des êtres vivants.

▲ L'EDELWEISS
Les petites plantes robustes, tel cet edelweiss, peuvent survivre dans une prairie alpine. Ici, au-dessus de la limite des arbres, les vents sont forts et mordants, et le sol mince et rocailleux.

LES RÉGIONS POLAIRES

Les habitats polaires, froids et glacés, sont situés sur les pôles Nord et Sud. Les régions polaires ont des étés courts et des hivers longs et rigoureux. Seuls les animaux adaptés, ayant par exemple d'épaisses fourrures, peuvent y vivre.

▲ LES MORSES
Ces mammifères marins vivent en troupeaux dans les eaux côtières de l'Arctique. Leur peau dure et leur épaisse couche de graisse les protègent du froid.

Y a-t-il une différence entre l'Arctique et l'Antarctique ?

L'Arctique, qui entoure le pôle Nord, est un océan gelé. Des animaux tels que l'ours blanc et le renard des neiges vivent sur la banquise. L'Antarctique, qui recouvre le pôle Sud, est un continent sous la glace où vivent peu d'animaux. L'océan qui l'entoure regorge de nourriture pour les poissons, oiseaux de mer, phoques et baleines.

Ces manchots à jugulaire se réunissent sur un iceberg en Antarctique.

▲ LES MANCHOTS
Plusieurs espèces de manchots vivent, se nourrissent et se reproduisent dans l'Antarctique et ses environs. Des plumes imperméables et une couche de graisse les gardent au chaud.

POUR EN SAVOIR PLUS ▶▶ Les montagnes 45 • La glace 58 • Les côtes 59

LES MICRO-ORGANISMES

Tout être vivant qui est invisible à l'œil nu et ne se voit qu'au microscope est appelé micro-organisme. Cette catégorie comprend les BACTÉRIES, les protistes et certains champignons, comme les levures. Les VIRUS, qui en font partie, ne sont pas vraiment des organismes vivants.

Qu'est-ce qu'un protiste ?

C'est un organisme unicellulaire vivant dans la mer, l'eau douce, le sol et dans ou sur d'autres êtres vivants. Les protistes de nature animale, appelés protozoaires, trouvent leur énergie en mangeant. Les ciliés, des protistes qui se déplacent en faisant vibrer des cils, en font partie. Certains protozoaires transmettent des maladies comme la malaria. Les protistes d'affinité végétale, appelés protophytes, fabriquent leur nourriture par photosynthèse. Ils comprennent le plancton végétal des océans et les algues vertes des mares.

Didinium ouvre grand la bouche pour avaler sa proie tout entière.

Paramecium est couvert de cils qu'il agite de façon rythmée pour avancer.

Didinium se déplace en faisant vibrer ses deux rangées de cils.

▲ DIDINIUM
Didinium, un protiste cilié d'eau douce, peut tuer et manger d'autres protistes plus gros que lui. Ici, il attaque Paramecium, un autre cilié, en l'immobilisant avec une flèche explosive.

Micro-organismes

L'aiguillon aspire le sang dont se remplit ce moustique porteur de fièvre jaune.

◄ LE MOUSTIQUE DE LA FIÈVRE JAUNE
Ce moustique tropical perce la peau humaine pour se nourrir de sang chaud. Il porte le virus responsable de la fièvre jaune, maladie parfois mortelle qu'il peut transmettre par sa piqûre.

LES VIRUS

Il faut un microscope très puissant pour observer le minuscule organisme appelé virus. Les virus provoquent des maladies. Ils ne sont actifs qu'après avoir infecté une cellule vivante d'un animal, d'une plante ou d'une bactérie.

Comment se reproduisent les virus ?

Le virus envahit une cellule vivante, détourne ses gènes et la force à produire une quantité de nouvelles particules virales. Ces nouvelles particules s'échappent ensuite de la cellule. Les virus ne sont pas considérés comme des êtres vivants parce qu'ils ne peuvent pas se reproduire seuls.

▲ VIRUS DU RHUME ORDINAIRE
Ceci est un adénovirus, l'un des virus qui donnent le rhume. Comme tous les virus, il se compose d'une chaîne, ADN ou ARN, qui porte les instructions d'infection. Celle-ci est entourée d'une couche protectrice de protéines que l'on voit ici.

LES BACTÉRIES

LOUIS PASTEUR
Français, 1822-1895
Fondateur de la microbiologie, il prouva que les micro-organismes sont responsables des maladies infectieuses, inventa le vaccin et découvrit la pasteurisation (procédé qui tue les bactéries par chauffage puis refroidissement).

Organismes les plus abondants sur Terre, les bactéries vivent sur la terre, dans l'eau et dans l'air. Elles se composent d'une minuscule cellule. Elles ont une paroi cellulaire protectrice mais, à la différence des autres cellules, ne disposent pas de noyau.

Les bactéries sont-elles toutes nuisibles ?

Si certaines bactéries sont nuisibles et provoquent des maladies, d'autres sont utiles. Ainsi, les bactéries des intestins nous font assimiler les vitamines, certaines servent à préparer des aliments et celles du sol recyclent les substances nutritives des plantes et animaux morts.

Bactéries regroupées à la pointe d'une aiguille.

DES BACTÉRIES SUR UNE AIGUILLE ►
Cette photo prise au microscope électronique à balayage (MEB) donne une idée de la taille minuscule de ces bactéries (orange) en forme de bâtons. Elles se sont agglutinées au bout d'une seringue qui sert à faire des piqûres.

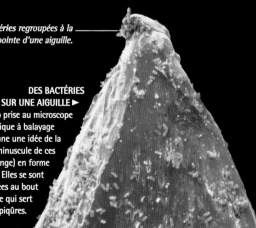

POUR EN SAVOIR PLUS ▶▶ La vie 70-71• La biologie 72 • Les cellules 73

LES CHAMPIGNONS

Pas tout à fait des plantes, mais pas non plus des animaux, les champignons se divisent en champignons supérieurs et en champignons inférieurs comme les MOISISSURES. Ils se nourrissent d'organismes et ne sont visibles que lorsqu'un pied porteur de spores se développe.

Comment se nourrissent les champignons ?

Les champignons absorbent les substances nutritives de matières animales ou végétales, mortes ou vivantes. Ils produisent de longs filaments minces, les hyphes, qui se propagent à travers leur nourriture. Les hyphes libèrent des enzymes qui décomposent les aliments en substances faciles à absorber.

Comment se reproduisent les champignons ?

La plupart des champignons se reproduisent en semant de minuscules spores qui germent et deviennent un nouveau champignon. Les spores proviennent d'un corps qui dépasse de la terre. Certains champignons laissent tomber des spores qui sont emportés par le vent, d'autres les dispersent lors d'une véritable explosion.

Comment reconnaître un champignon vénéneux ?

Il n'existe pas de moyens pour distinguer un bon champignon d'un mauvais. Ils ont un pied et un chapeau (qui contient les spores) et font partie du même groupe, les basidiomycètes. En cas de doute, il ne faut jamais toucher à un champignon, ou bien demander à un pharmacien.

@ ▸▸
Champignons

À FUIR ▶
Le rouge vif des chapeaux de ces amanites tue-mouches avertit les animaux qu'elles sont vénéneuses. Le chapeau, en haut du pied, produit des spores. Les spores tombent des lamelles situées sous le chapeau.

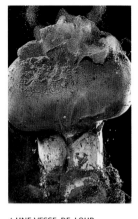

▲ UNE VESSE-DE-LOUP
Le sommet de la vesse-de-loup éclate quand elle atteint l'âge adulte. Ensuite, le moindre choc provoque un véritable nuage de spores.

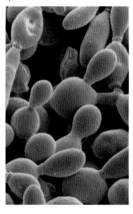

▲ CELLULES DE LEVURES EN TRAIN DE BOURGEONNER
Les jeunes cellules forment des sortes de bulles sur la cellule mère, puis s'en détachent.

LA CLASSIFICATION DES CHAMPIGNONS

Les scientifiques ne cessent de revoir la classification du règne des champignons (plus de 100 000 espèces). Actuellement, ils les divisent en trois groupes :

- Zygomycètes (mucor)
- Ascomycètes (levures, moisissures, morilles et truffes)
- Basidiomycètes (charbon du blé, rouille, champignons comestibles et champignons poussant sur les troncs d'arbres).

LES MOISISSURES

Les moisissures sont des champignons qui ressemblent à des poils sur les aliments, pain ou fruits, en train de moisir. Ces poils sont en fait les hyphes qui poussent tout droit et produisent des spores à leur extrémité. Ces spores germent ensuite sur d'autres aliments.

◀ LA MOISISSURE DU PAIN
Les aliments contenant de l'amidon comme le pain sont envahis par une foule d'hyphes grisâtres aux bouts noirs qui produisent des spores, le mucor. Les spores vont gagner d'autres morceaux de pain. Ici, on ne voit pas les hyphes qui poussent à l'intérieur et absorbent les substances nutritives.

Les moisissures sont-elles utiles ?

Certaines sont utiles, comme le pénicillium, la moisissure bleue des fruits. On en tire un antibiotique, la pénicilline, qui tue certaines bactéries responsables de maladies graves. Le pénicillium sert aussi à la fabrication des fromages bleus.

DES COMPRIMÉS DE PÉNICILLINE ▶
Des bactéries sont ici cultivées sur de la gélose. Les comprimés blancs contiennent de la pénicilline. Les zones sombres autour des comprimés correspondent aux bactéries tuées par la pénicilline.

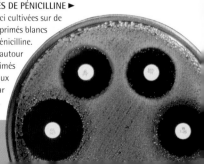

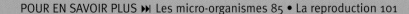

POUR EN SAVOIR PLUS ▸▸ Les micro-organismes 85 • La reproduction 101

LES ALGUES

Les algues sont des organismes proches des végétaux qui fabriquent leur nourriture par photosynthèse. Toutes contiennent de la chlorophylle verte, mais beaucoup sont colorées en brun ou en rouge par d'autres pigments. La plupart vivent dans l'eau.

Quels sont les types d'algues ?

Les algues vivent souvent dans la mer. Les algues de mer, rouges, brunes ou vertes, sont bien visibles et comptent de nombreuses cellules. D'autres, telles les diatomées, sont microscopiques et ne comptent qu'une cellule.

LES DIATOMÉES ▶
Ces algues unicellulaires flottent à la surface des océans et des lacs. Chaque espèce présente un motif différent, à l'intérieur d'une coque ressemblant à du verre.

Les algues vivent-elles toujours dans l'eau ?

La plupart des espèces d'algues vivent dans la mer, les lacs ou les étangs. Certaines algues vertes unicellulaires vivent dans l'humidité des troncs d'arbres, du sol ou des murs de briques humides. D'autres encore vivent à l'intérieur des lichens.

Les capsules remplies d'air permettent aux frondes de flotter près de la surface.

◀ LE GOÉMON
Cette algue marine, comme beaucoup d'autres, pousse près des côtes. Ses frondes qui ressemblent à des feuilles sont attachées aux rochers par un thalle. Quand elles sont exposées à l'air, à marée basse, le mucus (sorte de gelée) les empêche de dessécher.

@ ▶▶ Algues

LE GOÉMON

> **LA CLASSIFICATION DES ALGUES**
>
> 40 000 espèces. Les types unicellulaires :
> • Chrysophycées • Algues vertes
> • Diatomées • Dinoflagellés
>
> Les types multicellulaires :
> Algues brunes • Algues rouges et algues vertes (formes unicellulaires et multicellulaires).

▲ L'ALGUE ROUGE
Plus petite que les autres, l'algue rouge contient un pigment qui permet la photosynthèse dans la faible lumière des eaux profondes.

POUR EN SAVOIR PLUS ▶▶ La vie 70-71 • Les micro-organismes 85

LES LICHENS

Le lichen n'est pas un organisme unique, mais l'association d'un champignon et d'une algue verte. Tolérant les climats extrêmes des déserts ou de l'Antarctique, ils poussent sur des rochers, des troncs d'arbres ou le sol.

Comment les champignons et les algues vivent-ils dans les lichens ?

Le champignon forme une couche externe qui empêche l'algue de sécher et la protège de la lumière. L'algue produit sa nourriture par photosynthèse et la partage avec le champignon. En échange, le champignon lui fournit des minéraux indispensables comme les nitrates. Cette relation bénéfique entre deux espèces s'appelle symbiose.

▲ UN RENNE BROUTANT DU LICHEN
Le lichen est une importante source de nourriture pour les rennes dans la toundra arctique, un habitat froid et rude. En hiver, ils grattent la neige de leurs sabots pour l'atteindre.

LICHEN FOLIACÉ

@ ▶▶ Lichens

▲ LES LICHENS
Deux des trois principaux types de lichen, le buissonnant et le foliacé, poussent ici sur des écorces d'arbres. Le troisième type est appelé crustacé (plat et formant une croûte).

LICHEN BUISSONNANT

POUR EN SAVOIR PLUS ▶▶ La vie 70-71

LES PLANTES

Les plantes représentent l'un des cinq règnes chez les êtres vivants. Constituées de nombreuses cellules, elles sont en général enracinées dans le sol. Leurs feuilles vertes captent la lumière du Soleil pour fabriquer de la nourriture par PHOTOSYNTHÈSE. Elles nourrissent directement ou indirectement la plupart des autres organismes sur la Terre, tout en procurant l'oxygène indispensable à la vie.

La feuille utilise la lumière du Soleil pour nourrir la plantule.

UNE JEUNE PLANTE ▶
Sur cette coupe d'un sol de sous-bois, on voit un jeune chêne émerger d'un gland (graine du chêne) fendu. Bien que petite, la plantule a les principales caractéristiques du chêne : des racines, un tronc, des bourgeons et des feuilles. La plupart des espèces végétales, y compris les plantes à fleurs, poussent grâce à des graines. Chaque graine contient un embryon de plante avec une réserve de nourriture.

Est-ce que les plantes peuvent bouger ?

Elles ne peuvent pas se déplacer comme les animaux, mais sont capables de mouvements. Les tiges grandissent, les feuilles se tournent vers le Soleil. Les fleurs s'ouvrent et se ferment. Les plantes grimpantes ont de fines vrilles ou des tiges qui s'étirent jusqu'à ce qu'elles trouvent de quoi s'agripper.

Quelles sont les plus grandes plantes ?

Les arbres dépassent toutes les autres plantes par leur taille. Ils peuvent grandir parce qu'ils sont soutenus par un tronc en bois qui épaissit au fur et à mesure que l'arbre prend de la hauteur. Les plus hauts, et les plus gros organismes vivants, sont les séquoias de Californie, qui peuvent dépasser 110 m.

Les feuilles mortes, en pourrissant, produisent des substances nutritives pour les plantes.

La tige soutient les feuilles, les bourgeons et les autres parties aériennes.

Les racines absorbent l'eau et les minéraux du sol pour le jeune chêne.

Le gland s'ouvre pour laisser sortir l'embryon de plante.

LA CLASSIFICATION DES PLANTES

Jusqu'à aujourd'hui, les scientifiques ont identifié plus de 300 000 espèces de plantes, divisées en deux groupes :
• Celles qui se reproduisent avec des spores : mousses, fougères, prêles et quatre autres embranchements.
• Les plantes qui se servent de graines : plantes à fleurs, conifères.

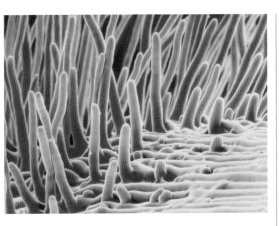

▲ LES POILS ABSORBANTS DES RACINES
Agrandis 200 fois, ces minuscules poils se dressent sur les racines. Ils forment une surface importante qui permet à la racine d'absorber vite et avec efficacité l'eau et les minéraux indispensables.

Pourquoi les plantes ont-elles des racines ?

Les plantes ont des racines pour deux grandes raisons. Les racines les retiennent dans le sol et leur évitent d'être arrachées par les vents forts. Et elles absorbent l'eau et les minéraux du sol, comme le nitrate et le soufre. Les plantes ont besoin d'eau pour remplacer celle qu'elles perdent par la transpiration et de minéraux pour fabriquer les substances indispensables à la vie.

Comment les plantes se défendent-elles ?

Elles ne peuvent pas se sauver devant les herbivores affamés, mais elles ont imaginé de nombreux moyens de défense. Les épines peuvent déchirer la peau d'un animal ou lui percer la bouche. Quelques-unes produisent des substances chimiques au goût horrible ou se révèlent très toxiques. Sur les feuilles de certaines, de minuscules poils empêchent les insectes mangeurs de feuilles d'atteindre la surface.

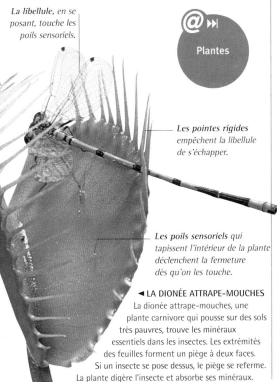

La libellule, en se posant, touche les poils sensoriels.

@ ▶▶
Plantes

Les pointes rigides empêchent la libellule de s'échapper.

Les poils sensoriels qui tapissent l'intérieur de la plante déclenchent la fermeture dès qu'on les touche.

◀ LA DIONÉE ATTRAPE-MOUCHES
La dionée attrape-mouches, une plante carnivore qui pousse sur des sols très pauvres, trouve les minéraux essentiels dans les insectes. Les extrémités des feuilles forment un piège à deux faces. Si un insecte se pose dessus, le piège se referme. La plante digère l'insecte et absorbe ses minéraux.

LA PHOTOSYNTHÈSE

Les animaux doivent trouver et manger de la nourriture, mais les plantes sont capables de s'alimenter en se servant de l'énergie solaire. Ce processus, la photosynthèse, fournit l'énergie et la matière première pour leur croissance.

Que se passe-t-il au cours de la photosynthèse ?

Les feuilles des plantes captent l'énergie solaire qui transforme le carbone du gaz carbonique et l'eau en un aliment énergétique, le glucose. Le glucose donne de l'énergie à la plante et sert aussi à fabriquer des substances comme la cellulose, qui constitue les parois des cellules de la plante.

La feuille absorbe la lumière du Soleil.

LA FABRICATION DU GLUCOSE ▶
Lors de la photosynthèse, les cellules de la feuille absorbent la lumière du Soleil. Elles s'en servent pour transformer le carbone du gaz carbonique de l'air et l'eau absorbée par les racines en molécules de glucose. L'oxygène qu'elles produisent est une sorte de déchet.

Le glucose est distribué à toutes les parties de la plante.

L'eau entre par les racines et la tige.

Le gaz carbonique pénètre dans la feuille.

L'oxygène s'échappe dans l'air.

▲ LES CHLOROPLASTES
Les structures vertes que l'on voit dans cette microphotographie de cellules de feuilles sont des chloroplastes. Ils contiennent de la chlorophylle, un pigment vert qui capte l'énergie solaire.

LA TRANSPIRATION

Les feuilles perdent sans cesse de l'eau par évaporation, à travers de minuscules pores, les stomates, qui laissent aussi entrer le gaz carbonique et sortir l'oxygène. Cette perte d'eau, appelée transpiration, produit une force qui fait monter l'eau des racines.

Qu'est-ce que le système vasculaire ?

Le système vasculaire achemine l'eau et les substances nutritives à l'intérieur de la plante. Il se compose de deux types de tubes microscopiques, le xylème, qui conduit l'eau et les minéraux des racines vers les autres parties de la plante, et le phloème, qui transporte les substances nutritives du lieu de leur production aux autres organes de la plante.

SAUGE «ANANAS»

L'eau s'évapore par les feuilles.

La tige de la feuille apporte de l'eau à la feuille.

Les racines absorbent l'eau de la terre.

L'eau monte grâce au xylème de la tige.

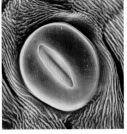

▲ LE STOMATE LA NUIT
Vu au microscope, ce stomate (pore), situé sur la feuille, est entouré par deux cellules de garde. La nuit, elles le ferment.

▲ LE STOMATE LE JOUR
Dans la journée, les cellules de garde ouvrent le stomate. Le gaz carbonique peut entrer dans la feuille et l'eau s'évaporer par transpiration.

▲ LA TRANSPIRATION VÉGÉTALE
L'eau puisée par les racines remplace l'eau perdue par transpiration au niveau des feuilles. Une colonne d'eau ininterrompue circule des racines aux feuilles.

POUR EN SAVOIR PLUS ▶▶ Les plantes sans fleurs 90-91 • Les plantes à fleurs 92-93 • Les arbres 94-95

LES PLANTES SANS FLEURS

Les mousses, les fougères et leurs parentes sont des plantes qui ne font pas de fleurs mais se reproduisent grâce à des **SPORES**. En général, elles vivent dans des habitats humides ou à l'ombre. Les **CONIFÈRES** – des plantes sans fleurs – se reproduisent en faisant des graines.

Le sporophyte laisse tomber des spores qui deviennent de nouvelles mousses.

Comment poussent les fougères ?

La tige, ou rhizome, de la fougère pousse à l'horizontale dans le sol. Les petits bourgeons sur le rhizome donnent naissance à de minuscules frondes (feuilles) enroulées. Les bourgeons se déroulent et les frondes grandissent. Celles de certaines fougères atteignent 6 m, d'autres ne dépassent pas 13 mm.

Comment la mousse peut-elle vivre sans racines ?

Les mousses forment de petites touffes ou coussins. Elles n'ont pas de véritables racines, mais de menus filaments appelés rhizoïdes. Les rhizoïdes retiennent la mousse dans le sol, sur la roche ou l'écorce, mais ils ne pompent pas d'eau. Ce sont les feuilles qui absorbent l'humidité de l'air.

FOUGÈRE ARBORESCENTE ▶
Dicksonia antarctica est une grande fougère arborescente qui pousse sur le sol frais et ombragé des forêts australiennes. Cette espèce, au grand tronc fibreux coiffé par une couronne de frondes, atteint de 1 à 3 m.

Le jeune bourgeon se déroule, révélant une fronde, ou feuille ramifiée.

@ ▶▶
Plantes sans fleurs

◀ HÉPATIQUE
Cette plante, proche parente des mousses, ne se trouve que dans les habitats humides. Elle pousse dans la terre, sur les arbres et les pierres humides. Certaines espèces ont des feuilles enduites d'une couche cireuse qui réduit l'évapotranspiration.

Les frondes des fougères arborescentes peuvent atteindre de 1,50 à 2,50 m.

▲ LA REPRODUCTION DES MOUSSES
Les pointes feuillues des mousses produisent des cellules sexuelles mâles et femelles. Les cellules mâles flottent dans l'eau à la surface de la plante pour atteindre et féconder les cellules femelles. La fécondation produit une tige et un sporophyte qui éparpille les spores dans l'air.

LA CLASSIFICATION DES PLANTES SANS FLEURS

Les plantes sans fleurs comptent dix catégories principales :
• Hépatiques • Mousses • Anthocérotes • Lycopodes Prêles • Fougères • Conifères

Cycadales • Ginkgo • Gnétales
Les quatre dernières forment le groupe des gymnospermes – qui font des graines au lieu de spores.

LES SPORES

Pour se reproduire, les plantes sans fleurs dispersent une foule de spores. Ces organismes minuscules se composent d'une ou plusieurs cellules entourées d'une coque résistante.

Quel est le rôle de la dispersion des spores ?

Beaucoup de plantes sans fleurs comptent sur le vent pour qu'il transporte leurs spores reproductrices aussi loin que possible. Ainsi, elles n'auront pas à lutter avec la plante mère pour la lumière, l'eau et les substances nutritives importantes. Si une spore atterrit dans un lieu humide, elle germe et devient une nouvelle plante.

SPORES DE FOUGÈRE ▶
Les spores des fougères se développent dans des capsules protectrices appelées sores. Les sores sont fixés sous les frondes. Les grandes fougères produisent et dispersent des millions de spores chaque année.

Sore

À L'INTÉRIEUR D'UN SORE ▶
Chaque sore contient un bouquet de sporanges, qui produisent les spores. Par temps sec, le sporange s'ouvre et les spores s'éparpillent.

Sporange

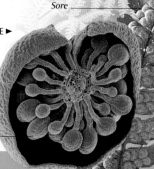

LES CONIFÈRES

Les arbres et les arbustes dont les graines se forment dans des cônes s'appellent conifères. Les 550 espèces comprennent les pins, les sapins et les cèdres. Ils forment d'épaisses forêts dans les pays froids et nordiques. La plupart gardent leurs feuilles toute l'année.

▲ POMME DU PIN CEMBRO
Les graines mûrissent à l'intérieur de la pomme de pin femelle, protégées par ses écailles. S'il fait chaud et sec, la pomme s'ouvre et laisse tomber ses graines.

GRAINES DE PIN

▲ UNE FORÊT DE PINS
Les branches des pins et de nombreux autres conifères pendent vers le bas. Ainsi, la neige glisse et n'abîme pas l'arbre.

Comment les conifères produisent-ils des graines ?

Les conifères ont des cônes mâles et femelles. Les premiers donnent des grains de pollen (cellules sexuelles mâles) que le vent disperse. Si le pollen atterrit sur des cônes femelles, il féconde les ovules. Les ovules fécondés deviennent des graines. Au bout d'un an ou deux, quand les graines sont à maturité, le cône femelle devenu pomme de pin s'ouvre. Les graines ailées tombent et germent là où elles atterrissent.

Pourquoi certains conifères ont-ils des feuilles en forme d'aiguilles ?

Les feuilles en forme d'aiguilles aident les conifères à supporter les climats froids et rudes. Elles sont enduites d'une couche cireuse, la cuticule. Fines, dures et pourvues d'une cuticule, les aiguilles supportent les vents forts et les températures très basses. Par ailleurs, elles limitent l'évaporation d'eau.

Est-ce que d'autres plantes ont des cônes ?

Chez les Cycadales, un autre groupe, les énormes pommes de pin fécondées peuvent atteindre 55 cm. Le cycas, au tronc robuste coiffé de longues feuilles découpées, ressemble plus à un palmier qu'à un conifère. Originaires des régions tropicales et subtropicales, les Cycadales descendent d'un groupe de plantes qui prospérait voici 250 millions d'années. Aujourd'hui, il en existe 140 espèces.

Les cônes mâles sont mous et tombent après avoir libéré leur pollen.

LE PIN SYLVESTRE ▶
Les pins, comme presque tous les conifères, sont des arbres à feuillage persistant : ils ne perdent pas leurs feuilles. Les longues aiguilles pointues restent sur l'arbre au moins deux ans.

Les pommes de pin femelles sont ligneuses (en bois) et s'ouvrent pour libérer les graines.

POUR EN SAVOIR PLUS ▸▸ Le climat 62-63 • Les habitats naturels 82-84 • Les plantes 88-89 • Les arbres 94-95

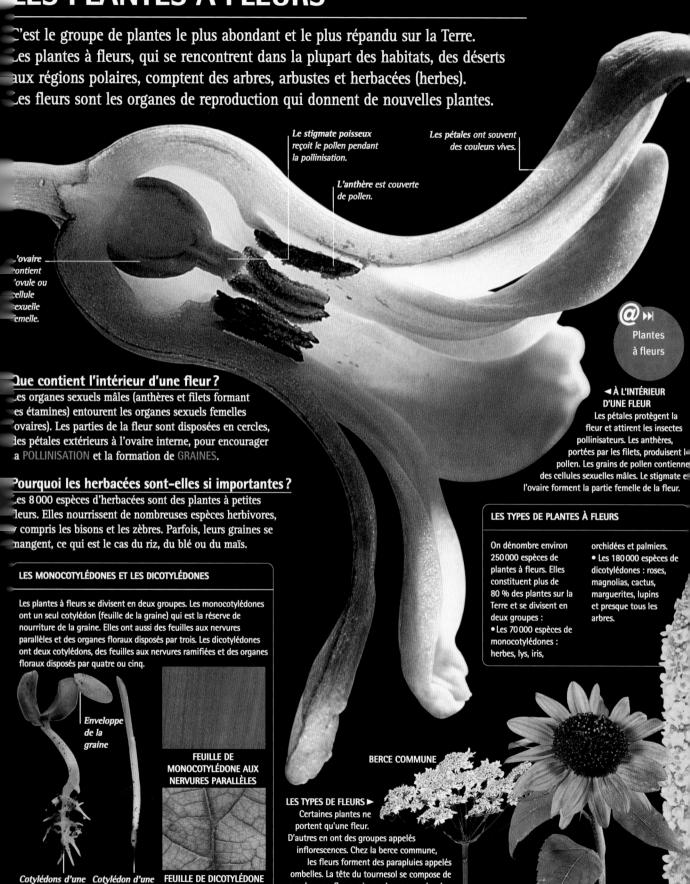

LES PLANTES À FLEURS

C'est le groupe de plantes le plus abondant et le plus répandu sur la Terre. Les plantes à fleurs, qui se rencontrent dans la plupart des habitats, des déserts aux régions polaires, comptent des arbres, arbustes et herbacées (herbes). Les fleurs sont les organes de reproduction qui donnent de nouvelles plantes.

Le stigmate poisseux reçoit le pollen pendant la pollinisation.

Les pétales ont souvent des couleurs vives.

L'anthère est couverte de pollen.

L'ovaire contient l'ovule ou cellule sexuelle femelle.

@ ▶▶
Plantes à fleurs

Que contient l'intérieur d'une fleur ?

Les organes sexuels mâles (anthères et filets formant les étamines) entourent les organes sexuels femelles (ovaires). Les parties de la fleur sont disposées en cercles, des pétales extérieurs à l'ovaire interne, pour encourager la POLLINISATION et la formation de GRAINES.

Pourquoi les herbacées sont-elles si importantes ?

Les 8 000 espèces d'herbacées sont des plantes à petites fleurs. Elles nourrissent de nombreuses espèces herbivores, y compris les bisons et les zèbres. Parfois, leurs graines se mangent, ce qui est le cas du riz, du blé ou du maïs.

◀ À L'INTÉRIEUR D'UNE FLEUR
Les pétales protègent la fleur et attirent les insectes pollinisateurs. Les anthères, portées par les filets, produisent le pollen. Les grains de pollen contiennent des cellules sexuelles mâles. Le stigmate et l'ovaire forment la partie femelle de la fleur.

LES TYPES DE PLANTES À FLEURS

On dénombre environ 250 000 espèces de plantes à fleurs. Elles constituent plus de 80 % des plantes sur la Terre et se divisent en deux groupes :
• Les 70 000 espèces de monocotylédones : herbes, lys, iris, orchidées et palmiers.
• Les 180 000 espèces de dicotylédones : roses, magnolias, cactus, marguerites, lupins et presque tous les arbres.

LES MONOCOTYLÉDONES ET LES DICOTYLÉDONES

Les plantes à fleurs se divisent en deux groupes. Les monocotylédones ont un seul cotylédon (feuille de la graine) qui est la réserve de nourriture de la graine. Elles ont aussi des feuilles aux nervures parallèles et des organes floraux disposés par trois. Les dicotylédones ont deux cotylédons, des feuilles aux nervures ramifiées et des organes floraux disposés par quatre ou cinq.

Enveloppe de la graine

FEUILLE DE MONOCOTYLÉDONE AUX NERVURES PARALLÈLES

Cotylédons d'une dicotylédone

Cotylédon d'une monocotylédone

FEUILLE DE DICOTYLÉDONE AUX NERVURES RAMIFIÉES

BERCE COMMUNE

LES TYPES DE FLEURS ▶
Certaines plantes ne portent qu'une fleur. D'autres en ont des groupes appelés inflorescences. Chez la berce commune, les fleurs forment des parapluies appelés ombelles. La tête du tournesol se compose de nombreuses fleurs minuscules regroupées. Les fleurs de molène sont disposées en longs épis.

TOURNESOL

MOLÈNE

LA POLLINISATION

Le transfert du pollen de l'anthère mâle au stigmate femelle s'appelle pollinisation. Si les cellules mâles et femelles d'une même espèce se rencontrent, la fécondation a lieu et la plante produit des graines. La pollinisation se fait par le vent ou avec l'aide d'animaux.

▲ LA POLLINISATION PAR LES INSECTES
Le pollen se colle aux pattes de l'abeille alors qu'elle boit du nectar. Elle le déposera sur la plante suivante.

Qu'est-ce que le nectar ?
De nombreuses fleurs attirent les animaux pollinisateurs (essentiellement des insectes) grâce à un liquide sucré, le nectar. En se nourrissant de nectar, un insecte se couvre de pollen et l'emporte sur les autres fleurs où il se pose ensuite.

Qu'est-ce que la pollinisation par le vent ?
Chez certaines fleurs, la pollinisation se fait grâce au vent qui transporte le pollen jusqu'aux autres fleurs. Les espèces pollinisées par des insectes sont parfumées et ont des couleurs vives, mais celles pollinisées par le vent, comme les graminées, sont petites et sans pétales.

LA FÉCONDATION

Quand un grain de pollen atterrit sur un stigmate de la même espèce, il forme un tube qui pénètre dans l'ovaire (où naît la graine). Une cellule sexuelle mâle descend dans le tube et féconde l'ovule pour produire un embryon de plante.

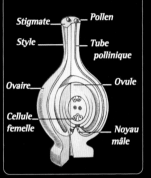

Stigmate — Pollen
Style — Tube pollinique
Ovaire — Ovule
Cellule femelle — Noyau mâle

◄ GRAIN DE POLLEN
Grâce à ses piquants, le grain de pollen colle aux animaux. Il contient les cellules mâles qui féconderont l'ovule.

LES GRAINES

Si une plante à fleur est fécondée, une graine se forme dans l'ovaire de la fleur. La graine se compose d'un minuscule embryon de plante, d'une réserve de nourriture pour l'embryon et d'une enveloppe protectrice.

Qu'est-ce qu'un fruit ?
Quand la graine grossit, l'ovaire l'entourant devient un fruit, une pomme ou une cosse de petit pois par exemple. Les fruits protègent les graines et sont disséminés à l'écart de la plante mère afin que la nouvelle plante ait assez d'eau et de lumière pour grandir.

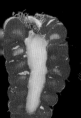

FRAMBOISE   NIGELLE

▲ LA DISPERSION DES GRAINES CHEZ LES FRUITS
Les graines de fruits juteux comme la framboise se dispersent avec les excréments des animaux qui les mangent. Les graines de fruits secs, de nigelle par exemple, sont portées par le vent, ou sont expulsées lors de l'ouverture explosive du fruit.

Qu'est-ce que la germination ?
Le premier stade de croissance de la plantule dans la graine est appelé germination. S'il y a assez de lumière et d'eau, la graine germe et l'embryon commence à se développer. Tant qu'elle n'a pas ses feuilles, la plantule dépend de la réserve de nourriture de la graine.

Les premières feuilles transforment la lumière en aliment.

◄ LA DISPERSION PAR LE VENT
Les graines de pissenlit pendent au bout du fruit en forme de parachute. Quand le vent souffle dessus, il emporte loin de la plante mère les parachutes légers comme l'air.

PLANTULE DE HARICOT ►
Juste quelques jours après la germination, les racines de la plantule se sont enfoncées dans le sol et la tige se dresse vers le Soleil.

Graine —

Les racines absorbent l'eau et les minéraux du sol.

POUR EN SAVOIR PLUS ▶▶ La vie 70-71 • Les plantes 88-89 • Les plantes sans fleurs 90-91 • Les arbres 94-95

LES ARBRES

Ces grandes plantes produisent des graines et ont une unique tige ligneuse (en bois), le tronc, qui supporte leur poids considérable. Elles vivent de nombreuses années et ne meurent pas en hiver. Le plus grand groupe d'arbres est celui des feuillus.

Pourquoi les arbres sont-ils si importants ?

Les arbres produisent l'oxygène qui permet aux autres organismes de respirer. Les racines des arbres retiennent le sol et l'empêchent d'être emporté par la pluie. De plus, ils nourrissent et abritent divers animaux et nous procurent du bois pour le chauffage, la construction, le papier, etc.

Comment les arbres poussent-ils ?

L'arbre pousse de deux manières, par la division de cellules spéciales, d'une part à la pointe des branches, ce qui le fait s'allonger, et d'autre part dans la couche sous l'écorce, le cambium, ce qui fait épaissir le tronc et les branches. Les nouvelles cellules du cambium forment un anneau visible à l'intérieur du tronc.

Qu'est-ce que les feuillus ?

Ces arbres ont en général des feuilles larges et plates, contrairement aux conifères et à leurs aiguilles. Leur feuillage est souvent CADUC (il tombe à l'automne), mais les feuillus de la forêt tropicale humide ont un feuillage persistant (qui ne tombe pas). Le toit formé par les feuilles et les branchages des arbres s'appelle la CANOPÉE.

@ ►►
Arbres

FEUILLE DE HARICOT
(FEUILLE SIMPLE)

ARALIA
(FEUILLE COMPOSÉE)

▲ **LA FORÊT TROPICALE HUMIDE**
Les arbres de la forêt amazonienne, la plus grande du monde, ne perdent pas leurs feuilles. 20 % des plantes à fleurs de la Terre y trouve un abri.

Le duramen se compose surtout de cellules mortes.

Les cellules vivantes du liber transportent eau et minéraux.

Chaque anneau correspond à une année de croissance.

Cambium

Le phloème fait monter et descendre la sève.

L'écorce fibreuse se compose de cellules mortes et protège le tronc.

▲ **LES TYPES DE FEUILLES**
Les arbres feuillus ont l'un de ces deux types de feuilles. Une feuille simple n'est pas divisée et a sa propre tige. Une feuille composée est divisée en plusieurs folioles attachées à la tige principale.

◄ **COUPE TRANSVERSALE D'UN TRONC D'ARBRE**
Les anneaux à l'intérieur d'un arbre se composent vers l'extérieur d'un tissu formant l'écorce et vers l'intérieur de tissu lignifié. Tous deux sont constitués de cellules de soutien, le xylème. Le xylème de l'aubier fait aussi monter l'eau et les minéraux. De plus, entre l'aubier et l'écorce, les cellules du phloème transportent la sève.

LA CLASSIFICATION DES ARBRES

Les arbres se divisent en trois groupes : feuillus, palmiers et conifères.
• Les feuillus forment le plus vaste groupe, avec plus de 10 000 espèces. Ce sont des plantes à fleurs dicotylédones et les nervures de leurs feuilles se ramifient.

• Les palmiers, soit environ 2 800 espèces, sont des plantes à fleurs monocotylédones. Leurs feuilles ont toujours des nervures parallèles.
• Chez les 550 espèces de conifères, les cônes remplacent les fleurs.

LES ARBRES CADUCIFOLIÉS

Les arbres qui perdent leurs feuilles en automne sont appelés caducifoliés ou à feuilles caduques. Ils poussent dans des régions tempérées aux étés chauds et aux hivers doux ou froids.

La lumière du soleil traverse les feuillages avant d'atteindre le sol.

Pourquoi perdent-ils leurs feuilles ?

Quand les arbres perdent leurs feuilles, ils arrêtent de pousser. Cela les aide à conserver leur énergie en hiver, quand la lumière du Soleil ne suffit pas pour les nourrir. Par ailleurs, les arbres débarrassés de leurs feuilles ne perdent plus d'eau par évaporation et gardent donc leur eau.

palmier a de larges feuilles ramifiées.

Pourquoi les feuilles changent-elles de couleur ?

En été, ces feuilles sont remplies d'un pigment (colorant) vert, la chlorophylle, qui capte l'énergie solaire. En automne, la chlorophylle se décompose et l'arbre la réutilise, ce qui laisse apparaître des pigments cachés auparavant : bruns, jaunes et orange.

DES COULEURS CHANGEANTES ▶
Les feuilles des arbres à feuillage caduc virent du vert à l'orange, au jaune ou au rouge à l'arrivée de l'automne ou s'il fait très sec.

FEUILLES DE CHARME

▲ FEUILLAGE CADUC EN ÉTÉ
Ce tilleul est baigné par le soleil d'été. Il se sert de la masse de ses feuilles vertes pour capter l'énergie solaire qui le nourrit.

FEUILLAGE CADUC EN AUTOMNE ▲
En automne, les températures baissent et la lumière diminue. Les feuilles virent à l'orange ou au marron puis tombent.

LA CANOPÉE

La partie supérieure des arbres d'une forêt ou d'un bois est appelée canopée. Elle se compose de leurs branches, de brindilles et de feuilles. Les arbres de la forêt tropicale humide forment une épaisse canopée où vivent de nombreux animaux.

Pourquoi les arbres de la forêt tropicale sont-ils si hauts ?

Dans ces forêts où il fait chaud et humide, les arbres serrés les uns contre les autres poussent vite et très haut. C'est parce qu'ils luttent tous pour avoir de la lumière. Plus un arbre est élevé, plus ses feuilles recevront de lumière. Certains atteignent 60 m.

Qu'est-ce qu'un épiphyte ?

Un épiphyte est une plante qui pousse sur une autre sans lui faire de mal. Nombreux dans les hauteurs de la forêt tropicale, où leurs racines s'accrochent aux troncs et aux branches, les épiphytes reçoivent plus de lumière et d'eau de pluie dans la canopée que les plantes au sol.

◀ À LA RECHERCHE DU SOLEIL
Voici ce que quelqu'un aperçoit dans la forêt tropicale humide en regardant en haut. Un palmier situé à l'étage inférieur se sert de ses grandes feuilles pour profiter des rares rayons de soleil que laisse filtrer la canopée.

LES ÉTAGES DE LA FORÊT TROPICALE

La forêt tropicale compte plusieurs étages. À l'étage supérieur, les arbres les plus hauts dépassent de la canopée. Sous la canopée se trouvent l'étage intermédiaire, aux arbres moins hauts, et celui des arbustes à larges feuilles qui se contentent de peu de lumière. En dessous, sur le sol plongé dans la pénombre, les plantes sont plus rares et petites.

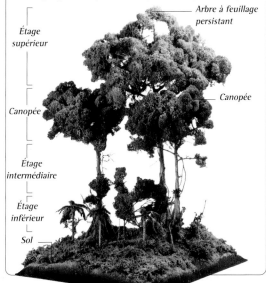

Arbre à feuillage persistant

Étage supérieur

Canopée

Canopée

Étage intermédiaire

Étage inférieur

Sol

POUR EN SAVOIR PLUS ▶▶ Les plantes 88-89 • Les plantes sans fleurs 90-91 • Les plantes à fleurs 92-93

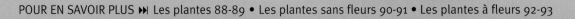

LES ANIMAUX

Les animaux se divisent en deux grands types : les vertébrés ayant un squelette interne, une colonne vertébrale, et les invertébrés dépourvus de colonne vertébrale. Sur la Terre vivent une dizaine de millions d'espèces, chacune dotée d'un **COMPORTEMENT** distinct.

Quels sont les points communs à tous les animaux ?

Tous les animaux ont un corps constitué de nombreuses cellules différentes et mangent d'autres organismes pour vivre. Contrairement aux plantes et aux champignons, qui sont enracinés, les animaux se déplacent pour se nourrir, échapper à leurs ennemis ou trouver un partenaire. Presque tous respirent l'oxygène de l'air ou de l'eau.

Quel est l'animal le plus rapide du monde ?

C'est le faucon pèlerin, qui dépasse 200 km/h en piqué. En vol battu, le martinet à gorge blanche bat tous les records avec 170 km/h. Dans l'eau, le grand champion est l'espadon voilier, qui atteint 109 km/h.

Qu'est-ce qu'un animal à sang chaud ?

Les animaux à sang chaud, oiseaux et mammifères, gardent une température corporelle constante quelle que soit la température extérieure. Tous les autres animaux, poissons, reptiles, amphibiens et invertébrés, sont à sang froid. La température de leur corps augmente et diminue avec celle de leur environnement. Ces animaux sont moins actifs par temps froid mais ont besoin de moins de nourriture.

Les tailles des animaux sont-elles variées ?

Certains deviennent énormes. Le plus gros du monde, la baleine bleue, peut atteindre 28 m de longueur et peser presque 150 t. En revanche, il existe des animaux trop petits pour qu'on puisse les voir à l'œil nu. Les mésozoaires sont les plus petites bêtes qui soient. Ils comptent moins de cinquante cellules et mesurent moins de 0,5 mm.

▲ LE CAMÉLÉON
Le camouflage du caméléon lui sert à se fondre dans son environnement, et, avec ses mouvements lents, lui permet de ne pas se faire repérer par ses prédateurs et ses proies. Pour manger, il sort sa langue à la vitesse d'un éclair et attrape les insectes avant qu'ils n'aient le temps de réagir.

Animaux

UNE BANDE DE GUÉPARDS ►
Le guépard est le plus rapide des animaux terrestres, avec des pointes à 96 km/h. Pour chasser, il rampe aussi près que possible de sa proie puis se jette sur elle pour la tuer.

Les muscles propulsent l'animal vers la proie.

Les longues pattes augmentent les enjambées et la vitesse.

▲ UNE BONNE DOUCHE FROIDE
L'éléphant d'Asie est le deuxième animal terrestre par la taille (l'éléphant d'Afrique étant le plus grand). Comme tous les mammifères, il a le sang chaud. À cause de sa taille, il a du mal à se rafraîchir, c'est pourquoi il recherche l'eau. De plus, il agite ses oreilles pour refroidir le sang qui coule à l'intérieur.

◄ AU TRAVAIL
Les fourmis coupeuses de feuilles vivent en colonies. Elles sont issues d'œufs pondus par l'unique reine. Presque toutes deviennent des ouvrières.

LE COMPORTEMENT

Pour survivre, tous les animaux doivent manger et éviter d'être mangés. Ils sont aussi poussés à se reproduire pour que leur espèce ne disparaisse pas. Chez presque tous les animaux, ces besoins dictent le comportement. Une partie du comportement s'apprend, le reste est contrôlé par l'instinct.

Comment les animaux se défendent-ils ?

Les animaux ont différents comportements pour échapper au danger. Certains utilisent le camouflage pour se cacher. L'immobilité complète leur déguisement. Quelques espèces se défendent d'une manière bien plus complexe, en faisant semblant d'être blessées ou mortes. Les hérissons et les tatous se roulent en boule pour décourager les prédateurs.

Quelle est l'importance de l'instinct ?

L'instinct joue un rôle essentiel dans le comportement des animaux, en particulier chez ceux qui ne sont pas élevés par leurs parents. Les escargots, par exemple, rentrent instinctivement dans leur coquille en cas de danger. Les animaux font aussi des expériences à leurs dépens, répétant les actions productives et abandonnant celles qui ne le sont pas.

▲ LE DIODON
Pour se défendre, ce poisson se gonfle d'eau. Avec ses épines, il n'a pas l'air facile à dévorer. Les espèces couvertes d'épines se protègent ainsi de prédateurs bien plus gros.

▼ SUIVRE SA MÈRE
Les petits d'oiseaux comme les oisons (petites oies) suivent instinctivement la première créature qu'ils voient à leur naissance. C'est en général leur mère mais on a vu des oisons escorter des humains ou des chiens.

Pourquoi les animaux suivent-ils des cycles réguliers ?

Tous les animaux suivent des cycles réguliers qui les aident à survivre. Beaucoup sont actifs de jour, quand leurs sens fonctionnent le mieux. D'autres sortent la nuit pour éviter les prédateurs ou profiter d'occasions de se nourrir. Par ailleurs, la plupart des animaux suivent des cycles annuels, et mettent bas par exemple quand la nourriture abonde.

LE POISSON-CLOWN ▶
Le poison-clown, qui vit dans toutes les mers tropicales, se cache dans les tentacules urticants des anémones de mer. Sa peau contient des substances chimiques qui empêchent les cellules de l'anémone d'agir.

L'ALIMENTATION

Tous les animaux mangent d'autres organismes pour vivre. Selon leur mode d'alimentation, ils se divisent en deux grands groupes : les **CARNIVORES** (qui mangent de la viande) et les **HERBIVORES** (qui se nourrissent de végétaux).

Qu'est-ce qu'un omnivore ?

La plupart des animaux se nourrissent de viande ou de plantes, mais les omnivores mangent les deux. Omnivore signifie «qui mange de tout». Les ours et les porcs sont omnivores – tout comme les hommes. Déjà les hommes préhistoriques tuaient du gibier et cueillaient des fruits.

LE GRIZZLI ▶
Les ours mangent un peu de tout : fruits, racines, miel, charognes, petits mammifères et les saumons qui remontent les rivières, comme ici.

Comment se nourrit-on en filtrant ses aliments ?

L'animal avale une grande quantité d'eau et retient les petits organismes qui s'y trouvent. Cela revient un peu à se servir d'une passoire pour attraper une proie. Les animaux qui se nourrissent ainsi ont des tailles et formes variées : balanes, flamants roses et baleines à fanon (dont la baleine bleue).

◀ LES CHAROGNARDS
Les hyènes et les vautours sont des charognards – des carnivores qui mangent les restes laissés par les prédateurs. Ce zèbre a été tué par des lions qui ont dévoré leur part puis sont partis.

@ ▶▶
Alimentation des animaux

LES CARNIVORES

La plupart des carnivores sont des prédateurs : ils chassent d'autres animaux pour se nourrir. En général, ils ont des dents, des griffes et des becs acérés pour déchirer leurs proies. La viande étant nourrissante, les prédateurs n'ont pas besoin de tuer très souvent. De plus, elle est facile à digérer.

Comment les prédateurs tuent-ils leurs proies ?

Les grands prédateurs, lions, requins ou aigles, se fient à leur force et à leur rapidité pour vaincre leurs victimes. Les chasseurs plus petits ou plus faibles utilisent la ruse ou des techniques originales. Certains prédateurs, comme les loups, chassent en meutes. Les araignées tissent des toiles pour attraper leurs victimes. Les serpents à sonnette tuent leurs proies avec leur venin.

UNE BELLE DENTITION ▶
Les dents des requins sont pointues et crochues. Elles poussent en rangs, tombent et repoussent sans cesse. Certaines espèces peuvent ainsi faire 30 000 dents au cours de leur vie.
Les requins ne sont pas tous des prédateurs – le plus grand, le requin baleine, se nourrit en filtrant l'eau.

LES HERBIVORES

Les mâchoires, les dents et l'estomac des herbivores sont adaptés aux aliments d'origine végétale, peu digestes. Ceux-ci étant moins nourrissants que la viande, bien des herbivores broutent pendant de longues heures.

◀ LE TOUCAN
Les oiseaux comme le toucan sont spécialisés dans la consommation de fruits. Riches en sucres, les fruits sont plus nourrissants et plus faciles à digérer que les feuilles. Toutefois, ils sont aussi moins nombreux et plus difficiles à repérer. Les oiseaux frugivores doivent parfois se contenter d'insectes. Ils ne trouvent des fruits toute l'année que dans la jungle.

Comment les herbivores digèrent-ils ?

Les plantes contiennent de la cellulose, qui est difficile à digérer. Souvent, l'estomac des herbivores comporte des bactéries qui décomposent la cellulose. Chez les ruminants comme les vaches, l'estomac contient plusieurs poches. L'herbe traverse ces poches avant de remonter dans la bouche pour que l'animal la mâche encore une fois.

Comment les herbivores évitent-ils les carnivore

Les herbivores n'ont pas besoin de beaucoup d'astuce pour trouver leur nourriture mais ils doivent être rapides ou avoir des moyens de défense pour éviter de se faire dévorer. Ils se servent souvent du camouflage pour se fondre dans leur environnement et se rendre invisibles. D'autres se défendent grâce à une peau épaisse, des épine ou même du poison.

Le bec du toucan est énorme pour mieux explorer le feuillage.

POUR EN SAVOIR PLUS ▶▶ Les plantes 88-89 • Les dents 143 • La digestion 144-145

LES SENS

Les animaux se servent de leurs sens pour découvrir le monde qui les entoure. La plupart ont les mêmes cinq sens que les humains, mais il en existe d'autres, comme l'ÉCHOLOCALISATION.

Les animaux ont-ils des sens très développés ?

Beaucoup d'animaux ont des sens bien plus développés que l'homme. La vue, notre sens le plus important, est bien plus précise chez des oiseaux tel le faucon pèlerin. Certains insectes détectent la lumière ultraviolette, que nous ne voyons pas. La truffe d'un chien de chasse est infiniment plus sensible que le nez humain. Les chauves-souris, baleines et éléphants entendent des sons très aigus ou très faibles qui sont imperceptibles à l'oreille humaine.

Les narines sentent les odeurs qui mènent à la proie.

Les moustaches décèlent les mouvements, même dans un noir total.

UN CHASSEUR NOCTURNE ▲
Chez de nombreux chasseurs nocturnes, comme le chat, une couche réfléchissante à l'arrière de l'œil permet de concentrer la lumière.

La lentille dirige la lumière vers les cellules sensibles pour faire la mise au point.

L'antenne détecte les particules odorantes dans l'air.

Les animaux peuvent-ils voir la nuit ?

Certains animaux voient très bien la nuit, même s'il n'y a pas de Lune. Les grands yeux de chasseurs nocturnes comme les hiboux sont conçus pour tirer le meilleur parti de la moindre lueur. Les animaux actifs la nuit ont souvent une ouïe et un odorat très développés.

◄ LES YEUX COMPOSÉS
Les insectes comme les mouches ont d'immenses yeux composés d'innombrables lentilles. Chacune peut servir à agrandir l'image.

Les animaux ont-ils des sens supplémentaires ?

Des animaux aquatiques comme les requins peuvent déceler d'infimes signaux électriques émis par leurs proies. Il semble que certains animaux migrateurs perçoivent le champ magnétique de la Terre, ce qui les aide à se repérer.

@ ▶▶
Sens des animaux

La langue fourchue sent les odeurs.

Ces sortes de poils affinent le toucher.

UNE LANGUE POUR SENTIR ▶
Les serpents sentent les odeurs dans l'air en agitant leur langue. Ces reptiles n'ont pas d'oreilles mais leur peau sensible peut déceler les vibrations dans le sol.

Cette cavité sensible à la chaleur fonctionne comme un œil supplémentaire.

VOIR AVEC LE BRUIT ▶
Les chauves-souris, qui mangent des insectes, ont une ouïe très sensible qui leur permet de chasser et de se diriger dans l'obscurité par écholocalisation. Elles émettent des sons très aigus puis remuent les oreilles pour repérer la source des échos, ce qui les conduit à leur proie.

L'ÉCHOLOCALISATION

Les chauves-souris, les baleines et les dauphins, qui chassent dans le noir ou les eaux troubles, émettent des sons, puis écoutent l'écho pour repérer leur proie. Cette technique leur permet aussi de se diriger et d'éviter les obstacles.

L'ÉCHOLOCALISATION CHEZ LES DAUPHINS

Le son rebondit sur le poisson.

Le dauphin émet des clics pour localiser sa proie.

Le dauphin perçoit l'écho renvoyé par sa proie.

Comment l'écholocalisation aide-t-elle à chasser ?

Les chauves-souris et les dauphins, quand ils chassent, émettent des sons, les clics, qui se propagent dans l'air ou l'eau. Ces vibrations sonores rebondissent sur des objets, insectes volants ou poissons en bancs. Le chasseur se sert de son ouïe très fine pour écouter les échos. Ceux-ci lui permettent de localiser sa proie, sur laquelle il peut alors foncer.

Les chauves-souris mangent des insectes comme les papillons de nuit.

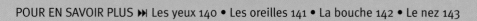

POUR EN SAVOIR PLUS ▶▶ Les yeux 140 • Les oreilles 141 • La bouche 142 • Le nez 143

LA COMMUNICATION

Les animaux communiquent avec leurs compagnons ou les autres espèces pour organiser la recherche de nourriture, attirer les partenaires, élever les petits ou fuir le danger. Ils envoient des signaux en se servant de la vue, de bruits, du langage corporel, du toucher, de l'odorat, de substances chimiques.

Que signifient les signaux visuels ?

Les signaux visuels, émis à faible distance, correspondent à plusieurs messages comme : «Il y a de quoi manger !» ou «Garde tes distances !». Les oiseaux, des paons aux rouges-gorges, attirent leurs partenaires avec leur plumage coloré. Les lucioles ou vers luisants en font autant avec la lumière. L'éclair blanc de la queue d'un lapin en fuite signale le danger aux autres.

Les animaux communiquent-ils par sons ?

Les signaux sonores couvrent des distances considérables et renseignent immédiatement. Les oiseaux chanteurs et les singes hurleurs chantent ou crient pour marquer leur territoire. Les baleines, grenouilles et criquets chantent pour séduire un partenaire. Les cercopithèques avertissent leurs compagnons en utilisant divers sons selon les ennemis détectés.

▲ **UN FAUX SERPENT**
Les signaux visuels peuvent servir à la défense. La queue de cette chenille de sphinx ressemble à la tête d'un serpent. Ce déguisement terrifie les prédateurs, même si la chenille est inoffensive.

@ ▶▶ Communication entre animaux

Arrive-t-il aux animaux de mentir ?

Quand les animaux communiquent avec leurs ennemis, ils ne disent pas toujours la vérité. Les chats et les chiens, par exemple, font le gros dos et se haussent sur la pointe de leurs pattes pour avoir l'air plus gros. L'opossum, lui, fait le mort pour tromper ses ennemis. Certains animaux se donnent l'aspect de créatures dangereuses.

À quoi servent les phéromones ?

Les animaux se servent de ces signaux odorants pour déclencher des comportements précis chez les autres. Ces substances chimiques complexes sont le plus souvent transmises par l'air. Les papillons de nuit femelles produisent des phéromones pour attirer les mâles. Dans les colonies de fourmis, d'abeilles et de termites, la reine les utilise pour communiquer toutes sortes de messages à son entourage.

▲ **LE LANGAGE CORPOREL**
Un loup formule plus de vingt messages différents en relevant ou aplatissant ses oreilles, son dos, la queue et les poils du cou ou en montrant ou cachant ses dents.

◄ **UNE COMMUNICATION ÉLABORÉE**
Les mammifères intelligents tels les chimpanzés s'expriment par le son, l'odeur, le toucher, le langage corporel et les expressions faciales. Ils peuvent même apprendre à communiquer par signes avec les humains.

▲ **LE CONTRÔLE CHIMIQUE**
Les phéromones produites par la reine empêchent les autres abeilles femelles de devenir fécondes. Si elle meurt et qu'il n'y a donc plus de phéromones, de nouvelles reines la remplacent vite. L'une d'elles finira par dominer l'essaim.

POUR EN SAVOIR PLUS ▶▶ Les sens 99 • Le son 176-177

LA REPRODUCTION

Tous les animaux font des petits pour perpétuer leur espèce. Ils se reproduisent de façon sexuée, en s'accouplant avec un partenaire, ou de façon asexuée, sans accouplement. Ils grandissent de diverses façons, même par MÉTAMORPHOSE. Ils ne s'occupent pas toujours de leurs petits, qui doivent parfois lutter tout seuls.

L'œuf de serpent a une coquille molle et imperméable.

Le bébé serpent est une version miniature de l'adulte.

Comment les animaux attirent-ils leurs partenaires ?

Pendant la saison des amours, les animaux signalent qu'ils sont prêts à s'accoupler en se servant d'appels spéciaux, d'odeurs et autres. Certains se livrent à des parades ou à des rituels amoureux pour séduire un partenaire. Quelques-uns, comme le ver de terre, sont hermaphrodites (à la fois mâles et femelles), ce qui simplifie la recherche de partenaires.

JEUNE ET INDÉPENDANT ▲
Les jeunes serpents sont livrés à eux-mêmes dès leur naissance. Les parents pondent des quantités d'œufs pour qu'au moins quelques petits arrivent à l'âge adulte.

@ ▸▸ Reproduction des animaux

◄ LA REPRODUCTION ASEXUÉE
Une anémone de mer se dédouble pour former deux individus. Certains insectes, comme les pucerons, peuvent se reproduire de façon asexuée, les œufs non fécondés se développent en petits pucerons.

LA FAMILLE PUMA ▼
Les femelles des mammifères s'occupent de leurs petits et leur donnent un aliment riche et nutritif : le lait. Les jeunes pumas restent deux ans avec leur mère, jusqu'à ce qu'ils sachent chasser.

Pourquoi mettre au monde un petit au lieu de pondre ?

Les animaux nés vivants ont plus de chances de s'en sortir que ceux qui sortent d'un œuf. Les petits qui se développent dans le ventre de leur mère risquent moins de se faire dévorer que des œufs.

Pourquoi s'occuper des petits ?

Les animaux s'occupent de leurs petits pour améliorer leurs chances de survie. Ces petits seront plus nombreux à atteindre l'âge adulte que ceux livrés à eux-mêmes.

1. La coccinelle adulte à sept points noirs dépose des groupes d'œufs sur des feuilles.

4. Le nouvel adulte apparaît au bout d'une semaine.

▲ LE CYCLE DE VIE DE LA COCCINELLE
Comme tous les coléoptères, les coccinelles passent directement de l'état de larve à celui d'adulte.

Chaque larve devient une nymphe ou pupe un mois après l'éclosion.

2. La larve sort de l'œuf au bout d'une semaine.

LA MÉTAMORPHOSE

Certains petits d'animaux sont des copies conformes de leurs parents, d'autres ne leur ressemblent pas le moins du monde. Ils subissent une transformation étonnante, la métamorphose, avant de devenir adultes.

Qu'est-ce qu'une métamorphose complète ?

La métamorphose complète est la transformation en une étape de la larve en adulte, comme chez le papillon. La chenille (ou larve) se nourrit et grossit, puis entre en repos à l'état de chrysalide. À l'intérieur du cocon, celle-ci se mue en adulte ailé. La métamorphose complète se rencontre aussi chez les têtards et les grenouilles.

La libellule émerge de sa vieille peau.

Elle abandonne sa vieille peau sur la tige.

TOUTE NEUVE ▶
Les jeunes libellules se débarrassent plusieurs fois de leur peau au cours de leur croissance. À la dernière mue, elles sont adultes. Ces changements progressifs sont appelés métamorphose incomplète.

POUR EN SAVOIR PLUS ▸▸ Les insectes 110-111 • Les amphibiens 114-115 • Les mammifères 120-123

LES INVERTÉBRÉS

Les invertébrés – sans colonne vertébrale – représentent 95 % des animaux. Beaucoup sont minuscules.

@ ▸▸
Invertébrés

Comment des animaux peuvent-ils vivre sans os ?

Les insectes, les crustacés et de nombreux autres invertébrés ont une enveloppe externe rigide, l'exosquelette. Il les protège contre les chocs et les prédateurs et les empêche de se dessécher. Les limaces, les sangsues et les méduses ont un corps mou sans exosquelette. La pression des fluides à l'intérieur de leur corps lui conserve sa forme.

L'exosquelette des invertébrés grandit-il ?

L'exosquelette rigide des insectes et de créatures comme les crabes ne pousse pas en même temps que le reste du corps. Un jour, l'animal ayant grandi, il devient trop étroit et il faut donc s'en débarrasser de temps en temps. C'est la mue. Dessous se trouve une nouvelle enveloppe, un peu plus grande, et molle. L'animal se gonfle de fluides avant qu'elle n'ait le temps de durcir.

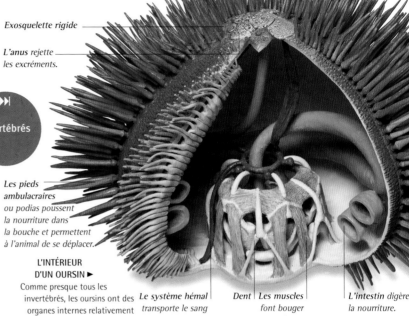

Exosquelette rigide

L'anus rejette les excréments.

Les pieds ambulacraires ou podias poussent la nourriture dans la bouche et permettent à l'animal de se déplacer.

L'INTÉRIEUR D'UN OURSIN ▸
Comme presque tous les invertébrés, les oursins ont des organes internes relativement complexes. Les cinq dents, situées dans une bouche appelée lanterne d'Aristote, broient les aliments avant qu'ils ne passent dans l'intestin.

Le système hémal transporte le sang dans tout le corps.

Dent | *Les muscles font bouger les dents.*

L'intestin digère la nourriture.

▼ LES GROUPES D'INVERTÉBRÉS
Il existe plus de trente embranchements (groupes importants) d'invertébrés. Les principaux figurent ci-dessous.

LES ÉCHINODERMES
6 000 espèces : étoiles de mer, oursins et holothurie.

LES CNIDAIRES
10 000 espèces : coraux, anémones de mer et méduses.

LES SPONGIAIRES
10 000 espèces : éponges tubulaires et éponges siliceuses.

LES INSECTES
800 000 espèces : coléoptères, mouches et fourmis.

LES MOLLUSQUES
70 000 espèces : limaces, escargots, moules et calmars.

LES VERS ANNÉLIDES
9 000 espèces : vers de terre et sangsues.

POUR EN SAVOIR PLUS ▸▸ Les mollusques 106 • Les crustacés 109 • Les insectes 110-111

LES VERTÉBRÉS

Tous les vertébrés ont un squelette interne, un crâne, une colonne vertébrale et des côtes. Ces animaux complexes ont des tailles variables, de moins de 1 cm à plus de 30 m.

@ ▸▸
Vertébrés

À quoi sert le squelette ?

Le squelette est un châssis solide qui soutient le corps et sur lequel s'accrochent les muscles. Des os telles les côtes protègent le cœur et les parties délicates, le crâne abritant le cerveau. La plupart des vertébrés ont un squelette osseux, mais celui du requin est cartilagineux.

Combien de membres les vertébrés ont-ils ?

À l'exception des poissons, la plupart des vertébrés ont quatre membres. Chez les oiseaux et les chauves-souris, les membres antérieurs se sont transformés en ailes pour voler. Les membres du poisson, ses nageoires, sont plus ou moins nombreuses selon l'espèce. Les serpents descendent d'ancêtres à quatre pattes.

▲ LE SQUELETTE DU PYTHON
Comme tous les vertébrés, les serpents ont un crâne, des côtes et une colonne vertébrale composée d'os individuels appelés vertèbres.

▼ LES GROUPES DES VERTÉBRÉS
Les poissons constituent le groupe le plus vaste, avec plus d'espèces que tous les autres groupes réunis.

LES REPTILES
6 000 espèces, dont les crocodiles, lézards, serpents et tortues.

LES OISEAUX
9 000 espèces, dont les aigles, mouettes, perroquets, canards.

LES MAMMIFÈRES
4 500 espèces, dont les rongeurs, chauves-souris, baleines et primates.

LES AMPHIBIENS
4 000 espèces, dont les grenouilles, crapauds, tritons et salamandres.

LES POISSONS
26 000 espèces, dont les poissons osseux, requins, raies et lamproies.

POUR EN SAVOIR PLUS ▸▸ Les animaux 96-97 • Le squelette 130-131

LES CNIDAIRES

Les méduses, anémones de mer et CORAUX ainsi que de minuscules animaux d'eau douce, les hydres, font partie du même embranchement (groupe) : les cnidaires. Ce sont tous des invertébrés aquatiques simples aux tentacules urticants (donnant des boutons) qui servent à capturer leurs proies. Certains sont venimeux et peuvent même tuer des hommes.

L'ombrelle contient la cavité digestive et sert à la propulsion.

Les tentacules traînent derrière la cloche et comportent des cellules urticantes qui paralysent ou tuent la proie.

Les bras sont dépourvus de cellules urticantes.

Comment les méduses se déplacent-elles ?

Les méduses nagent en se propulsant. Elles contractent leur corps creux en forme de cloche, l'ombrelle, pour en éjecter l'eau, ce qui les propulse en avant. Leurs longs bras tentaculaires, qui traînent derrière, servent à piquer et à capturer les proies.

L'ANÉMONE DE MER ▶
Les anémones de mer ont un corps mou et cylindrique, couronné de tentacules urticants. La plupart ne dépassent pas la taille d'une main d'homme, mais les plus grandes ont un diamètre de 90 cm.

Cnidaires

▲ **L'ORTIE DES MERS**
Les tentacules des méduses sont armés de cellules urticantes, les nématocystes. Les piqûres de méduse sont un peu comme des coups de fouet.

LA CLASSIFICATION DES CNIDAIRES

L'embranchement des cnidaires contient 10 000 espèces, divisées en trois classes :
- Hydrozoaires (hydres, coraux de feu)
- Anthozoaires (tous les autres coraux et les anémones de mer)
- Méduses ou Scyphozoaires

Comment les anémones de mer se nourrissent-elles ?

Les anémones de mer saisissent leur nourriture avec leurs tentacules puis la portent à leur bouche située au milieu de la couronne de tentacules. Elles passent leur vie adulte au fond de la mer ou dans des flaques sur la côte. Certaines ont un collier musculaire qu'elles remontent sur leurs tentacules si elles se sentent menacées.

LES CORAUX

Les récifs coralliens sont les habitats les plus riches des océans, bien que les créatures qui les forment soient minuscules. Elles ressemblent à de petites anémones de mer, mais avec des squelettes calcaires.

LE CORAIL ▶
Les polypes des coraux émergent la nuit pour se nourrir, quand les poissons et presque toutes les créatures qui peuvent les manger dorment ou sont inactifs. S'ils sont menacés, ils rentrent vite dans leurs enveloppes calcaires. Ils ressortent une fois le danger passé.

Qu'est-ce qu'un polype ?

Le corail est un animal qui se présente sous forme de polype. Il ressemble à une anémone de mer miniature et se nourrit de plantes et d'animaux minuscules, le plancton, qui flottent dans l'eau. La plupart des polypes coralliens vivent en communautés. Ils s'accumulent et forment des récifs où vivent toutes sortes de créatures marines.

Comment se forment les récifs coralliens ?

Les récifs coralliens se composent de squelettes de polypes. Les polypes coralliens ont en général un squelette externe, calcaire et rigide, qui protège le corps mou. Quand ils meurent, seuls restent les squelettes. En plusieurs milliers d'années, ceux-ci s'entassent et forment un récif qui peut s'étendre sur des centaines de kilomètres.

POUR EN SAVOIR PLUS ▶▶ Les îles 42 • L'Australasie et l'Océanie 272-273

LES ÉCHINODERMES

Les étoiles de mer, ophiures, oursins, concombres de mer appartiennent à la famille des échinodermes. Ces invertébrés lents et dépourvus de tête sont les seuls animaux dont le corps symétrique se divise en cinq parties. Ils vivent tous dans la mer.

Comment se nourrissent les étoiles de mer ?

Les étoiles de mer, pour se nourrir, sortent leur estomac pour en envelopper leur victime. Elles sécrètent ensuite des sucs digestifs qui dissolvent la proie. La plupart des étoiles de mer mangent des coquillages comme les moules. Pour trouver de quoi se nourrir, elles se déplacent sur les minuscules pieds en forme de tubes flexibles, les podias, situés sur leur face inférieure.

Les étoiles de mer peuvent-elles perdre un bras ?

La perte d'un membre peut aider l'étoile de mer à échapper à un prédateur. Les ophiures ont des bras qui cassent facilement. Les étoiles de mer remplacent le membre perdu. S'il contient certaines cellules, il peut survivre et devenir un jour une étoile de mer à part entière.

Les tentacules dérivent des podias.

L'anus rejette les déchets.

Le squelette est fait de minuscules fragments calcaires, les ossicules.

Les minuscules tubes ou podias, jusqu'à 2 000 che certaines espèces, recouvrent les bra

La bouche sur la face inférieure du corps

Échinodermes

▲ **UNE ÉTOILE PIQUANTE**
Les étoiles de mer ont un corps central à cinq bras rayonnants ou plus.

Les podias portent algues et petits animaux à la bouche.

Les piquants sont parfois venimeux.

◄ **L'OURSIN**
Les oursins vivent au fond de la mer enterrés dans le sable. Comme les étoi de mer, ils possèdent de nombreux podias leur servent à manger et à se déplacer. Les ours sont bien protégés par leurs nombreux piquants.

◄ **LE CONCOMBRE DE MER**
Ces échinodermes peuvent atteindre 1 m. Ils vivent au fond de la mer et se nourrissent de matières en décomposition. Après son repas, le concombre de mer rentre ses tentacules dans sa bouche pour les nettoyer.

> **LA CLASSIFICATION DES ÉCHINODERMES**
>
> L'embranchement des échinodermes comprend quelque 6 000 espèces, divisées en cinq classes (cinq classes + trois éteintes) :
> • Astérides • Crinoïdes • Échinides (oursins) • Holothurides • Ophiurides

POUR EN SAVOIR PLUS ▸▸ Les invertébrés 102

LES SPONGIAIRES

Ces animaux qui ressemblent à des plantes ou à des champignons sont en fait des invertébrés primitifs. Les éponges vivent dans la mer, fixées à des rochers ou à des récifs.

Comment se nourrissent les éponges ?

Les éponges s'alimentent en absorbant l'eau par les pores de leur surface et en retenant les particules animales et végétales. Elles sont dépourvues des parties du corps les plus évidentes chez les autres animaux : elles n'ont ni cœur ni organes. Leurs corps sont rigides grâce à de minuscules grains de calcaire, de silice ou d'une fibre appelée spongine.

LES ÉPONGES TUBULAIRES ►
Les éponges, de couleurs et de formes très variées, ressemblent à des doigts, des cheminées ou des vases. Leur taille varie de moins de 10 cm à 1 m et plus.

Spongiaires

> **LA CLASSIFICATION DES SPONGIAIRES**
>
> L'embranchement des spongiaires contient 5 000 espèces, divisées en quatre classes :
> • Calcisponges • Éponges siliceuses • Démosponges (dont l'éponge de toilette familière et les éponges tubulaires) • Sclérosponges.

LES VERS

Nous connaissons tous les vers de terre, mais il existe des milliers de ces créatures molles et sans pattes. Certains sont microscopiques, d'autres font plusieurs mètres de longueur. Les vers de terre et les ascarides ont la forme d'un tube, les vers plats, celle de feuilles ou de rubans.

UNE PLANAIRE ▲
La plupart des vers non parasites chassent ou mangent des charognes. Les plathelminthes, un groupe important, comprennent les ténias et les planaires.

Où vivent les vers ?

Sur la terre et dans l'eau, ils occupent absolument tous les habitats possibles. Les vers de terre vivent dans le sol. Les sangsues et les vermisseaux peuplent les mares et les rivières. La plupart des vers rubanés et certains vers plats vivent dans les océans. Néréis et arénicoles se rencontrent sur les côtes. Quant aux vers PARASITES, ils vivent sur ou dans le corps d'autres animaux.

◄ LE VER DE TERRE
Les vers de terre creusent des galeries qui aèrent la terre et l'enrichissent. Ils se nourrissent de plantes et d'animaux ou de leurs restes décomposés.

Comment les vers perçoivent-ils leur environnement ?

Certains plathelminthes (vers plats) ont des yeux simples qui détectent la lumière, mais la plupart des vers sont aveugles. Le toucher est leur sens le plus important. La peau du ver de terre sent les vibrations provoquées par les sons ou les mouvements. Quelquefois, les vers prédateurs ont des tentacules sensibles sur leur tête, qui les aident à capturer leur nourriture.

La selle contient les œufs fécondés après l'accouplement.

LA CLASSIFICATION DES VERS

On dénombre plus de 100 000 espèces de vers, réparties en trois grands embranchements :
• Plathelminthes ou vers plats (turbellariés, ténia et planaire)
• Annélides à corps segmenté (ver de terre, arénicole, néréis et sangsue)
• Ascarides (ascaris, oxyure et filaire)

Le mucus conserve l'humidité du corps.

L'épiderme hérissé d'épines protège le corps.

Les segments s'étirent et se contractent pour avancer.

La bouche contient parfois des dents pour broyer les aliments.

La queue est toujours plus longue que la tête.

L'anus rejette les excréments solides.

◄ GROS PLAN
Ces minuscules poils, les soies, aident le ver de terre à s'accrocher au sol tout en se déplaçant. Pour avancer, il allonge puis contracte ses segments.

UN VER ROND ▶
Ces vers sont aussi connus sous le nom de nématodes. Certaines espèces portent en permanence plus de 27 millions d'œufs et en pondent plus de 200 000 en un seul jour.

LES PARASITES

Les parasites vivent sur d'autres animaux, les hôtes, ou dans leur corps. Ils se nourrissent du sang ou des tissus de l'hôte, ou lui volent sa nourriture. Sans qu'il s'en aperçoive, l'homme accueille parfois des vers parasites. Quelques-uns provoquent de graves maladies.

Les crochets se fixent sur l'intestin de l'hôte.

Où vivent les ténias ?

Ils vivent dans les intestins d'animaux tels que les porcs, les chats et les humains. L'hôte est infecté quand il mange des aliments contenant des œufs ou des petits de ténia. À l'intérieur des intestins, le ver se nourrit des aliments à demi digérés de son hôte. En devenant adulte, il produit de petits paquets d'œufs qui passent dans le corps de la victime.

Comment se nourrissent les sangsues ?

Avec les ventouses de leur tête et de leur queue, les sangsues s'accrochent à d'autres animaux pour sucer leur sang. Elles injectent une substance chimique qui empêche le sang de coaguler. Elles sucent jusqu'à ce qu'elles soient repues, puis se détachent. Les sangsues vivent dans les mares, les ruisseaux et autres lieux humides.

Les ventouses ne lâchent pas prise.

@ ▶▶
Vers

◄ LE TÉNIA DU CHAT
Les ténias s'attachent aux intestins de leur hôte avec les crochets et les ventouses fixés sur leur tête. Cette espèce atteint 60 cm, mais il existe des ténias de 30 m.

POUR EN SAVOIR PLUS ▶▶ Le sol 48 • L'écologie 80 • Les invertébrés 102

LES MOLLUSQUES

Les mollusques, des invertébrés à corps mou, comprennent les limaces, escargots, pieuvres, calmars, palourdes et moules. La plupart ont une **COQUILLE**.

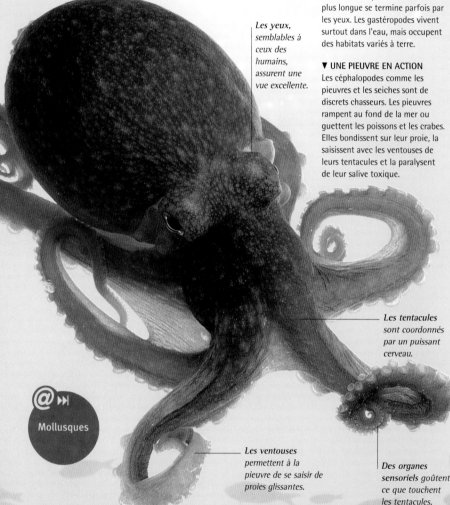

Les yeux, semblables à ceux des humains, assurent une vue excellente.

▲ ESCARGOT GÉANT D'AFRIQUE
Les gastéropodes comme les escargots glissent sur une traînée de mucus produite au niveau de leur large pied musculaire. La tête porte souvent deux paires d'antennes. La plus longue se termine parfois par les yeux. Les gastéropodes vivent surtout dans l'eau, mais occupent des habitats variés à terre.

▼ UNE PIEUVRE EN ACTION
Les céphalopodes comme les pieuvres et les seiches sont de discrets chasseurs. Les pieuvres rampent au fond de la mer ou guettent les poissons et les crabes. Elles bondissent sur leur proie, la saisissent avec les ventouses de leurs tentacules et la paralysent de leur salive toxique.

Les tentacules sont coordonnés par un puissant cerveau.

Les ventouses permettent à la pieuvre de se saisir de proies glissantes.

Des organes sensoriels goûtent ce que touchent les tentacules.

LA CLASSIFICATION DES MOLLUSQUES

On compte plus de 70 000 espèces de mollusques divisées en plusieurs grandes classes : • Les gastéropodes (la plus grande classe) comprennent les limaces, escargots, bigorneaux, bulots et berniques. • Les bivalves, dont les coquilles Saint-Jacques, les palourdes et les huîtres. • Les calmars, pieuvres, seiches et nautilus sont des céphalopodes. • Dans les groupes plus petits, on trouve les scaphopodes et les chitons.

Quels sont les traits communs aux mollusques

Les mollusques ont presque tous une coquille mais aussi un pied musclé pour se déplacer ou s'accrocher. Certains ont une tête avec des organes sensitifs. Le corps mou contient des poumons ou des branchies pour respirer, ainsi que des organes pour digérer et se reproduire, le tout enfermé dans une membrane charnue, le manteau.

Comment les mollusques se nourrissent-ils ?

Ils ont une langue râpeuse et garnie de petites dents, la radula, qui arrache plantes et animaux des rochers ou déchire la nourriture. Les bivalves (huîtres et moules) retiennent la nourriture en filtrant l'eau avec leurs branchi[...]

Comment les mollusques se reproduisent-ils ?

Les mollusques se reproduisent de façon sexuée. Les limaces et les escargots sont hermaphrodites (possédant de[s] organes mâles et femelles), mais doivent s'accoupler pour féconder leurs œufs. La plupart des mollusques aquatiques pondent des œufs qui, à l'éclosion, donnent de petites larves qui nagent dans l'eau.

La coquille se referme au moindre signe de danger.

Des muscles maintiennent la coquille ouverte pour manger.

Les yeux situés au bord épient les prédateurs.

LA COQUILLE SAINT-JACQUES ▲
Comme tous les bivalves, la coquille Saint-Jacques a une coquille en deux parties. En général, les bivalves vivent attachés aux rochers ou dans des galeries sous le sable. Ils avalent l'eau par un tube musculaire, le siphon, et filtrent les particules de nourriture avec leurs branchies.

LA COQUILLE

On en trouve dans toutes les formes et tailles, mais la plupart ont la même fonction simple : fournir un abri en cas de danger. Chez les mollusques terrestres, la coquille évite de plus au corps humide et mou de se dessécher.

LE NAUTILUS ▶
La coquille du nautilus, un céphalopode (parent des calmars et des pieuvres), comporte de nombreuses chambres. Le mollusque ne vit que dans la chambre externe. Les chambres internes plus petites lui servent à flotter. La forme en spirale se voit bien sur ce coquillage coupé en deux.

Chambre de flottaison

Chambre externe contenant l'animal vivant

De quoi sont faites les coquilles ?

Les coquilles de mollusques sont en calcaire. Elles se composent de trois couches, ce qui les rend plus solides : une couche externe résistante, une couche calcaire intermédiaire et une couche brillante à l'intérieur, contre la peau de l'animal. Cette dernière, chez certains bivalves, est en nacre.

Comment les mollusques fabriquent-ils leur coquille ?

Le manteau (peau) du mollusque rejette des matières liquides qui, en durcissant au contact de l'eau ou de l'air, forment la coquille. Chez les gastéropodes et les nautilus, la croissance se situe au niveau du dernier tour de spire. Quand le mollusque grandit, de nouvelles spirales ou chambres s'ajoutent. Chez les bivalves, la matière qui produit la coquille se dépose sur les rebords opposés à la charniè[re]

POUR EN SAVOIR PLUS ▶▶ Les invertébrés 102

LES ARTHROPODES

Les mille-pattes, insectes, crustacés et arachnides
– les araignées – appartiennent tous à un super-groupe
d'invertébrés, les arthropodes. Ils dépassent tous les autres
groupes d'animaux par leur variété et leur nombre.

Quels sont les points communs des arthropodes ?

Tous les arthropodes ont un corps divisé en segments et
couvert d'un EXOSQUELETTE. Cette enveloppe rigide
est due à une protéine, la chitine, que l'on trouve aussi
dans les champignons. Cette armure étant souple aux
articulations des pattes, les arthropodes sont agiles.

Quels sont les types de mille-pattes ?

Les mille-pattes, qui appartiennent aux myriapodes,
se divisent en chilopodes, des chasseurs actifs, et en
diplopodes, des végétariens. Les premiers ont une paire
de pattes par segment et les seconds ont deux paires
de pattes par segment.

Les mille-pattes ont-ils mille pattes ?

Le mot myriapode signifie « 10 000 pattes ». Certains en
ont moins de 100, d'autres plus, mais aucun n'en possède
plus de 750.

LA CLASSIFICATION DES ARTHROPODES

Les arthropodes constituent l'embranchement le plus important
du règne animal. Les plus de 90 000 espèces recensées se divisent
en quatre grands groupes :
• Crustacés • Insectes • Arachnides • Myriapodes

L'EXOSQUELETTE

L'exosquelette des arthropodes forme une armure
protectrice à laquelle s'attachent les muscles.
Résistant, mais aussi imperméable, il permet
à ces animaux de survivre dans les
habitats les plus hostiles.

◄ PILULE OU MILLE-PATTES ?
Avec leur corps rond et dur, les mille-pattes sont des
proies difficiles. Ils se mettent souvent en boule si on
les attaque. Certains mille-pattes se
défendent avec des poisons comme
la quinone ou le cyanure,
produits par des glandes
entre les segments.

L'IULE ▲
Ces bestioles paralysent ou tuent leur
proie avec du poison injecté par des
griffes semblables à des crocs, situées
derrière la bouche. On compte plus
de 3 000 espèces de chilopodes. Les
plus gros vivent dans les tropiques et
peuvent atteindre 30 cm – bien assez
pour tuer une souris.

La longue antenne
facilite l'orientation
dans les fonds
sableux.

La patte antérieure
s'est modifiée pour
porter une pince.

Les pinces
servent à
attraper la
nourriture
et à se
défendre.

L'antenne courte
sent les objets proches
de la bouche.

La carapace
protège les
organes vitaux.

Les pattes
sont articulées pour
mieux marcher.

Les mouvements
de la queue
propulsent le homard.

▲ LE HOMARD
L'exosquelette rigide du homard soutient et protège
son corps. Il enveloppe même les parties délicates,
comme les pattes et les antennes. Le homard de
l'Atlantique Nord est l'arthropode le plus lourd au
monde, puisqu'il peut peser jusqu'à 20 kg.

Arthropodes

Comment grandissent les arthropodes ?

Pour grandir, les arthropodes doivent se
débarrasser de leur exosquelette lors de mues
régulières. Ensuite, ils se gonflent jusqu'à ce que
la nouvelle enveloppe durcisse. Vulnérables pendant la mue,
ils cherchent un abri pour se cacher avant de muer.

Où vivent les arthropodes ?

Les arthropodes vivent dans à peu près tous les habitats, des
profondeurs glaciales des océans aux déserts les plus chauds.
Ils peuvent supporter des conditions extrêmes qui tueraient la
plupart des vertébrés. Les scorpions survivent à la congélation.

LES ARACHNIDES

Les arachnides, groupe d'arthropodes à huit pattes, rassemblent araignées, scorpions, tiques et acariens. Les scorpions et les araignées sont tous carnivores. Les tiques et les acariens sont de minuscules créatures qui sucent ou mordent. La plupart des tiques vivent en parasites sur des animaux ou des plantes.

Comment les araignées tissent-elles leurs toiles ?

Les araignées sécrètent un fil grâce à des glandes situées dans leur abdomen. L'araignée étire avec ses pattes le fil qui sort d'un orifice, la filière. Presque toutes tissent des toiles pour attraper leurs proies. Certaines chassent sans toile.

Comment les scorpions tuent-ils leurs proies ?

Les scorpions se servent de leurs pinces pour attraper et tuer leurs proies. Ils sautent sur des insectes, des araignées et même des souris et des lézards, qu'ils mettent en pièces avec leurs pinces. Leur aiguillon venimeux ne sert qu'aux victimes robustes qui résistent. Les scorpions chassent la nuit en se servant surtout du toucher et de l'odorat.

◄ **UNE MAMAN PROTECTRICE**

Pour protéger ses petits contre les prédateurs, cette femelle scorpion les porte deux ou trois semaines sur son dos. Après leur première mue (quand ils changent de peau), les petits quittent leur mère et se mettent à chasser. Les scorpions mâles et femelles se livrent à de véritables danses synchronisées lors des parades amoureuses. Après l'accouplement, les œufs se développent dans la mère, qui met au monde des petits vivants.

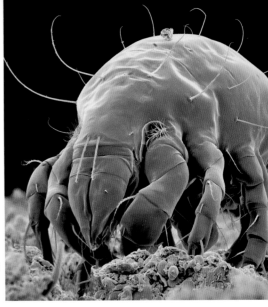

▲ **UN ACARIEN AMATEUR DE FARINE**

Certains acariens sont si petits qu'on ne les voit pas à l'œil nu. Cette photo prise au microscope électronique a été agrandie plusieurs milliers de fois. Ces acariens, qui mangent des céréales, sont fréquents dans les cuisines. Leurs longs poils les aident à s'orienter.

@ ▸▸
Arachnides

LA CLASSIFICATION DES ARACHNIDES

Presque tous les arachnides sont terrestres. La classe *Arachnida* contient 17 000 espèces réparties en dix ordres :
• Scorpions • Pseudoscorpions • Araignées • Acariens et tiques • Solifuges • Ricinules • Amblypyges • Phalangides (Opilions ou faucheux) • Uropyges • Palpigrades

Les yeux placés sur la face permettent de bien évaluer les distances.

◄ **LA TARENTULE**

Les araignées tuent ou paralysent leur proie grâce à leur venin. Ensuite, elles lui injectent des sucs digestifs. Les tarentules sont d'actives chasseresses, qui sautent sur leur proie au lieu de tisser des toiles. Elles vivent en Amérique centrale et du Sud, mais aussi dans le sud de l'Europe.

Les pattes articulées se déplacent vite.

La bouche aspire les sucs de la proie à moitié digérée.

La sauterelle est immobilisée par le venin de l'araignée.

Les pédipalpes servent d'antennes.

LES CRUSTACÉS

Ces invertébrés comprennent les crabes, les balanes, le KRILL et les cloportes. Sortes d'insectes des mers, ce sont les arthropodes les plus nombreux dans les océans. Tous les crustacés ont une peau dure, des branchies et deux paires d'antennes.

Où vivent les crustacés ?

La plupart vivent dans l'océan, bien que certaines espèces se trouvent en eau douce. Les cloportes et quelques crabes sont terrestres. Les crevettes nagent en haute mer. Les balanes se fixent à des rochers, aux murs des ports ou aux navires.

Il rentre les pattes au moindre signe de danger.

Que mangent les crustacés ?

Beaucoup sont des charognards qui se nourrissent de restes ou de cadavres. Les crabes et les crevettes cherchent leur pitance surtout la nuit et se cachent dans les rochers le jour. Certains crabes et les homards sont des prédateurs actifs qui saisissent leur proie avec leurs puissantes pinces. Les balanes filtrent l'eau, retenant les minuscules créatures avec leurs appendices couverts de soies.

Les bébés crustacés sont-ils comme les adultes ?

Les crustacés pondent en général des œufs donnant des larves, la larve nauplius, qui ne ressemblent pas à la forme adulte. Ces bêtes minuscules flottent à la surface des océans, où elles se nourrissent et grandissent. Elles muent plusieurs fois avant l'âge adulte.

◄ LE BERNARD-L'HERMITE
Ce crustacé occupe des coquilles vides pour se protéger des prédateurs. Quand il grandit, il lui suffit d'en changer.

Les antennes l'aident à se repérer dans les eaux troubles.

@ ►►
Crustacés

▲ LES ANATIFES
Pour se nourrir, ces crustacés tendent leurs appendices minces afin d'attraper des créatures minuscules. Adultes, ils se fixent à un endroit.

▼ LE NAUPLIUS
Les jeunes crustacés, qui flottent près de la surface, font partie du plancton. Le mot plancton signifie « errant ».

CREVETTE

CRABE

LARVE DE CRABE

COPÉPODE

LA CLASSIFICATION DES CRUSTACÉS

Les crustacés, par leur nombre, représentent la deuxième classe du règne animal. Les 38 000 espèces sont réparties en huit sous-classes :
• Décapodes (homards, crabes, crevettes et cloportes) • Ostracodes
• Cirrypèdes • Copépodes • Branchiopodes • Céphalocarides
• Mystacocarides • Malacostracés

LE KRILL

Le krill se compose de petites crevettes roses qui vivent en nombre considérable dans les océans. Chaînon essentiel de la chaîne alimentaire, c'est la principale nourriture de bien des grands habitants des mers.

Que mange le krill ?

Le krill se nourrit de plancton – de minuscules plantes et larves d'animaux qui suivent les courants océaniques. Tout le monde mange du krill, des manchots aux baleines. Celles-ci parcourent parfois des milliers de kilomètres, depuis les mers chaudes, pour se nourrir des bancs saisonniers de krill.

Le krill est-il menacé ?

Les populations étant considérables, le krill n'est pas menacé d'extinction. Pourtant, les pêcheurs en prélèvent des quantités toujours croissantes. Le krill disparaissant, ses prédateurs en souffrent. Dans l'Antarctique, la pêche au chalut du krill nuit beaucoup aux populations de manchots.

Les fanons gardent le krill mais rejettent l'eau.

◄ LE KRILL
Le krill est parfois si abondant que l'eau se teinte de rose.

LA BALEINE À BOSSE ►
Les baleines à fanons filtrent jusqu'à 2 t de krill en un seul repas, en se servant des fanons frangés de leur bouche.

POUR EN SAVOIR PLUS ►► Les océans 40-41 • Les invertébrés 102 • Les arthropodes 107

LES INSECTES

Les insectes, les plus nombreux des animaux, représentent 75 % du règne animal. On a identifié près de 800 000 espèces, mais il pourrait y en avoir jusqu'à 10 millions. Invertébrés à six pattes, ils possèdent des organes sensoriels développés, comme leurs ANTENNES. Certains vivent en COLONIES.

Tête

Les grands yeux composés ont un champ de vision très large.

Le thorax (milieu du corps)

Les ailes se referment au repos – celles de la libellule restent ouvertes.

Les pattes longues et délicates ont plusieurs articulations.

L'abdomen, long et mince, assure l'équilibre pendant le vol.

Ces pointes servent au mâle à tenir la femelle pendant l'accouplement.

Pourquoi les insectes ont-ils si bien réussi ?

La principale raison du succès des insectes est leur variété. Les espèces sont si diverses qu'il n'y a à peu près aucun endroit sur la Terre où ils ne vivent ni aucun aliment qu'ils ne mangent. Grâce à leur petite taille, ils vont partout pour chercher de quoi se nourrir. Beaucoup volent, ce qui leur permet de coloniser de nouveaux habitats.

▲ LA PUNAISE DES LITS
Poux, moustiques et puces se nourrissent de sang. La punaise des lits vit dans les matelas et en sort quand elle sent la chaleur d'un corps. Sa bouche est adaptée pour percer la peau et sucer le sang.

▲ LA DEMOISELLE
Comme tous les insectes adultes, la demoiselle a un corps en trois parties : tête, thorax et abdomen. Les demoiselles et les libellules constituent un groupe d'insectes très ancien. Il y a 350 millions d'années, avant même les dinosaures, des libellules géantes évoluaient dans les forêts marécageuses.

LA CLASSIFICATION DES INSECTES

- Les insectes existent depuis plus de 400 millions d'années. Ils forment 29 groupes ou ordres.
- Le plus grand ordre, les Coléoptères (scarabées), contient plus de 370 000 espèces.
- Les autres grands ordres sont les Lépidoptères

(papillons, 150 000 espèces), les Hyménoptères (abeilles, guêpes et fourmis, 120 000 espèces), les Diptères (mouches, 100 000 espèces) et les Hémiptères (punaises, 800 000 espèces).

LES ANTENNES

Les antennes, placées sur la tête, sont les principaux organes sensoriels des insectes. En général longues et minces, elles sont couvertes de minuscules poils sensibles. Les antennes servent au toucher et à l'odorat, mais aussi quelquefois au goût et à l'ouïe.

Semblables à des clubs de golf, elles diffèrent des antennes velues du papillon de nuit.

LES SENS DU PAPILLON ▶
Ses longues antennes et ses grands yeux composés aident le papillon de jour à découvrir le monde qui l'entoure.

À quoi les antennes servent-elles ?

Les antennes servent à détecter la nourriture et les ennemis. Les poux et les puces entre autres, des insectes parasites, les utilisent pour sentir la chaleur ou l'humidité corporelles de leurs hôtes. Chez certains insectes mâles, les antennes particulièrement sensibles perçoivent les odeurs appelées phéromones que produisent les femelles.

Quels sont les autres sens des insectes ?

Beaucoup d'insectes ont des yeux composés, comptant des dizaines de lentilles qui s'associent pour former une image détaillée. De plus, certains ont sur leur abdomen des poils sensibles qui détectent les courants d'air dus aux déplacements de prédateurs ou de proies. Les oreilles sont parfois sur les pattes ou le corps. Chez quelques-uns, comme les mouches, les organes du goût sont situés sur les pieds.

Comment les insectes se défendent-ils ?

Ils sont nombreux à recourir au camouflage (déguisement naturel) pour échapper aux prédateurs. Quelques-uns sont armés de dard ou de poison au goût désagréable. Ceux-ci ont souvent des couleurs vives, comme des bandes noires et jaunes, pour avertir les ennemis.

Que mangent les insectes ?

Ils mangent un peu de tout. À peu près la moitié des insectes sont herbivores et se nourrissent de feuilles, racines, graines, nectar ou bois. Les mantes religieuses, des prédateurs, chassent d'autres petites bêtes. Les puces et les poux sont des parasites qui consomment la chair ou le sang d'animaux plus grands sans les tuer.

L'œil composé comporte des dizaines de lentilles hexagonales (à six côtés).

Antenne

L'aile est couverte de minuscules écailles superposées.

Le cocon où la chenille s'est transformée en chrysalide.

LA CHENILLE DU MONARQUE ►
Les larves ressemblent rarement aux adultes. Celles des papillons, les chenilles, se nourrissent de feuilles et prennent beaucoup de poids en relativement peu de temps. Ensuite, elles cessent de s'alimenter et s'installent dans le cocon pour se métamorphoser en adulte.

Insectes

◄ LE MONARQUE
Après la métamorphose (passage de l'état de larve à celui d'adulte), le monarque adulte sort de son cocon et déploie ses ailes. Comme tous les papillons, il se nourrit du nectar produit par les fleurs.

Antenne velue

Élytre ouvert et relevé

Ailes postérieures déployées

◄ LE HANNETON
Chez les coléoptères, comme ce hanneton, les ailes antérieures, ou élytres, sont rigides et arrondies. Elles protègent les délicates ailes postérieures quand le hanneton est au sol. Pour décoller et voler, il écarte ses élytres.

Où les insectes passent-ils l'hiver ?

Beaucoup d'adultes meurent en hiver. Leurs œufs ou leurs petits, bien à l'abri, survivent jusqu'à la naissance au printemps. Certains surmontent le froid en hibernant. D'autres, comme le papillon monarque, accomplissent de très longues migrations pour éviter l'hiver.

Quelles sont les interactions avec les humains ?

Les insectes herbivores abîment les cultures et les arbres fruitiers. Les termites, qui grignotent le bois, détruisent les maisons et le mobilier, tandis que les insectes qui piquent peuvent propager des maladies. Cependant, beaucoup d'insectes sont utiles à l'homme : l'abeille fabrique du miel, la coccinelle mange les pucerons (qui nuisent aux plantes du jardin) et le ver à soie tisse la soie.

LES COLONIES

La plupart des insectes vivent en solitaires, mais les termites, les fourmis, certaines guêpes et abeilles vivent en vastes colonies. Les membres coopèrent pour construire le nid et trouver la nourriture.

Comment les insectes élèvent-ils leurs petits ?

La plupart des insectes ne s'occupent pas ou très peu de leurs petits, mais les insectes sociaux sont une exception. Les ouvrières gardent les petits et les nourrissent avec soin. Les guêpes ouvrières apportent des insectes mâchés aux larves. Les larves d'abeilles sont élevées au miel. Les bébés insectes grandissent dans des pouponnières.

LA REINE TERMITE ET SON ENTOURAGE ►
Chaque colonie d'insectes comporte plusieurs castes ou rangs. La reine est chargée de pondre – chez les termites, elle est si pleine d'œufs qu'elle ne peut pas bouger. Les nombreuses ouvrières, qui ne se reproduisent pas, s'occupent des œufs et de la termitière. Les colonies d'insectes ont souvent une caste de soldats, armés d'énormes mandibules ou de poison.

LES POISSONS

Ce sont des animaux aquatiques avec un squelette interne, un crâne, des côtes et une colonne vertébrale. Ces squelettes sont en général osseux, mais ceux des requins et des raies sont cartilagineux. Les poissons extraient l'oxygène de l'eau grâce à leurs BRANCHIES et nagent grâce à leur queue et à leurs nageoires. Leur peau est couverte d'écailles.

Où vivent les poissons ?

Parfaitement adaptés à la vie dans l'eau, les poissons se rencontrent dans tous les océans, des mers tropicales aux eaux polaires glacées. Ils vivent aussi bien près de la surface que dans les profondeurs, où certains se servent de la BIOLUMINESCENCE. Ils habitent également en eau douce, dans les rivières, les lacs et les marais.

LA CLASSIFICATION DES POISSONS

• On dénombre plus de 26 000 espèces de poissons – plus de la moitié des vertébrés. Ils sont répartis en trois grands groupes.
• Le premier groupe, de loin le plus important, est celui des poissons à squelette osseux, avec plus de 25 000 espèces.
• Le deuxième se compose des 600 espèces de poissons à squelette cartilagineux – les requins et les raies.
• Le plus petit groupe, d'environ 60 espèces, compte les espèces les plus primitives. Ses membres, les myxines et les lamproies, ont un squelette mais pas de mâchoire.

La nageoire dorsale assure l'équilibre et la position verticale pendant les déplacements.

Le poisson agite la queue dans un sens puis dans l'autre pour se propulser.

◄ LE GRAND REQUIN BLANC
Les requins comptent parmi les plus gros et les plus terribles des poissons. Le grand requin blanc, le plus grand poisson prédateur, peut atteindre 7 m. Le requin-baleine, qui se nourrit de plancton, le dépasse avec parfois 18 m de longueur pour un poids maximal de 21 t.

La nageoire pectorale contrôle la direction – elle s'aplatit pour aller tout droit.

LES BRANCHIES

Comme tous les animaux, les poissons ont besoin d'un apport permanent d'oxygène pour vivre. Ils ne respirent pas l'air, mais extraient l'oxygène dissous dans l'eau avec leurs branchies – constituées de lamelles situées derrière les yeux et alimentées par de nombreux vaisseaux sanguins tout petits.

Comment les poissons respirent-ils sous l'eau ?

L'eau contenant de l'oxygène dissous entre par la bouche, traverse les quatre à cinq lamelles des branchies et ressort de chaque côté de la tête. L'oxygène de l'eau diffuse au niveau de ces lamelles vers le sang du poisson.

LE FONCTIONNEMENT DES BRANCHIES

L'eau sort du corps par les fentes des branchies.

L'eau entre par la bouche.

Les lamelles branchiales absorbent l'oxygène dissous dans l'eau.

Les poissons peuvent-ils vivre hors de l'eau ?

Aucun poisson ne vit à terre mais quelques-uns peuvent passer des années hors de l'eau. Le dipneuste, par exemple, si sa mare ou son lac s'assèche, s'enterre dans la boue et extrait l'oxygène de l'air.

▲ LE PÉRIOPHTALME
Le périophtalme s'aventure sur les rivages boueux pour manger des algues. Il gonfle ses branchies d'eau et retourne de temps en temps à l'eau pour les remplir. Il se déplace dans la boue en se servant de ses nageoires pectorales.

Son nez allongé permet au zancle d'atteindre la nourriture dans les crevasses.

La nageoire anale sert à l'équilibre, comme la nageoire dorsale.

◀ LE ZANCLE
La plupart des poissons qui vivent sur les récifs coralliens des tropiques ont des couleurs et des marques étonnantes. Les scientifiques pensent qu'elles permettent aux poissons de reconnaître leurs congénères. Ces récifs sont en effet des endroits très peuplés.

▲ LA MARIONNETTE À TÊTE D'OR
Certaines espèces protègent leurs œufs en les incubant dans leur bouche. Avant d'aller se nourrir, ce mâle recrachera les œufs de sa partenaire dans son abri pour qu'ils restent en sûreté.

Comment chassent les requins?

Les requins prédateurs se servent de capteurs sensibles qui détectent le sang à plusieurs kilomètres de distance. Ils foncent sur leur victime grâce à des électrorécepteurs qui sentent les charges minuscules émises par ses muscles. Une fois près d'elle, ils se servent de leurs yeux pour la viser.

Le contour de la bouche a un fort pouvoir de succion.

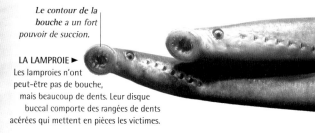

LA LAMPROIE ▶
Les lamproies n'ont peut-être pas de bouche, mais beaucoup de dents. Leur disque buccal comporte des rangées de dents acérées qui mettent en pièces les victimes.

Existe-t-il des poissons parasites?

Les lamproies sont des parasites. Elles s'attachent aux gros habitants des mers avec leur bouche, sorte de ventouse, et sucent leur sang. La salive des lamproies contient un anticoagulant naturel qui empêche le sang de la victime de coaguler. Elles peuvent ainsi boire à volonté.

LA BIOLUMINESCENCE

@ ▶▶
Poissons

La lumière de la surface pénètre mal dans la zone intermédiaire des océans, en dessous de 200 m de profondeur. Or, plus de 1 000 espèces parmi les poissons qui y habitent utilisent la bioluminescence : ils produisent leur propre lumière.

Quel est le but de la bioluminescence?

Le *Melanocetus johnsoni* fait briller ses mâchoires pour attirer ses proies. La lumière aide d'autres espèces à repérer les partenaires. Quelques-unes s'en servent pour se camoufler – les lumières situées sous leur ventre aident certains poissons à se fondre dans la faible lueur qui vient de la surface. De nombreux poissons vivant près de la surface ont un ventre clair pour la même raison.

MELANOCETUS JOHNSONI ▶
Ce poisson brille comme une ampoule électrique sous-marine. Chez quelques espèces, la bioluminescence est due à une réaction chimique qui produit de l'énergie lumineuse. D'autres espèces sont éclairées par des bactéries luminescentes dans leur peau et certaines ont des glandes, les photophores, qu'elles allument ou éteignent comme des lampes de poche miniatures.

POUR EN SAVOIR PLUS ▶▶ Les océans 40-41 • La pêche 67 • Les cnidaires 103

Les grands yeux globuleux surveillent l'arrivée des prédateurs.

L'oreille est cachée sous la peau.

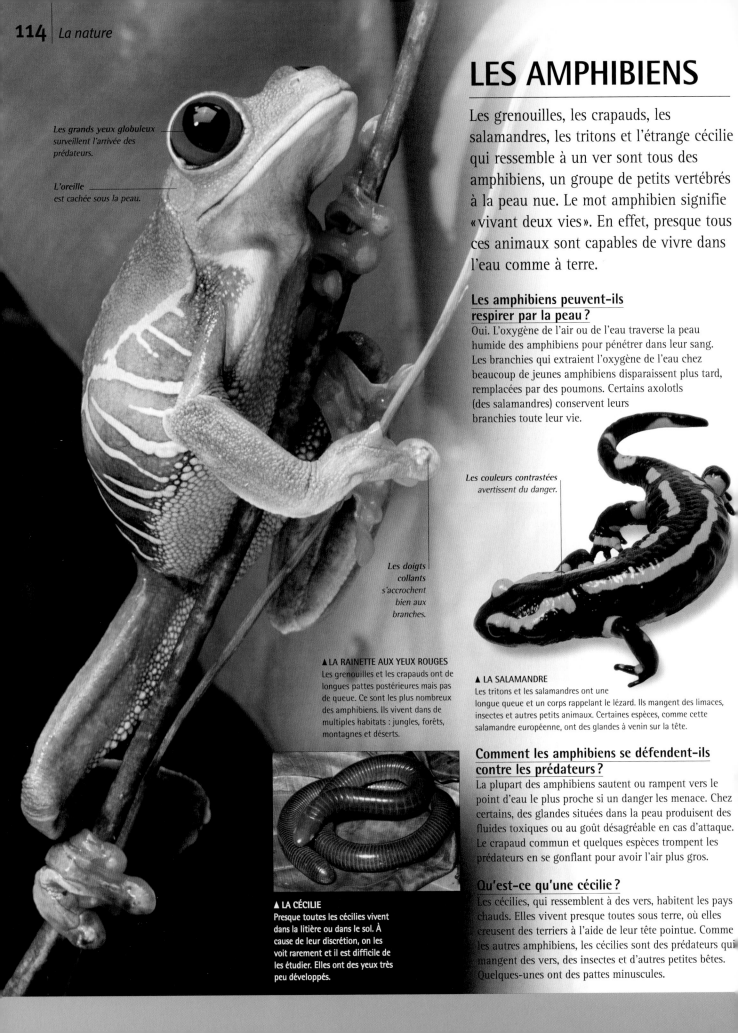

LES AMPHIBIENS

Les grenouilles, les crapauds, les salamandres, les tritons et l'étrange cécilie qui ressemble à un ver sont tous des amphibiens, un groupe de petits vertébrés à la peau nue. Le mot amphibien signifie «vivant deux vies». En effet, presque tous ces animaux sont capables de vivre dans l'eau comme à terre.

Les amphibiens peuvent-ils respirer par la peau ?

Oui. L'oxygène de l'air ou de l'eau traverse la peau humide des amphibiens pour pénétrer dans leur sang. Les branchies qui extraient l'oxygène de l'eau chez beaucoup de jeunes amphibiens disparaissent plus tard, remplacées par des poumons. Certains axolotls (des salamandres) conservent leurs branchies toute leur vie.

Les couleurs contrastées avertissent du danger.

Les doigts collants s'accrochent bien aux branches.

▲ LA RAINETTE AUX YEUX ROUGES
Les grenouilles et les crapauds ont de longues pattes postérieures mais pas de queue. Ce sont les plus nombreux des amphibiens. Ils vivent dans de multiples habitats : jungles, forêts, montagnes et déserts.

▲ LA SALAMANDRE
Les tritons et les salamandres ont une longue queue et un corps rappelant le lézard. Ils mangent des limaces, insectes et autres petits animaux. Certaines espèces, comme cette salamandre européenne, ont des glandes à venin sur la tête.

Comment les amphibiens se défendent-ils contre les prédateurs ?

La plupart des amphibiens sautent ou rampent vers le point d'eau le plus proche si un danger les menace. Chez certains, des glandes situées dans la peau produisent des fluides toxiques ou au goût désagréable en cas d'attaque. Le crapaud commun et quelques espèces trompent les prédateurs en se gonflant pour avoir l'air plus gros.

Qu'est-ce qu'une cécilie ?

Les cécilies, qui ressemblent à des vers, habitent les pays chauds. Elles vivent presque toutes sous terre, où elles creusent des terriers à l'aide de leur tête pointue. Comme les autres amphibiens, les cécilies sont des prédateurs qui mangent des vers, des insectes et d'autres petites bêtes. Quelques-unes ont des pattes minuscules.

▲ LA CÉCILIE
Presque toutes les cécilies vivent dans la litière ou dans le sol. À cause de leur discrétion, on les voit rarement et il est difficile de les étudier. Elles ont des yeux très peu développés.

La peau humide luit à la lumière.

GRENOUILLE ROUSSE

La peau sèche semble couverte de verrues.

CRAPAUD

Bright colour warns other animals that frog is poisonous

Que mangent les amphibiens ?

Les amphibiens adultes sont tous des prédateurs carnivores. Ils chassent insectes, limaces, vers et même de petits mammifères comme les souris. Les amphibiens aquatiques aiment les escargots, les insectes et les petits poissons. Beaucoup chassent la nuit, en se servant de leur vue, de leur odorat et de leur ouïe très développés.

▲ LA PONTE CHEZ LES CRAPAUDS
À la saison des amours, les amphibiens se réunissent pour pondre dans les mares, les fossés ou les ruisseaux. Pour séduire leurs partenaires, ils ont recours à des couleurs vives, des odeurs spéciales et des coassements.

Pourquoi presque tous les amphibiens vivent-ils près de l'eau ?

Leur peau humide n'étant pas imperméable, ils vivent dans des lieux humides pour ne pas se dessécher. De nombreux amphibiens pondent dans l'eau des œufs mous, couverts de gelée. Les petits, appelés **TÊTARDS**, grandissent dans l'eau et ne viennent à terre qu'une fois adultes.

▲ LA GRENOUILLE ET LE CRAPAUD
Les grenouilles et les crapauds adultes ont quatre pattes mais pas de queue. S'il n'y a pas de réelle différence scientifique entre eux, les grenouilles sont des animaux à peau humide qui sautent et les crapauds des bêtes à peau sèche qui marchent.

LA « GRENOUILLE TUEUSE » ►
Elle est ainsi nommée parce que les Indiens d'Amazonie plongeaient leurs flèches dans la toxine qu'elle produit. Une espèce, le dendrobate doré, en contient assez pour tuer près de 1 000 personnes.

Pourquoi leur couleur est-elle si importante ?

La couleur sert à trouver des partenaires et à se cacher des prédateurs et des proies. Les espèces aux couleurs très vives signalent ainsi aux prédateurs qu'elles sont toxiques. D'autres se camouflent pour se fondre dans l'environnement.

LA CLASSIFICATION DES AMPHIBIENS

• Les amphibiens constituent la plus ancienne classe de vertébrés terrestres. Ils se divisent en trois ordres.
• Les cécilies forment l'ordre des apodes, avec environ 170 espèces.

• L'ordre des urodèles regroupe les tritons et les salamandres, soit 360 espèces.
• Le plus grand ordre est celui des anoures, c'est-à-dire des grenouilles et des crapauds. On en compte environ 3 500 espèces.

LES TÊTARDS

La plupart des amphibiens viennent au monde sous forme de larves aquatiques, les têtards. Avec leur grosse tête, leur longue queue et leur absence de membres, ils ressemblent à des poissons. Pendant leur croissance, la queue raccourcit et les membres se développent pour ressembler à de petits adultes.

Comment respirent les têtards ?

La plupart des têtards extraient l'oxygène de l'eau douce en se servant de branchies internes et de branchies externes sur leur cou. En grandissant, leurs poumons se développent et leurs branchies disparaissent. Contrairement aux adultes, de nombreux têtards sont herbivores et mangent des plantes qu'ils arrachent sur les galets avec leurs dents râpeuses.

Œuf contenant un jeune têtard de triton.

Le têtard sort de sa gelée.

Les branchies externes servent encore à respirer.

Les pattes apparaissent après quelques semaines.

LA MÉTAMORPHOSE DU TRITON ▲
Comme tous les amphibiens, les tritons changent de forme en passant de l'état de têtard à celui d'adulte : c'est la métamorphose.

@ ▶▶ Amphibiens

Les branchies ont disparu, le triton pouvant désormais respirer par les poumons et la peau.

POUR EN SAVOIR PLUS ▶▶ La reproduction 101 • Les vertébrés 102

LES REPTILES

Ce groupe de vertébrés à la peau couverte d'écailles comprend les serpents, les lézards, les crocodiles, les tortues et l'hattéria de Nouvelle-Zélande. Ils vivent en général à terre, mais les tortues de mer, les crocodiles et des serpents vivent dans l'eau. Presque tous les reptiles ont des sens semblables à ceux des humains.

Que mangent les reptiles ?

En général, ce sont des prédateurs actifs. Les lézards chassent surtout les insectes. Les serpents, amateurs de rongeurs et d'oiseaux, achèvent parfois leurs victimes avec leur VENIN. Les crocodiles s'attaquent à des bêtes de la taille d'un gnou. Les tortues marines et d'eau douce mangent surtout du poisson et des invertébrés. Quant aux tortues terrestres, elles préfèrent les plantes.

Comment les reptiles fuient-ils le danger ?

Souvent, ils se cachent ou se camouflent pour qu'on ne les voie pas. Certains, rapides et agiles, filent comme l'éclair. D'autres arborent des couleurs vives pour signaler qu'ils sont toxiques. Chez quelques lézards, la queue se rompt pour que l'animal échappe à son prédateur et elle repousse par RÉGÉNÉRATION.

Les yeux bougent indépendamment l'un de l'autre.

Les doigts très écartés permettent de bien s'agripper.

La langue fourchue sent les particules odorantes dans l'air.

◄ **LE SERPENT RATIER DES MANGROVES**
Certains serpents repèrent des proies même lointaines grâce aux organes de Jacobson, capables de détecter les molécules émises par les proies. La langue du serpent détecte ces molécules et transmet l'information à l'organe de Jacobson situé sur le palais. Quelques vipères détectent la chaleur corporelle des autres animaux grâce à des cavités situées près de leurs yeux.

> **LA CLASSIFICATION DES REPTILES**
>
> • Les quelque 6 000 espèces de reptiles se subdivisent en quatre ordres :
> • Les serpents (2 500 espèces) et les lézards (3 000 espèces), ont été regroupés dans l'ordre des squamates.
> • L'ordre des chéloniens groupe toutes les tortues, marines, d'eau douce et terrestres.
> • Les crocodiles et leurs parents forment l'ordre des crocodiliens.
> • L'hattéria est le dernier membre vivant de son ordre. Les autres se sont éteints il y a 100 millions d'années.

LE VENIN

La majorité des serpents tuent leurs proies avec le venin produit par des glandes situées dans la tête. Les crochets, de longues dents qui mordent profondément, injectent le poison.

Combien de serpents sont-ils mortels pour l'homme ?

Moins de 10 % des serpents produisent un venin assez puissant pour tuer un homme. Les vipères en fabriquent de grandes quantités – une morsure de crotale diamant peut tuer en moins de 1 heure. Le taipan du centre de l'Australie est le serpent le plus mortel qui soit. Les serpents marins sont aussi très venimeux, mais ils mordent rarement les hommes.

Comment agit le venin ?

Le venin agit de deux façons. Celui des vipères provoque la mort en détériorant les tissus et le sang de la victime. D'autres serpents produisent des neuro-toxines qui s'attaquent au système nerveux, paralysant le cœur, le système respiratoire et les muscles.

Gla du ve

Crochet creux

LES CROCHETS ►
Les vipères sortent leurs crochets avant de mordre, comme sur cette maquette. Au repos, ils reposent contre le palais.

Sonnette

◄ **LE SERPENT À SONNETTE**
Les serpents à sonnette venimeux préviennent les grands animaux en agitant la sonnette formée d'écailles de leur queue.

La peau change de couleur pour camoufler le caméléon ou exprimer ses sentiments à ses congénères. Pour cela, des cellules colorées, appelées chromatophores, s'étirent ou se contractent.

Quels sont les différents types de tortues ?

On distingue les tortues de mer, les tortues terrestres et celles d'eau douce, comme la cistude qui vit en France. Ces tortues ont des pattes griffues. Les trois types ont peu changé en 200 millions d'années. Toutes ont des carapaces, osseuses ou souples, formées d'une dossière qui recouvre le dos et d'un plastron sous le ventre.

Les puissantes nageoires propulsent la tortue dans l'eau.

LA TORTUE VERTE ▶
Voici l'une des six espèces marines. La carapace osseuse est recouverte d'une couche d'écaille. La plus grande tortue de mer, la tortue luth, peut faire 2,80 m de longueur.

Comment les reptiles se reproduisent-ils ?

Les reptiles pondent des œufs, mais, chez quelques serpents et lézards, ces œufs se développent dans le corps de la mère, qui donne donc naissance à des petits vivants. Les crocodiles et les tortues terrestres pondent des œufs à la coquille dure qui ressemblent à ceux des oiseaux. Les tortues de mer, les serpents et la plupart des lézards pondent des œufs mous. Les tortues de mer enterrent leurs œufs sur les plages.

Porté par sa mère, le petit crocodile est à l'abri des prédateurs.

@ ▸▸ Reptiles

Comment chassent les crocodiles ?

Les 22 espèces de crocodiles et leurs parents sont de redoutables prédateurs. Ils piègent les grosses proies. Ils attrapent les victimes sur le rivage puis les emmènent dans l'eau pour les noyer. Comme ils ne peuvent pas mâcher, ils font tournoyer le cadavre pour le mettre en pièces.

La queue préhensile s'enroule autour des branches pour assurer encore mieux l'équilibre.

◀ LE CAMÉLÉON
Les caméléons restent à l'affût jusqu'à ce qu'une proie survienne. Plus de la moitié des 85 espèces de caméléons vivent sur l'île de Madagascar, y compris ce caméléon de Nosy Be.

UNE MÈRE ATTENTIVE ▶
Les crocodiles du Nil figurent parmi les rares reptiles qui s'occupent de leurs petits. Après la ponte, la mère surveille le nid jusqu'à l'éclosion. Ensuite, elle aide ses petits à se mettre à l'eau et les porte parfois dans sa gueule.

LA RÉGÉNÉRATION

Certains animaux sont capables de se régénérer (repousser) s'ils ont perdu leur queue, un membre ou une autre partie de leur corps à la suite d'un accident ou d'une morsure. Chez les vertébrés (animaux à colonne vertébrale), ce phénomène concerne le lézard, le scinque et la salamandre (un amphibien).

Certains lézards peuvent-ils perdre leur queue ?

C'est un mécanisme de défense chez plusieurs lézards. Si le lézard se fait prendre par un prédateur, la queue se rompt en un point, ce qui limite l'écoulement de sang. Elle continue à gigoter, distrayant le prédateur tandis que le lézard s'échappe. En neuf mois, la queue repousse, mais les os sont remplacés par des cartilages.

Au point de fracture, les vaisseaux sanguins se referment vite pour réduire le saignement.

La queue repousse complètement en moins d'un an.

Quels autres animaux peuvent se régénérer ?

Les étoiles de mer, les éponges, les vers plats et les crabes peuvent aussi régénérer des membres perdus par accident. Les éponges ont même une faculté étonnante. Si on les passe à travers un tamis, ces animaux multicellulaires sont capables de se reconstituer. Les cellules se cherchent les unes les autres et se ressoudent.

▲ AVANT ET APRÈS
Le scinque est l'un des nombreux lézards dont la queue repousse. Avant de tomber, celle de ce lézard était osseuse. Un cartilage a remplacé les os.

POUR EN SAVOIR PLUS ▸▸ Les cellules 73 • La reproduction 101 • Les vertébrés 102

LES OISEAUX

Les oiseaux ont des ailes couvertes de plumes qui leur permette[n]t de voler. La plupart ont une vue et une ouïe excellentes. Ils se reproduisent en pondant des œufs et beaucoup construisent un **NID** pour élever leurs petits. Les oiseaux migrateurs font de longs voyages pour se reproduire ou se nourrir.

Les os sont cachés sous les plumes et le muscle de l'aile.

Les rémiges sont longues et larges pour faciliter le décollage.

Les rectrices servent de frein et de gouvernail, pour freiner ou virer brusquement.

Le bec crochu déchire la chair.

L'AIGLE ROYAL EN PLEIN VOL ▲
Les oiseaux de proie ont un vol puissant et une vue fabuleuse. Ils repèrent une proie au sol même s'ils planent à des centaines de mètres d'altitude.

Les serres acérées agrippent fermement la proie.

Le corps de l'oiseau est-il conçu pour le vol ?

Au cours de l'évolution, les oiseaux ont acquis des caractéristiques facilitant le vol. Leur squelette est résistan[t] mais léger, avec un bréchet (sternum) large qui soutient le[s] puissants muscles qui font battre les ailes. Les ailes elles-mêmes sont arrondies sur leur face supérieure, et plates en dessous : l'air circule plus vite sur la face supérieure, ce qui soulève l'oiseau. La queue sert à l'orientation et à l'équilibre, les fortes pattes aidant au décollage.

▲ LA STRUCTURE DES OS
Les os des oiseaux sont creux pour réduire le poids, mais non la résistance. Le bec est aussi plus lége[r] qu'une mâchoire avec des dents.

LA CLASSIFICATION DES OISEAUX

- Avec environ 9 000 espèces, les oiseaux constituent la deuxième classe de vertébrés après les poissons. C'est aussi la plus répandue, des calottes polaires aux îles les plus isolées.
- Les oiseaux sont classés en 27 ordres différents.
- Le plus grand, celui des passériformes ou oiseaux percheurs, englobe plus de la moitié des oiseaux.
- Le plus petit ordre ne compte qu'une espèce : l'autruche.

LE NID

Le nid est un endroit sûr où les oiseaux pondent et élèvent leurs petits. Normalement, les adultes ne dorment pas dans un nid mais se perchent sur des arbres ou à l'abri. Les nids varient selon les espèces, ils vont du simple au très complexe.

Pourquoi les oiseaux nichent-ils dans les arbres ?

Beaucoup d'oiseaux font leur nid dans les arbres où les œufs sont hors de portée de nombreux prédateurs. D'autres cherchent des endroits inaccessibles, comme les hirondelles et les martinets, qui font leurs nids sous les toits, et les cigognes, sur les toits. Les oiseaux de mer, telles les mouettes, s'installent au bord des falaises tandis que les martins-pêcheurs creusent des terriers dans les rives.

◀ UN OUVRIER DE TALENT
Les tisserins d'Afrique tissent des nids élaborés avec des brins d'herbe. Certains se construisent d'immenses nids suspendus où ils vivent ensemble toute l'année.

UN ŒUF DE GUILLEMOT ▶
Les guillemots pondent sur d'étroits rebords de falaises. Grâce à leur forme pointue, les œufs tournent en rond et ne tombent pas en cas de choc.

Les oisillons peuvent-ils se débrouiller seuls ?

Les petits des oiseaux qui font leur nid au sol, comme les canards et les oies, naissent couverts de duvet, et, très vit[e] marchent et se débrouillent. Cependant, la plupart naisse[nt] aveugles, nus et sans défense. Leurs parents les nourriss[ent] pendant plusieurs semaines, jusqu'à ce que les plumes poussent et qu'ils soient assez forts pour quitter le nid.

Comment les plumes aident-elles les oiseaux à voler ?

Les plumes des ailes offrent une surface légère mais ferme pour faire pression sur l'air. Quand l'aile se rabat, les plumes s'entrecroisent, puis elles s'écartent pour laisser passer l'air quand l'aile remonte. De plus, elles maintiennent l'oiseau au chaud et au sec.

Oiseaux

Bec comme un couteau-scie pour découper les fruits

DUVET

◄ **LA STRUCTURE D'UNE PLUME**
Des rangées de barbes partent de la hampe ou calamus. Les barbes portent des barbules encore plus fines, dont les bouts s'imbriquent.

TECTRICE

PENNE

Tous les oiseaux peuvent-ils voler ?

Certains oiseaux vivant isolés sur des îles, comme le kiwi de Nouvelle-Zélande, ont perdu la faculté de voler, à cause de la rareté des prédateurs. Les grands oiseaux qui ne volent pas, autruches, émeus et nandous, sont des coureurs rapides. Les manchots ne volent pas, mais nagent à merveille.

▲ **LES TYPES DE PLUMES**
Les oiseaux ont trois types de plumes. Les tectrices couvrent le corps, tandis que le duvet plus fin le réchauffe.

LES FORMES DES PATTES

Les pattes des oiseaux sont adaptées au déplacement dans un habitat particulier. Grâce à ses longs orteils, le jacana marche sans s'enfoncer sur des plantes qui flottent. Les orteils de l'autruche, semblables à des sabots, l'aident à courir. Les pattes palmées du canard sont faites pour nager. Chez l'aigle, les serres servent à attraper les proies, et chez les oiseaux percheurs, comme les pipits, les orteils entourent les branches.

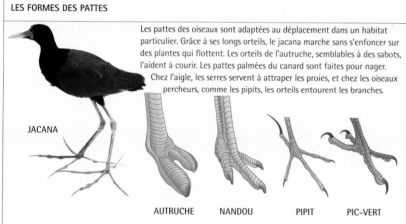

JACANA

AUTRUCHE   **NANDOU**   **PIPIT**   **PIC-VERT**

LE TOUCAN DE SWANSON ►
Les oiseaux mâles ont souvent des plumes aux coloris éclatants, pour séduire les femelles. Parfois, comme chez le toucan, les deux sexes se parent de couleurs somptueuses.

Que mangent les oiseaux ?

Les oiseaux mangent toutes sortes de plantes et d'animaux. Certains aiment une partie précise d'une plante, son fruit, ses graines ou le nectar. D'autres sont des prédateurs. Les faucons, les chouettes et les aigles attrapent de petites bêtes comme les rongeurs. Les oiseaux de mer aiment le poisson. Les habitants des rivages ont souvent un long bec pour chercher des vers dans la vase.

LA MIGRATION

Les oiseaux migrateurs parcourent de longues distances chaque année pour chercher de la nourriture, éviter la sécheresse ou bien l'hiver. Au printemps, ils partent pour des régions plus froides où la nourriture abonde en été. L'hiver, ils retournent dans les pays chauds.

Quand les oiseaux savent-ils qu'il faut migrer ?

On pense que le changement de température et les jours qui raccourcissent déclenchent les migrations. Certains jeunes suivent leurs parents qui leur montrent le chemin. D'autres partent seuls, guidés par l'instinct. Ces oiseaux s'orientent d'après la position des astres ou le relief. Certains perçoivent le champ magnétique de la Terre.

UN LONG VOYAGE ►
Chaque année, le colibri à gorge rubis franchit des milliers de kilomètres. Cet oiseau se nourrit de nectar et d'insectes. Ces deux aliments étant introuvables l'hiver en Amérique du Nord, il part alors en Amérique centrale. Au printemps, il migre de nouveau vers le nord et s'y reproduit.

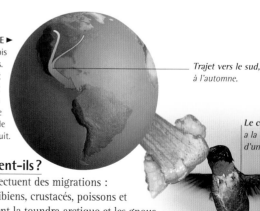

Trajet vers le sud, à l'automne.

Le colibri a la taille d'un pouce.

D'autres animaux migrent-ils ?

Toutes sortes d'animaux effectuent des migrations : mammifères, reptiles, amphibiens, crustacés, poissons et insectes. Les rennes traversent la toundra arctique et les gnous arpentent la savane africaine pour trouver de nouveaux pâturages. Dans les océans, les baleines bleues et grises partent des mers polaires pour s'accoupler sous les tropiques.

COLIBRI À GORGE RUBIS

POUR EN SAVOIR PLUS ▶▶ La reproduction 101 • Les vertébrés 102

LES MAMMIFÈRES

Ce groupe d'animaux à sang chaud et au squelette osseux comprend aussi bien les souris et autres **RONGEURS** que les **PRIMATES**, c'est-à-dire les singes et l'homme, ou des créatures diverses comme les hippopotames, les cerfs et les chats. Les 4 500 et quelques espèces comptent l'éléphant, la plus grande créature terrestre, et la baleine, le plus grand de tous les animaux du monde.

Quels sont les points communs des mammifères ?

Chez presque tous les mammifères, les bébés se développent dans le ventre de la mère avant la naissance. Ce processus est appelé gestation. Une fois né, le petit mammifère tète le lait de sa mère. Les mammifères ont en général des poils et tous ceux qui vivent à terre ont quatre membres. Les membres postérieurs ont disparu chez la baleine.

Que mangent les mammifères ?

Les mammifères doivent leur grande réussite à la diversité de leurs aliments. Chez les carnivores, on trouve le chat, l'hyène et le chien. La musaraigne et le hérisson mangent des insectes. Les ongulés comme les chevaux et les cerfs ou les lapins et les rongeurs sont herbivores. Quant aux omnivores, ils se nourrissent de plantes et de viande.

▲ LE DAUPHIN
Dauphins et baleines sont des cétacés. Ils passent toute leur vie dans l'eau, où ils mettent au monde leurs petits. Ils ressemblent à des poissons, mais ont des poumons au lieu de branchies et doivent donc remonter à la surface pour respirer.

LE LION À LA CHASSE ▶
Les prédateurs comme les lions et les tigres ont des griffes acérées et de longues canines pour saisir et tuer leurs victimes. Les lions chassent en groupe pour attraper des zèbres ou des buffles.

LA GESTATION

Pendant la gestation, la mère porte son petit dans son ventre et elle met au monde un petit entièrement formé. Les mammifères sont dits vivipares par opposition aux animaux ovipares qui pondent des œufs. Chez les **MARSUPIAUX** tel le kangourou, le petit finit de se développer dans la poche de sa mère.

Que se passe-t-il pendant la gestation ?

Chez presque tous les mammifères, l'œuf fécondé s'implante dans l'utérus de la mère. Là, il se transforme en embryon que nourrit le placenta. Les marsupiaux n'ont pas de placenta et donnent naissance à de minuscules petits sans défense. Les **MONOTRÈMES**, comme l'ornithorynque, pondent des œufs.

Combien de temps dure la gestation ?

La gestation prend plus ou moins de temps selon l'espèce. Elle ne dure que deux à trois semaines chez des rongeurs tel le hamster. Les grands mammifères, qui se reproduisent moins souvent, ont en général une longue gestation. C'est chez l'éléphant qu'elle dure le plus longtemps : vingt mois.

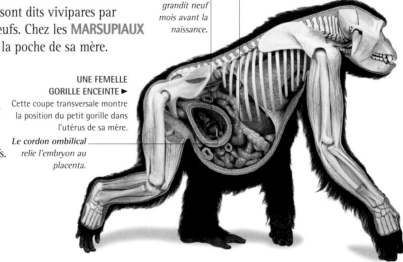

Le placenta nourrit l'embryon grâce au cordon ombilical et est expulsé à la naissance.

L'embryon grandit neuf mois avant la naissance.

UNE FEMELLE GORILLE ENCEINTE ▶
Cette coupe transversale montre la position du petit gorille dans l'utérus de sa mère.

Le cordon ombilical relie l'embryon au placenta.

▲ LA TÉTÉE
À la naissance, les jeunes mammifères sont faibles et sans défense. La mère, quelquefois le père et même d'autres adultes s'en occupent jusqu'à ce qu'ils soient sevrés et capables de se nourrir seuls. Les petits apprennent la vie de leurs parents ou en jouant avec d'autres jeunes du même âge.

Comment se reproduisent les mammifères ?

Tous les mammifères se reproduisent de façon sexuée, le spermatozoïde du mâle fécondant l'ovule de la femelle. Chez certaines espèces, le mâle s'impose sur un territoire où il parade devant les femelles pour leur montrer qu'il est fort et bien disposé. Parfois, les mâles luttent pour gagner le droit de se reproduire. Les ongulés se battent à coup de cornes ou de bois pour éprouver leur force.

Pourquoi est-ce utile d'avoir le sang chaud ?

Grâce à leur température corporelle constante, les mammifères restent actifs par tous les temps. Comme il faut beaucoup d'énergie pour conserver sa température corporelle, ils ont besoin de grandes quantités de nourriture. Pour mieux garder la chaleur de leur corps et ne pas avoir à manger sans cesse, les espèces des pays froids ont d'épaisses fourrures ou une couche de graisse. Certaines choisissent l'**HIBERNATION** pour passer l'hiver.

L'HIBERNATION

Nombre de mammifères, chauves-souris, ours ou loirs, survivent lors des hivers froids et polaires en se plongeant dans un long sommeil, l'hibernation. Cette stratégie les aide à conserver l'énergie qu'ils épuiseraient sinon à tenter de rester au chaud et de s'alimenter.

@ ▶▶
Mammifères

◄ SURVIVRE EN DORMANT
Ce loir passe l'hiver dans un confortable nid souterrain d'herbe et d'écorce. Il n'est pas mort mais économise tout simplement son énergie. Vivant sur ses réserves, il se réveillera aux beaux jours.

Que se passe-t-il durant l'hibernation ?

Les battements du cœur, la respiration et les autres fonctions corporelles se mettent au ralenti. La température chute tellement que l'animal est froid au toucher. Au printemps, quand le temps se réchauffe, ces processus s'inversent, l'animal se réveille et reprend sa vie active.

D'autres types d'animaux hibernent-ils ?

L'hibernation est très fréquente chez les animaux à sang froid, amphibiens, reptiles et insectes, qui vivent dans des régions froides ou tempérées. Dans les déserts et certaines régions hostiles, pour supporter la sécheresse, des animaux se plongent dans un état similaire, l'estivation.

POUR EN SAVOIR PLUS ▶▶ Les primates 122 • Les rongeurs 122 • Les marsupiaux 123 • Les monotrèmes 123

LES PRIMATES

Ces animaux qui vivent surtout dans les arbres se divisent en deux groupes, les prosimiens, ou primates primitifs, avec les lémurs, les loris et les tarsiers, et les anthropoïdes ou primates supérieurs – ouistitis, singes et humains. Les primates vont du microcèbe, un lémurien de la taille d'un rat, aux gorilles qui sont 2 000 fois plus lourds.

Quelles sont les caractéristiques des primates ?

Les primates sont des mammifères intelligents. Ils ont un corps velu, de longs bras, des pouces opposables aux autres doigts qui leur permettent de saisir les branches. Leurs yeux étant placés de face, ils ont une vue binoculaire, ce qui les aide à évaluer les distances quand ils se déplacent dans les arbres. Leurs principaux sens sont la vue et le toucher, l'ouïe et l'odorat revêtant moins d'importance.

Pourquoi tant de primates vivent-ils en groupe ?

Grâce à la vie en groupe, les primates peuvent défendre de grands territoires pour la cueillette et repèrent plus facilement les prédateurs que s'ils étaient seuls. C'est également utile pour élever les petits. Les bébés primates mettent longtemps à grandir : de trois à cinq ans chez les chimpanzés, par exemple. L'aide des autres adultes soulage les mères et renforce la protection des petits.

▲ UNE QUEUE PRÉHENSILE
Les singes d'Amérique du Sud, tel ce singe hurleur, ont souvent une queu préhensile, ce qui n'est pas le cas che les espèces africaines ou asiatiques.

◄ UN CHIMPANZÉ CASSANT DES NOIX
Certains singes, les plus intelligents des primates, se servent d'outils. Les chimpanzés, par exemple, cassent les noix avec des pierres, imbibent des mousses d'eau ou prennent un bâton pour attraper des insectes.

LES RONGEURS

Avec environ 1 800 espèces, les rongeurs constituent le plus grand groupe de mammifères. Les plus petits ne pèsent que quelques grammes. Le plus gros, le cabiai d'Amérique du Sud, a la taille d'un grand chien. Les rongeurs ont tous de longues incisives qui leur permettent de ronger.

Où trouve-t-on des rongeurs ?

Les rongeurs vivent à peu près partout, sauf dans la mer. Les marmottes et les lemmings peuplent les montagnes enneigées et les glaces de l'Arctique, tandis que les gerboises et les gerbilles préfèrent les déserts. Les rats et les souris ont colonisé les villes. Les rongeurs se sont adaptés à l'escalade, à la natation, au creusement de galeries et même au vol plané.

Que mangent-ils ?

Les rongeurs, presque tous herbivores, cherchent leur nourriture avec leur nez sensible et leurs longues moustaches. Les incisives, de vrais rasoirs, viennent sans peine à bout des noix et des graines. Certains rongeurs conservent les aliments dans les poches de leurs joues, les abajoues.

▲ UN NID DE SOURIS
Les rongeurs se reproduisent très vite. En un an, une souris peut avoir cinquante petits qui grandissent si vite qu'ils se reproduisent eux-mêmes au bout de six semaines. Si la nourriture abonde, leurs populations se multiplient à grande vitesse.

◄ JEU DE CONSTRUCTION
Les castors abattent les arbres avec leurs dents pour construire des barrages et former des lacs. Au milieu de ceux-ci, ils se construisent un abri de terre battue. L'entrée se trouve sous l'eau

LES MARSUPIAUX

Le groupe des marsupiaux comprend le kangourou, le wallaby, l'opossum, le pétaure et le wombat. Ils naissent tous à l'état de larve et poursuivent leur développement dans la poche de leur mère, le marsupium, ou en s'accrochant à sa fourrure.

▼ UNE PETITE LARVE
Le jeune kangourou naît au bout de quatre ou cinq semaines de gestation. Aveugle et nu, il se réfugie dans le marsupium de sa mère et s'accroche à son téton.

◄ DANS LA POCHE
Le jeune kangourou, une fois développé, quitte le marsupium de sa mère à six mois, mais y retourne au moindre danger. Il est indépendant à un an.

Où vivent les marsupiaux ?

Ils vivent presque tous en Australie et dans les îles des alentours, mais on en trouve en Amérique du Sud et un, l'opossum de Virginie, en Amérique du Nord. En Australie, les marsupiaux se sont multipliés et beaucoup diversifiés car ils n'ont pas subi la concurrence des mammifères placentaires.

Que mangent-ils ?

La majorité se nourrit de plantes. Les kangourous et les wombats préfèrent l'herbe, et les koalas, les feuilles. Certains pétaures puisent le nectar des fleurs. Le diable de Tasmanie, solitaire et nocturne, chasse les lapins, les poulets et autres petits animaux. L'opossum de Virginie, omnivore, mange fruits, œufs, insectes et petites bêtes.

LE KOALA ►
Les marsupiaux sont souvent d'excellents grimpeurs. Le koala ne se nourrit que des feuilles dures de l'eucalyptus. Comme elles sont peu nourrissantes, il économise son énergie en dormant 18 heures par jour.

LES MONOTRÈMES

Ce petit groupe de mammifères ovipares (qui pondent des œufs) ne compte que trois espèces : l'ornithorynque à bec de canard et deux types d'échidnés. Les monotrèmes ne vivent qu'en Australie et sur l'île de Nouvelle-Guinée. On aperçoit rarement ces discrets fouisseurs.

@ ▶▶ Mammifères

De quoi se nourrissent les monotrèmes ?

Les monotrèmes se nourrissent d'invertébrés qu'ils cherchent la nuit. Les échidnés mangent des termites et autres insectes. Ils les aspirent avec leur longue langue collante. Grâce à son bec sensible, l'ornithorynque trouve dans l'eau des vers, des crustacés et des insectes.

Combien d'œufs les monotrèmes pondent-ils ?

L'ornithorynque et l'échidné pondent de un à trois œufs à la coquille molle. La femelle de l'échidné les incube dans une poche située sur son ventre. Celle de l'ornithorynque les couve dans son terrier. Quand les œufs éclosent, au bout de dix jours, les petits tètent le lait qui coule des tétines situées sur le ventre de leur mère. Les petits prennent leur indépendance à quatre ou cinq mois.

UNE ÉTRANGE COMBINAISON ►
L'ornithorynque a un bec de canard, le corps d'une taupe, des pattes palmées et une queue de castor. Quand les premiers exemplaires empaillés arrivèrent en Europe, à la fin du XVIIIᵉ siècle, les gens crurent à une farce.

▼ UNE ARMURE DE PIQUANTS
L'échidné n'a pas de problèmes pour se défendre. Les mâles échidnés et ornithorynques ont par ailleurs des éperons sur les pattes.

Le long museau plonge dans les termitières.

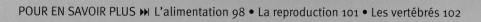

POUR EN SAVOIR PLUS ▶▶ L'alimentation 98 • La reproduction 101 • Les vertébrés 102

LES ESPÈCES EN DANGER

Partout dans le monde, des espèces végétales et animales sont menacées d'extinction, l'homme ayant bouleversé leur environnement. Les experts estiment que jusqu'à 30 000 espèces menacées disparaissent chaque année, dont beaucoup qui n'ont pas encore été identifiées.

Quel est le plus grave problème pour la faune ?

Le plus gros problème est la perte de l'habitat – la destruction des zones sauvages où vivent les animaux. Un peu partout, l'homme abat les forêts, assèche les marais, élimine les prairies pour construire routes, villes, mines et barrages. Par ailleurs, la pollution des villes, des fermes et des usines empoisonne la faune terrestre et marine.

La faune des îles est-elle très menacée ?

Les espèces insulaires courent davantage de risques que les autres parce que souvent elles n'existent pas ailleurs. Leurs populations étant parfois très réduites, elles sont plus vulnérables aux nouvelles menaces. Beaucoup de ces animaux n'ont pas l'habitude des prédateurs. Quand on introduit des chats ou des rats sur une île, ils peuvent détruire la faune.

▲ LA CHOUETTE TACHETÉE
Les chouettes tachetées sont menacées car l'homme abat les forêts d'Amérique du Nord où elles vivent. Les forêts tropicales humides abritent une grande diversité de plantes et d'animaux, qui disparaissent vite aussi.

L'IVOIRE ▶
Ces défenses d'éléphant, confisquées à des braconniers, sont détruites pour empêcher tout commerce. Bien que la loi protège les éléphants, le trafic de l'ivoire est important, et ils restent menacés.

Chaque défense est en ivoire et vaut des milliers d'euros au marché noir.

L'EXTINCTION

L'extinction, c'est la mort de tous les membres d'une espèce. Ce processus naturel se déroule depuis que la vie existe sur la Terre, soit 3,5 milliards d'années, mais, aujourd'hui, l'homme en est souvent responsable.

Qu'est-ce qu'une extinction de masse ?

On parle d'extinction de masse quand un grand nombre d'espèces disparaissent d'un coup à cause de changements rapides de l'environnement. Il y a environ 65 millions d'années, c'est ce qui est arrivé aux dinosaures. Aujourd'hui, les experts craignent que l'homme ne déclenche une nouvelle vague d'extinctions.

◀ LE DODO
Incapable de voler, ce grand oiseau vivait dans des îles de l'océan Indien. Les marins le chassèrent à tel point qu'il s'éteignit vers 1800.

@ ▶▶
Espèces en danger

L'introduction d'espèces est-elle une menace pour la faune ?

Quand on introduit des animaux dans une région, ils s'installent dans les habitats d'autres espèces. S'ils sont plus forts ou se reproduisent plus vite que les espèces locales, ils leur prendront leur nourriture. Souvent, les nouveaux prédateurs se multiplient rapidement et se mettent à exterminer la faune locale. Ceux qui ne peuvent pas s'échapper, comme les oiseaux inaptes au vol, sont particulièrement menacés.

POUR EN SAVOIR PLUS ▶▶ L'impact humain 64-65 • L'évolution 74-75 • Les dinosaures 78-79 • Les habitats naturels 82-84

LA PROTECTION DE LA NATURE

Les États, les organisations de protection de la nature et les scientifiques font un travail considérable pour protéger les régions sauvages et les espèces qui y vivent. Plantes et animaux fournissent de quoi nous nourrir, nous habiller et nous soigner. Les plantes procurent aussi l'oxygène indispensable à la vie.

Quel est le moyen de sauver la faune ?

La préservation des habitats naturels protège tous les animaux et les plantes qui y vivent. Partout dans le monde, de grandes réserves naturelles ont été créées, où il est désormais illégal de nuire à la faune. Les techniques d'exploitation forestière et d'agriculture qui ne nuisent pas à l'environnement sont aussi importantes – tout comme les lois contre la pollution.

▲ LE RETOUR À LA NATURE
L'oryx d'Arabie a été tant chassé qu'il a failli disparaître. On a placé les derniers individus dans des zoos et on les a laissés se reproduire. Un petit nombre a été réintroduit à Oman, où ils sont 300 aujourd'hui.

Comment fonctionnent les programmes de reproduction en captivité ?

Les scientifiques déterminent les besoins des espèces menacées pour leur offrir des conditions adéquates. Puis, les zoos se prêtent des animaux pour la reproduction. En cas de succès, une partie des petits retourne dans la nature.

Qui peut participer à la défense de la nature ?

Tout le monde peut adhérer à une grande organisation comme le WWF (Fonds mondial pour la nature) ou bien Greenpeace. Les cotisations servent à financer le travail des défenseurs de la nature ou à sauver des habitats naturels. On peut aussi adhérer à des associations locales pour préserver des habitats près de chez soi.

▲ À L'ABRI DES BRACONNIERS
Cette femelle de rhinocéros noir – espèce en danger – fait téter son petit dans la réserve de Ngorongoro, en Tanzanie. L'entretien du parc est financé par les entrées. Près de 10 % des terres sont aujourd'hui protégées.

Le jeune rhinocéros reste plus d'un an avec sa mère.

La défense de la nature a-t-elle permis de sauver des animaux dans le passé ?

Sans elle, la faune serait bien moins nombreuse. Depuis 1950, les défenseurs de la nature ont pu limiter les quotas de pêche des baleines, ce qui a permis de reconstituer les populations. D'immenses pans de la forêt tropicale et d'autres habitats étant désormais protégés, de nombreuses espèces ont échappé à l'extinction.

Protection de la nature

Quelles sont les mesures à prendre ?

La CITES (Convention sur le commerce international des espèces de faune et de flore sauvages menacées d'extinction) limite le commerce des espèces en danger. De nombreux zoos participent aussi à des programmes de reproduction en captivité pour sauver des animaux rares.

Le berger protège son bétail des lions et autres prédateurs.

UN BERGER MASAÏ ET SON TROUPEAU DE VACHES ►
Les bêtes d'élevage, comme les vaches, font concurrence aux animaux sauvages pour la nourriture. La population humaine ne cessant de croître, l'agriculture occupe de plus en plus de terres. Il reste donc moins d'espace pour la faune.

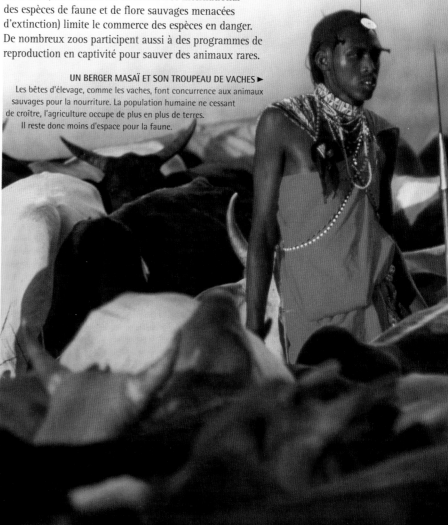

EN SAVOIR PLUS ►► L'impact humain 64-65 • L'agriculture 66 • La pêche 67 • L'exploitation forestière 67 • Les habitats naturels 82-84

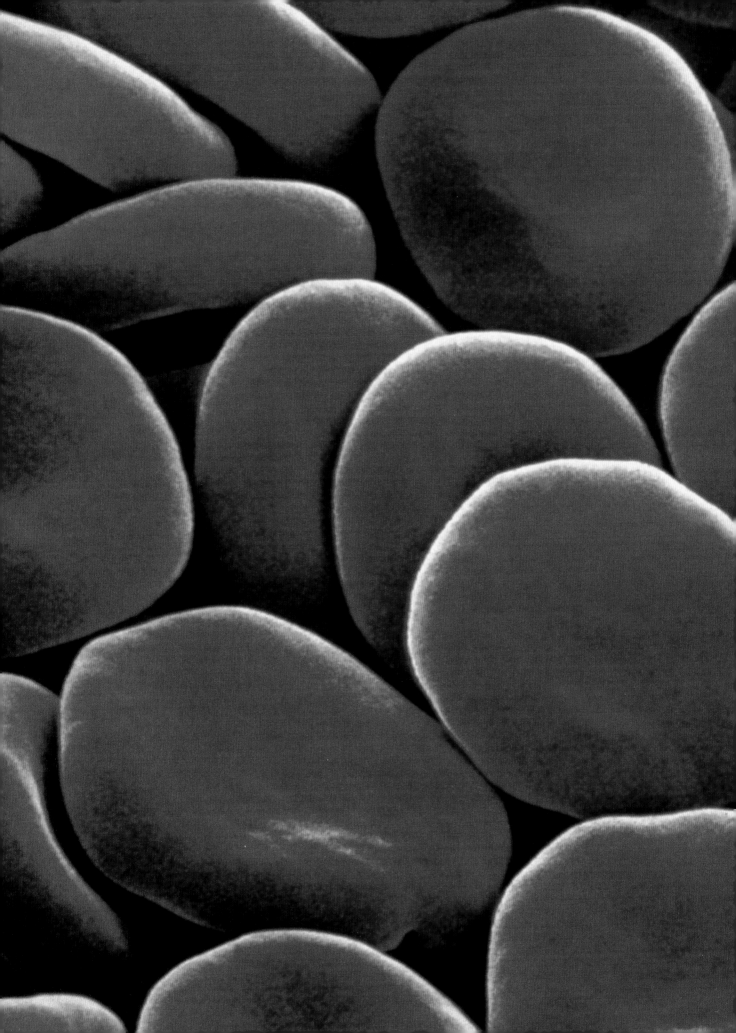

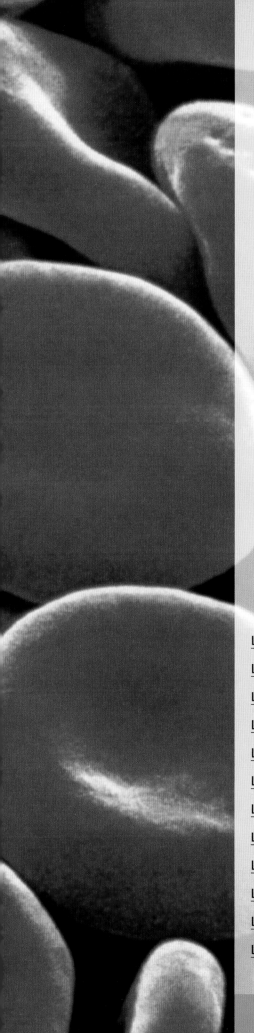

LE CORPS
HUMAIN

LE CORPS	128		LA BOUCHE	142
LE SQUELETTE	130		LES DENTS	143
LES MUSCLES	132		LE NEZ	143
LA PEAU	133		LA DIGESTION	144
LA CIRCULATION	134		LE FOIE	146
LE CŒUR	135		LES REINS	147
LA RESPIRATION	136		LES HORMONES	147
LES POUMONS	137		LA REPRODUCTION	148
LE SYSTÈME NERVEUX	138		LA CROISSANCE	149
LE CERVEAU	139		LA SANTÉ	150
LES YEUX	140		LA MALADIE	151
LES OREILLES	141			

LE CORPS

Notre corps est constitué de 100 milliards de **CELLULES** de différents types. Les cellules similaires forment un tissu et les tissus forment les **ORGANES**. La technologie de l'**IMAGERIE** permet d'observer l'intérieur du corps.

Qu'a l'être humain de si spécial ?

L'être humain est unique dans le monde animal. Il est le seul mammifère à marcher sur deux jambes, à avoir un gros cerveau et une peau peu poilue. Par d'autres aspects, il est comme les autres mammifères avec deux paires de membres, deux yeux, deux oreilles et les organes internes communs à tous les mammifères.

Pourquoi sommes-nous tous différents ?

À part les vrais jumeaux, il n'y a pas deux personnes identiques. Nous différons par bien des aspects parce que chacun d'entre nous possède un ensemble unique de gènes hérité de sa mère et de son père. Nos gènes contrôlent notre croissance et nous font passer du stade d'embryon à celui d'adulte.

LES CELLULES

Les unités microscopiques qui forment tout être vivant sont les cellules. Le corps en compte des centaines de types différents, chacun remplissant une tâche spécifique.

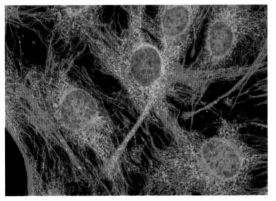

Par quoi les cellules sont-elles commandées ?

La plupart des cellules ont un centre de commande appelé noyau. Le noyau contient l'acide désoxyribonucléique (ADN) qui forme les gènes. Selon le type de cellule, certains gènes sont actifs et d'autres inactifs. Les gènes actifs envoient des instructions hors du noyau et contrôlent toutes les réactions chimiques qui se produisent dans le reste de la cellule.

Qu'est-ce que le tissu ?

Les cellules du même type sont groupées en tissu. Les muscles sont constitués de rangées de cellules musculaires. La peau se compose de couches de cellules cutanées. Le sang est un tissu de cellules en suspension dans un liquide aqueux. Il existe quatre principaux types de tissus : épithélial, conjonctif, musculaire et nerveux.

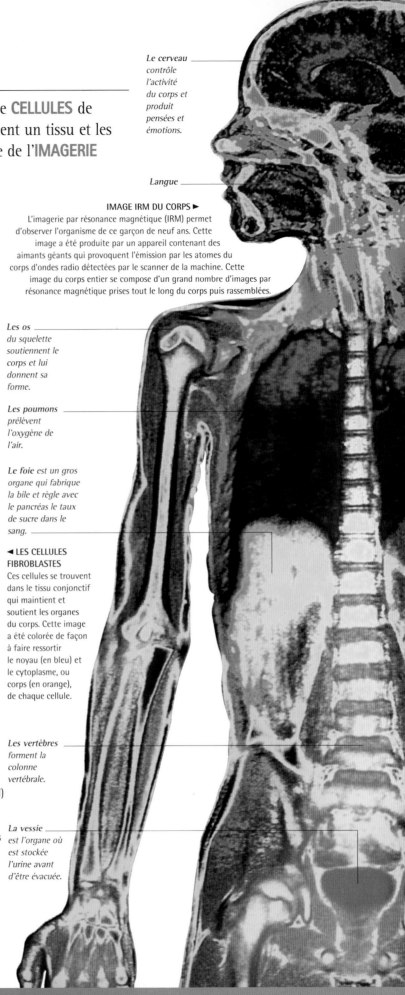

IMAGE IRM DU CORPS ▶
L'imagerie par résonance magnétique (IRM) permet d'observer l'organisme de ce garçon de neuf ans. Cette image a été produite par un appareil contenant des aimants géants qui provoquent l'émission par les atomes du corps d'ondes radio détectées par le scanner de la machine. Cette image du corps entier se compose d'un grand nombre d'images par résonance magnétique prises tout le long du corps puis rassemblées.

Le cerveau contrôle l'activité du corps et produit pensées et émotions.

Langue

Les os du squelette soutiennent le corps et lui donnent sa forme.

Les poumons prélèvent l'oxygène de l'air.

Le foie est un gros organe qui fabrique la bile et règle avec le pancréas le taux de sucre dans le sang.

◀ LES CELLULES FIBROBLASTES
Ces cellules se trouvent dans le tissu conjonctif qui maintient et soutient les organes du corps. Cette image a été colorée de façon à faire ressortir le noyau (en bleu) et le cytoplasme, ou corps (en orange), de chaque cellule.

Les vertèbres forment la colonne vertébrale.

La vessie est l'organe où est stockée l'urine avant d'être évacuée.

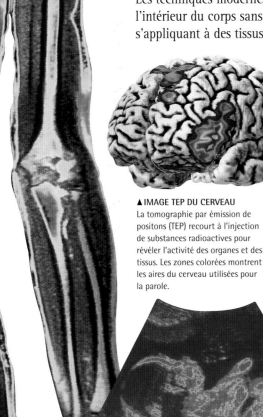

*es muscles (en
leu) permettent au
rps de bouger.*

LES ORGANES

Les tissus sont groupés en grandes structures,
les organes, qui remplissent une fonction précise.
Le cœur, par exemple, est l'organe qui pompe
le sang.

De quoi sont faits les organes ?

Un organe se compose de plusieurs tissus. L'estomac, par
exemple, compte surtout des cellules musculaires qui se
contractent pour brasser les aliments. Sa paroi intérieure
est faite de tissu épithélial qui est sans cesse usé et
remplacé. L'estomac contient aussi des glandes, qui
sécrètent des sucs digestifs, des vaisseaux sanguins,
des nerfs et du tissu conjonctif pour maintenir le tout.

Comment les organes fonctionnent-ils ensemble ?

Ils fonctionnent par groupes (systèmes ou appareils) qui
assurent de plus vastes fonctions. Par exemple, estomac,
intestins et pancréas font partie de l'appareil digestif, qui
réduit les aliments en molécules absorbables par le corps.
Certains systèmes fonctionnent à plusieurs, comme les
systèmes osseux et musculaire pendant la marche.

LES SYSTÈMES DU CORPS	
Système tégumentaire	Cheveux, peau et ongles protègent contre les microbes, les blessures, la perte de chaleur et le dessèchement.
Système osseux	Ensemble d'os et de tissu conjonctif qui soutient le corps et, avec les muscles, lui permet de se mouvoir.
Système musculaire	Système de muscles qui se contractent (involontairement ou volontairement) pour faire bouger le corps.
Système nerveux	Cerveau, nerfs, organes sensoriels et les tissus correspondants permettent de détecter les changements et de réagir.
Système endocrinien	Glandes qui régulent les processus corporels en sécrétant dans le sang des substances chimiques, les hormones.
Appareil circulatoire	Le cœur et les vaisseaux transportent le sang vers les cellules pour leur fournir des nutriments et recueillir les déchets.
Système lymphatique	Il transporte les fluides du corps vers le sang par l'intermédiaire de ganglions qui filtrent les fluides.
Système immunitaire	Mécanisme interne de défense composé de cellules et de tissus qui détruisent microbes et cellules anormales.
Appareil respiratoire	Les poumons et leurs voies aériennes transportent l'oxygène à travers le corps et rejettent le dioxyde de carbone.
Appareil digestif	La bouche et la plupart des organes de l'abdomen décomposent les aliments en molécules que le sang peut absorber.
Appareil urinaire	Les reins filtrent les substances toxiques du sang et les rejettent par la vessie et l'urètre.
Appareil reproducteur	Organes de la reproduction sexuelle : pénis et testicules chez l'homme, ovaires, utérus et vagin chez la femme.

L'IMAGERIE

Les techniques modernes d'imagerie permettent aux médecins d'observer
l'intérieur du corps sans l'ouvrir. Elles sont nombreuses, chacune
s'appliquant à des tissus ou à des processus particuliers.

▲ IMAGE TEP DU CERVEAU
La tomographie par émission de
positons (TEP) recourt à l'injection
de substances radioactives pour
révéler l'activité des organes et des
tissus. Les zones colorées montrent
les aires du cerveau utilisées pour
la parole.

La radiographie ne montre-t-elle que les os ?

Une radio sert également à observer les tissus
mous, comme les seins ou les vaisseaux sanguins,
pour vérifier s'ils sont en bonne santé. Pour
les vaisseaux, on introduit d'abord un colorant
inoffensif qui absorbe les rayons et fait apparaître
les vaisseaux sur le cliché.

Qu'est-ce que la tomodensitométrie ?

Une coupe tomographique est une image informatique
provenant de rayons X. Une machine passe lentement
au-dessus de la zone à examiner et prend des clichés
sous un grand nombre d'angles. L'ordinateur analyse
ensuite les rayons X pour former une coupe détaillée
du corps, tissus mous compris.

Qu'est-ce que l'échographie ?

L'échographie est l'une des techniques d'imagerie
médicale les plus employées. Il s'agit d'envoyer
des ultrasons qui se réfléchissent sur les
organes internes et peuvent être visualisés
sur un moniteur. Cette technique permet
d'étudier les fluides en mouvement
comme le sang ou le liquide de l'utérus.

◄ ÉCHOGRAPHIE D'UN FŒTUS
L'échographie est pratiquée pour vérifier la bonne
santé des fœtus, leur croissance et le bon
développement de leurs organes comme le cœur.

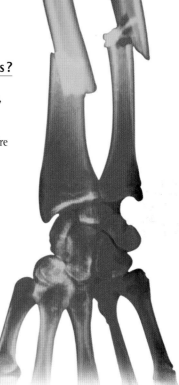

RADIOGRAPHIE D'UN BRAS CASSÉ ▲
Cette radio montre la fracture du
radius et du cubitus d'un avant-bras.
Les rayons X sont une forme de
radiation qui traverse les parties
molles du corps, mais révèle les parties
plus denses comme les os et les dents.

POUR EN SAVOIR PLUS ▶▶ Les cellules 73 • Les mammifères 120-123 • La génétique 209

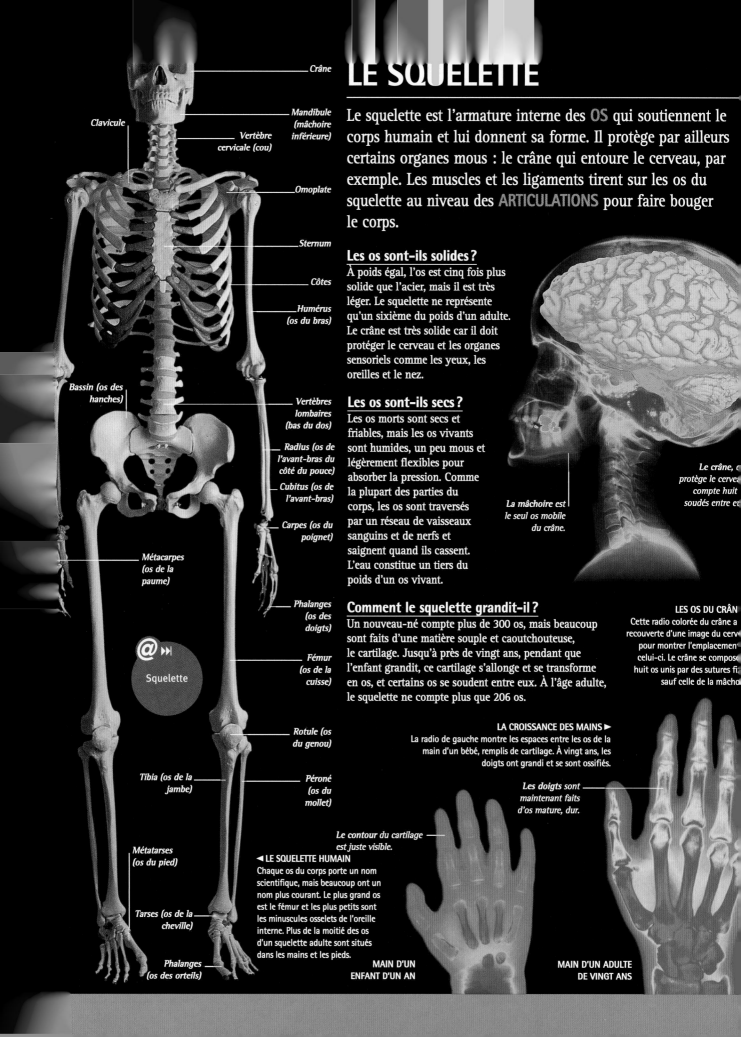

Crâne

Clavicule

Mandibule
(mâchoire
inférieure)

Vertèbre
cervicale (cou)

Omoplate

Sternum

Côtes

Humérus
(os du bras)

Bassin (os des
hanches)

Vertèbres
lombaires
(bas du dos)

Radius (os de
l'avant-bras du
côté du pouce)

Cubitus (os de
l'avant-bras)

Carpes (os du
poignet)

Métacarpes
(os de la
paume)

Phalanges
(os des
doigts)

@ ▸▸|
Squelette

Fémur
(os de la
cuisse)

Rotule (os
du genou)

Tibia (os de la
jambe)

Péroné
(os du
mollet)

Métatarses
(os du pied)

Tarses (os de la
cheville)

Phalanges
(os des orteils)

LE SQUELETTE

Le squelette est l'armature interne des OS qui soutiennent le corps humain et lui donnent sa forme. Il protège par ailleurs certains organes mous : le crâne qui entoure le cerveau, par exemple. Les muscles et les ligaments tirent sur les os du squelette au niveau des ARTICULATIONS pour faire bouger le corps.

Les os sont-ils solides ?

À poids égal, l'os est cinq fois plus solide que l'acier, mais il est très léger. Le squelette ne représente qu'un sixième du poids d'un adulte. Le crâne est très solide car il doit protéger le cerveau et les organes sensoriels comme les yeux, les oreilles et le nez.

Les os sont-ils secs ?

Les os morts sont secs et friables, mais les os vivants sont humides, un peu mous et légèrement flexibles pour absorber la pression. Comme la plupart des parties du corps, les os sont traversés par un réseau de vaisseaux sanguins et de nerfs et saignent quand ils cassent. L'eau constitue un tiers du poids d'un os vivant.

Comment le squelette grandit-il ?

Un nouveau-né compte plus de 300 os, mais beaucoup sont faits d'une matière souple et caoutchouteuse, le cartilage. Jusqu'à près de vingt ans, pendant que l'enfant grandit, ce cartilage s'allonge et se transforme en os, et certains os se soudent entre eux. À l'âge adulte, le squelette ne compte plus que 206 os.

La mâchoire est le seul os mobile du crâne.

Le crâne, q
protège le cervea
compte huit
soudés entre et

LES OS DU CRÂN
Cette radio colorée du crâne a
recouverte d'une image du cerv
pour montrer l'emplacemen
celui-ci. Le crâne se compose
huit os unis par des sutures fi
sauf celle de la mâcho

LA CROISSANCE DES MAINS ▶
La radio de gauche montre les espaces entre les os de la
main d'un bébé, remplis de cartilage. À vingt ans, les
doigts ont grandi et se sont ossifiés.

Les doigts sont
maintenant faits
d'os mature, dur.

Le contour du cartilage
est juste visible.

◀ LE SQUELETTE HUMAIN
Chaque os du corps porte un nom
scientifique, mais beaucoup ont un
nom plus courant. Le plus grand os
est le fémur et les plus petits sont
les minuscules osselets de l'oreille
interne. Plus de la moitié des os
d'un squelette adulte sont situés
dans les mains et les pieds.

MAIN D'UN
ENFANT D'UN AN

MAIN D'UN ADULTE
DE VINGT ANS

L'OS

Cette matière solide mais flexible est un tissu vivant composé de cellules osseuses intégrées dans une matrice de fibres. L'os est parcouru de tubes contenant les vaisseaux sanguins et les nerfs. Certaines zones sont criblées de petits espaces. Le centre de nombreux os est rempli d'une substance gélatineuse, la moelle osseuse.

De quoi est fait un os ?

La matrice dure de l'os est faite de cristaux de phosphate de calcium et autres minéraux, et de collagène, des fibres de protéines. Les minéraux durcissent l'os, tandis que les fibres de collagène sont disposées en longueur pour le rendre flexible. Tous sont produits par des cellules, les ostéocytes, dispersées dans toute la matrice.

Os compact

Os spongieux

▲ COUPE D'UN OS
La coupe de ce fémur montre ses différentes couches. Cet os étant mort, il n'y a pas de moelle dans la cavité centrale.

◄ OS COMPACT
Formé de cercles concentriques denses de minéraux et de collagène, l'os est très solide. Les tubes traversant le centre des cercles renferment des vaisseaux sanguins.

OS SPONGIEUX ▲
Grâce à un réseau de travées délimitant des cavités, l'os spongieux est léger mais solide. Les cavités sont remplies de moelle.

À quoi la moelle osseuse sert-elle ?

La moelle fabrique des millions de cellules sanguines par seconde pour remplacer celles qui sont abîmées ou mortes, détruites par le corps. Il y en a deux sortes : la rouge et la jaune. La rouge fabrique les cellules sanguines ; la jaune est une réserve de graisse et peut devenir rouge si le corps a besoin de plus de cellules sanguines. À la naissance, la presque totalité de la moelle est rouge et une bonne partie devient jaune avant les vingt ans.

Les os se frottent-ils entre eux ?

Dans les articulations mobiles, l'extrémité des os est recouverte d'une matière lisse et brillante, glissante mais résistante, le cartilage hyalin. Il permet aux extrémités des os de glisser les unes contre les autres sans s'abîmer. Par ailleurs, l'articulation est entourée d'une capsule de liquide qui la lubrifie pour réduire la friction, tout comme l'huile lubrifie une chaîne de vélo.

LES ARTICULATIONS

Les os sont réunis par différents types d'articulations qui permettent certains mouvements. Au niveau d'une articulation, les os sont reliés par des cordons fibreux solides, les ligaments.

Comment les articulations fonctionnent-elles ?

La plupart sont mobiles et permettent des degrés de mouvement variables. Les articulations en charnière, comme celles du doigt, du genou et du coude, n'autorisent que la flexion et l'extension. D'autres, comme celles des épaules et des hanches, en forme de rotule, autorisent les mouvements dans toutes les directions.

Le coude est une articulation en charnière permettant la flexion et l'extension du bras.

ARTICULATION EN CHARNIÈRE

L'épaule est une articulation en rotule qui permet un grand nombre de mouvements.

ARTICULATION EN ROTULE

Une colonne de 24 vertèbres maintient le tronc droit mais permet la rotation et l'inclinaison.

Le liquide synovial (bleu) renforce la mobilité de l'articulation.

Le cartilage (rose) recouvre les surfaces de jonction des os.

ARTICULATION DU GENOU ►
Le liquide synovial et le cartilage facilitent le mouvement à la jonction du fémur et du tibia.

◄ MOUVEMENTS DU BRAS
Les articulations de l'épaule, du coude et du poignet permettent au bras de nombreux mouvements.

POUR EN SAVOIR PLUS ►► Les muscles 132 • La circulation 134 • La croissance 149

LES MUSCLES

Tissu contractile, le muscle permet au corps de se mouvoir.
Il en existe trois principaux types : squelettique (ou strié),
lisse et cardiaque. Chacun est constitué en majorité de cellules
allongées, les FIBRES MUSCULAIRES.

Qu'est-ce qu'un muscle involontaire ?

Les muscles lisses et le muscle cardiaque sont dits
involontaires parce qu'ils fonctionnent de façon
automatique, sans que nous les contrôlions. Les muscles
lisses tapissent les parois des intestins, de l'estomac, de
l'œsophage et d'autres organes. Ils se contractent de façon
régulière pour pousser les aliments vers l'appareil digestif.
Le muscle cardiaque fonctionne sans interruption.

Qu'est-ce qu'un muscle volontaire ?

Les muscles squelettiques font bouger les os en les tirant.
Du fait que nous contrôlons cette action, on les appelle
muscles volontaires. Capables de tirer mais non de
pousser, ils sont souvent disposés par paires qui tirent
les os dans des directions opposées.

LES FIBRES MUSCULAIRES

Les cellules des muscles sont appelées fibres
musculaires. Un muscle squelettique compte des
milliers de fibres disposées en faisceaux parallèles.
Plus fines qu'un cheveu, elles peuvent mesurer
jusqu'à 30 cm de longueur.

MUSCLES SQUELETTIQUES ►
Le corps possède 640 muscles
squelettiques, qui représentent 40 %
du poids corporel. Ces muscles sont
fixés aux os par du tissu
conjonctif, les tendons.

*Le musc[le]
frontal plisse [le]
front et soulè[ve]
les sourci[ls]*

*Le musc[le]
orbiculaire de l'œ[il]
ferme les paupière[s]*

*Le musc[le]
orbiculaire des lèvr[es]
ouvre et ferm[e]
la bouch[e]*

*Le muscle sterno
cléido-mastoïdie[n]
tourne et penche la tê[te]*

*Le biceps fléc[hit]
le bra[s]*

*Le muscle grand
pectoral balance
le bras.*

LES TYPES DE FIBRES MUSCULAIRES

Les trois grands types de fibres musculaires
fonctionnent différemment. Un muscle lisse peut se
contracter pendant une période prolongée. Un
muscle squelettique se contracte avec rapidité et
force, mais sur une courte durée. Le muscle cardiaque
se contracte de façon rythmée et permanente.

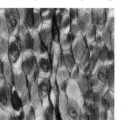

▲ LE MUSCLE LISSE
Il est fait de cellules en fuseau
qui se chevauchent et se contracte
environ cinquante fois moins
vite qu'un muscle squelettique.

▲ LE MUSCLE SQUELETTIQUE
Un muscle squelettique contient
des fibres fines, très longues et
parallèles présentant un aspect
strié.

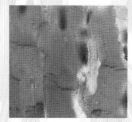

▲ LE MUSCLE CARDIAQUE
Ses fibres courtes sont
interconnectées et contiennent
des mitochondries qui fournissent
de l'énergie pour les contractions.

Comment un muscle se contracte-t-il ?

Une fibre musculaire est constituée de myofibrilles
composées de filaments, les myofilaments. Lorsque ceux-
ci sont stimulés par une impulsion nerveuse, ils glissent
les uns sur les autres et raccourcissent le muscle.
Plus il y a de signaux, plus le muscle se contracte,
jusqu'à atteindre 70 % de sa longueur au repos.

@ ▸▸
Muscles

*Le muscle grand
oblique tourne et
fléchit le tronc.*

*Le muscle moyen
adducteur tire la
jambe vers l'intérieur.*

POUR EN SAVOIR PLUS ▸▸ Le corps 128-129 • Le squelette 130-131 • Le cœur 135 • Les poumons 137

LA PEAU

La peau protège le corps contre les blessures, les microbes, la déshydratation et le soleil. C'est aussi un organe sensoriel : ses cellules réceptrices sont sensibles au toucher, à la chaleur, au froid et à la douleur.

La surface de la peau est faite de cellules plates et mortes venant de l'épiderme.

Les cellules de l'épiderme se divisent en permanence pour produire de nouvelles cellules.

Le derme, couche de tissu vivant située sous l'épiderme, est rempli de vaisseaux sanguins et de récepteurs sensoriels.

Pourquoi la peau est-elle résistante ?

La peau tient sa résistance d'une couche externe, l'épiderme, constituée de cellules mortes et d'une protéine dure, la kératine. L'épiderme ne cesse de s'user et de se renouveler. Sa couche profonde de cellules vivantes se divise en permanence et produit de nouvelles cellules qui remontent lentement à la surface. En remontant, elles s'aplatissent, durcissent et meurent.

Les mélanocytes de la base de l'épiderme produisent de la mélanine, un pigment qui donne à la peau sa couleur et filtre les rayons ultraviolets.

Qu'y a-t-il sous l'épiderme ?

Le derme, une couche de tissu contenant des vaisseaux sanguins, des nerfs, des récepteurs sensoriels, des glandes sudoripares et les racines des poils. Sous le derme, une couche de cellules graisseuses protège la peau et retient la chaleur.

▲ COUPE DE LA PEAU
Cette image très grossie montre les couches d'une peau saine. La surface de la peau (en rouge) est composée de cellules plates et mortes pleines de kératine. Les cellules superficielles ne cessent de desquamer.

Comment la peau contrôle-t-elle la température du corps ?

Quand le corps est chaud, les glandes sudoripares sécrètent vers la peau un liquide aqueux, la sueur. L'eau élimine la chaleur de la peau en s'évaporant. En même temps, les vaisseaux de la peau se dilatent pour libérer l'excès de chaleur. Quand le corps est froid, les vaisseaux se contractent pour réduire la perte de chaleur et de minuscules muscles font dresser les poils pour retenir l'air chaud sur la peau.

Pourquoi la couleur de la peau varie-t-elle ?

La peau tient sa couleur d'un pigment, la mélanine, fabriqué par des cellules appelées mélanocytes situées dans l'épiderme. Tout le monde a le même nombre de mélanocytes, mais ils sont bien plus actifs chez les individus à peau noire. Après une exposition au soleil, ils produisent un pigment protégeant la peau contre les méfaits des rayons du soleil.

Les follicules pileux sont enracinés dans le derme.

◀ LES ONGLES
Ces plaques de cellules mortes se chevauchent et contiennent de la kératine. Dure et imperméable, cette protéine est également présente dans les cheveux, les poils et la peau. Les ongles protègent les extrémités des doigts et des orteils.

▲ LA TRANSPIRATION
Le dos de cette main est couvert de gouttes de sueur. Ce liquide produit par les glandes sudoripares du derme remonte vers la surface de la peau par les pores. La sueur abaisse la température corporelle en utilisant sa chaleur pour s'évaporer.

Peau

LA BARBE ▶
Ces tiges de poils de barbe ont été coupées court. Tous les poils du corps ont pour fonction de protéger la peau et de nous aider à sentir les objets qui s'approchent de sa surface. Ils sont faits de cellules mortes et de kératine et peuvent pousser de 1 cm par mois.

Tige de poil

POUR EN SAVOIR PLUS ▶▶ Le corps 128-129 • La circulation 134 • La croissance 149

LA CIRCULATION

L'appareil circulatoire – cœur, SANG et vaisseaux – fournit au corps oxygène et nutriments, recueille les déchets, distribue la chaleur et lutte contre les maladies.

Les veines et les artères sont-elles différentes?

Les artères transportent le sang du cœur vers les organes et les veines ramènent le sans au cœur. Les parois des artères sont un peu plus épaisses pour résister à la force du sang pompé directement du cœur.

Qu'est-ce qu'un capillaire?

Environ 98 % des vaisseaux sanguins, les capillaires, forment un réseau entre les artères et les veines. Épaisses d'une cellule, leurs parois laissent les substances chimiques passer du sang dans les tissus et inversement.

L'aorte est la plus grosse artère du corps.

Cœur

La veine cave est la principale veine amenant le sang vers le cœur.

Les veines sont en bleu.

Les artères sont en rouge.

◀ L'APPAREIL CIRCULATOIRE
Le cœur pompe le sang en permanence vers l'appareil circulatoire. Les artères et les veines se divisent en ramifications de plus en plus fines.

LES CELLULES SANGUINES ▶
Un corps d'adulte contient environ 5 litres de sang. Les cellules sanguines se forment à l'intérieur des os et 2 millions de globules rouges naissent et meurent chaque seconde.

LE SANG

Tissu liquide, le sang se compose de milliards de cellules en suspension dans un liquide aqueux, le plasma. Le sang est le système de transport de l'organisme : il fournit aux tissus et aux organes les substances dont ils ont besoin pour vivre et recueille les déchets. Le sang contient 55 % de plasma, 44 % de globules rouges et moins de 1 % de globules blancs.

À quoi les globules rouges servent-ils?

Les globules rouges prélèvent l'oxygène des poumons et le distribuent dans tout le corps. Une seule goutte de sang contient environ 5 millions de ces cellules microscopiques. Chacune renferme une protéine rouge vif, l'hémoglobine, qui se lie à l'oxygène et le libère lorsque c'est nécessaire.

À quoi les globules blancs servent-ils?

Les globules blancs détruisent les microbes et les tissus endommagés. Une goutte de sang contient environ 7 000 cellules de différents types. Certaines «patrouillent» dans le corps comme des soldats et dévorent les microbes. D'autres produisent des substances chimiques, les anticorps, qui se fixent sur les microbes afin de faciliter leur destruction.

Ronds, les globules blancs présentent des granulations qui les aident à se fixer sur les microbes.

Flexibles, les globules rouges peuvent se glisser à l'intérieur des capillaires.

@ ▶▶
Circulation

◀ CAILLOT DE SANG
Quand la peau est coupée, une protéine, la fibrine (en gris), forme un enchevêtrement de fibres solides qui capturent les cellules sanguines et scellent la plaie.

POUR EN SAVOIR PLUS ▶▶ Le squelette 130-131 • La respiration 136

LE CŒUR

Le cœur, puissante pompe musculaire qui n'arrête jamais de battre, envoie le sang dans le corps. C'est une double pompe : sa partie gauche envoie le sang dans l'organisme et sa partie droite dans les poumons.

Qu'y a-t-il dans le cœur ?

Le cœur comporte quatre cavités : deux à gauche et deux à droite. Les cavités supérieures, appelées oreillettes, reçoivent le sang des veines. Les cavités inférieures, appelées ventricules, envoient le sang dans les artères.

De quoi le cœur est-il constitué ?

Le cœur est principalement constitué de muscle cardiaque, un type de muscle particulier qui se contracte de façon rythmée et automatique. Il est entouré d'une membrane dure, le péricarde, et d'une tunique interne souple, l'endocarde.

@ ▶▶
Cœur

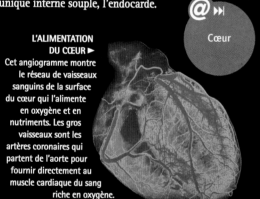

L'ALIMENTATION DU CŒUR ▶
Cet angiogramme montre le réseau de vaisseaux sanguins de la surface du cœur qui l'alimente en oxygène et en nutriments. Les gros vaisseaux sont les artères coronaires qui partent de l'aorte pour fournir directement au muscle cardiaque du sang riche en oxygène.

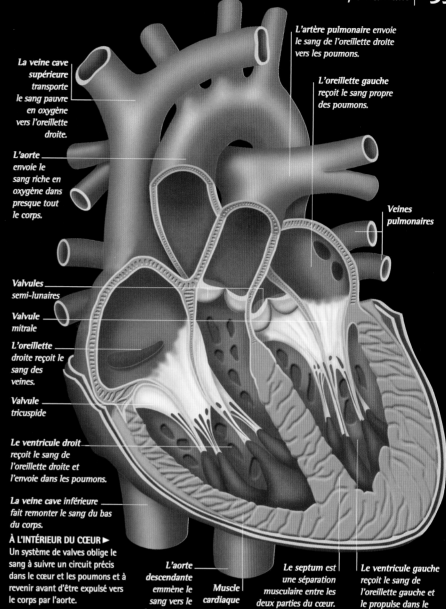

La veine cave supérieure transporte le sang pauvre en oxygène vers l'oreillette droite.

L'aorte envoie le sang riche en oxygène dans presque tout le corps.

Valvules semi-lunaires

Valvule mitrale

L'oreillette droite reçoit le sang des veines.

Valvule tricuspide

Le ventricule droit reçoit le sang de l'oreillette droite et l'envoie dans les poumons.

La veine cave inférieure fait remonter le sang du bas du corps.

À L'INTÉRIEUR DU CŒUR ▶
Un système de valves oblige le sang à suivre un circuit précis dans le cœur et les poumons et à revenir avant d'être expulsé vers le corps par l'aorte.

L'artère pulmonaire envoie le sang de l'oreillette droite vers les poumons.

L'oreillette gauche reçoit le sang propre des poumons.

Veines pulmonaires

L'aorte descendante emmène le sang vers le bas du corps.

Muscle cardiaque

Le septum est une séparation musculaire entre les deux parties du cœur.

Le ventricule gauche reçoit le sang de l'oreillette gauche et le propulse dans le corps.

LE BATTEMENT CARDIAQUE

Le battement cardiaque est une contraction complète du cœur. Un battement se déroule en plusieurs étapes, chaque partie du cœur se contractant à des moments différents. Le bruit rythmique «poum-tac» du battement cardiaque est celui de la fermeture des valvules.

Comment le rythme cardiaque est-il contrôlé ?

Une structure nerveuse spécifique du muscle cardiaque, le nœud sino-auriculaire, envoie des influx nerveux faisant contracter les parois du cœur environ soixante-dix fois par minute. Si nécessaire, le cerveau peut envoyer des signaux pour accélérer la contraction en cas d'exercice physique ou de stress.

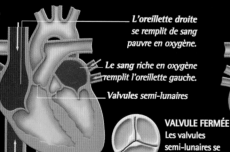

L'oreillette droite se remplit de sang pauvre en oxygène.

Le sang riche en oxygène remplit l'oreillette gauche.

Valvules semi-lunaires

VALVULE FERMÉE
Les valvules semi-lunaires se ferment pour empêcher le reflux.

L'oreillette droite se contracte.

L'oreillette gauche se contracte

Les valvules tricuspide et mitrale s'ouvrent.

Ventricules pleins

Le sang riche en oxygène part vers le haut et le bas du corps.

VALVULE OUVERTE
Le débit du sang ouvre la valvule.

Les valvules semi-lunaires s'ouvrent.

Les valvules tricuspide et mitrale se ferment.

Ventricules contractés

▲ ÉTAPE 1 – LE CŒUR SE RELÂCHE
Le cœur se relâche, les oreillettes se remplissent de sang et les valvules semi-lunaires se ferment : c'est le second bruit, le «tac».

▲ ÉTAPE 2 – LES OREILLETTES SE CONTRACTENT
Les oreillettes envoient le sang dans les ventricules. Les valvules situées entre les oreillettes et les ventricules s'ouvrent.

▲ ÉTAPE 3 – LES VENTRICULES SE CONTRACTENT
Les ventricules expulsent le sang. Les valvules situées entre les oreillettes et les ventricules se ferment et font le bruit «poum».

POUR EN SAVOIR PLUS ▶▶ Les muscles 132 • La respiration 136 • Les poumons 137

LA RESPIRATION

La respiration consiste à inspirer de l'air riche en oxygène et à expirer de l'air chargé de dioxyde de carbone. Lorsque l'on inspire, l'oxygène de l'air entre dans le sang. Lorsque l'on expire, on rejette du dioxyde de carbone.

Respiration

Comment l'air parvient-il aux poumons ?

L'air entre dans le corps par le nez et la bouche et parvient au pharynx (gorge). Le pharynx se divise en deux : l'œsophage pour la nourriture et la trachée pour l'air. La trachée mène à la poitrine, où elle se divise en deux branches, les bronches, une pour chaque poumon.

▲ LES VIBRISSES DU NEZ
Les poils de l'intérieur du nez, les vibrisses, nettoient, réchauffent et humidifient l'air pour protéger les voies pulmonaires sensibles.

Les voies aériennes restent-elles propres ?

Les parois des voies aériennes produisent en permanence une sécrétion visqueuse, le mucus, qui filtre les particules. Le mucus est constamment en mouvement. Dans le nez, il est poussé par les vibrisses vers l'arrière-gorge, puis avalé. Le mucus passe également des voies aériennes des poumons dans la gorge, où il est aussi avalé.

Pharynx (gorge)

Lorsque nous avalons, l'épiglotte bascule vers le bas pour fermer le larynx et empêcher les aliments de pénétrer dans les voies aériennes.

Les cordes vocales du larynx produisent les sons.

La trachée est maintenue ouverte par des anneaux de cartilage qui permettent le passage de l'air.

Les vaisseaux pulmonaires amènent le sang du cœur pour se charger en oxygène et le ramènent au cœur, d'où il sera pompé vers tout le corps.

L'APPAREIL RESPIRATOIRE ▶
L'appareil respiratoire est constitué de nombreux organes, dont les poumons, le nez, la bouche, les voies aériennes menant aux poumons et un réseau de vaisseaux sanguins parcourant les poumons.

LA FORMATION DES SONS DANS LE LARYNX

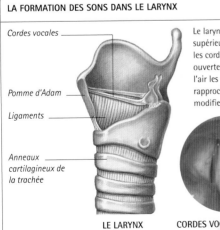

Cordes vocales

Pomme d'Adam

Ligaments

Anneaux cartilagineux de la trachée

Le larynx est formé de deux cartilages à l'extrémité supérieure de la trachée, reliés par deux replis de tissu, les cordes vocales. Lorsque les cordes vocales sont ouvertes, l'air y passe en silence. Lorsqu'on les ferme, l'air les fait vibrer et produit des sons. Plus elles sont rapprochées, plus le son est aigu. La bouche et la langue modifient le son pour former des mots.

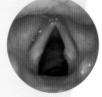

LE LARYNX   CORDES VOCALES FERMÉES   CORDES VOCALES OUVERTES

Les bronches se ramifient jusqu'à former un réseau de voies aériennes de plus en plus petites.

Cœur

Le diaphragme est un muscle séparant la poitrine de l'abdomen.

Pourquoi devons-nous respirer ?

La respiration est essentielle pour vivre car chaque cellule vivante de l'organisme a besoin d'être alimentée en oxygène sans interruption. Dans chaque cellule, l'oxygène se lie avec les molécules de nutriments dans une réaction chimique appelée oxydation, qui libère de l'énergie. Cette énergie commande tous les processus du corps humain.

POUR EN SAVOIR PLUS ▶▶ Les cellules 73 • La bouche 142 • Le nez 143 • Le son 176-177

LES POUMONS

Les poumons sont les deux principaux organes de l'appareil respiratoire. Chacun possède un réseau de voies aériennes se terminant par de petits sacs, les alvéoles. C'est là que se font les **ÉCHANGES GAZEUX** : l'oxygène entre dans le sang et le dioxyde de carbone en sort.

Comment les poumons se dilatent-ils et se contractent-ils ?

Ils se dilatent et se contractent grâce aux muscles qui les entourent. Ceux situés entre les côtes soulèvent la cage thoracique et en augmentent le volume lorsque l'on inspire. Lorsqu'ils se relâchent, les poumons se contractent, la cage thoracique reprend sa position et l'air est expulsé. En même temps, le diaphragme (muscle situé sous les poumons) se contracte pour faire passer l'air dans les voies respiratoires ou se détend pour l'expulser.

Comment la respiration est-elle contrôlée ?

Le centre respiratoire du cerveau régule notre respiration, même pendant le sommeil, grâce à des récepteurs présents dans certaines grandes artères. Ceux-ci contrôlent le niveau de dioxyde de carbone du sang, qui augmente lorsque nous sommes actifs, et indiquent au cerveau s'il faut respirer plus rapidement pour l'éliminer.

Les côtes fournissent aux poumons un cadre souple qui les protège tout en leur permettant de se dilater et se contracter.

Les muscles intercostaux font bouger les côtes pour que les poumons puissent se dilater ou se contracter.

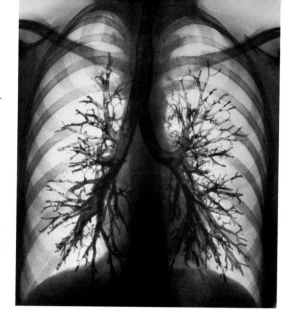

L'ARBRE BRONCHIQUE ▶
Grâce à un colorant, on peut voir le réseau en forme d'arbre des voies pulmonaires : la trachée est le tronc, les bronches sont les branches et les bronchioles sont les rameaux.

COMMENT FONCTIONNE LA RESPIRATION

La trachée envoie aux poumons l'air inspiré.

L'air expiré est expulsé par les narines et les lèvres.

L'air expiré remonte vers la gorge par la trachée.

Les muscles se contractent pour soulever et écarter la cage thoracique.

Les poumons se dilatent et inspirent l'air.

Le diaphragme se contracte et descend.

Les muscles se détendent et la cage thoracique descend et rétrécit.

Les poumons rétrécissent et expulsent l'air.

Le diaphragme se détend et remonte.

▲ L'INHALATION (INSPIRATION)
Les muscles intercostaux se contractent et le diaphragme s'abaisse : la poitrine augmente de volume. L'air entre dans les poumons car la pression des voies aériennes est inférieure à celle de l'extérieur.

▲ L'EXHALATION (EXPIRATION)
Lorsque les muscles intercostaux et le diaphragme se détendent, nous expirons. Les côtes descendent et se rapprochent et le diaphragme reprend sa position en comprimant les poumons et en expulsant l'air.

LES ÉCHANGES GAZEUX

C'est le passage des gaz de l'air dans le sang et vice versa. Les échanges gazeux se produisent dans les poumons, dans de petits sacs appelés alvéoles.

Qu'est-ce qu'un alvéole ?

Un alvéole est un petit sac d'air dont les parois sont si fines que les gaz peuvent les traverser. Les poumons comptent environ 300 millions d'alvéoles. Ensemble, ils forment une zone de la taille d'un court de tennis pour les échanges gazeux.

Comment l'oxygène entre-t-il dans le sang ?

L'oxygène passe dans le sang par les parois des alvéoles et des capillaires qui les entourent. Il pénètre dans les globules rouges, où il se fixe à une substance chimique, l'hémoglobine. Le dioxyde de carbone sort du plasma (partie aqueuse du sang) pour entrer dans les alvéoles.

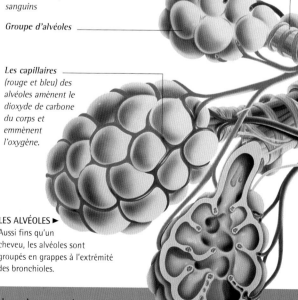

Bronchiole terminale entourée de capillaires sanguins

Groupe d'alvéoles

Les capillaires (rouge et bleu) des alvéoles amènent le dioxyde de carbone du corps et emmènent l'oxygène.

LES ALVÉOLES ▶
Aussi fins qu'un cheveu, les alvéoles sont groupés en grappes à l'extrémité des bronchioles.

@ ▶▶
Poumons

OUR EN SAVOIR PLUS ▶▶ Les muscles 132 • La circulation 134 • Le cerveau 139 • La bouche 142 • Le nez 143

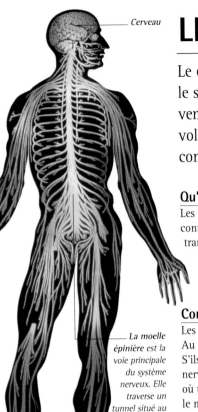

Cerveau

La moelle épinière est la voie principale du système nerveux. Elle traverse un tunnel situé au centre des vertèbres.

LE SYSTÈME NERVEUX

Le cerveau, les nerfs et la moelle épinière forment le système nerveux. Il traite les informations venant des organes sensoriels, contrôle les actions volontaires comme la marche et involontaires comme les réflexes et la respiration.

Qu'est-ce qu'un nerf ?

Les nerfs sont les câbles du système nerveux. Chacun contient des centaines de cellules, les neurones, qui transportent les signaux électriques vers le cerveau et vice versa. Le cerveau et la moelle épinière forment le système nerveux central, et les nerfs qui en partent forment le système nerveux périphérique.

Comment les neurones fonctionnent-ils ?

Les neurones transmettent des signaux électriques. Au repos, ils accumulent une charge électrique. S'ils sont sollicités, ils conduisent l'influx nerveux vers l'extrémité de la cellule, où une substance chimique, le neurotransmetteur, transmet le signal au neurone suivant par une zone de jonction, la synapse.

◄ UN RÉSEAU DE NERFS
Les nerfs partent du cerveau et de la moelle épinière, formant ainsi un réseau en forme d'arbre qui parcourt le corps.

L'encéphale est la plus grosse partie du cerveau humain. Il est responsable des actions volontaires, de la pensée, du langage et de la conscience.

Les informations sont traitées dans le cortex cérébral, surface sinueuse de l'encéphale.

Système nerveux

L'hypothalamus est une zone minuscule au centre du cerveau qui contrôle les niveaux d'hormones et régule le sommeil, la température et l'hydratation du corps.

◄ NEURONE MOTEUR
Tous les neurones ont une structure similaire à celle de ce neurone moteur. La cellule est contrôlée par un noyau. Des filaments, les dendrites, partent de la cellule et reçoivent les signaux des autres neurones. La fibre nerveuse, ou axone, transporte le signal et le transmet à d'autres neurones, à des muscles ou à des glandes.

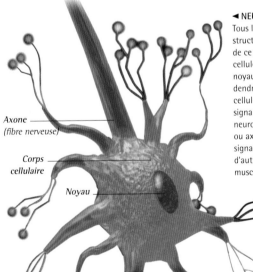

Axone (fibre nerveuse)

Corps cellulaire

Noyau

Dendrite

Tous les neurones sont-ils identiques ?

Il en existe trois types. Les neurones sensitifs envoient au système nerveux central les signaux provenant des organes sensoriels. Les neurones moteurs transportent les signaux du cerveau vers le corps, en général des cellules musculaires. Les neurones d'association ou interneurones forment un dédale complexe à l'intérieur du cerveau et de la moelle épinière et relient les neurones sensitifs et moteur

Qu'est-ce qu'une action réflexe ?

Les actions réflexes sont involontaires : elles se produisent avant qu'on ait le temps de réfléchir. Il s'agit d'un signal nerveux qui prend un raccourci dans la moelle épinière plutôt qu'impliquer le cerveau. Lorsqu'on touche un objet très chaud, un neurone sensitif envoie un signal de la main à la moelle épinière. Là, un neurone d'association transmet le signal à un neurone moteur qui ordonne à un muscle du bras de retirer la main.

◄ JONCTION NERVEUSE
Cette image grossie montre la jonction, ou synapse, entre deux neurones. Dans la cellule bleue, un signal a stimulé la libération de substances chimiques, les neurotransmetteurs (cercles roses). Ceux-ci franchissent la zone de jonction et se fixent sur le neurone rose pour transmettre le signal.

POUR EN SAVOIR PLUS ▶▶ Les muscles 132 • La respiration 136

LE CERVEAU

Plus gros organe du système nerveux, le cerveau contrôle les mécanismes involontaires comme la respiration, mais aussi nos pensées, émotions, souvenirs et sensations. L'activité cérébrale se vérifie au moyen d'un scanner ou d'un ÉLECTROENCÉPHALOGRAMME.

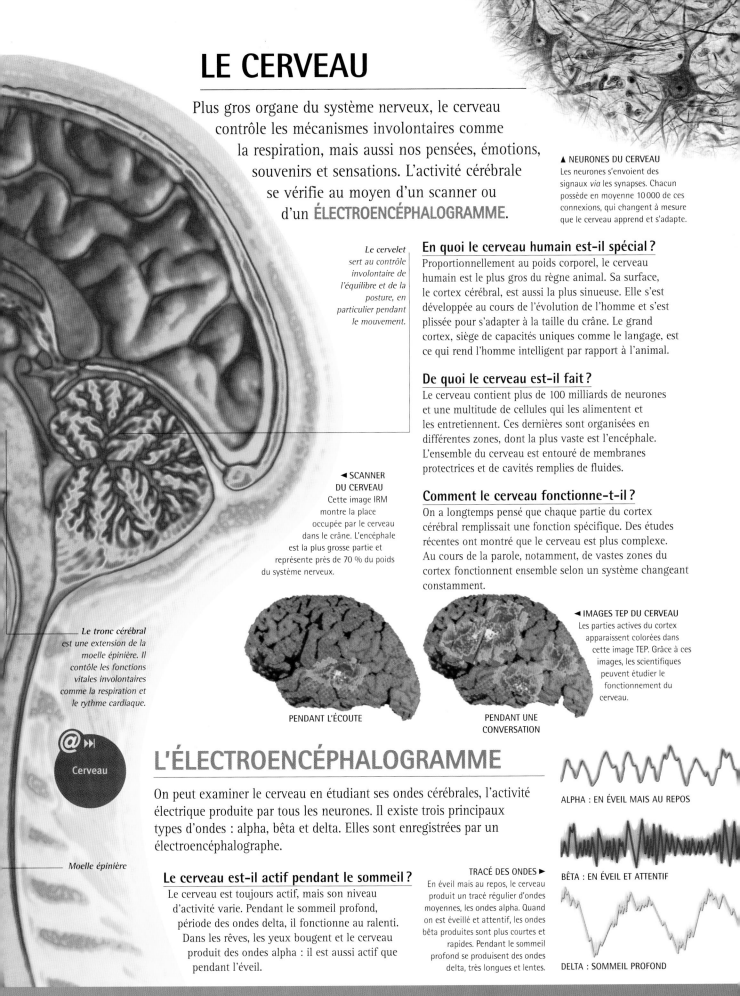

▲ NEURONES DU CERVEAU
Les neurones s'envoient des signaux *via* les synapses. Chacun possède en moyenne 10 000 de ces connexions, qui changent à mesure que le cerveau apprend et s'adapte.

Le cervelet sert au contrôle involontaire de l'équilibre et de la posture, en particulier pendant le mouvement.

En quoi le cerveau humain est-il spécial ?

Proportionnellement au poids corporel, le cerveau humain est le plus gros du règne animal. Sa surface, le cortex cérébral, est aussi la plus sinueuse. Elle s'est développée au cours de l'évolution de l'homme et s'est plissée pour s'adapter à la taille du crâne. Le grand cortex, siège de capacités uniques comme le langage, est ce qui rend l'homme intelligent par rapport à l'animal.

De quoi le cerveau est-il fait ?

Le cerveau contient plus de 100 milliards de neurones et une multitude de cellules qui les alimentent et les entretiennent. Ces dernières sont organisées en différentes zones, dont la plus vaste est l'encéphale. L'ensemble du cerveau est entouré de membranes protectrices et de cavités remplies de fluides.

◄ SCANNER DU CERVEAU
Cette image IRM montre la place occupée par le cerveau dans le crâne. L'encéphale est la plus grosse partie et représente près de 70 % du poids du système nerveux.

Comment le cerveau fonctionne-t-il ?

On a longtemps pensé que chaque partie du cortex cérébral remplissait une fonction spécifique. Des études récentes ont montré que le cerveau est plus complexe. Au cours de la parole, notamment, de vastes zones du cortex fonctionnent ensemble selon un système changeant constamment.

◄ IMAGES TEP DU CERVEAU
Les parties actives du cortex apparaissent colorées dans cette image TEP. Grâce à ces images, les scientifiques peuvent étudier le fonctionnement du cerveau.

Le tronc cérébral est une extension de la moelle épinière. Il contôle les fonctions vitales involontaires comme la respiration et le rythme cardiaque.

@ ▸▸
Cerveau

PENDANT L'ÉCOUTE

PENDANT UNE CONVERSATION

L'ÉLECTROENCÉPHALOGRAMME

On peut examiner le cerveau en étudiant ses ondes cérébrales, l'activité électrique produite par tous les neurones. Il existe trois principaux types d'ondes : alpha, bêta et delta. Elles sont enregistrées par un électroencéphalographe.

Moelle épinière

Le cerveau est-il actif pendant le sommeil ?

Le cerveau est toujours actif, mais son niveau d'activité varie. Pendant le sommeil profond, période des ondes delta, il fonctionne au ralenti. Dans les rêves, les yeux bougent et le cerveau produit des ondes alpha : il est aussi actif que pendant l'éveil.

TRACÉ DES ONDES ►
En éveil mais au repos, le cerveau produit un tracé régulier d'ondes moyennes, les ondes alpha. Quand on est éveillé et attentif, les ondes bêta produites sont plus courtes et rapides. Pendant le sommeil profond se produisent des ondes delta, très longues et lentes.

ALPHA : EN ÉVEIL MAIS AU REPOS

BÊTA : EN ÉVEIL ET ATTENTIF

DELTA : SOMMEIL PROFOND

POUR EN SAVOIR PLUS ▸▸ Le squelette 130-131 • Le système nerveux 138

LES YEUX

Organe de la vision, l'œil absorbe les rayons lumineux, les fait converger pour créer une image, qu'il transforme en un faisceau de milliards d'influx nerveux qui remontent au cerveau. Les influx sont interprétés par différentes zones du cerveau, mais sont réunis pour former une image détaillée, en couleur et en 3D.

Qu'est-ce que la pupille ?

La pupille est un trou par lequel la lumière entre dans l'œil. Elle semble noire car la lumière la traverse sans être réfléchie. Autour de la pupille, l'iris est un cercle de muscle coloré qui contrôle la taille de la pupille. Par faible lumière, la pupille se dilate pour en absorber le plus possible. Par forte lumière, elle se rétracte pour protéger les neurones de l'arrière de l'œil.

L'ACCOMMODATION DE L'ŒIL

Le cristallin courbe et transparent de l'œil fait converger les rayons lumineux pour créer une image. L'œil accommode cette image sur la rétine et, pour qu'elle soit nette, le cristallin change de forme. Les muscles qui l'entourent le grossissent pour les objets proches et la diminuent pour les objets lointains.

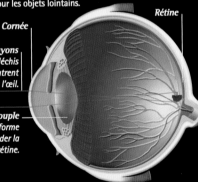

Cornée

Rétine

Les rayons lumineux réfléchis par l'arbre entrent dans l'œil.

Le cristallin souple change de forme pour accommoder la lumière sur la rétine.

Pourquoi avons-nous deux yeux ?

Chaque œil voit le monde sous un angle différent et crée deux images légèrement différentes. Le cerveau les associe en une seule image en trois dimensions. C'est ce que l'on appelle la vision binoculaire. Voir en 3D permet de juger plus facilement la distance et la taille des objets.

Pourquoi voyons-nous en couleurs ?

Les cellules de la rétine sensibles à la lumière sont les bâtonnets et les cônes. Les bâtonnets fonctionnent mieux lorsque la lumière est faible mais ne distinguent pas les couleurs. Les cônes les détectent lorsque la lumière est vive : chaque type de cône perçoit l'une des couleurs primaires – rouge, bleu et vert. En associant les informations, nous percevons toutes les couleurs de l'arc-en-ciel.

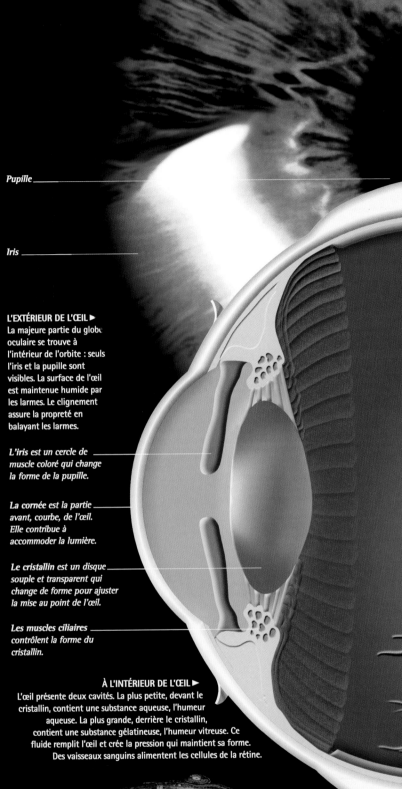

Pupille

Iris

L'EXTÉRIEUR DE L'ŒIL ►
La majeure partie du globe oculaire se trouve à l'intérieur de l'orbite : seuls l'iris et la pupille sont visibles. La surface de l'œil est maintenue humide par les larmes. Le clignement assure la propreté en balayant les larmes.

L'iris est un cercle de muscle coloré qui change la forme de la pupille.

La cornée est la partie avant, courbe, de l'œil. Elle contribue à accommoder la lumière.

Le cristallin est un disque souple et transparent qui change de forme pour ajuster la mise au point de l'œil.

Les muscles ciliaires contrôlent la forme du cristallin.

À L'INTÉRIEUR DE L'ŒIL ►
L'œil présente deux cavités. La plus petite, devant le cristallin, contient une substance aqueuse, l'humeur aqueuse. La plus grande, derrière le cristallin, contient une substance gélatineuse, l'humeur vitreuse. Ce fluide remplit l'œil et crée la pression qui maintient sa forme. Des vaisseaux sanguins alimentent les cellules de la rétine.

Les nerfs optiques se croisent et se divisent pour envoyer les signaux des yeux vers chaque côté du cerveau.

Le cortex visuel gauche traite les signaux de la partie gauche des yeux.

◄ IMAGE IRM
Les deux nerfs optiques se croisent juste derrière les yeux et s'enfoncent dans le cerveau. Chacun contient environ un million de fibres nerveuses reliant les bâtonnets et les cônes à la rétine. Les parties gauche et droite du cerveau traitent respectivement les signaux de la partie gauche et droite de chaque rétine.

POUR EN SAVOIR PLUS ►► Le système nerveux 138 • Le cerveau 139 • La lumière 178-179 • La couleur 180 • L'optique 181

LES OREILLES

L'oreille est l'organe de l'ouïe et de l'équilibre. L'oreille externe recueille les sons et les oriente vers les structures sensorielles du cerveau.

Quel est le trajet du son dans l'oreille ?

Le son parcourt l'oreille sous la forme de vibrations de l'air. Le tympan recueille ces vibrations et les transmet aux osselets de l'oreille moyenne. Ces os transmettent les vibrations à l'oreille interne et à la cochlée.

Oreille externe

Les trois osselets de l'oreille moyenne envoient les vibrations dans l'oreille interne.

L'oreille interne se compose de petits organes qui détectent les sons, l'équilibre et le mouvement.

Le tympan transmet les vibrations aux osselets de l'oreille interne.

Canal auditif

À L'INTÉRIEUR DE L'OREILLE ▲
Les vibrations sonores poussent le tympan contre les osselets de l'oreille moyenne, qui envoient les signaux à l'oreille interne.

La rétine est une couche de cellules sensibles à la lumière qui tapisse le fond de l'œil.

Le nerf optique contient des neurones transportant les signaux de la rétine vers le cerveau.

Que se passe-t-il dans la cochlée ?

Les vibrations sonores remontent la spirale de la cochlée, un tube rempli de liquide qui crée des ondes de pression. Elles stimulent les cellules ciliées d'une structure, l'organe de Corti, qui envoie les signaux au cerveau.

Que font les oreilles pour l'équilibre ?

Les canaux semi-circulaires contiennent un liquide qui bouge en même temps que la tête et forme des gouttes gélatineuses qui stimulent les neurones. De plus, deux cavités remplies de liquide, l'utricule et le saccule, contiennent des grains gélatineux qui changent de position avec la gravité pour indiquer au cerveau le haut et le bas.

@ ▶▶
Yeux

◀ BÂTONNETS ET CÔNES
Grossie des milliers de fois, cette image montre les bâtonnets (en bleu) et un cône plus court (en vert) de la rétine. Chaque rétine possède environ 130 millions de bâtonnets et 6,5 millions de cônes. Les cellules sont surtout concentrées dans la fovéa, au centre de la rétine. La fovéa crée une image détaillée de ce que les yeux observent directement.

Les fibres nerveuses envoient les signaux au cerveau.

Les canaux semi-circulaires contiennent les récepteurs de l'équilibre.

Le saccule et l'utricule détectent le mouvement.

La cochlée contient des cellules sensorielles qui détectent les vibrations.

@ ▶▶
Oreilles

L'OREILLE INTERNE ▲
Elle est constituée des canaux semi-circulaires, du saccule et de l'utricule qui détectent le mouvement et de la cochlée, qui contient les récepteurs auditifs.

POUR EN SAVOIR PLUS ▶▶ Le cerveau 139 • Le son 176-177

LA BOUCHE

Les aliments pénètrent dans le corps par la bouche. La bouche est la première partie de l'appareil digestif : elle mâche et humidifie les aliments pour les avaler. Elle joue également un rôle essentiel dans la parole et la respiration.

Pourquoi la bouche est-elle toujours humide ?

La salive contient des substances qui tuent les bactéries et protègent la bouche contre les maladies. La paroi interne de la bouche sécrète par ailleurs un fluide lubrifiant, le mucus. La salive et le mucus humidifient les aliments pour faciliter leur ingestion.

Que deviennent les aliments dans la bouche ?

Les dents de devant coupent les aliments, et la langue et les muscles de la joue les poussent vers les dents du fond, où ils sont broyés par la mâchoire inférieure. La salive les ramollit, les humidifie et les fait passer sur les PAPILLES GUSTATIVES de la langue qui identifient les saveurs. Le processus digestif commence dans la bouche car la salive contient des substances qui dégradent certains aliments.

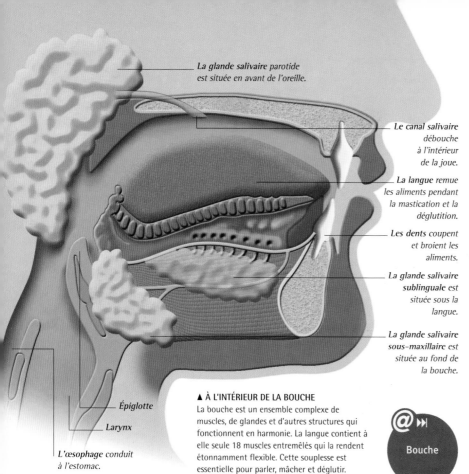

La glande salivaire parotide est située en avant de l'oreille.

Le canal salivaire débouche à l'intérieur de la joue.

La langue remue les aliments pendant la mastication et la déglutition.

Les dents coupent et broient les aliments.

La glande salivaire sublinguale est située sous la langue.

La glande salivaire sous-maxillaire est située au fond de la bouche.

Épiglotte

Larynx

L'œsophage conduit à l'estomac.

▲ À L'INTÉRIEUR DE LA BOUCHE
La bouche est un ensemble complexe de muscles, de glandes et d'autres structures qui fonctionnent en harmonie. La langue contient à elle seule 18 muscles entremêlés qui la rendent étonnamment flexible. Cette souplesse est essentielle pour parler, mâcher et déglutir.

@ ▸▸ Bouche

LES PAPILLES GUSTATIVES

Notre sens du goût provient de minuscules grappes de cellules en forme d'oignon, les papilles gustatives. La plupart, soit environ 10 000, sont dispersées sur la langue, mais il y en a sur le palais et dans la gorge.

Quelles saveurs la langue perçoit-elle ?

La langue perçoit les quatre saveurs de base : le salé, le sucré, l'amer et l'acide. Les substances qui produisent ces goûts se dissolvent dans la salive sur la langue et pénètrent dans les papilles, où elles activent des cellules sensorielles qui envoient des signaux au cerveau.

L'épiglotte est une languette qui s'abaisse lorsque nous déglutissons pour empêcher les aliments de pénétrer dans le larynx.

◀ LES SAVEURS PERÇUES PAR LA LANGUE
Des papilles gustatives spécialisées sont groupées dans différentes zones de la langue. Ces zones sont donc sensibles à des saveurs spécifiques.

L'amer, comme le café, est perçu par l'arrière de la langue.

L'acide, comme le vinaigre, est perçu par cette zone de la langue.

La salive coule dans l'espace entre les papilles.

Le salé, comme les chips, est perçu par les papilles gustatives de cette zone.

Le sucré, comme le miel, est perçu par le bout de la langue.

◀ LA SURFACE DE LA LANGUE
La surface de la langue est recouverte de petites éminences râpeuses, les papilles, qui accrochent les aliments. La plupart sont filiformes (en bleu) et sensibles au toucher. Parmi elles se trouvent les papilles caliciformes qui contiennent les bourgeons du goût.

Les bourgeons du goût contiennent de 25 à 30 cellules sensorielles.

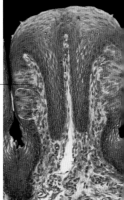

LES PAPILLES CALICIFORMES ▶
Cette vue grossie de papilles de la langue montre les papilles caliciformes. Chacune présente une ouverture, la fossette gustative, par où pénètrent les saveurs dissoutes des aliments.

POUR EN SAVOIR PLUS ▸▸ La respiration 136 • Le cerveau 139 • La digestion 144-145

LES DENTS

Solidement enracinées dans les os des mâchoires, les dents déchiquettent, hachent et broient les aliments pour faciliter leur ingestion et leur digestion.

De quoi les dents sont-elles faites ?

L'extérieur blanc d'une dent est fait d'émail, la substance la plus solide du corps. Sous l'émail, se trouve une substance plus souple, la dentine, qui renferme la partie vivante de la dent, la chambre pulpaire.

Pourquoi les dents s'abîment-elles ?

Mal entretenues, les dents se recouvrent de plaque dentaire, un mélange de bactéries et d'aliments. En s'alimentant des débris sucrés, les bactéries produisent un acide qui dissout le calcium de l'émail et de la dentine et creuse un trou. Si la dentine sensible est exposée à l'air, les aliments chauds et froids provoquent des douleurs.

À L'INTÉRIEUR DE LA DENT ▶
Sous la surface dure, la dentine forme le corps de la dent. Des nerfs (en vert) et des vaisseaux sanguins (en rouge et en bleu) traversent le tissu de la chambre pulpaire et en sortent par le canal radiculaire de la base de la dent.

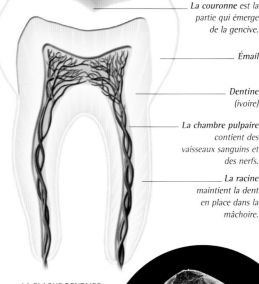

La couronne est la partie qui émerge de la gencive.

Émail

Dentine (ivoire)

La chambre pulpaire contient des vaisseaux sanguins et des nerfs.

La racine maintient la dent en place dans la mâchoire.

@ ▶▶ Dents

LA PLAQUE DENTAIRE ▶
Un dépôt collant, la plaque dentaire, s'amasse sur les dents qui ne sont pas régulièrement brossées. Elle se compose de mucus, de débris alimentaires et de bactéries qui attaquent la dent.

◀ RADIO DE LA BOUCHE
Cette radio montre toutes les dents d'une bouche d'adulte en un seul cliché. Les zones blanches sont des amalgames. Chacun des quatre types de dent remplit une fonction particulière. Les incisives (**1**) mordent et mâchent, les canines (**2**) percent et déchirent, les prémolaires (**3**) et les molaires (**4**) écrasent et broient.

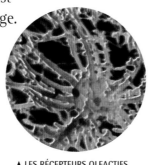

Une plaque dentaire (en jaune) s'est formée sur l'émail (en gris) de cette dent.

POUR EN SAVOIR PLUS ▶▶ Les micro-organismes 85 • La digestion 144-145

LE NEZ

Principal accès aux voies aériennes, le nez contient par ailleurs les récepteurs olfactifs. Sa partie externe est surtout faite d'un tissu élastique, le cartilage.

Pourquoi respirons-nous par le nez ?

Respirer par le nez protège les tissus des poumons contre les microbes, la saleté et l'air très sec ou froid. La muqueuse qui tapisse les voies nasales réchauffe et humidifie l'air. Un mucus collant filtre les particules de poussière et les bactéries. De minuscules poils, les vibrisses, dirigent le mucus vers la gorge, où il est avalé.

Comment le nez perçoit-il les odeurs ?

Le plafond de chaque narine est doté d'un groupe de terminaisons nerveuses, l'épithélium olfactif, recouvert de mucus. Les molécules odorantes se dissolvent dans le mucus et stimulent les terminaisons nerveuses, qui envoient des signaux au bulbe olfactif et au cerveau. Nous sommes capables de reconnaître plus de 10 000 odeurs et ne percevons que quelques molécules de certaines odeurs.

▲ LES RÉCEPTEURS OLFACTIFS
Cette image grossie montre des cils microscopiques émergeant d'une cellule olfactive située dans le nez.

@ ▶▶ Nez

Le bulbe olfactif envoie au cerveau les signaux des cellules olfactives.

L'épithélium olfactif est le tissu contenant les cellules olfactives.

Fosse nasale

Cartilage

Les poils des narines filtrent les grosses particules.

À L'INTÉRIEUR DU NEZ ▶
Dans les fosses nasales, l'air est réchauffé, humidifié et nettoyé avant de poursuivre son chemin dans le pharynx (gorge) et jusqu'aux poumons.

POUR EN SAVOIR PLUS ▶▶ La respiration 136 • Le cerveau 139 • La digestion 144-145

LA DIGESTION

La digestion consiste à décomposer la nourriture en molécules que le corps peut absorber. L'appareil digestif commence par la bouche et implique de nombreux organes de l'abdomen. Les organes digestifs produisent des **ENZYMES** qui dégradent les aliments.

Comment l'estomac fonctionne-t-il ?

Poche musculaire extensible, l'estomac stocke la nourriture et la transforme en bouillie. Les glandes de sa paroi sécrètent le suc gastrique, qui contient une enzyme, la pepsine, et de l'acide chlorhydrique. La pepsine digère les molécules de protéine ; l'acide chlorhydrique tue les microbes et contribue au fonctionnement de la pepsine.

Où les aliments vont-ils ensuite ?

Les aliments passent dans l'intestin grêle, où ils se mélangent avec la bile du foie et les sucs digestifs du pancréas. La bile du foie permet au suc pancréatique de mieux attaquer les graisses. Le suc pancréatique neutralise l'acidité de l'estomac, et ses enzymes digèrent les glucides, les protéines et les lipides.

▲ LES VILLOSITÉS DE L'INTESTIN GRÊLE
L'intérieur de l'intestin grêle est tapissé de villosités qui lui donnent une texture douce et augmentent sa surface d'absorption.

Pourquoi l'intestin grêle est-il si long ?

L'intestin grêle mesure 6,50 m de longueur : c'est le principal organe de la digestion et de l'absorption. À mesure qu'ils le traversent, les aliments ont tout le temps de se dégrader correctement. Du fait de ses grandes dimensions, l'intestin grêle présente une vaste surface d'absorption pour les nutriments.

Comment la nourriture est-elle absorbée ?

La paroi intérieure de l'intestin grêle est tapissée de saillies, les villosités, qui augmentent énormément sa superficie. Les molécules de nutriments se dissolvent dans les fluides de l'intestin et passent dans les villosités. Ils traversent ensuite les fines parois des vaisseaux sanguins des villosités et pénètrent dans le sang.

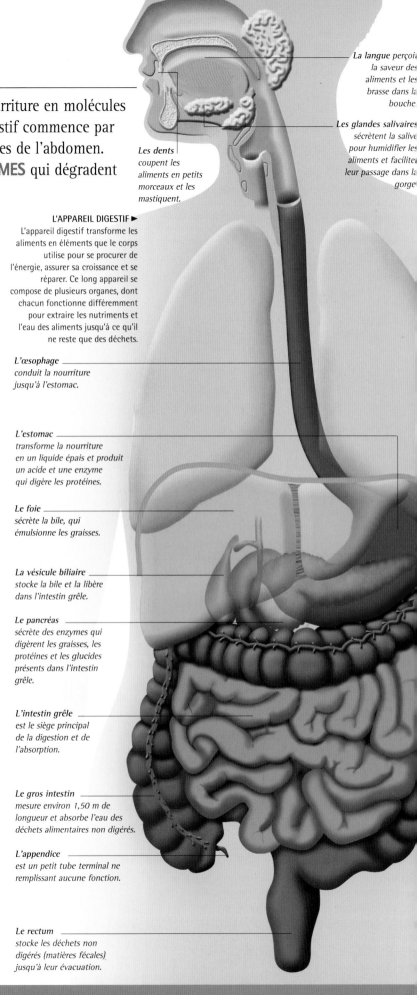

L'APPAREIL DIGESTIF ▶
L'appareil digestif transforme les aliments en éléments que le corps utilise pour se procurer de l'énergie, assurer sa croissance et se réparer. Ce long appareil se compose de plusieurs organes, dont chacun fonctionne différemment pour extraire les nutriments et l'eau des aliments jusqu'à ce qu'il ne reste que des déchets.

La langue perçoit la saveur des aliments et les brasse dans la bouche.

Les glandes salivaires sécrètent la salive pour humidifier les aliments et faciliter leur passage dans la gorge.

Les dents coupent les aliments en petits morceaux et les mastiquent.

L'œsophage conduit la nourriture jusqu'à l'estomac.

L'estomac transforme la nourriture en un liquide épais et produit un acide et une enzyme qui digère les protéines.

Le foie sécrète la bile, qui émulsionne les graisses.

La vésicule biliaire stocke la bile et la libère dans l'intestin grêle.

Le pancréas sécrète des enzymes qui digèrent les graisses, les protéines et les glucides présents dans l'intestin grêle.

L'intestin grêle est le siège principal de la digestion et de l'absorption.

Le gros intestin mesure environ 1,50 m de longueur et absorbe l'eau des déchets alimentaires non digérés.

L'appendice est un petit tube terminal ne remplissant aucune fonction.

Le rectum stocke les déchets non digérés (matières fécales) jusqu'à leur évacuation.

LE TRAVAIL DE L'APPAREIL DIGESTIF

Selon la quantité et le type de nourriture, un repas moyen met entre 18 et 30 heures pour traverser l'appareil digestif. Les plats riches en glucides (sucre, amidon, etc.) sont digérés plus vite que les aliments gras.

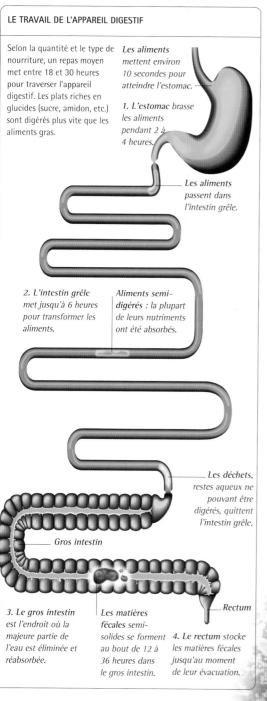

Les aliments mettent environ 10 secondes pour atteindre l'estomac.

1. L'estomac brasse les aliments pendant 2 à 4 heures.

Les aliments passent dans l'intestin grêle.

2. L'intestin grêle met jusqu'à 6 heures pour transformer les aliments.

Aliments semi-digérés : la plupart de leurs nutriments ont été absorbés.

Les déchets, restes aqueux ne pouvant être digérés, quittent l'intestin grêle.

Gros intestin

Rectum

3. Le gros intestin est l'endroit où la majeure partie de l'eau est éliminée et réabsorbée.

Les matières fécales semi-solides se forment au bout de 12 à 36 heures dans le gros intestin.

4. Le rectum stocke les matières fécales jusqu'au moment de leur évacuation.

Pourquoi les organes digestifs ne se digèrent-ils pas eux-mêmes ?

La paroi interne de l'estomac et des intestins sécrète un liquide épais et gluant, le mucus, qui aide les aliments à glisser et protège les organes digestifs contre l'acide et les enzymes. Malgré cela, ces parois s'abîment mais se régénèrent en permanence en produisant de nouvelles cellules, comme le fait la peau.

Comment la nourriture progresse-t-elle dans l'appareil digestif ?

Les parois de l'œsophage, l'estomac, l'intestin grêle et le gros intestin sont musculaires. Lorsqu'elles se contractent, l'organe creux rétrécit et pousse la nourriture vers l'avant. La contraction se fait sous forme d'ondes qui parcourent les organes : ce mécanisme porte le nom de péristaltisme.

Que se passe-t-il dans le gros intestin ?

Le gros intestin absorbe l'eau et les minéraux des restes non digérés. Des bactéries inoffensives prolifèrent dans ces restes et produisent des vitamines, elles aussi absorbées. Les déchets semi-solides (matières fécales) s'accumulent dans le rectum avant leur évacuation.

LES BACTÉRIES DU GROS INTESTIN ►
Cette image montre des bactéries en forme de bâtonnet (en rose) sur la surface du gros intestin. Des milliards de bactéries utiles et inoffensives colonisent le gros intestin. Cette espèce, l'une des plus courantes, synthétise des vitamines absorbables.

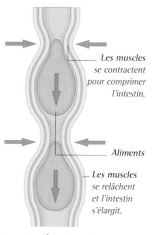

Les muscles se contractent pour comprimer l'intestin.

Aliments

Les muscles se relâchent et l'intestin s'élargit.

▲ LE PÉRISTALTISME
Les parois musculaires de la plupart des sections de l'appareil digestif se contractent sous forme d'ondes, le péristaltisme, pour pousser la nourriture.

LES ENZYMES

Les enzymes contrôlent les réactions chimiques des organismes vivants. Chaque type d'enzyme joue un rôle spécifique.

Comment les enzymes fonctionnent-elles ?

Les enzymes sont des catalyseurs, c'est-à-dire qu'elles accélèrent les réactions chimiques. Les molécules de chaque enzyme ont une forme très particulière qui leur permet de se lier à une molécule spécifique du corps et de la faire réagir.

Quels organes produisent des enzymes digestives ?

Les glandes salivaires, l'estomac, le pancréas et l'intestin grêle produisent des enzymes digestives. Celles-ci dégradent les protéines, les glucides et les graisses pour obtenir les unités qui les composent : acides aminés, sucres et acides gras. Ces unités sont si petites qu'elles traversent les villosités tapissant l'intestin.

◄ LES ENZYMES DU PANCRÉAS
Cette image grossie montre les granules d'enzymes (en jaune et orange) sécrétées par le pancréas. Elles iront dans l'intestin grêle et l'aideront à digérer les aliments.

Digestion

POUR EN SAVOIR PLUS ►► Les micro-organismes 85 • La bouche 142 • Les dents 143 • Le foie 146

Organe vital, le foie exécute des centaines de processus chimiques essentiels, ajuste le niveau de nombreuses substances du sang et sécrète un liquide, la bile. Le foie est l'organe le plus lourd du corps, soit environ 1,5 kg.

Qu'y a-t-il à l'intérieur du foie ?

Le foie se compose de milliers de lobules, de minuscules unités hexagonales de 1 mm de largeur entourées chacune d'un réseau de vaisseaux sanguins oxygénés. Le sang les traverse et passe dans une veine située au centre.

Comment le sang parvient-il au foie ?

Contrairement à d'autres organes, le foie reçoit son sang de deux grands vaisseaux. L'artère hépatique apporte le sang oxygéné du cœur. La veine porte introduit du sang riche en nutriments digérés venant de l'intestin. Ainsi, l'excès de nutriments est prélevé et stocké avant que le sang ne circule dans tout le corps.

Quelles sont les fonctions du foie ?

Le foie remplit tellement de fonctions qu'on le compare à une usine chimique. Il filtre le sang des intestins et prélève l'excès d'aliments ou de fer pour le stocker ou le convertir en d'autres substances. Il élimine également les déchets, détruit les poisons, les cellules sanguines usées et l'alcool et fabrique de la vitamine A et bien d'autres substances vitales pour le corps.

▼ LES CELLULES HÉPATIQUES

Cette image grossie montre les globules rouges flottant dans les espaces intercellulaires dans un lobule du foie. À mesure que le sang filtre à travers le lobule, le foie régule les niveaux de nombreuses substances.

Les globules rouges passent dans des canaux, les sinusoïdes.

IMAGE DE L'ABDOMEN ▶

Cette image IRM montre une coupe verticale de l'arrière de l'abdomen. Vus de face, le foie se trouve à gauche et l'estomac à droite. Cette image ne montre qu'une partie d'une extrémité du foie, ce qui le fait paraître plus petit.

Le foie n'est ici que partiellement visible. Cette image montre une vue en coupe de sa partie arrière.

Les reins sont situés entre les côtes, en arrière de l'abdomen.

Vertèbre

Foie

Le foie occupe la zone supérieure gauche de l'abdomen.

La veine cave amène le sang au cœur.

Vertèbre

Les intestins ne sont ici que partiellement visibles

L'aorte emmène le sang du cœur vers le reste du corps

Estomac

▲ COUPE HORIZONTALE DE L'ABDOMEN

Cette coupe horizontale de l'abdomen donne une idée de la taille du foie. Plus gros organe du corps, il occupe presque toute la partie supérieure de l'abdomen, juste en dessous des côtes. Le « trou » bleu dans le foie est la veine cave inférieure, l'une des plus longues veines du corps.

Qu'est-ce que la bile ?

Liquide sécrété par le foie, la bile est stockée dans la vésicule biliaire. Celle-ci se vide dans l'intestin grêle, où les graisses sont mélangées avec de l'eau pour faciliter la digestion. La bile se compose d'eau, de sels biliaires, d'acide, de cholestérol et d'un pigment, la bilirubine, qui donne leur couleur aux matières fécales.

POUR EN SAVOIR PLUS ▶▶ La circulation 134 • La digestion 144-145

Reins

LES REINS

Ces deux organes en forme de haricot sont situés à l'arrière de l'abdomen. Ils filtrent et purifient le sang et évacuent les déchets et l'excès d'eau sous forme d'urine.

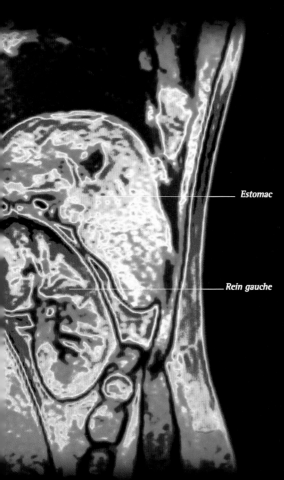

Estomac

Rein gauche

Qu'y a-t-il à l'intérieur d'un rein ?
Chaque rein contient environ un million de minuscules unités de filtration, les néphrons. Le sang passe à travers une sorte de filtre situé au sommet de chaque néphron, puis l'eau et les petites molécules passent dans un long tube. Là, les substances utiles comme le glucose et le sel sont réabsorbées, le reste formant l'urine.

Pourquoi le sang doit-il être purifié ?
Si les reins ne filtraient pas le sang, les déchets chimiques s'accumuleraient dans l'organisme et l'empoisonneraient. Les reins contrôlent également la teneur du sang en eau en faisant varier la quantité d'eau réabsorbée dans les néphrons. Lorsque nous buvons beaucoup, les reins rejettent l'excès de liquide pour éviter la dilution du sang.

Où vont les déchets ?
L'urine de chaque rein s'écoule dans un canal, l'uretère, et s'accumule dans la vessie. Quand celle-ci se remplit, ses parois musculaires se dilatent. Lorsqu'elle est pleine, des récepteurs envoient au cerveau un signal indiquant qu'il faut uriner : les muscles fermant la vessie se détendent alors pour permettre l'évacuation de l'urine.

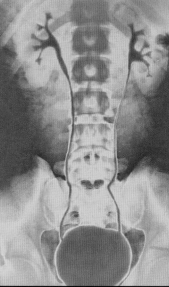

▲ VESSIE PLEINE
Sur cette radio, un colorant montre le passage de l'urine des reins dans les uretères, puis dans la vessie pleine. Une vessie d'adulte peut contenir jusqu'à 0,5 litre d'urine.

POUR EN SAVOIR PLUS ►► La circulation 134 • Le cerveau 139

LES HORMONES

Substances chimiques qui régulent de nombreux processus corporels, les hormones remplissent des fonctions importantes, dont l'activité chimique et la croissance du corps, son développement sexuel et ses réactions au stress.

Comment les hormones agissent-elles ?
Les molécules hormonales sont transportées par le sang et se fixent sur des cellules spécifiques. Cela déclenche des réactions chimiques et modifie la fonction de ces cellules. Certaines hormones activent ou inhibent des gènes.

L'HYPOPHYSE ►
Cette coupe tomographique en 3D montre l'hypophyse située à la base du cerveau. Elle produit des hormones et contrôle d'autres glandes hormonales de l'organisme.

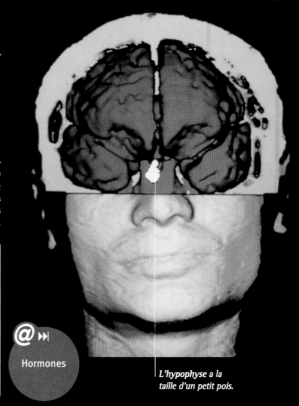

@ ►►

Hormones

L'hypophyse a la taille d'un petit pois.

LES GLANDES HORMONALES ET LEURS FONCTIONS

Hypophyse	Elle sécrète neuf hormones qui contrôlent des fonctions corporelles ou d'autres glandes.	**Glandes parathyroïdes**	Quatre petites glandes qui, avec la thyroïde, équilibrent les niveaux de calcium du sang.
Pancréas	Il sécrète l'insuline et le glucagon, qui contrôlent la teneur du sang en glucose.	**Épiphyse**	Elle sécrète la mélatonine, une hormone qui contrôle le rythme quotidien sommeil/veille.
Glande surrénale	Elle sécrète l'adrénaline, qui aide le corps à réagir à la peur et à l'excitation, et des hormones stéroïdes.	**Ovaires (chez la femme)**	Ils sécrètent l'œstrogène et la progestérone, qui contrôlent le développement et la fonction des organes sexuels.
Glande thyroïde	Elle sécrète la thyroxine, qui accélère le rythme du métabolisme.	**Testicules (chez l'homme)**	Ils sécrètent la testostérone, qui contrôle le développement et la fonction des organes sexuels.

POUR EN SAVOIR PLUS ►► Les cellules 73 • La reproduction 148 • La croissance 149

Le cordon ombilical alimente le bébé en nourriture et en oxygène provenant du placenta, l'organe de l'utérus qui relie le bébé à la circulation sanguine de la mère.

LA REPRODUCTION

La reproduction crée la vie. La mère et le père produisent des cellules sexuelles qui, ensemble, forment un embryon et déterminent l'**HÉRÉDITÉ** de l'enfant.

Où les cellules sexuelles se forment-elles ?

Les cellules mâles, les spermatozoïdes, constituent le sperme. Elles sont produites par millions dans les testicules, une paire de glandes en forme de boules suspendues hors du corps dans le scrotum. La cellule femelle se nomme ovule. Les ovules se forment avant la naissance, dans deux organes appelés ovaires situés dans l'abdomen.

Comment l'embryon se forme-t-il ?

Le sperme et l'ovule se rencontrent lors d'un rapport sexuel, après que l'homme a introduit son pénis dans le corps de la femme. Le sperme sort du pénis et pénètre dans les organes reproducteurs de la femme. Si les ovaires ont libéré un ovule, une cellule du sperme peut fusionner avec lui et former un embryon : c'est la fécondation.

L'HÉRÉDITÉ

L'hérédité est le processus de transmission des caractères des parents, dont un grand nombre sont fournis par nos gènes, des instructions formées de molécules d'ADN de nos chromosomes.

Spermatozoïde fixé sur l'ovule et tentant d'y pénétrer

L'ovule est la plus grosse cellule du corps humain.

▲ FŒTUS HUMAIN

À cinq mois, le fœtus humain pèse moins de 500 grammes mais ses lèvres, ses yeux, ses doigts et ses orteils sont déjà parfaitement développés. La mère peut le sentir bouger dans son utérus.

Où l'embryon se développe-t-il ?

L'embryon se développe à l'intérieur d'un organe, l'utérus. Il se fixe au fond de l'utérus et absorbe la nourriture procurée par le placenta, organe fabriqué par la mère et l'embryon. Les parois de l'utérus sont très souples, de sorte que celui-ci grossit à mesure que le bébé grandit.

◄ OVULE ET SPERMATOZOÏDES

Lorsque les spermatozoïdes rencontrent un ovule, ils cherchent à y pénétrer. Le premier qui y parvient féconde l'œuf et les autres meurent. Les noyaux du spermatozoïde et de l'ovule fusionnent pour n'en former qu'un seul.

@ ▸▸
Reproduction

Comment les gènes sont-ils transmis ?

La moitié est héritée de la mère et l'autre du père. Les gènes sont transmis par les chromosomes contenus dans les ovules et les spermatozoïdes. Ces chromosomes interagissent de différentes façons, de sorte que les enfants issus de mêmes parents peuvent partager certains caractères, mais sont également très différents. Hormis les vrais jumeaux, chaque individu possède une série de gènes unique.

Comment les gènes affectent-ils les caractères ?

Les gènes déterminent la plupart des caractéristiques physiques. La couleur des yeux est contrôlée par quelques gènes seulement, tandis que la taille, par exemple, en implique un grand nombre. Les gènes peuvent également affecter des caractéristiques psychiques comme la personnalité et l'intelligence, qui sont toutefois très influencées par l'expérience, le milieu social et l'éducation. La génétique est l'étude des gènes et de leur expression.

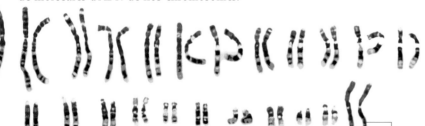

▲ LES CHROMOSOMES D'UNE FEMME

Minuscule bâtonnet du noyau de nos cellules, chaque chromosome contient une longue molécule d'ADN. Nous en possédons 46, répartis en 23 paires. Un de chaque paire provient de la mère et l'autre du père.

Les chromosomes sexuels sont les seuls qui diffèrent entre les hommes et les femmes.

POUR EN SAVOIR PLUS ▸▸ Les cellules 73 • La génétique 209 • Le génie génétique 210-211

LA CROISSANCE

Il faut neuf mois à un embryon dans l'utérus de sa mère pour devenir un bébé. Après la naissance, il poursuit sa croissance pendant vingt ans et change sans cesse. La croissance est plus rapide pendant les premières années.

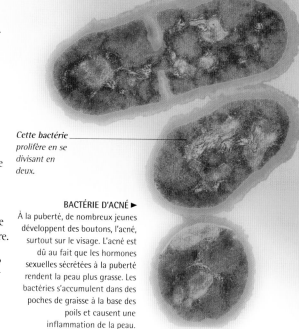

Cette bactérie prolifère en se divisant en deux.

Comment le bébé grandit-il ?

L'embryon est d'abord une seule cellule, qui ne cesse de se diviser pour former un ensemble de cellules : il commence à changer de forme. À quatre semaines, il a un cerveau et une colonne vertébrale. À six semaines, il a des membres et son cœur commence à battre. À douze semaines, c'est un bébé miniature.

Que se passe-t-il pendant la croissance ?

L'enfant change de forme parce que les parties de son corps grandissent à des rythmes différents. Le cerveau grossit rapidement au début : c'est pourquoi les bébés ont une si grosse tête. Les muscles et les os se développent plus tard. Le rythme de la croissance baisse pendant l'enfance puis accélère à la puberté.

◄ BACTÉRIE D'ACNÉ ►

À la puberté, de nombreux jeunes développent des boutons, l'acné, surtout sur le visage. L'acné est dû au fait que les hormones sexuelles sécrétées à la puberté rendent la peau plus grasse. Les bactéries s'accumulent dans des poches de graisse à la base des poils et causent une inflammation de la peau.

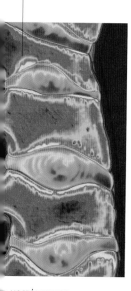

LES DENTS DE LAIT ▲
L'être humain dispose de deux ensembles de dents au cours de sa vie. Vers six mois apparaît le premier ensemble, les dents de lait, qui commencent à tomber vers l'âge de six ans. Elles sont remplacées par des dents définitives (ici, en vert). La plupart des adultes ont trente-deux dents.

Qu'est-ce que la puberté chez les filles ?

La période au cours de laquelle un enfant devient adulte est la puberté. Pour les filles, elle commence entre dix et douze ans : elles grandissent, leurs seins se développent, leurs hanches s'élargissent et des poils poussent sous leurs bras et sur leur pubis. Leurs ovaires libèrent des ovules chaque mois, et elles ont leurs règles.

Qu'est-ce que la puberté chez les garçons ?

La puberté des garçons est plus tardive que chez les filles, entre douze et quatorze ans. Ils grandissent vite, leurs épaules et leur poitrine s'élargissent. Des poils commencent à pousser sur leur visage, sous les bras, autour du pubis et parfois sur la poitrine. Leur voix mue et leurs testicules commencent à fabriquer du sperme.

Cette vertèbre (en rouge) s'est tassée et déformée.

Qu'est-ce que la vieillesse ?

À partir du début de l'âge adulte, le corps commence progressivement à décliner. La peau perd son élasticité, les muscles s'affaiblissent et les organes internes sont moins efficaces. Certaines maladies peuvent apparaître avec l'âge, comme les maladies cardiaques et le cancer. Le vieillissement est un processus très lent et beaucoup de gens mènent une vie active jusqu'à quatre-vingts ans.

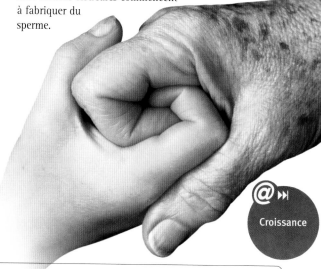

LE VIEILLISSEMENT DE LA PEAU ►
Ces mains d'enfant et de personne âgée montrent l'effet de l'âge sur la peau. La couche extérieure de la peau devient fine et perd les fibres de protéine qui la rendent élastique : elle se ride. Des taches sombres inoffensives apparaissent souvent, résultat d'une surproduction de mélanine.

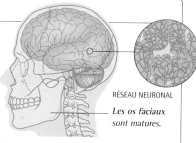

Croissance

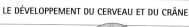

◄ L'OSTÉOPOROSE
Le vieillissement provoque une affection, l'ostéoporose, qui affaiblit et fragilise les os. Les personnes atteintes d'ostéoporose perdent en taille ou se voûtent du fait que les os de leur colonne vertébrale changent de forme et s'effritent.

LE DÉVELOPPEMENT DU CERVEAU ET DU CRÂNE

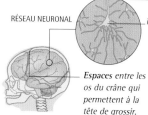

RÉSEAU NEURONAL

Neurone

Espaces entre les os du crâne qui permettent à la tête de grossir.

À LA NAISSANCE
Toutes les cellules du cerveau sont présentes mais peu connectées entre elles. Le cerveau grossit rapidement les deux premières années.

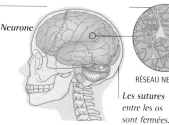

RÉSEAU NEURONAL

Les sutures entre les os sont fermées.

À SIX ANS
Le cerveau a presque sa taille adulte, mais continue à apprendre en développant de nouvelles connexions entre les cellules.

RÉSEAU NEURONAL

Les os faciaux sont matures.

À DIX-HUIT ANS
Le cerveau est totalement formé. Ses cellules ont développé des milliards de connexions complexes mais l'apprentissage se poursuit.

POUR EN SAVOIR PLUS ▶▶ Le squelette 130-131 • La peau 133 • Les dents 143 • Les hormones 147

LA SANTÉ

Être en bonne santé signifie n'être ni malade ni blessé et pouvoir mener une vie active. De nombreux facteurs contribuent à la santé, dont les gènes, l'environnement, la nutrition, le mode de vie et la chance.

Quels sont les principaux problèmes de santé dans le monde actuel?

Dans les pays pauvres, l'eau sale et le manque de nourriture sont les principales causes de mauvaise santé. Les maladies infectieuses comme la malaria et le sida sont très graves, surtout dans les pays qui ne peuvent pas acheter des médicaments et de l'équipement médical. Dans les pays riches, les problèmes de santé sont dus le plus souvent au mode de vie.

L'EAU PROPRE ▶
L'eau potable, comme celle fournie par cette pompe au Cambodge, est vitale. Dans les régions dépourvues de systèmes d'épuration, l'eau est souvent contaminée par des microbes qui provoquent des maladies comme la thyphoïde et le choléra.

Santé

En quoi le mode de vie affecte-t-il la santé?

Dans les pays riches, le mode de vie augmente les risques de maladies cardiaques, d'obésité (excès de graisses) et d'attaques cérébrales (caillots de sang dans le cerveau). Ces maladies sont fréquentes chez les gens qui font peu d'exercice physique ou mangent trop gras. Les troubles de la santé dus au tabac, à l'alcool et aux drogues sont également courants dans ces pays.

L'ESPÉRANCE DE VIE

Ces chiffres (Organisation mondiale de la santé) indiquent l'espérance de vie moyenne des bébés nés en 1999, près de trois fois supérieure dans les pays riches que dans les pays les plus pauvres.

LES CINQ PREMIERS PAYS	*LES CINQ DERNIERS PAYS*
Japon 74,5 ans	Sierra Leone 25,9 ans
Australie 73,2 ans	Niger 29,1 ans
France 73,1 ans	Malawi 29,4 ans
Suède 73 ans	Zambie 30,3 ans
Espagne 72,8 ans	Botswana 32,3 ans

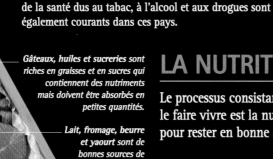

Gâteaux, huiles et sucreries sont riches en graisses et en sucres qui contiennent des nutriments mais doivent être absorbés en petites quantités.

Lait, fromage, beurre et yaourt sont de bonnes sources de calcium.

Viande, œufs, poisson et noix sont riches en protéines, vitamines et minéraux. Mais certaines viandes contiennent trop de graisses et peuvent provoquer des problèmes de santé.

Les fruits sont une bonne source d'eau, de fibres et de vitamines. Ils contiennent des sucres naturels qui fournissent de l'énergie.

Les légumes contiennent des vitamines et des minéraux et sont riches en fibres.

Principales sources d'énergie du corps, le pain, les pommes de terre, le riz et les pâtes fournissent surtout des glucides.

LA NUTRITION

Le processus consistant à fournir au corps des nutriments (nourriture) pour le faire vivre est la nutrition. Un régime varié et équilibré est important pour rester en bonne santé.

Qu'est-ce qu'un régime équilibré?

C'est un mélange dosé de glucides, protéines, lipides, vitamines, minéraux et fibres alimentaires. Les sucreries et la restauration rapide contiennent trop de glucides et de lipides et trop peu des fibres nécessaires. Les plats préparés qui n'incluent pas de produits frais sont souvent pauvres en vitamines et en minéraux.

Qu'est-ce que la malnutrition?

La «mauvaise nutrition» apparaît lorsque l'on mange trop peu d'un certain type d'aliments. Le manque de protéines, par exemple, peut entraver la croissance. La malnutrition peut encore être causée par un régime trop riche en certains types d'aliments. Trop de graisses et de sucreries, par exemple, peut conduire à l'obésité.

Pourquoi l'obésité est-elle un problème?

De plus en plus fréquente dans les pays riches, l'obésité peut provoquer des problèmes médicaux, dont le diabète, les maladies cardiaques, les attaques cérébrales et l'hypertension. L'excès de poids peut aussi surcharger le corps et causer maux de dos, essoufflements et arthrite.

◀ LA PYRAMIDE ALIMENTAIRE
La pyramide alimentaire indique les proportions et les types d'aliments d'un régime équilibré. Il est important de manger beaucoup de fruits et de légumes frais et de réduire les graisses saturées et le sucre.

POUR EN SAVOIR PLUS ▶▶ Les cellules 73 • La maladie 151 • La génétique 209

LA MALADIE

La maladie est tout ce qui endommage le corps et son fonctionnement. Les maladies sont dues à des microbes, des blessures, des poisons ou au corps lui-même. Presque toutes les maladies peuvent être traitées par la médecine moderne, dans une certaine mesure.

Que sont les bactéries et les virus ?

Les maladies infectieuses les plus courantes sont dues à des bactéries et des virus. Une bactérie est un organisme unicellulaire vivant hors des cellules. Elle prolifère dans les liquides du corps et les plaies. Beaucoup sont tuées par des médicaments, les antibiotiques. Ayant son propre matériel génétique, le virus prend le contrôle de nos cellules, y vit et ne peut survivre sans elles.

LA BACTÉRIE DE LA PNEUMONIE ▶
Maladie du poumon, la pneumonie peut être causée par une bactérie ou un virus. Cette micrographie montre les bactéries (en rose) responsables de la pneumonie sur les poils (en vert) des voies pulmonaires. Les malades ou les personnes ayant un système de défense affaibli sont plus vulnérables que les autres à la pneumonie.

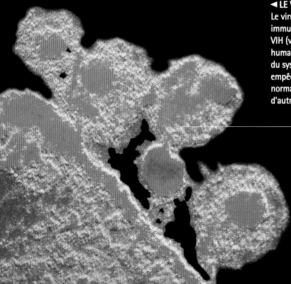

◀ LE VIRUS VIH
Le virus du sida (syndrome immunodéficitaire acquis) est le VIH (virus d'immunodéficience humaine). Il envahit les cellules du système immunitaire et empêche le corps de se défendre normalement contre le virus et d'autres maladies.

Le virus VIH (en rose) a envahi un globule blanc du système immunitaire (en jaune et rouge, en bas à gauche) et l'a forcé à multiplier les cellules virales.

Maladie

Qu'est-ce qu'une maladie génétique ?

Les maladies génétiques comme la mucoviscidose et la moypathie apparaissent lorsqu'une personne hérite d'un gène ou d'une combinaison de gènes anormaux. Ces gènes sont parfois transmis par des parents non affectés. Dans d'autres cas, les gènes deviennent anormaux au moment de la conception.

Pourquoi pouvons-nous être allergiques ?

Le corps est doté de défenses sophistiquées pour lutter contre les microbes. Mais ce système immunitaire s'attaque parfois à la mauvaise cible. Lorsqu'il est sollicité par des substances inoffensives comme le pollen ou la poussière, cela peut provoquer une réaction allergique.

Qu'est-ce que le cancer ?

Il existe différents types de cancer, qui ont tous en commun une division cellulaire incontrôlable qui provoque une tumeur. Celle-ci peut empêcher le bon fonctionnement d'une partie du corps. Elle est parfois provoquée par des agents dits cancérogènes, comme les rayons du soleil ou le tabac.

LA MÉDECINE

La médecine est l'étude et le traitement des maladies. La médecine moderne a pour objectif de prévenir et de guérir les maladies. Certaines sont incurables mais un traitement médical peut en soulager les symptômes et améliorer la qualité de vie du patient.

Peut-on prévenir les maladies ?

On peut prévenir nombre de maladies infectieuses grâce à des vaccins qui protègent contre des microbes spécifiques. Des programmes de dépistage peuvent par ailleurs déceler tôt certaines maladies. Un mode de vie sain peut éviter certains troubles comme les maladies cardiaques.

Comment traite-t-on les maladies ?

Le corps lutte contre la plupart des maladies, par exemple le rhume, sans traitement médical. Pour les maladies plus graves, il existe différents traitements, dont les médicaments, la chirurgie ou la radiothérapie (élimination des cellules nuisibles à l'aide de radiations).

Fémur

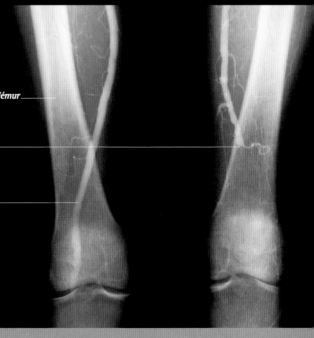

Le flux sanguin de cette artère fémorale est bloqué juste au-dessus du genou.

Artère fémorale ayant un flux sanguin normal
ARTÈRE OBSTRUÉE ▶
Les rayons X sont l'une des techniques d'imagerie médicale employées par les médecins pour rechercher et diagnostiquer une maladie. Cette radiographie révèle l'obstruction d'une artère (en jaune) de la jambe.

POUR EN SAVOIR PLUS ▶▶ Les cellules 73 • Les micro-organismes 85 • Le corps 128-129 • Robots 194 • La biotechnologie 208

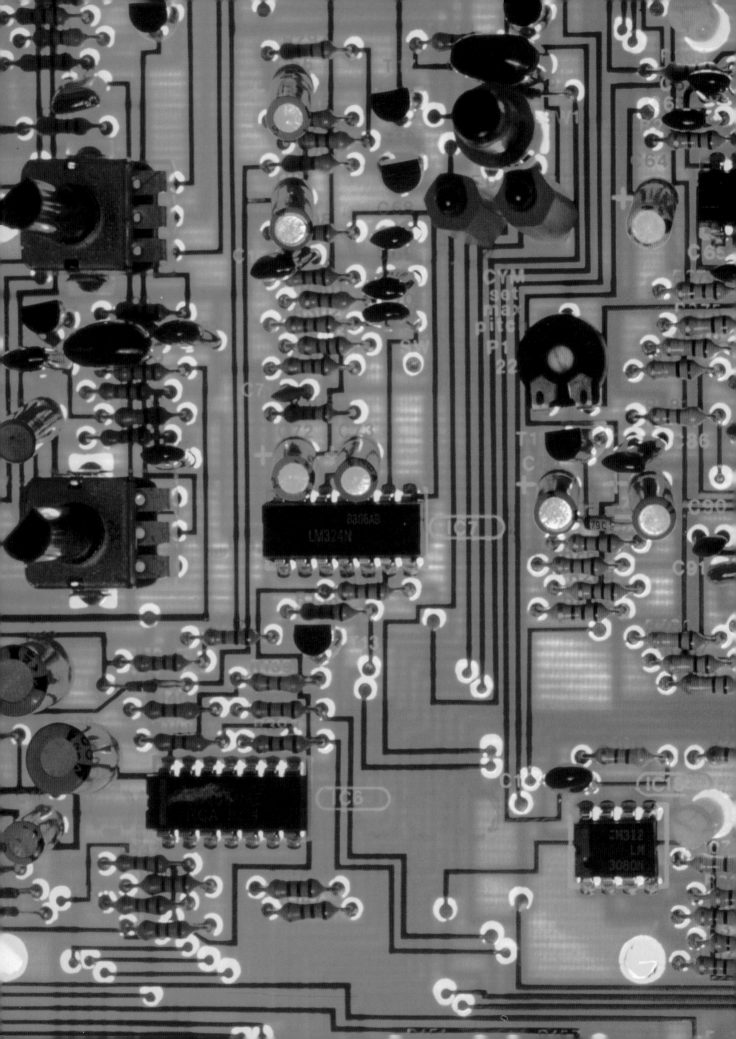

LES SCIENCES

LES SCIENCES	154		LES COULEURS	180
LA TECHNOLOGIE	154		LES LENTILLES OPTIQUES	181
LES MESURES	155		L'ÉLECTRICITÉ	182
LES MATHÉMATIQUES	155		LE MAGNÉTISME	183
LA MATIÈRE	156		LES CIRCUITS ÉLECTRIQUES	184
LES ATOMES	157		L'ÉLECTROMAGNÉTISME	186
LE TEMPS	158		LA PRODUCTION D'ÉLECTRICITÉ	187
LA THÉORIE QUANTIQUE	159		L'ÉLECTRONIQUE	188
LES ÉLÉMENTS	160		LES PUCES ÉLECTRONIQUES	189
LA CHIMIE	162		LES ORDINATEURS	190
LA PHYSIQUE	163		LES RÉSEAUX	191
LES FORCES	164		INTERNET	191
LE MOUVEMENT	165		LES TÉLÉCOMMUNICATIONS	192
L'ÉNERGIE	166		LES ROBOTS	194
L'ÉNERGIE NUCLÉAIRE	167		LA NANOTECHNOLOGIE	195
LA CHALEUR	168		LES MACHINES	196
LES MATÉRIAUX	170		LES MOTEURS	198
LA TRANSFORMATION DES MATÉRIAUX	171		LES TRANSPORTS	200
LES MÉLANGES	172		LA CONSTRUCTION	202
LA SÉPARATION DES MÉLANGES	173		L'INDUSTRIE	204
LES ALLIAGES	174		LA FABRICATION INDUSTRIELLE	205
LES NOUVEAUX MATÉRIAUX	175		L'INDUSTRIE CHIMIQUE	206
LE SON	176		LA BIOTECHNOLOGIE	208
LA LUMIÈRE	178		LA GÉNÉTIQUE	209
			LE GÉNIE GÉNÉTIQUE	210

LES SCIENCES

Pourquoi les étoiles brillent-elles ?
Comment la vie a-t-elle commencé
sur Terre ? Les sciences explorent
et cherchent à comprendre tout ce
qui existe dans le monde.

Comment travaillent les scientifiques ?
Les scientifiques s'appuient sur les connaissances et la
logique pour résoudre un problème ou expliquer une
observation. Ils se servent d'instruments pour étudier
les forces, les maladies et les matériaux. Sans eux, pas de
voyage sur la Lune, pas de pénicilline, pas d'informatique.

Qu'est-ce que la méthode scientifique ?
Les scientifiques élaborent des théories pour expliquer leurs
observations. Ces théories se présentent souvent sous forme
d'équations. Une bonne théorie propose des prédictions
pouvant être vérifiées par des expériences et des
observations plus poussées. Une théorie provisoire s'appelle
une hypothèse. Si ses prédictions sont correctes, l'hypothèse
est vérifiée et la théorie acceptée.

Pourquoi les scientifiques font-ils des expériences ?
L'expérience est la mise à l'épreuve d'une théorie. Elle permet
de chercher des réponses aux questions des scientifiques
qui se servent d'instruments de mesure pour enregistrer
leurs résultats sous une forme chiffrée.

POUR EN SAVOIR PLUS ▶▶ La biologie 72 • La chimie 162

*Culture bactérienne
dans une boîte de Pétri*

▲ **EXPLORATION
ET DÉCOUVERTE**
Du fond des océans à l'espace
intersidéral, les scientifiques
observent, étudient et mesurent
le monde naturel.

@ ▶▶
Sciences

AU LABORATOIRE ▶
Les scientifiques testent leurs
théories par des expériences
de laboratoire. Ce chercheur
observe des bactéries dans
une boîte de Pétri.

LA TECHNOLOGIE

@ ▶▶
Technologie

La technologie est l'application pratique des
connaissances pour fabriquer des outils, des
machines, des maisons et d'autres choses utiles.

Quel est le lien entre sciences et technologie ?
Les technologies anciennes se transmettaient d'une
génération à l'autre. La compréhension des forces et des
matériaux est plus récente. De nos jours, les ingénieurs
utilisent les découvertes et les méthodes scientifiques
pour développer de nouvelles inventions.

▲ **FOURNEAU AU BANGLADESH**
Une technologie bien pensée s'intègre
à l'environnement et au mode de vie
de ses utilisateurs. La conception de
ce fourneau permet d'utiliser moins
de bois et donc de préserver les arbres
de la forêt.

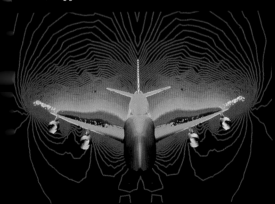

◀ **CONCEPTION ASSISTÉE
PAR ORDINATEUR**
Des ordinateurs rapides résolvent des
équations complexes. Les techniciens
simulent (miment) les performances d'un
avion pour en améliorer la conception.

POUR EN SAVOIR PLUS ▶▶ Les ordinateurs 190 • Les machines 196-197 • Le design 326

Quelle est la taille d'une fourmi? Et la hauteur d'une montagne? L'observation d'une propriété (caractéristique) sous forme chiffrée sur une échelle d'unités s'appelle une mesure. La taille d'un enfant peut être mesurée avec un mètre gradué en centimètres.

BALANCE

CHRONOMÈTRE

VERRES GRADUÉS

THERMOMÈTRE

Qu'est-ce qu'une échelle de mesure?

Une échelle de mesure simple est une suite de graduations chiffrées (marques) sur un outil de mesure. Les instruments électroniques modernes sont souvent dotés d'un écran qui affiche automatiquement le résultat.

UNITÉS DE MESURE

GRANDEUR	NOM DE L'UNITÉ	SYMBOLE
Unités de base		
Masse	kilogramme	kg
Longueur	mètre	m
Temps	seconde	s
Courant électrique	ampère	A
Température	kelvin	K
Énergie/travail	joule	J
Unités dérivées		
Superficie	mètre carré	m²
Volume	mètre cube	m³
Vitesse	mètre par seconde	m/s
Accélération	mètre par seconde au carré	m/s²
Force	newton	N (kg m/s²)

▲ INSTRUMENTS DE MESURE
Divers outils d'évaluation servent à mesurer différentes choses. La balance mesure le poids, le chronomètre mesure le temps, le verre gradué mesure le volume des liquides, le thermomètre mesure la température du corps.

@ Me

Qui a effectué les premières mesures?

Nos lointains ancêtres ont érigé des structures telles que Stonehenge ou les pyramides en s'appuyant sur des mesures. La plupart des mesures anciennes se basaient sur des parties du corps. Ainsi, une coudée était la distance entre le coude et les doigts tendus de la main.

Comment les unités de mesure sont-elles définies?

Les unités sont définies par accord international. Les scientifiques choisissent un étalon à partir duquel les échelles peuvent être établies et vérifiées. Le kilogramme étalon est une masse en platine iridié déposée au pavillon de Breteuil, à Sèvres. Le mètre est défini comme la distance parcourue par la lumière en 1/299 792 458 de seconde.

POUR EN SAVOIR PLUS ▸▸ L'électronique 188

LES MATHÉMATIQUES

Les mathématiques explorent les propriétés des nombres, des formes et de l'espace. Les scientifiques peuvent les utiliser pour décrire les phénomènes observés dans la nature et réaliser des modèles expliquant le comportement des choses.

◀ DODÉCAÈDRE
La géométrie est la branche des mathématiques qui étudie les formes. Les ingénieurs utili... des formes telles que celle... pour créer de nouveaux designs. Ce dodécaèdre a douze faces identiques. Chacune est un pentagon... (forme plane à cinq côtés régulier.

@ ▸▸
Mathématiques

Qu'est-ce qu'un modèle mathématique?

Un modèle mathématique est une équation décrivant des processus réels. Par exemple, un modèle simple basé sur les lois du mouvement prédit que la vitesse de chute d'une pierre est égale au temps de la chute multiplié par l'accélération due à la gravité. Les prédictions peuvent être comparées à des mesures réelles pour tester la validité des modèles.

Qu'est-ce que la notation scientifique?

Les scientifiques mesurent tout, des très grands nombres tels que la vitesse de la lumière, aux très petits nombres tels que la masse d'un atome. La notation scientifique permet de raccourcir ces nombres. La vitesse de la lumière est égale à environ 300 000 000 de mètres par seconde. Le nombre est raccourci à $3,0 \times 10^8$, 8 étant le nombre de zéros suivant le 3.

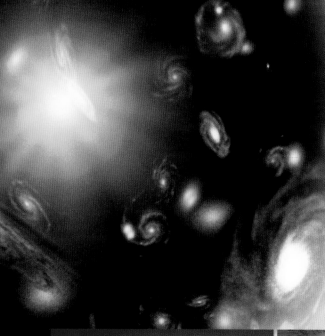

LA MATIÈRE

La poussière, les êtres vivants, les océans, les montagnes, les planètes, tout ce qu'on peut toucher est fait de matière. Les microscopes électroniques ont permis d'établir que toute matière est faite de particules qui s'assemblent entre elles comme les cristaux d'un morceau de sucre.

◄ BIG BANG
Aujourd'hui encore, l'Univers s'étend et refroidit. Sous l'action du refroidissement, la force de gravité devient suffisante pour regrouper des particules de matière et former des étoiles et des galaxies nouvelles.

D'où vient la matière ?

Toute la matière de l'Univers fut créée lors du big bang, il y a 14 milliards d'années. En moins d'une seconde, l'Univers s'emplit de quantités considérables d'énergie (lumière et chaleur). À l'explosion succéda l'expansion de l'Univers. Il refroidit en s'étendant, et des particules dotées de **MASSE** se formèrent et s'agrégèrent.

▲ SOLIDE
La glace est de l'eau à l'état solide. Cet iceberg a une température maximale de 0 °C.

▲ LIQUIDE
Lorsque la température dépasse 0 °C, la glace fond et se transforme en liquide. C'est l'état normal de l'eau sur la majeure partie de la planète.

▲ GAZ
La vapeur chaude qui jaillit d'un geyser est de l'eau à l'état gazeux. L'eau bout à 100 °C et se transforme alors en gaz.

Molécule d'eau

PLASMA ►
Un quatrième état de la matière est atteint lorsqu'elle est soumise à de très hautes températures, comme la flamme d'un chalumeau. Le plasma est lumineux. Les étoiles et les parties les plus chaudes des flammes sont faites de matière à l'état de plasma.

@ ►►
Matière

Quels sont les états de la matière ?

Sur Terre, la matière existe en général sous trois formes : solide, liquide ou gazeuse. Dans un solide, les particules sont très rapprochées et forment un agrégat rigide. Dans un liquide, elles sont en contact, mais évoluent librement les unes par rapport aux autres. Dans un gaz, les particules sont très espacées et se déplacent au hasard.

Qu'est-ce qu'une particule élémentaire ?

La matière est faite de particules. Les plus petites particules sont dites élémentaires. Les scientifiques ont découvert deux sortes de particules élémentaires : les quarks et les leptons. La preuve de l'existence des quarks et des leptons est obtenue en projetant des particules les unes contre les autres à très haute vitesse. Elles se divisent alors et forment de nouvelles particules plus petites.

LA MASSE

La masse est la quantité de matière contenue par un objet. Tous les objets dotés de masse ont de l'inertie (une force est requise pour provoquer, arrêter ou infléchir leur mouvement) et s'attirent sous l'action de la gravité.

La matière peut-elle être détruite ?

La matière peut être détruite lorsque sa masse est transformée en énergie pure, ce qui peut se produire lorsqu'une particule de matière entre en collision avec une particule d'antimatière. La matière et l'antimatière s'annihilent et disparaissent dans un éclair de radiations.

TRACES DE PARTICULES ►
Dans un accélérateur de particules, les physiciens étudient les collisions entre particules hautement énergétiques. Certaines particules sont détruites, d'autres sont créées. Leurs traces se dispersent à partir du point d'impact.

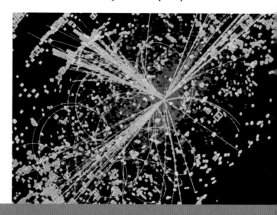

POUR EN SAVOIR PLUS ►► L'Univers 26 • Les atomes 157 • Les forces 164 • Le mouvement 165 • L'énergie 166 • La chaleur 168-169

LES ATOMES

Toute matière est constituée de particules appelées atomes. Pour les Grecs anciens, l'atome était la plus petite particule possible de matière. Nous savons aujourd'hui que les atomes sont constitués de particules encore plus petites. Les atomes se combinent entre eux pour former des **MOLÉCULES**.

Quelle est la taille d'un atome ?

Le rayon typique d'un atome est de 1/10 de milliardième de mètre. Une chaîne d'atomes de 1 m de long contient autant d'atomes que d'habitants sur la planète, un morceau de sucre autant d'atomes qu'il y a d'étoiles dans l'Univers. L'atome le plus grand (césium) a un diamètre environ neuf fois plus grand que celui de l'atome le plus petit (hélium).

BOMBE ATOMIQUE ▶
Au cours d'une explosion atomique, le noyau de l'atome se divise. Les neutrons émis vont frapper d'autres noyaux, entraînant une réaction en chaîne. Le résultat est une énorme émission d'énergie sous forme de chaleur, de lumière et de radiations.

Que contient un atome ?

Les particules composant les atomes sont les électrons, les protons et les neutrons. Leur position dans l'atome constitue la **STRUCTURE ATOMIQUE**. Les électrons sont une variété de leptons. Protons et neutrons sont constitués chacun de trois quarks. Quarks et leptons sont des particules élémentaires, les plus petites de l'Univers.

Comment diviser les atomes ?

Les protons et les neutrons sont maintenus dans le noyau de l'atome par une force dite forte. Elle peut être rompue en frappant le noyau à l'aide d'un neutron, d'un proton ou d'une autre particule. Le noyau se divise alors et forme de nouveaux atomes. Cette fission atomique est obtenue à l'intérieur des réacteurs nucléaires et pendant les explosions nucléaires.

▲ VOIR LES ATOMES
Les microscopes électroniques agrandissent les objets 10 millions de fois pour permettre de voir les atomes. Cette photo montre un agrégat d'atomes d'or (rouge et jaune) sur une couche régulière de carbone (vert).

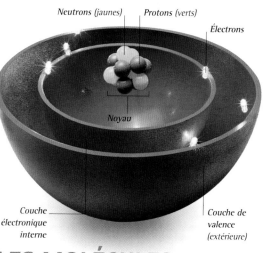

Neutrons *(jaunes)* · Protons *(verts)* · Électrons · Noyau · Couche électronique interne · Couche de valence *(extérieure)*

LA STRUCTURE ATOMIQUE

La majeure partie de l'atome se compose d'espace vide. Protons et neutrons occupent le noyau, au centre de l'atome. Les électrons décrivent une orbite autour du noyau comme des planètes autour d'une étoile. Ils sont groupés en couches électroniques.

Atomes

◀ ATOME DE CARBONE
Ce modèle d'un atome de carbone est coupé en deux pour révéler l'intérieur. Son noyau contient six neutrons et six protons. Six électrons répartis sur deux couches gravitent autour du noyau.

À quoi est due la cohésion atomique ?

Les électrons sont chargés d'électricité négative, les protons d'électricité positive. L'attraction qui s'exerce entre eux retient les électrons en orbite. Lorsque les atomes s'unissent, ils partagent les électrons de leurs couches de valence (couches extérieures) et forment des liens chimiques.

LES MOLÉCULES

Lorsque différents atomes s'unissent selon des dispositions particulières, ils forment des molécules. Les molécules d'eau, par exemple, comprennent deux atomes d'hydrogène unis à un atome d'oxygène.

Quelle est la forme des molécules ?

Les molécules les plus simples ne comportent que deux atomes agencés en forme d'haltère. Les atomes peuvent s'unir pour créer des molécules de toutes formes : pyramides, chaînes, anneaux, spirales, boules, tubes.

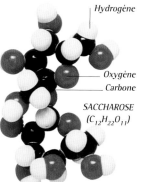

Hydrogène · Oxygène · Carbone

SACCHAROSE
$(C_{12}H_{22}O_{11})$

Oxygène · Hydrogène

EAU (H_2O)

▲ MOLÉCULE SIMPLE
Une molécule d'eau isolée se compose de trois atomes.

◀ MOLÉCULE COMPLEXE
Chaque molécule de saccharose est constituée de 45 atomes reliés selon un schéma identique.

POUR EN SAVOIR PLUS ▶▶ Les éléments 160-161 • L'énergie nucléaire 167 • L'électricité 182

LE TEMPS

Le temps permet de préciser la date et la durée d'un événement. Le temps semble s'écouler au même rythme pour tout le monde, mais la théorie de la RELATIVITÉ d'Einstein démontre qu'il n'est pas le même à travers l'Univers.

Comment mesurons-nous le temps ?

Le tic-tac de l'horloge marque le passage du temps. Pour être précise, l'horloge doit être contrôlée par un élément à la fois récurrent et régulier. La précision des premières horloges dépendait du mouvement de balancier d'un pendule. De nos jours, l'heure exacte est obtenue par les vibrations d'un cristal de quartz.

Le temps a-t-il un début et une fin ?

Le temps commença lorsque le big bang engendra l'Univers il y a environ 14 milliards d'années. L'Univers est aujourd'hui en expansion. Les scientifiques ignorent si l'Univers continuera à s'étendre, et si le temps ne finira jamais, ou bien s'il s'écroulera sur lui-même, mettant un terme au temps.

▲ HORLOGE ATOMIQUE, ÉTATS-UNIS
Cette horloge utilise les vibrations régulières des atomes de césium pour mesurer le temps. Elle est tellement précise qu'elle se décale de moins de trois secondes par million d'années.

Les coordonnées localisent la position d'un objet à un instant donné.

Port d'amarrage du navire

Littoral

▲ RADAR
Le radar localise les navires dans l'espace et dans le temps. L'utilisation de ce système évite les collisions sur les voies maritimes encombrées.

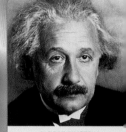

ALBERT EINSTEIN
Allemand, 1879-1955
Albert Einstein n'était pas un très bon élève, mais il était fasciné par les mathématiques et les sciences. Sa Théorie de la relativité restreinte (1905), sa Théorie de la relativité générale (1916) et son travail sur la théorie des quanta de lumière ont fait de lui l'un des penseurs les plus originaux et les plus créatifs de tous les temps. Il reçut le prix Nobel de physique en 1921.

@ ▸▸ Temps

LA RELATIVITÉ

La théorie de la relativité d'Einstein énonce que le temps n'est pas le même pour tout le monde. Le temps passe plus lentement lorsqu'on se dépla à une vitesse approchant celle de la lumière.

Comment fonctionne la relativité ?

Si l'on pouvait observer deux horloges identiques, l'une fixe, l'autre se déplaçant à grande vitesse, on constaterait que l'horloge mobile avance plus lentement. Pour une personne se déplaçant en même temps que l'horloge mob c'est l'horloge fixe qui semblerait avancer moins vite.

◄ RACCOURCI À TRAVERS L'ESPACE ET LE TEMPS
Les scientifiques ont démontré que, en théorie, deux parties éloignées de l'Univers pouvaient être reliées par un tunnel spatio-temporel appelé un trou de ver. Le trou de ver pourrait fonctionner comme une machine à remonter le temps. En effectuant le voyage de retour par le tunnel, un spationaute pourrait revenir chez lui avant son départ.

POUR EN SAVOIR PLUS ▸▸ L'espace 10 • L'Univers 26 • La théorie quantique 159 • La lumière 178-179

LA THÉORIE QUANTIQUE

La théorie quantique a été développée à partir des idées de Max Planck. Selon lui, les atomes ne pouvaient émettre de l'énergie qu'en quantités fixes appelées quanta. La théorie explique le comportement des particules et l'énergie qu'elles émettent.

Qu'est-ce qu'un quantum ?

Un quantum de lumière – ou de tout autre rayonnement électromagnétique – de fréquence fixée est la plus petite quantité possible d'énergie ; il s'appelle un photon. Un photon peut être émis par un électron lors d'un **SAUT QUANTIQUE**.

Pourquoi la théorie quantique est-elle aussi étrange ?

D'après la théorie quantique, l'énergie se comporte à la fois comme une onde et comme une particule. Les quanta sont des unités distinctes d'énergie qui, lorsqu'elles se déplacent, s'étalent comme des ronds à la surface de l'eau.

À quoi sert la théorie quantique ?

Si elle est difficile à comprendre, la théorie quantique n'en est pas moins l'une des théories scientifiques les plus précises jamais développées. Elle permet de calculer avec exactitude les propriétés des atomes, des molécules et des matériaux. Elle sert à la conception de composants électroniques et de nouveaux matériaux ou médicaments. Sans elle, il n'y aurait pas d'ordinateurs, ni de téléphones mobiles, ni beaucoup d'autres inventions récentes.

ATOME D'HÉLIUM ▶
Cette photo montre les traces laissées par les sauts des électrons dans un atome d'hélium. La théorie des quanta présente les électrons comme des amas flous plutôt que comme des particules en orbite autour d'un noyau.

LE SAUT QUANTIQUE

Les électrons occupent des couches au sein des atomes. À chaque couche correspond un niveau d'énergie électronique. Lorsqu'un électron se déplace vers une couche d'énergie supérieure ou inférieure, il effectue un saut quantique.

Qu'est-ce que le principe d'incertitude ?

La théorie quantique énonce que la position et la vitesse d'un quantum tel qu'un photon ou un électron ne peuvent pas être connues toutes les deux avec exactitude. Plus la position est certaine, moins on est sûr de la vitesse et inversement. Le principe d'incertitude montre que l'on ne peut calculer que des probabilités, non des certitudes.

LOUIS DE BROGLIE
Français, 1892-1987
En 1924, il soutint sa thèse de doctorat sur la théorie des quanta. Il fonda la mécanique ondulatoire, à l'origine de la mécanique quantique, il supposa le caractère ondulatoire des particules matérielles (une longueur d'onde leur est associée), hypothèse confirmée en 1927 par l'expérience. Il reçut le prix Nobel en 1929.

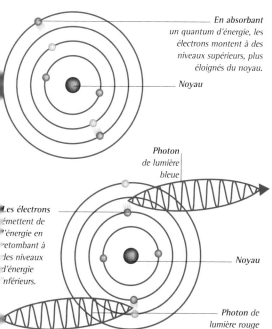

En absorbant un quantum d'énergie, les électrons montent à des niveaux supérieurs, plus éloignés du noyau.

Noyau

Photon de lumière bleue

Les électrons émettent de l'énergie en retombant à des niveaux d'énergie inférieurs.

Noyau

Photon de lumière rouge

◀ ABSORPTION ET ÉMISSION
Lorsqu'un atome absorbe de l'énergie, ses électrons sautent à des niveaux d'énergie supérieurs. En retombant à leurs niveaux initiaux, les électrons émettent des photons. Si un électron émet un photon de lumière bleue, il perd plus d'énergie que s'il émet un photon de lumière rouge.

@ ▶▶
Théorie quantique

POUR EN SAVOIR PLUS ▶▶ Les atomes 157 • Le mouvement 165 • L'énergie 166 • La lumière 178-179

Une substance composée d'atomes de même numéro atomique est un élément. L'or est un élément : il ne contient que des atomes d'or. L'eau n'est pas un élément : elle contient des atomes d'hydrogène et d'oxygène. Les éléments sont recensés par numéro atomique dans une liste appelée CLASSIFICATION PÉRIODIQUE. Le numéro atomique correspond au nombre de protons du noyau de l'atome.

Plus de 80 éléments sont des métaux. Leur couche de valence (externe) ne comprend qu'un ou deux électrons et ils partagent tous un certain nombre de propriétés comme la brillance et la solidité. Par ailleurs, ils conduisent bien la chaleur et l'électricité, ce qui est utile pour les ustensiles de cuisine et les fils électriques.

Combien y a-t-il d'éléments ?

Les scientifiques ont identifié 92 éléments présents dans la nature. Plus des trois quarts des éléments naturels sont des MÉTAUX. L'élément naturel le plus lourd est un métal nommé uranium. Les chercheurs ont créé des éléments plus lourds dans les réacteurs nucléaires et les accélérateurs de particules.

▼ SUPERNOVA
Tous les éléments naturels ont été créés par des réactions nucléaires à l'intérieur des étoiles. Après avoir brillé pendant des milliards d'années, les étoiles explosent, formant des supernovae spectaculaires, et dispersent des noyaux atomiques à travers l'espace.

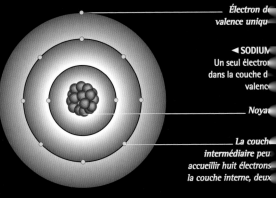

Électron de valence unique

◄ SODIUM
Un seul électron dans la couche de valence

Noyau

La couche intermédiaire peu accueillir huit électrons la couche interne, deux

Sept électrons de valence

La couche interne comprend deux électrons, la couche intermédiaire, huit.

Noyau

◄ CHLORE
Non-métal doté de sept électrons de valence

▲ MÉTAUX ET NON-MÉTAUX
Le sodium est un métal blanc argenté. Il réagit avec d'autres éléments en leur cédant son unique électron de valence. Le chlore est un non-métal. Il réagit en acceptant un électron. Il ne lui en faut qu'un seul pour avoir une couche extérieure stable de huit électrons. Les éléments du groupe des gaz nobles ont huit électrons extérieurs et sont particulièrement stables. Ils ne perdent ni n'acceptent d'électrons d'autres atomes pour former des liaisons chimiques.

Pourquoi les métaux conduisent-ils l'électricité

Dans un métal, les électrons de valence se détachent de leurs atomes et se déplacent librement d'un atome à l'autre. Ces électrons libres peuvent transporter de la chaleur et de l'électricité, c'est pourquoi les métaux sont de bons conducteurs électriques et thermiques (chaleur).

▼ OR
L'or est un métal de transition. Les métaux de ce type ont des propriétés métalliques, mais ils sont moins réactifs que les groupes d'éléments alcal et alcalino-terreux.

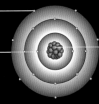

LA CLASSIFICATION PÉRIODIQUE

La classification périodique, ou table de Mendeleïev, est la liste de tous les éléments classés par nombre atomique. Pour chaque élément, le tableau donne le nombre et la masse atomique, le symbole et le nom. Les colonnes forment des groupes, les lignes forment des périodes.

Comment fonctionne la classification périodique ?

La classification souligne les similitudes et les tendances dans les propriétés des éléments. Les éléments d'un même groupe (colonne) ont des propriétés analogues. Ces propriétés changent progressivement sur une période (ligne). Les métaux se trouvent à gauche, les non-métaux, à droite. Plus on avance sur une période, plus le nombre atomique est élevé. Au début d'une période, les éléments n'ont qu'un seul électron de valence, à la fin, ils en ont huit.

Pourquoi les éléments d'un groupe sont-ils similaires ?

Les propriétés chimiques d'un élément dépendent du nombre d'électrons de valence. Les éléments d'un même groupe ont le même nombre d'électrons de valence. Ainsi, tous les éléments du Groupe 1 (métaux alcalins) ont un électron de valence. Ce sont des métaux blanc argenté, hautement réactifs.

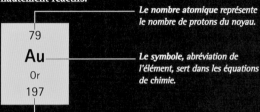

Le nombre atomique représente le nombre de protons du noyau.

Le symbole, abréviation de l'élément, sert dans les équations de chimie.

La masse atomique correspond au nombre de protons et de neutrons du noyau. Les masses atomiques indiquées sont celles de l'isotope le plus courant des éléments.

LÉGENDE
- Métaux alcalins
- Métaux alcalino-terreux
- Métaux de transition
- Terres rares
- Terres rares radioactives
- Métaux pauvres
- Semi-métaux
- Non-métaux
- Gaz nobles
- L'hydrogène n'appartient à aucun groupe

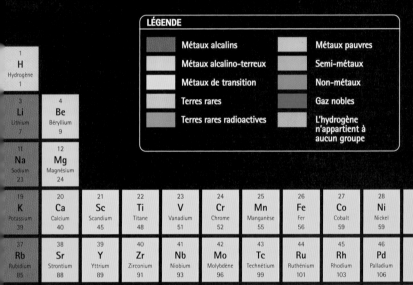

◄ LA CLASSIFICATION PÉRIODIQUE

Le chimiste russe Dimitri Ivanovitch Mendeleïev (1834-1907) élabora la première classification périodique en 1869. Les omissions dans la table de Mendeleïev suggéraient l'existence d'éléments encore inconnus à l'époque. Depuis, les éléments manquants comme le scandium, le gallium et le germanium, ont été découverts.

Qu'est-ce qu'un isotope ?

Tous les éléments ont différentes formes appelées isotopes. Les isotopes d'un élément ont le même nombre atomique, mais une masse atomique différente. Dans le cas du carbone, 99 % des atomes sont des isotopes de masse atomique 12 (carbone 12) et 1 %, du carbone 13. Les deux isotopes ont six protons, mais le carbone 12 a six neutrons, tandis que le carbone 13 en a sept.

À quoi sert la classification périodique ?

Avant toute expérience, la classification périodique révèle aux chercheurs une grande partie des propriétés d'un élément. Ils savent si l'élément est un métal ou un non-métal, s'il conduit bien l'électricité et ils peuvent prédire comment il réagira avec d'autres éléments.

Éléments

POUR EN SAVOIR PLUS ▸▸ La matière 156 • Les atomes 157 • La chaleur 168 • Les matériaux 170 • Les alliages 174 • L'électricité 182

pH 14

Soude caustique (nettoyant à four)
La soude caustique réagit avec les graisses et les traces de gras, et ronge

pH 11

« Lait de magnésie »
Cet alcalin est utilisé pour soulager les indigestions. Il neutralise l'acidité de l'estomac.

pH 9

Savon liquide
Tous les produits nettoyants sont basiques. Comme la plupart des bases, le savon est glissant au toucher.

pH 7.5

Sang
Les injections médicales contiennent des produits chimiques appelés des solutions tampons dont le pH est identique à celui du sang.

pH 6–7

Eau pure
L'eau pure, ni acide, ni basique, est neutre.

pH 4

Oranges
Les oranges sont légèrement acides, d'où leur goût un peu piquant.

pH 3

Vinaigre
L'acide du vinaigre tue les bactéries, c'est pourquoi on l'utilise pour les conserves alimentaires.

pH 2

Jus de citron
Les citrons ont un goût acide car ils contiennent de l'acide citrique.

pH 1

Acide chlorhydrique
C'est un acide fort et corrosif. Il ronge les métaux en formant une croûte.

LA CHIMIE

@ ▸▸ Chimie

La chimie est la science de la matière. Les scientifiques étudient les produits chimiques, leurs propriétés et leurs **RÉACTIONS**. La **BIOCHIMIE** est la chimie des êtres vivants.

Qu'est-ce qu'un produit chimique ?

Les produits chimiques sont les bases de la matière. L'hydrogène et l'oxygène sont des produits chimiques, ainsi que les corps composés tels que l'eau. Ils sont obtenus par la liaison atomique de différents éléments. L'organisme, la nourriture, les vêtements sont faits de produits chimiques.

Qu'est-ce qu'une propriété chimique ?

Les propriétés d'un produit chimique décrivent son action sur d'autres produits chimiques. L'oxygène, par exemple, fait rouiller (ou oxyder) le fer, c'est donc un agent oxydant.

Pourquoi certains produits chimiques sont-ils dangereux ?

Nos organismes contiennent des dizaines de milliers de produits chimiques qui interagissent pour nous fournir l'énergie nécessaire à la vie. Les produits toxiques (poisons) interfèrent avec ces interactions. Certains produits chimiques sont corrosifs, ils détruisent la matière solide.

◀ **L'ÉCHELLE DE PH**
L'échelle de pH permet de mesurer l'acidité. Les acides les plus forts ont un pH égal à 1, les produits chimiques neutres ont un pH égal à 7, les bases et les alcalins ont un pH égal à 14.

LES RÉACTIONS CHIMIQUES

Une réaction chimique se produit lorsque deux produits chimiques ou plus se combinent pour former un nouveau produit. De nombreuses réactions dégagent de la chaleur ou des flammes.

Que sont les acides et les bases ?

Les acides sont des produits chimiques qui réagissent avec les métaux. Les acides forts comme les acides sulfurique, nitrique ou chlorhydrique, sont très corrosifs. Une base est un produit chimique capable de neutraliser un acide. Lorsque acides et bases réagissent, ils forment des sels. Les alcalins sont des bases solubles dans l'eau.

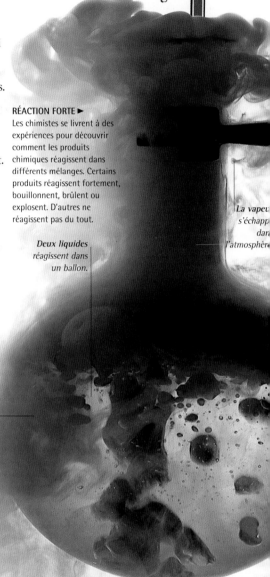

RÉACTION FORTE ▶
Les chimistes se livrent à des expériences pour découvrir comment les produits chimiques réagissent dans différents mélanges. Certains produits réagissent fortement, bouillonnent, brûlent ou explosent. D'autres ne réagissent pas du tout.

Deux liquides réagissent dans un ballon.

La vapeur s'échapp[e] dan[s] l'atmosphèr[e]

◀ **LE GRAPHITE**
Le graphite est du carbone pur. Les atomes de carbone du graphite sont groupés en couches qui glissent facilement les unes sur les autres. C'est pourquoi un crayon à mine de graphite laisse des marques noires.

LE DIAMANT ▶
Les atomes de carbone du diamant sont liés dans un solide réseau à trois dimensions. C'est ce qui fait du diamant le matériau le plus dur sur terre.

LA BIOCHIMIE

La biochimie étudie les molécules des organismes vivants, qu'il s'agisse de plantes, d'animaux ou d'[êtres] humains. Ces molécules sont toutes des composés [de] l'élément carbone et d'hydrogène essentiellement.

Pourquoi la vie est-elle fondée sur le carbone [?]

Les atomes de carbone se relient les uns aux autres (et [à] d'autres éléments) de bien des façons. Ils peuvent fo[rmer] des anneaux ou des chaînes de toutes longueurs. Ce[tte] grande variété fait du carbone la pierre angulaire id[éale] pour les molécules complexes de la vie.

POUR EN SAVOIR PLUS ▸▸ La matière 156 • Les éléments 160-161

LA PHYSIQUE

La physique est l'étude des forces, de l'énergie et de la matière qui composent l'Univers et tout ce qui s'y trouve. La **PHYSIQUE APPLIQUÉE** met en œuvre les découvertes de la physique en médecine, en ingénierie et autres disciplines pratiques.

Qu'étudient les physiciens ?

Les physiciens étudient la composition des atomes, le comportement des matériaux, les forces qui gardent les planètes en orbite, ainsi que la chaleur, la lumière, le son, l'électricité et le magnétisme. Ils tentent de découvrir les lois fondamentales qui régissent la matière et l'énergie, et fournissent leurs résultats sous forme d'**ÉQUATIONS**.

Qu'est-ce qu'une propriété physique ?

Les propriétés physiques sont des caractéristiques pouvant être exprimées par des nombres, comme la longueur, le poids ou le volume. La dureté, la densité, l'élasticité (la souplesse d'un matériau), la conductivité (capacité à conduire l'électricité ou la chaleur) et le pouvoir réfléchissant sont d'autres propriétés physiques.

Comment travaillent les physiciens ?

Il y a deux axes principaux de recherche en physique. Les physiciens expérimentaux conçoivent en laboratoires des expériences pour mesurer les propriétés et les processus physiques. Les théoriciens travaillent avec des idées, des équations et des modèles pour découvrir des lois physiques qui expliqueront ou prédiront les résultats d'expériences.

MONTAGNES RUSSES ▲
La physique a servi aux concepteurs pour vérifier que ce manège était à la fois sûr et amusant. Les lois du mouvement peuvent prédire les forces auxquelles l'usager sera soumis à chaque boucle ou virage.

LES ÉQUATIONS

L'équation est une manière condensée d'écrire une idée scientifique. Par exemple, la masse volumique d'un matériau mesure la quantité de matière qui compose ce matériau. L'équation masse volumique = masse/volume signifie que la masse volumique d'un objet est égale à sa masse divisée par son volume.

Que nous apprennent les équations ?

Dans une équation, les valeurs situées de part et d'autre du signe égal sont identiques. Les propriétés physiques sont symbolisées par des lettres. Dans l'équation $F = ma$, F est la force tandis que ma est la masse (m) multipliée par l'accélération (a). Certaines équations montrent les résultats d'une expérience, d'autres les prédictions d'une théorie.

ISAAC NEWTON
Anglais, 1642-1727

On doit à Isaac Newton certaines des plus importantes découvertes scientifiques et mathématiques. Ses lois du mouvement et ses théories de la gravité expliquent comment bougent tous les objets, des atomes jusqu'aux planètes. Il a démontré que la lumière blanche est composée d'une multitude de couleurs.

$$d = 0.7v + 0.07v^2$$

▲ DISTANCE DE FREINAGE
Cette équation montre que la distance de freinage (d) d'une voiture dépend de sa vitesse (v). La distance se décompose en deux parties. $0,7v$ ($0,7$ fois la vitesse) est la distance parcourue pendant que le conducteur réagit (distance de réaction). $0,07v^2$ est la distance parcourue pendant le freinage. Le symbole ^{2} signifie que le nombre est multiplié par lui-même.

LA PHYSIQUE APPLIQUÉE

@ ▶▶
Physique

La physique appliquée utilise les lois fondamentales du monde physique pour concevoir des outils et des techniques utiles dans de nombreux secteurs de la science : science des matériaux, médecine, astronomie, météorologie, informatique.

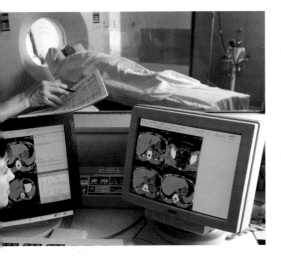

◀ L'IRM
Avec l'Imagerie par Résonance Magnétique, le médecin peut observer l'intérieur du corps sans recourir à la chirurgie. L'IRM se base sur les propriétés magnétiques des noyaux atomiques, découvertes par la physique.

Comment la physique est-elle utilisée en médecine ?

La physique a permis de développer de nombreux techniques et instruments médicaux. Scanners, rayons X et chirurgie au laser sont basés sur les découvertes de physiciens, ainsi que les moniteurs cardiaques et la radiothérapie contre le cancer.

POUR EN SAVOIR PLUS ▶▶ Les mathématiques 155 • La matière 156 • Les forces 164 • L'énergie 166

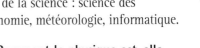

LES FORCES

On applique une force en frappant un ballon du pied, en tirant sur une bande de caoutchouc ou en soulevant une valise. Les forces se résument à des tractions et des poussées. Certaines forces agissent sur de longues distances. Ainsi, la force de la **GRAVITÉ** attire vers le sol un athlète sautant d'un haut plongeoir.

Comment agissent les forces ?

Les forces modifient le mouvement et la forme. La force d'un pied frappant un ballon donne de la vitesse au ballon. La force d'un parachute ralentit la chute du parachutiste. La force d'une corde fixée à une balle modifie constamment la direction du mouvement, la faisant tournoyer en cercle. La combinaison de plusieurs forces appliquées à des matériaux peut les étirer, les tordre ou les écraser.

Comment mesurer une force ?

Les forces se mesurent à leurs effets. Des balances à ressort sont utilisées pour mesurer ces effets. Plus la force exercée sur le ressort est forte, plus le ressort s'étire. Le degré d'étirement du ressort est proportionnel à la force qui s'exerce sur lui. L'unité de mesure de la force est le newton. Un newton augmente la vitesse d'une masse de 1 kg de 1 mètre par seconde chaque seconde.

Qu'est-ce que l'équilibre des forces ?

Deux forces s'équilibrent lorsqu'elles sont de même importance et s'exercent dans des directions opposées. L'application de forces équilibrées en ligne droite à un objet n'a aucun effet sur son mouvement, mais elle peut l'étirer ou le comprimer. Si ces forces n'agissent pas sur une même ligne, elles peuvent entraîner la rotation de l'objet.

FORCES FONDAMENTALES		
FORCE	*EFFETS*	*PUISSANCE RELATIVE*
Gravitation	Donne du poids aux objets	Très faible
	Retient lunes et planètes sur leurs orbites	
Électromagnétisme	Retient les électrons dans les atomes et	Forte
	les atomes dans les molécules	
	Donne solidité et forme aux matériaux	
	Se manifeste par l'électricité, le magnétisme, la lumière	
	et autres formes de rayonnement électromagnétique	
Nucléaire faible	Se manifeste par la radioactivité	Faible
Nucléaire forte	Fixe les protons et les neutrons dans	Très forte
	les noyaux des atomes	

▲ IMPACT
Les forces vont toujours par deux. En faisant une tête au football, la force qui s'exerce sur la tête est contraire à celle qui s'exerce sur le ballon. Pendant l'impact, la tête et le ballon changent de forme, et leur mouvement est opposé. Le ballon s'éloigne, tandis que la tête recule.

LA GRAVITÉ

La gravité est la force agissant sur tous les objets dotés d'une masse. La gravité attire toujours, elle ne repousse jamais. Elle s'exprime toujours par une traction, jamais par une poussée. La force de la gravité augmente lorsque la masse d'un objet augmente ou lorsque la distance entre les objets diminue.

Quelle est la différence entre masse et poids ?

La masse est la quantité de matière dans un objet. La masse d'un objet ne change pas, qu'il soit sur Terre ou dans l'espace. Le poids est une force. Le poids d'un objet sur Terre n'est autre que la force qui s'exerce sur lui du fait de la gravité de la planète. Sur la Lune, le poids de l'objet est moindre, car sa force de gravité est inférieure à celle de la Terre.

Pourquoi les objets flottent-ils ou coulent-ils ?

Dans l'eau, un rondin de bois déplace (repousse) l'eau et flotte à la surface. L'eau exerce une poussée vers le haut qui s'oppose à la traction de la gravité. Cette poussée vers le haut est égale au poids de l'eau déplacée. Lorsqu'on plonge un objet lourd dans l'eau, le poids de l'eau déplacée, égal à la poussée vers le haut, est inférieur au poids de l'objet. Et l'objet coule.

▲ PARACHUTISTES
La force de la gravité attire ces parachutistes vers le sol. Leur vitesse augmente jusqu'à ce que leur poids soit en équilibre avec la force de l'air (résistance) qui agit dans une direction opposée. Ils continuent de tomber, mais à vitesse constante. En écartant les bras et les jambes, ils se servent de la résistance de l'air pour se diriger et peuvent se donner la main pour former un cercle.

@ ▸▸ Forces

Des molécules de cette page aux planètes sur leurs orbites, les objets qui nous entourent sont en mouvement constant. Le mouvement le plus simple consiste à se déplacer en ligne droite à vitesse constante. Lorsque la vitesse ou la direction changent, les scientifiques disent que le mouvement est accéléré.

Qu'est-ce que l'accélération ?

Lorsqu'on lâche une pierre dans le vide, elle est d'abord immobile (vitesse égale zéro) puis prend de la vitesse pendant sa chute. La pierre accélère. Une force est toujours nécessaire pour produire de l'accélération. Dans ce cas, il s'agit de la force de la gravité. L'accélération est freinée par la FRICTION due à la résistance de l'air.

Comment mesurer la vitesse ?

La vitesse est déterminée à l'aide de deux mesures : la distance et le temps du déplacement. La vitesse est obtenue en divisant la distance par le temps. Si un athlète parcourt 5 m en une seconde, sa vitesse est de 5 m/s. Une voiture parcourant 100 km en deux heures a une vitesse moyenne de 50 km/h.

Balancier

MOUVEMENT DE BALANCIER ▲
La fillette sur la balançoire effectue un mouvement de balancier. Elle donne un coup pour le départ. La gravité la freine lorsqu'elle s'élève, puis l'accélère lorsqu'elle repart dans la direction opposée. Le mouvement continue jusqu'à ce que la friction et la résistance de l'air l'immobilisent.

MOUVEMENT CIRCULAIRE ▶
Tourner sur soi-même implique des changements de direction constants. Les bras de la patineuse s'écartent pendant la pirouette. En appliquant une force pour les réunir au-dessus de sa tête, elle peut augmenter sa vitesse de rotation.

◀ MOUVEMENT COMPLEXE
Le saut de main avant d'un gymnaste combine un mouvement en ligne droite à un mouvement en cercle.

LA FRICTION

La force de la friction s'oppose au mouvement lorsqu'une surface glisse, ou tente de glisser, sur une autre surface. On sent la friction lorsqu'on passe la main sur une table. La friction est produite par les forces entre les molécules des surfaces. La traînée est la friction entre un objet solide et le fluide qu'il traverse.

Comment utiliser la friction ?

La friction n'est pas toujours un problème. Elle est parfois utilisée pour empêcher ou freiner un mouvement. Sans friction, les chaussures n'accrocheraient pas le sol et nous glisserions, les roues des voitures déraperaient. La friction augmente par l'utilisation de semelles et de pneus en matières souples et adhérentes comme le caoutchouc.

Comment réduire la friction ?

La friction entre les parties d'une machine finit par les user et les endommager. Elle entraîne également une perte d'énergie en créant de la chaleur plutôt que du mouvement. La friction peut être réduite en utilisant de l'huile en guise de lubrifiant entre les surfaces. Les résistances sont diminuées dans les machines à forme aérodynamique. Les avions sont conçus pour que l'air rencontre le moins de résistance possible en passant au-dessus. L'étude des mouvements de l'air autour d'un objet s'appelle l'aérodynamique.

@ ▶▶
Mouvement

CONÇU POUR LA FRICTION ▶
Un athlète a besoin de la friction entre la semelle de ses chaussures et la surface de la route. Sans elle, il déraperait et tomberait.

Les semelles de caoutchouc souple s'accrochent au sol.

Les sillons évacuent l'eau.

POUR EN SAVOIR PLUS ▶▶ Les atomes 157 • Les forces 164 • Les matériaux 170

L'ÉNERGIE

Sans énergie, le monde serait inerte, obscur et immobile. Lorsqu'une chose a de l'énergie, elle peut travailler et entraîner des changements. L'énergie produit la lumière et le mouvement. Elle est nécessaire pour produire la chaleur, l'électricité et pour vaincre les forces telles que la friction.

Quelles formes l'énergie peut-elle prendre ?

Les voitures qui roulent, les fusées, le vent et les vagues sont dotés d'énergie **CINÉTIQUE** (mouvement).
Un élastique tendu a de l'énergie potentielle (en réserve) en raison des forces qui essaient de lui faire reprendre sa forme initiale. La chaleur est l'énergie cinétique des particules contenues dans les matériaux. La lumière est le rayonnement d'énergie créé par la force électromagnétique.

L'énergie cinétique augmente avec la vitesse.

L'énergie élastique est stockée par l'élastique lorsqu'il se tend.

L'énergie gravitationnelle potentielle augmente avec la distance par rapport au sol.

Comment l'énergie change-t-elle de forme ?

Lorsqu'une action se produit, l'énergie se transforme. Ainsi, lorsqu'on grimpe un escalier, l'énergie chimique de la nourriture est transformée en énergie cinétique par les muscles, ainsi qu'en énergie potentielle tandis que le corps lutte contre la gravité. La quantité d'énergie transférée se mesure en **JOULES**.

◄ **SAUT À L'ÉLASTIQUE**
Un sauteur à l'élastique utilise l'énergie gravitationnelle pour opérer son saut depuis un pont. Pendant l'accélération produite par la chute, l'énergie gravitationnelle est convertie en énergie cinétique. Lorsque l'élastique commence à se tendre puis à ralentir la chute, l'énergie cinétique est convertie en énergie élastique (potentielle).

L'énergie peut-elle disparaître ?

L'énergie ne peut être ni créée ni détruite, elle ne peut que se transformer. Il y a toujours autant d'énergie après une action qu'avant, mais une partie de l'énergie peut se disperser dans l'air sous forme de chaleur.

LA CINÉTIQUE

Les objets capables de bouger et de vibrer ont de l'énergie cinétique. Plus la masse de l'objet en mouvement est grande et plus sa vitesse est élevée, plus il a d'énergie cinétique.

Pourquoi est-il plus dangereux d'avoir un choc à grande vitesse ?

On pourrait penser qu'un accident à 60 km/h est deux fois plus dangereux qu'à 30 km/h. En réalité, doubler la vitesse multiplie l'énergie cinétique par quatre. À 60 km/h, l'énergie capable de causer des dommages est quatre fois plus importante qu'à 30 km/h.

ÉNERGIE CINÉTIQUE
Pendant une course, les cyclistes convertissent la nourriture en énergie musculaire puis en énergie cinétique

LE JOULE

L'unité d'énergie internationale actuelle est le joule. Un joule est l'énergie utilisée lorsqu'une force de 1 newton se déplace sur une distance de 1 m.

Qu'est-ce qu'une calorie ?

La calorie est une unité d'énergie valant exactement 4,1855 joules. Historiquement elle avait été introduite pour les mesures de chaleur. L'unité appelée Calorie (avec un C majuscule), qui vaut 1 000 calories, est toujours utilisée pour indiquer la quantité d'énergie des aliments.
Une Calorie est égale à environ 4 200 joules. Un adolescent actif a besoin de 2 000 à 2 500 Calories d'énergie par jour. Le corps stocke les Calories en trop sous forme de graisse.

@ ▶▶
Énergie

L'ÉNERGIE DES SPORTIFS ▲
Un sportif de haut niveau peut brûler jusqu'à 1 000 Calories en une heure d'activité sportive intense. Une heure de télévision ne brûle que 50 Calories.

POUR EN SAVOIR PLUS ▶▶ Les forces 164 • Le mouvement 165 • La lumière 178-179 • L'électricité 182 • L'électromagnétisme 186

L'ÉNERGIE NUCLÉAIRE

L'énergie qui fait briller les étoiles et qui produit la chaleur à l'intérieur d'un réacteur nucléaire s'appelle l'énergie nucléaire. Elle est produite par la force nucléaire forte qui lie les protons et les neutrons dans le noyau de l'atome.

Que sont la fusion et la fission ?

Deux types de réactions peuvent libérer de l'énergie nucléaire. La fusion a lieu lorsque deux noyaux légers se combinent (fusionnent) pour former un noyau plus lourd. C'est le processus qui fait brûler les étoiles. La fission a lieu lorsque le noyau instable d'un élément lourd, comme l'uranium, se sépare en deux. La fission est utilisée dans les centrales nucléaires.

Comment contrôle-t-on une réaction nucléaire ?

La fission de l'uranium **RADIOACTIF** produit de l'énergie nucléaire. Le processus est contrôlé en réglant le nombre de neutrons produits. Des barres de contrôle qui absorbent les neutrons sont insérées entre les barres de combustible (contenant l'uranium). Elles sont montées ou descendues pour maintenir une libération régulière de l'énergie.

Grue

Barre de combustible

L'eau refroidit les barres d'uranium et protège le personnel des radiations dangereuses.

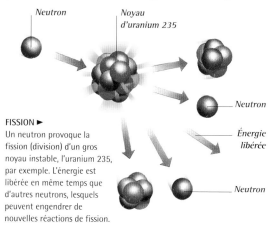

Neutron

Noyau d'uranium 235

Neutron

Énergie libérée

FISSION ▶
Un neutron provoque la fission (division) d'un gros noyau instable, l'uranium 235, par exemple. L'énergie est libérée en même temps que d'autres neutrons, lesquels peuvent engendrer de nouvelles réactions de fission.

Neutron

FUSION ▶
Aux températures présentes à l'intérieur des étoiles, les noyaux de deutérium et de tritium (formes d'hydrogène) fusionnent pour former un noyau d'hélium. La fusion libère une grande quantité d'énergie.

Noyau de deutérium

Noyau de tritium

Noyau d'hélium formé

Énergie libérée

Neutron

COMBUSTIBLE NUCLÉAIRE ▲
Les barres de combustible produisent de la chaleur dans un réacteur nucléaire. Les barres usagées restent chaudes et hautement radioactives. Une grue dirigée à distance transfère les barres du cœur du réacteur à un bassin de refroidissement rempli d'eau.

@ ▶▶ Énergie nucléaire

LA RADIOACTIVITÉ

Des forces puissantes sont à l'œuvre dans le noyau des atomes. Certains atomes sont instables, se décomposent avec le temps, et libèrent leur énergie sous forme de radiation. Ces atomes sont radioactifs. Il y a trois types principaux de radiations : alpha, bêta et gamma.

◀ DÉCHETS NUCLÉAIRES
Ce technicien contrôle les conteneurs de stockage de déchets nucléaires pour déceler d'éventuels rayonnements. Le détecteur enregistre le nombre de particules radioactives (alpha, bêta et rayons gamma) traversant les parois épaisses des conteneurs.

Quelle est l'utilité de la radioactivité ?

Les substances radioactives se décomposent selon un schéma prévisible. Les géologues et les archéologues peuvent dater des roches en mesurant les radiations qu'elles émettent. Dans l'industrie, les radiations servent à surveiller les canalisations ou à tuer les bactéries dangereuses présentes dans la nourriture avant son emballage ; en médecine, elles permettent de traiter le cancer et de stériliser les instruments.

Pourquoi la radioactivité est-elle dangereuse ?

Pour une cellule vivante, une particule alpha ou bêta, ou un rayon gamma sont comme une balle de pistolet. Leur énergie endommage les molécules, interrompant le cycle de vie de la cellule. Une exposition longue aux radiations peut provoquer des cancers tels que la leucémie. Une exposition unique à une radiation forte entraîne des maladies mortelles. Les objets radioactifs doivent être manipulés avec les plus grandes précautions.

MARIE CURIE
Française, 1867-1934

Polonaise de naissance, la physicienne Marie Curie fut l'une des premières scientifiques à s'intéresser à la radioactivité. Elle découvrit l'élément radioactif radium. Elle fut la première à recevoir deux prix Nobel. Marie Curie mourut d'une leucémie provoquée par les radiations qu'elle étudiait.

POUR EN SAVOIR PLUS ▶▶ Les ressources énergétiques 60-61 • Les atomes 157 • L'énergie 166

LA CHALEUR

Tout ce qui nous entoure contient de l'énergie thermique. La chaleur est une forme d'échange d'énergie, celle du mouvement aléatoire des particules qui composent toute matière. La **TEMPÉRATURE** est la mesure de l'énergie associée à cette agitation. Elle peut être mesurée avec un **THERMOMÈTRE**.

Comment la chaleur se transporte-t-elle ?

La chaleur se transporte toujours du plus chaud vers le plus froid. Si l'on se place près d'un radiateur, sa chaleur nous réchauffe. Différents matériaux sont capables de véhiculer la chaleur. Les métaux sont les meilleurs conducteurs (la chaleur les traverse facilement). Les **ISOLANTS THERMIQUES** ne conduisent pas bien la chaleur.

Quels sont les trois modes de transfert de chaleur ?

La conduction est un transfert de chaleur d'une molécule à une autre. Les molécules chargées d'énergie transfèrent la chaleur lorsqu'elles entrent en collision avec d'autres molécules moins chargées. La convection est un transport de chaleur à travers un liquide ou un gaz, où le fluide chaud s'élève et le fluide froid descend. Ce mouvement s'appelle un courant de convection. Le rayonnement est le transport de chaleur produit par les rayons électromagnétiques. Tous les objets émettent des rayonnements.

▲ IMAGERIE THERMIQUE

Ces sauveteurs utilisent une caméra d'imagerie thermique pour rechercher les survivants sous les décombres ou dans une fumée intense. Un corps chaud apparaîtra à l'écran comme une zone claire.

Peut-on voir la chaleur ?

Non, mais ses effets sont visibles. Ainsi, les courants de convection s'élevant d'une route goudronnée chaude font trembloter l'air. Une caméra thermique décèle les rayonnements émis par les objets chauds. L'électronique convertit les rayonnements électromagnétiques invisibles en image sur un écran de télévision.

Les zones bleues et vertes sont les plus froides.

Les yeux sont des zones chaudes car ils ont beaucoup de vaisseaux sanguins.

Les zones rouges et jaunes sont les plus chaudes.

Le nez perd facilement de la chaleur car il a peu de vaisseaux sanguins.

THERMOGRAPHIE ▲

Cette image en fausse couleur montre les différences de température sur la tête et les épaules d'un homme. Les caméras thermiques installées dans les aéroports peuvent repérer les passagers fiévreux (température élevée) susceptibles de souffrir d'une maladie infectieuse. Elles servent également dans les ports pour repérer les clandestins dans les véhicules.

LA TEMPÉRATURE

La température indique la chaleur d'un objet. C'est la mesure de la vitesse de mouvement des particules à l'intérieur de cet objet. Plus il est chaud, plus les molécules s'agitent. La température se mesure en degrés sur une échelle de température.

Qu'est-ce que le zéro absolu ?

S'il était possible de retirer toute l'énergie interne d'un objet, ses molécules seraient immobiles. La température à laquelle les molécules cessent de s'agiter est appelée le zéro absolu. C'est la température la plus basse possible, soit –273,15 °C.

Quel est l'endroit le plus chaud de l'Univers ?

Au centre du Soleil la température atteint 14 millions de °C. Des températures trente fois plus élevées sont créées en laboratoire pour produire la fusion nucléaire. Cependant, même ces températures sont modestes comparées au big bang qui a dégagé plus de 10 milliards de milliards de milliards de °C !

ÉCHELLE DE TEMPÉRATURE ▶
Il existe trois échelles de température. En degrés Celsius, la température de fonte de la glace se situe à 0 °C. En degrés Fahrenheit, elle est à 32 °F. En Kelvin, elle est à 273,15 K.

Chaleur

LES THERMOMÈTRES

L'instrument mesurant la température est un thermomètre. La graduation de la plupart des thermomètres est comprise entre deux valeurs fixes, le point de fonte de la glace et le point d'ébullition de l'eau. Toutes les températures sont mesurées par rapport à ces deux valeurs.

Comment fonctionne un thermostat ?

Les thermostats contrôlent la température des maisons et des machines. Un thermostat d'ambiance simple est un interrupteur équipé d'une lame bimétallique. Lorsque la température augmente, les deux métaux de la lame se dilatent de manière non uniforme. La lame se plie, interrompt le circuit et coupe le chauffage. Lorsque la pièce se refroidit, la lame reprend sa forme initiale, rétablissant le circuit et le chauffage.

THERMOMÈTRE À LIQUIDE
Le thermomètre contient un liquide dans un réservoir et un tube de verre. Le fluide se dilate sous l'effet de la chaleur et monte dans la colonne graduée qui indique la température du liquide.

LES ISOLANTS THERMIQUES

Tout matériau résistant aux transferts de chaleur est un isolant thermique. De nombreux animaux restent chauds car la fourrure, bon isolant, empêche la chaleur de se diffuser.

Comment fonctionne une bouteille Thermos ?

Une bouteille Thermos garde son contenu chaud ou froid. Une double paroi empêche la chaleur d'entrer ou de sortir par conduction. Les parois revêtues d'argent brillant réfléchissent les rayons électromagnétiques et réduisent ainsi le transfert de chaleur par rayonnement. L'espace entre les parois contient de l'air à basse pression (du vide), ce qui réduit le transfert de chaleur par convection.

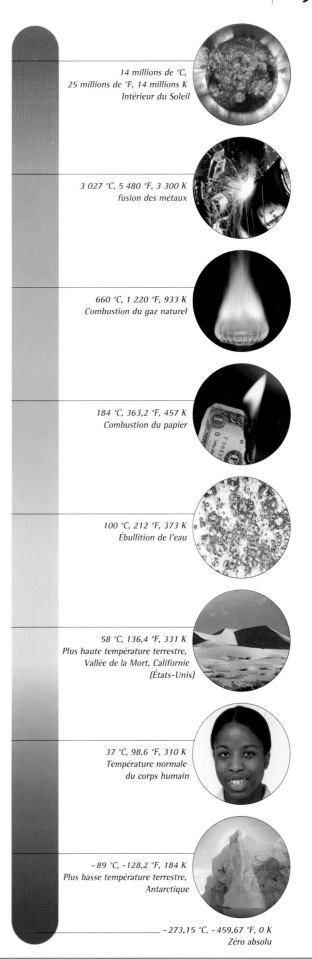

Bouchon

Bouteille

Double paroi séparée par du vide

◀ BOUTEILLE THERMOS
La bouteille Thermos a deux parois revêtues d'argent et séparées par du vide. Cela réduit les transferts de chaleur par conduction, convection et rayonnement.

14 millions de °C, 25 millions de °F, 14 millions K
Intérieur du Soleil

3 027 °C, 5 480 °F, 3 300 K
fusion des métaux

660 °C, 1 220 °F, 933 K
Combustion du gaz naturel

184 °C, 363,2 °F, 457 K
Combustion du papier

100 °C, 212 °F, 373 K
Ébullition de l'eau

58 °C, 136,4 °F, 331 K
Plus haute température terrestre, Vallée de la Mort, Californie (États-Unis)

37 °C, 98,6 °F, 310 K
Température normale du corps humain

– 89 °C, –128,2 °F, 184 K
Plus basse température terrestre, Antarctique

– 273,15 °C, – 459,67 °F, 0 K
Zéro absolu

POUR EN SAVOIR PLUS ▶▶ Le Soleil 15 • La circulation 134 • Les atomes 157 • L'énergie 166

LES MATÉRIAUX

Toute substance utilisée pour fabriquer quelque chose est un matériau. Les matériaux naturels comme la pierre ou le bois sont utilisés tels quels. Les **MATÉRIAUX SYNTHÉTIQUES** sont faits à partir de matériaux naturels, à l'aide d'énergie et de réactions chimiques.

Quelles sont les propriétés des matériaux ?

Les matériaux sont sélectionnés selon leurs propriétés pour une utilisation donnée. Une propriété mécanique telle que la résistance est importante pour les matériaux utilisés en construction. Les propriétés chimiques indiquent si un matériau réagira avec d'autres matériaux. Les propriétés thermiques montrent la conductivité d'un matériau.

ESSAI DE TRACTION ▶
Cette machine teste la résistance du jouet en plastique en tirant dessus (force de traction). Si la tête se détache aisément, le jouet peut être dangereux pour les petits enfants.

▲ TOILE D'ARAIGNÉE
La toile en soie est tissée à partir d'une protéine appelée fibroïne. La soie, à la fois résistante et élastique, ne se déchire pas facilement.

Quelle est la résistance d'une toile d'araignée ?

Des millions d'années d'évolution ont produit des matériaux naturels parfaitement adaptés à leur utilisation. À poids égal, une toile d'araignée est dix fois plus résistant que l'acier et bien plus élastique. Les os, les dents et les défenses sont des matériaux naturels très résistants. On peu s'en servir chaque jour pendant cent ans sans les briser.

Comment les matériaux sont-ils utilisés ?

Les matériaux sont façonnés et assemblés. Le bois est scié, raboté et assemblé avec des clous, des vis ou de la colle. Le métal peut être forgé ou chauffé jusqu'à ce qu'il fonde e versé dans des moules. Les pièces sont assemblées à l'aide d'écrous, de boulons, de rivets ou par soudure.

LES MATÉRIAUX SYNTHÉTIQUES

Une substance faite artificiellement, à l'aide d'énergie et de réactions chimiques, est un matériau synthétique qui peut ressembler à un matériau naturel ou avoir des propriétés nouvelles.

Quels furent les premiers matériaux synthétiques ?

Le sable fond à la chaleur et produit du verre. Les premières bouteilles en verre remontent à l'Égypte ancienne, il y a 3 500 ans. Le premier matériau totalement synthétique moderne date de 1909 lorsqu'un chimiste américain d'origine belge, Leo Baekeland, créa un plastique appelé bakélite.

Qu'est-ce qu'un matériau composite ?

Les matériaux composites réunissent les propriétés utiles de deux matériaux ou plus. L'acier et le béton sont résistants, mais le béton armé l'est encore plus. Il est utilisé dans la construction d'immeubles et de ponts.

▲ CHAISE EN PLASTIQUE RENFORCÉ DE VERRE (PRV)
Une chaise en PRV est à la fois lég et solide. Le plastique contient des fibres de verre qui empêchent les fêlures de s'étendre à travers l'obj et lui donnent une grande résista

▲ COMBINAISON ANTI-CHALEUR
De nombreuses fibres naturelles et synthétiques brûlent facilement, mais les fibres utilisées pour fabriquer les combinaisons ignifugées des pompiers sont résistantes aux flammes et à la chaleur. La combinaison est intégralement revêtue d'une fine couche d'aluminium qui réfléchit la chaleur de la surface comme un miroir.

POUR EN SAVOIR PLUS ▶▶ La chimie 162 • La chaleur 168-169 • Les alliages 174 • Les nouveaux matériaux 175

LA TRANSFORMATION DES MATÉRIAUX

Réactions chimiques et chaleur nous permettent de transformer les matériaux et leurs propriétés à notre gré. Certains changements sont DÉFINITIFS, d'autres sont RÉVERSIBLES.

Comment les réactions chimiques modifient-elles les matériaux ?

Une réaction chimique a lieu lorsque les liaisons atomiques existantes sont rompues et qu'il s'en forme de nouvelles. Lorsque l'éthylène (un gaz) est chauffé à haute pression, ses molécules s'assemblent en de longues chaînes pour former le polyéthylène, un plastique servant à fabriquer des sachets d'emballage.

Qu'est-ce qui fait coller la colle ?

Une bonne colle est une substance liquide qui se solidifie au contact de l'air. Liquide, la colle s'insinue dans les moindres recoins de la surface sur laquelle elle est appliquée. Les molécules de la colle forment des liaisons avec les molécules de la surface. Lorsque la colle se fige, les surfaces sont solidement maintenues ensemble.

Transformation des matériaux

PUTRÉFACTION ET DÉCOMPOSITION ▶
Après la mort, des micro-organismes décomposent les molécules complexes des matériaux vivants.

Comment la chaleur modifie-t-elle les matériaux ?

La chaleur ramollit de nombreux solides, en particulier les métaux, et les rend plus faciles à façonner. Lorsque la température augmente, la plupart des métaux finissent par se liquéfier, mais certains matériaux ou mélanges réagissent différemment. La chaleur du four transforme une pâte collante en un gâteau onctueux.

FER ROUILLÉ ▲
Un objet en fer soumis à l'humidité extérieure se recouvre d'une substance brun orangé appelée rouille. La rouille provient d'une réaction chimique entre le fer, l'oxygène et l'eau.

Les spores de moisissures se multiplient sur la peau de la nectarine et se nourrissent en décomposant sa structure.

L'eau s'évapore, la nectarine se ratatine et dessèche.

NECTARINE FRAÎCHE   NECTARINE POURRIE

LES CHANGEMENTS RÉVERSIBLES

La fusion et l'ébullition sont des changements réversibles, produits par la chaleur. La vapeur se re-condense en gouttes d'eau lorsqu'elle entre en contact avec une surface froide, comme celle d'une vitre.

◀ COULÉE DE LAVE
La lave liquide s'écoulant d'un volcan est faite de roche fondue sous l'effet de la chaleur du cœur de la Terre, environ 700 °C. La surface de la lave refroidit en premier, formant une pellicule fine qui se plisse tandis que la lave s'écoule. Froide, elle redevient de la roche.

La pierre peut-elle fondre ?

La cire de bougie fond à 60 °C, le plomb à 327,5 °C, le fer à 1 540 °C. Même la pierre peut fondre. Le matériau à la température de fusion la plus élevée est le tungstène (un métal) qui se liquéfie à 3 387 °C. Il sert à faire les filaments des ampoules électriques et des tubes cathodiques.

LES CHANGEMENTS DÉFINITIFS

Brûler, rouiller et cuire entraînent des changements définitifs. Ils ne peuvent pas être annulés en inversant les conditions qui les ont provoqués.

Comment le béton passe-t-il du liquide au solide ?

Le béton est un mélange de sable, de gravier, de ciment et d'eau. Le ciment contient de l'oxyde de calcium (chaux) et de la silice ou des composés chimiques analogues (substances composées de deux ou plusieurs éléments). Lorsqu'il est mélangé à l'eau, ses composés réagissent et se solidifient, fixant les particules de sable et de gravier en une structure solide définitive.

BÉTON ▶
Cette photo au microscope électronique révèle les changements intervenant dans le béton en cours de solidification. Sous l'effet de la réaction ciment/eau, des cristaux se forment, reliant les particules de sable et de gravier.

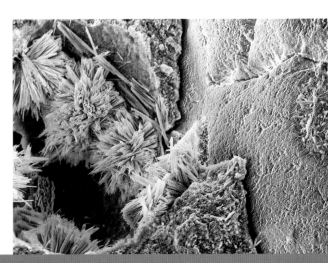

POUR EN SAVOIR PLUS ▶▶ Les micro-organismes 85 • La matière 156 • La chimie 162 • Les mélanges 172

LES MÉLANGES

Un mélange est un assemblage de différentes choses. La terre est un mélange de sable, d'argile, de pierres, de racines et de restes animaux et végétaux. L'air est un mélange de gaz. L'eau de mer contient un mélange de plusieurs composés chimiques en **SOLUTION**.

Quelle est la différence entre un mélange et un composé ?

Les composants d'un mélange sont regroupés physiquement, sans réaction chimique. En cas de réaction chimique entre matériaux, les liaisons chimiques se cassent et se reforment, produisant des composés dotés de nouvelles propriétés.

Solides, liquides et gaz se mélangent-ils ?

Tous les états de la matière peuvent se mélanger entre eux. Les poudres solides se mélangent facilement. La plupart des roches sont un mélange de différents minéraux. Certains liquides se mélangent bien, d'autres pas. L'eau et l'alcool se mélangent, mais pas l'eau et l'huile. Les gaz se mélangent rapidement par **DIFFUSION**. Leurs molécules peuvent se déplacer entre elles car elles sont très espacées.

LA SOLUTION

Une solution est un mélange à l'état liquide. Lorsque les molécules d'une substance se dispersent parmi les molécules d'une autre substance, on dit qu'elles se dissolvent. La solubilité exprime la quantité de matière qui peut se dissoudre dans le liquide.

◄ HUILE ET EAU
L'huile et l'eau ne se mélangent pas et ne forment donc pas de solution.

LA DIFFUSION

Lorsque deux liquides ou gaz se trouvent dans le même récipient, le mouvement aléatoire de leurs molécules les pousse à se mélanger complètement. Cela s'appelle la diffusion.

Qu'est-ce qu'une marche au hasard ?

Le mouvement d'une molécule dans un liquide ou un gaz est une marche aléatoire en zigzag. La molécule se déplace au hasard et change sans cesse de direction en heurtant d'autres molécules. Plusieurs molécules concentrées à un endroit s'écartent peu à peu. C'est ainsi qu'une odeur, un parfum par exemple, se répand dans toute une pièce.

Pourquoi est-il plus facile de mélanger que de séparer ?

Pour mélanger un seau de balles rouges et un seau de balles blanches, il suffit de les verser ensemble. Les balles se trouvent alors en désordre. Les scientifiques disent qu'elles ont plus d'entropie (désordre). Remettre les balles en ordre est plus difficile car il faut les séparer une à une.

◄ LAMPE LAVA
La lampe contient deux liquides de densités légèrement différentes, qui ne se mélangent pas.

Les gouttes chaudes s'élèvent, refroidissent et retombent.

Les gouttes liquides grossissent et s'élèvent.

La base de la lampe contient une ampoule électrique qui chauffe les gouttes. Le liquide le plus proche de la chaleur se dilate, sa densité diminue et il s'élève.

Pourquoi l'huile et l'eau ne se mélangent-elles pas ?

L'huile est insoluble dans l'eau car les molécules d'huile et d'eau se repoussent. L'huile alimentaire et l'eau peuvent être mélangées physiquement dans une bouteille agitée fortement, mais lorsqu'on laisse reposer le mélange, les molécules d'eau et d'huile se séparent peu à peu. L'huile étant moins dense (lourde) que l'eau, elle remonte au-dessus de l'eau.

@ ▸▸
Mélanges

◄ MÉLANGE PAR DIFFUSION
Les cristaux de permanganate de potassium se dissolvent dans l'eau, produisant une solution mauve foncé. Même sans l'agiter, la solution mauve s'étend progressivement à travers l'eau claire du vase.

Le permanganate de potassium se diffuse dans l'eau

Cristaux de permanganate de potassium

POUR EN SAVOIR PLUS ▸▸ Le sol 48 • La matière 156 • La chimie 162

LA SÉPARATION DES MÉLANGES

Comment extraire le sel de l'eau de mer? Les méthodes pour séparer les mélanges dépendent des propriétés physiques et des composants des mélanges.

L'eau bout à 100 °C.

@ ▸▸
Séparation des mélanges

Comment séparer deux solides?

Des différences de taille, de densité, de solubilité et de propriétés magnétiques séparent les solides. L'ajout d'eau permet de séparer le sel du sable, car le sel se dissout, mais pas le sable. La **FILTRATION** sépare un solide insoluble d'un liquide.

TAMISAGE DE L'OR ▸
L'or, plus lourd, se sépare du gravier et descend plus vite dans le bas du tamis.

Comment s'opère la distillation?

Lorsqu'un mélange de liquides est chauffé, le liquide doté du point d'ébullition le plus bas s'évapore, se séparant de l'autre liquide. En refroidissant, la vapeur redevient liquide. La distillation fractionnée sépare les substances une à une en augmentant la température.

La vapeur d'eau entre dans le tube intérieur du condenseur.

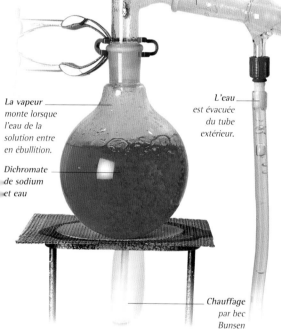

La vapeur monte lorsque l'eau de la solution entre en ébullition.

Dichromate de sodium et eau

L'eau est évacuée du tube extérieur.

◂ DISTILLATION EN LABORATOIRE
Pour cette démonstration, la solution à distiller est chauffée par un bec Bunsen. La vapeur du liquide en ébullition est dirigée dans un condenseur refroidi à l'eau. Le condenseur est incliné pour que le liquide condensé (vapeur transformée en liquide par refroidissement) s'écoule dans le ballon de récupération sous l'effet de la gravité.

L'eau froide est acheminée vers le tube extérieur du condenseur.

La vapeur se condense et le liquide coule dans le ballon de récupération.

Comment séparer des gaz?

L'air contient de l'azote, de l'oxygène et d'autres gaz. Il est d'abord refroidi à l'état liquide à −196 °C, puis soumis à la distillation fractionnée. La vitesse de diffusion à travers une barrière peut également servir à séparer les gaz. Les molécules légères diffusent plus vite que les molécules lourdes.

Chauffage par bec Bunsen

LA FILTRATION

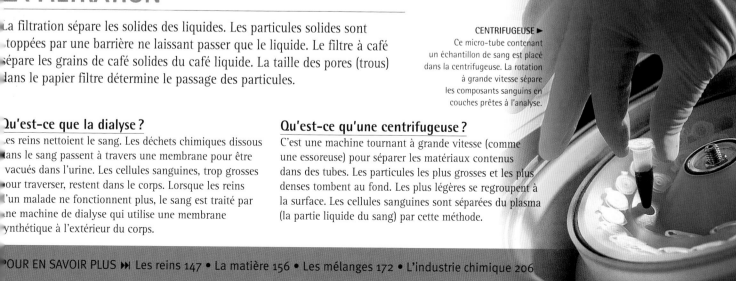

La filtration sépare les solides des liquides. Les particules solides sont stoppées par une barrière ne laissant passer que le liquide. Le filtre à café sépare les grains de café solides du café liquide. La taille des pores (trous) dans le papier filtre détermine le passage des particules.

CENTRIFUGEUSE ▸
Ce micro-tube contenant un échantillon de sang est placé dans la centrifugeuse. La rotation à grande vitesse sépare les composants sanguins en couches prêtes à l'analyse.

Qu'est-ce que la dialyse?

Les reins nettoient le sang. Les déchets chimiques dissous dans le sang passent à travers une membrane pour être évacués dans l'urine. Les cellules sanguines, trop grosses pour traverser, restent dans le corps. Lorsque les reins d'un malade ne fonctionnent plus, le sang est traité par une machine de dialyse qui utilise une membrane synthétique à l'extérieur du corps.

Qu'est-ce qu'une centrifugeuse?

C'est une machine tournant à grande vitesse (comme une essoreuse) pour séparer les matériaux contenus dans des tubes. Les particules les plus grosses et les plus denses tombent au fond. Les plus légères se regroupent à la surface. Les cellules sanguines sont séparées du plasma (la partie liquide du sang) par cette méthode.

POUR EN SAVOIR PLUS ▸▸ Les reins 147 • La matière 156 • Les mélanges 172 • L'industrie chimique 206

LES ALLIAGES

@ ▶▶
Alliages

Un alliage est un mélange de plusieurs métaux, ou de métaux et d'autres substances, permettant d'améliorer leurs propriétés. Le bronze est un alliage de cuivre et d'étain. Résistant à la corrosion par l'eau, il est employé dans les constructions en plein air.

OUTILS MÉTALLIQUES ▶
Pour un bon outil, le métal doit être assez résistant pour supporter les coups et assez dur pour pouvoir être aiguisé. Les outils modernes sont toujours fabriqués à partir d'un alliage de fer et de carbone.

Faucille de l'âge du bronze avec une poignée en bois et une lame en bronze

Faucille de l'âge du fer

◀ ACIER
L'Atomium de Bruxelles (Belgique), est construit avec de solides poutres en acier. L'acier est un alliage de fer et de carbone. L'Atomium est recouvert d'aluminium qui le protège des intempéries. Les neuf sphères sont disposées comme les atomes du fer. Elles abritent un musée des sciences.

Les alliages sont-ils plus résistants que les métaux purs ?

Dans un métal pur, les atomes identiques sont disposés en couches régulières glissant facilement les unes sur les autres. Les alliages sont plus durs et plus résistants, car la différence de taille des atomes des métaux produit des couches moins régulières et donc moins mobiles.

Les alliages fondent-ils facilement ?

La différence de taille des atomes d'un alliage rend leur disposition moins régulière que dans un métal pur. Les liaisons entre atomes sont donc plus faibles et le point de fusion est atteint plus rapidement. Les alliages qui fondent facilement, comme la SOUDURE, ont des applications importantes.

À quand remontent les alliages ?

Il y a 6 000 ans, nos ancêtres fabriquaient déjà du bronze en chauffant des minerais de cuivre et d'étain. Le bronze est plus résistant et a une durée de vie plus longue que le cuivre pur. La période de l'histoire où le principal matériau utilisé était le bronze s'appelle l'âge du bronze.

ALLIAGES		
NOM	*COMPOSANTS PRINCIPAUX*	*USAGES*
Laiton	cuivre, zinc	instruments de musique, objets décoratifs
Bronze	cuivre, étain	statues, roulements, pièces de monnaie
Cupronickel	cuivre, nickel	pièces de monnaie
Duralumin	aluminium, cuivre, magnésium, manganèse	avions, bicyclettes
Nickel-chrome	nickel, chrome	éléments de chauffage électrique
Acier	fer, carbone	construction, outils, véhicules
Inox	fer, chrome, carbone	coutellerie, équipements de cuisine, instruments chirurgicaux
Soudure	plomb, étain	soudure de métaux

LA SOUDURE

Le plomb est un métal lourd et mou qui fond à basse température (328 °C). L'ajout d'étain produit l'alliage appelé soudure et abaisse le point de fusion.

Qu'est-ce qu'un flux ?

Un flux est une substance, comme le sel, qui empêche l'oxydation (combinaison avec l'oxygène) d'un métal. La plupart des métaux s'oxydent au contact de l'air. Ce processus s'accélère sous l'effet de la chaleur. Lorsqu'un plombier soude un tuyau de cuivre avec de la soudure, il recouvre la surface de flux, ce qui empêche le cuivre de s'oxyder. Si le cuivre produisait un oxyde, la soudure ne se fixerait pas et les tuyaux ne pourraient être joints.

SOUDURE À CHAUD
La soudure fond sous l'eff[et] d'un fer à souder chau[d] pour fixer les composan[ts] électroniques d'un circu[it]

POUR EN SAVOIR PLUS ▶▶ Les éléments 160-161 • Les circuits 184-185 • Le travail des métaux 367

LES NOUVEAUX MATÉRIAUX

Les scientifiques combinent les atomes de nouvelles manières pour obtenir de nouveaux matériaux aux propriétés «INTELLIGENTES». Par exemple, une fenêtre qui change de couleur pour contrôler la température de la pièce, ou des artères artificielles pour pomper le sang dans le corps. Ces nouveaux matériaux sont déjà aujourd'hui produits, testés et utilisés.

Le SEAgel est si léger qu'il peut être porté par des bulles de savon sans les faire éclater.

Comment sont-ils fabriqués ?
La plupart des nouveaux matériaux sont développés à partir de matériaux existants. Les scientifiques testent de nouvelles combinaisons d'éléments. Ils soumettent les matériaux à la chaleur et à la pression pour obtenir de nouvelles propriétés.

Quelles sont leurs propriétés ?
Des propriétés différentes sont recherchées en fonction de la mise en œuvre des matériaux. Pour l'organisme humain, ils doivent être non toxiques et résistants à la corrosion par le sang et autres fluides. Pour l'emballage, ils doivent être peu chers à produire, faciles à recycler ou biodégradables.

Pourquoi la fibre de carbone est-elle si résistante ?
Raquettes et bicyclettes en fibres de carbone sont aussi légères que le bois et aussi solides que l'acier. Le diamant est le matériau le plus dur car les liaisons entre ses atomes de carbone sont fortes. Ils sont disposés selon une structure semblable à une ruche en trois dimensions. Les fibres de carbone sont des cordes d'atomes de carbone. Les liaisons entre les atomes donnent résistance et rigidité aux fibres.

SOLIDE SEAGEL PLUS LÉGER QUE L'AIR ▲
Ce nouveau matériau est une mousse issue de l'agar-agar (gel extrait d'une algue). Il pourrait remplacer le plastique pour les emballages.

LES MATÉRIAUX INTELLIGENTS

Un matériau réagissant à son environnement, comme la peau du est un matériau intelligent. Des vêtements intelligents pourraien température du corps humain, éclairer dans l'obscurité ou repou

Les métaux ont-ils de la mémoire ?
Les alliages de nickel et de titane ont la m formes. La disposition des atomes change est plié ou tordu, mais il suffit de le chauff atomes reprennent leur place initiale.

L'écran de télévision peut-il être p
Certains nouveaux polymères (plastiques) l'électricité, et les courants électriques peuv émettre de la lumière. Les écrans vidéo fait polymères pourraient être aussi fins et soup feuille de papier, et pourraient servir pour l mobiles. À l'avenir, il sera peut-être possibl un écran vidéo sur un T-shirt !

◄ VÊTEMENTS TRANSPARENTS
L'image sur l'avant du manteau de cette femme révèle ce qui se passe dans la rue derrière elle. Le manteau est recouvert de petites perles réfléchissantes. Une image télévisée de la scène qui se déroule derrière elle est projetée sur les perles. Les nouveaux matériaux pourraient utiliser cette méthode pour le camouflage de personnes, de véhicules ou de constructions.

POUR EN SAVOIR PLUS ►► La technologie 154 • Les éléments 160-161 • La chimie 162 • Les matériaux 170 • L'é

ÉCHELLE DE FRÉQUENCES

CHAUVE-SOURIS
12 000-150 000 HZ
La chauve-souris chasse et vole la nuit. Pour trouver son chemin dans le noir, elle émet une série de cris à très haute fréquence (inaudibles pour les humains). Ses oreilles très sensibles captent l'écho de ces sons lorsqu'ils rebondissent sur les objets situés sur leur chemin.

SAUTERELLE
7 000-100 000 HZ
Pour attirer les femelles, les sauterelles mâles produisent un crissement sonore en frottant leurs élytres sur leurs pattes arrière munies de petites râpes. Les sauterelles entendent par l'abdomen.

SINGE HURLEUR
400-6 000 HZ
La longue ululation du singe hurleur peut parcourir plusieurs kilomètres à travers la jungle. Un espace creux dans son larynx fait office d'amplificateur par résonance.

HUMAINS 85-11 000 HZ
L'oreille humaine n'est pas aussi sensible que celle d'une chauve-souris ou d'un chien, mais nous produisons une vaste gamme de sons. L'air des poumons fait vibrer les cordes vocales dans la gorge, produisant des combinaisons sonores complexes : pleurs, cris, rires, soupirs, parole, chant.

GRENOUILLE 50-8 000 HZ
La grenouille mâle coasse pour attirer les femelles. Elle gonfle son jabot, puis force l'air à passer à travers ses cordes vocales pour les faire vibrer. L'air du jabot capte la vibration et l'amplifie par résonance, ce qui rend le son plus fort.

ÉLÉPHANT 10-10 000 HZ
Lorsqu'un éléphant barrit en guise d'avertissement, nous pouvons l'entendre. Mais il est aussi capable de produire des sons à basse fréquence que nous ne percevons pas. Les sons situés en dehors de notre gamme de fréquence sont des ultrasons (fréquences plus hautes), ou des infrasons (fréquences plus basses).

LE SON

Le monde est plein de sons. Le son est une forme d'énergie qui se déplace sous la forme d'**ONDES SONORES**. Si nous pouvons produire et entendre des sons, nous pouvons aussi les enregistrer. Aujourd'hui, les enregistrements sont faits à l'aide du **SON NUMÉRIQUE**.

Comment produit-on le son ?
Le son est produit lorsque quelque chose bouge ou vibre. Le mouvement engendre une onde sonore dans l'air environnant. Les sons continus, comme ceux du tambour, sont dus à la vibration d'avant en arrière d'un objet. Un bruit fort et soudain émet une impulsion sonore unique et puissante appelée onde de choc. L'onde de choc d'une explosion peut faire tomber les personnes.

Comment les instruments font-ils de la musique ?
Les instruments à cordes (violons) ont plusieurs cordes tendues qui vibrent lorsqu'on les pince ou qu'on les frotte. Les joueurs d'instruments à vent (flûtes) soufflent dans un bec pour faire vibrer l'air contenu dans les tuyaux. Les instruments à percussion (tambours) vibrent lorsqu'on les frappe.

Pourquoi les sons sont-ils différents ?
Les sons diffèrent parce que les ondes sonores ont des fréquences différentes. La fréquence est le nombre de vibrations produites en une seconde. Les sons aigus comme ceux des sifflets ont une fréquence plus élevée (plus de vibrations par seconde) que les sons graves comme ceux des basses.

Qu'est-ce que la résonance ?
Un verre en cristal a une fréquence naturelle à laquelle il vibre. On peut briser le cristal en chantant une note sur sa fréquence. En effet, lorsque les fréquences coïncident, l'énergie passe du son au verre jusqu'à ce que les vibrations deviennent si amples qu'il se brise. C'est la résonance. Elle est utilisée pour renforcer le son dans certains instruments musicaux.

Les avions à réac *font beaucoup de b* *au décoll*

Les tympans doivent être protégés en cas de bruit très fort.

SON ASSOURDISSANT ▶
Le bruit d'un avion à réaction au décollage est des millions de fois plus fort que le son le plus bas audible par l'oreille humaine. Les bruits très forts peuvent être douloureux et provoquer des lésions.

◀ FRÉQUENCE SONORE
La fréquence (le nombre de vibrations par seconde) se mesure en hertz (Hz). Les sons graves ont des fréquences basses, les sons aigus ont des fréquences élevées. Le monde animal comprend une grande variété de sons, car les animaux produisent et entendent des sons de différentes fréquences.

Un avion en vol propage des ondes sonores dans toutes les directions.

LES ONDES SONORES

Lorsqu'un objet vibre, il bouge d'avant en arrière. En avançant, il repousse l'air qui l'entoure et le compresse. En reculant, il cède la place à l'air. Ces mouvements de compression et de détente créent une onde sonore.

THOMAS EDISON
Américain, 1847-1931
En 1877, Thomas Edison réalisa le premier enregistrement sonore. Il récita une comptine dans sa nouvelle invention : le phonographe, qui utilisait une aiguille vibratile pour graver un sillon dans un cylindre de cire.

Comment le son voyage-t-il ?

L'énergie d'une onde sonore se propage à partir de sa source, passant d'une molécule d'air à l'autre dans une série de pulsations appelées compressions (l'air est comprimé) et détentes (l'air s'étend). Le son se propage facilement dans l'air.

Comment le son est-il enregistré ?

Le microphone transforme les ondes sonores en signaux électriques qui montent et descendent selon le même tracé que le son. L'enregistrement analogique permet de stocker ce tracé sous forme de sillon gravé dans un disque en plastique, ou sous forme de tracé magnétique sur une bande en plastique.

COMPRESSION   DÉTENTE

MUR DU SON ▲
Un avion se déplaçant plus vite que le son produit une forte onde sonore. Cela s'appelle passer le mur du son.

◄ ONDE SONORE
Dans une onde sonore, une suite de compressions et de détentes propage l'énergie sonore.

LE SON NUMÉRIQUE

Les nombres les plus élevés correspondent aux pics de l'onde sonore.

3 5 6 6 4 2 1 2

COMPTER LES ONDES ▲
Dans un enregistrement numérique, le tracé de chaque onde sonore est converti en suite de nombres.

Les nombres les plus faibles correspondent aux creux.

Le son peut être enregistré ou transmis comme un signal numérique. Le signal numérique traduit le tracé d'une onde sonore en une suite de nombres qui peuvent être stockés sur un CD, une bande numérique ou dans un ordinateur. Lorsque le signal est joué, il se retransforme en onde sonore.

Le numérique est-il meilleur que l'analogique ?

L'enregistrement analogique consiste à faire une copie exacte du tracé de l'onde sonore. Des copies répétées de l'enregistrement original peuvent distordre le tracé et ajouter des bruits (sifflements, par exemple). L'enregistrement numérique n'étant qu'une suite de nombres, il peut être copié et corrigé si nécessaire, autant de fois que l'on veut.

La hauteur d'onde est traduite en chiffres binaires.

| 3 | 5 | 6 | 6 | 4 | 2 | 1 | 2 |

Les chiffres binaires apparaissent comme une suite de pics et de creux.

0 1 1 0 1 0 1 1 1 0 1 1 0 1 0 0 0 1 0 0 0 1 0 1 0

◄ ENREGISTRER LES NOMBRES
Les nombres d'un enregistrement numérique sont stockés sous forme de code binaire. Ce code se compose des deux chiffres 0 et 1. Chaque chiffre binaire est gravé sur un disque compact (CD) comme une suite de pics et de creux.

Comment une seule personne peut-elle produire les sons d'un orchestre entier ?

Les sons produits par différents instruments sont un mélange de fréquences. En produisant des sons avec le mélange de fréquences adéquat, un synthétiseur électronique peut imiter tout instrument de l'orchestre. L'ordinateur aide ensuite le musicien à assembler les sons.

Son

POUR EN SAVOIR PLUS ►► Les oreilles 141 • Les ordinateurs 190 • Les instruments de musique 332

LA LUMIÈRE

La lumière est une forme d'énergie appelée rayonnement électromagnétique. Elle est émise par des objets chauds tels que le Soleil, les ampoules électriques et les LASERS. Lorsque la lumière frappe une surface, son énergie peut être absorbée, RÉFLÉCHIE ou déviée par RÉFRACTION.

Qu'est-ce que la lumière ?

La lumière est faite de petits paquets d'énergie appelés photons. La plupart des photons sont produits lorsque les atomes d'un objet sont chauffés. La chaleur « excite » les électrons qui se chargent d'énergie supplémentaire. Cette énergie est libérée sous forme de photons. Plus un objet est chaud, plus il émet de photons.

Comment la lumière se déplace-t-elle ?

La lumière se déplace sous forme d'ondes. Contrairement aux ondes sonores ou aquatiques, elle n'a besoin d'aucune matière ni substance pour transporter son énergie. En d'autres termes, la lumière peut voyager dans le vide (espace dépourvu d'air). Le son, lui, a besoin d'un solide, d'un liquide ou d'un gaz pour se propager. Rien ne va plus vite que l'énergie lumineuse qui se déplace à 300 000 km/s dans le vide.

Qu'est-ce qu'une ombre ?

Les ondes lumineuses se déplacent en lignes droites appelées rayons. Les rayons sont incapables de décrire des virages et lorsqu'ils rencontrent un objet opaque (qui ne laisse pas passer la lumière), cela les empêche d'atteindre l'autre côté de cet objet. Une ombre sombre apparaît dans la zone où la lumière est bloquée.

Qu'est-ce qu'un matériau opaque ?

Lorsque la lumière frappe un objet, l'énergie de ses photons peut affecter les atomes du matériau. Ainsi, dans certains matériaux comme les métaux, les atomes absorbent une partie des photons, empêchant la lumière de les traverser. Ils sont opaques. En revanche, les atomes du verre sont incapables d'absorber les photons et la lumière les traverse. Le verre est transparent.

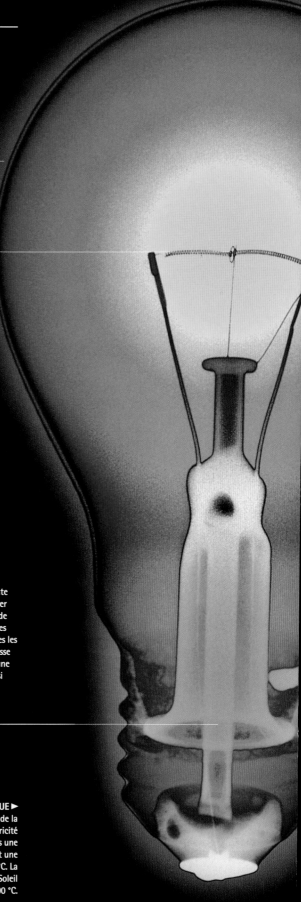

L'ampoule électrique est remplie d'un mélange de gaz empêchant le filament de prendre feu.

Le filament spirale est chauffé et porté à l'incandescence par le courant électrique qui le traverse.

Lumière

◄ **POLARISER LA LUMIÈRE**
La lumière du Soleil sur la route éblouit les conducteurs. Utiliser un filtre polarisateur permet de réduire la luminosité. Les ondes lumineuses vibrent dans toutes les directions, mais le filtre ne laisse pénétrer les ondes que dans une seule direction, réduisant ainsi l'éblouissement.

L'électricité pénètre dans l'ampoule par les fils qui traversent le culot.

AMPOULE ÉLECTRIQUE ►
L'ampoule électrique produit de la lumière lorsque l'électricité chauffe le filament. Dans une ampoule standard, il atteint une température de 3 000 °C. La température à la surface du Soleil est d'environ 5 500 °C.

LA RÉFLEXION

Les rayons de lumière sont réfléchis (renvoyés) par les objets. La Lune brille parce qu'elle réfléchit la lumière du Soleil. Les surfaces lisses telles que les miroirs réfléchissent chaque rayon dans une seule direction.

Un côté du miroir est revêtu d'une couche de métal fine et réfléchissante.

Le rayon qui frappe le miroir est réfléchi tout comme une boule de billard qui rebondit sur le côté de la table.

LOI DE LA RÉFLEXION ▶
La loi de la réflexion énonce que l'angle du rayon réfléchi par un miroir est identique à son angle d'arrivée.

Le rayon laser se déplace en ligne droite dans l'air.

Les réflexions multiples alternent gauche et droite.

MIROIR, MIROIR ▶
En se tenant entre deux miroirs placés face à face, les réflexions se multiplient presque à l'infini.

Enfant se regardant dans le miroir.

Que se passe-t-il quand on regarde dans un miroir ?

À première vue, l'image est identique au sujet, mais une observation plus poussée montre que lorsqu'on lève la main droite, le reflet lève la gauche. La réflexion inverse toujours l'image. Si l'on tient un texte écrit devant un miroir, ce dernier renvoie l'image d'une écriture inversée.

LA RÉFRACTION

La lumière se déplace plus lentement dans certains matériaux que dans d'autres. Le changement de vitesse peut entraîner un changement de direction des rayons lumineux, qui s'appelle la réfraction.

◀ VOIR LES CHOSES
Sous l'effet de la réfraction, la partie immergée du corps de cette jeune fille semble plus près que le reste. Les rayons lumineux changent de direction lorsqu'ils passent de l'air à l'eau.

Pourquoi la piscine est-elle plus profonde qu'il n'y paraît ?

La réfraction donne l'impression que les choses sont plus proches qu'elles ne le sont en réalité. En raison de la différence de vitesse de déplacement de la lumière dans l'air et dans l'eau, un bassin de 4 m de profondeur semblera n'en faire que 3. Le verre est un autre matériau capable de réfracter la lumière. Il sert à fabriquer des lunettes et autres lentilles optiques.

Le rayon laser ressort du cube. Il s'est écarté de sa trajectoire, mais reste parallèle au rayon initial.

Rayon laser dans l'air

Rayon laser réfracté dans le bloc de plastique

▲ RÉFRACTION
Le rayon laser est réfracté (change de direction) lorsqu'il passe de l'air à un bloc de plastique transparent.

LE LASER

Le laser produit une lumière concentrée et très puissante. Dans un laser, les ondes lumineuses sont renvoyées entre deux miroirs pour se charger d'énergie avant d'être libérées sous la forme d'un mince rayon.

Le laser, qu'a-t-il de si spécial ?

Le faisceau de lumière du laser ne s'élargit pas comme le fait d'habitude un faisceau de lumière. Toutes les ondes lumineuses sont en phase les unes avec les autres. La lumière du laser peut donc être concentrée et contrôlée avec une précision accrue. Elle peut ainsi transporter des signaux télévisés sur de grandes distances sans perte de qualité.

Les fins rayons laser peuvent être contrôlés avec précision

CHIRURGIE OCULAIRE AU LASER ▶
Des rayons laser extrêmement fins permettent d'opérer l'œil humain.

POUR EN SAVOIR PLUS ▶▶ Les yeux 140 • La matière 156 • Les atomes 157 • Les couleurs 180 • Les lentilles optiques 181

LES COULEURS

Les différentes longueurs d'onde de la lumière nous apparaissent comme différentes couleurs. Les longueurs d'onde perceptibles par l'œil humain forment le spectre visible. On sépare les couleurs du spectre par la DISPERSION.

Qu'est-ce que le spectre visible ?
L'onde lumineuse est une forme d'onde électromagnétique. Elle appartient à un spectre électromagnétique incluant les ondes radio, les rayons X et gamma. Le spectre visible est la partie perceptible par l'œil humain. À nos yeux, les couleurs du spectre visible vont du violet au rouge.

Que sont les couleurs primaires ?
Les cellules photosensibles de l'œil humain réagissent à trois formes de lumière : les longueurs d'onde rouge, verte et bleue. Ce sont les trois couleurs primaires. Si ces trois longueurs d'onde pénètrent dans l'œil avec une intensité égale, nous voyons de la lumière blanche. Elle nous paraît jaune s'il n'y a que des lumières rouge et verte.

Combien de couleurs voyons-nous ?
Les différentes longueurs d'onde lumineuses se mélangent pour produire des millions de nuances colorées. L'œil humain est capable d'en distinguer plus de 10 millions. Les SYSTÈMES CHROMATIQUES en regroupent une partie. Le nombre de couleurs perçues par l'œil dépend de la quantité de lumière présente. Dans la pénombre, nous ne voyons aucune couleur, seulement des nuances de gris.

LA DISPERSION

Lorsque la lumière blanche passe à travers un prisme en verre, elle se divise en ses différentes longueurs d'onde par dispersion. Les longueurs d'onde apparaissent alors comme un ensemble de couleurs appelé spectre.
Le scientifique anglais Isaac Newton fut le premier à utiliser un prisme pour disperser la lumière du Soleil, vers la fin du XVIIᵉ siècle.

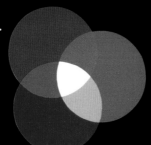

Rayon de lumière blanche

Une partie de la lumière est réfléchie par le prisme.

Prisme de verre triangulaire

▲ COULEURS PRIMAIRES
Les trois couleurs primaires de la lumière, rouge, vert et bleu, s'associent par paires pour former les couleurs secondaires. Le rouge et le vert forment le jaune, le bleu et le vert font le cyan, le rouge et le bleu donnent le magenta. Ensemble, les trois couleurs font la lumière blanche.

Les différentes longueurs d'onde (couleurs) du rayon lumineux sont réfractées à des angles différents.

LA LUMIÈRE DANS UN PRISME ▲
Les différentes longueurs d'onde lumineuses traversent le verre à des vitesses différentes. Le prisme réfracte (dévie) plus fortement les ondes courtes que les longues. Les ondes les plus courtes nous apparaissent en violet, les plus longues en rouge foncé. Les autres couleurs sont comprises entre ces deux extrêmes.

Comment se forme un arc-en-ciel ?
Les arcs-en-ciel apparaissent lorsque des gouttes d'eau sont présentes dans l'atmosphère alors que le Soleil brille. Les gouttes jouent le rôle de prismes, réfractant, réfléchissant et décomposant la lumière en les différentes couleurs du spectre. Pour voir un arc-en-ciel, il faut être à un endroit bien précis par rapport aux gouttes d'eau et au soleil.

◄ ARC-EN-CIEL
La lumière du Soleil est un mélange de toutes les couleurs du spectre : rouge, orange, jaune, vert, bleu, indigo et violet.

LES SYSTÈMES CHROMATIQUES

Couleurs

Un système chromatique est une façon de graduer ou de classifier les couleurs. Il permet de décrire et de reproduire une nuance particulière (peinture ou textile, par exemple).

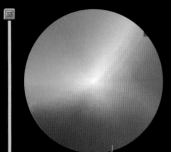

En informatique, monter ou descendre le curseur modifie les niveaux de valeur.

Nuances des couleurs au niveau de valeur le plus élevé.

◄ LE CODE MUNSELL
Ce système décrit une couleur selon trois paramètres : la teinte (couleur de base), la saturation (degré de saturation) et la luminosité (indice de clarté). L'échelle des valeurs comprend 10 degrés de gris, allant du noir au blanc. À chaque niveau, chacun des tons présente différentes nuances selon son éloignement par rapport au gris central. Ce système est aujourd'hui utilisé pour spécifier les couleurs en informatique.

Comment la couleur est-elle créée par ordinateur ?
La plupart des programmes informatiques de dessins comprennent un nuancier (une palette de coloris) électronique. Il suffit alors de sélectionner les couleurs pré-établies ou de fixer manuellement les pourcentages de rouge, de vert et de bleu de chaque couleur.

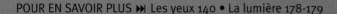

LES LENTILLES OPTIQUES

Lorsqu'on regarde à travers un verre grossissant ou que l'on prend une photo, on utilise une lentille optique. Il s'agit d'un morceau de verre poli ou de plastique transparent à la surface courbée. Les lentilles peuvent être de forme CONVEXE ou CONCAVE.

Comment fonctionne une lentille optique ?

La lentille change la direction des ondes lumineuses par réfraction. Elle peut créer l'image d'une scène ou d'un objet. Cette image peut être plus petite que la réalité (comme dans un appareil photo) ou plus grande (microscope). La lentille étant courbe, les rayons lumineux frappent différentes parties de sa surface et sont déviés dans des proportions différentes. En fonction de sa forme, la lentille fait diverger (élargir) ou converger (concentrer) le rayon lumineux.

Différence entre microscope et télescope

Le microscope agrandit un petit objet proche. Le télescope rapproche et amplifie une scène ou un gros objet très éloignés. Dans les deux instruments, la lumière de l'objet traverse deux ou plusieurs lentilles optiques pour former une image. La forme et la distance des lentilles les unes par rapport aux autres modifient l'image produite.

▲ IMAGES AGRANDIES
Les microscopes optiques utilisent les rayons lumineux, les microscopes électroniques utilisent les rayons d'électrons pour un agrandissement plus important. L'image de cet insecte est agrandie des milliers de fois.

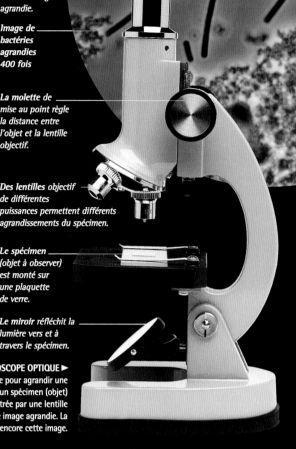

La lentille oculaire permet de voir l'image agrandie.

Image de bactéries agrandies 400 fois

La molette de mise au point règle la distance entre l'objet et la lentille objectif.

Des lentilles objectif de différentes puissances permettent différents agrandissements du spécimen.

Le spécimen (objet à observer) est monté sur une plaquette de verre.

Le miroir réfléchit la lumière vers et à travers le spécimen.

MICROSCOPE OPTIQUE ▶
Le microscope optique utilise la lumière pour agrandir une image jusqu'à 2 000 fois. La lumière d'un spécimen (objet) fortement éclairé est recueillie et concentrée par une lentille objectif puissante pour produire une image agrandie. La lentille oculaire permet d'agrandir encore cette image.

LES LENTILLES CONVEXES

Les lentilles de ce type sont plus épaisses au centre que sur les bords. Les rayons lumineux parallèles qui la pénètrent convergent (se rencontrent) en un point précis de l'autre côté. Loupes et microscopes utilisent des lentilles convexes.

@ ▶▶ Lentilles optiques

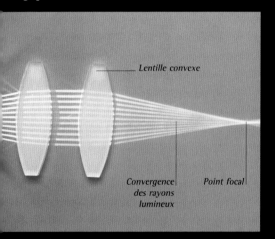

Lentille convexe

Convergence des rayons lumineux

Point focal

◀ LENTILLES CONVERGENTES
Les rayons lumineux divergents sont rendus parallèles par la première lentille convexe. La seconde lentille fait converger les rayons parallèles afin qu'ils se focalisent (se concentrent) en un certain point, le point focal ou foyer.

Comment fonctionne une loupe ?

La loupe sert à grossir les objets. En approchant la loupe d'un objet, une image virtuelle se forme du côté de l'objet. Cet objet virtuel apparaît plus gros que l'original. Plus la lentille est épaisse, plus l'image virtuelle est grossie.

LES LENTILLES CONCAVES

Une lentille concave est plus mince au centre que sur les bords. Les rayons lumineux parallèles qui la traversent divergent.

Pourquoi les lentilles concaves font-elles mieux voir ?

Chez les myopes, la lentille de l'œil focalise les scènes juste à l'avant de la rétine et l'image est floue. Une lentille concave fait diverger les rayons lumineux avant qu'ils ne pénètrent dans l'œil pour qu'ils se focalisent sur la rétine. Dans ce cas, l'image est nette.

LENTILLES DIVERGENTES ▶
Les rayons de lumière divergents sont parallélisés par une lentille convexe. Lorsque ces rayons parallèles traversent une lentille concave, ils divergent à nouveau.

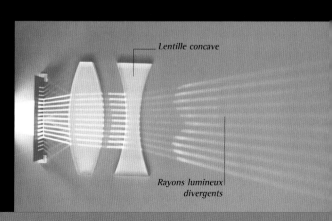

Lentille concave

Rayons lumineux divergents

POUR EN SAVOIR PLUS ▶▶ Les yeux 140 • La lumière 178-179

L'ÉLECTRICITÉ

La foudre montre l'incroyable énergie de l'électricité. Ce flash intense de chaleur et de lumière est créé naturellement par l'électricité statique. Nous utilisons cette même puissance électrique pour fournir une source d'énergie propre et maîtrisable à nos maisons, nos fermes, nos usines et nos villes.

Qu'est-ce que l'électricité ?

Les électrons et les protons contenus dans chaque atome sont dotés d'une propriété appelée la charge électrique. Les électrons ont une charge négative, celle des protons est positive. Les charges contraires s'attirent, les charges identiques se repoussent. L'électricité est le résultat de ces mouvements.

Combien y a-t-il de formes d'électricité ?

Il existe deux formes d'électricité : le courant électrique, où les charges électriques se déplacent le long de fils métalliques dans un circuit, et l'électricité statique, où les charges électriques ne bougent pas. En temps normal, la plupart des matériaux sont neutres (n'ont pas de charge), mais s'ils gagnent ou perdent un grand nombre d'électrons, ils peuvent se charger en électricité statique.

Comment les matériaux se chargent-ils ?

Les matériaux peuvent se charger en électricité statique par **INFLUENCE** ou par friction. La friction de deux matériaux entraîne un transfert d'électrons de l'un à l'autre. L'un reçoit une charge négative, l'autre une charge positive. Un peigne en plastique se charge négativement lorsqu'on le passe dans les cheveux.

◄ SPHÈRE À PLASMA
Sous l'action d'une sphère métallique chargée, les électrons se séparent des atomes du gaz contenu à l'intérieur d'une sphère de verre. Le gaz produit de la lumière lorsque les électrons le traversent.

Le flash de l'éclair porte l'air environnant à une température de 30 000 °C.

@ ▸▸ Électricité

ÉCLAIRS ►
L'accumulation de charge électrique dans un nuage d'orage crée une charge contraire dans le sol. Au bout d'un certain temps, une gigantesque étincelle électrique jaillit entre les deux charges dans une spectaculaire libération d'énergie.

Les éclairs entre les nuages et le sol peuvent mesurer jusqu'à 14 km de longueur.

L'INFLUENCE ÉLECTROSTATIQUE

L'influence électrique est le processus par lequel un objet chargé peut en charger un autre sans le toucher. Par exemple, un peigne en plastique chargé électriquement attire à lui des morceaux de papier dépourvus de charge.

Peigne chargé

Plateau

Feuille d'or

Potence

Échelle

Comment fonctionne la charge par influence ?

Lorsqu'on approche le peigne du papier, la charge négative du peigne repousse les électrons du papier le plus loin possible. Cela crée une charge positive (des électrons en moins) sur la face du papier orientée vers le peigne. Le positif et le négatif s'attirent et le papier s'élève vers le peigne.

◄ ÉLECTROSCOPE À FEUILLE D'OR
La charge électrique peut être mesurée par un électroscope. Le plus simple est l'électroscope à feuille d'or. Lorsqu'on approche un objet chargé du plateau, les charges équivalentes sont repoussées au bout d'une potence métallique, vers une fine feuille d'or. Les charges de la feuille d'or et de la potence se repoussent et la feuille se soulève. Une échelle crantée permet de mesurer l'écartement.

▼ L'ÉLECTRICITÉ STATIQUE APPLIQUÉE
En appliquant des charges opposées à la carcasse d'une voiture et à un pulvérisateur de peinture, les gouttes de peinture sont attirées dans tous les creux et bosses de la surface à peindre.

POUR EN SAVOIR PLUS ▸▸ Les atomes 157 • Les forces 164 • Le mouvement 165 • Les circuits 184-185

LE MAGNÉTISME

Le magnétisme est une force qui attire ou repousse des matériaux tels le fer ou l'acier. Elle n'a, en revanche, aucun effet sur le plastique ou l'argent. Dans un matériau magnétique, les atomes s'alignent en groupes ou en régions appelés DOMAINES MAGNÉTIQUES.

Qu'est-ce qu'un pôle magnétique ?

Chaque aimant a un pôle magnétique nord et sud. Ce sont les endroits où la force magnétique s'exerce le plus fortement. Les lois du magnétisme énoncent que les pôles identiques se repoussent, et que les pôles opposés s'attirent.

Qu'est-ce qu'un matériau magnétique ?

Le fer, le nickel et le cobalt sont des matériaux magnétiques. Ils peuvent être magnétisés par un autre aimant. Purs, ils perdent facilement cette propriété sous l'effet de la chaleur ou du martelage. Les aimants permanents sont faits de mélanges de ces éléments avec d'autres tels que l'acier (fer et carbone).

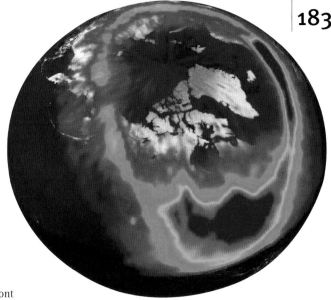

▲ LA TERRE MAGNÉTIQUE
Les pôles magnétiques de la Terre attirent des particules solaires qui s'illuminent au contact de l'atmosphère. Les pôles Nord et Sud magnétiques de la Terre se situent à proximité de ses pôles Nord et Sud géographiques.

Comment fonctionne une boussole ?

Le cœur de la Terre agit comme un aimant géant doté d'un vaste CHAMP MAGNÉTIQUE. Dans une boussole, la pointe de l'aiguille s'oriente toujours vers le pôle Nord magnétique de la Terre. Quant à l'autre extrémité de l'aiguille, elle pointe toujours vers le sud.

@ ▸▸
Magnétisme

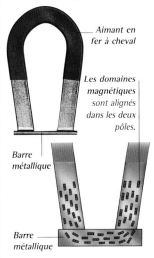

Aimant en fer à cheval

Les domaines magnétiques sont alignés dans les deux pôles.

Barre métallique

Barre métallique

◀ PUISSANCE MAGNÉTIQUE
Pour préserver la puissance d'un aimant, il faut placer une barre en fer doux entre ses deux pôles lorsqu'il est inutilisé. Les pôles magnétisent la barre qui, en retour, garde les domaines pointés dans la même direction.

LES DOMAINES MAGNÉTIQUES

Chaque atome d'un morceau de fer est un petit aimant permanent. Ces petits aimants se regroupent en régions magnétiques appelées domaines. Si les pôles Nord-Sud magnétiques de ces domaines pointent dans des directions différentes, leur magnétisme s'annule.

Qu'est-ce qu'un aimant permanent ?

Dans un aimant permanent, les pôles magnétiques des domaines pointent dans la même direction, leurs champs magnétiques se renforcent donc mutuellement. On peut magnétiser un matériau magnétique en le frottant avec un aimant pour aligner les domaines. La chaleur ou le martelage modifient la position des domaines, et le matériau se démagnétise.

LE CHAMP MAGNÉTIQUE

L'aimant crée une force dans l'espace qui l'entoure. La zone dans laquelle cette force s'exerce est le champ magnétique. On peut l'imaginer sous la forme de lignes de force jaillissant des pôles de l'aimant.

Comment voir un champ magnétique ?

Si l'on répand un peu de limaille de fer autour d'un aimant, elle s'ordonnera le long des lignes de force du champ magnétique. Le motif adopté par la limaille met toujours en évidence le mouvement des lignes de force entre les pôles Nord et Sud de l'aimant. Le champ magnétique s'affaiblit à mesure qu'il s'éloigne de l'aimant.

Pôle Nord   *Pôle Nord*

La limaille de fer montre comment les champs de deux pôles identiques se repoussent.

Pôle Nord   *Pôle Sud*

La limaille de fer montre l'attraction entre deux pôles opposés.

PÔLES MAGNÉTIQUES ▲
La limaille de fer met en évidence la répulsion entre deux pôles identiques et l'attirance entre deux pôles opposés.

POUR EN SAVOIR PLUS ▸▸ Les atomes 157 • Les éléments 160-161 • L'électromagnétisme 186

LES CIRCUITS ELECTRIQUES

Le courant électrique circule en boucle, alimentant des ampoules et autres COMPOSANTS électriques. La boucle est un circuit électrique fait de différents composants reliés entre eux par des fils métalliques. Le courant est envoyé dans le circuit par un générateur d'énergie tel qu'une PILE.

Qu'est-ce qu'un courant électrique ?

Le courant électrique est un flux de charge électrique (souvent sous forme d'électrons) conduit par une substance. La substance conductrice (le conducteur) du courant électrique est souvent un fil métallique. Le courant peut également être conduit par les gaz, des liquides ou d'autres matériaux.

Le plastique n'est pas conducteur et sert à isoler les différentes parties d'un circuit.

FLIPPER ▶
Les composants d'un flipper, montés en parallèle, produisent de la lumière, du son et du mouvement grâce à l'électricité. Des interrupteurs contrôlent les circuits. Lorsqu'un interrupteur est ouvert, le courant ne circule plus. La boule d'acier actionne les interrupteurs qui contrôlent les sonneries et les ampoules.

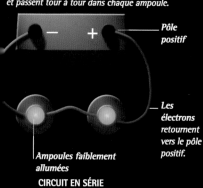

Les électrons partent du pôle négatif de la pile et passent tour à tour dans chaque ampoule.

Pôle positif

Les électrons retournent vers le pôle positif.

Ampoules faiblement allumées
CIRCUIT EN SÉRIE

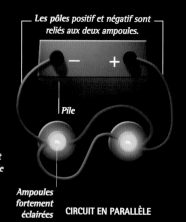

Les pôles positif et négatif sont reliés aux deux ampoules.

Pile

Ampoules fortement éclairées   **CIRCUIT EN PARALLÈLE**

Circuits électriques

Lorsqu'il est touché, le disque actionne un interrupteur.

EN SÉRIE ET EN PARALLÈLE
Les circuits peuvent être montés de deux manières. Dans un circuit en série, le courant passe tour à tour dans les ampoules qui s'allument faiblement. Dans un circuit en parallèle, le courant se divise et passe dans les deux ampoules en même temps. Elles s'éclairent plus fortement.

Quand le courant passe-t-il dans un circuit ?
Le courant ne circule que lorsque le circuit est complet, sans aucune interruption. Dans un circuit complet, les électrons partent du pôle négatif du générateur d'énergie, passent dans les fils et les composants tels que les ampoules et arrivent au pôle positif.

Comment le courant se déplace-t-il dans un circuit ?
Lorsqu'un fil est connecté aux pôles d'une pile, les électrons vont du négatif au positif. Les charges opposées s'attirent, les charges identiques se repoussent. Les électrons ont une charge négative, ils sont donc repoussés par le négatif et attirés par le positif.

LA PILE

La pile est une source d'électricité compacte et facilement transportable. Lorsqu'une pile est connectée à un circuit, elle fournit l'énergie nécessaire pour créer un courant d'électrons. Les piles contiennent des produits chimiques dont les réactions aux électrodes assurent la circulation des charges électriques dans le circuit.

L'électrode de zinc se charge négativement.

Les fils métalliques acheminent le courant dans le circuit.

L'électrode de cuivre se charge positivement.

Acide sulfurique

Les bulles sont la preuve de la réaction chimique.

◀ CELLULE SIMPLE
Une cellule simple peut être fabriquée en plaçant deux électrodes de zinc et de cuivre dans un électrolyte liquide tel que l'acide sulfurique.

Qu'y a-t-il à l'intérieur d'une pile ?
Une pile est faite d'une ou plusieurs sections appelées cellules. Dans chaque cellule, deux produits chimiquement actifs, les électrodes, sont séparés par une substance liquide ou pâteuse, l'électrolyte. Les petites piles n'ont qu'une cellule, les grandes, plus puissantes, en comprennent jusqu'à six.

Comment fonctionne la cellule d'une pile ?
À l'intérieur de la cellule, l'électrolyte entre en réaction avec les électrodes. Les électrons se déplacent d'une électrode à l'autre à travers l'électrolyte. Une électrode est chargée négativement, l'autre, positivement. Les deux électrodes forment les pôles plus et moins de la pile.

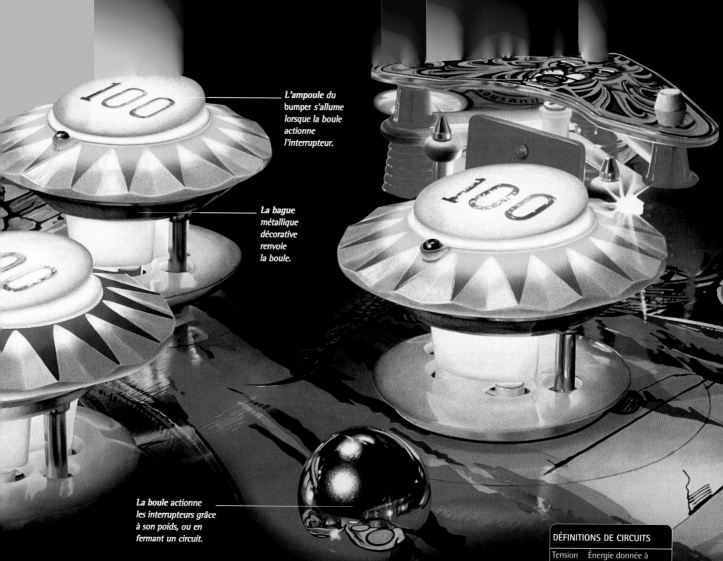

L'ampoule du bumper s'allume lorsque la boule actionne l'interrupteur.

La bague métallique décorative renvoie la boule.

La boule actionne les interrupteurs grâce à son poids, ou en fermant un circuit.

LES COMPOSANTS

es différents objets qui constituent un circuit appellent les composants. Un circuit doit avoir ne source d'énergie (une pile, par exemple), andis que le courant circule grâce à un onducteur (fil métallique). Ampoules, vibreurs moteurs sont les composants qui traduisent électricité en lumière, son et mouvement.

u'est-ce qu'un conducteur ?

n matériau conduisant bien le courant s'appelle un onducteur. Les métaux sont de bons conducteurs car leurs omes libèrent facilement des électrons pour transporter le ourant. L'argent et le cuivre sont les meilleurs conducteurs. a plupart des fils électriques sont en cuivre. Pour empêcher les chocs électriques, les fils sont recouverts d'un isolant.

◄ STIMULATEUR CARDIAQUE
La pile et les autres composants du stimulateur cardiaque artificiel envoient des impulsions électriques vers le cœur d'un malade, par des fils électriques, pour qu'il continue de battre avec régularité. Le stimulateur est mis en place quand les battements du cœur deviennent trop irréguliers.

Qu'est-ce qu'un isolant ?

Certains matériaux ne conduisent pas le courant. On dit qu'ils résistent au flux électrique. Ce sont des isolants. Le plastique, le verre, le caoutchouc et la céramique sont de bons isolants. On s'en sert pour couvrir les fils et les composants, pour empêcher les chocs électriques et stopper la circulation du courant.

Comment fonctionne un interrupteur ?

Les interrupteurs sont comme des barrières qui contrôlent le flux de l'électricité dans un circuit. Lorsqu'un interrupteur est ouvert, cela crée une interruption dans le circuit et le courant ne circule pas. Lorsqu'il est fermé, le circuit est complet et le courant peut circuler. Les interrupteurs sont utilisés dans les circuits en parallèle pour activer ou désactiver les différentes parties du circuit.

Qu'est-ce que le réseau électrique ?

La majeure partie de l'électricité utilisée dans les maisons et les bureaux vient du réseau électrique. L'électricité est produite dans les centrales électriques par des machines appelées générateurs. Les générateurs envoient le courant à travers un gigantesque réseau de circuits couvrant la totalité du pays.

ISOLATEURS ÉLECTRIQUES ►
L'électricité produite dans les centrales électriques circule dans des lignes à haute tension. Des isolateurs électriques géants en céramique empêchent le courant de se perdre dans le sol.

DÉFINITIONS DE CIRCUITS	
Tension	Énergie donnée à chaque unité de charge circulant dans un circuit
Intensité	Quantité de charge électrique circulant à chaque seconde à un point donné du circuit
Puissance	Mesure de la quantité d'énergie électrique utilisée par un circuit à chaque seconde

POUR EN SAVOIR PLUS ▶▶ La chimie 162 • L'électricité 182 • L'électromagnétisme 185 • L'électronique 187

@ ▶▶
Électro-
magnétisme

Une grue met en place l'électroaimant.

L'électroaimant est suspendu à des chaînes.

Des câbles acheminent le courant électrique.

Les déchets de fer et d'acier sont attirés par l'aimant lorsqu'il est activé.

◄ **ÉLECTROAIMANT**
Contrairement aux aimants permanents, l'électroaimant peut être activé ou désactivé. C'est très utile dans les chantiers de démolition où l'électroaimant sert à trier les déchets de fer et d'acier des autres matériaux.

Les matériaux non magnétiques restent au sol.

L'ÉLECTROMAGNÉTISME

Le courant électrique produit du magnétisme, et un aimant peut produire du courant électrique. Ces deux forces sont si proches que les scientifiques les réunissent sous le nom d'électromagnétisme. Sans lui, nous n'aurions ni énergie ni MOTEURS ÉLECTRIQUES.

Comment l'électricité produit-elle du magnétisme ?

Chaque électron est accompagné par une « force » appelée champ électrique. Lorsqu'un électron se déplace, il crée un second champ, le champ magnétique. Lorsque les électrons circulent dans un circuit par le biais d'un conducteur (pièce ou fil métalliques), ce dernier devient un aimant temporaire appelé électroaimant.

◄ **DÉTECTEUR DE MÉTAL**
Un détecteur de métal utilise les effets de l'électromagnétisme pour trouver des mines métalliques cachées dans le sol. Les bobines de fil du détecteur produisent un champ magnétique modifié qui induit (cause) des courants électriques dans les mines. Ces dernières produisent alors du magnétisme qui est décelé par le détecteur.

Comment le magnétisme produit-il de l'électricité ?

Quand un fil métallique est placé près d'un aimant au champ magnétique inchangé, rien ne se passe. Si le champ est modifié en bougeant l'aimant d'avant en arrière ou en enroulant le fil, le champ produit un courant électrique (induction électromagnétique) dans le fil.

Que font les générateurs ?

Les générateurs fournissent la majeure partie de l'électricité dont nous avons besoin. Ils transforment l'énergie mécanique (mouvement) en énergie électrique. Dans le générateur, une bobine de fil est enroulée à l'intérieur d'un puissant champ magnétique, ce qui crée un courant électrique dans le fil. Un générateur de grande taille peut produire assez d'électricité pour une ville entière.

LES MOTEURS ÉLECTRIQUES

Les moteurs électriques sont des machines qui transforment l'énergie électrique en énergie mécanique. Ils peuvent être petits, comme celui d'un sèche-cheveux, ou grands, pour un train.

Comment fonctionne un moteur électrique ?

Un courant transforme un conducteur en électroaimant. Quand le courant est inversé, les pôles électromagnétiques s'inversent également. Si l'électroaimant est placé près d'un aimant fixe, les pôles s'attirent et se repoussent, produisant une force qui fait tourner le conducteur à haute vitesse. Le conducteur est relié à un arbre commandant une machine.

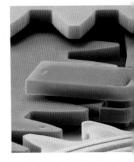

▲ **MICRO-ENGRENAGES POUR MOTEUR**
En 1960, l'ingénieur William McLel construisit un moteur de treize piè de la taille d'un point. Aujourd'hui, les ingénieurs tentent d'en constru d'infiniment plus petits. Ici, des micro-engrenages agrandis 200 foi

POUR EN SAVOIR PLUS ▶▶ L'électricité 182 • Le magnétisme 183 • Les circuits 184-185

LA PRODUCTION D'ÉLECTRICITÉ

L'électricité a modifié en profondeur notre façon d'utiliser l'énergie. Produite dans de grandes CENTRALES ÉLECTRIQUES, loin des villes et des villages, elle est distribuée dans les maisons, les bureaux et les usines par un réseau de lignes électriques.

Comment fonctionnent les générateurs ?
Pour produire de l'électricité, les bobines du générateur sont entraînées par des turbines. Dans la plupart des grands générateurs, les turbines sont mues par de la vapeur produite dans des chaudières à combustibles fossiles (ou dans un réacteur nucléaire). Les générateurs des centrales hydroélectriques fonctionnent avec des turbines à eau.

Qu'est-ce que le réseau national d'électricité ?
L'énergie électrique est acheminée depuis les centrales électriques jusqu'à chacune des maisons du pays par un gigantesque réseau de lignes et de câbles. Contrôler la puissance de ce réseau est une tâche complexe. Les ingénieurs doivent s'assurer que l'électricité est disponible en quantité suffisante partout où on en a besoin.

RÉSEAU NATIONAL D'ÉLECTRICITÉ ▶
L'électricité produite par les centrales alimente un réseau national de lignes électriques connectées les unes aux autres. Elles acheminent l'électricité là où on en a besoin. Lorsque l'on allume la lumière dans une maison, on n'a aucun moyen de savoir de quelle centrale provient l'électricité utilisée.

@ ▶▶ Production d'électricité

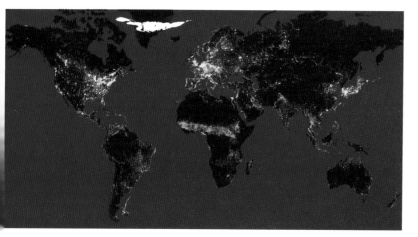

Qu'est-ce que le courant alternatif ?
Il existe deux formes de courants : le courant continu (CC) et le courant alternatif (CA). Le courant continu (produit par des piles) ne circule que dans une direction. Le courant alternatif (produit par des centrales électriques) va et vient, changeant régulièrement de direction. Le courant alternatif change 50 à 60 fois de direction par seconde.

▲ LUMIÈRES NOCTURNES
Cette photo satellite de nuit montre la lumière artificielle produite sur Terre par l'illumination des routes et des bâtiments. L'Amérique du Nord, l'Europe et le Japon sont les régions les plus fortement illuminées. Les éclats lumineux en haut à gauche de la carte sont des aurores boréales.

LES CENTRALES ÉLECTRIQUES

Les centrales électriques fonctionnent nuit et jour pour produire l'électricité qui nous donne chaleur et lumière, et actionne toutes sortes de machines, du sèche-cheveux au chemin de fer, du réfrigérateur à la télévision.

Comment l'énergie électrique nous parvient-elle depuis la centrale ?
La tension de l'électricité produite par une centrale est portée de 25 000 à 400 000 volts pour le transport dans les lignes à haute tension. La tension est ensuite abaissée en moyenne et basse tension par des transformateurs, puis acheminée vers les lieux d'utilisation : usines, trains, exploitations agricoles, hôpitaux, habitations, autoroutes.

CENTRALE ÉLECTRIQUE
Une grande centrale électrique au charbon peut produire jusqu'à 1 000 MW (mégawatt) d'électricité en continu. Assez pour allumer 20 millions d'ampoules électriques ou répondre aux besoins en électricité d'une petite ville.

LIGNES ÉLECTRIQUES
Le courant est transporté à travers le pays par des lignes électriques. La plupart sont fixées loin du sol à de hauts pylônes métalliques. Dans les villes et les villages, elles sont souvent enterrées. Les lignes à haute tension transportent de l'électricité à 400 000 volts, une tension des milliers de fois supérieure à celle que nous recevons à domicile.

SOUS-STATION
Le parcours des lignes électriques est jalonné de sous-stations. Elles abritent des transformateurs qui abaissent la haute tension en moyenne et basse tension. L'électricité poursuit ensuite son parcours jusqu'au consommateur.

USINES
Les grands ensembles industriels tels que cette usine de chimie consomment des quantités considérables d'énergie. Ils disposent en général d'une centrale électrique affectée à leurs seuls besoins.

HABITATIONS
L'électricité est acheminée des sous-stations aux habitations par des câbles enterrés ou des lignes aériennes à basse tension. Pour l'usage domestique, la tension est abaissée à 110 ou 220 volts, selon les pays. Chaque foyer est équipé de son propre compteur qui enregistre la quantité d'électricité utilisée.

POUR EN SAVOIR PLUS ▶▶ L'électricité 182 • Les circuits 184-185 • Les moteurs 198-199

L'ÉLECTRONIQUE

Les circuits électroniques sont présents dans presque toutes les machines modernes : fours à micro-ondes, voitures, ordinateurs. Dans un tel circuit, un signal électrique transporte l'information. Les signaux sont contrôlés et modifiés par des composants à base de matériaux appelés SEMI-CONDUCTEURS.

Qu'est-ce qu'un signal électrique ?

Un signal est un changement d'intensité ou de tension transportant de l'information. Les changements peuvent représenter des instructions, des chiffres, des sons ou des images sous forme de code. Un signal numérique est soit en marche, soit à l'arrêt. Un signal analogique est un courant électrique continu qui augmente ou diminue pour représenter l'information.

Qu'est-ce qu'un composant électronique ?

Les circuits électroniques sont constitués de composants pour contrôler les signaux électriques. Il s'agit de résistances, de condensateurs, de diodes et de transistors. Les résistances contrôlent la quantité de courant qui les traverse, les condensateurs stockent les charges électriques et les libèrent lorsque nécessaire, les diodes laissent le courant passer dans une seule direction.

Qu'est-ce qu'un transistor ?

Les transistors sont des composants électroniques capables de modifier et de contrôler les signaux électriques. Le transistor peut fonctionner comme interrupteur – allumant ou éteignant un signal – ou comme amplificateur – augmentant l'intensité ou la tension dans un circuit.

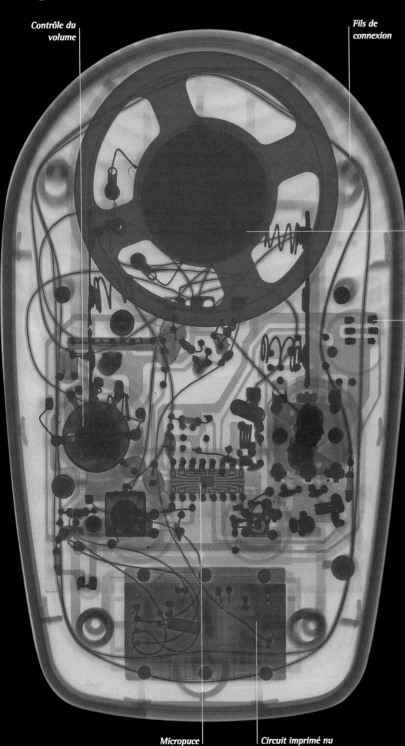

Contrôle du volume

Fils de connexion

Le haut-parleur diffuse le son.

Les condensateurs stockent l'électricité sous haute tension.

Micropuce

Circuit imprimé nu

Électronique

◀ **RADIO**
Cette radiographie en couleur montre les composants électroniques d'une radio à travers son boîtier. Le poste de radio reçoit les ondes émises par une station de radio, les traduit en courant électrique, puis les transforme en sons diffusés par un haut-parleur.

LES SEMI-CONDUCTEURS

Un semi-conducteur est un matériau conduisant l'électricité moins bien qu'un métal, mieux qu'un isolant et pouvant être soit conducteur, soit isolant. Les éléments chimiques silicium et germanium sont les semi-conducteurs les plus importants pour la fabrication de composants électroniques.

Comment un semi-conducteur conduit-il l'électricité ?

Dans un semi-conducteur, le courant est transporté par des trous positifs et des électrons négatifs. Un trou est l'espace vide laissé autour d'un atome lorsqu'un électron s'est libéré. Dans un semi-conducteur, les trous se déplacent dans la direction opposée à celle des électrons, en sautant d'un atome à l'autre.

POUR EN SAVOIR PLUS ▶▶ Les éléments 160-161 • Le son 176-177 • Les circuits 184-185 • Les télécommunications 192-193

LES PUCES ELECTRONIQUES

Une micropuce est une unité électronique fabriquée à partir de nombreux composants miniatures, principalement des transistors. Elle s'enfiche sur un connecteur du circuit imprimé nu pour être reliée aux autres composants.

Que font les micropuces?

Chaque type de micropuce est dédié à une tâche différente et s'identifie par un numéro de code. Certaines micropuces travaillent avec des signaux analogiques (une micropuce de code 741 est un amplificateur analogique). Lorsqu'elles travaillent avec des signaux numériques, c'est pour jouer le rôle de PORTES LOGIQUES ou pour lire le son numérique d'un CD.

CIRCUITS IMPRIMÉS NUS ▲
Ces techniciens contrôlent la qualité des circuits avant l'assemblage final. Les micropuces individuelles sont interconnectées sur des circuits imprimés pour former des dispositifs électroniques tels que les ordinateurs.

◄ CAPSULE CÉRAMIQUE
La micropuce est sertie dans une capsule isolante recouverte d'une matière transparente. Il s'agit d'un dispositif à transfert de charge (CCD) servant à prendre les photos dans un appareil numérique.

Un CCD unique est une grille composée d'un million de transistors ou plus.

Les pattes métalliques s'enfichent dans une embase du circuit imprimé.

◄ WAFER DE SILICIUM
Des centaines de copies identiques d'une micropuce sont faites sur une tranche de silicium pur. Les circuits sont testés et les unités défectueuses sont rejetées. Celles qui fonctionnent sont reliées à des connecteurs par des fils d'or et encapsulées.

Comment fabrique-t-on les micropuces?

Les micropuces sont fabriquées en empilant des circuits électroniques couche par couche dans une petite tranche *(wafer)* de silicium pur, selon un processus complexe. Les composants du circuit sont obtenus en dopant (traitant) des zones du silicium avec des produits chimiques différents.

Qu'est-ce que le code binaire?

Les micropuces numériques envoient et reçoivent des signaux électroniques numériques en code binaire. Toute l'information est traduite en signaux marche/arrêt. Ces signaux sont traités par les transistors des micropuces. Lorsqu'un commutateur est sur marche *(on)*, on obtient la valeur 1, lorsqu'il est sur arrêt *(off)*, on obtient la valeur 0. Le code binaire pour la lettre «a» sur un clavier d'ordinateur est 01100001.

LES PORTES LOGIQUES

Une porte logique est un circuit numérique conçu pour prendre une décision simple. Les portes logiques comprennent des portes ET, OU, NON, NOR (Non Ou) et NAND (Non Et). Les portes logiques peuvent être faites de transistors individuels ou formées sur micropuces.

Comment utiliser les portes logiques?

Les portes logiques peuvent être reliées pour prendre des décisions complexes ou accomplir des calculs difficiles. Par exemple, une machine à laver ne démarrera que si un programme a été sélectionné ET si le hublot est fermé ET si l'arrivée d'eau est ouverte.

PORTES LOGIQUES ►
Une porte logique peut avoir une ou deux entrées et une sortie. L'état de la sortie (1 ou 0) peut être déduit des états respectifs des entrées en suivant les règles définies dans les tables.

@ ►►
Puces électroniques

Sortie

ENTRÉE A	ENTRÉE B	SORTIE
0	0	0
1	0	0
0	1	0
1	1	1

A   B
Entrée

▲ LA PORTE «ET»
Elle comporte deux entrées, A et B. Si les deux entrées sont sur 1, la sortie est sur 1.

Sortie

ENTRÉE A	ENTRÉE B	SORTIE
0	0	0
1	0	1
0	1	1
1	1	1

A   B
Entrée

▲ LA PORTE «OU»
La sortie de cette porte est sur 1 lorsque l'entrée A ou l'entrée B, ou les deux sont sur 1.

Sortie

ENTRÉE	SORTIE
0	1
1	0

Entrée

▲ LA PORTE «NON»
Cette porte n'a qu'une seule entrée. La sortie est 1 lorsque l'entrée est 0.

LES ORDINATEURS

Un ordinateur est une machine électronique utilisant un code binaire pour stocker et traiter les données. Le code binaire peut représenter des nombres, des textes, des sons, des images et des films. Les données sont stockées dans la mémoire de l'ordinateur, sur des disques magnétiques, des CD-ROM et des DVD.

Qu'est-ce qu'un microprocesseur ?

Le microprocesseur est le cerveau de l'ordinateur. C'est un circuit intégré composé de millions de transistors. Il exécute les instructions (programmes) qui font fonctionn[er] l'ordinateur. Ce que l'ordinateur accomplit est décompos[é] en étapes simples. La puissance d'un microprocesseur se mesure à sa vitesse d'exécution des instructions.

Qu'est-ce que la mémoire ?

Les données sont stockées en code binaire sur des micropuces composées de millions de transistors qui sont «*on*» ou «*off*», 0 ou 1 en code binaire. La capacité (taille) d'une puce mémoire se mesure en mégaoctets (Mo). Un octet est un nombre binaire à huit chiffres. Un mégaoctet représente un peu plus d'un million d'octets d'information.

Comment la réalité virtuelle est-elle créée ?

La réalité virtuelle contrôle l'environnement visuel et répond aux mouvements et aux actions de celui qui por[te] un casque de réalité virtuelle. La scène projetée dans le casque change lorsque l'individu bouge. Des senseurs intégrés à des gants spéciaux ou à des combinaisons permettent d'interagir avec la scène en pointant du doig[t]. Le son augmente la sensation de réalité.

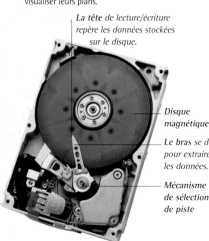

▲ RÉALITÉ VIRTUELLE
Les casques de réalité virtuelle envoient des images très légèrement différentes à l'œil gauche et à l'œil droit pour créer des scènes en 3D plus réalistes. Ces casques permettent aux architectes de visualiser leurs plans.

La tête de lecture/écriture repère les données stockées sur le disque.

Disque magnétique

Le bras se déplace pour extraire les données.

Mécanisme de sélection de piste

▲ LECTEUR DE DISQUE DUR
Le disque dur de l'ordinateur est la zone de stockage principale des programmes, des documents, des images et autres dossiers. Il peut contenir des dizaines de gigaoctets de données (des milliards de nombres binaires). L'information est écrite et lue par des têtes électromagnétiques qui balaient les surfaces du disque lorsqu'elles tournent à grande vitesse.

Ordinateurs

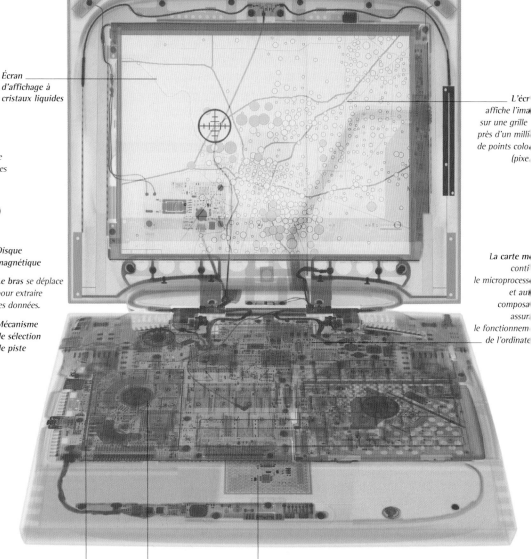

Écran d'affichage à cristaux liquides

L'écr[an] affiche l'ima[ge] sur une grille près d'un milli[on] de points colo[rés] (pixe[ls].

La carte m[ère] conti[ent] le microprocess[eur] et au[tres] composa[nts] assur[ant] le fonctionnem[ent] de l'ordinate[ur].

Le clavier permet de saisir du texte.

Le lecteur de disque lit et écrit sur le disque.

Le pavé tactile déplace le curseur sur l'écran comme une souris.

▲ ORDINATEUR PORTABLE
Les composants d'un ordinateur personnel peuvent être assemblés en un ensemble compact et pliable. Certains portables utilisent la technologie s[ans] fil pour interagir avec les imprimantes, les scanners et autres périphériqu[es] par ondes radio. Des liaisons téléphoniques sans fil permettent de se connecter à Internet et d'envoyer des e-mails (courriels) à partir du porta[ble].

POUR EN SAVOIR PLUS ▶▶ L'électronique 188 • Les robots 194

LES RÉSEAUX

@ ▸▸
Réseaux

Un réseau est formé lorsque des personnes, des lieux ou des objets sont reliés. Un réseau de chemin de fer relie les villes et les villages. Un réseau informatique relie les ordinateurs.

◄ **CONTRÔLE DE RÉSEAU**
Le système téléphonique global est le plus grand réseau de communication de la Terre. Les ingénieurs de ce centre de contrôle de télécommunications vérifient les liaisons du réseau et maîtrisent les flux d'information.

Quel est le problème du voyageur de commerce ?

Un réseau de routes relie les villes qu'un voyageur de commerce doit traverser. Comment déterminer l'itinéraire le plus court pour n'aller qu'une seule fois dans chaque ville ? C'est un problème mathématique complexe. Les concepteurs de réseaux de communication efficaces y sont confrontés chaque jour.

POUR EN SAVOIR PLUS ▸▸ Internet 191 • Les télécommunications 192-193

INTERNET

Le réseau informatique global reliant les ordinateurs par le biais de câbles téléphoniques, de fibres optiques et de micro-ondes s'appelle Internet. Il fournit une communication électronique presque instantanée tout autour du globe.

TIM BERNERS LEE
Britannique, 1955
MARC ANDREESSEN
Américain, 1971
Tim Berners Lee inventa le world wide web comme source d'information pour scientifiques dans les années 1980. En 1993, Marc Andreessen développa le premier navigateur (Mosaic) avec du texte, des images et des liens hypertexte.

Comment fonctionne Internet ?

Chaque ordinateur relié à Internet est doté d'une adresse IP. Pour envoyer un message ou chercher une information sur Internet, l'ordinateur envoie des paquets de données auxquels sont attachées les adresses de l'expéditeur et du destinataire. Des ordinateurs spéciaux appelés serveurs et routeurs dirigent les données à travers Internet.

Qu'est-ce que le « world wide web » ?

Le world wide web est une bibliothèque contenant des MOTEURS DE RECHERCHE et des milliards de pages d'informations stockées sur des serveurs connectés à Internet. L'hypertexte sert à écrire et à relier ces pages. Un programme appelé navigateur se sert d'une adresse Internet (URL) pour chercher une page. La requête est acheminée par Internet vers le serveur approprié, puis la page demandée est renvoyée vers l'ordinateur.

L'utilisation américaine est codée en rose.

L'utilisation italienne est codée en bleu ciel.

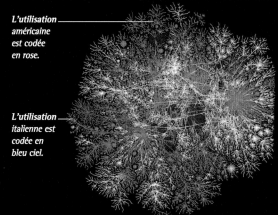

CARTE INTERNET ▲
Ce graphique informatique illustre le mouvement de l'information sur Internet à travers le monde. Chaque trait représente le chemin de données envoyées vers 20 000 endroits du réseau. Les traits ont un code couleur par pays.

Qu'est-ce que l'hypertexte ?

Les pages web sont écrites en hypertexte, ce qui permet de créer des liens entre elles. Le texte des pages web est préparé en un langage informatique appelé HTML. L'hypertexte relie des mots ou des phrases clés à d'autres sections du document ou à d'autres documents. Il suffit de cliquer sur le lien pour aller sur la page reliée.

LES MOTEURS DE RECHERCHE

Pour trouver de l'information sur le réseau mondial, il faut un programme appelé moteur de recherche. Il suffit de taper des mots clés et le moteur de recherche (hébergé sur un serveur) fait une liste hypertexte des pages web contenant les mots recherchés.

@ ▸▸
Internet

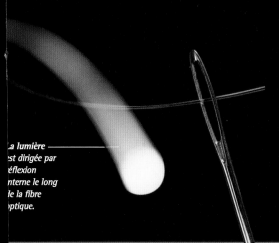

◄ **FIBRES OPTIQUES**
Une fibre optique est un fil de verre pur aussi fin qu'un cheveu. Il transporte les données informatiques sous forme d'impulsions laser. La réflexion empêche la lumière de s'échapper à travers les parois de la fibre. Elle émerge donc à l'autre bout presque aussi brillante qu'à l'entrée.

La lumière est dirigée par réflexion interne le long de la fibre optique.

Comment un moteur de recherche classe-t-il les pages ?

Si vous tapez les mots « sports d'équipe », vous obtiendrez une liste de millions de résultats. Le moteur de recherche essaie de placer les pages les plus pertinentes au début de la liste. Cela varie selon les moteurs de recherche. Ils peuvent, par exemple, vérifier si tous les mots apparaissent, ou combien de fois ils apparaissent.

POUR EN SAVOIR PLUS ▸▸ La lumière 178-179 • Les ordinateurs 190 • Les télécommunications 192-193

LES TÉLÉCOMMUNICATIONS

Les télécommunications sont des messages transportés autour du monde par des signaux et des ondes électriques du **SPECTRE ÉLECTROMAGNÉTIQUE**. Cela comprend les émissions de télévision et de radio, ainsi que les conversations téléphoniques.

Comment fonctionne un téléphone ?

Le téléphone a un microphone et un écouteur. Le microphone convertit le son en signal électrique. Ce signal se déplace par câbles, par fibres optiques ou par micro-ondes à la vitesse de la lumière. Un réseau connecte les téléphones entre eux. L'écouteur contient un haut-parleur qui retraduit le signal en son.

Comment fonctionne une radio ?

Les émissions de radio se font à partir d'un émetteur central. Les signaux sonores issus des microphones dans le studio de radio s'associent aux ondes radio émises par une antenne. Le poste de radio a un receveur qui sépare le signal sonore du signal radio et l'envoie vers un haut-parleur. Cela donne le son que l'on entend.

GUGLIELMO MARCONI
Italien, 1874-1937
Physicien et inventeur, Guglielmo Marconi réalisa les premières transmissions radio en 1894, réussissant à faire sonner une cloche distante de 10 mètres. En 1901, après avoir développé son invention, il réalisa la première transmission transatlantique sans fil entre l'Angleterre et le Canada. Marconi reçut le prix Nobel de physique en 1909.

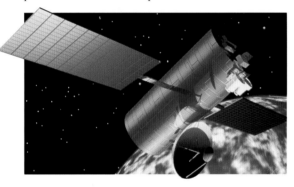

◄ SATELLITE DE COMMUNICATION
Le satellite relaie les signaux de télécommunications d'un côté de la Terre à l'autre. Placé en orbite géostationnaire, il reste en permanence au-dessus du même point du globe.

Comment fonctionne un téléviseur ?

Un émetteur analogique de télévision envoie images et son par des câbles ou sous forme d'ondes radio. Les **ÉMISSIONS NUMÉRIQUES** transmettent le son et les images en code binaire par le biais de câbles et de satellites.

Télé-communications

Comment fonctionne un téléphone mobile ?

Le téléphone mobile (ou cellulaire) envoie et reçoit des signaux par micro-ondes. Il n'a qu'une portée de quelques kilomètres et utilise donc des relais terrestres. Chaque relais couvre une zone appelée cellule. Le téléphone échange des signaux avec le relais le plus proche. En circulant d'une cellule à l'autre, le téléphone change de relais. Les relais sont connectés au réseau téléphonique global.

TOUR DE COMMUNICATION ►
La tour BT à Londres (Angleterre), fournit les communications électroniques à partir et en direction de la ville. Elle assure la diffusion des émissions de radio et de télévision, les services téléphoniques et la transmission de données informatiques.

Des antennes paraboliques pointent vers des antennes relais similaires dans d'autres villes.

◄ CAMOUFLAGE D'UN POTEAU DE TÉLÉPHONIE MOBILE
Pour un réseau de téléphonie mobile efficace, des relais sont construits à intervalles réguliers à travers tout le pays. Dans certains endroits, les poteaux gâchent le paysage et sont donc cachés. Ici, un poteau camouflé en arbre.

POUR EN SAVOIR PLUS ▶▶

LE SPECTRE ÉLECTROMAGNÉTIQUE

Les rayons électromagnétiques sont des ondes de champ électromagnétique qui se déplacent à la vitesse de la lumière. La gamme complète des fréquences forme le spectre électromagnétique.

Que sont les ondes radio ?

La vibration des électrons produit des ondes radio, de grandes ondes à basse fréquence. Les émissions de radio utilisent les fréquences les plus basses, tandis que les émissions télévisées utilisent les fréquences plus élevées.

Comment sont utilisées les fréquences ?

Les ondes sont regroupées en bandes de fréquences. Les bandes de fréquences basse et moyenne voyagent loin et sont utilisées pour les signaux maritimes. Les hautes fréquences sont réservées à la radio et au téléphone. Les ultra hautes et les extrêmement hautes fréquences servent à la télévision, aux téléphones mobiles, aux signaux radar et aux communications par micro-ondes.

SPECTRE ÉLECTROMAGNÉTIQUE ▶
Le spectre ordonne les ondes en fonction de la fréquence (nombre d'ondes passant chaque seconde par un point donné) et de la longueur d'onde (distance entre le pic d'une onde et celui de la suivante).

LES ÉMISSIONS NUMÉRIQUES

Dans une émission numérique, le son et les images sont convertis en suites de nombres binaires. Le résultat est une meilleure qualité de réception et un nombre accru de chaînes.

▲ ÉMISSION NUMÉRIQUE
Un opérateur de caméra enregistre un match de football pour une diffusion numérique. L'enregistrement est constitué en réalité de 25 images fixes/seconde (30 aux États-Unis). Seules les images fixes sont transmises.

Comment fonctionne la télévision numérique ?

La télévision numérique convertit les images et le son en code binaire. Des ondes électromagnétiques transportent le code. L'image numérique est plus nette car le code binaire peut être compressé (sa taille est réduite) pour envoyer un plus grand nombre d'informations au récepteur. Ainsi, les émetteurs peuvent également envoyer plus de chaînes.

Les rayons gamma ont des longueurs d'onde inférieures à 0,001 nm (nanomètre, un milliardième de mètre).

Rayons X 0,001-10 nm

Rayons ultraviolets 10-390 nm

Lumière visible 390-750 nm

Rayons infrarouges 750 nm-1 mm

Micro-ondes 1 mm-30 cm

Ondes radio 30 cm-1 km et +

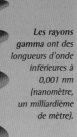

▲ RAYONS GAMMA
Les réactions nucléaires et la décomposition radioactive émettent ces rayonnements à haute énergie.

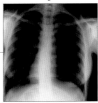

▲ RAYONS X
Les rayons X traversent les matériaux bloquant la lumière, tels que les vêtements et la peau.

▲ RAYONS ULTRAVIOLETS
Ces rayons solaires peuvent être dangereux pour la peau.

▲ RAYONS INFRAROUGES
Les appareils de vision nocturne décèlent les rayons infrarouges pour voir les missiles dans l'obscurité.

▲ RADAR
Le système radar transmet les ondes radio pour déceler le mouvement des navires et des avions.

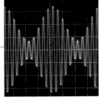

▲ ONDES RADIO
Les ondes radio servent pour la radio, les communications par satellite, la télévision, et le téléphone.

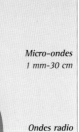

Les satellites 28 • Le son 176-177 • Les réseaux 191 • Internet 191 • Les médias 298-299 • Les loisirs domestiques 351

LES ROBOTS

Les robots sont des machines automatiques. Certains robots accomplissent des tâches mécaniques et répétitives plus vite, plus précisément et plus sûrement qu'un être humain. Ils manipulent aussi des matières dangereuses et explorent des planètes.

Quel est le champ d'action des robots ?

Dotés d'une **INTELLIGENCE ARTIFICIELLE**, les robots perçoivent leur environnement et interagissent avec lui. Ils manipulent délicatement les objets fragiles ou appliquent de grandes forces. Ils peuvent contribuer à une opération des yeux ou assembler des voitures.

Comment les robots perçoivent-ils ?

Les yeux et les oreilles des robots sont des senseurs électroniques. Des caméras vidéo jumelles leur donnent une vision du monde en 3D. Des microphones détectent les sons. Des senseurs de pression leur donnent un sens du toucher, leur permettant de déterminer la force à appliquer pour, par exemple, saisir un œuf sans le casser. Des ordinateurs intégrés envoient et reçoivent l'information par ondes radio.

ROBOT HUMANOÏDE ►
Cet humanoïde a été construit pour le secteur des loisirs. Habillés en pirates ou en cow-boys, des robots de ce type se produisent dans des parcs à thème.

Les articulations bougent comme celles d'un humain.

Les membres sont actionnés par des câbles et des pistons.

Robots

▲ ROBOTS ET MÉDECINE
Les chirurgiens peuvent réaliser des opérations à distance en contrôlant leur déroulement sur un écran de télévision. Des instruments robotisés exécutent leurs ordres.

Les mouvements sont contrôlés par ordinateur.

L'INTELLIGENCE ARTIFICIELLE

L'intelligence artificielle tente de créer des programmes informatiques capables de penser comme un cerveau humain. À ce jour, la recherche n'a pas atteint cet objectif, mais des ordinateurs peuvent être programmés pour reconnaître des visages dans la foule.

Les robots pensent-ils ?

Les robots réfléchissent. Ils peuvent jouer à des jeux complexes tels que les échecs bien mieux que les humains. Mais un robot saura-t-il jamais qu'il réfléchit ? Les humains sont conscients. Nous savons que nous pensons, mais nous ignorons comment fonctionne la conscience.

◄ ASPIRATEUR ROBOT
Cet aspirateur robot se déplace tout seul en nettoyant la maison. Doté de trois ordinateurs et de plus de 70 senseurs, il planifie un itinéraire efficace, se souvenant des endroits où il est passé et décidant où il doit se rendre.

Les robots remplaceront-ils les hommes ?

Les robots ont remplacé les humains dans les emplois répétitifs ou dangereux, comme le déminage. À l'avenir, les robots se chargeront de tâches ménagères et de travaux ingrats, mais pourront-ils supplanter l'homme pour les emplois nécessitant de la gentillesse ou de la créativité ?

POUR EN SAVOIR PLUS ▶▶ Les ordinateurs 190 • Les machines 196-197 • L'industrie 204

LA NANOTECHNOLOGIE

Nano-technologie

Un nanomètre est un milliardième de mètre. Il est un million de fois plus petit que le point à la fin de cette phrase. La nanotechnologie fabrique des machines dont la taille est de l'ordre du nanomètre.

Qu'est-ce qu'une nanomachine ?

Une nanomachine est créée à partir d'atomes isolés, comme les pièces d'un minuscule kit de construction, et comprend des roues et des moteurs atomiques. Elle fabrique ensuite d'autres produits à partir des atomes, tels que des nano-véhicules, pour transporter des médicaments dans le sang. De grandes quantités de nanomachines pourraient même assembler des **ORDINATEURS AU CARBONE**, un atome après l'autre.

Qu'est-ce que l'auto-assemblage ?

Les nanomachines seront conçues pour se dupliquer elles-mêmes. Elles s'auto-assembleront de la même manière que les molécules des organismes vivants. Pour construire une voiture, des milliards de nanomachines seront organisées pour collaborer.

Globules rouges _____

Nano-robot mû par un propulseur

NANOTECHNOLOGIE ET MÉDECINE ▲
Cette œuvre d'imagination montre l'application possible de la nanotechnologie en médecine. Des nano-robots de la taille de cellules sont programmés pour voyager avec le flux sanguin afin de trouver et réparer les défauts dans les organes et les tissus du corps humain.

La nanotechnologie est-elle dangereuse ?

Les nanomachines auto-assembleuses pourraient échapper à tout contrôle, et de là se multiplier et endommager les matériaux naturels. Elles devraient donc être programmées pour être incapables de s'affranchir et de provoquer de tels dégâts.

ROULEMENT NANOTECHNOLOGIQUE ▶
Avant de construire des nanomachines et des robots complets, les scientifiques fabriqueront les composants de base tels que leviers, engrenages, roulements et moteurs, à l'échelle nano. Ce dessin informatique montre comment un dispositif dénué de friction pourrait être assemblé à partir d'atomes isolés.

L'ORDINATEUR AU CARBONE

Les chercheurs pensent qu'à l'échelle atomique le carbone aura des propriétés électriques supérieures à celles du silicium pour fabriquer des ordinateurs. Un processeur pourrait être créé en reliant des atomes isolés de carbone. Seules les nanomachines pourraient travailler à une telle échelle.

La nanotechnologie pourrait-elle construire une voiture en carbone ?

Les nanomachines pourraient fabriquer des voitures en carbone en reliant les atomes de carbone, un par un, en une structure semblable à celle du diamant. Ces véhicules seraient beaucoup plus robustes et légers que les versions actuelles en titane, aluminium et acier. Une voiture en carbone issue de la nanotechnologie serait si légère qu'on pourrait la soulever d'une main.

◀ NANO-MOUCHE
Il pourrait être possible de créer des insectes robotisés intelligents, comme cette mouche, à l'aide de nano-composants fabriqués à partir d'atomes de carbone. Ils pourraient effectuer des surveillances policières.

Où en est la nanotechnologie ?

La nanotechnologie en est encore à ses balbutiements, mais des progrès ont déjà été faits. Des roues, des axes et des roulements simples ont été fabriqués. Les scientifiques ont déjà manipulé des atomes isolés de carbone pour produire des nombres et des lettres à l'échelle nano.

POUR EN SAVOIR PLUS ▶▶ Les atomes 157 • Les machines 196-197

LES MACHINES

Du décapsuleur à la grue, les machines nous simplifient
la tâche. Les machines simples comprennent les **LEVIERS**,
les **POULIES**, les **PLANS INCLINÉS** et les **ENGRENAGES**.
Elles transfèrent force et mouvement d'un endroit à un autre,
généralement en les amplifiant.

Qu'est-ce que l'avantage mécanique ?

L'avantage mécanique d'une machine indique combien
de fois une force sera multipliée pour vaincre la
résistance d'une charge. Le casse-noix a un avantage
mécanique d'environ cinq. La force appliquée aux
branches du casse-noix est multipliée par cinq, ce qui
est suffisant pour casser même la noix la plus dure.

Comment mesurer le rendement d'une machine ?

Le rendement d'une machine est le rapport de l'énergie
utilisable à l'énergie totale dépensée. Dans une machine
parfaite, toute l'énergie dépensée serait utilisée pour agir
sur la charge. Le rendement serait alors de 100 %.
En réalité, les machines perdent toujours un peu d'énergie
en raison de la friction entre les pièces.

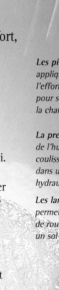

La charge est
soulevée par
l'excavateur.

EXCAVATEUR INDUSTRIEL ▶
Une machine complexe telle que
cet excavateur est un assemblage
de machines simples. Les bras sont
des leviers, les dents du godet
sont des plans inclinés. Le
conducteur utilise la machine
pour déplacer des charges trop
lourdes pour ses seules forces.

Machines

Les bras lèvent o
abaissent le gode

LES LEVIERS

Un levier est une tige ou une barre tournant
sur un pivot (point d'appui). L'effort appliqué
en un endroit déplace une charge *via* le point
d'appui. Il existe trois types de leviers, où l'effort,
la charge et le point d'appui se situent en
des points différents.

Quelles sont les différentes catégories de leviers ?

Il existe trois types de leviers, conçus pour des tâches
différentes. Dans le premier cas (bascule), l'effort et
la charge se situent de part et d'autre du point d'appui.
Dans le deuxième cas (ouvre-bouteilles), la charge se
trouve entre le point d'appui et l'effort. Dans le dernier
cas (baguettes chinoises), le point d'appui et la charge
se trouvent aux extrémités, l'effort au milieu.

Qu'est-ce qu'une roue ? Et un essieu ?

Le volant d'une voiture est un levier circulaire qui
amplifie une force de rotation. Les mains sur le volant
se déplacent sur une distance plus grande que l'essieu
(la colonne de direction). L'effort de rotation est amplifié
afin de produire la force nécessaire pour diriger les roues
de la voiture. La manivelle fonctionne de manière
similaire pour remonter un seau d'eau d'un puits avec
un minimum d'effort.

Les pistons
appliquent
l'effort
pour soulever
la charge.

La pression
de l'huile fait
coulisser le piston
dans un cylindre
hydraulique.

Les larges roues
permettent
de rouler sur
un sol inégal.

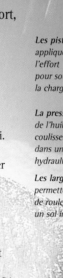

Effort
Charge
Pivot
Effort

▲ LEVIER DU PREMIER TYPE
Ces tenailles sont un levier du
premier type. Le point d'appui se
trouve entre la charge et l'effort.
L'effort est amplifié car la charge
est proche du pivot.

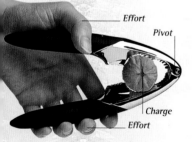

Effort
Pivot
Charge
Effort

▲ LEVIER DU DEUXIÈME TYPE
Ce casse-noix a le pivot à une
extrémité, l'effort à l'autre et
la charge au milieu, l'idéal pour
casser une noix.

Pivot
Effort

◀ LEVIER DU TROISIÈME TYPE
Dans les baguettes chinoises, l'effort se situe entre le
pivot et la charge. Ce système réduit l'effort et amplifie
le mouvement. De petits mouvements de la main suffisent
pour saisir un grain de riz ou une noix, mais il est
impossible de casser cette dernière.

Effort
Charge

LES POULIES

La poulie est une roue dont la jante est aménagée pour recevoir un lien flexible. Une poulie simple modifie la direction d'une force sans l'amplifier. C'est le cas lorsqu'on hisse un drapeau en haut d'un mât en tirant sur une corde.

Qu'est-ce qu'un palan ?

Un palan est un jeu de quatre poulies reliées par une corde. Tirer sur la corde permet de rapprocher les poulies supérieures et inférieures, et d'amplifier l'effort fourni afin de soulever ou d'abaisser une charge lourde, comme un moteur de voiture. Les systèmes de palans sont utilisés depuis des siècles pour hisser les voiles et charger le fret des navires marchands.

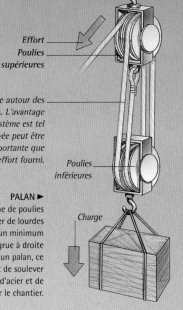

Effort
Poulies supérieures

Une corde s'enroule autour des quatre poulies. L'avantage mécanique de ce système est tel que la charge soulevée peut être quatre fois plus importante que l'effort fourni.

Poulies inférieures

PALAN ▶
Le palan est un système de poulies conçu pour soulever de lourdes charges avec un minimum d'effort. La grue à droite est équipée d'un palan, ce qui lui permet de soulever ces plaques d'acier et de les positionner sur le chantier.

Charge

LES PLANS INCLINÉS

La première machine de construction fut sans doute le plan incliné. En effet, les premiers bâtisseurs montaient des blocs de pierre en les poussant en haut d'une pente. Plus la pente était douce, plus il était facile de monter la charge, mais plus le sommet était loin.

La cabine de contrôle des opérations

Pourquoi est-il plus facile de monter une charge dans une pente ?

Lorsqu'on pousse une charge vers le haut d'une pente, le poids se partage entre l'effort fourni et la pente. Il n'y a pas besoin de soulever la totalité du poids en une fois. Toutefois, si l'effort est moindre, la distance à parcourir est plus importante. Lorsqu'on grimpe un sentier en zigzag dans la montagne, chaque pas est plus facile, mais il en faut beaucoup plus qu'en suivant une route plus raide, mais plus directe jusqu'au sommet.

Qu'est-ce qu'un coin ?

Un coin est un plan incliné mobile. Lorsqu'il est poussé en avant, la charge s'écarte latéralement. Plus son angle est aigu, plus il faut le pousser pour produire le même effet de mouvement latéral, mais plus la force latérale fournie est grande. La lame d'une hache est un coin produisant une force d'éclatement lorsqu'elle pénètre dans des matériaux durs tels que le bois, la roche ou la glace.

◀ PLAN INCLINÉ
Cette route forme un zigzag jusqu'au sommet de la pente. La distance parcourue est plus grande qu'en ligne droite, mais la pente est plus douce et l'effort à fournir, moins important.

LES ENGRENAGES

Les engrenages sont des roues dentées qui transfèrent les forces de rotation et le mouvement d'un endroit à un autre, par exemple, du moteur vers les roues d'une voiture. Les dents de l'engrenage s'imbriquent de sorte que, lorsqu'une roue tourne, elle contraint sa voisine à tourner dans la direction opposée.

Qu'est-ce que le rapport d'engrenage ?

Lorsque deux roues ont le même nombre de dents, elles tournent à la même vitesse, avec la même force. Si l'une des roues a deux fois plus de dents que l'autre, elle tourne moitié moins vite, mais avec une force deux fois supérieure.

ENGRENAGES DE MONTRE ▶
Les engrenages de cette montre transfèrent la force du ressort interne vers les aiguilles du cadran. Les rapports d'engrenage font tourner les aiguilles à la vitesse nécessaire pour qu'elles restent à l'heure.

POUR EN SAVOIR PLUS ▶▶ Les forces 164 • Le mouvement 165 • Les moteurs 198-199

LES MOTEURS

La machine qui convertit l'énergie d'un combustible pour effectuer un travail s'appelle un moteur. Les moteurs à vapeur furent les premiers à être utilisés pour le transport et l'industrie. Les voitures et de nombreux trains sont équipés de moteurs à combustion interne. Les avions ont des moteurs à réaction, les navires fonctionnent avec des **TURBINES**.

Qu'est-ce qu'un moteur thermique ?

Ce moteur transforme l'énergie thermique en énergie mécanique. La chaleur peut provenir de la combustion de charbon, d'essence ou d'hydrogène. La chaleur entraîne l'expansion rapide de l'air (gaz). Dans un moteur à piston, l'expansion du gaz pousse le piston dans un cylindre. La course du piston entraîne le moteur. La **CONSOMMATION** est le volume de combustible utilisé par un moteur pour tourner pendant une durée donnée.

Qu'est-ce qu'un moteur à combustion interne ?

Dans ce moteur, la combustion a lieu dans un cylindre. Ce dernier aspire de l'air et du carburant par une soupape lorsque le piston descend. En remontant, le piston comprime l'air et le carburant, entraînant leur réchauffement et l'explosion du carburant. L'expansion des gaz provenant de l'explosion repousse le piston vers le bas, ce qui produit de l'énergie.

Comment fonctionne un moteur à vapeur ?

Dans un moteur à vapeur, la combustion a lieu hors du cylindre : le charbon chauffe l'eau d'une chaudière qui produit de la vapeur. La vapeur est acheminée dans le cylindre où elle se dilate et pousse le piston. Ce dernier entraîne un vilebrequin qui fait tourner les roues.

◄ **MOTEUR À VAPEUR**
Les premiers moteurs à vapeur servaient à pomper l'eau sous terre. L'ingénieur écossais James Watt (1736-1819) apporta de nombreuses améliorations à cette invention. Ses idées donnèrent le jour à un moteur puissant, capable d'alimenter des usines et de tirer de lourdes locomotives telles que celle-ci à Harbin, Mandchourie.

Le vilebrequin fait tourner les roues.

Le piston, poussé par les gaz chauds, transmet son mouvement au vilebrequin.

L'admission d'air aspire l'air nécessaire à la combustion du carburant. Un filtre arrête les poussières et les impuretés.

Le cylindre où l'allumage du carburant a lieu

Les soupapes s'ouvrent pour admettre le mélange air/carburant dans le cylindre, et expulser les gaz d'échappement.

L'arbre à cames contrôle l'ouverture et la fermeture des soupapes.

La bougie allume le mélange air/carburant.

MOTEUR À ESSENCE

Les moteurs à essence sont des moteurs à combustion interne. Aujourd'hui, ce sont le plus souvent des moteurs à quatre temps. Le carburant et l'air sont aspirés dans le cylindre où le mélange est comprimé et allumé. Les gaz d'expansion font descendre le piston. Lorsque le piston descend, l'énergie est transmise au vilebrequin, puis les gaz d'échappement sont expulsés. Les quatre cylindres ont un fonctionnement séquentiel qui produit une libération continue d'énergie et permet à la voiture de fonctionner sans à-coups.

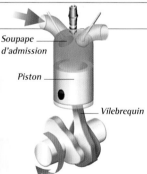

ADMISSION
La soupape d'admission s'ouvre. Le carburant et l'air sont aspirés dans le cylindre lorsque le piston descend.

Soupape d'admission

Piston

Vilebrequin

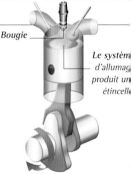

COMPRESSION
Le mélange air/carburant est comprimé par la montée du piston. La bougie allume alors le mélange, qui explose.

Bougie

Le systèm[e] d'allumag[e] produit un[e] étincell[e]

Comment fonctionne un moteur à réaction ?

L'air aspiré à l'avant du moteur est comprimé par des pales rotatives, avant d'être amené dans une chambre de combustion. Le kérosène injecté dans la chambre se mélange à l'air comprimé et brûle à haute température. Les gaz issus de cette combustion sont rejetés vers l'arrière du moteur à haute vitesse. C'est ce qui pousse l'avion vers l'avant.

La courroie agit sur l'alternateur pour charger la batterie.

FRANK WHITTLE
Britannique, 1907-1996
L'ingénieur Frank Whittle proposa l'idée d'un avion à réaction dès 1928, mais ce n'est qu'en 1937 qu'il fabriqua le premier moteur de ce type. Ses idées furent développées pendant la Seconde Guerre mondiale et les premiers turboréacteurs prirent leur envol en 1944.

◄ MOTEUR DE VOITURE
Dans ce puissant moteur à six cylindres, la course des pistons a lieu en séquences. L'énergie est transférée par le vilebrequin à la boîte de vitesses et aux roues.

ÉVOLUTION DES MOTEURS

vers 1600	invention de la machine à vapeur
1698	premier moteur à vapeur opérationnel
1765–	James Watt améliore les moteurs à vapeur
1804	1re locomotive à vapeur
1876	1er moteur à combustion interne
1903	1re turbine à gaz
1937	1er moteur à réaction

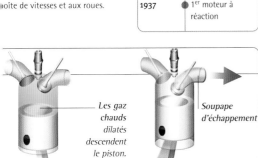

Les gaz chauds dilatés descendent le piston.

Soupape d'échappement

Le vilebrequin tourne.

EXPANSION
La dilatation des gaz chauds force le piston à descendre et à transférer son énergie au vilebrequin.

EXPULSION
La soupape d'échappement s'ouvre. Les gaz usés sont expulsés du cylindre à la montée du piston.

LES TURBINES

Une turbine est un moteur doté d'un jeu de pales rotatives, actionnées par le mouvement d'un liquide ou d'un gaz. Les turbines actionnent les centrales hydroélectriques ainsi que les navires.

Quels sont les différents types de turbines ?
Les moulins à eau ou à vent sont des exemples de turbines, mais ce ne sont pas des moteurs thermiques, car ils n'ont pas besoin de chaleur pour produire du mouvement. Les turbines à gaz et à vapeur sont des moteurs thermiques puissants. Les pales de la turbine sont actionnées par les gaz chauds issus d'une combustion ou par la vapeur à haute pression d'une chaudière.

Comment fonctionne une turbine ?
Le flux de gaz ou de liquide actionne les pales de la turbine, faisant tourner l'arbre. La turbine est connectée à un générateur. Dans une turbine moderne, les pales ont une forme similaire aux ailes des avions pour maximiser la force produite. Le fluide peut passer entre deux, trois ou plusieurs étages de pales disposés en séquence afin de convertir autant d'énergie que possible en mouvement.

▲ TURBINE À VAPEUR
Ce rotor de turbine est actionné par de la vapeur à haute pression. La turbine alimente le générateur d'une centrale électrique. Les pales du rotor sont disposées en étages. Les turbines à plusieurs étages sont les plus efficaces, car elles captent toute l'énergie produite par la vapeur.

LA CONSOMMATION

La consommation d'un véhicule est la quantité de carburant nécessaire pour parcourir une distance donnée. La consommation d'une voiture dépend de son poids, de son aérodynamisme (coefficient de pénétration dans l'air), de sa vitesse, de la puissance du moteur et de la conduite.

Comment améliorer l'efficacité moteur ?
Plus une voiture a besoin de carburant pour fonctionner, moins son efficacité moteur est bonne. La recherche développe des voitures à consommation réduite, moins polluantes. Il existe également des voitures non polluantes, utilisant des sources d'énergie différentes, panneaux solaires, électricité ou hydrogène.

▼ VOITURE ÉLECTRIQUE
Les panneaux solaires intégrés au toit de cette voiture alimentent la batterie. Les voitures électriques ne polluent pas les rues avec des gaz d'échappement.

@ ▸▸ Moteurs

Les fusées 28 • L'impact humain 64 • L'énergie 166 • L'électromagnétisme 186 • Les machines 196-197 • Les transports 200

LES TRANSPORTS

Nombreux sont ceux qui habitent à un endroit et travaillent à un autre. Les supermarchés proposent des produits venant d'autres pays. Les transports modernes, c'est-à-dire la circulation des personnes et du **FRET** par terre, mer et air, nous permettent de voyager rapidement dans le monde entier.

▲ PISTE CYCLABLE
Dans certaines villes, des pistes cyclables ont été aménagées pour rendre les déplacements en bicyclette plus sûrs et plus agréables.

Qu'est-ce qu'un système de transport ?

Les transports par terre, par mer et par voie aérienne se complètent pour former un système de transport intégré. Un colis envoyé de France peut être livré 24 heures plus tard au Canada. Un messager recueille le colis et l'apporte par la route à l'aéroport. L'avion de fret effectue le trajet jusqu'au Canada dans la nuit. À son arrivée, le fret est trié, et le colis reprend son chemin, d'abord par le chemin de fer, puis par la route.

▼ TRAFIC AÉRIEN
La demande pour les voyages aériens est telle qu'un grand aéroport gère plusieurs vols par minute, 24 heures par jour. Cela peut entraîner une pollution sonore gênante pour ceux qui vivent à proximité. Les vols de nuit sont limités ou totalement interdits dans de nombreux aéroports.

Quels sont les divers moyens de transport ?

C'est par mer que le transport des personnes et des marchandises consomme le moins de carburant, mais les temps de voyage sont longs. Le chemin de fer vient juste après en matière d'efficacité et de sécurité. L'avion est le moyen le plus rapide, mais aussi le moins rentable. Le vélo ou la marche sont les moyens de transport les plu adaptés pour de courtes distances : pas de pollution, peu de retards et forme physique garantie !

Quel est le rôle des chercheurs ?

Chercheurs et ingénieurs cherchent des solutions aux problèmes liés aux transports. Ils essaient de réduire les **ENCOMBREMENTS** et la pollution tout en améliorant la **SÉCURITÉ ROUTIÈRE**. Certains gouvernements désireu de mettre en place de nouvelles machines à rayons X afin d'augmenter la sécurité et de mettre un terme à la contrebande aux frontières font appel à eu

La cabine de pilotage pour le pilote et le copilote

Le fuselage est fait d'alliages robustes et légers tels que l'aluminium.

Transports

Des réacteurs double-flux permettent à l'avion de voler à plus de 800 km/h.

Le personnel au sol guide l'avion jusqu'à son point de stationnement.

Comment contrôler un avion dans les airs ?

Le pilote et l'équipage pilotent l'avion à l'aide d'ordinate de bord. Les écrans radar indiquent la position de l'appa ainsi que les conditions météo sur le trajet. Les contrôleu aériens au sol autorisent le pilote à décoller et à atterrir, attribuent les couloirs aériens et s'assurent que les appar ne s'approchent jamais à moins de 16 km l'un de l'autre sur le plan horizontal, et de 310 m sur le plan vertical.

LES ENCOMBREMENTS

Les encombrements, ou bouchons, se produisent lorsque trop de véhicules empruntent la même route en même temps. La circulation ralentit et s'arrête. On pourrait construire plus de routes, mais certains pensent que le nombre des voitures augmenterait en proportion. Alors, une des options consiste à encourager le public à utiliser les transports en commun.

INVENTIONS	
3200 AV. J.-C. ●	Roue
3000 AV. J.-C. ●	Bateau à voile
1803 ●	Train à vapeur
1807 ●	Bateau à vapeur
1839 ●	Bicyclette
1885 ●	Voiture
1903 ●	Avion
1947 ●	Avion supersonique
1952 ●	Vol commercial de passagers

Qu'est-ce qu'un embouteillage ?

Aux heures de pointe, dans les villes modernes, la circulation peut s'arrêter aux carrefours, formant des embouteillages, qui peuvent être évités en synchronisant les feux de signalisation d'un croisement à l'autre, et en introduisant des dispositifs de circulation alternée.

Quel est l'intérêt des transports en commun ?

Les transports en commun (tramways, vélos, bus, ferries) sont plus efficaces et moins polluants que les véhicules privés. Le métro peut acheminer 2 millions de personnes par jour, alors que 2 millions de voitures bloqueraient les rues.

▲ EMBOUTEILLAGE
Gérer la circulation aux heures de pointe et traiter les accidents sont des tâches problématiques pour les planificateurs urbains. Ils cherchent des solutions pour éviter les encombrements : péages décourageant l'utilisation de certaines routes, systèmes de navigation embarqués avertissant les conducteurs des bouchons qui les attendent, synchronisation des feux de signalisation.

LE FRET

Les marchandises transportées s'appellent le fret. Tout ce qui s'achète – vêtements, électronique, nourriture, livres, etc. – a été acheminé vers les magasins, parfois de loin.

◄ CHARGEMENT DE CONTENEURS
Une grande grue charge les conteneurs sur le navire. Les membres d'équipage veillent à ce que le navire ne soit pas déséquilibré pendant l'opération. Ils tracent des chiffres à la craie sur le sol du navire pour savoir où placer les différents conteneurs.

Comment charge-t-on un porte-conteneurs ?

Les porte-conteneurs sont chargés dans des ports réservés à cette activité. Les conteneurs se transfèrent facilement de la route au chemin de fer, puis aux navires, car ils sont de taille standard : 2,50 x 2,50 x 12 m, et s'empilent comme des briques. Le plus grand porte-conteneurs peut transporter 4 000 conteneurs.

▼ MANNEQUINS DE CHOC
Les nouveaux modèles de voitures passent des crash tests en laboratoire avant de partir en production. Les mannequins de choc permettent de voir ce qui arrive aux passagers en cas d'accident. Les forces d'impact sont contrôlées par des senseurs intégrés aux mannequins et par des caméras à grande vitesse.

LA SÉCURITÉ ROUTIÈRE

Les scientifiques cherchent à améliorer la sécurité routière afin de diminuer le nombre de blessés et de tués sur la route. Des millions de personnes sont blessées chaque année dans des accidents de la route à travers le monde, mais on estime que les blessures non déclarées sont encore plus nombreuses.

Comment améliorer la sécurité routière ?

La vitesse est la cause principale des accidents de la route. Elle augmente la gravité des chocs. Sur dix piétons renversés à 60 km/h, neuf seront tués. À 30 km/h, un seul trouvera la mort. Casse-vitesse et ronds-points sont des ralentisseurs efficaces. Les radars et les caméras placés au bord des routes enregistrent les excès de vitesse et encouragent les conducteurs à respecter les limitations. Sur les autoroutes, des panneaux électroniques enjoignent aux automobilistes de ralentir en cas de brouillard ou de neige.

LA CONSTRUCTION

Des maisons aux gratte-ciel en passant par les ponts et les autoroutes, notre environnement est fait de matériaux différents. Les architectes conçoivent des bâtiments à la fois esthétiques et fonctionnels, les **INGÉNIEURS** les construisent.

Que fait un architecte ?

Le travail de l'architecte est de concevoir et de dessiner les plans de nouveaux bâtiments. Il doit tenir compte de l'usage fait du bâtiment, du choix des matériaux et de l'environnement. Les plans montrent la position exacte de tous les détails, même les prises électriques.

HÉMISPHÈRE ▲
Un architecte explore ses nouvelles réalisations dans un dôme de réalité virtuelle. Il se sert d'une manette pour naviguer.

Comment choisir les matériaux de construction ?

La plupart des grandes structures sont construites en béton et en acier. De larges quantités de béton sont utilisées pour faire des fondations solides. Les murs, les colonnes et les arches en béton sont renforcés d'acier. Le bois, léger et solide à la fois, sert encore pour la construction de bâtiments plus petits, notamment pour la **CONSTRUCTION MODULAIRE**.

Comment construit-on une route ?

La planification est la première étape. La route ne doit pas détruire de paysages ou de bâtiments importants. Son tracé dépend du terrain qu'elle traverse. Il faut des tunnels dans les montagnes et des ponts au-dessus des fleuves. Le site est dégagé, les fondations sont creusées et une base stable de pierre est posée. La route est ensuite recouverte de béton ou de macadam.

CONSTRUCTION D'UN GRATTE-CIEL ▶
Lorsqu'un nouvel immeuble est construit dans une ville, l'entreprise de construction planifie minutieusement le chantier pour ne pas gêner la circulation et le commerce. Ce gratte-ciel élevé dans le district financier de Hongkong comportera 88 étages lorsqu'il sera terminé.

Des grues à tour géantes soulèvent les matériaux de construction.

Des échafaudages au sommet de l'immeuble forment une plate-forme d'accueil pour les matériaux et permettent aux ouvriers de poursuivre la construction.

Le béton est renforcé par des tiges en acier.

Les espaces ne sont ni équipés ni décorés.

LA CONSTRUCTION MODULAIRE

De grandes parties des immeubles modernes peuvent être préfabriquées hors site puis livrées pour être assemblées. Les modules s'intègrent selon les plans prévus. La construction modulaire réduit les coûts et les temps de construction.

Les locaux temporaires autour de l'immeuble abritent équipements, cantines et douches pour les ouvriers.

Quels sont les systèmes d'automatisation des bâtiments ?

Un bâtiment comprend les fondations, les murs et le toit, mais aussi des systèmes d'automatisation pour la plomberie, le chauffage, l'éclairage et la ventilation généralement installés quand la structure est achevée. Mais certains modules sont livrés avec salle de bains et câblage électrique complets.

▲ MICRO-APPARTEMENTS
Ces micro-appartements modulaires à Tokyo (Japon), ont été construits pour économiser de la place dans la ville. Ils sont moins chers, car ils sont plus petits et plus faciles à construire que la plupart des maisons.

Une clôture de sécurité ferme le chantier.

L'INGÉNIERIE

L'ingénieur applique les principes de la science à la conception de structures et de machines. L'ingénieur en bâtiment, par exemple, réalise les calculs pour prédire la stabilité des constructions. L'ingénieur civil planifie la construction des voies ferrées, des routes et des barrages.

▼ PONTS
Ces ponts sont de merveilleux exemples d'architecture. Ils sont conçus pour supporter de lourdes charges et résister aux intempéries.

PONT À ARCHES

PONT À HAUBANS

PONT CANTILEVER

PONT SUSPENDU

La structure de béton et d'acier sera revêtue de verre pour des raisons esthétiques et les fenêtres seront vitrées.

Construction

Comment le pont supporte-t-il les charges ?

La poutre s'infléchit en son milieu lorsqu'elle supporte une charge. Un pont à poutres peut supporter une charge au-dessus d'un vide étroit. Un pont plus long doit être plus robuste. L'arc supporte la charge par le bas en dirigeant la force vers le sol, le long de la courbure. Un pont suspendu supporte la charge par le haut, avec des câbles.

Quel est le gratte-ciel le plus haut ?

C'est Taipei, la capitale de Taïwan, qui hébergera désormais le plus haut gratte-ciel au monde, avec 508 m et 101 étages. Cet édifice dépasse de 50 m les tours jumelles Petronas de Kuala Lumpur en Malaisie, détentrices du record depuis 1996 avec 452 m.

Quelle est la meilleure forme pour un barrage ?

Un barrage retient l'eau d'une rivière pour former un lac artificiel. La pression de l'eau augmente avec la profondeur, c'est donc à la base du barrage qu'elle est le plus forte : la paroi du barrage est plus épaisse à la base qu'au sommet.

▲ BARRAGE EN ARC DE CERCLE
La forme courbe de ce barrage en béton le rend plus robuste. La pression de l'eau se répartit le long de la courbure qui s'appuie contre le sol des deux côtés. Le sol absorbe donc une partie de la pression exercée sur la paroi.

Comment creuse-t-on les tunnels ?

Les tunnels sont creusés à l'aide de foreuses (TBM). Tandis que la tête de coupe tourne, la machine avance. Après le passage de la foreuse, les ingénieurs tapissent le tunnel d'anneaux de béton armé pour empêcher le plafond et les parois de s'écrouler.

▲ CREUSEMENT D'UN TUNNEL
Chacune des six foreuses TBM utilisées pour creuser le tunnel sous la Manche était propulsée sur des rails avec une force de 420 t. Elles étaient suivies par des tapis roulants qui évacuaient 1 000 t de terre et de gravats par heure.

POUR EN SAVOIR PLUS ▶▶ Les ordinateurs 190 • L'architecture 328-329

L'INDUSTRIE

L'industrie est un terme général désignant les sociétés et les organisations fournissant les biens et les services dont nous avons besoin. Il existe des industries primaires telles que l'agriculture, l'exploitation minière, la fabrication, et des industries de service telles que le tourisme et la banque.

Que sont les industries primaires ?

Les industries primaires produisent la nourriture et les MATIÈRES PREMIÈRES nécessaires pour se vêtir, se loger et fabriquer toutes les choses qu'on utilise. L'agriculture et la pêche fournissent la nourriture. L'industrie forestière fournit le bois pour le papier et la construction. Les industries pétrolière et minière produisent énergie et matériaux.

Où se situent les industries ?

Les industries se développent là où se trouvent leurs matières premières. Les aciéries, par exemple, sont construites près de mines de charbon qui produisent le combustible nécessaire pour fabriquer l'acier. D'autres industries ont besoin de beaucoup de personnel, elles se trouvent alors là où la main-d'œuvre est la moins chère.

Qu'est-ce que l'artisanat ?

L'artisan travaille seul ou en famille, le plus souvent à son domicile. Avant la révolution industrielle, la plupart des industries étaient artisanales. Aujourd'hui, l'informatique et Internet ont donné naissance à de nouveaux types d'industries à domicile.

▲ PRODUCTION DE THÉ
Les plantations de thé relèvent du domaine de l'agriculture. La récolte manuelle demande une nombreuse main-d'œuvre, mais des machines peuvent effectuer ce type de tâches.

INDUSTRIE AUTOMOBILE ►
L'industrie automobile est l'une des plus importantes au monde. Chaque jour, des milliers de voitures quittent les chaînes de production des usines de la terre entière.

LES MATIÈRES PREMIÈRES

Les matières premières sont des matériaux d'origine naturelle utilisés dans l'industrie : les métaux tels que le fer proviennent des minerais ; le pétrole fournit de l'énergie et des produits chimiques pour fabriquer des plastiques ; l'argile sert pour les céramiques, le sable pour le verre.

Comment les matières premières sont-elles utilisées ?

De nombreuses matières premières sont transformées par la force, la chaleur ou des réactions chimiques. Le minerai de fer est écrasé puis chauffé avec du coke dans un haut-fourneau. Des réactions chimiques entre le coke et l'air réduisent le minerai de fer à l'état liquide. Il s'écoule par la base du haut-fourneau et durcit en refroidissant.

Qu'est-ce qu'un sous-produit ?

Un sous-produit est un matériau résiduel utile, issu d'un processus industriel. Les scories (roches résiduelles) résultant de la transformation du minerai de fer peuvent être utilisées pour la construction de routes. Des quantités utiles d'or, d'argent et de platine sont des sous-produits de la production de cuivre.

▲ MINE À CIEL OUVERT
Une mine à ciel ouvert est un trou béant dans le sol d'où les matières premières sont extraites. Charbon, minerais et roche sont des matières premières industrielles.

Les bras robots pilotés par ordinateur assemblent les carcasses des voitures.

Les voitures à demi assemblées avancent sur la chaîne de production.

Les voitures modernes se composent d'une plate-forme en acier qui accueille les autres pièces.

@ ►►
Industrie

POUR EN SAVOIR PLUS ►► Les roches 46-47 • Les ressources énergétiques 60-61 • L'agriculture 66 • La pêche 67

LA FABRICATION INDUSTRIELLE

Des chaussettes aux avions, presque tout ce que l'homme utilise est fabriqué. La fabrication est le processus qui transforme des matières premières en produits finis. Cela se fait à la main ou sur des CHAÎNES DE PRODUCTION contrôlées par ordinateur.

D'où viennent les nouveaux produits ?

Le développement d'un produit commence avec une idée, par exemple, un nouveau design pour un jeu électronique. Si l'idée est acceptée, des prototypes sont fabriqués et testés. Ils sont ensuite soumis à l'appréciation du public. Si les acheteurs potentiels semblent assez nombreux, le produit est mis en production.

▼ MANUFACTURE DE TEXTILE
Autrefois, tous les textiles (tissus) étaient filés et tissés à la main. De nos jours, des machines effectuent ce travail beaucoup plus rapidement. Elles produisent une grande variété de tissus, du coton à la soie en passant par le fil de Nylon et les tapis.

HENRY FORD
Américain, 1863-1947
Fils de fermier, Henry Ford fonda la Ford Motor Company en 1903. Il introduisit le montage à la chaîne dans son usine et rendit les voitures accessibles à tous. Le premier modèle ainsi produit fut la Ford Model T. Ford disait que ses clients pouvaient choisir n'importe quelle couleur pour leur voiture « pourvu qu'ils prennent du noir ».

Qu'est-ce que la production de masse ?

La production de masse est la production d'objets identiques par un grand nombre de machines. Autrefois, les livres étaient copiés à la main. L'imprimerie a permis d'accélérer et de faciliter la fabrication des livres, qui sont donc devenus moins chers et plus largement accessibles.

LA CHAÎNE DE PRODUCTION

Une chaîne de production est un système permettant la production de masse rentable d'un produit complexe. L'idée fut tout d'abord développée par Henry Ford, qui produisit plus vite des voitures moins chères, accessibles à plus d'acheteurs.

@ ▶▶
Fabrication industrielle

Comment fonctionne une chaîne de production ?

Sur une chaîne de production, chaque étape de la fabrication d'un produit constitue un poste de travail séparé. Les ouvriers (ou les machines) de chaque poste répètent sans cesse la même tâche, tandis que les produits partiellement assemblés avancent sur la chaîne. On peut ainsi fabriquer bien plus de produits par jour que si une équipe d'ouvriers fabriquait un produit complet à la fois.

▲ PRODUCTION AUTOMATISÉE
Dans une usine d'embouteillage, les bouteilles sont stérilisées, remplies et capsulées par des machines. Des techniciens surveillent le processus car eux seuls pourront résoudre d'éventuels problèmes.

Qu'est-ce que le contrôle qualité ?

Un processus complexe de production peut connaître des incidents. Les machines cassent, les matériaux peuvent être indisponibles ou non adaptés. Ces problèmes peuvent donner des produits défectueux qui ne doivent pas quitter l'usine, sous peine de décevoir les clients. Le contrôle qualité vérifie la qualité de chacun des produits finis.

POUR EN SAVOIR PLUS ▶▶ Les matériaux 170 • La modification des matériaux 171 • Les robots 194

L'INDUSTRIE CHIMIQUE

Les plastiques, les produits **PHYTOSANITAIRES**, les produits **PHARMACEUTIQUES**, les peintures et les détergents ne sont que quelques-uns des produits de l'industrie chimique. Ils sont fabriqués dans de grandes usines chimiques, ou extraits dans les **RAFFINERIES DE PÉTROLE**.

Industrie chimique

Que fait une usine chimique ?

Les produits chimiques présents dans la nature tels que le sel, le soufre, l'azote et le gaz naturel sont les matières premières de l'industrie chimique. Ces matériaux sont mélangés, chauffés et raffinés dans des usines. Les réactions chimiques transforment les matières premières en acides, alcalins et autres composés chimiques de valeur.

Comment les acides et les alcalins sont-ils utilisés ?

L'acide sulfurique est composé de soufre, d'air et d'eau. C'est le composé simple le plus important de l'industrie chimique. On l'utilise dans les piles, les teintures, les détergents, les engrais et les fibres synthétiques. Le carbonate de sodium est un alcalin commun utilisé pour fabriquer à la fois du savon et du verre.

▲ RAFFINERIE DE PÉTROLE
Les raffineries de pétrole décomposent le pétrole brut en de nombreux composés chimiques utiles pour l'industrie chimique. Une raffinerie fonctionne 24 heures sur 24. La nuit, ses tours, ses cuves et ses tuyaux illuminés évoquent une petite ville.

FORAGE PÉTROLIER ▶
Le pétrole brut est extrait du sous-sol de la mer par des plates-formes pétrolières. Ces plates-formes gigantesques sont les plus grandes structures maritimes du monde. Ancrées au fond de la mer, elles supportent la foreuse et l'ensemble des machines nécessaires à l'extraction du pétrole.

Le derrick supporte la foreuse et le train de tiges (tiges menant à la tête de forage au fond de la mer).

Des tours de communication permettent à la plate-forme de garder le contact avec la terre ferme.

La plate-forme accueille le derrick ainsi que les bureaux, les cantines, les salles de repos et les quartiers des travailleurs.

La plate-forme se dresse sur des piliers massifs. Ils peuvent reposer directement sur le fond de la mer ou être remplis d'air pour fournir une base flottante ancrée au fond.

LA RAFFINERIE DE PÉTROLE

Le pétrole brut provenant des champs pétrolifères du monde entier est acheminé vers des raffineries. Le brut n'est pas une substance simple, mais un mélange de différents composés carbonés (groupes d'atomes). Dans les raffineries, les composés sont séparés par distillation fractionnée.

Qu'est-ce que la distillation fractionnée ?

Le pétrole brut est porté à ébullition et vaporisé. En refroidissant, les composés présents dans les vapeurs se condensent à différents niveaux au sein d'une tour de distillation, ce qui permet de les séparer (fractions). Les fiouls lourds se condensent au bas de la tour, les essences, plus légères, au sommet.

Que peut-on faire à partir du pétrole ?

Les fractions intermédiaires servent à faire du gazole et du kérosène pour les voitures et les avions, ainsi que des fibres et des plastiques, des solvants pour peinture, des encres, des adhésifs, des cosmétiques et des produits pharmaceutiques. Les molécules les plus lourdes sont utilisées pour les lubrifiants et les bitumes.

LES PRODUITS PHYTOSANITAIRES

Les plantes ont besoin de minéraux dans le sol pour bien pousser. L'utilisation répétée des sols épuise les minéraux et appauvrit les récoltes. Les produits phytosanitaires permettent d'améliorer la qualité des sols, d'éloigner les nuisibles et d'empêcher les maladies et les mauvaises herbes de s'attaquer aux récoltes.

Qu'est-ce que la bio-agriculture ?

L'effet des pesticides et des engrais sur l'environnement est tel que les exploitants biologiques choisissent de ne pas les utiliser. Ils se servent de fumier animal et de compost, et alternent leurs cultures avec des haricots et des petits pois pour remplacer l'azote dans le sol. Ils contrôlent les nuisibles par des méthodes naturelles. Planter des oignons entre les carottes éloigne la mouche de la carotte.

▲ PULVÉRISATION
La pulvérisation de pesticides sur les arbres fruitiers permet de contrôler les insectes et autres nuisibles qui s'en prennent aux fruits et aux arbres. Il faut néanmoins veiller à ne pas tuer les insectes utiles tels que les abeilles.

Qu'est-ce qu'un herbicide sélectif ?

Autrefois, les fermiers tentaient de tuer les mauvaises herbes avec du sel marin et autres produits chimiques communs, mais ces substances s'attaquaient aussi aux cultures. Les herbicides modernes sont des produits chimiques organiques conçus pour limiter les mauvaises herbes. La plupart sont sélectifs, ils éliminent les mauvaises herbes sans endommager les récoltes.

LES PRODUITS PHARMACEUTIQUES

Un produit pharmaceutique est une substance utilisée pour traiter ou prévenir les maladies. Depuis toujours, l'homme a testé les vertus thérapeutiques des plantes, s'empoisonnant souvent, mais découvrant parfois des substances efficaces telles que l'aspirine. Aujourd'hui, l'industrie pharmaceutique s'appuie sur des méthodes scientifiques plus strictes.

Comment développe-t-on de nouveaux médicaments ?

Depuis que les biochimistes ont compris la chimie des cellules vivantes, ils peuvent créer des molécules contre les maladies. Ces molécules, créées en laboratoire, sont testées sur des cultures de cellules *(in vitro)*. Les composés les plus prometteurs sont ensuite testés sur des animaux *(in vivo)*.

Comment les nouveaux médicaments sont-ils testés ?

Après les tests en laboratoire, le médicament est administré à des patients au cours de tests cliniques. Certains patients reçoivent le médicament tandis que d'autres reçoivent un placebo. Comme ils ignorent ce qu'on leur donne, le test montre avec objectivité si la molécule a un effet ou non.

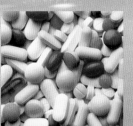

◄ PRISE DE MÉDICAMENTS
Certains médicaments se prennent par voie orale (par la bouche) : cachets, gélules ou poudre ; d'autres sont injectés à l'aide d'une seringue hypodermique. Certaines substances sont absorbées par la peau.

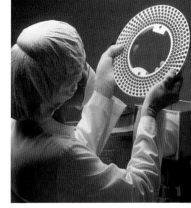

USINE DE MÉDICAMENTS ▲
Ce moule sert à former les cachets contenant les molécules prescrites au patient par le médecin. Les cachets ont des formes, des couleurs, des tailles ou des motifs différents selon les molécules. Cela permet d'éviter les erreurs dans la prise des médicaments.

POUR EN SAVOIR PLUS ►► L'agriculture 66 • Les cellules 73 • Les atomes 157 • La chimie 162

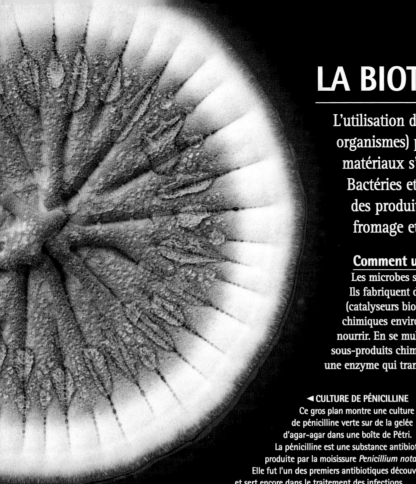

LA BIOTECHNOLOGIE

L'utilisation de microbes (micro-organismes) pour produire et traiter des matériaux s'appelle la microbiologie. Bactéries et levures servent à élaborer des produits tels que le yaourt, le fromage et le vin, par FERMENTATION.

ALEXANDER FLEMING
Écossais, 1881-1955
Fleming obtint le prix Nobel de médecine en 1945 pour la découverte de la pénicilline. Alors qu'il cherchait des composés capables de tuer les bactéries sans s'attaquer à l'organisme, il remarqua que des moisissures avaient détruit les bactéries d'une culture. Ces moisissures s'étaient déposées là par la fenêtre ouverte. Fleming réussit à en extraire la substance antibiotique qu'il appela pénicilline.

Comment utiliser les microbes ?

Les microbes sont de minuscules usines chimiques. Ils fabriquent des substances appelées enzymes (catalyseurs biologiques) qui décomposent les produits chimiques environnants pour leur permettre de se nourrir. En se multipliant, les microbes génèrent des sous-produits chimiques. Les cellules de levure fabriquent une enzyme qui transforme le sucre en alcool.

◀ CULTURE DE PÉNICILLINE
Ce gros plan montre une culture de pénicilline verte sur de la gelée d'agar-agar dans une boîte de Pétri. La pénicilline est une substance antibiotique produite par la moisissure *Penicillium notatum*. Elle fut l'un des premiers antibiotiques découverts et sert encore dans le traitement des infections.

Qu'est-ce qu'un antibiotique ?

Certains microbes fabriquent des produits chimiques capables de tuer les bactéries responsables de maladies. Ce sont les antibiotiques. Ils détruisent les bactéries ou les empêchent de se multiplier. Le premier antibiotique, la pénicilline, fut fabriqué à partir d'une moisissure du pain. Son action antibiotique fut découverte par hasard en 1928.

LA FERMENTATION

La fermentation est l'action des levures et des bactéries sur les sucres des fruits, des céréales, du lait et d'autres aliments. Les cellules de la levure ajoutée à la pâte à pain se nourrissent de ses sucres naturels, les transforman en dioxyde de carbone et en eau. C'est ce qui fait gonfler la pâte.

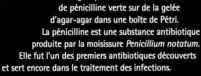

◀ FABRICATION DE FROMAGE
Le type de fromage dépend des microbes ajoutés et des conditions de fermentation. Le lait caillé est séparé du petit-lait. Ce lot donnera des petits-suisses.

Comment le lait se transforme-t-il en fromage ?

Un enzyme appelé rénine est ajouté au lait. Il provoque la fermentation des sucres du lait, ce qui produit l'acide lactique. L'acide décompose le lait en lait caillé (solide) et en petit-lait (liquide). Le caillé est pressé pour faire des fromages. Les microbes poursuivent leur action tandis que le fromage vieillit, renforçant sa saveur et modifiant sa texture.

Comment transforme-t-on le raisin en vin ?

Les levures naturelles présentes sur la peau des raisins fo fermenter les sucres des fruits. Cela produit l'alcool. La fermentation stoppe au bout de dix à trente jours, lorsqu tous les sucres ont été utilisés, ou lorsque le taux d'alcoc atteint 12 à 15 %, ce qui bloque l'action des levures. Le vin est alors stocké dans des fûts. Exposé à l'air, l'alcool s'oxyde en acide acétique et le vin devient aigre (vinaigr

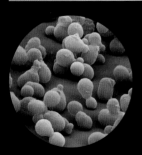

▲ LEVURE
Cette photo au microscope électronique montre les cellules de levure individuelles. Certaines se reproduisent par bourgeonnement (une cellule en produit deux).

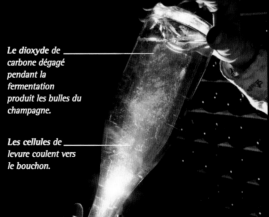

Le dioxyde de carbone dégagé pendant la fermentation produit les bulles du champagne.

Les cellules de levure coulent vers le bouchon.

◀ ÉLEVAGE DU CHAMPAGNE
Selon la méthode champenoise traditionnelle, le vin poursuit sa fermentation après sa mise en bouteille. Les bouteilles sont stockées tête en bas pour permettre aux levures de se poser sur le bouchon. Ce dernier est brièvement relâché et la pression du gaz expulse les sédiments (particules de levure) de la bouteille.

Biotechnol

LA GÉNÉTIQUE

La génétique étudie la transmission des caractéristiques des organismes vivants d'une génération à l'autre. Le sexe d'un individu et les risques de certaines maladies sont inscrits dans les gènes.

FRANCIS CRICK
Anglais, 1916
JAMES WATSON
Américain, 1928
En 1953, inspirés par la scientifique Rosalind Franklin, Crick et Watson construisirent un modèle de double hélice (spirale) d'ADN. Ils relièrent les brins de l'hélice aux molécules A, T, C et G.

DOUBLE HÉLICE D'ADN ▶
Ce graphique en 3D montre une section de la double hélice d'ADN. Les atomes individuels sont représentés sous forme de boules de couleur. Ces atomes forment des groupes pour créer différentes bases. Les deux brins de l'hélice sont reliés par les bases.

Qu'est-ce que le code génétique ?

Le code génétique comprend quatre lettres, A, T, C et G, qui représentent des groupes d'atomes appelés bases, juxtaposés le long de la molécule d'ADN. L'ordre des bases détermine la forme des êtres vivants. Les mots du code sont toujours formés de trois lettres, par exemple, TCA. Les gènes sont comme de longues phrases écrites avec ces mots.

Qu'est-ce qu'un génome ?

Un génome est la séquence de toutes les lettres du code génétique de l'ADN d'un organisme vivant. Le GÉNOME HUMAIN comporte environ 3 milliards de lettres. Les chercheurs ont développé des techniques spéciales pour séquencer (lire) l'ADN, à l'aide de puissants ordinateurs.

@ ▸▸
Génétique

LE PROJET GÉNOME HUMAIN

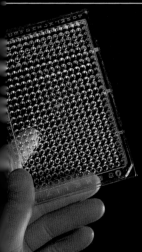

Le but du projet génome humain est de produire la séquence complète du génome de l'être humain.

À quoi va servir le génome humain ?

Les résultats du projet génome humain permettent aux chercheurs d'étudier les maladies génétiques (dont on peut hériter) telles que la mucoviscidose. En identifiant le gène responsable, on devrait pouvoir diagnostiquer la maladie bien plus tôt et élaborer des traitements plus efficaces. La connaissance partielle du génome permet déjà aux scientifiques d'identifier l'EMPREINTE ADN ou empreinte génétique d'un individu.

◀ GÉNOME HUMAIN
Chaque creux de cette plaque contient un fragment différent d'ADN humain. Il faut 60 de ces plaques pour contenir un génome humain complet.

L'EMPREINTE ADN

L'ADN de chaque individu est différent, sauf chez les vrais jumeaux. En balayant 10 sections (longues de 500 lettres chacune) d'ADN d'un individu, les scientifiques peuvent créer son empreinte ADN.

EMPREINTE ADN ▲
Le motif et la force des traits de ce relevé représentent les séquences ADN d'échantillons prélevés sur des volontaires.

L'ADN peut-il prouver la culpabilité en cas de crime ?

La probabilité que deux individus présentent la même séquence dans 10 sections d'ADN différentes est proche de zéro. Si l'ADN d'un cheveu trouvé sur le lieu d'un crime correspond à l'échantillon prélevé sur un suspect, on peut, sans nul doute, affirmer que le cheveu est celui du suspect.

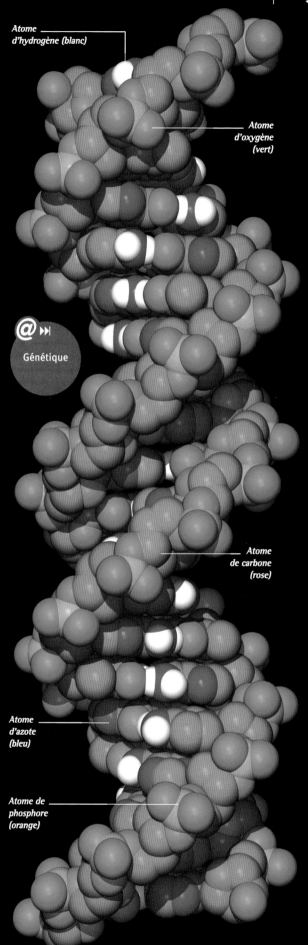

Atome d'hydrogène (blanc)

Atome d'oxygène (vert)

Atome de carbone (rose)

Atome d'azote (bleu)

Atome de phosphore (orange)

POUR EN SAVOIR PLUS ▸▸ Les cellules 73 • La reproduction 148 • Le génie génétique 210-211

LE GÉNIE GÉNÉTIQUE

Le génie génétique est la manipulation des gènes d'êtres vivants. On peut aujourd'hui insérer des gènes d'un organisme dans un autre pour produire des **ALIMENTS GÉNÉTIQUEMENT MODIFIÉS**, mais aussi **CLONER** des embryons qui fournissent des **CELLULES SOUCHES**, pour réparer des tissus organiques endommagés.

Génie génétique

Qu'est-ce que la variation génétique ?

Les différences entre espèces et individus s'expliquent par des différences dans leurs gènes. La reproduction sexuelle mélange les gènes des parents au hasard, entraînant la variation génétique d'une génération à l'autre.

Comment manipule-t-on les gènes ?

Lorsque les éleveurs de chiens sélectionnent des chiots à queue courte pour la reproduction, ils manipulent les gènes. Le gène de la queue courte est transmis, celui de la queue longue disparaît. Aujourd'hui, dans les laboratoires, les chercheurs peuvent sélectionner et transférer des gènes entre organismes. Un gène de résistance à une maladie peut être prélevé de l'ADN d'une plante et inséré dans une autre.

COLONIE DE MICROBES ▲
Le génie génétique est en général pratiqué sur des cultures microbiennes en laboratoire, comme ce champignon. Des gènes sont insérés dans les microbes pour leur faire produire des substances curatives.

LES ALIMENTS GÉNÉTIQUEMENT MODIFIÉS

La vente du premier aliment génétiquement modifié date de 1994. Il s'agit d'une variété de tomate appelée Flavr Savr. Le gène qui ramollit les tomates a été modifié pour qu'elles mûrissent plus lentement et aient plus de saveur.

Les jeunes plants GM tolèrent les pesticides et les herbicides.

◄ GM OU PAS ?
Les aliments GM comme ces tomates ressemblent aux variétés traditionnelles. Les modifications produites par la manipulation génétique sont subtiles. Elles affectent plutôt la résistance de la plante aux maladies que son aspect.

La terre contient des nutriments naturels.

Les OGM sont-ils dangereux ?

Certains exploitants hésitent à faire pousser des plantes génétiquement modifiées. On ignore si les gènes introduits dans une culture peuvent se transmettre à d'autres espèces. Par ailleurs, on craint que la résistance aux herbicides et aux pesticides n'encourage les agriculteurs à utiliser ces produits en grandes quantités, ce qui nuirait à la faune.

Qu'est-ce que la révolution verte ?

Dans les années 1960, on a tenté de créer des cultures adaptées aux pays en voie de développement. Le but était de réduire les famines en introduisant des plantes résistantes aux maladies. En Inde, la production agricole a augmenté, mais dans d'autres pays ces nouvelles cultures avaient besoin d'engrais trop chers pour les paysans.

PLANTE GÉNÉTIQUEMENT MODIFIÉE ▶
Le code génétique de ce jeune plant a reçu du matériel génétique d'une autre espèce. La modification génétique des plantes les rend plus résistantes aux maladies, aux nuisibles, aux pesticides et même au mauvais temps.

LES CLONES

Les clones sont des individus différents dotés des mêmes gènes. Les clones sont courants dans la nature. Une bactérie se clone en se divisant, produisant deux bactéries identiques. La recherche a développé des techniques de clonage viables sur les mammifères.

Comment produit-on les clones animaux ?

Le premier clone fabriqué avec l'ADN d'un animal adulte fut la brebis Dolly, en 1997. L'ADN prélevé sur un animal adulte (la mère biologique de Dolly) fut inséré dans l'ovule (dont l'ADN avait été extrait) d'une autre brebis. L'ovule commença à se diviser et l'embryon fut placé dans l'utérus d'une troisième brebis, la mère porteuse de Dolly. Les clones animaux pourraient servir à la recherche médicale.

Comment les bananes sont-elles clonées ?

De nombreuses plantes se multiplient par reproduction végétative (asexuée). Chaque nouvelle plante a le même ADN que son parent. Elle est donc un clone. Dans une plantation, toutes les bananes sont des clones de leurs parents.

Les feuilles sont conçues pour pousser en utilisant moins d'engrais.

▲ DOLLY, LA BREBIS
Un mouton peut vivre onze ou douze ans, Dolly, la brebis clonée, est morte à six ans.

Pourrait-on cloner un être humain ?

En principe, les humains pourraient être clonés de la même manière que Dolly. Pour certains, cela pourrait être la seule manière d'avoir un enfant, mais comme beaucoup d'autres aspects du génie génétique, le clonage humain est très controversé. De nombreux pays l'ont interdit.

◄ INJECTION INTRACYTOPLASMIQUE DE SPERMATOZOÏDES
Cette technique est utilisée lorsqu'un couple ne peut concevoir un enfant. Les spermatozoïdes du père sont injectés dans un ovule de la mère. Pour le clonage, la procédure est différente. Au lieu d'injecter des spermatozoïdes, on extrait le noyau de l'ovule et on le remplace par le noyau d'une cellule adulte de la mère. Les spermatozoïdes ne sont pas nécessaires.

LES CELLULES SOUCHES

Les premières cellules de l'embryon sont des cellules souches. Lorsque l'embryon grandit, elles se différencient, donnant naissance à toutes les cellules de l'organisme, comme les cellules nerveuses ou sanguines.

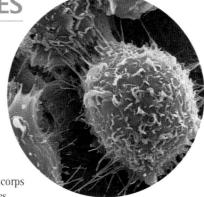

Les cellules souches peuvent-elles nous aider ?

La recherche étudie l'utilisation des cellules souches pour réparer des tissus endommagés. Par exemple, le corps ne peut pas réparer ou remplacer les cellules nerveuses détériorées par une blessure ou une maladie. Des cellules souches transplantées pourraient être cultivées pour traiter les maladies de Parkinson et d'Alzheimer.

Pourquoi y a-t-il des réserves à ce sujet ?

Ces recherches sont controversées parce que les cellules sont prélevées sur des embryons humains fertilisés en laboratoire. Pour éviter le rejet des cellules, l'embryon devrait être cloné à partir de l'ADN du patient. La majorité refuse d'utiliser des embryons humains de cette manière.

▲ RECHERCHE SUR LES CELLULES SOUCHES
Cette photo au microscope électronique montre les cellules souches de la moelle épinière d'un adulte. Ce sont les seules cellules souches présentes dans l'organisme d'un adulte. Elles produisent différentes cellules sanguines. Seules les cellules embryonnaires peuvent produire l'ensemble des cellules qui constituent le corps humain.

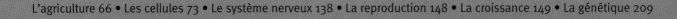

L'agriculture 66 • Les cellules 73 • Le système nerveux 138 • La reproduction 148 • La croissance 149 • La génétique 209

LE MONDE AUJOURD'HUI

LE MONDE PHYSIQUE   214

LE MONDE POLITIQUE   216

LA POPULATION   218

LA CARTOGRAPHIE   220

L'AMÉRIQUE DU NORD   222

LE CANADA, L'ALASKA
ET LE GROENLAND   224

L'EST DES ÉTATS-UNIS   226

L'OUEST DES ÉTATS-UNIS   228

LE MEXIQUE, L'AMÉRIQUE CENTRALE
ET LES ANTILLES   230

L'AMÉRIQUE DU SUD   232

LE NORD DE L'AMÉRIQUE DU SUD   234

LE SUD DE L'AMÉRIQUE DU SUD   236

L'AFRIQUE   238

L'AFRIQUE DU NORD
ET DE L'OUEST   240

L'AFRIQUE DE L'EST ET CENTRALE   242

L'AFRIQUE AUSTRALE   244

L'EUROPE   246

LA SCANDINAVIE ET L'ISLANDE   248

LES ÎLES BRITANNIQUES   250

L'EUROPE DE L'OUEST   252

L'EUROPE CENTRALE   255

L'EUROPE DU SUD-EST   256

L'EUROPE ORIENTALE   258

L'ASIE   260

LA FÉDÉRATION DE RUSSIE
ET L'ASIE CENTRALE   262

LE PROCHE- ET
LE MOYEN-ORIENT   264

L'ASIE DU SUD   266

L'EXTRÊME-ORIENT   268

L'ASIE DU SUD-EST   270

L'AUSTRALASIE ET L'OCÉANIE   272

L'AUSTRALIE ET
LA NOUVELLE-ZÉLANDE   274

L'ANTARCTIQUE   276

L'ARCTIQUE   277

LE MONDE PHYSIQUE

La Terre est appelée la planète bleue car elle est couverte aux deux tiers d'eau. Le reste est occupé par sept vastes zones de terre, les continents. Par ordre décroissant de superficie, ce sont l'Asie, l'Afrique, l'Amérique du Nord, l'Amérique du Sud, l'Antarctique, l'Europe et l'Australasie. La diversité des paysages y est étonnante : montagnes, déserts, forêts denses, plaines boisées et calottes glaciaires.

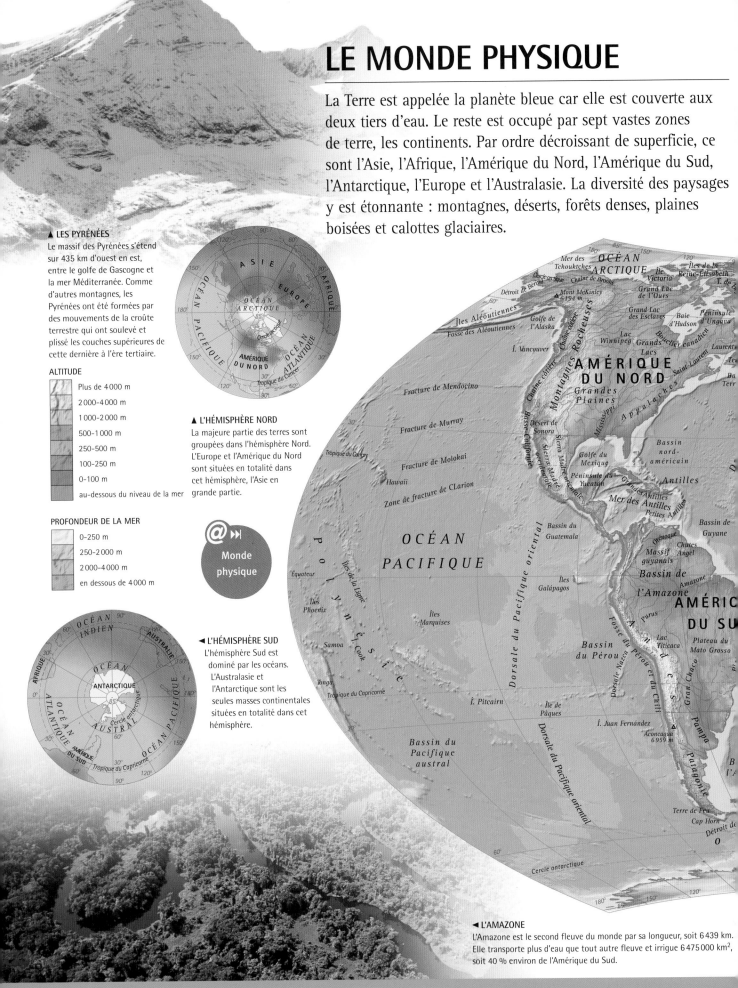

▲ LES PYRÉNÉES
Le massif des Pyrénées s'étend sur 435 km d'ouest en est, entre le golfe de Gascogne et la mer Méditerranée. Comme d'autres montagnes, les Pyrénées ont été formées par des mouvements de la croûte terrestre qui ont soulevé et plissé les couches supérieures de cette dernière à l'ère tertiaire.

ALTITUDE

- Plus de 4 000 m
- 2 000-4 000 m
- 1 000-2 000 m
- 500-1 000 m
- 250-500 m
- 100-250 m
- 0-100 m
- au-dessous du niveau de la mer

PROFONDEUR DE LA MER

- 0-250 m
- 250-2 000 m
- 2 000-4 000 m
- en dessous de 4 000 m

@ ▶▶ Monde physique

▲ L'HÉMISPHÈRE NORD
La majeure partie des terres sont groupées dans l'hémisphère Nord. L'Europe et l'Amérique du Nord sont situées en totalité dans cet hémisphère, l'Asie en grande partie.

◀ L'HÉMISPHÈRE SUD
L'hémisphère Sud est dominé par les océans. L'Australasie et l'Antarctique sont les seules masses continentales situées en totalité dans cet hémisphère.

◀ L'AMAZONE
L'Amazone est le second fleuve du monde par sa longueur, soit 6 439 km. Elle transporte plus d'eau que tout autre fleuve et irrigue 6 475 000 km², soit 40 % environ de l'Amérique du Sud.

POUR EN SAVOIR PLUS ▶▶

LE DÉSERT DU SAHARA ▶
Le plus grand désert du monde est le Sahara, qui s'étend de l'océan Atlantique, à l'ouest, à la mer Rouge, à l'est, en couvrant toute l'Afrique du Nord.

◀ LES CHUTES D'IGUAÇU
Situées à la limite entre l'Argentine et le Brésil, les chutes d'Iguaçu se divisent en deux parties. Chacune compte des centaines de chutes séparées par des îles rocheuses. Le nom *Iguaçu* vient du guarani – une langue indienne – et signifie « grande eau ».

MONDE PHYSIQUE

Plus long fleuve : Nil 6 695 km
Plus grand lac : mer Caspienne 371 000 km²
Plus haut sommet : Everest 8 850 m
Point le plus bas : mer Morte –400 m
Plus grand océan : océan Pacifique
Plus grand désert : Sahara 9 065 000 km²
Plus grande île : Groenland, 2 166 086 km²
Lieu le plus froid : Oulan-Bator, Mongolie –32 °C en janvier
Lieu le plus chaud : Bagdad, Iraq 43 °C en juillet et août
Lieu le plus humide : (pluviosité annuelle) Liberia, 5 140 mm de pluie par an
Lieu le plus sec : (pluviosité annuelle) Égypte, 29 mm de pluie par an

▲ UN MONDE LIQUIDE
Environ 70 % de notre planète sont couverts d'eau : océans, mers, lacs et fleuves. Le plus haut sommet, la fosse la plus profonde et la chaîne montagneuse la plus longue sont situés sous les océans.

LES VOLCANS ▶
Les volcans comme le Kilauea, sur l'île d'Hawaii, dans l'océan Pacifique, entrent en éruption quand du magma brûlant sort du manteau terrestre et explose sous forme de lave. Ces éruptions sont régulières pour certains, mais d'autres se réveillent après de nombreuses années, souvent avec une force extraordinaire.

La Terre 36-37 • Les continents 39 • Les océans 40-41 • Les montagnes 45 • Les volcans 44 • Les cours d'eau 56

LE MONDE POLITIQUE

Aujourd'hui, le monde se divise en 193 nations indépendantes qui diffèrent par leur taille, leur population, leurs langues, leur gouvernement, leur culture et leur richesse. La carte du monde ne cesse de changer à mesure que des pays s'émancipent, se divisent ou sont annexés. Il y a cinquante ans, on ne comptait que 82 nations indépendantes, les autres régions du monde étant composées de colonies ou de pays sous tutelle.

@ ▸▸ Monde politique

▲ **LES DRAPEAUX**
Chaque nation a son drapeau, qui illustre souvent son histoire et sa géographie. Par exemple, les 13 rayures du drapeau américain représentent les 13 colonies qui formaient les États-Unis à l'origine, et les 50 étoiles représentent les 50 États de l'Union.

◀ **FRONTIÈRE NON GARDÉE**
Certains postes-frontières, comme celui-ci entre le Cambodge et le Vietnam, ne sont pas gardés car les relations entre les deux pays sont paisibles. La plupart des frontières internationales sont fixées par les pays concernés. Certaines frontières suivent des fleuves, d'autres sont délimitées par des lacs, des crêtes montagneuses ou des mers. Beaucoup ne correspondent pas à des barrières naturelles, mais ont été fixées au fil de l'histoire par des rapports de force. Certaines frontières, comme celles qui divisent le Sahara, sont des lignes droites dessinées sur les cartes.

LE MONDE ▲
Toute partie de la surface terrestre appartient à ou est revendiquée par un État, sauf l'Antarctique, pour lequel toute revendication territoriale est écartée par un traité international

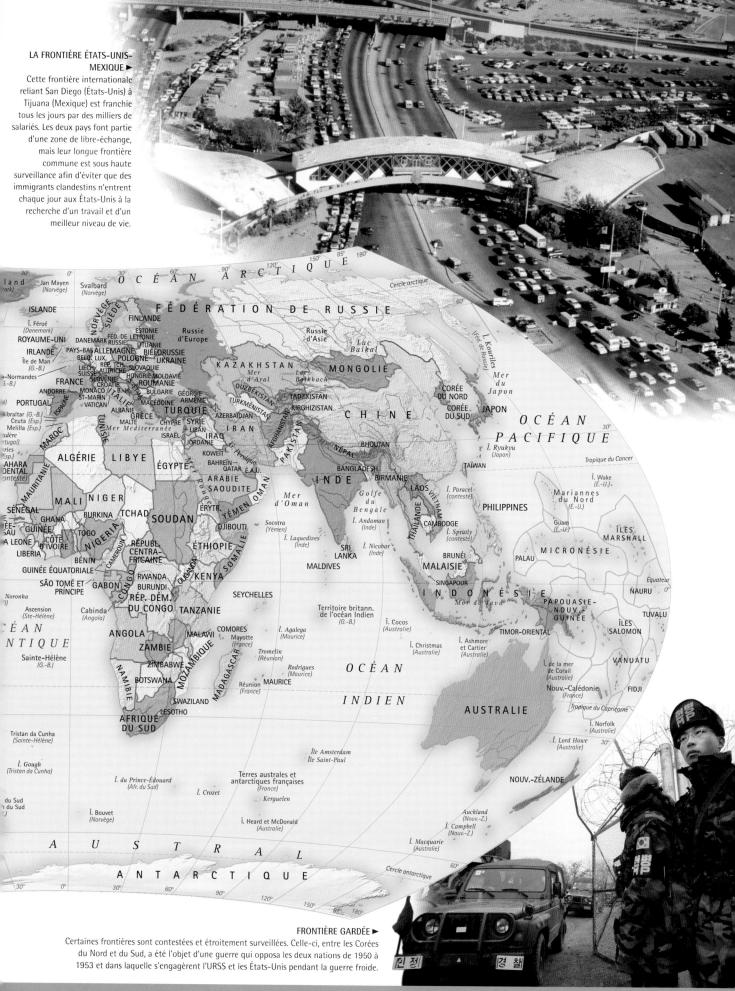

LA FRONTIÈRE ÉTATS-UNIS-MEXIQUE ▶
Cette frontière internationale reliant San Diego (États-Unis) à Tijuana (Mexique) est franchie tous les jours par des milliers de salariés. Les deux pays font partie d'une zone de libre-échange, mais leur longue frontière commune est sous haute surveillance afin d'éviter que des immigrants clandestins n'entrent chaque jour aux États-Unis à la recherche d'un travail et d'un meilleur niveau de vie.

FRONTIÈRE GARDÉE ▶
Certaines frontières sont contestées et étroitement surveillées. Celle-ci, entre les Corées du Nord et du Sud, a été l'objet d'une guerre qui opposa les deux nations de 1950 à 1953 et dans laquelle s'engagèrent l'URSS et les États-Unis pendant la guerre froide.

R EN SAVOIR PLUS ▶▶ L'Extrême-Orient 268-269 • L'égalité sociale 304-305 • La politique 306-307 • Les nations 312 • La guerre 313

LA POPULATION

L'homme est apparu sur Terre il y a environ 2 millions d'années. La population est longtemps demeurée peu nombreuse, les naissances et les décès s'équilibrant. La médecine, l'hygiène, une agriculture plus performante qui permet une meilleure alimentation et l'allégement du travail physique ont réduit les décès et allongé l'espérance de vie. Ces cent cinquante dernières années, la population mondiale a donc connu une forte croissance. Aujourd'hui, elle compte plus de 6 milliards de personnes, chiffre qui augmente de 1 million par semaine.

POPULATION

Les cinq plus grandes villes et leur population :
Tokyo, Japon, 34,9 millions
New York, États-Unis, 21,6 millions
Séoul, Corée du Sud, 21,1 millions
Mexico, Mexique, 20,7 millions
São Paulo, Brésil 20,2 millions

Pays le moins peuplé : Vatican 900 habitants

Pays à la plus forte densité de population : Monaco 16 404 habitants au km²

Pays à la plus faible densité de population : Mongolie 2 habitants au km²

Pays à la plus forte natalité : Niger 55 pour 1 000 habitants

Pays à la plus faible natalité : Hongkong/Macao (Chine) 7 pour 1 000 habitants

Pays à la plus forte mortalité : Sierra Leone 25 pour 1 000 habitants

Pays à la plus faible mortalité : Émirats Arabes Unis 2 pour 1 000 habitants

Pays à la plus longue espérance de vie : Japon (81 ans)

Pays à la plus faible espérance de vie : Sierra Leone (39 ans)

Pays le plus riche (PNB* le plus élevé) : États-Unis 7 873 milliards d'euros (9 602 milliards $)

Pays le plus pauvre (PNB* le plus faible) : Tuvalu 2,4 millions d'euros (3 millions $)

* PNB = Produit national brut

▲ UNE SOCIÉTÉ MULTICULTURELLE

Cette rue animée d'une grande ville européenne, Amsterdam aux Pays-Bas, montre l'aspect multiethnique de la plupart des villes et pays d'aujourd'hui. L'immigration, l'intensification des transports, le commer et le tourisme ont contribué à ce grand changement.

POPULATION MONDIALE ▶

Les 6 milliards d'habitants du globe ne sont pas répartis de façon égale, mais se concentrent dans les régions habitables au climat favorable. Cette concentration se mesure en densité de population, à savoir le nombre moyen d'habitants par kilomètre carré.

◀ BANLIEUE DE SOWETO (AFRIQUE DU SUD)

Environ 2 millions de personnes vivent à Soweto. Autrefois destinées au ouvriers des mines, certaines banlieues (townships) se sont enrichies, mais la promiscuité, la pauvreté et le crime restent des problèmes majeu

POUR EN SAVOIR PLUS ▶▶

LÉGENDE

○ Ville de plus de
5 millions d'habitants

DENSITÉ DE POPULATION

Habitants au km²

plus de 200
101-200
51-100
21-50
13-20
6-12
1-5
moins de 1

HONGKONG (CHINE) ▶
Des villes comme Hongkong compensent leur manque d'espace en construisant en hauteur. On trouve ainsi un nombre croissant de mégapoles comptant plus de 10 millions d'habitants. Toutefois, la promiscuité due à une forte densité de population, la pollution et le manque d'espaces verts y rendent la vie peu agréable.

Population

OCÉAN ARCTIQUE
Cercle arctique

Saint-Pétersbourg
Moscou
Londres
Essen
Paris
Istanbul
Téhéran
Le Caire
Karachi
Lahore
Delhi
Pékin
Tianjin
Séoul
Tokyo
Osaka
Chongqing
Shanghai
Wuhan
Hongkong
Dacca
Calcutta
Bombay
Hyderabad
Bangkok
Manille
Bangalore
Madras
Lagos
Kinshasa
Jakarta

OCÉAN
PACIFIQUE
Tropique du Cancer

Équateur

Mer de Java

OCÉAN
INDIEN

Tropique du Capricorne

AUSTRAL
Cercle antarctique

RÉFUGIÉS ▶
La pauvreté pousse de nombreuses personnes, comme ces Albanais, à quitter leur pays pour chercher du travail et une meilleure qualité de vie.

L'impact humain 64-65 • L'égalité sociale 304-305 • L'architecture 328-329 • Les organisations internationales 434

GÉOGRAPHIE PHYSIQUE

LES CHUTES VICTORIA
Les grandes cascades comme les chutes Victoria, sur le fleuve Zambèze en Afrique, sont clairement indiquées sur les cartes de ce chapitre. En grandeur réelle, elles sont imposantes, mais sur la carte d'un continent entier, elles sont trop petites pour être indiquées précisément.

LA GRANDE BARRIÈRE DE CORAIL
Plus grand « être vivant » du monde, elle se compose de millions de minuscules polypes de corail. Elle s'étend sur environ 2 000 km le long du littoral du Queensland, au nord-est de l'Australie. Ce type de caractéristiques naturelles figure sur les cartes de ce chapitre.

LE KILIMANDJARO
Les hautes chaînes de montagnes sont indiquées en blanc sur les cartes. Chaque point culminant, comme le Kilimandjaro en Tanzanie (Afrique), est représenté par un triangle. Consulte les légendes de la page suivante pour trouver un exemple.

LE LAC TCHAD
Les pluies sont collectées par les lacs ou les nappes souterraines et s'écoulent dans l'océan par les fleuves. Les grands fleuves et lacs, comme le lac Tchad en Afrique, sont colorés en bleu et leur nom est indiqué. Consulte les légendes de la page suivante pour trouver un exemple.

LE DÉSERT DU NAMIB
De nombreuses régions du globe sont occupées par des déserts, qui peuvent être chauds et secs comme le désert du Namib, au sud de l'Afrique. Du fait de leur aridité, la végétation y est rare.

L'OCÉAN PACIFIQUE
Quelque 71 % de la surface du globe sont couverts d'eau, principalement sous la forme de vastes océans comme le Pacifique, plus grand océan du monde. Les océans sont en bleu et nommés sur les cartes de ce chapitre.

LA CARTOGRAPHIE

Une carte est une image représentant une partie choisie de la surface de la Terre, à différentes échelles. Elle peut représenter le monde, un pays ou la rue dans laquelle on vit. Contrairement à la photographie, la carte peut donner différents types d'informations, comme le nom des lieux, l'altitude, le tracé des frontières ou des données sur la population ou l'économie.

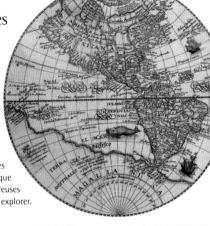

L'ANCIEN MONDE ▶
Cette carte du monde a été dessinée en 1584, 62 ans après que Fernand de Magellan et Juan Elcano eurent fait le premier tour du monde en bateau. En dressant leurs cartes, les cartographes européens utilisaient autant leur imagination que les faits réels : à cette époque, de nombreuses parties du monde comme l'Australie, l'Arctique et l'Antarctique étaient encore inconnues, et il restait de nombreuses côtes à explorer.

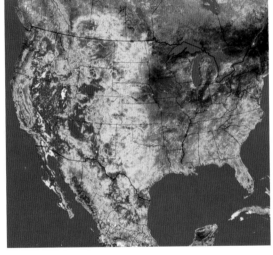

◀ LA TECHNOLOGIE MODERNE
Les cartographes d'aujourd'hui recourent à des images satellite sophistiquées pour représenter le monde avec précision. Cette carte des États-Unis a été tracée grâce à une photographie satellite : elle indique clairement les contours et la végétation du pays.

LES FUSEAUX HORAIRES ▼
Le monde est divisé en 24 fuseaux horaires, qui débutent par le Temps Universel de Greenwich (heure TU), le méridien de Greenwich étant le méridien 0. Les heures augmentent à l'est et diminuent à l'ouest. Le 180e méridien s'appelle la Ligne internationale de changement de date : les lieux situés à l'ouest ont un jour d'avance sur ceux de l'est.

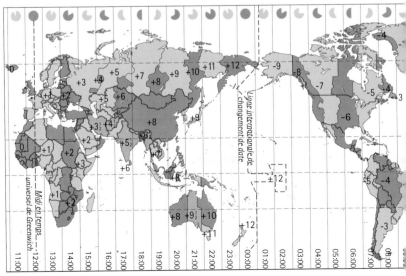

COMMENT UTILISER LES CARTES

Ce chapitre de l'encyclopédie étudie le monde et sa population. Le monde est divisé en sept continents, chacun ayant sa propre carte et ses photographies dans cet ouvrage. Après deux pages d'introduction, chaque continent est étudié en détail par grande région, sur une double page.

LA LATITUDE ET LA LONGITUDE

Latitude Les parallèles sont des lignes imaginaires tracées sur le globe de façon à savoir exactement à quelle distance de l'équateur, au nord ou au sud, se situe un point donné. Ces lignes horizontales vont d'est en ouest, parallèlement à l'équateur, qui fait le tour de la Terre à égale distance des pôles et prend la valeur de 0°. Tous les autres parallèles sont numérotés en degrés, au nord ou au sud de l'équateur.

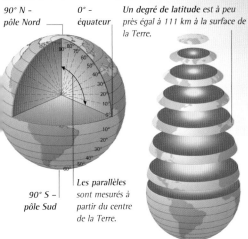

90° N –
pôle Nord

0° –
équateur

Un degré de latitude est à peu près égal à 111 km à la surface de la Terre.

90° S –
pôle Sud

Les parallèles sont mesurés à partir du centre de la Terre.

Longitude Les méridiens sont des lignes verticales imaginaires reliant les pôles Nord et Sud. Le méridien d'origine (numéroté 0°) traverse Greenwich, à Londres. Toutes les autres lignes de longitude sont numérotées en degrés, à l'est ou à l'ouest de cette ligne. La ligne opposée au méridien de Greenwich, de l'autre côté du globe, est numérotée 180°. Les méridiens mesurent la situation vers l'est ou l'ouest d'un point donné.

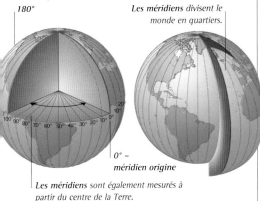

180°

Les méridiens divisent le monde en quartiers.

0° –
méridien origine

Les méridiens sont également mesurés à partir du centre de la Terre.

CARTE DE CONTINENT ▶
Cette carte d'Afrique montre à quoi ressemble la carte d'un continent dans ce chapitre. Les traits physiques comme les montagnes, les déserts, les cours d'eau, les lacs, les mers et les océans sont indiqués. Les pays, capitales et grandes villes sont également notés.

ALTITUDE

	plus de 4 000 m
	2 000–4 000 m
	1 000–2 000 m
	500–1 000 m
	250–500 m
	100–250 m
	0–100 m
	au-dessous du niveau de la mer

Cartographie

LÉGENDE CARTE

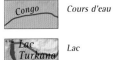
Congo — Cours d'eau

Lac Turkana — Lac

Kilimandjaro △ 5895 m — Montagne et son altitude

— Frontière internationale

LUANDA — Capitale

● Benghazi — Grande ville

EMPLACEMENT SUR LE GLOBE ▶
Les pages sur lesquelles figure la carte complète d'un des sept continents indiquent aussi l'emplacement du continent en question sur le globe grâce à une mini-mappemonde comme celle-ci : le continent est en rouge, les autres en vert.

EMPLACEMENT DE LA RÉGION ▶
Les pages régionales, qui font suite aux pages sur un continent, donnent l'emplacement de la région abordée dans le continent en question : la région est en rouge, les autres en vert.

Nord et est de l'Afrique en rouge

Le reste de l'Afrique en vert

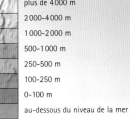

POUR EN SAVOIR PLUS ▶▶ Les habitats naturels 82-84 • Les grandes découvertes 400-401

L'AMÉRIQUE DU NORD

L'Amérique du Nord est un continent contrasté de montagnes, de plaines, de déserts et de glace. Au sud, on trouve les îles tropicales des Antilles et les forêts denses d'Amérique centrale. Tout au nord, une calotte glaciaire épaisse de 3 km couvre la majorité du Groenland. La plupart des habitants vivent dans les grandes villes des côtes Est et Ouest. Les Grandes Plaines et les déserts situés à l'ouest du Mississippi sont peu peuplés, tout comme les régions boisées et glacées du nord du Canada et de l'Alaska.

OCÉAN ARCTIQUE

OCÉAN PACIFIQUE

Mer de Béring

Îles Aléoutiennes

Île Kodiak

Golfe de l'Alaska

Détroit de Béring

Cercle arctique

Chaîne de Brooks

Mer de Beaufort

Îles de Reine-Élis.

ALASKA (É.-U.)

Mt McKinley 6194 m

Chaîne d'Alaska

Anchorage

Yukon

Monts Mackenzie

YUKON

Grand Lac de l'Ours

Mackenzie

TERRITOIRES DU NORD-OUEST

Îles de la Reine-Charlotte

COLOMBIE-BRITANNIQUE

ALBERTA

Edmonton

SASKA

Î. Vancouver

Fraser

Vancouver

Calgary

Seattle

WASHINGTON

Portland

Salem

MONTA

ÉTA

OREGON

Boise

Snake

IDAHO

WYO

Salt Lake City

Sacramento

Reno

NEVADA

UTAH

San Francisco

San Jose

Las Vegas

Colorado

CALIFORNIE

Los Angeles

ARIZONA

San Diego

Phoenix

Tijuana

Mexicali

Ciudad Juár

Hermosillo

Basse-Californie

Tropique du Cancer

Sierra Ma

N

▲ **LES MONTAGNES ROCHEUSES**
Le long de l'ouest de l'Amérique du Nord, et s'étendant de l'Arctique, au nord, au Mexique, au sud, les montagnes Rocheuses se sont formées il y a 80 millions d'années. Relativement jeunes, les Rocheuses ne sont pas très érodées, d'où leur aspect accidenté.

▲ **LE HOCKEY SUR GLACE**
Le hockey sur glace est un sport national au Canada. À l'aide d'une longue crosse, le «bâton», à l'extrémité recourbée, les joueurs doivent s'emparer d'un disque de caoutchouc, le palet, ou «rondelle», et l'envoyer dans le but adverse. Les équipes canadiennes féminine et masculine ont remporté la médaille d'or aux jeux Olympiques d'hiver 2002.

◀ **LA PRAIRIE**
Les Grandes Plaines, ou Prairie, du centre du Canada et des États-Unis s'étendent entre les montagnes Rocheuses et la vallée du Mississippi. La culture du blé au nord et du maïs au sud a complètement remplacé les vastes troupeaux de bisons qui vivaient là autrefois.

POUR EN SAVOIR PLUS ▶▶ Les compétition

Groenland
(Danemark)

Baie de Baffin

Terre de Baffin

Détroit de Davis

NUUK

NAVUT

Mer du Labrador

Péninsule d'Ungava

Baie d'Hudson

TERRE-NEUVE ET LABRADOR

D A

OBA

QUÉBEC

St John's
Cap Race

Terre-Neuve

ÎLE DU PRINCE-ÉDOUARD

Saint-Pierre et-Miquelon *(France)*

NOUV.-BRUNSWICK

Québec

ONTARIO

Montréal

OTTAWA

MAINE

Halifax

NOUVELLE-ÉCOSSE

Grands Lacs

Thunder Bay

Lac Supérieur

MINNESOTA

MICHIGAN

Lac Huron

NEW HAMPSHIRE

Boston
Cap Cod

WISCONSIN

Lac Michigan

Toronto

Lac Ontario

VERMONT

NEW YORK

MASS.

RHODE ISLAND

NIS

Detroit

PENNSYLVANIE

CONNECTICUT

neapolis
SUD

Milwaukee

Cleveland

New York

NEW JERSEY

IOWA

Chicago

OHIO

Philadelphie

DELAWARE

Des Moines

INDIANA

Columbus

WASHINGTON

MARYLAND

Indianapolis

VIRGINIE-OCCID.

City

ILLINOIS

KENTUCKY

VIRGINIE

Cap Hatteras

AS

MISSOURI

Nashville

CAROLINE DU NORD

OMA

ARKANSAS

TENNESSEE

CAROLINE DU SUD

Arkansas
Red River

Memphis

MISSISSIPPI

GÉORGIE

Atlanta

HMA

Little Rock

ALABAMA

Dallas

Jackson

Jacksonville

razos

LOUISIANE

Tallahassee

FLORIDE

S

Houston

La Nouv.-Orléans

Delta du Mississippi

Tampa

BAHAMAS

an Antonio

Miami

NASSAU

Golfe du Mexique

Détroit de Floride

CUBA

terrey

LA HAVANE

Santa Clara

Î. Cayman *(G.-B.)*

Santiago de Cuba

HAÏTI

SAINT-DOMINGUE

PORT-AU-PRINCE

RÉP. DOMINICAINE

rs Potosí

Golfe de Campeche

Mérida

Péninsule du Yucatán

JAMAÏQUE

Kingston

MEXICO

Puebla

BÉLIZE

BELMOPAN

GUATEMALA

HONDURAS

San Pedro Sula

GUATEMALA

TEGUCIGALPA

SAN SALVADOR

NICARAGUA

SALVADOR

MANAGUA

SAN JOSÉ

PANAMÁ

PANAMÁ

COSTA RICA

Mer des Antilles

Anguilla *(G.-B.)*

Î. Vierges britann. *(G.-B.)*

ST-KITTS-ET-NEVIS

Î. Vierges *(É.-U.)*

ANTIGUA-ET-BARBUDA

Porto Rico *(É.-U.)*

Guadeloupe *(France)*

Î. Turks et Caicos *(G.-B.)*

DOMINIQUE

Montserrat *(G.-B.)*

Martinique *(France)*

SAINTE-LUCIE

BARBADE

ST-VINCENT-ET-LES GRENADINES

GRENADE

Aruba *(P.-B.)*

Antilles néerlandaises *(P.-B.)*

TRINITÉ-ET-TOBAGO

PORT-OF-SPAIN

OCÉAN ATLANTIQUE

AMÉRIQUE DU SUD

Tropique du Cancer

@ ▶▶
Amérique du Nord

▲ LA STATUE DE LA LIBERTÉ, NEW YORK

Offerte par la France aux États-Unis et érigée en 1886 dans le port de New York, la statue de la Liberté mesure 93 m de hauteur. À partir de cette date, ce fut la première chose que les immigrants, venus d'Europe pour commencer une nouvelle vie en Amérique, voyaient en arrivant par bateau à New York. Elle demeure symbole de liberté et d'espoir.

LA FÊTE DU JUNKANOO ▶

Des carnavals extravagants, comme celui du Junkanoo aux Bahamas, sont organisés dans toutes les Antilles. Les gens s'habillent de costumes hauts en couleur, défilent et dansent dans les rues les jours précédant le carême, période de jeûne de quarante jours avant la fête chrétienne de Pâques.

AMÉRIQUE DU NORD

Superficie totale :
24 238 000 km²

Population totale :
493 millions

Nombre de pays : 23

Plus grand pays :
Canada 9 976 140 km²

Plus petit pays :
Grenade 340 km²

Plus forte population :
États-Unis 289 millions d'habitants

Plus grand lac :
lac Supérieur, Canada/États-Unis, 83 270 km²

Plus long fleuve : Mississippi-Missouri, États-Unis
6 019 km

Plus haut sommet : mont McKinley (Denali National Park), Alaska, États-Unis
6 194 m

Grands déserts : Grand Bassin, Mojave et déserts de Sonora et de Chihuahua

Plus grande île : Groenland
2 166 086 km²

km 400 800

sportives 354-355 • Les premiers Américains 380 • La colonisation de l'Amérique 409 • L'indépendance américaine 414

LE CANADA, L'ALASKA ET LE GROENLAND

Le nord du continent américain est occupé par le Canada, second pays du monde par sa superficie, l'État de l'Alaska (États-Unis) et le territoire autonome danois du Groenland. La majeure partie du Groenland est couverte de glace. Ces vastes régions sont peu peuplées, la population se concentre dans quelques grandes villes situées au sud et sur la côte pacifique, près des montagnes Rocheuses. D'énormes réserves de pétrole et de minerais font la richesse du Canada et de l'Alaska.

▲ L'OLÉODUC TRANSALASKIEN
L'oléoduc transalaskien parcourt 1 270 km entre les champs de pétrole de Prudhoe Bay, sur l'océan Arctique, et le port de Valdez, au sud. Il est monté sur pieds pour suivre les mouvements du sol (gel-dégel), empêcher le pétrole de geler et ne pas gêner orignaux et caribous dans leur migration.

Comment l'Alaska est-il devenu américain ?

L'Alaska fut vendu aux États-Unis par la Russie en 1867 pour 7,2 millions de dollars. La plupart des Américains considéraient cet achat comme du gaspillage, jusqu'à ce que l'on y découvre de l'or en 1896, ce qui attira un grand nombre de gens voulant faire fortune. La découverte de pétrole dans l'océan Arctique, en 1968, et le tourisme sont d'importantes sources de revenus pour l'Alaska.

▼ LES PEUPLES INDIGÈNES
Les Aléoutes et les Inuits, peuples natifs de l'Alaska et du nord du Canada respectivement, se sont adaptés à la rudesse de leur environnement. Ils associent aujourd'hui technologies modernes et mode de vie traditionnel basé sur la chasse et la pêche.

LA PÊCHE, TERRE-NEUVE ▶
La pêche est une industrie majeure à Terre-Neuve, dont la côte orientale disposait autrefois de vastes stocks de poissons. Mais la surpêche a terriblement réduit ces ressources et la pêche est aujourd'hui strictement réglementée.

@ ▶▶
Alaska

Les courses de traîneau sont âprement disputées.

Un attelage de huskies tire un traîneau sur la glace.

Quels sont les peuples indigènes du Canada ?

Les Premières Nations et les Inuits vivaient au Canada bien avant que les Européens ne commencent à s'y installer, au XVIIe siècle. Ils comptent aujourd'hui 900 000 personnes, soit 4 % de la population, et perpétuent la plupart de leurs coutumes et traditions. En 1999, les Inuits ont obtenu un territoire autonome dans le nord, le Nunavut (« notre terre »).

Comment vit-on au Groenland ?

Plus grande île du monde, le Groenland compte moins de 60 000 habitants en raison de la rudesse de son climat. La plupart d'entre eux sont réunis en petites communautés le long de la côte et vivent de la pêche du poisson et des crevettes ainsi que de la chasse aux phoques. Le Groenland possède un petit réseau routier, mais les traîneaux et les avions sont plus fiables que les voitures pour y circuler.

LE CANADA, L'ALASKA ET LE GROENLAND	
ALASKA (ÉTATS-UNIS)	
Capitale : Juneau	
Superficie : 1 477 268 km^2	
Population : 640 000	
Langue officielle : anglais	
Principale religion : chrétienne	
Monnaie : dollar américain	
CANADA	
Capitale : Ottawa	
Superficie : 9 976 140 km^2	
Population : 31,4 millions	
Langues officielles : anglais et français	
Principale religion : catholique	
Monnaie : dollar canadien	
GROENLAND	
Capitale : Nuuk (ex-Godthâb)	
Superficie : 2 166 086 km^2	
Population : 56 569	
Langues officielles : groenlandais et danois	
Principale religion : protestante luthérienne	
Monnaie : couronne danoise	

Groenland

▼ LES CHUTES DU NIAGARA
Le débit des chutes du Niagara est de 180 millions de litres d'eau par minute. Les chutes mesurent 58 m de hauteur et se situent entre les lacs Érié et Ontario, à la frontière entre les États-Unis et le Canada.

Pourquoi le Canada est-il bilingue ?

Jusqu'au milieu du XVIIIe siècle, de vastes parties de l'est du Canada furent sous administration française et de nombreux Français s'y installèrent, principalement au Québec. Aujourd'hui, un quart des Canadiens ont le français pour langue maternelle. L'anglais et le français sont les deux langues officielles du Canada. Il existe au Québec une minorité de personnes qui souhaitent se séparer du Canada et créer un État indépendant.

▲ TORONTO (CANADA)
Le ciel de Toronto est dominé par la tour CN, qui est actuellement la plus haute construction au monde (555 m). Plus grande ville du Canada, Toronto est le principal centre de commerce et d'industrie du pays.

▲ BANFF (CANADA)
Le Canada est une destination touristique populaire. Le Banff National Park, dans la province d'Alberta, se trouve dans les majestueuses montagnes Rocheuses.

Canada

Des arcs-en-ciel se forment souvent dans le brouillard des gouttelettes d'eau.

Comment les Canadiens s'accommodent-ils du froid ?

Un tiers du Canada est situé dans le cercle polaire arctique, où les terres sont gelées en permanence. Dans le Nord, l'agriculture est donc impossible et les denrées alimentaires sont apportées par avion. Les maisons sont construites sur pilotis et les tuyaux sont bien isolés contre le gel. Plus au sud, dans les grandes villes comme Montréal et Toronto, les centres commerciaux souterrains permettent aux clients de rester au chaud l'hiver.

POUR EN SAVOIR PLUS ▶▶ La pêche 67 • Le Canada 417

L'EST DES ÉTATS-UNIS

La moitié est des États-Unis est la plus peuplée du pays, de nombreux Américains vivent dans les grandes villes de la côte, dont la capitale nationale, Washington, D.C. C'est la région des treize États fondateurs du pays, en 1776. Au nord, les Grands Lacs et le fleuve Saint-Laurent séparent cette zone du Canada.

▲ LES EVERGLADES (FLORIDE)
Pendant les mois humides d'été, crocodiles, serpents et autres habitants des Everglades peuvent se déplacer dans tout le parc national. Durant les mois secs d'hiver, leur habitat est réduit aux zones humides entourant les quelques points d'eau subsistants.

À qui la capitale doit-elle son nom ?

Washington, D.C. (District de Columbia) doit son nom à George Washington, commandant en chef de l'armée américaine lors de la guerre d'Indépendance contre les Anglais et premier président des États-Unis. Washington est la capitale politique du pays et le lieu de résidence du président américain.

Qu'est-ce que les Everglades ?

Cette vaste étendue marécageuse du sud de la Floride est l'habitat de nombreuses espèces animales rares, dont la panthère de Floride et le lamantin. Des programmes d'assèchement visant à gagner du terrain pour construire et cultiver menacent de réduire la superficie des Everglades et de détruire pour toujours l'habitat de ces animaux.

Pourquoi dit-on que les États-Unis sont un « creuset » ?

Un creuset est un récipient qui sert à faire fondre des ingrédients. Les États-Unis sont qualifiés de creuset (ou *melting pot*) car, au fil des siècles, des gens du monde entier y ont rejoint les Amérindiens d'origine. Certains étaient des esclaves venus d'Afrique, d'autres ont fui la persécution religieuse ou politique en Europe et un plus grand nombre encore voulait échapper à la pauvreté. Le pays est fier de son brassage de populations, mais la ségrégation et les tensions entre communautés restent des problèmes majeurs.

◄ FEUILLAGE D'AUTOMNE
La vaste forêt d'arbres à feuilles caduques qui couvre la majeure partie de la Nouvelle-Angleterre prend des teintes rouges, orange et jaunes à l'automne. Les touristes viennent y admirer ces couleurs magnifiques, mais aussi pêcher, skier ou faire des randonnées.

▼ LA VILLE DE NEW YORK
Le ciel de Manhattan, à New York, est l'un des plus célèbres du monde avec ses immenses gratte-ciel dominant les rues de la ville. New York est le centre commercial et la capitale culturelle des États-Unis.

Qu'est-ce que Thanksgiving ?

La première fête de Thanksgiving («Action de grâce») eut lieu en 1621. Selon la tradition, ce fut un geste d'amitié entre les Pères Pèlerins (immigrants anglais) et les Amérindiens, après le succès de leurs premières récoltes communes. Depuis, les Américains célèbrent *Thanksgiving* au mois de novembre en dégustant la traditionnelle dinde aux canneberges (airelles) et d'autres plats.

Pourquoi les États-Unis sont-ils si puissants ?

Leur richesse économique a fait des États-Unis la nation la plus puissante du monde. Elle leur permet d'entretenir une armée nombreuse et d'employer une technologie militaire de pointe : c'est la première puissance militaire du monde. Les entreprises américaines dominent l'économie internationale ; dans le domaine de l'industrie de la musique et du cinéma, cette suprématie se fait également sentir.

NAVETTE SPATIALE, FLORIDE ▶
Le centre spatial Kennedy, à Cap Canaveral, est le site de lancement de la navette spatiale et des programmes spatiaux du pays. Avant l'atterrissage de la navette, après sa mission, le personnel du centre doit chasser de la piste les crocodiles et les lynx qui s'y sont aventurés.

Un réservoir à carburant externe et deux fusées de propulsion lancent la navette dans l'espace.

La navette spatiale possède trois moteurs principaux et peut accueillir sept membres d'équipage.

Que se passe-t-il quand le Mississippi déborde ?

Chaque fois qu'il est en crue, le Mississippi inonde les villes et les champs, noie des animaux et dévaste les récoltes. Les inondations sont un phénomène naturel dû aux fortes chutes de pluie et de neige mais aggravé par la déforestation, la culture intensive et l'absence de précautions prises pour construire en zone inondable.

▲ LES GRANDS LACS
Les Grands Lacs – Supérieur, Michigan, Huron, Ontario et Érié – forment la frontière entre les États-Unis et le Canada. Ils sont reliés à l'océan Atlantique par le fleuve Saint-Laurent, qui permet le transport de marchandises.

LES ÉTATS-UNIS

Capitale : Washington, D.C.

Superficie : 9 629 091 km²

Population : 289 millions d'habitants

Langue officielle : anglais

Principale religion : protestante

Monnaie : dollar américain

LES NEW YORK YANKEES ▶
Les grandes équipes du championnat de base-ball, comme les New York Yankees, sont suivies dans tout le pays. Avec le football américain et le basket-ball, le base-ball est l'un des sports les plus populaires aux États-Unis.

@ ▶▶
Est des États-Unis

Pourquoi les fusées sont-elles lancées de Floride ?

La NASA (National Aeronautics and Space Administration) lance ses fusées et navettes dans l'espace à partir de Cap Canaveral, sur la côte est de Floride. Ce site a été choisi pour ses bonnes conditions météorologiques, son isolement et sa proximité relative de l'équateur d'où les fusées s'arrachent plus facilement à l'attraction terrestre.

LE CAPITOLE À WASHINGTON ▲
À Washington, le Capitole abrite le Congrès, le parlement américain. Ses membres représentent chaque État et région des États-Unis et se réunissent pour voter les lois. Le Congrès contrôle par ailleurs le président, élu au suffrage universel indirect, et la Cour suprême. Le président des États-Unis habite non loin de là, à la Maison-Blanche, sur Pennsylvania Avenue.

L'OUEST DES ÉTATS-UNIS

Au-delà du Mississippi, le relief de l'Ouest américain s'élève doucement à travers les Grandes Plaines jusqu'aux montagnes Rocheuses. Il redescend ensuite vers les chaînes et plaines de la côte pacifique, où alternent des paysages de forêts, de vergers, de champs ouverts, de déserts et de collines rocheuses. La majorité des habitants vit dans les États du Sud-Ouest ou dans les villes bordant le Pacifique.

LOS ANGELES ►
La voiture est le moyen de transport le plus courant aux États-Unis. Des milliers de voitures empruntent chaque jour les autoroutes comme celle de Los Angeles, à six voies. Avec le soleil, la chaleur et la brume, les gaz d'échappement provoquent le fameux brouillard marron de Los Angeles.

◄ SAN FRANCISCO
La ville vallonnée de San Francisco est desservie par un réseau de tramways. Pour gravir les côtes, les trams s'arriment à un câble en mouvement permanent, dont ils se détachent une fois au sommet, pour redescendre de l'autre côté.

La côte Ouest est-elle fertile?

Le sol de la côte pacifique est extrêmement riche, irrigué par de nombreux fleuves et ensoleillé toute l'année. L'État de Washington produit des pommes, et la Californie des légumes et des agrumes, mais également d'énormes quantités de raisin, qui donnent un excellent vin.

▼ LE YOSEMITE NATIONAL PARK
Premier parc national créé aux États-Unis, le Yosemite est situé au centre de la Californie. Avec ses falaises abruptes, ses cascades et ses 2 000 espèces végétales et animales, dont l'ours brun, son paysage est spectaculaire.

Pourquoi Los Angeles est-elle si polluée?

Los Angeles est le centre d'une vaste étendue urbaine comptant 15 millions d'habitants. Les transports publics étant limités, tout le monde roule en voiture. Coincée entre la côte et les montagnes, la ville est affectée par une grave pollution atmosphérique due aux gaz stagnant.

Les Amérindiens ont-ils leur propre territoire

Avant l'arrivée des colons européens, les Amérindiens habitaient le continent et s'y déplaçaient librement. Dan les plaines, ils chassaient le bison et vivaient aussi de la cueillette. Les Américains les ont ensuite parqués dans des réserves sans grandes ressources. Aujourd'hui, s'ils y contrôlent eux-mêmes leurs affaires, ils préfèrent aller vivre ailleurs.

Pourquoi la côte pacifique est-elle une zone dangereuse?

Les failles de San Andreas, San Fernando et Santa Monica sont fréquemment réactivées par des secousses sismiques surtout dans la région de San Francisco. Les longues périodes de sécheresse sont à l'origine de graves incendies de forêt qui menacent les grandes villes de la côte Ouest et, dans les cuvettes côtières, les inondations sont un problème majeur.

Qu'est-ce que la Vallée de la Mort?

À l'abri des montagnes de la côte pacifique s'étendent certaines des régions les plus sèches d'Amérique du Nord. La Vallée de la Mort, en Californie, reçoit très peu de pluie et la température peut y atteindre 57 °C. De nombreux touristes viennent admirer son paysage aride mais magnifique, ses canyons et ses étranges formations rocheuses.

▲ LE RODÉO

Les immenses ranches situés entre le Montana et le Texas emploient toujours des cow-boys pour surveiller les troupeaux, mais recourent également aux camions et aux hélicoptères. La technique traditionnelle des cow-boys est perpétuée grâce à l'organisation de rodéos.

◄ MONUMENT VALLEY
Des millions d'années d'érosion ont formé les étonnantes falaises et pics rocheux de Monument Valley, dans le nord de l'Arizona, centre de la culture navajo. Le paysage a servi de décor à de nombreux films.

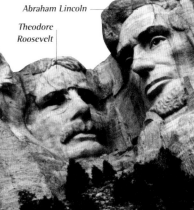

George Washington — Thomas Jefferson — Abraham Lincoln — Theodore Roosevelt

Pourquoi le Texas est-il riche?

La richesse du Texas vient principalement du pétrole, qui y a été découvert en 1901. Second État pétrolier du pays après l'Alaska, le Texas est par ailleurs riche en fer, en magnésium, en uranium et autres minéraux. Associées à l'élevage et à la culture du coton, ces ressources font du Texas l'un des États les plus riches du pays.

MONT RUSHMORE ▲
Sur le mont Rushmore, dans le Dakota du Sud, les visages de quatre grands présidents américains surmontent une falaise de granite. Mesurant chacun environ 18 m de hauteur, ils ont été sculptés entre 1927 et 1941 par 400 ouvriers.

Peut-on voir le Grand Canyon de l'espace?

Plus large gorge du globe, le Grand Canyon est visible de l'espace. Profond de plus de 1,6 km et long de 446 km, il traverse le nord de l'Arizona. Il a été creusé par le fleuve Colorado qui, au cours d'un million d'années, s'est frayé un chemin à travers un plateau rocheux. En son point le plus bas, le fleuve a mis au jour quelques-unes des roches les plus anciennes d'Amérique du Nord.

Ouest des États-Unis

POUR EN SAVOIR PLUS ▶▶ Les tremblements de terre 43 • Les Indiens d'Amérique 408

LE MEXIQUE, L'AMÉRIQUE CENTRALE ET LES ANTILLES

Des hauts sommets neigeux et des déserts arides du nord du Mexique aux forêts tropicales de la côte atlantique du Nicaragua, cette région est très contrastée. L'Amérique centrale se compose de sept petits pays se succédant sur une langue de terre entre le Mexique et l'Amérique du Sud. À l'est, s'égrènent les magnifiques îles tropicales de la mer des Antilles.

TÉLESCOPES (MEXIQUE) ▶
Un ciel dégagé et une haute altitude font de la sierra Madre, au Mexique, un site idéal pour les radiotélescopes. Ceux-ci transforment en images électroniques les ondes radio qu'ils captent dans l'espace.

LES ANTILLES ▶
Les plages sablonneuses des Antilles sont des destinations populaires pour les touristes nord-américains et européens fuyant l'hiver dans leur pays. Des bateaux de croisière transportent leurs passagers d'île en île : cela constitue une importante source de revenus pour les économies locales.

◀ LES AZTÈQUES, MEXIQUE
Bâtiments et vestiges de l'Empire aztèque, comme cette imposante statue, émaillent tout le centre du Mexique. Tenochtitlán, la capitale aztèque, est en majeure partie enfouie sous la ville de Mexico.

LE CANAL DE PANAMÁ ▶
Mesurant plus de 80 km de longueur, le canal de Panamá relie les océans Atlantique et Pacifique. Plus de 14 000 bateaux l'empruntent chaque année : pétroliers, cargos et paquebots.

Mexique

Que reste-t-il des civilisations maya et aztèque ?

Les Empires maya et aztèque n'existent plus, mais ces deux civilisations précolombiennes ont laissé d'extraordinaires vestiges. On peut voir de nombreux temples et ruines mayas dans les forêts du Belize et du Guatemala, et bien des vestiges aztèques enfouis sous la ville de Mexico n'ont pas encore été explorés.

Qu'est-ce que le jour des Morts ?

Le 1er novembre, les Mexicains rendent hommage à leurs parents et amis défunts lors d'une fête appelée jour des Morts. Pour eux, la mort fait partie de la vie et doit être célébrée. Ils décorent les rues de fleurs et y suspendent de macabres squelettes en papier mâché. Les familles se réunissent pour prier pour leurs morts et se recueillent sur les tombes familiales.

Y a-t-il encore en Amérique centrale des descendants des indigènes ?

Avant sa conquête par les Européens, dans les années 1500, l'Amérique centrale était déjà peuplée. De nos jours, nombre d'habitants sont des *mestizos* (métis d'Européens et d'indigènes). La population d'origine ne représente plus aujourd'hui que 10 % de la population totale.

DÍA DE LOS MUERTOS ▼
Le jour des Morts, les Mexicains s'habillent en squelettes et dansent lors de grands défilés. À la maison, les familles préparent de petits autels qu'elles décorent de fleurs, de bougies, de mets et de photos de leurs morts.

▲ LES BANANES DES ANTILLES
Les îles des Antilles – la Dominique, Sainte-Lucie, la Guadeloupe et Saint-Vincent – dépendent fortement des exportations de bananes vers les États-Unis et l'Europe. La perte de ces marchés au profit des bananes moins chères venant d'Amérique centrale menace les revenus de nombreux fermiers.

Qu'exportent les Antilles ?

Le sucre, la banane, le tabac, le café, le rhum et, plus récemment, diverses drogues. Ces exportations ne profitent pas à tous les habitants qui sont nombreux à émigrer vers les États-Unis et l'Europe à la recherche de meilleures conditions de vie. Ils apportent avec eux leur culture flamboyante.

Pourquoi y a-t-il tant d'îles aux Antilles ?

Les îles de l'est des Antilles sont situées sur le bord d'une petite plaque lithosphérique entourée de plus grandes plaques. Poussées les unes contre les autres pendant des millions d'années, ces plaques ont formé une chaîne d'îles volcaniques. La plupart des volcans sont éteints mais certains, comme la Soufrière, sur l'île de Montserrat, sont récemment entrés en éruption.

Pourquoi de nombreux pays d'Amérique centrale sont-ils pauvres ?

Les pays d'Amérique centrale ont perdu une partie de leurs revenus après la chute des prix du café, de la banane et d'autres cultures de rapport. En même temps, ils ont emprunté de l'argent à l'étranger pour financer routes, hôpitaux et autres projets, ce qui les a lourdement endettés. De plus, l'instabilité politique et les guerres civiles maintiennent ces nations dans la pauvreté.

Comment vit-on à Mexico ?

La vie est difficile à Mexico car les logements manquent et les séismes sont une menace constante. La ville compte plus de 20 millions d'habitants, ce qui en fait l'une des plus peuplées du monde. De plus, elle est entourée d'une ceinture montagneuse qui empêche l'air pollué émis par les voitures et les usines de s'échapper.

@ ▶▶
Amérique centrale

@ ▶▶
Antilles

MEXICO ▶
Ville très peuplée, Mexico manque de réglementation écologique et de transports publics. C'est l'une des villes les plus polluées au monde. Pour échapper quelque peu à la pollution des gaz d'échappement, les enfants doivent parfois attendre la fin des heures de pointe pour se rendre à l'école.

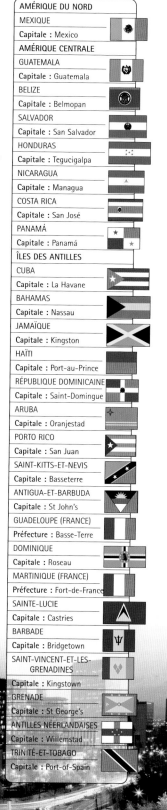

AMÉRIQUE DU NORD	
MEXIQUE	
Capitale : Mexico	
AMÉRIQUE CENTRALE	
GUATEMALA	
Capitale : Guatemala	
BELIZE	
Capitale : Belmopan	
SALVADOR	
Capitale : San Salvador	
HONDURAS	
Capitale : Tegucigalpa	
NICARAGUA	
Capitale : Managua	
COSTA RICA	
Capitale : San José	
PANAMÁ	
Capitale : Panamá	
ÎLES DES ANTILLES	
CUBA	
Capitale : La Havane	
BAHAMAS	
Capitale : Nassau	
JAMAÏQUE	
Capitale : Kingston	
HAÏTI	
Capitale : Port-au-Prince	
RÉPUBLIQUE DOMINICAINE	
Capitale : Saint-Domingue	
ARUBA	
Capitale : Oranjestad	
PORTO RICO	
Capitale : San Juan	
SAINT-KITTS-ET-NEVIS	
Capitale : Basseterre	
ANTIGUA-ET-BARBUDA	
Capitale : St John's	
GUADELOUPE (FRANCE)	
Préfecture : Basse-Terre	
DOMINIQUE	
Capitale : Roseau	
MARTINIQUE (FRANCE)	
Préfecture : Fort-de-France	
SAINTE-LUCIE	
Capitale : Castries	
BARBADE	
Capitale : Bridgetown	
SAINT-VINCENT-ET-LES-GRENADINES	
Capitale : Kingstown	
GRENADE	
Capitale : St George's	
ANTILLES NÉERLANDAISES	
Capitale : Willemstad	
TRINITÉ-ET-TOBAGO	
Capitale : Port-of-Spain	

POUR EN SAVOIR PLUS ▶▶ L'astronomie 11 • Les continents 39 • Les îles 42 • Les Mayas 381 • Les Aztèques 403

L'AMÉRIQUE DU SUD

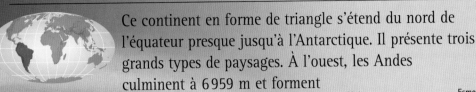

Ce continent en forme de triangle s'étend du nord de l'équateur presque jusqu'à l'Antarctique. Il présente trois grands types de paysages. À l'ouest, les Andes culminent à 6 959 m et forment une chaîne qui longe le littoral pacifique du nord au sud. Les forêts denses de la vallée de l'Amazone et le long de la côte caraïbe couvrent la majeure partie du Nord et du Nord-Est. Dans le Sud, des prairies balayées par les vents et la pampa sèche ondulent jusqu'à l'extrémité froide et rocheuse du continent, le cap Horn.

◄ LE DÉSERT D'ATACAMA
Le désert d'Atacama, dans le nord du Chili, est le lieu le plus sec du monde. Par endroits, il n'y a pas plu depuis un siècle. Lorsqu'il pleut, il en résulte souvent des crues brutales dévastatrices. Sous ses roches et son sable brûlants s'étendent d'immenses gisements de cuivre.

▲ SÃO PAULO (BRÉSIL)
São Paulo, l'une des plus grandes villes du monde, toujours en expansion, compte une population d'environ 20 millions d'habitants. Une bonne partie de l'intérieur du Brésil étant inhabitable, la plupart des grandes villes sont sur la côte. Beaucoup de gens viennent y chercher du travail et un meilleur niveau de vie.

LES TEXTILES PÉRUVIENS ▶
Les textiles de laine tissés à la main et très colorés portés par ces femmes péruviennes arborent des motifs indiens traditionnels qui se transmettent de génération en génération.

▲ LES ANDES
Les Andes, plus longue chaîne de montagnes du monde, mesurent 7 250 km de longueur et bordent l'ouest de l'Amérique du Sud. Leurs pentes sont aménagées par endroits en terrasses et sont cultivées de façon étagée : orge, pomme de terre et blé en hauteur ; café, tabac et maïs plus bas car il y fait plus chaud.

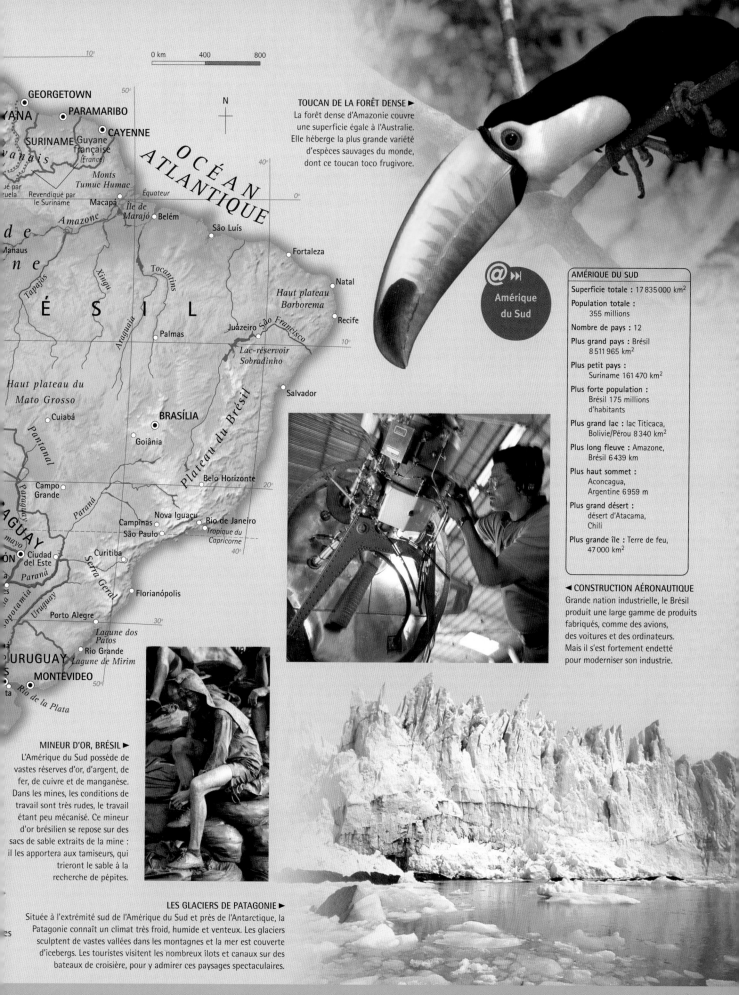

GEORGETOWN

PARAMARIBO

ANA

CAYENNE

SURINAME Guyane
française
(France)

anais

Monts
Tumuc Humac

Revendiqué par
le Suriname Macapá

Amazone

Île de
Marajó Belém

Manaus

Tapajós

Xingu

Araguaia

Tocantins

É S I L

Palmas

*Haut plateau du
Mato Grosso*

Cuiabá

Pantanal

Campo
Grande

Paraná

AGUAY

Paraná

Ciudad
del Este

Uruguay

Porto Alegre

*Lagune dos
Patos*

Rio Grande

URUGUAY *Lagune de Mirim*

MONTEVIDEO

Rio de la Plata

O C É A N

A T L A N T I Q U E

Équateur

São Luís

Fortaleza

Natal

*Haut plateau
Borborema*

Recife

Juàzeiro *São Francisco*

*Lac-réservoir
Sobradinho*

Salvador

BRASÍLIA

Goiânia

Plateau du Brésil

Belo Horizonte

Nova Iguaçu

Campinas Rio de Janeiro

São Paulo *Tropique du
Capricorne*

Curitiba

Serra Geral

Florianópolis

0 km   400   800

TOUCAN DE LA FORÊT DENSE ▶
La forêt dense d'Amazonie couvre
une superficie égale à l'Australie.
Elle héberge la plus grande variété
d'espèces sauvages du monde,
dont ce toucan toco frugivore.

@ ▶▶
Amérique
du Sud

AMÉRIQUE DU SUD

Superficie totale : 17 835 000 km²

Population totale :
355 millions

Nombre de pays : 12

Plus grand pays : Brésil
8 511 965 km²

Plus petit pays :
Suriname 161 470 km²

Plus forte population :
Brésil 175 millions
d'habitants

Plus grand lac : lac Titicaca,
Bolivie/Pérou 8 340 km²

Plus long fleuve : Amazone,
Brésil 6 439 km

Plus haut sommet :
Aconcagua,
Argentine 6 959 m

Plus grand désert :
désert d'Atacama,
Chili

Plus grande île : Terre de feu,
47 000 km²

◀ CONSTRUCTION AÉRONAUTIQUE
Grande nation industrielle, le Brésil
produit une large gamme de produits
fabriqués, comme des avions,
des voitures et des ordinateurs.
Mais il s'est fortement endetté
pour moderniser son industrie.

MINEUR D'OR, BRÉSIL ▶
L'Amérique du Sud possède de
vastes réserves d'or, d'argent, de
fer, de cuivre et de manganèse.
Dans les mines, les conditions de
travail sont très rudes, le travail
étant peu mécanisé. Ce mineur
d'or brésilien se repose sur des
sacs de sable extraits de la mine :
il les apportera aux tamiseurs, qui
trieront le sable à la
recherche de pépites.

LES GLACIERS DE PATAGONIE ▶
Située à l'extrémité sud de l'Amérique du Sud et près de l'Antarctique, la
Patagonie connaît un climat très froid, humide et venteux. Les glaciers
sculptent de vastes vallées dans les montagnes et la mer est couverte
d'icebergs. Les touristes visitent les nombreux îlots et canaux sur des
bateaux de croisière, pour y admirer ces paysages spectaculaires.

POUR EN SAVOIR PLUS ▶▶ Les habitats naturels 82-84 • L'industrie 204 • Les grandes découvertes 400-401

L'un des deux sommets qui surplombent cette ville d'altitude

LE NORD DE L'AMÉRIQUE DU SUD

L'influence espagnole reste forte dans les quatre anciennes colonies espagnoles de cette région : Pérou, Équateur, Colombie et Venezuela. Les autres pays ont été des colonies anglaise (Guyana) et néerlandaise (Suriname). La Guyane est un département français. La population est un mélange d'indigènes, d'Européens et de descendants d'esclaves africains.

◄ MACHU PICCHU (PÉROU)
Inconnue des conquérants espagnols, l'ancienne cité inca de Machu Picchu, située en altitude dans les Andes, est tombée en ruine au fil du temps. Découverte en 1911, elle est aujourd'hui un haut lieu touristique.

MINE DE SEL, COLOMBIE ►
Sur la côte, des ouvriers creusent des trous qui seront remplis d'eau de mer par la marée montante. Le soleil les asséchera et le sel pourra être récolté.

Pentes aménagées en terrasses pour les habitations et les cultures

Plus de 3 000 marches relient les différents niveaux de la ville.

Des temples, des maisons et des édifices cérémoniels s'élèvent autour d'une place centrale.

Qu'est-ce que l'Amérique latine ?

L'Amérique du Sud est aussi appelée Amérique latine car la plupart de ses habitants parlent l'espagnol ou le portugais, langues dérivées du latin. Ils les ont apprises des Espagnols et des Portugais qui ont conquis et colonisé la majeure partie de l'Amérique du Sud au XVIe siècle. L'Amérique latine, l'Espagne et le Portugal demeurent très liés par la langue, la culture et la religion.

De quoi vit-on dans les Andes ?

La plupart des habitants des Andes sont des agriculteurs. La terre étant peu fertile, ils aménagent les pentes en terrasses et choisissent les cultures en fonction du climat, chaud et humide en bas, plus frais en altitude. Le lama et l'alpaga sont élevés pour leur viande et leur laine, cette dernière servant à fabriquer des vêtements.

Cette région a-t-elle des ressources naturelles

Cette zone géographique est très riche en pétrole et en minerais : le Venezuela possède les plus vastes réserves de pétrole du monde après le Moyen-Orient, et la Colombie produit plus de la moitié des émeraudes du monde. Malgré cette richesse, qui profite à un petit nombre, les services publics sont inexistants et la population est pauvre parce que le travail dans les mines, très dangereux, est sous-pay

Les mangroves sont-elles menacées ?

Les mangroves de la côte pacifique de l'Équateur regorgen de crevettes et sont une source vitale de produits aliment et de bois. La crevette est le second produit d'exportation du pays après le pétrole. Les grandes fermes qui l'exploite ont créé de nombreux emplois, mais détruisent en même temps l'environnement dont elles dépendent.

@ ►►
Nord de l'Amérique du Sud

RÉCOLTE DE TOMATES, ÉQUATEUR
La plaine chaude et humide de l'Équateur est idéale pour la culture de la tomate et d'autres denrées importantes comme la banane, le café et le cacao, produits cultivés à l'échelle industrielle pour l'exportation.

Qu'arrive-t-il aux forêts denses d'Amérique du Sud ?

La forêt dense d'Amazonie, au Brésil, abrite environ 30 % des espèces végétales et animales du monde et de nombreuses tribus indiennes. Depuis 1970, elle a été fortement déboisée pour étendre les pâturages, exploiter ses bois précieux ou aménager des routes. Les forêts de Colombie et d'Équateur subissent les mêmes déprédations.

Que reste-t-il de la civilisation inca ?

Les Espagnols ont détruit l'Empire inca dans les années 1530, mais il en reste de nombreux édifices et quelques cités comme le Machu Picchu, en altitude. Les Indiens Quechuas furent les Incas les plus puissants et leurs descendants vivent dans les hautes plaines des Andes.

Qu'appelle-t-on les mondes perdus du Venezuela ?

Plus de 100 collines de grès à sommet plat culminant parfois à 1 000 m, les *tepuis*, dominent les forêts denses du Venezuela. On les appelle les « mondes perdus » car, du fait de leur éloignement, elles hébergent des animaux et des plantes que l'on ne trouve nulle part ailleurs.

De quoi les Indiens Otavalos vivent-ils ?

Les Indiens Otavalos d'Équateur se sont adaptés à la vie moderne et sont l'une des tribus indiennes les plus riches d'Amérique du Sud. Ils tissent des ponchos, des couvertures et des tapis colorés très recherchés aux États-Unis et en Europe. Les revenus qu'ils en tirent leur permettent de conserver leur mode de vie traditionnel.

◄ **BOGOTÁ (COLOMBIE)**
La capitale de la Colombie, Bogotá, est située sur un plateau dans l'est des Andes et jouit d'un climat frais et humide. Centre financier du pays, elle compte environ 5 millions d'habitants.

▲ **FUSÉES, GUYANE**
C'est en Guyane, département français d'outre-mer, que se situe le site de lancement de l'Agence spatiale européenne. À Kourou, satellites et sondes sont lancés dans l'espace à bord de fusées Ariane.

Le lama transporte de lourdes charges en haute altitude.

Femme quechua portant un chapeau à motif traditionnel

◄ **FEMME PÉRUVIENNE**
Dans les Andes du Pérou et de Bolivie, les Quechuas élèvent des lamas pour leur laine, leur lait, leur viande et l'utilisent comme moyen de transport ainsi que des alpagas, parents du chameau, pour leurs longs poils de laine douce.

NORD DE L'AMÉRIQUE DU SUD

PÉROU
Capitale : Lima
Superficie : 1 285 220 km²
Population : 26,5 millions d'habitants
Langues officielles : espagnol et quechua
Principale religion : catholique
Monnaie : nouveau sol

ÉQUATEUR
Capitale : Quito
Superficie : 283 560 km²
Population : 13,1 millions d'habitants
Langue officielle : espagnol
Principale religion : catholique
Monnaie : dollar américain

COLOMBIE
Capitale : Bogotá
Superficie : 1 138 910 km²
Population : 43,5 millions d'habitants
Langue officielle : espagnol
Principale religion : catholique
Monnaie : peso colombien

VENEZUELA
Capitale : Caracas
Superficie : 912 050 km²
Population : 25,1 millions d'habitants
Langue officielle : espagnol
Principale religion : catholique
Monnaie : bolivar

GUYANA
Capitale : Georgetown
Superficie : 214 970 km²
Population : 765 000 d'habitants
Langue officielle : anglais
Principale religion : chrétienne
Monnaie : dollar de Guyana

SURINAME
Capitale : Paramaribo
Superficie : 163 270 km²
Population : 421 000 d'habitants
Langue officielle : néerlandais
Principales religions : hindoue, protestante, catholique, islamique
Monnaie : florin du Suriname

GUYANE
Capitale : Cayenne
Superficie : 85 534 km²
Population : 172 605 d'habitants
Langue officielle : français
Principale religion : catholique
Monnaie : euro

LE SUD DE L'AMÉRIQUE DU SUD

Géant de l'Amérique du Sud, le Brésil occupe près de la moitié du continent et compte plus de la moitié de sa population. L'Argentine, potentiellement riche, a été appauvrie par l'imprévoyance et la corruption de ses gouvernements ainsi que par diverses crises. Les six pays de cette zone ont connu ces dernières années de longues périodes de dictature, bien que ces peuples élisent leur gouvernement.

Quelle est la longueur de l'Amazone ?

L'Amazone mesure 6 439 km de longueur, ce qui en fait le plus long fleuve d'Amérique du Sud et le second au monde après le Nil. Elle s'écoule des Andes péruviennes, à l'est, jusqu'à l'océan Atlantique, à l'ouest, après avoir traversé le Brésil. L'Amazone transporte un cinquième de l'eau douce du globe et en déverse tellement dans l'Atlantique qu'à 180 km des rives l'eau de l'océan est à peine salée.

▲ LES *GAUCHOS*
Ces cow-boys surveillent le bétail des ranches. Leur nom vient d'un mot indien signifiant « paria » car les gauchos vivaient hors la loi, à l'écart des villes.

Qu'est-ce que la pampa ?

La pampa est une vaste étendue de prairies qui couvre l'Argentine et l'Uruguay. C'est une terre idéale pour la culture du blé et d'autres céréales, mais également pour l'élevage d'énormes troupeaux de moutons et de vaches essentiels pour l'économie des deux nations. Les *gauchos* (cow-boys), employés par les ranches, parcourent la pampa depuis 300 ans, mais leur rôle traditionnel est en déclin actuellement.

◄ *FAVELAS*, BRÉSIL
Dans les *favelas* (bidonvilles) surpeuplées des grandes villes du Brésil, les conditions de vie sont misérables. En l'absence d'installations sanitaires, les habitants souffrent de nombreuses maladies.

L'AMAZONE ►
L'Amazone est une voie navigable vitale pour le Brésil. Les bateaux peuvent remonter le fleuve jusqu'à Manaus, à environ 1 600 km de la mer, et ses crues déposent un limon fertile.

Qu'est-ce qu'une « favela » ?

Les *favelas* sont des bidonvilles qui entourent la majeure partie des grandes villes du Brésil, principalement Rio de Janeiro et São Paulo. Le manque de logements et de travail a poussé les pauvres à y construire des habitations en matériaux de récupération, où l'eau courante et les installations sanitaires sont rares. Des programmes ont été mis en place pour installer des équipements de base, mais les progrès sont lents.

Y a-t-il encore des Indiens indigènes dans les forêts denses ?

Autrefois, plus de 2 millions d'Indiens vivaient dans la forêt dense d'Amazonie, mais ils ne sont plus que 240 000 aujourd'hui. Ils ont été décimés par des maladies d'origine européenne comme la grippe et la rougeole. La déforestation, l'agriculture, la prospection d'or illégale et les violences qui les accompagnent menacent sérieusement les tribus et leur habitat. Certaines, comme les Xingus, survivent dans des zones protégées.

INDIEN KAYAPO ►
La coiffure de ce vieil Indien Kayapo de la forêt dense d'Amazonie se compose de plumes d'ara macao et de cigogne. Par ailleurs, ces deux espèces sont aujourd'hui menacées d'extinction au Brésil.

SUD DE L'AMÉRIQUE DU SUD

BRÉSIL

Capitale : Brasília

Superficie : 8 511 965 km²

Population :
175 millions d'habitants

Langue officielle : portugais

Principale religion : catholique

Monnaie : real

CHILI

Capitale : Santiago

Superficie : 756 950 km²

Population :
15,6 millions d'habitants

Langue officielle : espagnol

Principale religion : catholique

Monnaie : peso chilien

BOLIVIE

Capitales :
La Paz (administrative)
Sucre (judiciaire)

Superficie : 1 098 580 km²

Population :
8,7 millions d'habitants

Langues officielles :
espagnol, quechua, aymara

Principale religion : catholique

Monnaie : boliviano

ARGENTINE

Capitale : Buenos Aires

Superficie : 2 766 890 km²

Population :
37,9 millions d'habitants

Langue officielle : espagnol

Principale religion : catholique

Monnaie : peso argentin

PARAGUAY

Capitale : Asunción

Superficie : 406 750 km²

Population : 5,8 millions
d'habitants

Langue officielle : espagnol

Principale religion : catholique

Monnaie : guarani

URUGUAY

Capitale : Montevideo

Superficie : 176 220 km²

Population : 3,4 millions
d'habitants

Langue officielle : espagnol

Principale religion : catholique

Monnaie : peso uruguayen

▲ INDUSTRIE AUTOMOBILE, BRÉSIL
Le Brésil produit du fer, de l'acier, des ordinateurs, des avions et des voitures, comme dans cette chaîne de montage à San Jose do Pinhais. Il est en outre riche en minerais et exporte du café, du sucre et d'autres produits agricoles.

Quelle est la ville la plus méridionale d'Amérique du Sud ?

La ville d'Ushuaia est située à la pointe sud de l'Argentine, si près de l'Antarctique qu'il y fait extrêmement froid presque toute l'année. Elle se trouve sur un archipel nommé Tierra del Fuego, «Terre de Feu» en français, par les premiers explorateurs apercevant à leur arrivée des feux allumés par les Indiens. Ancien port de baleiniers, Ushuaia est aujourd'hui une ville moderne.

Pourquoi autant d'Européens se sont-ils installés en Argentine ?

Environ 98 % de la population argentine sont des descendants de colons européens. Parmi eux, 2 millions d'Italiens voulant échapper à la pauvreté dans les années précédant la Première Guerre mondiale et de nombreux Gallois. Les immigrants étaient attirés par la relative prospérité du pays et par les étendues presque illimitées de terres fertiles idéales pour l'agriculture.

Quelle est la danse nationale argentine ?

Né dans les quartiers pauvres de la capitale argentine, Buenos Aires, à la fin du XIXᵉ siècle, le tango est aujourd'hui dansé dans le monde entier. C'est une danse de couple à deux temps, traditionnellement accompagnée par le bandonéon, une sorte d'accordéon, un piano et un violon.

◄ SANTIAGO (CHILI)
Si la capitale du Chili, Santiago, apparaît comme une ville prospère et moderne, sa richesse est mal répartie. Un tiers des Chiliens vit en dessous du seuil de pauvreté.

@ ▶▶ Sud
de l'Amérique
du Sud

LE FOOTBALL BRÉSILIEN ▶
Le football est une véritable passion chez les Brésiliens. Dès leur plus jeune âge, ils y jouent dans la rue et sur les plages. Des joueurs comme Pelé, Ronaldo et Ronaldinho sont de véritables héros nationaux. En 2002, le Brésil a remporté sa cinquième Coupe du monde de football.

EN SAVOIR PLUS ▶▶ Les espèces en danger 124 • La politique 306-307 • La danse 336-337 • L'indépendance de l'Amérique du Sud 420

L'AFRIQUE

L'Afrique est le second continent du monde par sa superficie après l'Asie. Environ 831 millions de personnes y vivent, soit plus d'un dixième de la population mondiale. La majorité des Africains sont musulmans ou chrétiens, mais il existe de nombreuses croyances et coutumes religieuses locales, dites animistes. La plupart des Africains habitent de petites villes ou des villages et vivent de l'agriculture, de l'élevage et, parfois, du tourisme et de l'industrie. La croissance rapide de la population pousse de nombreuses personnes vers les villes. Enfin, les difficultés y sont nombreuses : elles sont parfois liées aux conditions naturelles, comme la sécheresse, parfois dues à l'homme, dans le cas des guerres civiles.

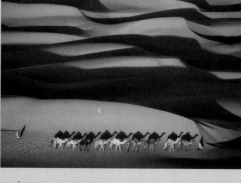

Nomades et caravane de chameaux traversant le désert

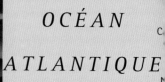

OCÉAN ATLANTIQUE

FAUNE EN DANGER ▼
Ces éléphants de Namibie, comme beaucoup d'animaux d'Afrique, bien que protégés, sont menacés d'extinction par les braconniers qui les tuent pour leur ivoire, leur peau et leur viande. Des réserves ont été créées pour les protéger et les touristes peuvent les admirer dans leur habitat naturel.

LE DÉSERT DU SAHARA ▲
L'Afrique possède trois immenses déserts : le Kalahari et le Namib dans le Sud et le Sahara dans le Nord. Le Sahara est le plus grand désert du monde et peu d'animaux, hormis le chameau, peuvent survivre dans sa chaleur torride.

JOHANNESBURG ▼
Johannesburg est la capitale commerciale et industrielle d'Afrique du Sud et le centre de sa production d'or et de diamant. Malgré ces richesses, une grande partie de ses habitants vit dans des bidonvilles en marge de la ville car les logements sont rares et les salaires bas.

POUR EN SAVOIR PLUS ▶▶

ASIE

AFRIQUE

Superficie totale :
30 335 000 km²

Population totale : 831 millions
d'habitants

Nombre de pays : 53

Plus grand pays : Algérie
2 505 810 km²

Plus petit pays : Seychelles
455 km²

Plus forte population : Nigeria
120 millions d'habitants

Plus grand lac : lac Victoria,
Kenya/Tanzanie/Ouganda
68 880 km²

Plus long fleuve : Nil,
Ouganda/Soudan/Égypte
6 695 km

Plus haut sommet :
Kilimandjaro,
Tanzanie 5 895 m

Plus grand désert : désert du
Sahara

Plus grande île : Madagascar
594 180 km²

LES MARCHÉS D'AFRIQUE DU NORD ▲
Les marchés comme celui-ci, au Maroc, les souks,
sont le centre animé des villes d'Afrique du Nord.
Ici, des paysans vendent leurs fruits et légumes
et les commerçants des marchandises diverses
comme des teintures naturelles, des herbes, des
épices, des rouleaux de tissu, des bijoux en
argent et des objets artisanaux en cuir.

Des peintures murales
décorent la maison de
ces Ndebele.

LE STYLE NDEBELE ▲
Les Ndebele d'Afrique du Sud sont réputés pour leur sens
de la couleur et des motifs. Leurs maisons sont décorées
de formes géométriques fortes et colorées. Les femmes,
responsables de l'entretien de la maison, repeignent les
murs chaque printemps.

@ ▶▶ Afrique

LES CHUTES VICTORIA ▶
Sur son long cours entre la Zambie et l'océan
Indien, le fleuve Zambèze culmine à 108 m aux
chutes Victoria. Cette magnifique cascade
provoque tant de bruit et de brume d'eau que
les locaux l'appellent « la fumée qui gronde ».
Découvertes pendant le règne de la reine
Victoria d'Angleterre par l'explorateur anglais
David Livingstone, en 1855, les chutes portent
depuis le nom de cette souveraine.

religions traditionnelles 283 • Le christianisme 288 • L'islam 290 • L'Afrique médiévale 394-395 • Les empires coloniaux 422-423

L'AFRIQUE DU NORD
ET DE L'OUEST

Le désert du Sahara couvre la majeure partie du nord et de l'ouest de l'Afrique. Il s'étend de l'océan Atlantique, à l'ouest, à la mer Rouge, à l'est. Peu de gens vivent dans cette zone désertique qui sépare les peuples arabe et berbère de la côte nord des populations noires du Sud. La majorité des 63 millions d'Africains de la région se concentrent sur l'étroite plaine côtière, où le climat est plus doux.

Quelle a été l'influence de l'islam ?

Au VIIe siècle, les Arabes de la péninsule Arabique se sont répandus dans l'Afrique du Nord en introduisant leur nouvelle religion, l'islam. De nos jours, la plupart des Africains du Nord et de l'Ouest sont musulmans, parlent l'arabe et partagent une culture fondée sur la foi islamique. Chaque ville possède au moins une mosquée où les fidèles sont appelés à la prière.

Qui vit dans la Sahara ?

Dans le Sahara, il fait souvent plus de 50 °C et l'eau est rare. Les peuples comme les Touaregs ont appris à survivre dans ces conditions. Ils vivent du commerce du sel et d'autres denrées qu'ils transportent sur de longues distances. Le chameau est un moyen de transport. Il fournit par ailleurs lait, viande et peau. Les grandes sécheresses et la pression politique des États poussent de nombreux nomades à renoncer à vivre dans le désert.

DATTES D'ALGÉRIE ▶
Le palmier-dattier pousse près des oasis (lieux disposant d'un point d'eau) dispersées dans le Sahara. Son fruit sucré est encore appelé « pain du désert ». Très nutritive, la datte nourrit les hommes et les animaux, et chaque partie du palmier lui-même est utilisée.

Qu'est-ce que la désertification ?

C'est ainsi que l'on appelle l'expansion des déserts du monde. Ce phénomène transforme de bonnes terres cultivables en terrain sec, ce qui provoque la famine. La désertification est la conséquence d'un manque de pluie en marge des déserts : le sol devient infertile et se transforme en poussière. Au sud du Sahara, de vastes zones du Sahel sont menacées de désertification.

▲ LE CAIRE (ÉGYPTE)
La capitale égyptienne, Le Caire, est la plus grande ville d'Afrique et compte environ 7 millions d'habitants. Cette vaste ville moderne située sur le Nil abrite de nombreux monuments historiques bâtis au fil de sa longue histoire, comme la statue colossale du pharaon Ramsès II.

◀ MINARET
Dans chaque mosquée s'élève une tour, le minaret, d'où le *muezzin* appelle les fidèles à la prière cinq fois par jour. Magnifiquement sculptés et décorés, les minarets sont généralement les édifices les plus élevés d'une ville musulmane.

NOMADES TOUAREGS ▶
Les Touaregs sont des tribus nomades qui vivent dans l'ouest du Sahara. Autrefois, ils voyageaient en caravanes et traversaient le désert jusqu'à la Méditerranée en pratiquant le commerce des esclaves, de l'ivoire, de l'or et du sel. Aujourd'hui, certains Touaregs vivent encore selon ce mode de vie, mais beaucoup se sont installés comme agriculteurs.

Les grandes robes bleues des nomades sont teintes à la main.

@ ▶▶
Afrique du Nord

Afrique de l'Ouest

◄ PÊCHE SUR LE NIL
Le Nil est une source de nourriture. Les pêcheurs emploient des bateaux traditionnels à une voile et fond plat, les felouques, qui passent sur les bancs de sable et résistent aux forts courants.

◄ AU MARCHÉ EN CÔTE D'IVOIRE
En Afrique de l'Ouest, les femmes cultivent du mil et du sorgho. Elles préparent des plats destinés à leur famille ou à la vente. Cette Ivoirienne vend le poisson qu'elle a fait sécher. D'autres font le commerce des dattes, des arachides et de l'huile de palme.

Pourquoi la population se concentre-t-elle sur les littoraux ?

La plupart des habitants de cette région vivent sur le littoral de la Méditerranée et de l'océan Atlantique. Le climat est chaud et humide l'hiver, très chaud et sec l'été, ce qui est favorable aux cultures. Celles-ci, des agrumes aux dattes en passant par les olives et les tomates, sont variées.

Que peut-on acheter dans un souk ?

Dans les souks (marchés) colorés et animés du Maroc et de Tunisie, on peut presque tout acheter, des objets artisanaux traditionnels comme les bijoux, le cuir, les tapis tissés à la main et les vêtements brodés au poisson, à la viande, et aux légumes en passant par les objets pour la maison. Le souk, indispensable à l'économie d'une ville, constitue aussi un lieu de rencontre pour les employés, agriculteurs et commerçants venant des campagnes.

Pourquoi le Nil est-il si important ?

Plus long fleuve du monde, le Nil est vital. Lors de sa crue annuelle, l'été, ses eaux inondent de vastes étendues de part et d'autre de son lit. En se retirant, le Nil dépose des limons fertiles qui viennent des hautes terres d'Éthiopie et du Soudan. De plus, le fleuve offre une source d'eau potable pour ses riverains. Enfin, avec les croisières des touristes, il constitue une source de revenus.

Quelle est la particularité de la ville de Fez ?

Fez a peu changé depuis des siècles. Comme dans toutes les cités médiévales du monde musulman, sa vieille ville a été bâtie selon les règles du Coran, le livre sacré de l'islam. La mosquée se trouve au centre de la ville, chaque groupe ethnique et religieux a son quartier, et les rues, qui sont suffisamment étroites pour garantir de l'ombre, doivent être assez larges pour laisser passer deux chameaux très chargés.

ABOU-SIMBEL (ÉGYPTE) ►
Le temple d'Abou-Simbel a été bâti sous le règne du pharaon Ramsès II il y a plus de 3 200 ans. Dans les années 1960, les eaux montantes du lac Nasser, derrière le nouveau barrage d'Assouan, menaçaient de le détruire : il a été démonté et reconstruit dans un lieu plus sûr.

◄ VILLAGE DOGON
Beaucoup d'Africains construisent leur maison avec les matériaux disponibles sur place. Les Dogons, du Mali, bâtissent des maisons hautes et étroites en grès local et les coiffent d'un toit conique en roseau. Ce village est protégé par des murs de pierre et son seul accès est une porte étroite.

AFRIQUE DU NORD ET DE L'OUEST	
CAP-VERT	
Capitale : Praia	
Population : 446 000	
SÉNÉGAL	
Capitale : Dakar	
Population : 9,9 millions	
GAMBIE	
Capitale : Banjul	
Population : 1,4 million	
GUINÉE-BISSAU	
Capitale : Bissau	
Population : 1,3 million	
GUINÉE	
Capitale : Conakry	
Population : 8,4 millions	
SIERRA LEONE	
Capitale : Freetown	
Population : 4,8 millions	
LIBERIA	
Capitale : Monrovia	
Population : 3,3 millions	
CÔTE D'IVOIRE	
Capitale : Yamoussoukro	
Population : 16,7 millions	
GHANA	
Capitale : Accra	
Population : 20,2 millions	
TOGO	
Capitale : Lomé	
Population : 4,8 millions	
BÉNIN	
Capitale : Porto-Novo	
Population : 6,6 millions	
BURKINA	
Capitale : Ouagadougou	
Population : 12,2 millions	
MALI	
Capitale : Bamako	
Population : 12 millions	
MAURITANIE	
Capitale : Nouakchott	
Population : 2,8 millions	
MAROC	
Capitale : Rabat	
Population : 31 millions	
ALGÉRIE	
Capitale : Alger	
Population : 31,4 millions	
TUNISIE	
Capitale : Tunis	
Population : 9,7 millions	
LIBYE	
Capitale : Tripoli	
Population : 5,5 millions	
ÉGYPTE	
Capitale : Le Caire	
Population : 70,3 millions	

POUR EN SAVOIR PLUS ►► L'islam 290 • L'Égypte ancienne 370-371 • La civilisation musulmane 386-387 • L'Afrique médiévale 394-395

L'AFRIQUE DE L'EST ET CENTRALE

L'Afrique centrale est une région très fertile dotée de savanes, de forêts denses et de nombreux fleuves et lacs. Toutefois, le Niger et le Tchad sont presque déserts, et le lac Tchad a été réduit des deux tiers par suite de l'assèchement des rivières qui l'alimentaient.

Si certains pays de cette région possèdent des richesses agricoles et minérales, l'instabilité politique et les guerres civiles provoquent une grande pauvreté.

▲ LE GÉNOCIDE DES TUTSIS AU RWANDA
En 1994, au Rwanda, les Tutsis, une ethnie minoritaire, sont victimes d'un génocide perpétré par les Hutus au pouvoir. Cette élimination systématique des Tutsis a fait près de 800 000 morts et a été commise dans l'indifférence générale, de l'ONU comme des puissances occidentales. Cela a bien entendu ruiné l'économie du pays et mis sur les routes près de 2 millions de réfugiés.

Comment peut-on protéger les animaux ?

Les gouvernements ont créé de vastes parcs et réserves nationaux, comme le Masai Mara au Kenya et le Serengeti en Tanzanie. Les touristes viennent y faire des safaris pour admirer les animaux dans leur habitat naturel et apportent ainsi aux économies locales et nationales des revenus dont elles ont bien besoin.

Pourquoi la faune africaine est-elle menacée ?

L'Afrique est habitée par une faune très variée mais, depuis quelques années, de nombreuses espèces sont menacées par les chasseurs. Les éléphants sont recherchés pour leur ivoire et les rhinocéros noirs pour leurs cornes. Ces espèces et d'autres sont menacées d'extinction, certaines ayant déjà disparu pour toujours.

LE FLEUVE NIGER ▲
Le Niger s'écoule vers l'est à travers la Guinée, le Mali et le Niger, puis descend vers le sud en direction du Nigeria et du golfe de Guinée. C'est un moyen de transport précieux pour ses riverains.

▼ LES GORILLES
Les gorilles du Rwanda, d'Ouganda et d'ailleurs dans l'est de l'Afrique sont menacés d'extinction par les chasseurs et par l'agriculture. Certains vivent protégés dans des parcs nationaux.

@ ▸▸ Afrique de l'Est

AFRIQUE DE L'EST ET CENTRALE

NIGER
Capitale : Niamey
Population : 11,6 millions

NIGERIA
Capitale : Abuja
Population : 120 millions

GUINÉE ÉQUATORIALE
Capitale : Malabo
Population : 483 000

SÃO-TOMÉ-ET-PRÍNCIPE
Capitale : São Tomé
Population : 170 372

CONGO
Capitale : Brazzaville
Population : 3,2 millions

GABON
Capitale : Libreville
Population : 1,3 million

CAMEROUN
Capitale : Yaoundé
Population : 15,5 millions

TCHAD
Capitale : N'Djamena
Population : 8,4 millions

RÉP. CENTRAFRICAINE
Capitale : Bangui
Population : 3,8 millions

RÉP. DÉMOCRATIQUE DU CONGO
Capitale : Kinshasa
Population : 54,3 millions

TANZANIE
Capitale : Dodoma
Population : 36,8 millions

BURUNDI
Capitale : Bujumbura
Population : 6,7 millions

RWANDA
Capitale : Kigali
Population : 8,2 millions

OUGANDA
Capitale : Kampala
Population : 24,8 millions

SOUDAN
Capitale : Khartoum
Population : 32,6 millions

ÉRYTHRÉE
Capitale : Asmara
Population : 4 millions

DJIBOUTI
Capitale : Djibouti
Population : 652 000

ÉTHIOPIE
Capitale : Addis-Abeba
Population : 66 millions

KENYA
Capitale : Nairobi
Population : 31,9 millions

SOMALIE
Capitale : Muqdisho
Population : 9,6 millions

POUR EN SAVOIR PLUS ▸▸

RIFT VALLEY ▶
La Rift Valley s'étend de la Syrie (Proche-Orient) au Mozambique (est de l'Afrique), en traversant la mer Rouge. Elle offre un paysage extraordinaire de lacs profonds, de vallées aux versants abrupts, de vastes plateaux et de sommets volcaniques.

▼ LE PÉTROLE NIGÉRIAN
Important producteur et exportateur de pétrole, le Nigeria possède aussi de vastes réserves de gaz naturel. Après la chute du prix de l'or noir dans les années 1980, il s'est efforcé de développer d'autres produits pour que son économie ne repose plus autant sur le pétrole.

Quel est le paysage au niveau de l'équateur ?

L'Afrique est le seul continent traversé à la fois par l'équateur et les deux tropiques (Capricorne et Cancer). Au niveau de l'équateur, la forte pluviosité a formé un paysage de lacs, de fleuves et de forêt dense luxuriante. De part et d'autre de cette ligne imaginaire, le climat et la végétation sont à peu près symétriques, avec de vastes déserts arides au voisinage de chaque tropique.

De quoi les gens vivent-ils dans cette région ?

La plupart des Africains ruraux vivent de l'élevage des vaches, des moutons et des chèvres et de cultures vivrières comme le maïs, le manioc et l'igname. Dans l'Est, beaucoup travaillent dans les plantations de thé et de café ou vivent du tourisme dans les réserves naturelles. Les industries pétrolière du Nigeria et du Cameroun et minière du Congo emploient des milliers de personnes.

Comment les Congolais appellent-ils le fleuve Congo ?

Localement, le fleuve Congo s'appelle le Zaïre. Il décrit un énorme arc de cercle traversant la République démocratique du Congo, pays autrefois nommé Zaïre. Ce fleuve est vital pour les Congolais : il leur fournit de l'eau, du poisson, l'irrigation nécessaire aux cultures et un moyen de transport essentiel.

À quoi les famines sont-elles dues ?

L'Éthiopie et la Somalie ont connu de longues guerres civiles qui ont laissé de nombreuses personnes sans abri et sans ressources. Des millions de réfugiés vivent dans cette région. Les deux pays ont aussi été affectés par la sécheresse, de mauvaises récoltes et une surexploitation du sol appauvri. Cette pénurie extrême est la cause de famines régulières.

Le Nigeria est-il riche ?

Le Nigeria est potentiellement la nation la plus riche d'Afrique : il possède d'immenses réserves de pétrole, de gaz naturel, de charbon, d'étain et de fer. Il dispose par ailleurs de vastes étendues de terres fertiles où l'on cultive le coton, le café, le sucre et d'autres denrées. Mais, du fait de la corruption et de la mauvaise administration du pays, les revenus de ces ressources naturelles ont été mal employés et la majorité des Nigérians sont très pauvres.

Les vaches donnent le lait et le sang que les Masais boivent mélangés.

LE PEUPLE MASAI ▶
Les Masais sont un peuple semi-nomade qui vit dans la Rift Valley, au Kenya et en Tanzanie. Ils élèvent des vaches, des chèvres et des moutons et certains d'entre eux se sont sédentarisés. Autrefois guerriers réputés et redoutés, les Masais vivent aujourd'hui en paix avec leurs voisins.

@ ▸▸
Afrique centrale

Les enfants portent des vêtement de coton tissés à la maison.

La météorologie 50 • Les ressources énergétiques 60-61 • Les espèces en danger 124 • La protection de la nature 125

L'AFRIQUE AUSTRALE

Cette partie de l'Afrique dispose d'une étroite plaine côtière bordée par des collines entourant un vaste haut plateau central. La côte est est subtropicale, le Sud est doté d'un climat méditerranéen et l'intérieur est formé de désert ou de steppes. L'Afrique du Sud est hautement industrialisée, et la Namibie et la Zambie possèdent d'importantes mines.

◄ **LES BOCHIMANS**
Les Bochimans du Kahalari vivent en petites communautés. Autrefois, ils se déplaçaient à la recherche d'insectes et de plantes comestibles. Ils chassaient de petits animaux à l'aide de flèches empoisonnées. Beaucoup sont aujourd'hui sédentarisés.

Peut-on vivre dans le désert du Kalahari ?

Une seule tribu vit dans ce désert qui couvre une grande partie du Botswana, de la Namibie et du nord-ouest de l'Afrique du Sud, l'un des lieux les plus inhospitaliers du monde. Les Bochimans, ou San, y vivent depuis des milliers d'années en cherchant leur nourriture sans pratiquer l'agriculture. Hommes, animaux, plantes doivent résister aux conditions de sécheresse qui règnent jusqu'à dix mois par an.

Y a-t-il des problèmes de frontières ?

Les frontières nationales de certaines nations africaines suivent souvent le relief naturel comme les fleuves et les lacs, mais certaines ont été tracées sur des cartes par les anciennes puissances coloniales européennes qui ont découpé l'Afrique à la fin du XIXe siècle. De ce fait, de nombreux peuples sont divisés entre plusieurs pays auxquels ils n'estiment pas appartenir. Cela est toujours à l'origine de conflits ou même de guerres civiles.

◄ **LE LÉMUR CATTA DE MADAGASCAR**
Le lémur catta est l'une des nombreuses espèces animales que l'on ne trouve qu'à Madagascar. Quatrième île du monde par la taille, Madagascar est éloignée du continent africain et, de ce fait, abrite des plantes et des animaux qui n'existent pas ailleurs. Les deux tiers des caméléons du monde vivent sur cette île.

Où trouve-t-on de l'or et des diamants ?

Les vastes mines d'or et de diamants découvertes en Afrique du Sud à la fin du XIXe siècle ont fait la richesse du pays. Un tiers des réserves d'or mondiales est produit dans les gisements aurifères du Witwatersrand, autour de Johannesburg. Sa voisine, la Namibie, est riche en diamants et en minerais comme le cuivre et l'étain. Le minerai constitue 90 % des recettes d'exportation de la Namibie.

RUGBY ►
Ici, Bolla Conradie joue pour les Springboks, l'équipe nationale de rugby d'Afrique du Sud. Cette équipe est réputée dans le monde entier. Elle a remporté de nombreux matches internationaux et la Coupe du monde de rugby en 1995.

Qui sont les Springboks ?

L'équipe nationale de rugby sud-africaine tient son nom du springbok, une antilope très rapide. Le rugby et le cricket sont les deux grands sports nationaux d'Afrique du Sud. Au temps de l'*apartheid*, tous les membres de l'équipe nationale de rugby étaient blancs. Aujourd'hui, l'équipe est multiraciale et soutenue par tous les Sud-Africains.

▲ LE RHINOCÉROS NOIR
Ce bébé rhinocéros atteindra 3,60 m à l'âge adulte, et ses cornes d'ivoire mesureront 50 cm. Malgré sa rapidité (48 km/h), cet animal est en danger car il est la proie des chasseurs d'ivoire, sauf dans les parcs naturels où il est protégé.

LES *TOWNSHIPS* D'AFRIQUE DU SUD ▲
Du temps de l'apartheid, beaucoup de Noirs ont dû quitter leur habitation et s'installer dans des *townships* (ghettos) en marge des villes, souvent loin de leur travail. Le plus grand de tous est Soweto, abréviation de «Southwestern Township». Les conditions de vie y sont toujours misérables.

@ ▶▶ Afrique australe

▼ LA MONTAGNE DE LA TABLE
La montagne de la Table et son sommet aplati dominent la baie de la Table et la ville du Cap, en Afrique du Sud. Capitale législative du pays, Le Cap est un grand port et une destination touristique pour les visiteurs du monde entier.

Qu'est-ce que l'«apartheid»?

Le mot *apartheid* signifie «séparation» en langue afrikaans. Cette politique introduite en Afrique du Sud par le gouvernement (dont les membres étaient tous blancs) en 1948 imposait que les Noirs et les Blancs vivent et travaillent séparément. Rude épreuve pour les Noirs, l'*apartheid* était réprouvé par le reste du monde. Après son abolition en 1994, l'Afrique du Sud est devenue une nation multiraciale.

NELSON MANDELA ▶
Membre influent du parti du Congrès national africain (ANC), Nelson Mandela a passé 27 ans en prison pour son opposition au gouvernement blanc sud-africain. Libéré en 1990, il a obtenu le prix Nobel de la paix en 1993 et conduit son parti à la victoire lors des premières élections libres du pays, en 1994. Nelson Mandela a été président d'Afrique du Sud jusqu'en 1999.

L'Afrique australe est-elle en train de changer?

La fin de l'apartheid en Afrique du Sud a provoqué d'énormes changements dans la région. Si l'ancien conflit entre Noirs et Blancs a laissé la place au désir de travailler ensemble, la pauvreté, la violence et la forte criminalité sont répandues. Des milliers de personnes mourant chaque jour du sida, beaucoup de familles sont privées d'une bonne partie de leurs revenus.

AFRIQUE AUSTRALE

ANGOLA
Capitale : Luanda
Population : 13,9 millions
Langue officielle : portugais
Principale religion : catholique

NAMIBIE
Capitale : Windhoek
Population : 1,8 million
Langue officielle : anglais
Principale religion : chrétienne

AFRIQUE DU SUD
Capitales : Pretoria ;
    Le Cap ; Bloemfontein
Population : 44,2 millions
Langues officielles : afrikaans,
    anglais et dialectes africains
Principales religions : diverses

BOTSWANA
Capitale : Gaborone
Population : 1,6 million
Langue officielle : anglais
Principale religion : animiste

ZAMBIE
Capitale : Lusaka
Population : 10,9 millions
Langue officielle : anglais
Principale religion : chrétienne

ZIMBABWE
Capitale : Harare
Population : 13,1 millions
Langue officielle : anglais
Principales religions : chrétienne
    et animiste

LESOTHO
Capitale : Maseru
Population : 2,1 millions
Langues officielles : anglais et
    sesotho
Principale religion : chrétienne

SWAZILAND
Capitale : Mbabane
Population : 948 000
Langues officielles : anglais et
    siswati
Principale religion : chrétienne

MOZAMBIQUE
Capitale : Maputo
Population : 19 millions
Langue officielle : portugais
Principale religion : animiste

MALAWI
Capitale : Lilongwe
Population : 11,8 millions
Langue officielle : anglais
Principale religion : protestante

COMORES
Capitale : Moroni
Population : 749 000
Langues officielles : arabe et français
Principale religion : musulmane

MADAGASCAR
Capitale : Antananarivo
Population : 16,9 millions
Langues officielles : français et
    malgache
Principale religion : animiste

▶▶ POUR EN SAVOIR PLUS ▶▶ Les espèces en danger 124 • L'égalité sociale 304-305 • L'Afrique médiévale 394-395 • La décolonisation 434

L'EUROPE

L'Europe est l'avant-dernier continent du monde par la taille et le second par sa population. Ses paysages variés vont de la toundra gelée et des forêts du Nord aux collines chaudes et sèches de la Méditerranée. Entre les Alpes, à l'ouest, et l'Oural, à l'est, que l'on considère comme la limite de l'Europe à l'est, s'étendent de vastes terres fertiles. Continent très peuplé, l'Europe compte plus de quarante pays et a été marquée au siècle dernier par deux guerres mondiales. Aujourd'hui, la majeure partie de la population est urbaine. Son niveau de vie est élevé, grâce aux abondantes ressources naturelles de ces pays, à une agriculture prospère et à des industries modernes.

▲ LE CONSEIL DE L'EUROPE
Les institutions comme le Conseil de l'Europe, créé en 1949 à Strasbourg, en France, ont contribué à réunir les différentes nations d'Europe après près d'un siècle de guerres. Parmi les autres organisations européennes, l'Union européenne (UE) remplit différentes fonctions d'ordre économique, politique, agricole, social et culturel. L'Union est dirigée par la Commission, à Bruxelles, en Belgique, son parlement siège à Strasbourg.

◄ ÉGLISE ORTHODOXE GRECQUE, ÎLE DE SANTORIN (GRÈCE)
Les chrétiens grecs font partie de l'Église orthodoxe d'Orient, une branche du christianisme depuis le schisme de 1054. La religion chrétienne est dominante en Europe depuis 2 000 ans. Elle exerce une influence majeure sur l'art, l'architecture et la culture de la région.

Les bâtiments historiques du Louvre présentent aux visiteurs de très nombreuses peintures, sculptures et antiquités.

La pyramide de verre et d'acier a été ajoutée dans les années 1980.

◄ LE LOUVRE, PARIS
Le hall d'entrée en verre du musée du Louvre réunit le passé et le présent. La plupart des vieilles cités d'Europe sont aujourd'hui des villes dynamiques qui allient histoire et vie multiculturelle animée.

POUR EN SAVOIR PLUS ▶▶

Map labels:

Cercle arctique
REYKJAVÍK
ISLANDE
Mer de Norvège
Trondheim
Îles Féroé (Danemark)
Îles Shetland
Bergen
Hébrides extérieures
Îles Orcades
OSLO
Stavanger
Îles Britanniques
Écosse
Glasgow
Irlande du Nord
Édimbourg
Mer du Nord
Göteborg
Ålborg
DANEMARK
COPENHAGUE
IRLANDE
Belfast
DUBLIN
Liverpool
Manchester
ROYAUME-UNI
Odense
Birmingham
Pays de Galles
PAYS-BAS
AMSTERDAM
Hambourg
Cardiff
LONDRES
LA HAYE
Hanovre
BERLIN
Angleterre
Rotterdam
Manche
BELGIQUE
Bonn
ALLEMAGNE
Î. Anglo-Normandes (G.-B.)
BRUXELLES
Liège
Le Havre
Seine
Francfort-sur-le-Main
OCÉAN
Rennes
PARIS
LUX.
LUXEMBOURG
Nantes
Loire
Orléans
Strasbourg
Stuttgart
ATLANTIQUE
FRANCE
Rhin
LIECHT.
Munich
Innsbruck
AUT
La Corogne
Golfe de Gascogne
Zurich
BERNE
SUISSE
Bordeaux
Massif Central
Lyon
Mont Blanc 4810 m
Milan
Pô
SLOV
LJUBLJANA
Bilbao
Garonne
Pyrénées
Toulouse
Rhône
Turin
Venise
Trieste
Porto
Duero
Marseille
Bologne
SAINT-MARIN
PORTUGAL
Péninsule
MADRID
Saragosse
ANDORRE
MONACO
Pise
Ibérique
Tage
Barcelone
Corse
ITALIE
LISBONNE
ESPAGNE
ROME
HER
Guadalquivir
Valence
VATICAN
Détroit de Gibraltar
Séville
Ibérique
Palma
Sardaigne
Mer Tyrrhénienne
Málaga
Îles Baléares
Cagliari
Gibraltar (G.-B.)
Ceuta (Esp.)
Mer Méditerranée
Palerme
Melilla (Esp.)
Sicile
LA VALETTE
MALTE

ÉCHELLE

0 km   200   400

Europe

N

Cap Nord

Mer de Barents

Île Kolgouïev

Cercle arctique

Mourmansk

Péninsule de Kola

Mer Blanche

Archangelsk

Dvina septentrionale

FINLANDE

Laponie

Golfe de Botnie

Lac Onega

Perm

FÉDÉRATION

Tampere

Turku   HELSINKI

Åland

Lac Ladoga

Vologda

Saint-Pétersbourg

Iaroslavl

Kazan

Oufa

DE RUSSIE

TALLINN

ESTONIE

Nijni Novgorod

Oulianovsk

LETTONIE

RIGA

Nord-européenne

MOSCOU

Samara

Orenbourg

Oural

Hauteurs de la Volga

LITUANIE

Vitebsk

Kaunas   VILNIUS

Plateau de la Russie centrale

Volga

Kaliningrad

MINSK

BIÉLORUSSIE

Voronej

Homyel

Don

OGNE

Brest

Marais du Pripet

VARSOVIE

Plaine du Dniepr

Kharkiv

Volgograd

Cracovie

KIEV

Dniepr

Carpates

Lviv

Dniestr

UKRAINE

Dniepropetrovsk

Astrakhan

AQUIE

Chernivtsi

Donetsk

LAVA

Rostov-sur-le-Don

Mer Caspienne

UDAPEST

MOLDAVIE

CHISINAU

Mer d'Azov

Stavropol

RIE

Cluj-Napoca

Odessa

ROUMANIE

Crimée

Caucase

BELGRADE

Brasov

BUCAREST

Simferopol

Elbrouz 5 642 m

Constanta

Danube

Mer Noire

40°

50°

BULGARIE

Varna

Balkans

Burgas

SOFIA

Le sommet du Cervin, ou Matterhorn.

MACÉDOINE

TURQUIE

Mer Égée

GRÈCE

Le Pirée   ATHÈNES

Péloponnèse

Crète

Iráklion

EUROPE

Superficie totale : 10 498 000 km²

Population totale : 696 millions

Nombre de pays : 43

Plus grand pays : Fédération de Russie 3 955 818 km²

Plus petit pays : Cité du Vatican 0,44 km²

Plus forte population : Fédération de Russie 143 millions

Plus grand lac : Ladoga, Fédération de Russie 18 390 km²

Plus long fleuve : Volga, Fédération de Russie 3 688 km

Plus haut sommet : mont Blanc, Alpes, France, 4 810 m

▲ DANSEUSE DE FLAMENCO, ESPAGNE

L'Espagne est réputée pour sa danse du flamenco, développée dans le sud du pays par les Gitans au XVᵉ siècle. L'Europe est un petit continent, mais ses nombreux pays reflètent un riche mélange de cultures et de traditions.

▲ OLIVERAIES, GRÈCE

Une grande partie de l'Europe possède des sols fertiles. Plus de la moitié du continent est constituée de terres agricoles. Les oliviers poussent sur le pourtour méditerranéen, où les étés sont chauds et secs.

LES ALPES ►

Les Alpes, plus hautes montagnes d'Europe, s'étirent du sud-est de la France jusqu'à l'Autriche en passant par la Suisse et l'Italie. Pendant des millions d'années, la glace a façonné le paysage, sculpté des sommets, des crêtes, des cascades et des cuvettes formant des lacs.

Les montagnes 45 • Le christianisme 288 • L'architecture 328-329 • La danse 336-337 • La Seconde Guerre mondiale 432-433

LA SCANDINAVIE ET L'ISLANDE

La Scandinavie, région la plus septentrionale d'Europe, comprend la Norvège, la Suède, le Danemark et la Finlande. De même que l'île volcanique d'Islande, ces pays peu peuplés ont un paysage de montagnes, de forêts de pins et de lacs non pollués. Tout au nord, la neige tombe six mois par an. Certaines régions sont fortement industrialisées, mais le terrain plus plat du Danemark et de quelques parties de la Finlande est propice à l'agriculture.

Pourquoi le bois est-il si important en Finlande

Les arbres sont la principale ressource naturelle de la Finlande. Environ trois quarts du pays sont couverts de forêts de pins, d'épicéas et de bouleaux. Ils fournissent du bois tendre destiné aux industries du bâtiment et du meuble. Cela représente un tiers des exportations du pays. De plus, la Finlande est le premier exportateur de contreplaqué, de pâte à papier et de papier.

▲ PILE DE BOIS, FINLANDE
Le bois est la première industrie finlandaise. Les arbres abattus sont remplacés de façon à garantir une exploitation durable des forêts.

Les Scandinaves ont-ils un bon niveau de vie ?

Les habitants de la région ont un niveau de vie élevé. Peu peuplés, tous les pays scandinaves sont bien pourvus en crèches ou garderies, en écoles et en universités. Ils bénéficient d'excellents services médicaux. Le taux de chômage étant faible, tous ces services sont financés par le biais d'une fiscalité élevée.

Les Scandinaves protègent-ils leur environnement ?

Les Scandinaves connaissent la valeur de leur environnement et s'emploient à le protéger. Ils empêchent la pollution en recyclant les déchets et en utilisant des sources d'énergie naturelles. L'électricité est éolienne au Danemark, géothermique en Islande et hydroélectrique dans le reste de la région.

▲ PAYSAGE DE NEIGE, NORVÈGE
Ces cabanes de rondins horizontaux surmontées d'un toit en pente sont conçues pour résister aux fortes chutes de neige.

Où vit la majorité des Scandinaves ?

La plupart des Scandinaves vivent dans le sud de la région, loin du rude climat du Nord. Les villes, routes et voies ferrées ont été construites en terrain plat dans les vallées, près des lacs et le long des côtes. Nombre de villes côtières, dont toutes les capitales, sont des ports importants. La Scandinavie possède un si grand nombre de lacs et de cours d'eau que le bateau est un moyen de transport vital pour les personnes et les marchandises.

Scandinavie

Les baies vitrées laissent entrer au maximum la chaleur et la lumière du soleil.

◄ MAISON SCANDINAVE
La Scandinavie est réputée pour son architecture. Les matériaux locaux comme le bois et le verre permettent de créer des logements modernes, bien isolés et en harmonie avec l'environnement. Un grand nombre de maisons sont équipées de panneaux solaires qui transforment la lumière du soleil en chaleur.

Des maisons colorées et des étals de marché bordent le quai du port.

▲ COPENHAGUE (DANEMARK)
Copenhague, la capitale du Danemark, est située sur la côte de l'île de Sjaelland. C'est la plus grande ville de Scandinavie et un grand centre de commerce. Ses canaux, allées et rues piétonnes sont bordés de vieux bâtiments et d'églises historiques.

▲ RIVAGE GELÉ, SUÈDE
Les hivers sont extrêmes dans le nord de la Suède, où il neige six mois de l'année. Les températures glaciales font geler la mer dans le golfe de Botnie, qui sépare la Suède de la Finlande.

Qu'est-ce que le pays du soleil de minuit ?

L'extrême nord de la Scandinavie est surnommé le «pays du soleil de minuit». Au milieu de l'été, le soleil ne se couche jamais complètement et il fait jour presque 24 heures sur 24. Au milieu de l'hiver, il ne se lève pratiquement pas et il n'y a que quelques heures de lumière du jour. Vivre dans cette obscurité affecte une partie de la population, qui souffre de dépression saisonnière.

Qu'est-ce que la Laponie ?

La Laponie est une région qui traverse l'extrémité nord de la Norvège, de la Suède et de la Finlande, dans le cercle arctique. Le peuple sam vit en Laponie depuis des siècles et survit aux longs hivers rigoureux grâce à l'élevage des rennes pour leur viande, leur lait et leur peau. Les Sams ont conservé leur langue et leurs coutumes, mais le développement menace leur mode de vie traditionnel.

Les rennes se nourrissent du lichen enfoui sous la neige.

Les Sams portent des bottes épaisses et des vêtements traditionnels.

ÉLEVEUR DE RENNES EN LAPONIE ▲
Les Sams vivent dans la région arctique inhospitalière du nord de la Scandinavie. Depuis des milliers d'années, ils élèvent des rennes pour leur viande ainsi que pour leur lait riche et crémeux.

SCANDINAVIE ET ISLANDE	
DANEMARK	
Capitale : Copenhague	
Superficie : 43 094 km^2	
Population : 5,3 millions	
Langue officielle : danois	
Principale religion : luthérienne	
Monnaie : couronne danoise	
FINLANDE	
Capitale : Helsinki	
Superficie : 337 030 km^2	
Population : 5,2 millions	
Langues officielles : finnois et suédois	
Principale religion : luthérienne	
Monnaie : euro	
ISLANDE	
Capitale : Reykjavik	
Superficie : 103 000 km^2	
Population : 283 000	
Langue officielle : islandais	
Principale religion : luthérienne	
Monnaie : couronne islandaise	
NORVÈGE	
Capitale : Oslo	
Superficie : 324 220 km^2	
Population : 4,5 millions	
Langue officielle : norvégien	
Principale religion : luthérienne	
Monnaie : couronne norvégienne	
SUÈDE	
Capitale : Stockholm	
Superficie : 449 964 km^2	
Population : 8,8 millions	
Langue officielle : suédois	
Principale religion : luthérienne	
Monnaie : couronne suédoise	

▲ PISCINE GÉOTHERMIQUE, ISLANDE
Ces baigneurs nagent dans les eaux minérales chaudes d'une piscine géothermique naturelle. La centrale électrique proche utilise la chaleur du sous-sol pour faire fonctionner ses turbines et produire de l'électricité.

Comment l'Islande utilise-t-elle ses volcans ?

L'Islande possède plus de cent volcans, dont vingt sont actifs et peuvent entrer en éruption à tout moment. La chaleur souterraine qu'ils produisent, l'énergie géothermique, sert à générer de l'électricité. Propres et bon marché, les centrales géothermiques fournissent également eau chaude et chauffage. Avec les centrales hydroélectriques, les centrales géothermiques couvrent tous les besoins énergétiques du pays.

L'eau chaude de la piscine dégage de la vapeur.

Islande

Ces eaux profondes et abritées font un port naturel pour les bateaux.

FJORD NORVÉGIEN ▶
La côte ouest de la Norvège est émaillée de longues vallées, les fjords, creusées par les glaciers au cours des ères glaciaires. Les fjords abritent villages et villes. Ils constituent des ports naturels parfaits.

POUR EN SAVOIR PLUS ▶▶ Les volcans 44 • Les ressources énergétiques 60-61 • L'exploitation forestière 67 • Les Vikings 388

LES ÎLES BRITANNIQUES

Les îles Britanniques se composent de deux pays distincts : le Royaume-Uni de Grande-Bretagne et d'Irlande du Nord, d'une part, et la République d'Irlande, d'autre part. Ces îles aux côtes dentelées sont dotées d'un paysage varié de montagnes, de landes, de marais et de champs fertiles. Autrefois, l'Angleterre régnait sur un vaste empire : c'est pourquoi l'anglais est parlé dans le monde entier.

◄ LONDON EYE
Le London Eye, une grande roue de 135 m de hauteur, donne à ses passagers une vue panoramique à 360 degrés sur la ville de Londres et ses monuments, dont la cathédrale Saint-Paul, Buckingham Palace et le Parlement.

Pourquoi Londres est-elle une place financière ?

La ville de Londres héberge les services bancaires et financiers du pays. Grâce à sa situation favorable, c'est-à-dire à mi-chemin entre les grands centres financiers de Tokyo et New York, on y échange chaque jour davantage d valeurs que dans n'importe quelle autre ville.

32 capsules de verre transportent 15 000 passagers par jour.

« The Eye » (l'œil) est 200 fois plus grand qu'une roue de bicyclette.

▲ LA VILLE DE LONDRES (ANGLETERRE)
Londres est une ville historique et multiculturelle ainsi qu'une grande place financière. Bien qu'ayant cédé certains pouvoirs au parlement écossais et à l'Assemblée nationale galloise, elle reste la capitale du Royaume-Uni.

◄ TRINITY COLLEGE, DUBLIN (IRLANDE)
L'université la plus réputée d'Irlande est un monument célèbre de la capitale du pays. Autrefois, ses diplômés devaient souvent aller chercher du travail à l'étranger. Aujourd'hui, beaucoup restent en Irlande car son économie est devenue très forte depuis qu'elle fait partie de l'Union européenne.

@ ▶▶
Îles Britanniques

Pourquoi appelle-t-on l'Irlande l'île d'émeraude ?

L'Irlande tient son nom d'« île d'émeraude » de ses collines vertes. Son climat doux et humide est propice à l'élevage du bétail et des chevaux de course. Depuis son entrée dans l'Union européenne, en 1973, l'Irlande est passée d'une économie essentiellement agricole à une économie moderne et technologique axée sur des secteurs comme la finance, l'électronique et le tourisme.

Le Royaume-Uni est-il multiculturel ?

Le Royaume-Uni se compose d'une population multiculturelle : 1 personne sur 20 appartient à une minorité ethnique. Depuis les années 1950, un grand nombre d'habitants de ses anciennes colonies d'Afrique, d'Inde et des Antilles s'y sont installés. Plus récemment, des réfugiés du monde entier y ont introduit leur culture et leurs traditions. Cette population multiethnique est fort bien intégrée à la vie britannique.

Qu'est-ce que la Grande-Bretagne ?

L'Angleterre, l'Écosse et le pays de Galles forment ensemble la Grande-Bretagne. Le pays de Galles a été réuni à l'Angleterre en 1536 et l'Écosse en 1707. Ces trois nations ont une identité, des coutumes et des traditions distinctes. L'anglais est leur langue commune, mais on parle le gallois au pays de Galles et le gaélique est encore pratiqué en Écosse.

▲ LE MILLENIUM STADIUM À CARDIFF (PAYS DE GALLES)
Le nouveau stade national du pays de Galles est devenu un monument majeur de sa capitale, Cardiff. Pourvu de 74 000 sièges et d'un toit rétractable, il accueille de nombreux événements sportifs.

POUR EN SAVOIR PLUS ▶▶

◄ TYNE BRIDGE À NEWCASTLE (ANGLETERRE)
Dans le Nord, notamment à Newcastle et Manchester, des investisseurs ont converti des bâtiments industriels en immeubles de bureaux et en logements. Ces villes aujourd'hui animées sont devenues agréables à vivre.

Comment les Gallois fêtent-ils leur patrimoine culturel ?

Les Gallois célèbrent leur culture ancienne lors de festivals d'art annuels appelés *eisteddfods*, au cours desquels poètes, dramaturges, artistes et chorales s'affrontent lors de concours. Les Gallois sont réputés pour leurs chants et il existe des chorales d'hommes dans les usines, les villages et les villes. Le sport national est le rugby et l'équipe galloise joue aujourd'hui au Millenium Stadium, inauguré à Cardiff en 1999.

Pourquoi tant de touristes viennent-ils en Grande-Bretagne ?

Plus de 23 millions de touristes visitent chaque année les îles Britanniques, attirés par leur histoire et leur patrimoine culturel. Les visiteurs apprécient les cités médiévales d'Oxford et Cambridge, la cité romane de Bath, la ville natale de Shakespeare, Stratford-upon-Avon, les superbes paysages d'Irlande, du pays de Galles et des Highlands d'Écosse, les palais royaux et les traditions.

Quels ont été les effets de l'épuisement des réserves de pétrole en mer du Nord ?

Après la découverte de pétrole et de gaz naturel en mer du Nord, dans les années 1960, l'industrie de l'énergie a relancé l'économie écossaise en créant des emplois sur les plates-formes et dans les raffineries. Aujourd'hui, les réserves s'épuisent, et l'emploi décline. Mais des industries comme la pétrochimie, l'électronique et le textile ont pris la relève.

◄ FERME GALLOISE
Le climat océanique, frais et humide, et le relief très vallonné du pays de Galles, sont peu propices à la culture. En revanche, on élève des moutons dans tout le pays et l'agneau gallois, nourri dans des pâturages verdoyants, est très apprécié.

JEUX DANS LES HIGHLANDS (ÉCOSSE) ►
Ces Écossais en kilt traditionnel pratiquent ici la « lutte à la corde ». L'Écosse possède une forte identité nationale perpétuée par des coutumes comme ces jeux dans les Highlands. Le kilt écossais est une jupe plissée portant un motif à carreaux distinct pour chaque clan familial.

▼ LAC ÉCOSSAIS
Le paysage spectaculaire des Highlands d'Écosse attire de nombreux touristes dans le nord du pays. Lacs superbes, collines désertes et châteaux romantiques compensent la fraîcheur et l'humidité des étés et la rigueur des longs hivers de la région.

Les ressources énergétiques 60-61 • L'agriculture 66 • Les empires coloniaux 422-423 • Les organisations internationales 434

L'EUROPE DE L'OUEST

Nombre de pays d'Europe de l'Ouest allient avec succès industrie, agriculture, tourisme et services. La majeure partie de la population jouit ainsi d'un niveau de vie élevé. La région est dotée de villes de renommée internationale comme Paris et Rome, d'un paysage agricole, de hautes montagnes et d'un magnifique littoral le long de la Méditerranée.

@ ▶▶
Europe de l'Ouest

▲ LES CANAUX DE VENISE (ITALIE)
Venise est l'une des plus belles villes d'Europe. Chaque année, des milliers de touristes visitent ses palais, ses églises et ses musées et se promènent en gondole sur ses canaux.

Pourquoi y a-t-il tant de touristes sur les plages méditerranéennes ?

Chaque année, des millions de touristes se rendent sur les plages du sud de l'Europe pour leur climat ensoleillé, leur mer chaude et leurs magnifiques paysages. Le tourisme a produit un fort développement économique le long de certaines côtes (Algarve au Portugal, Costa del Sol en Espagne, Riviera en Italie et Côte d'Azur en France) qu'un urbanisme incontrôlé a pu défigurer.

Pourquoi la pêche est-elle menacée en Espagne et au Portugal ?

Des années de surpêche dans l'océan et la pollution marine ont réduit les stocks de poisson à leur plus bas niveau en Espagne et au Portugal. En 2002, la marée noire du *Prestige* a mis temporairement un terme à la pêche dans le nord-ouest de l'Espagne. L'industrie de la pêche est bien développée dans ces deux pays – l'Espagne possède la plus grande flotte de pêche d'Europe – et fournit le poisson de la *paella* et autres plats typiques populaires.

Que cultive-t-on en Italie ?

Les petites fermes familiales d'Italie produisent quantité de céréales, fruits, légumes et raisin. L'agriculture est une activité économique importante, c'est le pays européen qui produit le plus de riz, d'oranges, de citrons, de vin, d'olives, d'huile d'olive. Les meilleures terres agricoles sont au nord dans la vaste et fertile plaine du Pô. Les terres plus élevées sont consacrées à l'élevage des vaches et des moutons, dont le lait permet la fabrication de délicieux fromages.

▲ L'ALGARVE (PORTUGAL)
Les villages et les plages de la côte de l'Algarve, au Portugal, attirent les touristes européens. Le Portugal étant l'un des pays les moins riches de la région, le tourisme est important pour son économie.

LES VIGNOBLES FRANÇAIS ▶
Ces vendangeurs vident leurs paniers de raisin prêt à la vinification. La vigne a été introduite en France par les Romains il y a environ 2 000 ans. Depuis, le pays est devenu l'un des plus grands producteurs de vin du monde.

◀ LE TOUR DE FRANCE
Cette célèbre course cycliste a fêté son centenaire en 2003. Les coureurs doivent couvrir environ 4 800 km dans les splendides campagnes françaises par étapes d'une journée. La course dure trois semaines.

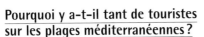

Pourquoi la France est-elle célèbre pour sa gastronomie et son vin ?

Grâce à la variété de son climat et de son relief, la France produit de nombreuses denrées comme le blé, le tournesol, les olives, le raisin et les laitages... Ces aliments entrent dans la préparation des plats régionaux et des fromages qui font la réputation de ce pays. Les vignobles français représentent un quart de la production de vin du monde.

Pourquoi la Suisse est-elle l'un des pays les plus riches du monde ?

La Suisse est l'un des pays les plus riches du monde grâce à ses activités financières. S'étant proclamée pays neutre, elle connaît la paix et la stabilité politique depuis près de 200 ans, notamment en ne s'étant engagée dans aucune guerre depuis 1915. Ce facteur, associé à des impôts faibles et à des lois de confidentialité strictes, a fait de la Suisse un centre bancaire puissant.

▲ **L'ÉLEVAGE EN SUISSE**
Les pâturages verdoyants des montagnes suisses sont parfaits pour l'élevage des vaches. Leur lait entre dans la fabrication de l'emmental et du chocolat, deux grands produits d'exportation du pays.

Pourquoi la petite île de Malte a-t-elle un port maritime si important ?

L'île de Malte possède un port important parce qu'elle se trouve sur les grandes voies maritimes entre l'Europe et l'Afrique. Du fait de sa position stratégique, l'île fut autrefois envahie par les Romains, les Arabes, les Français, les Turcs, les Espagnols et les Britanniques. Indépendante depuis 1964, ses principales ressources proviennent de ses installations portuaires et de l'industrie du tourisme.

▲ **LA CITÉ DU VATICAN À ROME (ITALIE)**
La place Saint-Pierre se trouve devant la basilique du même nom, au centre du Vatican. Lors des grandes fêtes religieuses, pèlerins catholiques et touristes viennent y écouter le discours du pape.

Quel est le plus petit pays indépendant du monde ?

L'État de la cité du Vatican, situé au cœur de la capitale italienne, Rome, est un État à part entière même s'il ne couvre que 45 km². Il est le siège de l'Église catholique romaine et lieu de résidence du pape, également chef de cet État. La population du Vatican compte moins de 1 000 personnes, mais l'État a son propre drapeau, son hymne national, ses timbres et une station de radio.

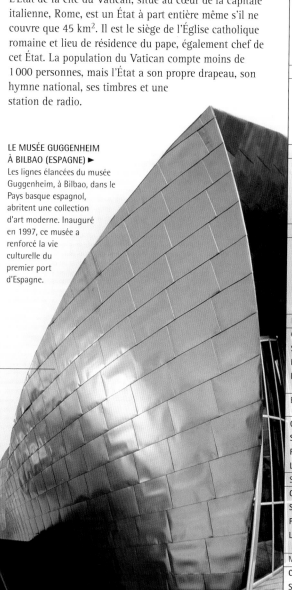

LE MUSÉE GUGGENHEIM À BILBAO (ESPAGNE) ▶
Les lignes élancées du musée Guggenheim, à Bilbao, dans le Pays basque espagnol, abritent une collection d'art moderne. Inauguré en 1997, ce musée a renforcé la vie culturelle du premier port d'Espagne.

Panneaux luisants en titanium sur un cadre d'acier solide

Avec ses murs courbes, le bâtiment ressemble à une sculpture.

EUROPE DE L'OUEST

PORTUGAL
Capitale : Lisbonne
Superficie : 92 391 km²
Population : 10 millions
Langue officielle : portugais

ESPAGNE
Capitale : Madrid
Superficie : 504 782 km²
Population : 40 millions
Langues officielles : espagnol, galicien, basque, catalan

ANDORRE
Capitale : Andorre-la-Vieille
Superficie : 468 km²
Population : 68 000
Langue officielle : catalan

FRANCE
Capitale : Paris
Superficie : 547 030 km²
Population : 60,1 millions
Langue officielle : français

MONACO
Capitale : Monaco
Superficie : 1,95 km²
Population : 32 000
Langue officielle : français

SUISSE
Capitale : Berne
Superficie : 41 290 km²
Population : 7,2 millions
Langues officielles : français, allemand et italien

ITALIE
Capitale : Rome
Superficie : 301 230 km²
Population : 57,4 millions
Langue officielle : italien

ÉTAT DE LA CITÉ DU VATICAN
Capitale : cité du Vatican
Superficie : 0,44 km²
Population : 900
Langues officielles : italien et latin

SAINT-MARIN
Capitale : Saint-Marin
Superficie : 61,2 km²
Population : 28 000
Langue officielle : italien

MALTE
Capitale : La Vallette
Superficie : 316 km²
Population : 393 000
Langues officielles : maltais et anglais

POUR EN SAVOIR PLUS ▸▸ L'agriculture 66 • La pêche 67 • Le christianisme 288 • La peinture 320-321

L'EUROPE DE L'OUEST ET CENTRALE

Si l'Allemagne, la Belgique, les Pays-Bas et le Luxembourg, qui furent avec la France et l'Italie le noyau de la Communauté européenne, sont des pays riches et prospères, il n'en est pas de même pour la Pologne, la Slovaquie et la République tchèque, nouveaux arrivants dans l'Union européenne (UE), dont les économies se relèvent difficilement de plus de quarante années de régime communiste.

◀ SKI DANS LES ALPES
Le ski et le snowboard sont des sports d'hiver populaires dans les stations alpines, comme Kitzbühel (Autriche), mais l'été, la montagne ne manque pas non plus de visiteurs attirés par les magnifiques paysages et les villages pittoresques.

Pourquoi le tourisme alpin abîme-t-il l'environnement ?

Plus de 100 millions de touristes visitent les Alpes chaque année : il a donc fallu construire des hôtels, des pistes, des télésièges et des routes. Ces travaux ont un effet néfaste sur le paysage alpin. La destruction des forêts et des prairies menace la survie des plantes et des animaux et favorise les avalanches. Ces dernières années, la création de parcs nationaux a permis de préserver des zones encore intactes.

@ ▶▶ Europe de l'Ouest

Quels sont les trois centres stratégiques de l'Union européenne ?

Bruxelles (Belgique), Luxembourg (Luxembourg) et Strasbourg (France) abritent les principaux organes de l'Union européenne : le Parlement, le Conseil des ministres, la Commission, la Cour de justice, la Cour des comptes, le Conseil européen. Depuis le 1er mai 2004, l'UE compte 25 États membres, dont 12 ont une monnaie commune, l'euro.

Qu'est-ce que le Benelux ?

La Belgique, les Pays-Bas et le Luxembourg (BElgique, NEderland et LUxembourg) ont signé à Londres, en 1943 et 1944, des accords (douanier et monétaire) qui constituaient un premier pas vers une union économique. Bien que ces trois pays soient membres de l'Union européenne, ces accords restent en vigueur.

▼ ROTTERDAM (PAYS-BAS), LE PLUS GRAND PORT DU MONDE
Dans le grand port industriel de Rotterdam, le pont d'Érasme enjambe le Rhin. Le port est situé à l'embouchure de ce fleuve, une voie maritime vitale pour les pays de la région. Des millions de tonnes de marchandises y transitent chaque année sur d'énormes navires cargos.

Quel est le premier pays d'Europe producteur de fleurs ?

Les Pays-Bas sont un grand pays producteur de fleurs, exportées chaque jour dans toutes les villes du monde. Le pays est réputé pour la culture de plantes à bulbes, dont le crocus, la jacinthe, la jonquille et la tulipe, qui y sont cultivés depuis plus de 400 ans. Au printemps, les immenses champs de tulipes en fleur constituent une importante attraction touristique.

▲ CHAMPS DE TULIPES, PAYS-BAS
Au printemps, les tulipes et autres bulbes fleurissent dans les champs des Pays-Bas. Originaire de Turquie, la tulipe a été introduite dans le pays dans les années 1630. C'est aujourd'hui le produit d'exportation le plus réputé des Pays-Bas.

POUR EN SAVOIR PLUS ▶▶

▲ POTSDAMER PLATZ À BERLIN (ALLEMAGNE)
À Potsdamer Platz, centre de commerce de Berlin, ces récents gratte-ciel sont le symbole de l'activité économique de la capitale réunifiée de l'Allemagne. Les nouveaux bâtiments destinés au gouvernement, au commerce et au tourisme font partie d'un vaste programme immobilier.

Quels ont été les effets de la réunification de l'Allemagne ?

En 1990, les Allemagnes de l'Ouest (RFA) et de l'Est (RDA) ont été réunies : l'Allemagne réunifiée devenait, avec 82 millions d'habitants, la nation la plus peuplée et la première puissance économique d'Europe.

Europe centrale

▲ POZNAN (POLOGNE)
La Pologne est parsemée de nombreuses vieilles villes ravissantes, comme Poznan, ancienne capitale de la Posnanie. La plupart de ses bâtiments, dont ces maisons sur la place du marché où vivaient autrefois de riches propriétaires, datent du Moyen Âge.

▼ LE RHIN ROMANTIQUE
Le *burg* de Stahleck est l'un des nombreux châteaux dominant la partie sud du Rhin. Les touristes parcourent le fleuve en bateau pour admirer les vignobles, le paysage et les châteaux médiévaux qui le bordent.

Quels sont les défis pour les nouveaux membres de l'Union européenne ?

La Pologne, la République tchèque et la Slovaquie, qui ont intégré l'UE le 1er mai 2004, doivent entreprendre de profonds changements dans leur politique, afin de pouvoir redresser leur économie compromise par près d'un demi-siècle de régime communiste et d'espérer ainsi rejoindre le niveau moyen des autres pays européens.

▲ PRAGUE (RÉPUBLIQUE TCHÈQUE)
Chaque année, de très nombreux visiteurs viennent admirer les superbes monuments de Prague, la capitale historique de la Bohême (République tchèque aujourd'hui). Cette ville magnifique a subi très peu de dommages lors des deux dernières guerres mondiales.

Pourquoi le Rhin est-il si important pour l'Europe ?

Le Rhin est la principale voie fluviale d'Europe. D'énormes péniches l'empruntent chaque jour pour transporter des matières premières, des hydrocarbures et des produits agricoles. Le fleuve prend sa source dans les Alpes suisses et s'écoule sur 1 320 km vers le nord-ouest à travers l'Allemagne et la France. Il se jette dans la mer du Nord à Rotterdam, le plus grand port du monde.

Château du XIIe siècle surplombant le Rhin

EUROPE DE L'OUEST ET CENTRALE

BELGIQUE
Capitale : Bruxelles
Superficie : 30 510 km²
Population : 10,3 millions
Langues officielles : flamand, français et allemand
Principale religion : catholique

PAYS-BAS
Capitales : Amsterdam ; La Haye (administration)
Superficie : 41 526 km²
Population : 16,2 millions
Langue officielle : néerlandais
Principales religions : catholique et protestante

LUXEMBOURG
Capitale : Luxembourg-Ville
Superficie : 2 586 km²
Population : 448 000
Langues officielles : français, allemand et luxembourgeois
Principale religion : catholique

ALLEMAGNE
Capitale : Berlin
Superficie : 357 021 km²
Population : 82 millions
Langue officielle : allemand
Principales religions : protestante et catholique

LIECHTENSTEIN
Capitale : Vaduz
Superficie : 160 km²
Population : 32 842
Langue officielle : allemand
Principale religion : catholique

AUTRICHE
Capitale : Vienne
Superficie : 83 858 km²
Population : 8,1 millions
Langue officielle : allemand
Principale religion : catholique

RÉPUBLIQUE TCHÈQUE
Capitale : Prague
Superficie : 78 866 km²
Population : 10,3 millions
Langue officielle : tchèque
Principale religion : catholique

POLOGNE
Capitale : Varsovie
Superficie : 312 685 km²
Population : 38,3 millions
Langue officielle : polonais
Principale religion : catholique

SLOVAQUIE
Capitale : Bratislava
Superficie : 48 845 km²
Population : 5,4 millions
Langue officielle : slovaque
Principale religion : catholique

L'EUROPE DU SUD-EST

Les pays de cette région, appelée également les Balkans, réunissent une grande diversité de peuples, de religions et de langues. Dans les années 1990, une guerre a abouti à la formation de plus petits pays. Cette région aux villes et aux traditions anciennes offre des paysages de montagnes boisées, de vallées profondes, de plaines fertiles et de lacs. Sa longue côte, le long de la mer Adriatique, conduit à la Grèce et à ses îles.

@ ▶▶
Europe
du Sud-Est

Où se trouve la vallée des Roses?

La vallée des Roses se trouve en Bulgarie, au pied de la chaîne montagneuse des Balkans, près de Kazanluk. Les roses y sont cultivées pour la production d'une huile essentielle, l'attar, primordiale pour la fabrication de parfum. Les pétales parfumés sont récoltés à la main et séchés au soleil. La Bulgarie est le plus gros producteur d'attar du monde, une denrée qui vaut de l'or.

▲ LA VALLÉE DES ROSES (BULGARIE)
Les femmes se lèvent à l'aube pour cueillir les roses incarnates des vastes champs du centre de la Bulgarie. L'attar, l'huile essentielle qu'elles contiennent, est l'un des principaux produits d'exportation du pays.

Église du Moyen Âge

▲ LAC OHRID (MACÉDOINE)
Cette église orthodoxe d'Orient (branche du christianisme répandue dans la région) se trouve sur la rive du lac Ohrid, dans le sud-ouest de la Macédoine. En raison de tensions ethniques et de manifestations de violence, cette région est aujourd'hui boudée par les touristes.

Pourquoi y a-t-il eu une guerre civile en ex-Yougoslavie?

La Croatie, la Bosnie-Herzégovine, la Macédoine et la Slovénie appartenaient autrefois à un pays communiste, la Yougoslavie. L'éclatement de la Yougoslavie, en 1991, a donné lieu à une guerre civile entre les différents groupes ethniques. Des milliers de personnes ont été tuées ou ont perdu leur maison et les économies de ces pays se sont effondrées.

Pourquoi l'Albanie a-t-elle été coupée du monde pendant cinquante ans?

De 1944 à 1991, l'Albanie a connu une dictature communiste qui l'a isolée du reste de l'Europe. La liberté d'expression et de culte ainsi que les voitures privées étaient interdites par la loi. Le pays est aujourd'hui une démocratie et émerge lentement de son isolement. Mais il demeure très pauvre.

DUBROVNIK (CROATIE) ▶
La vieille cité de Dubrovnik, ceinte de murs, et la magnifique côte adriatique attirent à nouveau les touristes en Croatie. Le tourisme contribue à revitaliser l'économie du pays depuis la fin de la guerre.

▲ L'ACROPOLE, ATHÈNES (GRÈCE)
L'Acropole domine la ville d'Athènes. Cette colline rocheuse est couronnée par les ruines du temple du Parthénon, qui date de plus de 2 400 ans.

▲ FERMIERS ROUMAINS
Dans cette ferme roumaine, on récolte le foin depuis des siècles. La Roumanie est un riche pays agricole : ses terres fertiles permettent la culture du blé, du maïs, de la pomme de terre et de fruits.

Quel pays du sud-est de l'Europe est célèbre pour ses sources chaudes ?

La Hongrie est réputée pour ses sources thermales chaudes, dont les eaux minérales naturelles auraient des vertus médicinales. Bains et saunas ont été construits sur les sources depuis l'époque romaine. La Hongrie possède plus de 150 bains publics, dont beaucoup sont en plein air.

Pourquoi les voitures sont-elles souvent interdites à Athènes ?

Pour protéger les bâtiments anciens d'Athènes contre les gaz d'échappement, les voitures sont souvent interdites dans la capitale grecque. La circulation produit des gaz toxiques qui forment un épais brouillard de pollution. Celui-ci obscurcit la vue de l'Acropole et du Parthénon, ruines les plus célèbres d'Athènes, et détériore les sculptures de marbre.

Quels sont les deux pays séparés par le Danube ?

La Bulgarie et la Roumanie sont séparées par le Danube, leur frontière commune. La plaine fertile située de part et d'autre du fleuve sert de pâturage pour les moutons, les chèvres et le bétail et de terre de culture pour le tournesol, le blé, le maïs, la pomme de terre et les fruits.

▲ LE PORT DE LESBOS (GRÈCE)
Le port de l'île grecque de Lesbos abrite des bateaux de pêche. La pêche est essentielle pour l'économie de l'île, et l'on trouve du poisson frais sur les cartes de tous les restaurants.

◄ SOURCES THERMALES À BUDAPEST (HONGRIE)
De nombreux bains et saunas ont été construits autour des sources chaudes naturelles de Hongrie, dont les eaux minérales auraient des vertus médicinales. Certains baigneurs jouent même aux échecs dans l'eau !

Quel pays se compose de 1 400 îles ?

Des centaines de petites îles grecques ponctuent les mers Égée et Ionienne. Chaque année, plus de 9 millions de touristes visitent la Grèce pour ses eaux bleues et chaudes, son superbe paysage, ses ruines anciennes et son climat ensoleillé. L'hôtellerie et l'artisanat sont plus rentables pour le pays que l'agriculture et la pêche traditionnelles.

EUROPE DU SUD-EST

ALBANIE
Capitale : Tirana
Superficie : 28 748 km²
Population : 3,2 millions
Langue officielle : albanais

BOSNIE-HERZÉGOVINE
Capitale : Sarajevo
Superficie : 51 129 km²
Population : 4,1 millions
Langue officielle : serbo-croate

BULGARIE
Capitale : Sofia
Superficie : 110 910 km²
Population : 7,8 millions
Langue officielle : bulgare

CROATIE
Capitale : Zagreb
Superficie : 56 542 km²
Population : 4,7 millions
Langue officielle : croate

GRÈCE
Capitale : Athènes
Superficie : 131 940 km²
Population : 10,6 millions
Langue officielle : grec

HONGRIE
Capitale : Budapest
Superficie : 93 030 km²
Population : 9,9 millions
Langue officielle : hongrois

MACÉDOINE
Capitale : Skopje
Superficie : 25 333 km²
Population : 2,1 millions
Langues officielles : macédonien et albanais

ROUMANIE
Capitale : Bucarest
Superficie : 237 500 km²
Population : 22,3 millions
Langue officielle : roumain

SERBIE-ET-MONTÉNÉGRO
Capitale : Belgrade
Superficie : 102 350 km²
Population : 10,5 millions
Langue officielle : serbo-croate

SLOVÉNIE
Capitale : Llubljana
Superficie : 20 253 km²
Population : 2 millions
Langue officielle : slovène

POUR EN SAVOIR PLUS ▶▶ Les îles 42 • Les jeux Olympiques 356-357

L'EUROPE ORIENTALE

Aujourd'hui indépendants, les pays d'Europe de l'Est appartenaient autrefois à l'Union soviétique. La région s'étend de l'Arctique, au nord, à la Crimée, au sud, et de la mer Baltique, à l'ouest, à l'Oural, à l'est. Cette zone fortement boisée présente des collines et des lacs aux alentours de la Baltique, des marais en Biélorussie et des plaines en Ukraine et dans la Fédération de Russie.

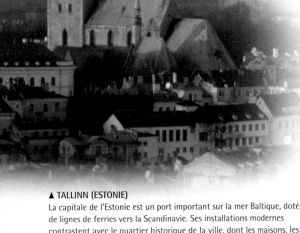

La tour de l'église Oleviste de Tallinn domine la ville.

Que sont les pays Baltes ?

La Lettonie, la Lituanie et l'Estonie sont appelées collectivement les pays Baltes car elles bordent la mer Baltique. Les ports côtiers permettent l'accès aux voies maritimes reliant le nord et l'est de l'Europe, mais la mer gèle pendant les mois d'hiver. L'été, le littoral attire les touristes de toute la Scandinavie. Ils y apprécient la propreté des plages, les dunes de sable et les îles.

Pourquoi qualifiait-on l'Ukraine de grenier à blé ?

L'Ukraine est le second pays d'Europe par la taille. On la qualifiait de «grenier à blé» car elle fournissait à l'ex-Union soviétique les céréales qui permettaient de fabriquer du pain pour toute la population. Le pays est couvert de plaines fertiles et de steppes. De grandes fermes y produisent d'énormes quantités de blé, de maïs, d'orge, d'avoine, de sarrasin et de seigle. L'Ukraine s'est séparée de l'Union soviétique en 1991.

▲ CULTURE DE LA POMME DE TERRE EN UKRAINE
On cultive pommes de terre, carottes et autres légumes à racine dans toute l'Ukraine. Ces légumes occupent une place importante dans l'alimentation du pays, réputé pour son bortsch, une soupe de betteraves.

▲ TALLINN (ESTONIE)
La capitale de l'Estonie est un port important sur la mer Baltique, doté de lignes de ferries vers la Scandinavie. Ses installations modernes contrastent avec le quartier historique de la ville, dont les maisons, les tourelles, les tours et les étroites rues pavées remontent au Moyen Âge.

Pourquoi la population se concentre-t-elle dans la partie européenne de la Russie ?

Plus de 100 millions de personnes vivent dans la partie européenne de la Russie car elle est industrialisée, son climat est moins froid et ses terres sont fertiles. La majorité de la population vit dans de grandes villes comme Saint-Pétersbourg et la capitale, Moscou. Plus grand pays d'Europe, la Russie se situe aux deux tiers en Asie, et de grandes superficies sont inhabitées en raison du climat rude.

La Russie est-elle riche en ressources naturelles ?

La Fédération de Russie dispose d'énormes ressources naturelles. Elle est riche en minerais, dont les diamants, l'or, le nickel, le cuivre et le fer. Le pays est par ailleurs un producteur majeur de pétrole et de gaz et possède d'immenses réserves de charbon.

◄ INDUSTRIE MINIÈRE EN RUSSIE
L'industrie minière est essentielle dans la partie européenne de la Fédération de Russie. Certains gisements de minerais demeurent inexploités par manque d'investissements et de technologie.

@ ►►
Europe orientale

▲ BALLET RUSSE
La Fédération de Russie est célèbre pour ses troupes de danse classique. Le Bolchoï de Moscou et le ballet Kirov de Saint-Pétersbourg sont connus dans le monde entier.

▲ LES MARAIS DE PRIPET
Ces chevaux broutent dans les marais de Pripet (Biélorussie). À cette vaste zone marécageuse succèdent d'immenses forêts d'aulnes, de pins et de chênes, habitat de visons et de cerfs.

Quelle matière précieuse trouve-t-on le long de la côte baltique ?

Les deux tiers des réserves d'ambre du monde se trouvent sur les côtes de la mer Baltique sous diverses formes et tailles. L'ambre est la résine fossilisée de pins. Il se forme au cours de millions d'années, enfoui dans des sédiments sous la mer. L'ambre le plus recherché présente des nuances jaunes, orange ou dorées : il est taillé pour fabriquer des bijoux.

Que cultive-t-on dans les terres fertiles de Moldavie ?

Le sol noir et fertile de la Moldavie permet la culture du blé, du maïs et du tournesol, notamment. Le climat doux du pays convient également à la culture de fruits et de vignes, dont le raisin fournit du vin.

Cette église à dômes dorés des tsars fut bâtie en 1449.

Pourquoi visite-t-on la Crimée ?

La Crimée est une péninsule, en Ukraine, qui avance dans la mer Noire. Ses étés chauds et ses hivers doux attirent de nombreux touristes sur les plages. Les stations balnéaires comme Yalta et Sébastopol accueillent les visiteurs désireux de faire de l'exercice, de se faire masser et de se reposer.

Où sont les plus grands marais d'Europe ?

Dans le sud de la Biélorussie, de vastes étendues de basse altitude sont couvertes de marécages alimentés par la rivière Berezina et le fleuve Dniepr. Les marais de Pripet s'étendent sur 40 000 km² et forment la plus grande aire marécageuse d'Europe. Les marais et les forêts environnantes sont un véritable refuge pour la faune sauvage, dont les élans, les lynx, les ours et les grouses.

▼ LE KREMLIN, FÉDÉRATION DE RUSSIE
Le Kremlin de Moscou a été le témoin de nombreux changements politiques. D'abord lieu de résidence des empereurs russes, les tsars, il fut ensuite le siège du gouvernement communiste à partir de 1917. Aujourd'hui, c'est la résidence symbolique des nouveaux dirigeants de la Fédération de Russie.

La cathédrale de l'Annonciation se trouve à l'intérieur du Kremlin, à Moscou.

EUROPE ORIENTALE

ESTONIE
Capitale : Tallinn
Superficie : 45 226 km²
Population : 1,4 million
Langue officielle : estonien
Principale religion : luthérienne
Monnaie : kroon

LETTONIE
Capitale : Riga
Superficie : 64 589 km²
Population : 2,4 millions
Langue officielle : letton
Principale religion : luthérienne
Monnaie : lats

LITUANIE
Capitale : Vilnius
Superficie : 65 200 km²
Population : 3,7 millions
Langue officielle : lituanien
Principale religion : catholique
Monnaie : litas

BIÉLORUSSIE
Capitale : Minsk
Superficie : 207 600 km²
Population : 10,1 millions
Langues officielles : biélorusse et russe
Principale religion : orthodoxe
Monnaie : rouble biélorusse

UKRAINE
Capitale : Kiev
Superficie : 603 700 km²
Population : 48,7 millions
Langue officielle : ukrainien
Principale religion : orthodoxe
Monnaie : hryvna

MOLDAVIE
Capitale : Chisinau
Superficie : 33 843 km²
Population : 4,3 millions
Langue officielle : moldave
Principale religion : orthodoxe
Monnaie : leu moldave

FÉDÉRATION DE RUSSIE
Capitale : Moscou
Superficie : 17 075 400 km²
Population : 143 millions
Langue officielle : russe
Principale religion : orthodoxe
Monnaie : rouble russe

POUR EN SAVOIR PLUS ▸▸ Les roches 46-47 • Les habitats naturels 82-84 • La révolution russe 428 • La guerre froide 435

L'ASIE

Plus grand continent du globe, l'Asie couvre près d'un tiers de la superficie terrestre. Les paysages incluent la toundra gelée du Nord, les déserts torrides du Moyen-Orient, une vaste forêt de conifères, et l'Himalaya, la plus haute chaîne montagneuse du monde. De larges étendues sont inhabitables, mais des plaines herbeuses et des vallées fertiles bordent l'Indus, le Mékong et d'autres fleuves. Dans le Sud-Est s'égrènent des milliers de petites îles volcaniques, dont beaucoup sont coiffées d'une forêt dense. Les deux tiers de la population mondiale vivent en Asie, ce qui induit une grande diversité de cultures, de modes de vie et de religions.

▲ LE TIGRE DE SIBÉRIE
Le tigre de Sibérie, plus gros et puissant de tous les félins, vit dans les forêts de montagne de l'est de la Russie. Il en resterait seulement 300 individus, rigoureusement protégés.

▲ MARCHÉ FLOTTANT À BANGKOK (THAÏLANDE)
En Thaïlande, des bateaux à fond plat, les sampans, transportent les fruits et légumes de l'intérieur des terres vers la ville de Bangkok, où ils forment un marché flottant. La capitale thaïe est bâtie sur un fleuve et ses rues étaient autrefois des canaux.

Les produits frais proviennent de fermes lointaines.

▼ EVEREST, HIMALAYA
Culminant à 8 850 m, l'Everest est le plus haut sommet du monde. Il est situé dans l'Himalaya, une chaîne de montagnes formant une frontière naturelle entre le sous-continent indien et le nord de l'Asie.

ÉRUPTION VOLCANIQUE SUR LUÇON (PHILIPPINES) ▶
La plus forte éruption qu'ait connue le mont Pinatubo, en 1991, a détruit l'île de Luçon, aux Philippines. Les familles se sont enfuies avec leurs biens avant l'arrivée des cendres et des roches.

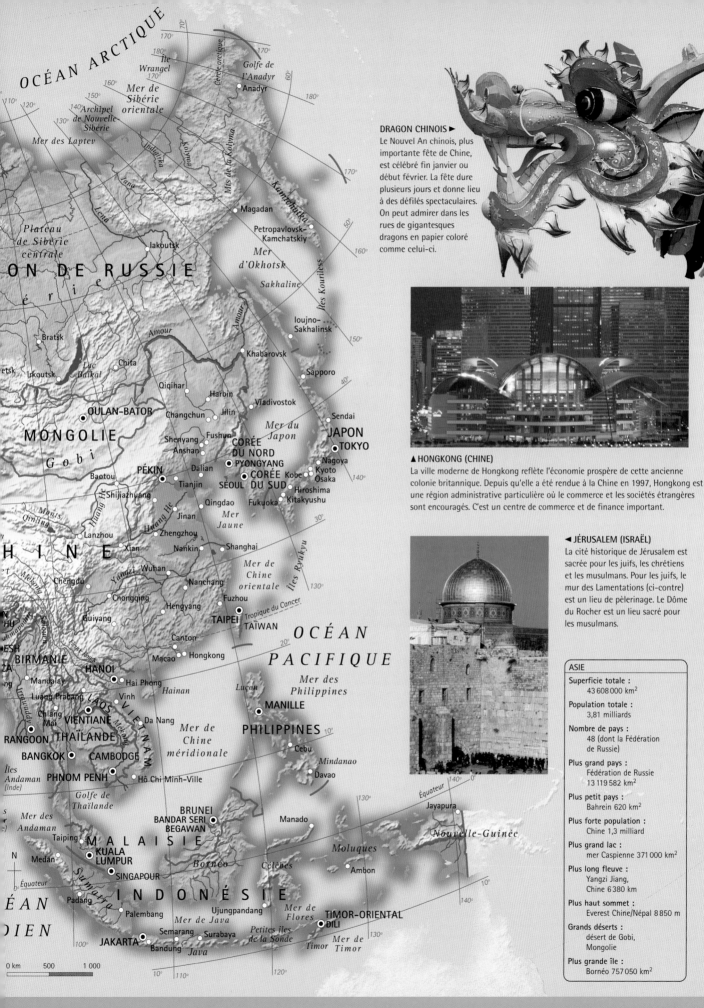

OCÉAN ARCTIQUE

70°
170° 180° Île
170° Wrangel Golfe de
160° 170° Cercle arctique l'Anadyr
110° 120° 150° Mer de Sibérie Anadyr 180°
140° orientale
130° Archipel
de Nouvelle-
Sibérie
Mer des Laptev 170°

Plateau Magadan 50°
de Sibérie Petropavlovsk-
centrale Iakoutsk Kamchatskiy
ON DE RUSSIE Mer
d'Okhotsk 160°
é r i e Sakhaline
Iles Kouriles
Ioujno-
Sakhalinsk 150°
Amour Khabarovsk
etsk Irkoutsk Bratsk Chita Sapporo 40°
Luc Qiqihar Harbin
Baikal Vladivostok Sendai
Changchun Jilin
OULAN-BATOR Shenyang Mer du JAPON
MONGOLIE Fushun Japon TOKYO
Anshan CORÉE Nagoya
Gobi Baotou PÉKIN Dalian DU NORD Kyoto 140°
Huang He Tianjin PYONGYANG Kobe
Shijiazhuang CORÉE Osaka
Lanzhou SÉOUL DU SUD Hiroshima
Monts Jinan Qingdao Fukuoka Kitakyushu
Qinling Zhengzhou Mer
Xian Jaune 30°
CHINE Nankin Shanghai
Chengdu Wuhan Mer de Iles Ryukyu
Yangzi Nanchang Chine
Chongqing orientale 130°
Hengyang Fuzhou Tropique du Cancer
Guiyang TAIPEI OCÉAN
Canton TAÏWAN 20° PACIFIQUE
HU Macao Hongkong
BIRMANIE Mer des
Mandalay HANOI Hainan Luçon Philippines
ng Hai Phong
Luang Prabang LAOS Vinh MANILLE
Chiang VIENTIANE Da Nang Mer de 10°
Mai VIETNAM Chine PHILIPPINES
RANGOON THAÏLANDE méridionale Cebu
BANGKOK CAMBODGE Mindanao
Iles PHNOM PENH Hô Chi Minh-Ville Davao
Andaman
(Inde) Golfe de
Thaïlande BRUNEI Équateur
Mer des BANDAR SERI Manado Jayapura
Andaman BEGAWAN Nouvelle-Guinée
Taiping MALAISIE Moluques
Medan KUALA Bornéo Célèbes
LUMPUR Ambon 10°
Équateur SINGAPOUR
Sumatra INDONÉSIE
ÉAN Padang Mer de
IEN Palembang Ujungpandang Flores TIMOR-ORIENTAL
Semarang Surabaya DILI
JAKARTA Mer de Java Petites îles Mer de
Bandung Java de la Sonde Timor Timor

0 km 500 1 000
10° 110° 120° 130°

DRAGON CHINOIS ►
Le Nouvel An chinois, plus
importante fête de Chine,
est célébré fin janvier ou
début février. La fête dure
plusieurs jours et donne lieu
à des défilés spectaculaires.
On peut admirer dans les
rues de gigantesques
dragons en papier coloré
comme celui-ci.

▲ HONGKONG (CHINE)
La ville moderne de Hongkong reflète l'économie prospère de cette ancienne
colonie britannique. Depuis qu'elle a été rendue à la Chine en 1997, Hongkong est
une région administrative particulière où le commerce et les sociétés étrangères
sont encouragés. C'est un centre de commerce et de finance important.

◄ JÉRUSALEM (ISRAËL)
La cité historique de Jérusalem est
sacrée pour les juifs, les chrétiens
et les musulmans. Pour les juifs, le
mur des Lamentations (ci-contre)
est un lieu de pèlerinage. Le Dôme
du Rocher est un lieu sacré pour
les musulmans.

ASIE
Superficie totale :
43 608 000 km²

Population totale :
3,81 milliards

Nombre de pays :
48 (dont la Fédération
de Russie)

Plus grand pays :
Fédération de Russie
13 119 582 km²

Plus petit pays :
Bahrein 620 km²

Plus forte population :
Chine 1,3 milliard

Plus grand lac :
mer Caspienne 371 000 km²

Plus long fleuve :
Yangzi Jiang,
Chine 6 380 km

Plus haut sommet :
Everest Chine/Népal 8 850 m

Grands déserts :
désert de Gobi,
Mongolie

Plus grande île :
Bornéo 757 050 km²

POUR EN SAVOIR PLUS ▶▶ Les volcans 44 • Les montagnes 45 • La protection de la nature 125 • Le judaïsme 287

LA FÉDÉRATION DE RUSSIE ET L'ASIE CENTRALE

La partie asiatique de la Fédération de Russie est faite de toundra gelée et de forêts de conifères. Au sud et à l'ouest s'étendent des prairies venteuses, les steppes, des plateaux montagneux et des déserts arides.

▲ LA PLACE REGISTAN À SAMARKAND (OUZBÉKISTAN)
Samarkand possède quelques exemples remarquables de l'architecture islamique du XIVᵉ siècle comme ce magnifique bâtiment couvert de mosaïques complexes.

@ ▸▸
Fédération de Russie

Quelle vieille cité d'Ouzbékistan se trouve-t-elle sur la route de la Soie ?

La vieille cité islamique de Samarkand se trouve sur la route de la Soie, une ancienne route de commerce qui reliait la Chine, l'Asie centrale, le Moyen-Orient et l'Europe. Autrefois centre du commerce de la soie de Chine, Samarkand a pour principale industrie la fabrication de textiles en soie et en coton.

◀ NOMADES AU KIRGHIZISTAN
Les Kirghiz du Kirghizistan sont des nomades. Ils vivent sous des tentes de feutre, les yourtes, et se déplacent à la recherche de pâturages. Cette femme prépare le repas.

▲ VENDEURS DE TAPIS AFGHANS
Les fabricants de tapis d'Ouzbékistan, du Turkménistan et du nord de l'Afghanistan utilisent la laine du mouton karakul pour tisser et nouer à la main leurs fameux tapis dans des teintes rouges, marron et bordeaux.

Comment vit-on en Asie centrale ?

Dans les prairies d'Asie centrale, on pratique l'élevage et l'on se déplace pour trouver de nouveaux pâturages. En Afghanistan, par exemple, les éleveurs de moutons sont nomades. Ils habitent sous des tentes, possèdent peu de choses et vivent grâce au lait, à la viande et à la laine, dont ils vendent le surplus dans les villes.

◄ NENETS, SIBÉRIE (RUSSIE)
Les Nenets vivent dans la région arctique froide et inhospitalière de la Russie. Ce peuple sibérien vit de l'élevage du renne et de la chasse aux animaux sauvages. Aujourd'hui, la région connaît un certain développement grâce à ses réserves de gaz.

▼ CENTRE SPATIAL RUSSE, KAZAKHSTAN
Fusée transportée vers le pas de tir du Centre spatial russe, le cosmodrome de Baïkonour (Kazakhstan). C'est de là qu'ont été lancés le premier satellite artificiel du monde, Spoutnik 1, en 1957, et le premier humain dans l'espace, Iouri Gagarine, en 1961.

Y a-t-il beaucoup d'habitants en Sibérie ?

La Sibérie, vaste région glaciale de toundra, de pins, de fleuves et de lacs, est peu peuplée. Les Iakoutes et d'autres indigènes y vivent de la chasse, de la pêche et de l'élevage des rennes. La Sibérie s'étend de l'Oural, à l'ouest, à l'océan Pacifique, à l'est. La région est riche en ressources naturelles comme le charbon, le pétrole, le gaz, les diamants et l'or.

Pourquoi la mer d'Aral est-elle en train de disparaître ?

La mer d'Aral, en Ouzbékistan et au Kazakhstan, était autrefois le quatrième lac d'eau douce du monde. Aujourd'hui, elle diminue à un rythme alarmant car les fleuves qui l'alimentent, le Syr-Daria et l'Amou-Daria, sont détournés pour irriguer les champs de coton. Un village de pêcheurs qui se trouvait autrefois sur la rive du lac en est maintenant éloigné de 48 km.

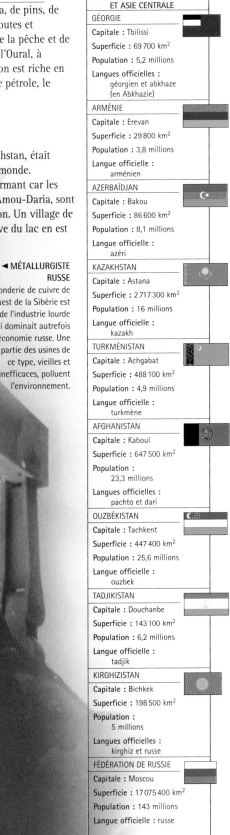

◄ MÉTALLURGISTE RUSSE
Cette fonderie de cuivre de l'ouest de la Sibérie est typique de l'industrie lourde qui dominait autrefois l'économie russe. Une grande partie des usines de ce type, vieilles et inefficaces, polluent l'environnement.

Quelle est la plus longue voie ferrée du monde ?

Le Transsibérien, plus longue voie ferrée continue du monde, traverse la Fédération de Russie. Partant de Moscou, il parcourt 9 446 km jusqu'au port de Vladivostok, sur le Pacifique. La ligne traverse huit fuseaux horaires et le voyage complet dure huit jours.

►► Asie centrale

FÉDÉRATION DE RUSSIE ET ASIE CENTRALE	
GÉORGIE	
Capitale : Tbilissi	
Superficie : 69 700 km^2	
Population : 5,2 millions	
Langues officielles : géorgien et abkhaze (en Abkhazie)	
ARMÉNIE	
Capitale : Erevan	
Superficie : 29 800 km^2	
Population : 3,8 millions	
Langue officielle : arménien	
AZERBAÏDJAN	
Capitale : Bakou	
Superficie : 86 600 km^2	
Population : 8,1 millions	
Langue officielle : azéri	
KAZAKHSTAN	
Capitale : Astana	
Superficie : 2 717 300 km^2	
Population : 16 millions	
Langue officielle : kazakh	
TURKMÉNISTAN	
Capitale : Achgabat	
Superficie : 488 100 km^2	
Population : 4,9 millions	
Langue officielle : turkmène	
AFGHANISTAN	
Capitale : Kaboul	
Superficie : 647 500 km^2	
Population : 23,3 millions	
Langues officielles : pachto et dari	
OUZBÉKISTAN	
Capitale : Tachkent	
Superficie : 447 400 km^2	
Population : 25,6 millions	
Langue officielle : ouzbek	
TADJIKISTAN	
Capitale : Douchanbe	
Superficie : 143 100 km^2	
Population : 6,2 millions	
Langue officielle : tadjik	
KIRGHIZISTAN	
Capitale : Bichkek	
Superficie : 198 500 km^2	
Population : 5 millions	
Langues officielles : kirghiz et russe	
FÉDÉRATION DE RUSSIE	
Capitale : Moscou	
Superficie : 17 075 400 km^2	
Population : 143 millions	
Langue officielle : russe	

POUR EN SAVOIR PLUS ►► Les stations spatiales 33 • Les habitats naturels 82-84 • L'islam 290 • Le premier Empire chinois 378

LE PROCHE- ET LE MOYEN-ORIENT

Le nom de Moyen-Orient est donné à la région comprise entre la mer Rouge et le golfe Persique, d'Israël à l'ouest à l'Iran à l'est. Comme l'ouest de l'Asie, c'est une région par endroits peu hospitalière dotée d'un désert aride dans la péninsule Arabique et de montagnes en Iran et en Iraq. La Turquie est dominée par un haut plateau, mais dispose de terres fertiles. Dans le nord du Liban et en Israël, des montagnes enneigées cèdent la place à des plaines fertiles le long des côtes.

▲ BEYROUTH (LIBAN)
Tours modernes et ruines se côtoient à Beyrouth, capitale du Liban. Cette ville élégante a été pratiquement détruite lors de la guerre civile de 1975 à 1989 entre les chrétiens et les musulmans. Autrefois destination dangereuse pour les visiteurs, la ville reconstruite attire à nouveau de nombreux touristes.

Le pétrole a-t-il changé la région ?

La découverte de pétrole dans le golfe Persique a fait la richesse de l'Arabie saoudite, de l'Iraq, du Koweït et d'autres pays, qui fournissent aujourd'hui 30 % du pétrole mondial. Les flottes de pétroliers ont fait du Golfe l'une des voies maritimes les plus empruntées au monde. Le pétrole a accru l'importance internationale de cette zone et son influence sur le monde des affaires.

Pourquoi dit-on que le Moyen-Orient est un point chaud ?

Le Moyen-Orient a connu de nombreux conflits récemment. En 1975, le Liban a souffert d'une guerre civile violente entre chrétiens et musulmans. En 1990 et 2003, des forces internationales dirigées par les États-Unis ont envahi l'Iraq pour finalement renverser le régime du président Saddam Hussein. Aujourd'hui, les tensions sont fortes entre Israéliens et Palestiniens, ces derniers ayant perdu leurs terres en 1948, lors de la création d'Israël.

▲ UN SOUK EN SYRIE
Cet étal vend des fruits frais dans le souk (marché) de Damas, la capitale de la Syrie. Les étroites allées du souk sont bordées d'ateliers et d'étals vendant toutes sortes d'aliments et d'objets.

▲ PÉTRA (JORDANIE)
La ville de Pétra, en Jordanie, date du IVe siècle av. J.-C. Ses temples et autres édifices spectaculaires sont faits de grès rose provenant d'un canyon du désert. Les nomades bédouins continuent de parcourir le désert avec des chameaux, des voitures et des camions.

Quelle ville turque est située à la fois en Asie et en Europe ?

Istanbul est la seule ville du monde à cheval sur deux continents. Séparées par un étroit bras de mer appelé le détroit du Bosphore, les parties européenne et asiatique de la ville sont reliées par des ponts. Plus grande ville de Turquie, Istanbul abrite 9,4 millions d'habitants. D'abord appelée Byzance, puis Constantinople, elle fut la capitale du pays de 330 à 1923.

Du haut des minarets, les musulmans sont appelés à la prière.

@ ▶▶
Proche-Orient

Istanbul s'étend de part et d'autre du détroit du Bosphore.

◄ LA MOSQUÉE BLEUE À ISTANBUL (TURQUIE)
La Mosquée bleue d'Istanbul est un exemple remarquable de l'architecture islamique. Elle se trouve à l'endroit de la ville où l'Orient rencontre l'Occident. Ses gracieux minarets et ses dômes jouxtent des bazars animés, des boutiques, des restaurants et des bâtiments modernes.

POUR EN SAVOIR PLUS ▶▶

LE DÉSERT D'ARABIE SAOUDITE ▶
Plus de 95 % de l'Arabie saoudite sont un désert aride et inhospitalier, où la température peut atteindre 48 °C le jour et descendre en dessous de 0 °C la nuit. Les températures extrêmes et le sable transporté par le vent érodent les roches. Le désert du Sud couvre 650 000 km² : c'est la plus grande étendue de sable du monde.

@ ▶▶
Moyen-Orient

Quel est l'endroit de plus faible altitude du monde ?

C'est la mer Morte, située à 400 m en dessous du niveau de la mer. Ce grand lac de 74 km de longueur se trouve à la frontière entre Israël et la Jordanie. Son eau est si salée qu'aucun animal et aucune plante ne peut y vivre, d'où son nom. Néanmoins, la boue de ses rives est riche en minerais. On lui attribue des vertus médicinales.

Qui sont les Kurdes ?

Les Kurdes sont un peuple sans État, dont la patrie montagneuse, le Kurdistan, est à cheval sur la Turquie, la Syrie, l'Iraq et l'Iran. Les Kurdes revendiquent leur autonomie et ont tenté de former un État du Kurdistan. Mais leurs tentatives ont été réprimées par la violence et des massacres dans les quatre États où ils vivent. De nombreux Kurdes sont aujourd'hui des réfugiés.

▲ RÉFUGIÉS KURDES EN TURQUIE
Des années de dictature et de conflits en Iraq ont poussé des milliers de Kurdes à quitter le pays pour des camps de réfugiés en Turquie. Les Kurdes, au nombre de 25 millions, sont l'un des plus grands peuples sans État du monde.

DUBAÏ (ÉMIRATS ARABES UNIS) ▶
Dubaï, petit État des Émirats arabes unis, a été reconstruit grâce aux revenus du pétrole. Comme d'autres nations du Golfe, les Émirats sont un pays prospère dont la majorité de la population jouit d'un niveau de vie élevé.

Comment les pays arides se procurent-ils de l'eau douce ?

De nombreux pays arides n'ont pas de source d'eau douce. Ils doivent traiter l'eau de mer dans des usines de dessalement pour leurs besoins domestiques et agricoles. L'eau est gérée avec précaution dans la région. Le programme d'irrigation de l'Arabie saoudite permet d'arroser le blé, les fruits et les légumes cultivés dans le désert.

Ces bâtiments étincelants reflètent la richesse des *Émirats arabes unis.*

Le ciel de Dubaï est dominé par des gratte-ciel d'appartements, de bureaux et de banques.

PROCHE- ET MOYEN-ORIENT

TURQUIE
Capitale : Ankara
Population : 68,6 millions
Langue officielle : turc

CHYPRE
Capitale : Nicosie
Population : 797 000
Langues officielles : grec et turc

LIBAN
Capitale : Beyrouth
Population : 3,6 millions
Langue officielle : arabe

ISRAËL
Capitale : Jérusalem (non reconnue internationalement)
Population : 6,6 millions
Langues officielles : hébreu et arabe

JORDANIE
Capitale : Amman
Population : 5,2 millions
Langue officielle : arabe

ARABIE SAOUDITE
Capitales : Riyad ; Djedda (administration)
Population : 21,7 millions
Langue officielle : arabe

YÉMEN
Capitale : Sanaa
Population : 19,9 millions
Langue officielle : arabe

SYRIE
Capitale : Damas
Population : 17 millions
Langue officielle : arabe

IRAQ
Capitale : Bagdad
Population : 24,2 millions
Langue officielle : arabe

KOWEÏT
Capitale : Koweït
Population : 2 millions
Langue officielle : arabe

BAHREÏN
Capitale : Manama
Population : 663 000
Langue officielle : arabe

QATAR
Capitale : Doha
Population : 584 000
Langue officielle : arabe

ÉMIRATS ARABES UNIS
Capitale : Abu Dhabi
Population : 2,7 millions
Langue officielle : arabe

OMAN
Capitale : Mascate
Population : 2,7 millions
Langue officielle : arabe

IRAN
Capitale : Téhéran
Population : 72,4 millions
Langue officielle : farsi

L'ASIE DU SUD

Le sud de l'Asie abrite plus d'un cinquième de la population mondiale, est bordé par la mer au sud et l'Himalaya au nord. La région présente une grande diversité de paysages et de climats : déserts secs au nord-ouest et forêts denses au sud. À l'est, trois grands fleuves, le Bramapoutre, le Meghna et le Gange, se rejoignent dans le golfe du Bengale, où ils forment le plus grand delta du monde.

▲ LE GANGE EN INDE
Les hindous se baignent dans le fleuve sacré du Gange en descendant l'un des 40 *ghâts* (escaliers de pierre) qui le bordent à Bénarès. Bénarès serait la résidence terrestre du dieu Shiva, créateur du monde.

Pourquoi les pèlerins hindous se réunissent-ils à Bénarès ?

La ville de Bénarès est sacrée pour les hindous, qui forment 90 % de la population d'Inde. Chaque année, des millions de pèlerins se rassemblent sur les escaliers de pierre, les *ghâts*, qui bordent les hautes rives du Gange. Ils y prient, méditent et se purifient dans les eaux sacrées. Les morts sont incinérés sur des bûchers funéraires et leurs cendres dispersées sur l'eau.

En quoi les trekkers abîment-ils l'Himalaya ?

Les nombreux trekkers qui visitent l'Himalaya abîment le fragile environnement montagnard et menacent son écologie. Chaque année, 300 000 touristes visitent le Népal et gravissent les pentes de l'Everest et d'autres grands sommets. Ces visiteurs érodent les pistes et laissent souvent derrière eux de grandes quantités de déchets.

@
Asie du Sud

Les maisons bangladaises sont construites sur pilotis en raison des inondations.

▲ INONDATION AU BANGLADESH
Pendant les pluies de mousson, le niveau de l'eau monte de 6 m au Bangladesh. Les eaux peuvent détruire animaux, récoltes et maisons et répandre des maladies. Plus de 50 % des Bangladais vivent dans une extrême pauvreté, et le pays est trop pauvre pour investir dans des moyens de protection contre les crues comme les digues.

Les échasses sont transmises de père en fils.

Pourquoi le Bangladesh est-il souvent inondé ?

De grandes parties du centre et du sud du Bangladesh sont des plaines fluviales inondées pendant les pluies de mousson d'été. Les bonnes années, les crues irriguent et fertilisent les champs. Les mauvaises années, elles dévastent tout, emportant villages, bétail et récoltes.

Quel pays isolé est dirigé par le roi-dragon ?

Le Bhoutan est un petit royaume bouddhiste de l'Himalaya dirigé par un monarque appelé le roi-dragon. Le pays a peu de contacts avec le monde extérieur, bien qu'il ait la télévision depuis 1999. La majorité de la population vit de l'agriculture.

◄ ESCALADE DANS L'HIMALAYA
Les Sherpas du Népal sont d'excellents alpinistes et servent de guides et de porteurs aux touristes et aux alpinistes visitant l'Himalaya. Le trekking est une source de revenus pour l'économie népalaise.

En quoi l'Angleterre a-t-elle influencé l'Inde ?

L'Inde a été une colonie britannique du milieu du
XIXe siècle à 1947, année de son indépendance.
L'influence britannique a profondément marqué le pays :
l'emploi de la langue anglaise, le style d'architecture
européen, le vaste réseau ferré, la passion pour le cricket
et les systèmes judiciaire et politique.

◄ **LA FÊTE DE LA RÉPUBLIQUE**
À New Dehli (Inde), des défilés
sont organisés pour l'anniversaire
de l'indépendance indienne, le
26 janvier 1950.

Comment vit-on dans les villes d'Inde ?

Les deux plus grandes villes d'Inde sont des lieux très
peuplés et animés, où les immeubles modernes côtoient
temples, monuments et mosquées. Calcutta est une grande
ville industrielle et Bombay est le centre de l'industrie
cinématographique du pays. Beaucoup de gens quittent la
campagne pour trouver du travail en ville. En raison de
cet exode, la surpopulation dans les bidonvilles s'aggrave.

Quelle est la principale culture au Sri Lanka ?

Avec 2 000 plantations de thé, l'île de Sri Lanka est le
premier exportateur mondial de thé. Le meilleur thé
pousse sur les pentes des hautes terres centrales, plus
fraîches. Le thé se récolte à la main car les machines
abîmeraient les feuilles fragiles et leur délicat parfum.
Les feuilles sont ensuite roulées, séchées et emballées.

BOMBAY (INDE) ►
Bombay, sur la côte
ouest de l'Inde,
possède de hauts
immeubles modernes.
L'opulence y côtoie
une extrême
pauvreté : environ
100 000 personnes
vivent dans les rues.

*Les plus riches
habitants de Bombay
vivent dans d'élégants
logements qui
donnent sur la mer
d'Oman.*

*La pêche sur
échasse existe
depuis des siècles.*

▼ **PÊCHE AU SRI LANKA**
La pêche sur échasse est répandue
au Sri Lanka. Les pêcheurs se
juchent sur des perches fichées
dans le sol et pêchent avec une
canne et une ligne. Les petits
poissons des eaux peu profondes
sont très recherchés.

ASIE DU SUD

PAKISTAN
Capitale : Islamabad
Superficie : 803 940 km²
Population : 149 millions
Langue officielle : ourdou
Principale religion : musulmane
  (sunnite)
Monnaie : roupie pakistanaise

INDE
Capitale : New Dehli
Superficie : 3 287 590 km²
Population : 1,04 milliard
Langues officielles : hindi et
  anglais
Principale religion :
  hindouiste
Monnaie : roupie indienne

MALDIVES
Capitale : Malé
Superficie : 300 km²
Population : 309 000
Langue officielle : divehi
Principale religion : musulmane
Monnaie : rufiyaa

SRI LANKA
Capitale : Colombo
Superficie : 65 610 km²
Population : 19,3 millions
Langues officielles : cinghalais,
  tamoul et anglais
Principale religion :
  bouddhiste
Monnaie : roupie sri lankaise

NÉPAL
Capitale : Katmandou
Superficie : 140 800 km²
Population : 24,2 millions
Langue officielle : népalais
Principale religion :
  hindouiste
Monnaie : roupie népalaise

BANGLADESH
Capitale : Dacca
Superficie : 144 000 km²
Population : 143 millions
Langue officielle :
  bengali
Principale religion :
  musulmane
Monnaie : taka

BHOUTAN
Capitale : Thimbu
Superficie : 47 000 km²
Population : 2,2 millions
Langue officielle : dzonkha
Principale religion : bouddhiste
  du Mahayana
Monnaie : ngultrum

POUR EN SAVOIR PLUS ►► Les vents 51 • L'hindouisme 286 • Le cinéma 346-347 • Les empires coloniaux 422-423

L'EXTRÊME-ORIENT

Les sévères paysages de l'est de l'Asie incluent des montagnes, des déserts froids et les vastes prairies sèches de Mongolie et du nord de la Chine. Dans le sud-est de la Chine, des fleuves puissants traversent de larges plaines et vallées. Les Corées du Nord et du Sud forment une péninsule au paysage montagneux et boisé, comme sur les îles voisines formant le Japon.

Quelle est longueur de la Grande Muraille de Chine ?

Cette fortification serpente sur plus de 6 400 km à travers les montagnes et les déserts du nord de la Chine. C'est la plus longue structure jamais bâtie par l'homme. Ce travail a commencé il y a plus de 2 200 ans sur l'ordre du premier empereur chinois, Shi Huangdi, de la dynastie Qin. Elle a été construite en grande partie par des esclaves, au XVᵉ siècle, pour repousser les envahisseurs mongols.

▼ LA GRANDE MURAILLE DE CHINE
La Grande Muraille se compose de deux hauts murs scellés avec de la terre. Entre les deux murs court un sol pavé qui constitue une « route » de 4 m de large. La Muraille est ponctuée sur toute sa longueur de 25 000 tours de guet carrées.

Des hommes montaient la garde dans les tours de guet.

▲ HONGKONG (CHINE)
Cette jonque traditionnelle chinoise entre dans le port de Hongkong. Grand centre financier, producteur leader de textiles et d'électronique, la ville est également l'un des ports les plus fréquentés du monde.

Quand Hongkong fut-elle britannique ?

Hongkong fut rendue à la Chine en 1997 après avoir été une colonie britannique pendant 99 ans. Comptant une population de 6,5 millions de personnes, ce petit territoire du sud-est de la Chine inclut une vaste zone montagneuse et 236 îles.

Où vivent les 1,3 milliard de Chinois ?

Environ 80 % de la population de Chine habitent dans de petits villages ruraux et vivent de la terre. Le reste se concentre dans des villes surpeuplées où les logements sont rares. Ayant la plus forte population du monde, la Chine a du mal à nourrir et instruire tous ses habitants.

▲ CAVALIER MONGOL
Les Mongols comptent parmi les meilleurs cavaliers du monde. Ce Kazakh chasse avec un aigle doré. Les Kazakhs constituent la plus grande minorité ethnique de Mongolie.

@ ▶▶
Extrême-Orient

◀ SHANGHAI (CHINE)
Le commerce international a profondément transformé le port de Shanghai, plus grande ville de Chine, sur la côte est. Avec plus de 9 millions d'habitants, Shanghai est un centre industriel et commercial majeur doté d'un port très fréquenté. La ville est constituée de très nombreux gratte-ciel qui abritent des bureaux, des sièges sociaux de banques et des centres commerciaux très modernes.

EXTRÊME-ORIENT

CHINE
Capitale : Pékin
Superficie :
9 596 960 km²
Population : 1,3 milliard
Langue officielle :
chinois mandarin
Principale religion :
aucune majoritaire
Monnaie : yuan

MONGOLIE
Capitale : Oulan-Bator
Superficie :
1 565 000 km²
Population : 2,6 millions
Langue officielle : khalkha
Principale religion :
bouddhiste du Tibet
Monnaie : tugrik

CORÉE DU NORD
Capitale : Pyongyang
Superficie : 120 540 km²
Population : 22,6 millions
Langue officielle : coréen
Principale religion : aucune
majoritaire
Monnaie : won nord-coréen

CORÉE DU SUD
Capitale : Séoul
Superficie : 98 480 km²
Population : 47,4 millions
Langue officielle : coréen
Principales religions :
bouddhiste du Mahayana
et protestante
Monnaie : won sud-coréen

TAÏWAN
Capitale : Taipei
Superficie : 35 980 km²
Population : 22,5 millions
Langue officielle :
chinois mandarin
Principale religion :
bouddhiste
Monnaie : dollar de Taïwan

JAPON
Capitale : Tokyo
Superficie : 377 835 km²
Population : 128 millions
Langue officielle : japonais
Principales religions :
shintoïste et bouddhiste
Monnaie : yen

Pourquoi les Japonais mangent-ils autant de poisson ?

Les îles montagneuses du Japon possèdent peu de terres cultivables. La population dépend donc de la mer pour se nourrir. La flotte de pêche japonaise, la plus grande du monde, capture environ 6 millions de tonnes de poisson chaque année. Le poisson frais est l'aliment de base de la cuisine japonaise et se mange souvent cru.

Le kimono est maintenu par une large ceinture appelée obi.

▲ PETITES FILLES JAPONAISES EN KIMONO
Les Japonais portent des kimonos dans les grandes occasions. Ces robes traditionnelles drapées et à manches larges sont en soie imprimée colorée et s'attachent à l'arrière par une large ceinture.

Quelle est la particularité du désert de Gobi ?

Le désert de Gobi, en Mongolie, connaît des étés extrêmement chauds et des hivers glacials. Le chameau de Bactriane qui y vit s'est adapté en développant l'hiver une épaisse fourrure qu'il perd l'été. Ce désert, le quatrième du monde par la taille, est fait de roche et de sable. On y a découvert des os et des œufs fossilisés de dinosaures qui vivaient là il y a 85 millions d'années.

Quelle est la culture de base de la région ?

Le riz est la culture de base de l'est de l'Asie. Les fermes de la région doivent en produire d'énormes quantités pour nourrir la population. Les rizières fertiles du sud de la Chine donnent deux récoltes par an. La plantation et la récolte sont faites à la main, mais le sol est labouré avec des buffles d'eau ou des bœufs. Au Japon, la riziculture est fortement mécanisée.

◀ SÉOUL (CORÉE DU SUD)
Rue commerçante animée, le soir, à Séoul. La capitale prospère de la Corée du Sud abrite un quart de la population du pays.

Pourquoi y a-t-il deux Corées ?

La Corée formait un seul pays jusqu'à son occupation par la Russie soviétique et les États-Unis à la fin de la Seconde Guerre mondiale. Elle fut divisée en deux en 1948 : la Corée du Sud démocratique et la Corée du Nord communiste. Les hostilités entre les deux pays ont conduit à la guerre de Corée (1950-1953). Aujourd'hui, la Corée du Sud est spécialisée dans les produits manufacturés. La Corée du Nord est un régime dictatorial isolé.

POUR EN SAVOIR PLUS ▶▶ L'agriculture 66 • La pêche 67 • Les dinosaures 78-79 • La Chine impériale 393 • La guerre froide 435

L'ASIE DU SUD-EST

Le Sud-Est asiatique se compose d'une grande péninsule et d'une zone maritime comptant 20 000 îles dispersées dans les océans Pacifique et Indien. Une bonne partie de cette région est montagneuse et couverte d'une forêt tropicale dense.

▲ ÎLES ROCHEUSES
Cette Vietnamienne rame parmi les îles de grès de la baie d'Along. La beauté du littoral attire de nombreux touristes vers le delta du fleuve Rouge (Sông Hông).

Quels sont les effets de la déforestation sur la région ?

En Indonésie, en Thaïlande, en Birmanie et au Laos, la déforestation a détruit l'habitat de nombreuses espèces rares comme le tigre et l'éléphant. En outre, elle provoque des inondations et une érosion du sol. Certains arbres comme le teck sont abattus pour leur bois, d'autres sont arrachés pour cultiver la terre. La Thaïlande a interdit l'exploitation commerciale du bois en 1989.

La riziculture a-t-elle façonné la région ?

Ces vingt dernières années, les agriculteurs ont planté de nouvelles espèces de riz plus productives et de meilleure qualité. En outre, des programmes de plantation intensive et un matériel sophistiqué ont permis à des pays comme l'Indonésie d'assurer leur autosuffisance. Le riz, aliment de base de la région, pousse bien dans les climats chauds et humides.

Quel pays se compose de 13 677 îles ?

L'Indonésie est le plus grand archipel, ou groupe d'îles, du monde. Elle couvre 8 000 km² d'océan. La forte population du pays, à dominante musulmane, comprend 362 ethnies différentes, qui parlent plus de 250 langues. La majeure partie de la population vit dans de petits villages, mais 9 millions d'habitants habitent la capitale, Jakarta, sur l'île de Java.

@ ▸▸
Asie du Sud-Est

Une magnifique coiffe et des bijoux transforment la danseuse *en déesse ou autre divinité.*

Les mouvements des mains ont une signification particulière.

DANSEUSE CAMBODGIENNE ▶
Dans son costume de soie traditionnel, cette danseuse exécute les mouvements gracieux d'une danse classique cambodgienne.

Les terrasses ont été aménagées à la main il y a 2 000 ans.

Les murs de pierre retiennent le sol sur les pentes.

▲ TERRASSES À RIZIÈRE
Les murs de ces anciennes terrasses à rizière, aux Philippines, permettent de retenir l'eau dans les champs à chaque niveau. Le riz est cultivé depuis 7 000 ans dans le Sud-Est asiatique.

Quelle est la principale religion sur le continent?

Le bouddhisme est la principale religion du Sud-Est asiatique. Cette région compte des milliers de monastères et de temples ornés. En Thaïlande, 95 % de la population sont bouddhistes et presque chaque village a son temple, ou *wat*, qui est au cœur du village.

◄ MOINE BOUDDHISTE À BANGKOK (THAÏLANDE)
On reconnaît à sa robe orange et à ses cheveux rasés que ce Thaï est un moine bouddhiste. Il est agenouillé aux pieds d'une statue du Bouddha dans un temple de Bangkok.

Qu'appelle-t-on la «ceinture de feu»?

La «ceinture de feu» est un arc de volcans actifs situé dans la partie maritime du Sud-Est asiatique et autour de l'océan Pacifique. Les volcans sont aux limites de deux plaques formant la croûte terrestre. Là où les plaques se rencontrent, leurs mouvements provoquent des séismes et des éruptions volcaniques sur les îles de la région.

Pourquoi l'Asie du Sud-Est a-t-elle une si longue tradition d'arts du spectacle?

Dans le Sud-Est asiatique, la musique, la danse et le théâtre viennent de traditions religieuses. Les danses classiques du Cambodge sont fondées sur des danses hindoues du XIIe siècle et les pièces de théâtre indonésiennes relatent des mythes hindous. L'Indonésie est réputée pour ses spectacles de marionnettes.

Qui sont les «bébés-tigres»?

Des pays du Sud-Est asiatique comme Singapour, les Philippines, la Malaisie et l'Indonésie sont surnommés les «bébés-tigres» en raison de leurs économies en rapide expansion. Ces pays bénéficient d'une main-d'œuvre nombreuse et bon marché. Ils exportent des biens manufacturés comme les vêtements et l'électronique.

◄ JAKARTA (INDONÉSIE)
Jakarta, capitale de l'Indonésie, est une ville animée et moderne qui a appartenu à l'Empire hollandais. Ses bâtiments coloniaux se perdent dans les gratte-ciel d'une économie moderne.

Deux tours de 88 étages sont reliées au 42e étage par un pont suspendu.

▲ TOURS PETRONAS À KUALA LUMPUR (MALAISIE)
D'une hauteur de 452 m, les tours Petronas constitue aujourd'hui le deuxième plus haut immeuble du monde. Elles abritent des boutiques, des entreprises, un musée et une mosquée.

SUD-EST ASIATIQUE

BIRMANIE
Capitale : Rangoon
Superficie : 678 500 km²
Population : 49 millions

THAÏLANDE
Capitale : Bangkok
Superficie : 514 000 km²
Population : 64,3 millions

LAOS
Capitale : Vientiane
Superficie : 236 800 km²
Population : 5,5 millions

VIETNAM
Capitale : Hanoi
Superficie : 329 560 km²
Population : 80,2 millions

CAMBODGE
Capitale : Pnom Penh
Superficie : 181 040 km²
Population : 13,8 millions

MALAISIE
Capitale : Kuala Lumpur ; Putrajaya (administration)
Superficie : 329 750 km²
Population : 23 millions

SINGAPOUR
Capitale : Singapour
Superficie : 647,5 km²
Population : 4,2 millions

BRUNEI
Capitale : Bandar Seri Begawan
Superficie : 5 770 km²
Population : 341 000

INDONÉSIE
Capitale : Jakarta
Superficie : 1 919 440 km²
Population : 218 millions

PHILIPPINES
Capitale : Manille
Superficie : 300 000 km²
Population : 78,6 millions

TIMOR-ORIENTAL
Capitale : Dili
Superficie : 14 874 km²
Population : 779 000

L'AUSTRALASIE ET L'OCÉANIE

Le continent peu peuplé qu'est l'Australasie comprend l'Australie, la Nouvelle-Zélande, la Papouasie-Nouvelle-Guinée et plusieurs îles proches. Plus petit continent du globe, il offre un paysage varié de forêt dense, de désert aride, de volcans et de steppes. L'Océanie se compose de 25 000 îles volcaniques ou coralliennes réparties sur une vaste superficie dans l'océan Pacifique. Ces îles sont divisées en trois groupes : la Mélanésie, la Micronésie et la Polynésie. Certaines sont montagneuses et boisées. La plupart sont inhabitées.

AUSTRALASIE ET OCÉANIE

Superficie totale :
8 508 238 km²

Population totale :
30,4 millions

Nombre de pays : 14

Plus grand pays :
Australie 7 686 850 km²

Plus petit pays :
Nauru 21 km²

Plus forte population :
Australie 19,5 millions

Plus grand lac : lac Eyre,
Australie 9 583 km²

Plus long fleuve : Murray-
Darling, Australie 3 750 km

Plus haut sommet : mont
Wilhelm, Papouasie-
Nouvelle-Guinée 4 509 m

Plus grand désert :
Grand Désert Victoria,
Australie

Plus grand récif corallien :
Grande Barrière de corail,
Australie 2 000 km

@ ⏭ Australasie

◀ LE PONT DU PORT DE SYDNEY
(AUSTRALIE)
Cet immense pont permet de
traverser le port de Sydney en
voiture ou en train.

Îles Mariannes
du Nord
(É.-U.)

Saipan

Guam ⊙ HAGATÑA
(É.-U.)

M i c r o

Yap Îles
Chuuk

Îles Carolines *Pohnpei* PAL

KOROR ⊙ *Babeldaob*

PALAU

MICRONÉSI

M é l a

**PAPOUASIE-
NOUV.-GUINÉE** *Nouvelle-Irlande*

Mer de Île
Bismarck **Nouvelle-** *Bougainville* Îles Sa
Mont Wilhelm **Bretagne**
4 509 m △
Nouvelle-Guinée • Lae Mer de
Salomon

HONIARA
● **PORT MORESBY** *Guadalcana*

Mer
d'Arafura *D. de Torres*

M e r   d e
C o r a i l

10° Îles de la Mer
de Corail
(Australie)

Mer *Darwin* Terre Golfe
de Timor d'Arnhem de *Péninsule* *Cairns*
Katherine Carpentarie *du Cap*
York *Townsville*

**TERRITOIRE-
DU-NORD**

120° *Tennant Creek*

Broome *Mount Isa* **QUEENSLAND** *Rockhampton*

**OCÉAN
INDIEN** *Grand Désert* *Île Fraser*
de Sable
Monts
Macdonnell Alice Springs *Brisbane*
Port Hedland *Uluru* Désert de *Toowoomba*
20° *(Ayers Rock)* Simpson
867 m △

A U S T R A L I E

Lac Eyre *Darling*
Tropique du Capricorne **AUSTRALIE- AUSTRALIE-MÉRIDIONALE** **NOUVELLE-GALLES** *Newcastle*
OCCIDENTALE *Grand Désert* *Lac Torrens* **DU SUD** *Sydney*
Carnarvon *Victoria* Port *Wagga* *Wollongong*
Augusta *Wagga*
Plaine de Nullarbor ⊙ **CANBERRA**
Murray
Adélaïde **VICTORIA** △ Mont Kosciuszko
Grande 2 228 m
Baie *Île* *Melbourne* *Me*
30° *australienne* *Kangaroo* *Geelong* *Tas*
Perth
Esperance
130°

Détroit de Bass
Albany *Launceston*
40° *Détroit de Bass*
120° **TASMANIE** *Hobart*

140° 150°

0 km 400 800

20° 140° 150°

10°

130°

0°
Équateur

MICRONÉSIE	
PALAU	
Capitale : Koro	
MICRONÉSIE	
Capitale : Palikir (île de Pohnpei)	
ÎLES MARSHALL	
Capitale : Majuro	
NAURU	
Capitale : pas de capitale officielle	
KIRIBATI	
Capitale : Tarawa	
MÉLANÉSIE	
PAPOUASIE-NOUV.-GUINÉE	
Capitale : Port Moresby	
ÎLES SALOMON	
Capitale : Honiara	
VANUATU	
Capitale : Port-Vila	
FIDJI	
Capitale : Suva	
POLYNÉSIE	
TUVALU	
Capitale : Funafuti	
SAMOA	
Capitale : Apia	
TONGA	
Capitale : Nuku'alofa	

▲ ÎLE TROPICALE (TONGA)

Dans l'océan Pacifique, des milliers d'îles tropicales minuscules sont entourées de récifs de corail. Nombre d'entre elles sont couvertes de cocotiers qui prospèrent dans la région malgré la pauvreté du sol et le manque d'eau douce. Leurs fruits fournissent à la population nourriture et lait. Leur coque permet de fabriquer de la corde et des nattes.

Océanie

ÎLES MARSHALL

Îles Ratak

Îles Ralik

MAJURO

BAIRIKI
Tarawa

Tungaru

NAURU

ÎLES SALOMON

Îles Santa Cruz

OCÉAN PACIFIQUE

Kiritimati

Îles de la Ligne

Équateur 0°

KIRIBATI

Îles Phoenix

TUVALU
FONGAFALE

Tokelau
(Nouv.-Zélande)

Ligne internat. de changement de date

Îles Cook septentrionales

Manihiki

Penrhyn

Îles Millennium

VANUATU

Malekula
Efate
PORT VILA
mango
Tanna

elle-
onie
MÉA
-Calédonie
-nce)

Vanua Levu

Viti Levu

SUVA
FIDJI

Wallis-et-Futuna
(France)

APIA
SAMOA

Samoa
(É.-U.)
PAGO PAGO

Îles Cook

(Nouv.-Zélande)

Îles de la Société

Îles Tuamotu

Îles Marquises

TONGA

Archipel
Tongatapu

NUKUALOFA

Niue
(Nouv.-Zélande)
ALOFI

Îles Cook
méridionales

Rarotonga
AVARUA

PAPEETE
Tahiti

Polynésie
française
(France)

Ligne internat. de changement de date

Îles Australes

OCÉAN

PACIFIQUE

Polynésie

Îles Gambier

Îles Pitcairn
(G.-B.)

Marotiri

Tropique du Capricorne

N

Cap Nord

Auckland
Île du Nord

D. de Cook

WELLINGTON

NOUVELLE-
ZÉLANDE

Christchurch

Île du Sud

Dunedin

Invercargill

ÎLE DU SUD
(NOUVELLE-ZÉLANDE) ▶

Ce paysage verdoyant et désert est typique de l'extrémité nord de l'Île du Sud, en Nouvelle-Zélande. Le pays est peu peuplé et ses paysages intacts attirent les touristes.

POUR EN SAVOIR PLUS ▶▶ Les îles 42 • Les volcans 44 • Les habitats naturels 82-84 • L'Australie 425 • La Nouvelle-Zélande 425

L'AUSTRALIE ET LA NOUVELLE-ZÉLANDE

Entre les océans Pacifique et Indien, l'Australie est à la fois un pays et un continent aux paysages variés : centre chaud et aride, forêts denses, montagnes enneigées et plages superbes. La Nouvelle-Zélande est située à environ 1 500 km au sud-est de l'Australie. L'Île du Nord se distingue par ses forêts, ses volcans et ses sources chaudes, et l'Île du Sud, plus montagneuse, par ses glaciers, ses fjords et ses lacs.

En quoi la faune australienne est-elle unique ?

On trouve en Australie des animaux qui n'existent nulle part ailleurs. Les mammifères marsupiaux comme le kangourou, le koala et le wombat et les mammifères ovipares comme l'ornithorynque ne vivent qu'en Australie. Isolées par les océans depuis 30 millions d'années, ces espèces ont pu évoluer sur l'île.

▲ LE MODE DE VIE ABORIGÈNE
Certains Aborigènes vivent toujours de façon traditionnelle. Ils parcourent l'intérieur du pays à pied à la recherche de nourriture. Ils chassent les animaux comme le kangourou et l'opossum à l'aide de boomerangs et de lances.

▲ LES KANGOUROUS
Le kangourou, plus grand mammifère marsupial d'Australie, peut atteindre une vitesse de 56 km/h. Il vit en troupeaux dans l'intérieur du pays, s'abrite du soleil le jour et se nourrit d'herbe au crépuscule.

SYDNEY (AUSTRALIE) ▶
Sydney est la plus grande ville d'Australie. Important centre culturel, elle compte 4 millions d'habitants. L'Opéra de Sydney borde le port. Ses toits ressemblent aux voiles des bateaux qui passent devant lui.

Quels sont les sports populaires en Australie ?

Les sports de plein air dominent le mode de vie australien. La majorité des Australiens vit près de la côte, où le climat ensoleillé, les plages et l'eau chaude invitent à naviguer, nager, surfer et plonger. Les Australiens aiment aussi les sports de spectacle : leurs joueurs de tennis et leurs équipes de cricket et de rugby sont connus dans le monde entier.

Australie

Qui sont les habitants de l'Australie ?

La société australienne est multiculturelle. De nombreux habitants sont d'origine européenne, mais la population compte également des Chinois, des Indonésiens et des Vietnamiens. Ses plus anciens habitants, les Aborigènes, s'y sont installés il y a plus de 40 000 ans.

Pourquoi ce rocher géant est-il un site sacré ?

L'Uluru, «grand caillou», est un bloc géant de grès rouge qui s'élève au milieu du désert d'Australie. L'Uluru, ou Ayers Rock, est un site sacré pour les Aborigènes et fait partie de leurs croyances sur la création du monde.

▲ ULURU, OU AYERS ROCK
L'Uluru situé en Australie s'est formé il y a plus de 570 millions d'années. Ce rocher géant mesure 867 m de hauteur et 3,6 km de longueur. Au coucher du soleil, il prend une teinte orange brillante.

Nouvelle-Zélande

◄ LA GRANDE BARRIÈRE DE CORAIL

La Grande Barrière de corail, en Australie, s'étire sur 2 000 km dans l'océan Pacifique. Les touristes la visitent à bord de bateaux à fond de verre et les plongeurs viennent admirer sa faune variée. Celle-ci comprend 350 espèces de coraux de couleur vive, 1 500 espèces de poissons, des anémones de mer, des coquillages géants et différents types d'éponge.

AUSTRALIE ET NOUVELLE-ZÉLANDE	
AUSTRALIE	
Capitale : Canberra	
Superficie : 7 686 850 km²	
Population : 19,5 millions	
Langue officielle : anglais	
Principales religions : catholique et anglicane	
Monnaie : dollar australien	
NOUVELLE-ZÉLANDE	
Capitale : Wellington	
Superficie : 268 680 km²	
Population : 3,8 millions	
Langues officielles : anglais et maori	
Principales religions : anglicane et presbytérienne	
Monnaie : dollar néo-zélandais	

Pourquoi la Grande Barrière de corail est-elle menacée ?

Chaque année, les milliers de touristes qui viennent voir la Grande Barrière de corail abîment et polluent le plus grand récif corallien du monde. Situé au large de la côte nord-est de l'Australie, ce récif fragile est l'habitat de nombreuses espèces sous-marines. Construit au fil de milliers d'années par des créatures microscopiques, les polypes, il est menacé par les ophiures, sortes d'étoiles de mer qui se nourrissent de corail.

Quels furent les premiers habitants de la Nouvelle-Zélande ?

La Nouvelle-Zélande était inhabitée jusqu'à l'arrivée des Maoris il y a plus de 1 000 ans, originaires des îles du Pacifique. Au XIXᵉ siècle, des colons européens vinrent s'y installer. Récemment, des Polynésiens et des Mélanésiens non-maoris se sont ajoutés à cette société multiculturelle. Aujourd'hui, les Maoris représentent 12 % de la population néo-zélandaise.

Que peut-on admirer dans les parcs nationaux de Nouvelle-Zélande ?

Les parcs nationaux occupent près de 13 % de la superficie de la Nouvelle-Zélande. Montagnes escarpées, énormes glaciers, lacs, fjords et forêts se prêtent au trekking, à la voile, au rafting et à d'autres activités de plein air. Ce paysage spectaculaire comprend aussi des volcans, des geysers et des boues bouillonnantes.

GEYSERS DE NOUVELLE-ZÉLANDE ►
Les geysers se trouvent là où les roches volcaniques de l'intérieur de la Terre chauffent l'eau souterraine jusqu'au point d'ébullition. Cette eau jaillit sous la forme de gerbes de vapeur et d'eau chaude pouvant atteindre 460 m de hauteur.

◄ MOUTONS DE NOUVELLE-ZÉLANDE
Depuis l'invention du bateau réfrigéré, les moutons de Nouvelle-Zélande sont élevés pour leur viande. L'agneau congelé est l'une des principales exportations du pays vers l'Asie, l'Europe et les États-Unis.

Pourquoi y a-t-il autant de moutons ?

Le climat humide de la Nouvelle-Zélande et ses riches pâturages font de l'élevage du mouton la première ressource du pays. Grâce à un cheptel de plus de 44 millions de bêtes (11 par habitant), c'est un grand exportateur de laine et de viande de mouton. L'Australie est le premier producteur mondial de laine. Ses 120 millions de moutons sont élevés dans d'immenses fermes pouvant couvrir 15 000 km² et sont surveillés par avion.

R EN SAVOIR PLUS ►► Les îles 42 • Les cnidaires 103 • Les mammifères 120-123 • Les premiers hommes 362-363 • La Polynésie 396

L'ANTARCTIQUE

L'Antarctique, continent glacial et inhospitalier, fut le dernier lieu sur Terre à être exploré. Cette vaste masse montagneuse du pôle Sud enfouie sous une couche de glace pouvant atteindre 4,8 km d'épaisseur est entourée de mers gelées. L'Antarctique n'a ni pays ni population permanente. Avec ses températures hivernales de -80 °C, ses seuls habitants sont des scientifiques.

À qui appartient l'Antarctique ?

L'Antarctique n'appartient à aucune nation, mais est régi par un traité international qui empêche tout pays de le posséder ou de l'exploiter. Le traité de l'Antarctique de 1959, signé par 45 pays, a écarté les revendications territoriales de 7 États sur la région. Aujourd'hui, l'Antarctique est un continent dédié à la science et ne peut servir qu'à des fins pacifiques.

Qu'étudient les scientifiques en Antarctique ?

Des scientifiques du monde entier se rendent en Antarctique pour étudier le climat, la météorologie, la géologie et la faune de ce continent unique. Leurs recherches ont contribué à comprendre certains problèmes globaux comme le changement climatique. L'été, environ 3 700 scientifiques travaillent dans les 46 stations de recherche scientifique dispersées sur le continent. En raison du froid, seuls 1 200 y restent l'hiver.

◄ COLONIE DE MANCHOTS
Le manchot empereur, qui ne se trouve qu'en Antarctique, se nourrit de poissons. Il ne va sur la glace que pour se reproduire et forme alors de nombreuses colonies.

Map labels:

OCÉAN AUSTRAL

Îles Orcades du Sud · Orcades *(Argentine)* · Signy *(G.-B.)*

Sanae *(Afr. du Sud)* · Maitri · Georg von Neumayer *(Allemagne)* · Novolazarev *(Féd. de R.)* · Terre Reine

Mer de la Scotia

Passage de Drake

0 km   300   600

Capitán Arturo Prat *(Chili)* · General Bernardo O'Higgins *(Chili)* · Esperanza *(Argentine)* · Marambio *(Argentine)*

Îles Shetland du Sud

Île Lyddan · Banquise de Brunt · Glacier Stancomb-Wills

Halley *(G.-B.)*

Palmer *(É.-U.)* · Péninsule Jason · Banquise de Larsen · Faraday *(G.-B.)* · Rothera *(G.-B.)* · San Martín *(Argentine)*

Mer de Weddell · Belgrano II *(Argentine)*

Banquise de Filchner · Glacier Recovery

Mont Jackson 4 190 m

Île Berkner · Banquise de Ronne

ANTARC...

Limite hivernale du pack

Cercle antarctique

Île Alexander · Banquise de Wilkins · Île Smyley

Glacier Support Force · Monts Pensacola

Chaîne Transant...

Amundsen-Sco... *(É.-U.)* · Pôle Sud

Mer de Bellingshausen

Île Pierre-Ier *(Norvège)*

Mont Vinson 4 897 m

Terre d'Ellsworth · Glacier de Pine Island

Mont Seelig 3 022 m · Monts Whitmore

Glacier Beardmore · Mont Kirkpatrick 4 528 m

Île Thurston

Limite estivale du pack

Péninsule de l'Ours

Terre Marie-Byrd

Mont Markham 4 351 m

Mer d'Amundsen · Île Carney

Mont Sidley 4 181 m

Mont Siple 3 100 m · Russkaïa *(Féd. de Russie)*

Banquise de Ros...

Île Roosevelt · Mont ... · Base Scott *(Nouv.-Zélande)* · Mont Erebus 3 794 m · Base McMurdo

OCÉAN AUSTRAL

Péninsule Édouard-VII

Mer de Ro...

Île Coulman

Mont Minto 4 163 · Cap Ada...

Cercle antarctique

◀ **BASE AMUNDSEN-SCOTT**
Au pôle Sud, la station de recherche américaine Amundsen-Scott tient son nom de deux explorateurs. Protégées contre le froid intense, certaines de ses parties sont souterraines de façon à conserver la chaleur.

ANTARCTIQUE

Superficie totale :
14 millions de km²

Population totale : aucune population permanente ; stations de recherche habitées une partie de l'année par des scientifiques

Nombre de pays : 0

Plus haut sommet :
mont Vinson 4897 m

Principal désert : techniquement, tout le continent est un désert

Plus grande île : île Alexander

Plus basse température sur Terre :
-89,2 °C enregistrés à la station Vostok

L'ARCTIQUE

La région arctique se trouve autour du pôle Nord. C'est un petit océan glacé entouré par l'Europe, l'Asie et l'Amérique du Nord. Le paysage plat et austère sous ces latitudes polaires porte le nom de toundra. La région est caractérisée par un environnement froid et hostile. Elle est peu habitée. L'océan Arctique, en revanche, présente une faune nombreuse.

◀ **OURS POLAIRE SUR LA BANQUISE DE L'ARCTIQUE**
Une épaisse fourrure blanche protège l'ours polaire contre le froid et lui sert de camouflage lorsqu'il chasse le phoque et autres animaux.

Quels animaux peuvent vivre dans l'Arctique ?

L'océan Arctique est l'habitat de phoques, de morses et de nombreuses espèces de baleines qui se plaisent dans les eaux glacées, protégés par d'épaisses couches de graisse. Les mois d'été plus chauds, des animaux comme le renne, le bœuf musqué, le lièvre et le renard y chassent, mais migrent vers le Sud en hiver.

@ ▶▶ Arctique

@ ▶▶ Antarctique

0 km   800

RELIGION et SOCIÉTÉ

LA RELIGION	280	LA CULTURE	296
LES RELIGIONS ANCIENNES	282	LES MÉDIAS	298
LES RELIGIONS TRADITIONNELLES	283	LA FAMILLE	300
LE ZOROASTRISME	284	LA VIE SOCIALE	301
LE SHINTOÏSME	284	L'ÉCONOMIE	302
LE CONFUCIANISME	285	L'ÉGALITÉ SOCIALE	304
LE TAOÏSME	285	LA POLITIQUE	306
L'HINDOUISME	286	L'ÉTAT	308
LE JUDAÏSME	287	LA LOI	310
LE CHRISTIANISME	288	LES NATIONS	312
LE BOUDDHISME	289	LA GUERRE	313
L'ISLAM	290	LE NOUVEL ORDRE MONDIAL	314
LE SIKHISME	291	L'ALTERMONDIALISME	316
LA PHILOSOPHIE	292	LES DROITS DE L'HOMME	317
LES SOCIÉTÉS	294		

NB : Les religions sont traitées suivant
l'ordre chronologique de leur apparition.

LA RELIGION

La religion est l'ensemble des croyances en des êtres divins qui s'accompagne de pratiques et d'un code moral. Les enseignements d'une religion, généralement écrits dans un livre saint et illustrés par des récits, aident les individus à donner un sens à la vie. Chaque religion construit sa propre idée du but ultime de la vie, ses lieux de culte pour honorer son dieu ou ses dieux, ses rituels et ses règles.

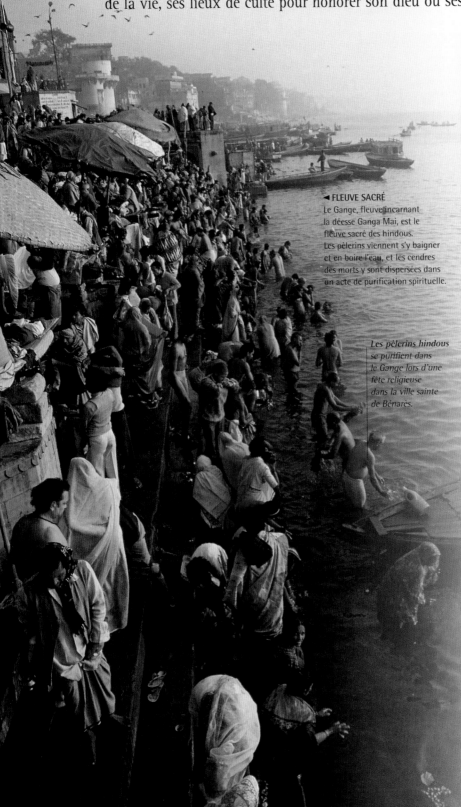

◄ FLEUVE SACRÉ
Le Gange, fleuve incarnant la déesse Ganga Mai, est le fleuve sacré des hindous. Les pèlerins viennent s'y baigner et en boire l'eau, et les cendres des morts y sont dispersées dans un acte de purification spirituelle.

Les pèlerins hindous se purifient dans le Gange lors d'une fête religieuse dans la ville sainte de Bénarès.

▲ ÉVANGILE ENLUMINÉ
Avant l'invention de l'imprimerie, les livres saints étaient écrits à la main et enluminés (décorés). Les bibles chrétiennes, comme ce nouveau testament de 1503 en grec ancien conservé en Moldavie, étaient toutes copiées à la main par des moines.

Y a-t-il beaucoup de religions ?

Il est difficile de les compter. L'islam, le judaïsme et le christianisme partagent des origines communes, mais sont distincts. Certaines religions sont divisées : l'islam est scindé entre chiites et sunnites. Le christianisme comprend les catholiques, les orthodoxes et les protestants.

DIEU

Si une religion vénère un seul dieu, on dit qu'elle est monothéiste, si elle en vénère plusieurs, elle est dite polythéiste. Un dieu est un être supérieur et tout-puissant qui peut aider les hommes. Dans certaines religions, les croyants prient leur(s) dieux(x) pour obtenir un secours. Dans d'autres, ils recourent à la méditation pour se concentrer sur leur conduite.

Toutes les religions ont-elles un dieu ?

Le bouddhisme a des racines communes avec l'hindouisme, mais ne vénère aucun dieu. Il se réfère aux enseignements du Bouddha pour progresser sur le plan spirituel. Les confucianistes visent l'harmonie cosmique en créant une société fondée sur l'ordre et la vertu. Certaines religions vénèrent les esprits qui habitent le monde naturel

Pourquoi y a-t-il tant de souffrance ?

Chaque religion a sa propre explication de la souffrance. Elle est souvent considérée comme une punition pour un péché ou un mauvais comportement. Si les gens se conduisent mal, c'est qu'ils sont poussés par un être diabolique ou par leurs propres désirs. Les religions d'Occident considèrent la souffrance comme le résultat des péchés, celles d'Orient comme la conséquence de l'ignoran

Qui n'a pas de foi ?

Les athées rejettent toute foi en un être surnaturel. Les agnostiques admettent qu'il puisse y avoir un dieu mais ne s'engagent pas. Les humanistes remplacent la foi par la raison humaine. Beaucoup de gens n'ont pas de religion, mais ont des croyances spirituelles et une morale.

Comment apprend-on une religion ?

Généralement, les enfants reprennent les croyances et pratiques de leurs parents. Des enseignements et des récits, par exemple sur la **CRÉATION**, se transmettent ainsi de génération en génération. Certaines religions tentent de convertir d'autres personnes, cela s'appelle le prosélytisme.

Les religions ont-elles toutes les réponses ?

Dès l'enfance, on commence à se poser toutes sortes de questions. Quel est le sens de la vie ? Pourquoi souffre-t-on ? Dieu existe-t-il ? Toutes les religions tentent de répondre à ces questions par des moyens différents. Les religions d'Occident se concentrent sur l'obéissance à dieu et le salut de l'âme. Celles d'Orient tendent vers la connaissance de soi et la libération du cycle des renaissances.

Pourquoi devient-on croyant ?

Le mystère de la vie et de l'existence de l'Univers a de tout temps inspiré des sentiments religieux. Malgré ses progrès, la science ne peut tout expliquer. La religion peut apporter des réponses sur certains événements et leur place dans le monde.

FOIS ET FIDÈLES (CHIFFRES FONDÉS SUR DES RECENSEMENTS)	
CROYANCES	*NOMBRE DE CROYANTS*
Christianisme	1,9 milliard
Islam	1,2 milliard
Athéisme, etc.	920 millions
Hindouisme	780 millions
Confucianisme/taoïsme	540 millions
Bouddhisme	330 millions
Shintoïsme	110 millions
Sikhisme	19 millions
Judaïsme	14 millions
Zoroastrisme	150 000

▲ UNITÉ RELIGIEUSE
Ces chefs religieux défilent pour la paix dans le monde. Ces rabbins juifs, ce sheikh musulman, ces évêques chrétiens et ce moine bouddhiste japonais montrent que les intérêts universels peuvent dépasser les différences religieuses.

Religion

LA CRÉATION

De nombreuses religions ont leur propre explication sur les origines de l'Univers et de l'humanité. Ces « mythes de la création du monde » sont généralement issus de croyances anciennes sur l'humanité et sa relation au monde naturel. Pour certains, la théorie du big bang fait partie de ces mythes.

Quand l'Univers a-t-il commencé ?

Certaines religions croient à des mythes complexes sur les dieux qui ont donné naissance au monde. Pour les Aborigènes, le Temps du Rêve est une époque où leurs ancêtres mythiques parcouraient la Terre pour créer les paysages par leurs actions. Pour les juifs et les chrétiens, Dieu a créé le monde en sept jours.

Les religions croient-elles à l'éternité ?

La plupart des religions ont leur propre calendrier. Celui des Mayas d'Amérique centrale prédit que notre ère s'achèvera en 2012. Pour les hindous et les bouddhistes, le temps est cyclique et toute chose ne cesse de renaître. Quant aux chrétiens et aux musulmans, ils croient que le temps est linéaire et que le monde prendra fin le jour du Jugement dernier.

▲ TAPIS NAVAJO
À l'origine, on ne représentait les esprits Yei de ce tapis indien navajo que lors du rituel de la Voie de la Nuit : les hommes-médecine (prêtres-guérisseurs) traçaient leurs images sur le sol à l'aide de sable coloré.

Les Yei sont des esprits sacrés, parfois des ancêtres, vénérés par les Navajos.

LES RELIGIONS ANCIENNES

Certaines religions ont disparu avec leurs civilisations. Grâce aux vestiges retrouvés, on connaît certains de leurs usages, comme la croyance en la **VIE APRÈS LA MORT**. Les mieux connues sont celles d'Égypte, de Grèce et d'Amérique centrale.

Qui était Rê ?

Rê, dieu égyptien du Soleil, était représenté avec une tête de faucon ou sous la forme d'un bélier ou d'un vieil homme. L'Égypte ancienne croyait en des dieux issus de différentes religions traditionnelles.

Qui était le serpent à plumes ?

Le plus grand dieu de la religion aztèque était Quetzalcóatl, créateur du monde, représenté sous la forme d'un serpent doté de plumes de quetzal. Lorsque Cortés est arrivé au Mexique, le roi aztèque de l'époque a cru que Quetzalcóatl était revenu sous les traits du conquérant espagnol.

Que reste-t-il des anciens dieux ?

Les noms des dieux romains et grecs de l'Antiquité sont toujours employés en Occident. Toutes les planètes du système solaire (hormis la Terre) portent le nom d'un dieu romain. Mercure, le dieu messager aux pieds ailés, a donné son nom à un métal liquide argenté.

▲ **MARS, DIEU DE LA GUERRE**
Le dieu romain de la Guerre a donné son nom à la quatrième planète du système solaire, à un jour de la semaine, à un mois, aux arts martiaux (sports de combat) et à la loi martiale (maintien de l'ordre par les militaires).

▲ **ATTEINDRE LES CIEUX**
Certaines cultures d'Amérique centrale comme celle des Zapotèques ont bâti de hautes pyramides surmontées d'une plate-forme dédiée aux sacrifices humains. Le mont Fuji (ci-dessus) est sacré pour les shintoïstes.

LA VIE APRÈS LA MORT

Le concept de vie après la mort est présent dans toutes les religions anciennes. Les chefs étaient souvent enterrés avec de nombreux objets comme leurs armes, un bateau miniature ou même de la nourriture qui devaient les aider à vivre dans l'au-delà.

@ ▶▶
Religions anciennes

◄ **MOMIE ÉGYPTIENNE**
Les cadavres des riches Égyptiens étaient momifiés afin de préserver le corps pour la vie dans l'au-delà. Les viscères étaient placés près du corps dans des récipients scellés, les canopes.

Qu'est-ce que l'âme ?

De nombreuses religions croient que tout individu a une partie éternelle et divine, l'âme. Certaines religions comme l'hindouisme croient que cette âme habite toute créature. Après la mort, l'âme retourne sur Terre dans un nouveau corps ou va au paradis ou en enfer.

Qu'est-ce qu'une pyramide ?

Certains pharaons d'Égypte étaient enterrés dans des pyramides. Symboliquement, ces tombes monumentales pointaient vers les étoiles qui devaient guider l'âme du pharaon dans son voyage vers l'au-delà. Les trois plus célèbres pyramides sont celles de Gizeh, près du Caire.

POUR EN SAVOIR PLUS ▶▶ L'Égypte ancienne 370-371 • Les conquistadores 405

LES RELIGIONS TRADITIONNELLES

Les religions traditionnelles sont celles d'un groupe ethnique ou culturel vivant à l'écart des sociétés modernes. Elles sont enseignées à travers des récits, des œuvres d'art, des chants et des **RITUELS**. Beaucoup honorent leurs ancêtres, des dieux ou des esprits.

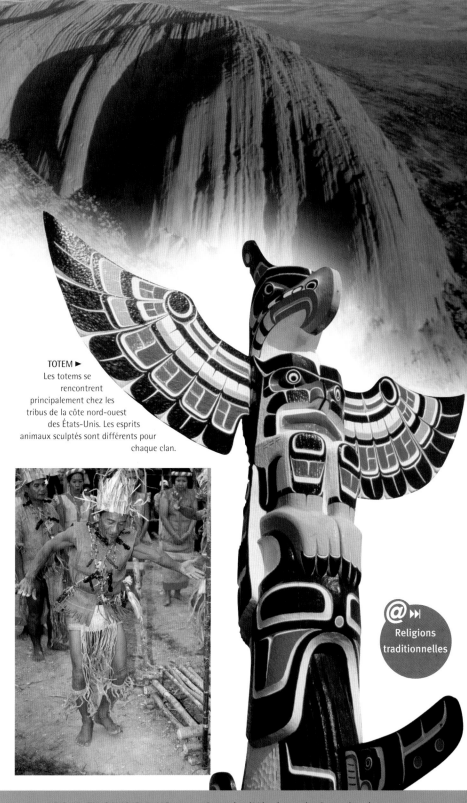

ULURU ▶
Au cœur du Territoire du Nord d'Australie, cet énorme rocher rouge (encore appelé Ayers Rock) est le lieu le plus sacré des Aborigènes.

Pourquoi certains endroits sont-ils sacrés ?

Les lieux sacrés ont une importance toute particulière dans la vie d'une tribu. Ce peut être une source, un lieu de rencontre, le site d'activités ancestrales ou la frontière avec le territoire d'un autre groupe. Ils servent parfois de lieu de sépulture pour les morts.

Qui vénère ses ancêtres ?

Les offrandes et les prières aux ancêtres défunts sont courantes dans les rituels des religions traditionnelles du monde, surtout en Asie. Les adeptes de ces religions pensent que les morts aident leurs parents vivants et interviennent en leur faveur auprès des dieux.

À quoi sert un fétiche ?

Un fétiche est un objet sculpté qui abrite un esprit ou possède des pouvoirs magiques. Le propriétaire du fétiche peut l'utiliser pour emprunter ces pouvoirs ou se protéger contre la malchance et la maladie.

TOTEM ▶
Les totems se rencontrent principalement chez les tribus de la côte nord-ouest des États-Unis. Les esprits animaux sculptés sont différents pour chaque clan.

LES RITUELS

Toutes les religions possèdent des rituels – paroles ou gestes codifiés – qui réunissent la communauté dans une identité commune. Les rituels peuvent marquer un passage comme le mariage ou une demande d'aide aux esprits.

Les chamans sont-ils des magiciens ?

La plupart des religions traditionnelles ont un chaman, ou homme-médecine, qui possède un savoir secret et emploie des formules, des rituels et les connaissances traditionnelles sur les plantes médicinales ou les animaux pour guérir ou apporter une aide spirituelle.

DANSE CHAMANIQUE ▶
Ce chaman dayak d'Indonésie exécute une danse cérémonielle. Les chamans utilisent la danse pour entrer dans un état de conscience particulier afin de communiquer avec les esprits.

@ ▶▶
Religions traditionnelles

POUR EN SAVOIR PLUS ▶▶ Le Canada, l'Alaska et le Groenland 224-225

LE ZOROASTRISME

Zarathustra, ou Zoroastre, est né en Iran vers 630 av. J.-C. Il enseignait qu'il faut choisir entre les forces du bien et du mal. Ses préceptes eurent une grande influence sur d'autres religions.

Qu'est-ce qu'un parsi ?

Le zoroastrisme, ou mazdéisme, était la religion officielle de l'Empire perse. À la chute de celui-ci, après une période de persécutions religieuses, certains de ses adeptes s'exilèrent en Inde et prirent le nom de parsis (« de Perse »). Les jeunes parsis sont initiés à la foi à l'âge de sept ans lors d'une cérémonie appelée *navjote*.

Comment les parsis prient-ils ?

Les édifices religieux zoroastriens sont les temples du feu. Les zoroastriens pratiquent leurs rituels devant un feu sacré où brûlent de l'encens et du santal. Le feu représente le dieu Ahura Mazda, source de lumière et de vie. Les enseignements du texte sacré, l'Avesta, sont lus ou chantés.

@ ▸▸ Zoroastrisme

LA *NAVJOTE* ▸
Une jeune initiée reçoit le *kusti*, ou fil sacré, qui sera enroulé trois fois autour de sa taille et qu'elle conservera pendant les prières.

Les trois niveaux de plumes représentent les bonnes paroles, les bonnes pensées et les bonnes actions. Les trois de la queue illustrent le contraire.

FARAVAHAR ▸
Ce symbole, le *faravahar*, représente l'âme humaine immortelle et, par extension, la religion zoroastrienne. Son visage humain indique son lien avec l'humanité.

POUR EN SAVOIR PLUS ▸▸ L'ouest de l'Asie et le Moyen-Orient 264-265 • L'Empire perse 375

LE SHINTOÏSME

Le shintoïsme (« voie des divinités »), plus ancienne religion du Japon, est centré sur l'adoration des *kami*. À l'origine, les *kami* sont les âmes des ancêtres qui se sont réfugiées dans des lieux naturels impressionnants comme le vent ou le mont Fuji.

De quand le shintoïsme date-t-il ?

On l'ignore, car ses origines remontent loin dans la préhistoire. Ses principaux éléments seraient apparus à partir du IVe siècle av. J.-C. Si ce culte repose essentiellement sur des *kami* terrestres, des textes datant de l'an 700 mentionnent des *kami* célestes responsables de la création du monde.

TORII ▲
Le *torii*, un portique en bois, symbolise la frontière entre le monde humain et le monde *kami*. L'exemple le plus connu est le *torii* flottant de l'île de Miyajima, près d'Hiroshima.

◂ AMATERASU
Le *kami* le plus important est la déesse du Soleil, Amaterasu, ancêtre légendaire de la famille impériale. On la voit ici sortir de sa caverne et rendre au monde sa lumière.

▲ PROCESSION *MATSURI*
La fête du *matsuri* est le grand événement annuel shinto. Les habitants transportent dans les rues une image du *kami* local dans une châsse, ou *mikoshi*. La cérémonie est une bénédiction par les dieux des habitants du quartier et des porteurs.

Comment identifier un lieu sacré ?

Pour les shintoïstes, c'est la nature tout entière qui est sacrée. C'est pourquoi leurs lieux de culte sont souvent dans de magnifiques décors naturels. Les lieux sacrés sont marqués par une corde épaisse (*shimenawa*) nouée autour d'un arbre ou d'un rocher. Les sanctuaires, qui abritent au moins un *kami*, sont marqués par un simple portique, le *torii*.

@ ▸▸ Shinto

POUR EN SAVOIR PLUS ▸▸ L'est de l'Asie 268-269 • Les religions traditionnelles 283

LE CONFUCIANISME

Kongfuzi («maître Kong»), Confucius dans les cultures occidentales, était un penseur qui vécut en Chine de 551 à 479 av. J.-C. Sa doctrine n'est pas véritablement une religion, mais plutôt une morale qui doit aider l'homme à se perfectionner. Le respect des rites et la piété filiale constituent les principaux préceptes.

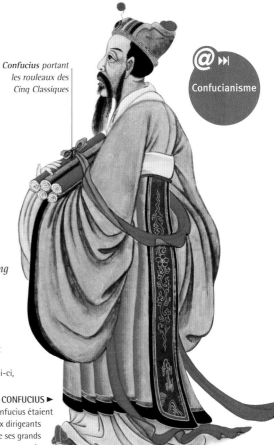

Confucius portant les rouleaux des Cinq Classiques

@ ▸▸
Confucianisme

Confucius est-il vénéré ?

Ni saint ni dieu, Confucius enseignait que mener une bonne vie est une récompense en soi. Après sa mort, ses enseignements ont été développés par ses disciples et se sont répandus en Corée, au Japon et au Vietnam. Ses disciples le considèrent comme un sage.

Que sont les Cinq Classiques ?

Le confucianisme repose sur cinq textes classiques – *les Annales, la Poésie, les Rituels, les Saisons* et le *Yijing,* ou *Livre des mutations.* Le *Yijing* aidait à surmonter les incertitudes en permettant de prédire l'avenir.

◀ TEMPLE CONFUCIANISTE
Les confucianistes ne prient aucun dieu, mais honorent leurs ancêtres dans des temples comme celui-ci, à Taïwan.

CONFUCIUS ▶
Les écrits de Confucius étaient des conseils adressés aux dirigeants de la Chine. L'un de ses grands préceptes était : «Gouvernez par le pouvoir d'une morale exemplaire.»

POUR EN SAVOIR PLUS ▸▸ Le premier Empire chinois 378

LE TAOÏSME

Lao-tseu portant un rouleau du Daodejing

Le tao («la voie») est le principe qui organise l'Univers. La meilleure façon d'agir ou de penser est le *wuwei,* ou «non-agir». Ne pas tenter de résister aux événements ou parvenir à les contrôler contribue à instaurer la paix et l'harmonie en chacun et dans le monde.

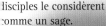

◀ LE YIN ET LE YANG
L'univers taoïste se compose de deux forces opposées et complémentaires. Le yin est féminin, sombre, fluide et passif. Le yang est masculin, lumineux, solide et actif.

@ ▸▸
Taoïsme

Qui a fondé le taoïsme ?

Lao-tseu («Vieux Maître») vivait en Chine au VIᵉ siècle av. J.-C. Il a écrit le *Daodejing,* dont les préceptes sont le fondement du taoïsme. Selon la tradition, Lao-tseu était archiviste à la cour royale et connaissait Confucius. Lorsqu'il décida de partir pour un pèlerinage spirituel, il ne fut pas autorisé à quitter la Chine avant d'avoir écrit tous ses enseignements.

Qu'est-ce que le «qi» ?

Le principe du *qi* régit la vie et la croyance chinoises. Substance vitale qui agence l'univers, le *qi* se compose de deux forces énergétiques complémentaires : le yin et le yang. Les Chinois pensent que le *qi* circule dans les canaux énergétiques du corps et que le blocage de ces canaux provoque la maladie. L'acupuncture débloque ces canaux au moyen d'aiguilles.

◀ LAO-TSEU
SUR UN BUFFLE
Il existe plusieurs légendes sur la vie de Lao-tseu, mais rien n'est vraiment certain à son sujet. Il aurait parcouru la Chine sur le dos d'un buffle d'eau.

POUR EN SAVOIR PLUS ▸▸ Le premier Empire chinois 378

L'HINDOUISME

Né vers 2000 av. J.-C., l'hindouisme est l'une des plus anciennes religions du monde et la principale tradition religieuse de l'Inde. Il n'a pas de fondateur, mais s'est développé lentement sur une longue période à partir de plusieurs catégories de textes, les *Veda* et les épopées, comme le *Mahabharata*.

Qu'est-ce que brahman ?

De nombreux hindous pensent que ces diverses religions ont en commun une réalité qui ne change pas, brahman. C'est l'éternelle force créatrice qui a créé l'Univers et à laquelle toute chose retourne. Pour les hindous, les âmes humaines renaissent dans des cycles de **RÉINCARNATION**.

Les dieux hindous ont-ils des statues ?

Les statues sont des symboles puissants de la présence d'un dieu, auxquelles on présente des offrandes. Les principaux dieux hindous incluent Ganesh, à tête d'éléphant, symbole de la richesse et de la réussite, et le dieu singe Hanuman, symbole d'héroïsme et de loyauté.

▲ SON SACRÉ
Le symbole sacré Om est un mantra (son répété) qui représente brahman et s'emploie souvent en méditation.

SHIVA LE DANSEUR ►
Le dieu Shiva symbolise à la fois la destruction et la création. On le voit ici danser sur le corps d'un démon, entouré d'un cercle enflammé représentant l'énergie de l'Univers.

▲ UN FESTIVAL COLORÉ
Holi marque le début du printemps. Pendant la journée, les gens se rendent visite et commémorent les espiègleries du dieu Krishna en s'aspergeant mutuellement d'eau et de poudre colorées.

Hindouisme

▲ HARE KRISHNA
Hare Krishna est une branche de l'hindouisme établie en Amérique dans les années 1960 par A. C. Bhaktivedanta. Ses adeptes honorent Krishna, l'une des incarnations de Vishnou. Leur nom vient du mantra qu'ils chantent, «*Hare Krishna*» («Salut, Krishna»).

BRAHMA ►
Brahma le dieu suprême (à ne pas confondre avec brahman) a quatre têtes de façon à voir dans toutes les directions. Avec Vishnou le préservateur et Shiva le destructeur, ces trois dieux composent la *trimurti*, ou «trois formes».

◄ ASCÈTE *SADHU*
Le *sadhu* est un ermite qui a coupé tous liens avec sa famille, ne possède rien et vit de l'aumône. Il voue sa vie à la sagesse et à la recherche de la *moksha* (libération du cycle des renaissances).

LA RÉINCARNATION

Selon les hindous, un être n'a pas qu'une vie, mais connaît un cycle de morts et de renaissances, le *samsara*. Les êtres renaissent dans une position sociale supérieure ou inférieure selon les actes commis dans leur vie.

Quel est le point commun entre le bouddhisme et l'hindouisme ?

Le bouddhisme ne cherche pas à savoir si Dieu existe ni comment et pourquoi le monde a été créé. Il est centré sur l'idée hindoue de cycle des renaissances et la façon d'atteindre le nirvana, à savoir se libérer de ce cycle en se débarrassant de l'envie, de la haine et de l'ignorance.

POUR EN SAVOIR PLUS ▸▸ Le sud de l'Asie 266-267 • Le bouddhisme 289

LE JUDAÏSME

Le judaïsme est la plus ancienne religion du monde fondée sur la croyance en un seul dieu. Les juifs croient que Dieu a fait d'eux le peuple élu et a conclu avec eux une alliance : s'ils suivent ses commandements, écrits dans le texte sacré de la **TORAH**, ils recevront Israël, la Terre promise.

Quels sont les deux types de judaïsme ?

Les juifs religieux se divisent en deux grands groupes : les orthodoxes et les non-orthodoxes. Les premiers obéissent à la Torah et à ses règles. Les seconds essaient d'adapter le judaïsme à la vie moderne. Les deux groupes observent les **FÊTES JUIVES**.

À quel âge les garçons sont-ils majeurs ?

À 13 ans, un garçon est considéré comme un adulte et devient *bar-mitsva* (« fils du commandement ») après la cérémonie du même nom. Celle-ci a lieu dans le lieu de culte juif, la synagogue, et est suivie d'une fête.

L'ÉTOILE DE DAVID ▶
L'étoile de David à six branches a été adoptée comme symbole du judaïsme il y a environ 200 ans. Elle comporte douze côtés, qui symbolisent les douze tribus d'Israël unifiées par le roi David. Elle figure sur le drapeau israélien.

Le rabbin est le chef spirituel de la synagogue.

La kippa, ou yarmulka, est une calotte qui couvre la tête en signe de respect envers Dieu.

Le talith est un châle de prière à franges nouées.

LA *BAR-MITSVA* ▲
Lors de sa *bar-mitsva*, le garçon lit pour la première fois la Torah à la synagogue.

Le yad est un objet en argent qui permet de suivre le texte.

Le Sefer Torah, ou rouleau de la Torah, est l'objet le plus sacré du judaïsme.

LA TORAH

Les textes les plus sacrés pour les juifs sont les cinq premiers livres de la Bible appelés Torah ou la Loi. Selon la tradition orthodoxe, Dieu aurait dicté à Moïse le texte de la Torah. Chaque synagogue en conserve un exemplaire manuscrit dans un coffre – que l'on appelle une arche – orienté vers Jérusalem.

La Torah est-elle le seul texte sacré des juifs ?

La Bible hébraïque (appelée Ancien Testament par les chrétiens) se compose de la Torah et de deux autres livres : les Prophètes et les Écrits. Le Talmud (« enseignement ») contient la loi juive et les commentaires des rabbins.

@ ▶▶
Judaïsme

LES FÊTES JUIVES

Les familles juives se réunissent pour fêter les moments marquants qui ponctuent le calendrier juif comme Yom Kippour (« jour du Grand Pardon »), Pessah (la Pâque) et Rosh ha-Shana (nouvel an). L'un des principaux commandements est d'observer le sabbat, jour de repos de la semaine.

◀ ALLUMAGE DE LA *MENORAH*
Hanoukkah, ou fête des Lumières, dure huit jours. Chaque soir, on allume une bougie supplémentaire sur la *menorah*, le chandelier à neuf branches, à l'aide de la neuvième bougie.

Qu'est-ce que le sabbat ?

Le sabbat est le jour du Seigneur des juifs. Il commence le vendredi au crépuscule et s'achève le samedi au crépuscule. C'est un jour de repos où tout travail est interdit (écrire, cuisiner, etc.). Ce repos est observé en souvenir de la création du monde achevée par Dieu le septième jour.

POUR EN SAVOIR PLUS ▶▶ Le Moyen-Orient 264-265 • Le christianisme 288 • Les empires du Moyen-Orient 372-373

LE CHRISTIANISME

Les chrétiens croient en un seul Dieu composé de trois personnes : le père, le fils (Jésus-Christ) et le Saint-Esprit, c'est la Trinité. La BIBLE raconte le rôle de Messie incarné par Jésus, il y a environ 2 000 ans.

▲ LA CROIX
Jésus a été cloué sur une croix de bois par les Romains, une méthode d'exécution assez courante à l'époque, appelée crucifixion.

Pourquoi Jésus est-il appelé le roi des juifs ?

Le judaïsme enseigne qu'un messie viendra sur terre pour achever les projets de Dieu concernant l'humanité. Selon les chrétiens, Jésus (né juif) est le Messie alors que, pour les juifs, il était un prophète préparant la venue du Messie.

Que signifie la croix ?

La croix symbolise la mort et la RÉSURRECTION du Christ. Les chrétiens pensent que la mort de Jésus a apporté le salut en rachetant leurs péchés. À leur baptême, les chrétiens sont marqués d'un signe de croix en mémoire de ce sacrifice.

Le drapeau à la croix rouge est un symbole de la résurrection du Christ.

Les anges sont les messagers et les aides de Dieu.

LA RÉSURRECTION ▲
Ce vitrail du XIXe siècle montre Jésus ressuscité des morts. Les chrétiens célèbrent cet événement à Pâques.

Jésus sortant de son tombeau

Les plaies des mains et des pieds de Jésus montrent l'emplacement des clous lors de sa crucifixion.

▲ L'ÉGLISE BASILE-LE-BIENHEUREUX, MOSCOU
Cette église russe du XVIe siècle appartient à la tradition orthodoxe du christianisme. Celle-ci, majoritaire en Europe de l'Est, s'est séparée de l'Église catholique romaine et de son chef, le pape, au XIe siècle.

LA RÉSURRECTION

Les chrétiens croient que Jésus-Christ est ressuscité trois jours après sa mort (Pâques) et m[...] au ciel quarante jours après Pâques (l'Ascension) pour vivre à la droite de Dieu. Sa résurrection est symbole d'espoir pour tous les chrétiens.

Combien de temps Jésus a-t-il vécu sur Terre [...]

Jésus-Christ vivait en Palestine, alors occupée par les Romains. Sa mère était la Vierge Marie et son père terres[...] était Joseph. Jésus a travaillé comme charpentier avant de devenir prédicateur. À cause de ses enseignements qui gênaient les Romains et les autorités religieuses, il fu[...] exécuté à l'âge de trente-trois ans.

@ ▶▶
Christianisme

LA BIBLE

Les Écritures chrétiennes s'appellent la Bible. Elle allie la Bible juive (Ancien Testament) et la Bible chrétienne (Nouveau Testament), qui contient les quatre Évangiles, les Actes des Apôtres, les Lettres ou Épîtres et l'Apocalypse dite de Saint-Jean.

Les chrétiens croient-ils que la Bible dit vrai ?

De nombreux chrétiens considèrent la Bible comme la parole sacrée de Jésus. D'autres y voient un mélange d'histoire, de récits, de poèmes et de paraboles que l'on peut interpréter de façon plus symbolique.

BIBLE MANUSCRITE ▶
Avant l'avènement de l'imprimerie, la Bible était copiée à la main en latin ou en grec, généralement par des moines, et vendue à des personnes instruites et riches.

POUR EN SAVOIR PLUS ▶▶ Le judaïsme 287 • Les croisades 389

LE BOUDDHISME

Le bouddhisme a été développé en Inde il y a 2 500 ans par Siddhartha Gautama, ou Bouddha («l'Éveillé»), et s'est répandu dans tout l'est de l'Asie. Le Bouddha a réinterprété les idées hindoues sur le KARMA et la renaissance pour montrer comment éviter la souffrance.

▲ MOINES BOUDDHISTES
Ces jeunes moines thaïlandais sont reconnaissables à leurs robes safran. Ils vivent dans une communauté monastique appelée *sangha*. Les moines et les nonnes commencent leur formation dès l'âge de cinq ans.

Bouddhisme

À quoi sert la méditation?

Le Bouddha aurait trouvé le nirvana, c'est-à-dire reçu l'«illumination» en méditant sous un figuier, arbre de la connaissance. La méditation consiste à vider son esprit de toute pensée et distraction de façon à atteindre la paix intérieure et à parvenir à une meilleure compréhension.

Les bouddhistes ont-ils des lieux saints?

Les bouddhistes vont dans des lieux saints pour rendre hommage au Bouddha ou demander son aide. Le plus ancien type de ces lieux est le stupa (édifice en pierre en forme de dôme), qui contient des reliques sacrées. Les lieux saints chinois et japonais sont des tours en bois à plusieurs étages appelées pagodes.

▲ EMPREINTES DU BOUDDHA
Cette sculpture du Grand Stupa de Sanchi, en Inde, bâti par le roi Ashoka, représente les empreintes de pieds du Bouddha.

LE KARMA

Le karma est l'ensemble des actes, bons ou mauvais, d'une personne et leurs conséquences dans la vie actuelle et future. Les bouddhistes pensent que l'inégalité entre les hommes résulte du karma accumulé au cours de nombreuses vies, mais qui peut toujours changer.

Qu'est-ce que le nirvana?

Le nirvana, ou éveil, est la libération du cycle des renaissances et de la souffrance, état merveilleux et éternel. On l'atteint lorsque l'on est complètement libéré de l'envie, la haine, l'ignorance et l'attachement au monde humain. Au contraire des hindous, les bouddhistes ne croient pas à l'éternité de l'âme.

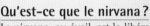
MOULIN À PRIÈRES ▶
Ce moulin tibétain contient des centaines de mantras (prières courtes) écrits sur un rouleau de papier. Faire tourner le moulin libère ces mantras dans le monde.

▲ MANDALA
Un mandala est une image du royaume céleste que l'on utilise en méditation. Des moines ont mis plusieurs mois à faire ce mandala à l'aide de sable coloré. Confectionné pour le rite d'initiation d'un jeune moine, il a ensuite été détruit.

◀ BOUDDHA ÉVEILLÉ
De nombreuses statues du Bouddha représentent son éveil et le montrent assis en tailleur ou allongé sur le côté. Cette statue, l'une des quatre de la pagode Kyaikpun, à Bago (Birmanie), mesure 30 m de hauteur.

POUR EN SAVOIR PLUS ▶▶ Le sud de l'Asie 266-267 • L'hindouisme 286

L'ISLAM

Islam signifie obéissance à la volonté d'Allah (Dieu), ainsi qu'aux lois et préceptes révélés à son prophète Mahomet et inscrits dans le livre sacré, le **CORAN**. Les adeptes de l'islam sont appelés musulmans («ceux qui obéissent»).

Où les musulmans prient-ils ?

Ils peuvent prier n'importe où, mais se réunissent souvent dans une mosquée pourvue d'une tour, le minaret, d'où un muezzin (fonctionnaire religieux) appelle les fidèles à la prière cinq fois par jour. Ils prient face à l'est, vers La Mecque, direction indiquée par une petite niche *(mihrab)* creusée dans un mur de la mosquée.

Pourquoi les musulmans prient-ils face à La Mecque ?

La Mecque, en Arabie saoudite, est le lieu de naissance de Mahomet et la ville la plus sacrée de l'islam. En 610, Mahomet a reçu sa première révélation de Dieu sur une montagne près de La Mecque. Tout musulman est censé faire le **HADJ** au moins une fois dans sa vie, s'il le peut.

▲ LA KAABA
En arrivant à La Mecque, les musulmans doivent faire sept fois le tour de la Kaaba, un édifice couvert d'un tissu noir.

FEMME EN PRIÈRE ▶
Cette musulmane prie Allah dans une partie de la mosquée réservée aux femmes. Les motifs du tapis indiquent la direction de La Mecque. La tête de la femme est couverte en signe de respect.

▲ LA MOSQUÉE DE DJENNÉ (MALI)
Comme la plupart des religions mondiales, l'islam tend à adapter son architecture à son environnement. Cette mosquée du XIVᵉ siècle, à Djenné, ancien grand centre de commerce et d'érudition, est faite de terre séchée.

▲ LE CROISSANT
Le croissant, ou *hilal,* est devenu le symbole de l'islam. Il est lié à des dynasties islamiques anciennes et relie le calendrier lunaire à la vie religieuse musulmane.

LE HADJ

Le hadj est un pèlerinage à La Mecque que tout musulman doit faire si possible une fois dans sa vie. C'est l'un des cinq piliers de l'islam, les autres étant la profession de foi, la prière, l'aumône légale et le jeûne (ou ramadan).

Qu'est-ce que la Kaaba ?

La Kaaba est un édifice sacré situé au cœur de la Grande Mosquée de La Mecque. Selon les musulmans, elle a été bâtie par Ibrahim (Abraham) sur un site rendu sacré par le premier homme, Adam. Pendant la période préislamique, c'était un sanctuaire dédié à 360 déités. En 630, Mahomet a de nouveau consacré ce lieu saint à Allah.

LE CORAN

Le Coran, ou *qur'an,* livre sacré de l'islam, est la parole d'Allah révélée à Mahomet. Il unit tous les musulmans dans une langue unique car ils doivent apprendre l'arabe pour lire les 114 chapitres qui le composent.

Qu'est-ce que le Coran ?

Le mot arabe *qur'an* signifie «récitation». La première révélation du dieu unique Allah, faite à Mahomet par l'intermédiaire de l'archange Gabriel, commence par : «Lis!». Les chapitres *(sourates)* et les versets *(ayat)* incluent une aide à la lecture : des marques indiquent la pause à faire à la fin de chaque verset.

Islam

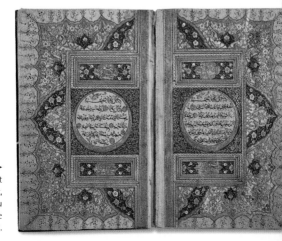

CORAN DÉCORÉ ▶
Nombre de copies du Coran sont de précieuses œuvres d'art, comme cet exemplaire du XVIIᵉ siècle. Embellir la parole d'Allah est un acte d'adoration.

POUR EN SAVOIR PLUS ▶▶ L'Afrique du Nord 240-241 • Le judaïsme 287

LE SIKHISME

Le sikhisme a été fondé il y a plus de 500 ans au Pendjab, en Inde, par un homme qui avait pour nom de **GOUROU** Nanak. Selon son enseignement, toutes les religions partagent la même vérité essentielle qui porte la sainteté en elle. Les disciples sont appelés sikhs, c'est-à-dire «ceux qui ont appris».

◄ LA KHANDA
La Khanda représente nombre des principales croyances sikhes. Le glaive à deux lames symbolise le pouvoir de la vérité; le cercle, l'unité et l'éternité; et les sabres symbolisent l'esprit guerrier.

La nuit, le livre sacré est enfermé dans l'Akal Takht.

Une passerelle relie le temple à la promenade entourant le lac.

Le Harimandir (Temple d'or) abrite le livre sacré, le Granth Sahib.

Le lac de l'Immortalité a été aménagé par le gourou Ram Das.

Le Darshani Deorhi est la porte d'accès au complexe.

Où le centre du sikhisme est-il situé?

Le Temple d'or, ou Harimandir, est devenu le symbole de la religion sikhe et son principal site de pèlerinage. Le quatrième gourou, Ram Das, fit aménager une cité et des lacs sacrés à Amritsar, au Pendjab, là où méditait autrefois le gourou Nanak. Le cinquième gourou, Arjan, fit bâtir le Temple d'or et y réunit les enseignements des gourous dans un livre sacré, le Granth Sahib.

Où les sikhs prient-ils?

Le gourou Nanak a enseigné que «le seul temple qui importe est en soi». Les sikhs prient à la maison ou se réunissent pour lire des hymnes dans le livre sacré. Les prières sont centrées sur Nam, le Nom de Dieu qui est en chaque individu. Les *gurdwaras* (temples) disposent d'un réfectoire, le *langar*, où les sikhs peuvent partager un repas avec tout visiteur.

▲ LE TEMPLE D'OR, À AMRITSAR
Le Temple d'or, ou Harimandir Sahib (maison de Dieu), a été reconstruit plusieurs fois depuis son achèvement, en 1601. *Sahib* est un titre honorifique que les sikhs emploient aussi bien pour les lieux que pour les personnes.

LE GOUROU

Comme pour les hindous, gourou signifie maître spirituel ou, plus précisément, «révélateur de la lumière et de l'obscurité». Les dix gourous sikhs sont une flamme spirituelle vivante et unique transmise par Dieu à tous les sikhs depuis le gourou Nanak.

Qui était le gourou Govind Singh?

Govind Singh, dixième gourou (1666-1708), a créé les *khalsa* en 1699 pour protéger la communauté sikhe contre les persécutions religieuses. Ces volontaires prêts à mourir pour leur foi portent cinq symboles, les cinq «k», en signe d'allégeance: *kes* (longue chevelure), *kangh* (peigne), *kirpan* (épée), *kara* (bracelet) et *kacch* (longue culotte).

@ ►►
Sikhisme

Où le livre sacré est-il conservé?

Le dixième gourou, Govind Singh, a désigné l'Adi Granth (premier livre) sacré comme son successeur afin qu'il n'y ait plus de gourou humain après lui. Ce livre prit le nom de gourou Granth Sahib, et ses copies sont conservées avec grand soin dans les temples et traitées avec le même respect que celui qu'inspirait un gourou humain.

LES DIX GOUROUS ►
Cette illustration rend hommage aux dix gourous: Nanak (en haut), Govind Singh (en haut à droite) et Granth Sahib (au centre). Le jeune gourou est Har Krishnan, qui mourut après avoir défié les ordres d'un empereur moghol refusant le sikhisme.

POUR EN SAVOIR PLUS ►► Le sud de l'Asie 266-267 • L'hindouisme 286

LA PHILOSOPHIE

Le mot grec *philosophia* signifie «amour de la sagesse». C'est une recherche de la vérité fondée sur la raison. Les principales questions de la philosophie portent sur l'être, la connaissance et le comportement : «Pourquoi sommes-nous ici?», «Qu'est-ce qui est réel?» et «Comment devons-nous nous conduire?».

CITATIONS DE PHILOSOPHES CÉLÈBRES	
L'habitude est une seconde nature	Aristote IVe siècle av. J.-C.
L'homme est la mesure de toutes choses	Protagoras, Ve siècle av. J.-C.
Le vrai pouvoir, c'est la connaissance	Francis Bacon 1561-1626
Je pense, donc je suis	René Descartes 1596-1650
L'homme est né libre et partout il est dans les fers	Jean-Jacques Rousseau 1712-1778
Chaque homme doit inventer son chemin	Jean-Paul Sartre 1905-1980

Qui furent les premiers philosophes?

La tradition occidentale fait remonter la philosophie aux écrits de penseurs grecs comme Platon et Aristote, à partir de 500 av. J.-C. Les pensées de Platon et d'Aristote sur la logique, la science, la classification, l'éthique et la politique continuent à guider la pensée occidentale.

La philosophie est-elle proche de la religion?

Comme la religion, la philosophie tente d'expliquer les mystères du monde et de l'existence humaine. Mais, contrairement à la religion qui repose sur la foi, elle applique la pensée raisonnée aux questions telles que l'obligation morale et le libre-arbitre.

Qu'est-ce que la logique?

En philosophie, la logique est la recherche d'un moyen d'obtenir des connaissances positives. L'exemple classique donné par Aristote montre comment l'on peut tirer une conclusion à partir de deux propositions : «Socrate est un homme, tous les hommes sont mortels, donc Socrate est mortel.»

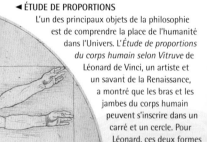

◄ ÉTUDE DE PROPORTIONS
L'un des principaux objets de la philosophie est de comprendre la place de l'humanité dans l'Univers. L'*Étude de proportions du corps humain selon Vitruve* de Léonard de Vinci, un artiste et un savant de la Renaissance, a montré que les bras et les jambes du corps humain peuvent s'inscrire dans carré et un cercle. Pour Léonard, ces deux formes sont la base de l'Univers.

Philosophie

L'ÉCOLE D'ATHÈNES ▼
Cette fresque du XVIe siècle de la bibliothèque du Vatican a été peinte par l'artiste italien Raphaël. Elle représente des philosophes du passé réunis au sein d'une académie intemporelle. Au centre, Platon et Aristote discutent ensemble.

Socrate dans une discussion animée avec Xénophon et Alexandre le Grand (en armure)

Platon, doigt levé, indique l'Univers et la pensée abstraite.

Aristote, main vers le bas, indique la Terre et la pensée éthique.

◄ **LA STATUE DE LA LIBERTÉ, ÉTATS-UNIS**
La statue de la Liberté, dans le port de New York, symbolise la démocratie. Les idées qui ont inspiré l'indépendance américaine, en 1776, sont dues à des philosophes politiques comme l'Anglais John Locke et le Français Jean-Jacques Rousseau.

Les pointes de la couronne représentent les sept continents.

À quoi la vérité sert-elle ?

La question de la vérité – ce qui est et comment le reconnaître – est l'une des questions les plus anciennes et controversées en philosophie. Certains philosophes pensent que les règles abstraites des mathématiques constituent une vérité absolue. D'autres affirment qu'il n'y a pas de vérité absolue, mais une vérité relative selon des points de vue individuels ou culturels : «L'homme est la mesure de toutes choses.»

Qu'est-ce que le libre-arbitre ?

La question du libre-arbitre, également abordée par de nombreuses religions, tourne autour d'une autre question : par quoi nos vies sont-elles contrôlées ? Pouvons-nous choisir notre destin ou sommes-nous limités par ce qui a précédé (déterminisme) ou par la volonté de Dieu (prédestination) ?

▲ **ARJUNA ET KRISHNA**
La *Bhagavad-Gita* («chant du Seigneur») illustre de nombreuses discussions philosophiques entre Krishna (forme humaine de Vishnou) et son ami soldat Arjuna. Les conseils de Krishna guident les actes d'Arjuna.

Qu'est-ce que l'éthique ?

L'éthique, ou philosophie morale, est l'étude de la conduite humaine et des systèmes de morale. Une bonne conduite est-elle une question de devoir envers Dieu ou de développement personnel harmonieux ? Toutes les sociétés ne partagent pas la même éthique. En règle générale, les sociétés orientales insistent davantage sur le devoir collectif que celles d'Occident.

Zoroastre (qui tient un globe céleste) discute de géographie avec Ptolémée.

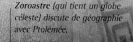

POUR EN SAVOIR PLUS ►► L'hindouisme 286 • La Grèce antique 376-377

LES SOCIÉTÉS

De tout temps et partout dans le monde, les peuples se sont organisés en groupes dotés de règles de vie communes. Un tel groupe organisé porte le nom de société.

Les sociétés ont-elles des points communs ?

Certaines institutions existent dans toutes les sociétés : famille, mariage, protection infantile, division du travail selon l'âge ou le sexe (entre les hommes et les femmes). Néanmoins, les coutumes régissant le comportement social sont variables dans le monde.

Comment les sociétés sont-elles organisées ?

Toutes les sociétés sont organisées sur la division du travail et des prises de décision. Les sociétés modernes sont censées assurer à leurs membres protection, justice, ordre, sécurité économique et identité collective. L'étude de l'organisation des sociétés est l'objet des SCIENCES SOCIALES.

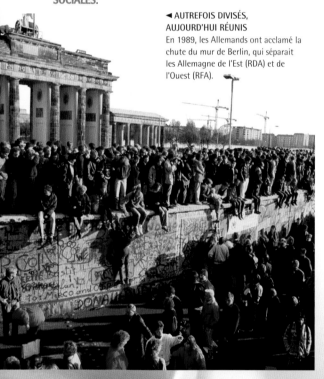

Le sac d'argent indique que la société est dirigée par les riches.

Les dirigeants sont les seuls décisionnaires.

Les chefs religieux soutiennent les occupants de l'étage supérieur et non inférieur.

L'armée protège les dirigeants contre les ouvriers révoltés

La classe ouvrière travaille durement pour satisfaire les besoins de la société.

La classe moyenne dépe[...] du travail des ouvriers pour vi[...] dans l'opulence

1912 AFFICHE ÉLECTORALE AMÉRICAINE POUR GAGNER LES VOIX DES OUVRIERS

◄ **AUTREFOIS DIVISÉS, AUJOURD'HUI RÉUNIS**
En 1989, les Allemands ont acclamé la chute du mur de Berlin, qui séparait les Allemagne de l'Est (RDA) et de l'Ouest (RFA).

▲ LE GÂTEAU POUR QUELQUES-UNS, LES MIETTES POUR LES AUTRES
Certains pensent qu'une société doit œuvrer pour le bien de tous ses membres. Cette affiche illustre le point de vue socialiste, selon lequel la société ne travaille qu'au bénéfice d'un petit groupe et doit changer.

Les sociétés évoluent-elles ?

En général, une société s'adapte aux changements, le plus souvent progressifs, notamment en matière d'environnement ou de technologie. Mais des événements majeurs comme une guerre ou une révolution peuvent engendrer des transformations brutales.

Sociétés

LES SCIENCES SOCIALES

Les sciences sociales étudient la façon dont les hommes vivent en société. L'économie a pour objet la connaissance des phénomènes concernant la production, la distribution et la consommation des richesses et des biens matériels dans la société humaine. La sociologie analyse les phénomènes sociaux humains. L'anthropologie étudie les cultures et les structures des sociétés.

▲ LE PASSAGE D'UN GARÇON À L'ÂGE ADULTE EN AFRIQUE DU SUD
Si chaque société a ses coutumes propres, chacune célèbre un même événement à sa façon. L'une de ces coutumes communes est le rituel du passage des garçons à l'âge adulte.

▼ UNE COMMUNAUTÉ MONDIALE
Aujourd'hui, grâce aux communications, très peu de sociétés sont vraiment isolées des autres. La plupart des gens, qu'ils habitent un village ou une ville, dépendent des systèmes économiques et technologiques qui relient les différentes parties du monde et créent ainsi une communauté mondiale.

À quoi servent les sciences sociales ?
La rapide croissance économique due à la révolution industrielle des XVIIIe et XIXe siècles a apporté de grands changements sociaux. Les sciences sociales ont permis d'expliquer les effets de ces changements et de réunir des données sociales. Aujourd'hui, elles aident à comprendre les questions sociales complexes.

Nos gènes influent-ils sur la société ?
Les scientifiques ont longtemps débattu sur ce qui influençait le plus une société : nature ou éducation, biologie ou culture. Pour les sociobiologistes, nos gènes, qui déterminent nos caractéristiques physiques, sont responsables de la plupart de nos comportements. D'autres scientifiques attribuent ces comportements à la culture.

Qu'est-ce que l'anthropologie ?
L'anthropologie physique étudie l'évolution humaine et les différences biologiques telles que la diversité génétique. Comme l'ethnologie, l'anthropologie sociale examine les nombreux comportements, langues et croyances – appelés collectivement culture –, en particulier des sociétés traditionnelles. L'objectif est de mieux comprendre la «famille humaine» à laquelle nous appartenons tous.

▲ LES SOCIÉTÉS ANIMALES
La fourmi est l'une des espèces animales vivant en société. Les «règles» de cette société étant encodées dans les gènes de la reine, les sociétés de fourmis ne peuvent ni apprendre ni s'adapter.

CLAUDE LÉVI-STRAUSS
Français, 1908
Venu à l'ethnologie après des études de philosophie, il a raconté dans Tristes Tropiques (1955) la naissance de sa vocation. Il a enseigné à l'étranger, puis a été professeur d'anthropologie sociale au Collège de France (1959). Il a étudié les phénomènes humains selon le concept de structure adapté de la linguistique.

POUR EN SAVOIR PLUS ▸▸ La génétique 209 • La culture 296-297 • La famille 300 • L'économie 302-303 • L'État 308-309

Les fêtes culturelles dans le monde

LE JOUR DES MORTS
Le jour de la Toussaint, les Mexicains prient leurs parents morts et les invitent à revenir dans le monde des vivants pour une grande fête. Cette scène se passe à Los Angeles (États-Unis) où la population hispano-américaine est importante.

DANSE MASAI
Les Masais d'Afrique de l'Est vivent en groupes d'âge appelés fraternités. Lors du rituel eunoto, les membres d'une fraternité dansent en sautant jambes tendues. Cette danse marque le passage de l'âge de guerrier à celui de mari.

LE JOUR DE L'INDÉPENDANCE
Chaque année, le 4 juillet, les Américains de tous milieux fêtent l'anniversaire de l'indépendance des États-Unis vis-à-vis de l'Angleterre. Célébrer les événements marquants de l'histoire d'une nation encourage les citoyens à s'identifier à leur pays. En France, nous fêtons le 14 juillet la prise de la Bastille.

LA FÊTE DE DUSSEHRA
En octobre, les Indiens fêtent la victoire de Rama sur le démon Ravana. Lors de processions, des éléphants peints et décorés comme ceux qui emmenaient autrefois les rois à la guerre défilent dans les rues.

TROOPING THE COLOUR
L'anniversaire officiel de la reine Élisabeth II d'Angleterre donne lieu à une parade militaire. Rituels, uniformes, drapeaux et attelage de la reine sont les symboles de la tradition et de la stabilité.

LA *OLA*
Lors d'un match de football américain, ces spectateurs se lèvent par vagues successives pour faire la *ola* dans le stade. Assister à de grands événements sportifs ou soutenir une équipe est essentiel dans les consciences collectives.

LA CULTURE

La culture est l'ensemble des valeurs, coutumes et croyances qui confèrent à une société une identité commune : LANGUE, rituels, modes, arts, alimentation, histoire et modes de vie.

Tous les membres d'une société partagent-ils la même culture ?

Les sociétés traditionnelles partagent généralement une culture commune. Dans les sociétés plus larges et composites, les gens partagent une culture dominante à laquelle la majorité peut s'identifier. À cette culture dominante s'ajoutent des CONTRE-CULTURES fondées sur des valeurs et des centres d'intérêt communs, notamment parmi les immigrants et les jeunes.

Culture

Existe-t-il une culture mondiale ?

De par les échanges commerciaux, les communications et la technologie moderne, les différentes cultures du globe se répandent et s'influencent mutuellement. Certains événements culturels, comme un film de Hollywood, sont partagés par le monde entier. Mais les aspects culturels locaux comme la langue ou les mythes demeurent les influences les plus puissantes dans la vie des individus.

▲ **LA CULTURE AMISH**
Aux États-Unis, les amish ont choisi de rester à l'écart de la culture dominante du pays. Les plus conservateurs ont renoncé au confort moderne apporté par l'électricité et les machines, par exemple, leur religion les incitant à refuser la modernité. Ce mode de vie les tient à l'écart du reste de la société.

◄ **UN PATCHWORK DE CULTURES**
Chacune de ces cultures est unique. Ensemble, elles forment une vaste culture mondiale. Apprendre à connaître ces cultures peut influencer le mode de vie de chacun.

Les cultures évoluent-elles ?

Les cultures naissent de l'histoire et des expériences d'une société, c'est-à-dire sa TRADITION. Un changement social rapide ou le contact avec une autre culture peuvent les faire évoluer. Grâce aux communications et aux transports internationaux, les individus du monde entier peuvent découvrir d'autres cultures et s'en enrichir.

Comment apprend-on une culture ?

La plupart des gens grandissent en immersion dans leur culture. Ils l'apprennent de leur famille, à travers les rituels et les coutumes, la langue, les arts, les habitudes sociales et une histoire commune. À cela s'ajoutent d'autres sources culturelles comme l'école, le cercle d'amis, la télévision et les livres.

LA TRADITION

La tradition est un ensemble de coutumes et de croyances qui reflètent et affirment l'identité commune d'un groupe. Elle se transmet de génération en génération par l'enseignement et la pratique.

Pourquoi avons-nous des traditions ?

Les traditions naissent de croyances profondes ou sont inventées pour marquer des faits historiques. Les événements comme la parade de Saint-Jean-Baptiste au Québec, Thanksgiving aux États-Unis et la prise de la Bastille en France rappellent aux peuples certaines périodes historiques et traditions appartenant à leur culture.

LA CÉRÉMONIE DU THÉ
(CHA NO YU) ►
Cette Japonaise en costume traditionnel exécute la cérémonie du thé pour honorer ses hôtes. Très complexe, cette cérémonie inclut des règles précises. À l'origine, cette tradition faisait partie de l'accueil formel des invités.

LA LANGUE

Chaque culture communique à travers une langue, ensemble de mots, de règles grammaticales, de signes et de symboles. On compte environ 5 000 langues dans le monde.

PANNEAU DE SIGNALISATION ►
Ce stop est signalisé en anglais et en arabe. Sa forme et sa couleur permettent de reconnaître sa signification dans le monde entier.

Comment une langue évolue-t-elle ?

Les langues évoluent de la même façon que les cultures, par interaction avec d'autres langues. Une langue adopte en permanence de nouveaux mots et en perd de vieux et, parfois, des mots existants prennent un nouveau sens. Les variantes locales d'une langue sont appelées dialectes. Un dialecte peut se former lorsqu'un groupe de locuteurs s'installe dans un autre pays (comme les colons espagnols en Amérique du Sud) ou lorsqu'il est isolé des autres personnes parlant sa langue.

LA CONTRE-CULTURE

Les jeunes développent des cultures particulières qui expriment une certaine contestation. Elles influencent souvent la culture dominante.

Qu'est-ce qu'une « culture de bandes » ?

Certaines personnes à la recherche de sensations et d'une identité fortes et d'un mode de vie différent se joignent à des bandes organisées comme les motards *Hells Angels* ou les *yakuza* japonais. Ces groupes créent leur propre culture incluant un code vestimentaire, des tatouages, une façon de parler et une musique particulière. La culture dominante se réapproprie parfois certains aspects de ces cultures, surtout dans le domaine musical.

Pourquoi se joint-on à une contre-culture ?

Bien des gens, en particulier les jeunes, rallient une contre-culture pour exprimer leurs idées et leur identité. Les adolescents et les jeunes adultes ont souvent du mal à s'identifier aux valeurs de la société et cherchent à se réunir en groupes partageant les mêmes intérêts musicaux, sportifs, politiques, etc. Une contre-culture peut aussi être fondée sur un loisir comme les danses folkloriques ou la colombophilie (élevage de pigeons voyageurs).

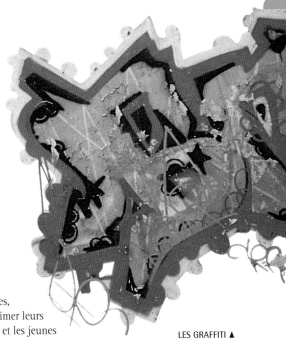

LES GRAFFITI ▲
Les bandes recourent souvent aux graffiti – les tags (signatures), œuvres d'art peintes illégalement sur les murs et autres endroits visibles – pour marquer leur territoire. Le tag est devenu un art à part entière.

▲ ANARCHIE AU ROYAUME-UNI ?
Dans les années 1970, la contre-culture punk a attiré de nombreux adolescents par sa musique rock violente aux paroles crues. La mode punk – cheveux teints, piercings, etc. – exprime un rejet des valeurs dominantes et une rébellion à l'égard des parents et de la société.

POUR EN SAVOIR PLUS ►► Les sociétés 294-295 • La musique pop 334 • Le cinéma 346-347

LES MÉDIAS

Les (mass) médias désignent toutes les institutions et la technologie permettant de communiquer informations et divertissements à la société. Ce sont la PRESSE ÉCRITE (journaux et revues), la PRESSE AUDIOVISUELLE (radio et télévision) et les nouveaux médias comme l'Internet.

Qui finance les médias ?

Un média peut appartenir à l'État, comme les chaînes de télévision France 2 et France 3 et la Société Radio-Canada (SRC), ou à une société privée. Le consommateur paie une redevance pour accéder à l'information, mais les médias sont principalement financés par des sponsors et la PUBLICITÉ.

À quoi les médias servent-ils ?

Les médias servent à se mettre au courant des informations ou des résultats sportifs. Leur objectif principal, outre l'information, est d'éduquer et de divertir. Néanmoins, ils sont parfois utilisés à des fins de propagande pour influencer l'opinion publique et déformer la vérité.

SORTIE DE PRESSE ▶
Un journal doit être écrit par des journalistes, imprimé en de nombreux exemplaires et distribué avant que les nouvelles ne soient périmées. La première édition d'un quotidien doit être « bouclée » à 1 heure du matin pour parvenir 5 heures plus tard dans les kiosques.

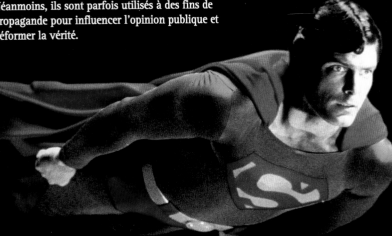

SUPERMAN

◀ LES FILMS D'HOLLYWOOD
L'industrie cinématographique américaine repose sur des films d'action, de comédie ou d'amour conçus pour plaire à un large public. Les films à succès comme *Superman* permettent aux studios de couvrir facilement leurs énormes coûts de production.

L'Internet est-il différent des autres médias ?

Dans la plupart des médias, l'information est transmise en sens unique, de l'émetteur au public. L'Internet, lui, a créé une communauté « virtuelle » qui peut échanger informations, opinions et expériences par le biais d'e-mails, de sites interactifs et de forums. Si l'exactitude et l'honnêteté du contenu d'un site Internet ne sont pas garanties, la « toile » est une alternative informelle aux médias officiels et permet à tous de s'exprimer.

◀ LE MONDE À PORTÉE DE SOURIS
On compte plus d'un demi-milliard d'utilisateurs de l'Internet dans le monde. Il suffit d'un ordinateur, d'un modem et d'une ligne téléphonique pour y accéder. Aujourd'hui, on peut également se connecter à l'Internet à partir d'un téléphone mobile.

LA PRESSE ÉCRITE

Le terme presse écrite désigne les journaux, les revues et les journalistes qui les écrivent. En France, moins d'une personne sur dix lit régulièrement un quotidien. Le quotidien le plus vendu au monde, *Yomiuri Shimbun*, est japonais et se vend à 14 millions d'exemplaires par jour.

Comment choisit-on un journal?

Le lecteur choisit un journal qui reflète ses centres d'intérêt et ses opinions politiques. Chaque journal a ses normes éditoriales propres, qui déterminent la façon dont les informations sont présentées. On distingue les journaux qui publient des enquêtes sérieuses ou des dossiers approfondis et la presse à sensation où les informations sont caricaturales et superficielles.

LES *PAPARAZZI* ▶
Les *paparazzi* sont des photographes qui prennent des clichés non officiels de personnalités en vue.

▲ L'ÉCOLE À DOMICILE
Cette jeune Burundaise vit dans un camp de réfugiés en Tanzanie. Comme il n'y a pas d'école dans ce camp, elle suit les cours sur une radio portable fonctionnant à l'énergie solaire.

LA PRESSE AUDIOVISUELLE

Grâce à la technologie, la presse audiovisuelle touche une large audience. Les émissions de radio ont commencé vers 1920 et celles de la télévision dans les années 1930. Récemment, le numérique a multiplié le nombre de chaînes et de stations.

Qui écoute la radio?

La radio est un média mondial proposant débats, informations et musique. Meilleur marché et plus accessibles que la télévision, plus de 300 millions d'appareils radio à piles se vendent chaque année. La télévision est moins courante dans les pays en développement, notamment dans les régions sans électricité.

LA PUBLICITÉ

Les producteurs de biens et services recourent aux médias pour vendre leurs produits. Ils achètent de l'espace à un média s'adressant à la clientèle qu'ils visent et, ainsi, font la publicité ou la promotion de leurs produits.

La publicité est-elle efficace?

Si le consommateur admet rarement être influencé par la publicité, une «pub» efficace fait augmenter les chiffres de vente. Chaque année dans le monde, plus de 200 milliards de dollars sont consacrés à la publicité, dont environ 40 % en spots télévisés.

@ ▶▶
Médias

UNE ICÔNE DE LA PUBLICITÉ ▶
Coca-Cola™ est l'une des marques les plus répandues au monde. Ses boissons sans alcool se vendent pratiquement partout, et son logo est connu de tous.

POUR EN SAVOIR PLUS ▶▶ L'Internet 191 • Les télécommunications 192-193 • L'imprimerie 339 • Le cinéma 346-347

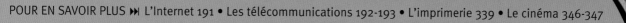

LA FAMILLE

La famille, unité sociale de base, existe dans toutes les cultures selon une structure variable. Le principal objectif de la famille, fondée généralement sur le mariage, est l'éducation des enfants.

Qu'est-ce que la « famille nucléaire » ?

Le terme « famille nucléaire » désigne un couple marié et ses enfants. C'est l'unité familiale principale de la société occidentale depuis la révolution industrielle. Des phénomènes sociaux récents comme le divorce ont accru le nombre de familles monoparentales ou recomposées.

▲ EN FAMILLE
Les familles élargies comme ces éleveurs de yacks du Bhoutan fonctionnent comme une mini-société et se partagent toutes les tâches : travail, maison et prise en charge des enfants et des personnes âgées.

Qu'est-ce qu'une famille élargie ?

Dans la plupart des sociétés, notamment les communautés traditionnelles, il est courant que tous les membres de la famille, paternelle comme maternelle, vivent sous le même toit. C'est ce que l'on appelle une famille élargie.

Toutes les familles sont-elles fondées sur le mariage ?

La plupart des sociétés pratiquent un rituel religieux élaboré pour célébrer un mariage. Certains couples refusent cette tradition et ne se marient que civilement. D'autres choisissent de fonder une famille sans se marier, dans ce cas, on parle de concubins.

Famille

◀ LE TROISIÈME ÂGE
Avec les progrès de la médecine, et une meilleure qualité de vie, on vit de plus en plus longtemps. Si de nombreuses familles se chargent de leurs membres âgés, certains États assurent logement et soutien financier aux personnes âgées.

Le rouge est la couleur du mariage pour la femme hindoue.

Le voile de fils ornés de perles protège la jeune mariée contre le mal.

Le sherwani est brodé de fils d'or.

MARIAGE HINDOU ▲
Le mariage traditionnel hindou signifie davantage qu'un simple lien marital entre les époux. Après le mariage, les membres des deux familles jouent un rôle important dans la vie du nouveau foyer.

Le marié porte un turban élaboré.

L'ÉDUCATION DES ENFANTS

Parents et enfants, qu'ils soient unis par naissance ou par adoption, ont un lien étroit. Éduquer un enfant implique lui fournir un toit, le nourrir, l'aider psychologiquement et le préparer à entrer dans le monde adulte. Certains enfants sont élevés par un représentant légal.

Pourquoi les enfants ont-ils besoin de leurs parents ?

Lorsqu'ils viennent au monde, les enfants n'ont pas la capacité de veiller sur eux-mêmes. Les parents doivent les protéger et les nourrir pendant toute leur croissance. Au fil du temps, ils leur apprennent à devenir autonomes. Quand les enfants sont plus grands et entrent dans l'âge adulte, les parents continuent à les soutenir, psychologiquement et parfois financièrement.

▲ DES LIENS ÉTROITS
Cette petite Sud-Américaine aura besoin de sa famille jusqu'à ce qu'elle soit adulte. Dans certaines sociétés, le rôle des parents est également d'apprendre un métier à leurs enfants.

POUR EN SAVOIR PLUS ►► L'hindouisme 286 • Les sociétés 294-295 • La révolution industrielle 418-419

LA VIE SOCIALE

Dans une société, les individus ayant des centres d'intérêt communs tissent un réseau social en dehors de leur famille proche. Ensemble, ils peuvent se consacrer à des causes ou organiser des activités communes.

@ ►►
Vie sociale

À quoi les clubs et associations servent-ils ?

Dans les sociétés riches, surtout, on a du temps pour s'intéresser à autre chose qu'à son activité, par exemple à l'art ou au sport. Adhérer à un club ou à une association dont les membres ont les mêmes centres d'intérêt crée des liens. Les organismes dits caritatifs s'occupent de personnes dans le besoin.

▲ UNE COOPÉRATIVE DE FEMMES INDIENNES
Certaines personnes et entreprises riches consacrent une partie de leur argent à des fondations. Celles-ci financent de bonnes causes comme l'aide au développement ou la défense de l'environnement.

Qu'est-ce que le bénévolat ?

Le fonctionnement des clubs, associations et organismes caritatifs dépend souvent de personnes non payées, les bénévoles. Acquis aux objectifs du groupe, les bénévoles trouvent une certaine satisfaction à aider les autres. De plus, une activité bénévole permet de se faire de nouveaux amis et même d'améliorer ses propres facultés.

▲ SOS ÉTHIOPIE !
En 1985, l'association Live Aid a organisé des concerts pour lever des fonds pour lutter contre la famine en Afrique. En France, des artistes se sont unis en «Chanteurs sans frontières» et ont récolté de l'argent pour l'Éthiopie.

L'ÉCONOMIE

Agriculture, extraction de matières premières, fabrication d'objets vendus aux **CONSOMMATEURS**, services (bancaires et autres) : la **PRODUCTION** et la distribution de tous ces biens matériels ou immatériels constituent ce que l'on appelle l'économie.

Qu'est-ce que l'offre et la demande ?

Dans une économie, il y a des gens qui fournissent des biens et services à un certain prix et d'autres qui les achètent. La loi de l'offre et de la demande fixe les prix. Si la demande est forte, les prix augmentent. Si l'offre est élevée, les prix baissent. Si le prix chute trop, les fabricants peuvent réduire l'offre.

Qu'est-ce que le marché ?

En économie, le marché est l'ensemble du réseau où les acheteurs et les vendeurs échangent des biens et des services contre de l'argent. Toute l'activité du marché dépend du rapport de l'offre et de la demande pour ces biens et ces services.

▲ LE TRAVAIL DOMESTIQUE
Cette Indienne lave le linge de sa famille dans le fleuve. Le travail domestique n'est pas considéré comme faisant partie de l'économie.

Quels sont les différents types d'économie ?

Dans les économies traditionnelles, les personnes produisent à petite échelle les biens dont elles ont besoin et vendent le surplus (ce dont elles n'ont pas besoin) dans des centres de commerce locaux, les marchés. Dans les économies dirigées, l'activité économique est contrôlée par l'État et non par des entreprises privées ou les forces du marché. Dans une économie mixte, certaines industries sont privées et d'autres, comme les transports publics, sont gérées par l'État.

Qu'est-ce qui ne fait pas partie de l'économie ?

Le travail domestique n'est pas considéré comme faisant partie de l'économie, sauf lorsqu'il est rémunéré. Les revenus qui ne sont pas déclarés à l'administration fiscale sont qualifiés d'économie parallèle.

Les ordinateurs enregistrent tous les détails afin de repérer le meilleur moment pour acheter et vendre des actions en fonction de leur prix. Cela implique que certains échanges se font automatiquement.

Après utilisation, les traders jettent par terre les papiers sur lesquels ils ont inscrit le prix des transactions qu'ils ont réalisées.

LA BOURSE DE NEW YORK ▶
Les grandes entreprises appartiennent souvent à des milliers de personnes qui en détiennent chacune une partie, les actions, qui se négocient à la Bourse. Les actionnaires investissent dans une entreprise pour s'en partager les bénéfices si celle-ci se porte bien. Si elle a de mauvais résultats, les actions baissent et les actionnaires perdent de l'argent.

LA PRODUCTION

La production désigne la fabrication d'objets à partir de matières premières. Toute société utilise la terre, ses ressources, de la main-d'œuvre, de l'intelligence et des outils pour produire. Les entreprises des économies modernes cherchent à optimiser leurs profits en réduisant leurs coûts de production et en augmentant leurs ventes.

Qu'est-ce que la croissance économique ?

La croissance économique implique une augmentation des quantités produites. Elle crée des emplois et augmente le pouvoir d'achat des consommateurs. Elle dégage également des fonds que l'on peut consacrer à d'autres usages comme la science, les arts ou les loisirs. Si elle n'est pas maîtrisée, elle crée des difficultés comme des problèmes environnementaux et l'accroissement du fossé entre riches et pauvres.

Économie

Les écrans vidéo affichent le dernier prix de l'action des différentes entreprises.

Les traders achètent et vendent les actions pour le compte d'entreprises et d'investisseurs.

VENTES DES 1 000 PLUS GRANDES ENTREPRISES (EN MILLIARDS DE $ US)	
Produits de luxe	2 807
Produits manufacturés	1 777
Technologie de l'information et télécommunications	1 751
Biens de consommation courante (comme l'alimentation)	1 364
Énergie	1 318
Services publics (eau, gaz, électricité)	954
Santé	685

LA PRODUCTION DE MASSE ▲
Cette chaîne de production de voitures est ultra-moderne. Les chaînes de montage automatisées permettent de réduire les coûts de production. Parfois, le constructeur répercute cette économie sur le consommateur en réduisant les prix de façon à vendre plus de voitures que ses concurrents.

LES CONSOMMATEURS

Tout acheteur de biens et services est un consommateur. La plupart des gens sont des consommateurs car ils doivent acheter des denrées de base pour vivre (alimentation, logement, vêtements, etc.). Pour que ses marchandises se vendent, un producteur doit savoir ce que veut le consommateur.

Quel est le pouvoir du consommateur ?

Le consommateur doit avoir de l'argent pour acheter. Son pouvoir d'achat vient de ses revenus (salaire gagné en travaillant) ou d'investissements (profit tiré d'actions ou de biens qui rapportent de l'argent). Lorsque le choix des produits est vaste, le consommateur a un certain pouvoir sur le producteur : s'il n'achète pas les produits d'une entreprise, celle-ci devra fermer.

▲ LE POUVOIR DU CONSOMMATEUR
Le consommateur a plus de pouvoir sur les marchés où les commerçants sont nombreux. Il peut faire son choix parmi l'abondance de produits et de prix affichés, comme sur cet étal de fruits et légumes.

Qu'est-ce qu'un bien de consommation ?

Un bien de consommation est un produit fabriqué pour satisfaire des besoins individuels. Les biens nécessaires pour produire d'autres biens et services, comme le papier et le charbon, sont des biens de production. Les biens de consommation comprennent les vêtements, les CD, les jouets, etc. La demande de ces biens est souvent créée par la publicité et l'évolution technologique.

◄ EN ROUTE !
Ces voitures seront expédiées dans le monde entier pour répondre à la demande des consommateurs. Certaines denrées sont moins chères à produire dans un seul lieu, d'autres dans différents sites de fabrication.

POUR EN SAVOIR PLUS ►► L'impact humain 64-65 • L'industrie 204 • La fabrication industrielle 205

L'ÉGALITÉ SOCIALE

Les sociologues ont démontré que toute société est divisée en couches fondées sur la caste, la classe, le SEXE ou l'ETHNIE. Certaines personnes sont donc plus avantagées que d'autres : c'est l'inégalité sociale, due à une répartition inégale de la RICHESSE.

Pourquoi les sociétés sont-elles divisées ?

Certaines différences entre les personnes peuvent affecter leur place dans la hiérarchie sociale. Les divisions selon le sexe sont courantes en raison de la différence de rôle entre l'homme et la femme dans l'éducation des enfants. D'autres divisions proviennent de questions d'ethnies ou de la répartition inégale des richesses.

Qu'est-ce que le système des castes et des classes ?

Le système des castes, qui implique la transmission héréditaire du rôle social, est une hiérarchie pratiquée en Inde par les hindous. Si appartenir à une caste est souvent une garantie d'emploi, cela signifie également que l'on ne peut améliorer son statut social. Dans la plupart des autres sociétés, on naît avec une certaine position sociale, la classe, qui dépend de l'emploi ou de la richesse de sa famille de naissance. Toutefois, l'éducation et la réussite économique peuvent permettre à une personne d'améliorer sa position sociale.

SURMONTER LES OBSTACLES ▶
Une personne parvenant à vaincre les handicaps physiques et sociaux grâce à son talent est un exemple pour les autres. Le chanteur Stevie Wonder, ici en compagnie de l'ancien président américain Bill Clinton, a dû surmonter bien des obstacles pour réussir, mais très peu y parviennent.

Les divisions sociales peuvent-elles changer ?

Une société peut changer lorsque les rôles divisant ses membres, comme la division du travail, sont mieux répartis. L'abolition des privilèges de l'aristocratie lors de la Révolution française a permis d'améliorer le sort des paysans.

Comment traiter les personnes de façon égale ?

De nombreuses sociétés ont adopté des lois interdisant toute discrimination fondée sur l'appartenance ethnique, le sexe, la religion ou l'âge. L'objectif est que tout le monde soit traité de la même façon par les employeurs, les gouvernements et les autres membres de la société. La Déclaration des droits de l'homme et du citoyen, votée en 1789, sert souvent de référence.

◀ L'ÉDUCATION
L'éducation doit permettre aux enfants de développer leur potentiel. Les personnes fortunées dépensent beaucoup d'argent pour leurs enfants afin qu'ils bénéficient de cours particuliers ou d'activités extra-scolaires comme le sport ou la musique. Dans les pays en développement, les familles ont rarement les moyens de scolariser leurs enfants au-delà de l'école primaire. Un bon système scolaire doit être gratuit, laïc et obligatoire pour assurer à tous une bonne éducation. Il doit être la priorité de chaque État.

▲ LES BESOINS FONDAMENTAUX
Ce jeune Péruvien fait partie des milliards de personnes (un tiers de la population mondiale, selon les Nations unies) vivant dans la pauvreté. Les pauvres n'ont pas l'argent nécessaire pour couvrir leurs besoins fondamentaux et ont un accès limité à la santé et à l'éducation.

▲ UNE FEMME DANS UN MONDE D'HOMMES
Les hommes ont longtemps monopolisé les emplois physiques. Or, grâce à la technologie, de moins en moins d'emplois reposent sur la seule puissance musculaire. Des femmes comme l'astronaute Mary Ellen Weber (ci-dessus) ont brisé des barrières en choisissant un métier autrefois réservé aux hommes.

LE SEXE

En pratiquant une division selon le sexe, une société reconnaît et renforce les différences entre l'homme et la femme. Cela peut prendre la forme d'une division du travail inégale, d'une réduction des droits sociaux ou d'une discrimination sexuelle.

Hommes et femmes ont-ils les mêmes droits ?

Si les femmes ont acquis des droits importants ces cent dernières années, l'inégalité entre les sexes demeure courante dans le monde. Malgré les lois pour améliorer l'accès des femmes à la politique, à l'emploi et à la propriété, il y a toujours moins de femmes que d'hommes dans les gouvernements et à la direction des entreprises et, à travail égal, elles sont souvent moins bien payées que les hommes. En France, les femmes n'ont le droit de vote que depuis 1945.

LA RICHESSE

Dans chaque société, quelques personnes gagnent beaucoup d'argent ou héritent leur fortune de leur famille. Grâce à leur richesse, elles ont davantage accès que les autres aux opportunités économiques et sociales et exercent une plus forte influence sur la société.

Comment la richesse divise-t-elle les gens ?

Au sein d'une société, la richesse donne du pouvoir car elle permet d'acheter et d'utiliser le temps des autres. Ce fait est considéré comme une récompense de la réussite individuelle. Or, si seuls les riches peuvent bénéficier d'une telle réussite, il ne peut y avoir d'égalité sociale. Les chiffres ci-dessous indiquent l'énorme fossé entre riches et pauvres dans le monde.

RÉPARTITION DE LA RICHESSE MONDIALE	
$ US (HORS IMMOBILIER)	Nombre de personnes
Plus de 1 milliard	480
5 millions à 1 milliard	483 000
1 million à 5 millions	6 500 000
100 000 à 1 million	25 000 000
10 000 à 100 000	180 000 000
0 à 10 000	5 700 000 000

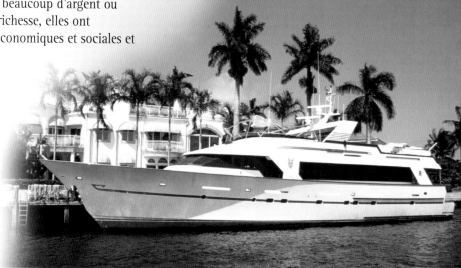

▲ ÊTRE RICHE
Les riches ont moins de limites que les autres pour choisir leur mode de vie. Ils affectent par ailleurs la vie d'autrui selon la façon dont ils dépensent leur argent, font des dons et investissent.

Égalité sociale

◄ LA DISCRIMINATION RACIALE
En Afrique du Sud, la minorité blanche a pratiqué pendant des décennies une discrimination contre les Noirs et nié leurs droits fondamentaux. Cette politique, l'apartheid, a pris fin en 1993.

L'ETHNIE

La validité du concept de race est actuellement mise en question. Les critères de différenciation entre les peuples sont essentiellement culturels. Une ethnie est un groupe humain partageant la même langue et la même culture.

Qu'est-ce qu'une société multi-ethnique ?

Une société composée de différents groupes ethniques ayant chacun ses propres traditions culturelles est dite multi-ethnique. Depuis le XIXᵉ siècle, les sociétés multi-ethniques cherchent le moyen de faire respecter ces groupes, souvent par le biais de lois visant à établir plus d'égalité.

POUR EN SAVOIR PLUS ▶▶ Les sociétés 294-295 • Les droits de l'homme 317 • La décolonisation 434

LA POLITIQUE

L'ensemble de l'organisation et de l'exercice du pouvoir dans une société organisée constitue la politique. Dans une DÉMOCRATIE, le processus de prise de décisions est assuré par des élus. Ailleurs, il peut être le fait d'une élite dirigeante non élue.

Pourquoi sommes-nous concernés par la politique ?

Les décisions politiques ont une influence primordiale sur notre quotidien. Elles fixent la somme d'argent que le peuple doit verser à l'État, sous la forme d'impôts, et qui sera dépensée pour la santé, l'éducation, la défense. Les lois votées à l'Assemblée affectent la vie de chacun.

▲ LE PARLEMENT, LONDRES
Le Royaume-Uni est dirigé par trois pouvoirs : le parlement, qui rédige et adopte les lois, le pouvoir judiciaire, qui veille à leur respect, et le gouvernement (les ministres), qui les fait appliquer et en propose parfois.

La politique peut-elle changer la société ?

Les idées politiques seules ne peuvent changer une société, mais lorsque des personnes ayant les mêmes opinions forment un **PARTI**, elles peuvent influer sur les changements sociaux. Ces changements peuvent être progressifs ou, lors d'une révolution, par exemple, violents. Les États-Unis, la France et la Russie tsariste ont connu une révolution.

Tout le monde a-t-il droit à la parole ?

Il existe deux principaux types de gouvernement : démocratique et autoritaire. Dans une démocratie, les adultes jouent un rôle dans l'administration du pays en votant pour un parti politique. Le droit de vote fait partie des **DROITS CIVIQUES**.

▲ UN DÉBAT HOULEUX
À la Knesset, le parlement israélien, des députés arabes israéliens et des députés du parti travailliste échangent des propos virulents. Exprimer ses divergences d'opinion lors d'un débat doit permettre d'éviter la violence.

▼ À L'INTÉRIEUR DU BUNDESTAG
Les députés du Bundestag, le parlement allemand, sont élus au scrutin proportionnel. Le Bundestag s'est installé à Berlin en 1991, après la réunification des deux Allemagnes.

Les membres du cabinet dirigent le gouvernement.

Le président de la chambre dirige les débats.

Les députés siègent avec leur parti.

▲ NELSON MANDELA LORS D'ÉLECTIONS EN AFRIQUE DU SUD
En Afrique du Sud, chaque citoyen vote de façon anonyme pour le candidat de son choix en cochant son nom sur le bulletin de vote, puis en glissant le bulletin dans l'urne. Les électeurs peuvent voter pour des individus ou pour des partis.

LA DÉMOCRATIE

La démocratie (du grec *demos* et *kratos*, «pouvoir du peuple») permet au peuple de choisir son gouvernement parmi les partis politiques. Dans les républiques, pays non monarchistes, les électeurs votent pour leur chef de l'État, leur gouvernement et leurs représentants au sein d'une assemblée parlementaire.

Quels sont les deux types de démocratie ?

Dans une démocratie présidentielle, les électeurs votent pour un président, qui nomme ses ministres. C'est le cas des États-Unis et de la France. Dans une démocratie parlementaire, les électeurs élisent le gouvernement de leur choix : c'est le cas du Royaume-Uni et du Canada. Il arrive qu'un président ou un Premier ministre représente un parti minoritaire.

Qu'est-ce qu'un référendum ?

Parfois, une décision politique est si importante que l'on demande leur avis aux électeurs, qui doivent voter oui ou non en réponse à une question directe. Un référendum porte généralement sur un problème affectant les droits fondamentaux du peuple ou sur la souveraineté (indépendance) du pays.

Politique

LES DROITS CIVIQUES

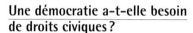

Dans une démocratie, les citoyens disposent des mêmes droits politiques, sociaux et économiques. Ces libertés portent le nom de droits civiques et garantissent le même traitement pour tous.

Une démocratie a-t-elle besoin de droits civiques ?

Il arrive que les lois exprimant la volonté de la majorité restreignent la liberté des autres, excluent les minorités d'une pleine participation politique et sociale et menacent l'idée de démocratie. Les droits civiques protègent les libertés de tous les membres d'une société.

MARTIN LUTHER KING
Américain, 1929-1968
«Nous savons par douloureuse expérience que la liberté n'est jamais donnée volontairement par l'oppresseur; elle doit être revendiquée par l'opprimé.»
Dans les années 1950 et 1960, King a lutté contre l'injustice raciale et pour les droits civiques des Noirs aux États-Unis.

MANIFESTATION DE FEMMES ►
À Aceh (Indonésie), ces femmes protestent contre l'octroi de pouvoirs extraordinaires au gouvernement, en 2002, pour combattre les rebelles. Ces pouvoirs supprimaient de nombreux droits civiques.

LES PARTIS POLITIQUES

Un parti groupe des personnes qui souhaitent mener une action commune à des fins politiques. Chaque parti a ses propres idées sur la façon de diriger la société.

Comment crée-t-on un parti politique ?

Des personnes qui partagent des opinions politiques communes et se sentent mal représentées peuvent fonder un nouveau parti pour tenter de conquérir le pouvoir. Le parti se donne un nom, rédige un manifeste exposant ses idées et le soumet aux électeurs. Ce sont les membres du parti qui élisent leur chef.

◄ RASSEMBLEMENT POLITIQUE
Les partis politiques organisent des rassemblements, comme cette convention du parti démocrate américain. Ils permettent de choisir les chefs du parti, de souder les militants et d'affirmer ses opinions.

POUR EN SAVOIR PLUS ►► L'État 308-309 • La loi 310-311 • La Révolution française 415 • La révolution russe 428 • La décolonisation 434

L'ÉTAT

Un État est un territoire doté d'une culture commune, d'idéaux et de lois. Un État moderne a son gouvernement, ses forces armées et son administration, qui exécute les directives du gouvernement. En règle générale, l'État dirige la police et d'autres services publics importants comme l'éducation et la santé, les différents ministères ainsi que des services d'**AIDE SOCIALE**. Il possède par ailleurs une **BANQUE CENTRALE**.

Qui travaille pour l'État ?

Un État emploie un grand nombre de fonctionnaires aux missions très variées. Parmi ces agents, on compte les policiers, le personnel des hôpitaux publics, les enseignants et les employés des ministères. Ensemble, ils représentent une part importante des salariés du pays. En France, 25 % de la population active travaillent pour l'État.

Pourquoi y a-t-il des États ?

À l'origine, un État était créé principalement pour éviter les guerres et défendre un territoire. Aujourd'hui, un État est aussi une forme de contrôle central des services publics et veille au bien-être de ses citoyens.

LES HUIT GRANDS PAYS INDUSTRIALISÉS : DÉPENSES ANNUELLES DE L'ÉTAT PAR CITOYEN	
Allemagne	10 067 (en $ US)
Italie	9 189
Royaume-Uni	9 037
États-Unis	5 908
Japon	5 633
Canada	5 124
France	4 060
Fédération de Russie	300

La faucille et le marteau étaient le symbole officiel de l'ex-Union soviétique.

Comment l'État finance-t-il les services publics ?

Chaque année, le gouvernement décide le montant qu'il va consacrer au service public. L'essentiel de cette somme provient des **IMPÔTS** sur le revenu et les entreprises, mais certains services sont payants : par exemple, les péages autoroutiers. Lorsqu'un État est endetté, il peut emprunter de l'argent à des entreprises privées ou à des pays plus riches.

@ ▸▸
État

◀ LE MINISTÈRE DES AFFAIRES ÉTRANGÈRES
En Russie, l'État contrôle de nombreux domaines de la société. Il emploie un très grand nombre de fonctionnaires dans d'immenses bureaux, comme celui du ministère des Affaires étrangères, ci-contre, à Moscou.

▲ LES FORCES ARMÉES
L'État finance entièrement son armée. La conception de ce Raptor F-22 américain a coûté 70 milliards de dollars. La société privée qui le construit n'aurait pu le faire sans l'argent de l'État.

▲ L'ÉDUCATION
Certains États comme la France financent l'éducation, de la maternelle à l'université, depuis le XIXᵉ siècle. Investir dans l'éducation permet d'obtenir une société plus instruite, qui assure une croissance économique stable.

▲ LES TRANSPORTS
La construction de routes et de ponts coûte cher. Les États paient les réseaux de transports comme celui-ci, à Shanghai (Chine), pour améliorer les communications et favoriser l'activité économique.

▲ LES ARTS
L'Opéra de Sydney (Australie) a été bâti avec l'argent de l'État. Les États subventionnent les arts : orchestres, opéras, compagnies de danse, troupes de théâtre et musées, symboles de la fierté nationale.

LES IMPÔTS

L'impôt est l'argent que les citoyens et les entreprises versent à l'État pour subvenir à ses dépenses. Les impôts directs portent sur le revenu des individus et les bénéfices des entreprises, tandis que les impôts indirects sont liés aux opérations commerciales (il s'agit de la TVA).

Qu'est-ce que l'incitation fiscale ?

L'État peut prendre des mesures d'incitation fiscale pour encourager entreprises et particuliers à faire certains choix économiques. Le contribuable préférant éviter de payer trop d'impôts, l'État peut l'inciter à participer à une activité économique en baissant ou en supprimant l'impôt qui s'y rapporte. L'inverse s'applique également : l'État peut augmenter les taxes sur les cigarettes et l'alcool, par exemple, pour décourager les gens de consommer des produits nocifs pour la santé.

Comment une baisse d'impôt peut-elle rapporter de l'argent ?

Selon certains économistes, baisser les impôts permet aux entreprises d'augmenter leurs bénéfices : l'État récupère ainsi en impôt un plus petit pourcentage d'une somme plus élevée. Dans les années 1980, le président américain Ronald Reagan a tenté cette expérience : l'économie s'est améliorée, mais le déficit budgétaire de l'État a doublé.

▲ TAXATION À LA POMPE
Lorsque l'État veut réduire les transports privés, il peut hausser les taxes sur l'essence pour décourager les gens d'emprunter leur voiture ou les inciter à en acheter de plus petites qui consomment moins.

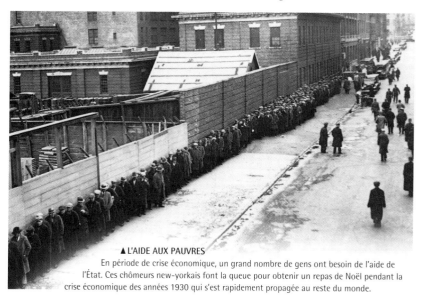

▲ L'AIDE AUX PAUVRES
En période de crise économique, un grand nombre de gens ont besoin de l'aide de l'État. Ces chômeurs new-yorkais font la queue pour obtenir un repas de Noël pendant la crise économique des années 1930 qui s'est rapidement propagée au reste du monde.

L'AIDE SOCIALE

L'aide sociale est une aide financière de l'État aux personnes dans le besoin. Cela inclut les indemnités de chômage, les allocations aux handicapés qui ne peuvent travailler et les retraites des personnes âgées. Mais l'État contribue également au bien-être de tous en finançant l'éducation et la santé.

Tous les pays ont-ils un système d'aide sociale ?

Chaque État fixe les montants qu'il peut consacrer à l'aide sociale. Les responsables politiques décident de la part d'aide qu'ils peuvent accorder à chaque citoyen, le reste étant à sa charge. Les pays en développement ont rarement les moyens d'aider les nécessiteux, qui doivent alors se tourner vers les organismes humanitaires.

LA BANQUE CENTRALE

Un État tente de contrôler son économie à travers sa banque centrale, qui a le pouvoir d'agir sur le taux d'intérêt des prêts et des emprunts. Cette banque cherche ainsi à garantir la stabilité économique et à éviter les fortes fluctuations de croissance et de récession. La banque centrale, qui a pour client principal l'État, gère également les relations avec les autres banques.

Qu'est-ce qu'un intérêt ?

L'intérêt est le coût de l'argent. Emprunter de l'argent, pour faire un gros achat, par exemple, coûte un certain pourcentage de la somme empruntée : l'intérêt. La banque centrale fixe un taux d'intérêt de base que les organismes de prêt appliquent lorsqu'on leur emprunte de l'argent.

▲ DÉPÔT D'OR DES ÉTATS-UNIS, FORT KNOX, KENTUCKY
Chaque pays a sa monnaie, ou devise nationale. L'une des tâches de la banque centrale est de déterminer la quantité de monnaie en circulation à tout moment. Jusqu'en 1971, chaque dollar en circulation avait sa contrepartie en or, une partie de ces réserves d'or étant entreposée à Fort Knox.

POUR EN SAVOIR PLUS ▶▶ La culture 296-297 • L'économie 302-303 • La loi 310-311 • La crise de 1929 430

LA LOI

Les lois sont des règles formelles que la société s'impose. Elles peuvent servir à régler les conflits, maintenir l'ordre social, promouvoir la justice pour tous. Certaines lois sont élaborées par le gouvernement. D'autres sont dictées par la coutume ou la religion.

Les yeux sont bandés, car la justice est objective et impartiale.

Le glaive symbolise la punition des coupables.

La balance aide à peser les arguments des parties adverses.

Qui fait les lois dans une démocratie ?

Dans une démocratie, les lois sont élaborées et votées par le pouvoir législatif, ou parlement. Les membres de ce parlement, les députés (généralement élus), proposent de nouvelles lois, en discutent entre eux et peuvent les amender (modifier) avant de procéder à un vote. Une loi doit être approuvée par la majorité des députés pour pouvoir être adoptée. Les gouvernements proposent aussi des lois.

Peut-on faire passer n'importe quelle loi ?

Selon le pays, les responsables politiques n'ont pas le même pouvoir de légiférer. Parfois, le chef de l'État peut refuser d'accepter une loi. Dans certains pays, lorsqu'une loi a pour effet d'affaiblir les droits ou libertés promis à tous les citoyens, on peut saisir un TRIBUNAL.

Quelle est la différence entre le droit pénal et le droit civil ?

Le droit pénal définit la responsabilité d'un individu envers la société. Contrevenir à une loi pénale constitue une infraction contre la société, que l'État doit punir au nom du public. Le droit civil définit la responsabilité d'un individu envers un autre. Il règle les accords entre les personnes comme les actes de vente, les contrats ou le mariage.

Pourquoi respecte-t-on la loi ?

La majorité des individus respecte la loi car elle contribue à la paix sociale. Le risque de se faire arrêter par la POLICE et d'être puni pousse en général à respecter la loi. Mais certains activistes politiques enfreignent volontairement les lois qu'ils désapprouvent : c'est ce que l'on appelle la «désobéissance civile».

Les lois diffèrent-elles d'un pays à l'autre ?

Relevant de la politique nationale, les lois peuvent différer selon le pays, mais ont de nombreuses similarités. Les pays anglo-saxons partagent les idées contenues dans la Common law britannique. Les pays francophones appliquent en grande partie les codes mis en place par Napoléon. Par ailleurs, il existe des traités internationaux que de nombreux pays prennent en considération comme une loi : c'est le cas, notamment, des accords portant sur les droits de l'homme.

▲ **UN SYMBOLE DE JUSTICE**
De par le monde, le symbole de la justice est la déesse grecque Thémis (Justicia dans la mythologie romaine). Elle est toujours représentée avec une balance.

LA COUR SUPRÊME DES ÉTATS-UNIS ▶
La plupart des pays ont une haute cour de justice qui statue sur les problèmes judiciaires les plus graves. La Cour suprême américaine se compose de neuf membres qui examinent environ 6 500 affaires par an, en majorité des litiges en appel provenant de tribunaux inférieurs. Les jugements sont rendus à la majorité des voix.

@ ▸▸
Loi

LA POLICE

Tout gouvernement a besoin d'une police pour arrêter les personnes qui transgressent les lois et les amener devant les tribunaux. La police est chargée de faire appliquer les lois, de protéger les droits des citoyens et de maintenir l'ordre public.

Pourquoi faut-il une institution policière ?

Dans une petite société, les contrevenants sont punis par leurs concitoyens. Dans les sociétés plus complexes, les liens sociaux sont moins forts et il est plus difficile de faire la police soi-même. De plus, certains crimes nécessitent l'intervention de personnels ayant une formation spécifique.

Qu'est-ce que l'ordre public ?

En 1667, est créée en France la police de Paris, première force de police indépendante du pouvoir judiciaire. Aujourd'hui, le maintien de l'ordre public consiste à contenir les grandes foules et les manifestants et à protéger la propriété individuelle. La police peut employer la force pour maintenir l'ordre.

La police a-t-elle un rôle préventif ?

La police consacre du temps à conseiller les citoyens sur leur protection, par exemple contre le cambriolage. La prévention est efficace si le risque de se faire prendre est élevé. Le pourcentage d'affaires aboutissant à l'arrestation du criminel est variable. En règle générale, on consacre davantage de moyens aux affaires graves.

CONTRÔLE D'UNE FOULE AU JAPON
Les foules massives – événements sportifs, concerts de rock et heures d'affluence dans le métro – peuvent être dangereuses. Ces policiers japonais tentent de retenir la foule : en cas de débordement, les personnes des premiers rangs pourraient être piétinées.

▲ **UNE MISSION ÉDUCATIVE DE LA POLICE**
Ce policier rend visite à des élèves dans le cadre d'un programme anti-drogue. Ces programmes permettent d'apprendre aux enfants qu'il existe une alternative à la drogue et à la violence.

LE TRIBUNAL

Une personne accusée d'avoir enfreint la loi est jugée par un tribunal, une cour de justice présidée par un magistrat, le juge. Le tribunal examine les preuves à l'encontre et en faveur de l'accusé. S'il le juge coupable, il peut lui infliger une peine.

Qu'est-ce qu'un jury de cour d'assises ?

Un jury est un groupe de citoyens – neuf, en France – tirés au sort dans la population, qui décide de la culpabilité ou de l'innocence d'un accusé dans une affaire pénale. Il représente la société et exerce un pouvoir démocratique qui équilibre celui des magistrats.

Quelles sont les sanctions légales ?

Selon le système judiciaire, différentes sanctions punissent les crimes, délits et infractions. Les systèmes traditionnels recourent fréquemment à des sanctions physiques (punition corporelle). Les systèmes modernes pratiquent l'emprisonnement et les amendes.

LA PRISON ▶
La loi définit la durée des peines d'emprisonnement. Le risque de perdre sa liberté individuelle et économique pendant que l'on est en prison peut produire un effet dissuasif.

◀ **LA COUR DE JUSTICE**
Certaines affaires pénales ne sont pas jugées par un jury de citoyens. Ce procès d'un soldat américain accusé d'un crime au Japon était trop délicat sur le plan politique pour être mené par un jury normal.

LA POPULATION CARCÉRALE		
PAYS	NOMBRE DE PRISONNIERS	POUR 100 000 CITOYENS
Russie	1 000 000	685
États-Unis	1 725 000	645
Singapour	15 700	465
Afrique du Sud	142 000	320
Canada	32 000	133
Royaume-Uni	73 500	125
Chine	1 410 000	115
France	59 800	100
Allemagne	74 317	90
Japon	49 400	40
Inde	231 300	25

Les sociétés 294-295 • La politique 306-307 • L'État 308-309 • L'altermondialisme 316 • Les droits de l'homme 317

LES NATIONS

Une nation est une communauté unie par une langue ou une culture communes et qui désire vivre ensemble. Le nationalisme est un mouvement selon lequel des personnes partageant des caractéristiques nationales revendiquent de pouvoir créer un État indépendant avec ses propres FRONTIÈRES.

À quoi une nation sert-elle ?

Les nations modernes ont été créées pour que des personnes partageant une langue et des caractéristiques culturelles communes puissent se gouverner elles-mêmes. Une nation se protège contre les menaces extérieures et peut demander à ses citoyens de remplir certaines tâches, comme le service militaire. Plus une nation est puissante sur le plan militaire et économique, plus elle peut faire valoir ses intérêts.

▲ DIALOGUE ENTRE NATIONS
Signature d'un traité d'amitié entre le Cubain Fidel Castro (à gauche) et le Soviétique Nikita Khrouchtchev (à droite), en 1963. Ce type de traité sert à instaurer la confiance entre deux nations.

Comment une nation se forme-t-elle ?

Une nation peut se former de diverses façons. Certaines, comme l'Angleterre, résultent d'un isolement géographique. D'autres, comme l'Australie, procèdent d'une immigration massive. D'autres encore sont le résultat de l'éclatement d'un ensemble de territoires, comme la Croatie, ou d'un traité de paix. Enfin, des nations comme les Kurdes et les Palestiniens tentent toujours d'obtenir un territoire et leur autonomie.

Quelles sont les relations entre les nations ?

Les accords commerciaux permettent aux nations de s'acheter et de se vendre mutuellement des biens et des services. Les accords formels signés par des dirigeants politiques ou leurs représentants renforcent les relations amicales entre des nations et permettent une coopération dans différents domaines comme le savoir-faire militaire. Dans le cadre d'un accord international, toutes les nations membres sont soumises aux mêmes règles.

◄ UNE NATION SANS TERRE
Ces Kurdes n'ont pas de territoire propre. Leur peuple est réparti entre cinq pays.

LES FRONTIÈRES

Une frontière est une ligne indiquant la limite entre deux nations. Clairement indiquée sur les cartes, elle peut ne pas être matérialisée sur le sol lorsque la bonne entente entre les deux pays le permet. Les frontières contestées sont sous haute surveillance militaire.

Pourquoi certaines frontières sont-elles contestées ?

Certaines nations contestent leurs frontières lorsqu'elles manquent de terres ou ont besoin de matières premières précieuses comme le pétrole. Après une guerre, par ailleurs, des frontières peuvent être modifiées. Certains peuples sont parfois au milieu d'autres peuples hostiles, comme en ex-Yougoslavie, ce qui peut conduire à des conflits.

La limite d'une nation s'arrête-t-elle à son littoral ?

La mer est considérée comme un espace international à partir de 22,22 km au-delà des côtes (eaux territoriales). Les nations souhaitant exploiter les fonds sous-marins ou pêcher au-delà de cette limite doivent en obtenir l'autorisation par traité.

@ ►►
Nations

▲ UN POSTE FRONTIÈRE SYMBOLIQUE
Cette arche de la Paix (Peace Arch) marque la frontière entre les États-Unis et le Canada, non matérialisée sur la majeure partie de ses 8 893 km. La frontière sud des États-Unis avec le Mexique est plus difficile à surveiller. C'est l'une des plus empruntées au monde, environ 500 millions de personnes la traversant chaque année.

POUR EN SAVOIR PLUS ►► Le monde politique 216-217 • Le nationalisme 421 • Les organisations internationales 434

LA GUERRE

Des nations qui ne parviennent pas à régler un litige par des moyens pacifiques peuvent entrer en guerre. Pour une nation puissante, ce peut être un moyen facile de s'octroyer des terres ou des ressources. Une guerre civile peut avoir lieu au sein d'une nation en cas de graves conflits politiques ou ethniques.

Une guerre a-t-elle des règles ?

Le Suisse Henri Dunant a fondé la Croix-Rouge pour soigner les blessés de guerre. Depuis 1864, la première convention de Genève garantit leur protection. Des traités ultérieurs destinés à alléger les souffrances dues à la guerre prévoient que les prisonniers et les civils soient traités avec respect. Ces règles sont en réalité rarement respectées. Le **TERRORISME** n'en respecte aucune.

Quand une guerre se termine-t-elle ?

Une guerre se termine lorsque les dirigeants de l'une des parties acceptent de se rendre. Les guerres civiles sont bien plus complexes : sauf victoire évidente d'un des camps, les parties doivent entrer dans un processus politique de paix, qui est parfois difficile à concrétiser.

▲ LES FORCES ARMÉES
Une nation en guerre dépend de son armée de terre, de mer et de l'air. Certains pays comme la France emploient des soldats professionnels à plein temps. D'autres, comme la Chine et Israël, recourent à la conscription (engagement obligatoire).

▲ ARMES DE GUERRE
Dotées d'un armement onéreux et de haute technologie, les nations riches peuvent engager des actions militaires loin de leurs frontières. Ce sous-marin russe de classe Typhoon est le plus grand du monde. Long de 170 m, il peut accueillir 150 membres d'équipage.

LE TERRORISME

Certains individus estiment qu'ils ne peuvent obtenir ce qu'ils veulent par des moyens pacifiques et recourent au terrorisme. Par la violence ou des menaces de violence, les terroristes s'en prennent à leurs adversaires politiques ou à n'importe qui.

Quelle est la différence entre le terrorisme et la guerre ?

Le terrorisme existe depuis la Grèce antique. Aujourd'hui, il est difficile à distinguer des autres formes de guerre. Une guerre oppose deux États et le terrorisme des groupes de nature diverse à des États ou à d'autres groupes. La guérilla, menée par de petites bandes armées, emploie souvent des tactiques terroristes.

Guerre

▲ TERREUR CONTRE TERREUR
Le recours aux tactiques terroristes – effet de surprise, attentats-suicides – est de plus en plus fréquent dans le monde. Ces combattants du groupe Amal (milice soutenue par la Syrie et hostile à l'OLP) lancent des roquettes sur un camp de réfugiés palestiniens au Liban : ils visent des terroristes palestiniens qui s'y cachent. Les attaques de ce genre font surtout des victimes civiles innocentes.

POUR EN SAVOIR PLUS ▶▶ Le monde politique 216-217 • Le nouvel ordre mondial 314-315

LE NOUVEL ORDRE MONDIAL

Après 1945, deux puissantes nations adverses ont émergé au sein de la **COMMUNAUTÉ INTERNATIONALE** : l'Union soviétique et les États-Unis. Après l'effondrement de l'URSS, en 1990, un nouvel ordre mondial est apparu, les États-Unis devenant la seule superpuissance du monde.

◄ ZEMIN ET BUSH
Le président chinois Jiang Zemin et le président américain George W. Bush se sont rencontrés en octobre 2001 pour améliorer les relations entre leurs deux pays, ennemis pendant la guerre froide.

Quel est le nouvel équilibre des pouvoirs ?

Les États-Unis sont aujourd'hui la première puissance mondiale, ce qui leur donne un rôle dominant dans les problèmes de la planète. Des puissances régionales, comme l'Union européenne, la Ligue arabe et l'Association des nations du Sud-Est asiatique (ANSEA) tentent de limiter l'hégémonie américaine. Leurs relations sont marquées à la fois par la coopération et les conflits.

Le nouvel ordre est-il stable ?

Pendant la guerre froide, l'ordre mondial était stabilisé par des alliances de **SÉCURITÉ** avec l'une des deux superpuissances. Aujourd'hui, les États doivent se trouver d'autres motifs de coopération : la stabilité sera assurée par des pays partageant les mêmes objectifs.

Quelles tendances affecteront le nouvel ordre mondial ?

Les tendances comme la **MONDIALISATION** affecteront le partage de la puissance économique entre les nations. Les puissances régionales comme l'Union européenne peuvent se renforcer pour contrer les États-Unis. Les questions de sécurité comme le terrorisme sont internationales.

DÉVASTATION EN TCHÉTCHÉNIE ►
Après la guerre froide, de nombreux conflits ont émergé aux frontières de l'ex-Union soviétique. Les nouveaux dirigeants russes ont engagé plusieurs guerres en Tchétchénie pour briser tout mouvement d'indépendance.

LA MONDIALISATION

Après la guerre froide, une nouvelle économie mondiale a vu le jour. Les échanges entre les pays étant plus faciles, de grandes entreprises ont essaimé dans le monde, apportant à la fois richesse et problèmes. La mondialisation désigne également l'expansion de la culture occidentale.

Quand la mondialisation a-t-elle débuté ?

Le terme « mondialisation » date des années 1980, mais le commerce à l'échelle mondiale existe depuis des siècles. Aux XVIe et XVIIe siècles, le Portugal, l'Espagne, la Hollande et l'Angleterre se sont bâti des empires commerciaux à travers le globe. La révolution industrielle du XIXe siècle a contribué à unir les marchés du monde. Pendant les deux guerres mondiales, les échanges internationaux ont légèrement régressé, puis ont repris de la fin des années 1980 à la fin de la guerre froide.

▲ LA DÉLOCALISATION
Beaucoup d'usines s'implantent à l'étranger, partout où il y a de la main-d'œuvre bon marché, comme cette usine d'automobiles allemandes à Shanghai (Chine).

Quels sont les risques de la mondialisation ?

Certains pensent qu'un marché véritablement mondial améliorerait les échanges commerciaux entre tous les pays et rehausserait la qualité de vie de tous. Mais l'exclusion de certaines nations creuse le fossé entre riches et pauvres. De plus, les gouvernements qui doivent veiller à ce que la puissance économique des grandes entreprises ne porte pas atteinte aux droits des individus, peinent à se faire entendre.

Une seule nation peut-elle influer sur les tendances mondiales ?

Si elle n'a guère de pouvoir à elle seule, une nation peut ouvrir son économie à l'ensemble du monde en se joignant à une union de pays. Plusieurs nations peuvent convenir ensemble de règles internationales s'appliquant à leurs activités économiques partout dans le monde et adopter une bonne conduite pour le bien de tous.

POUR EN SAVOIR PLUS ▶▶

LA COMMUNAUTÉ INTERNATIONALE

Les représentants des 193 États du monde se réunissent au sein de différentes organisations comme les Nations unies (ONU) et la Banque mondiale. Ces pays forment une communauté de nations qui tentent de résoudre ensemble les problèmes mondiaux.

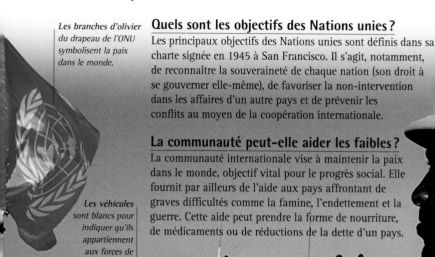

Les branches d'olivier du drapeau de l'ONU symbolisent la paix dans le monde.

Les véhicules sont blancs pour indiquer qu'ils appartiennent aux forces de l'ONU.

Les soldats de l'ONU portent un casque bleu.

Quels sont les objectifs des Nations unies ?

Les principaux objectifs des Nations unies sont définis dans sa charte signée en 1945 à San Francisco. Il s'agit, notamment, de reconnaître la souveraineté de chaque nation (son droit à se gouverner elle-même), de favoriser la non-intervention dans les affaires d'un autre pays et de prévenir les conflits au moyen de la coopération internationale.

La communauté peut-elle aider les faibles ?

La communauté internationale vise à maintenir la paix dans le monde, objectif vital pour le progrès social. Elle fournit par ailleurs de l'aide aux pays affrontant de graves difficultés comme la famine, l'endettement et la guerre. Cette aide peut prendre la forme de nourriture, de médicaments ou de réductions de la dette d'un pays.

▼ **LES FORCES DE MAINTIEN DE LA PAIX**
Le Conseil de sécurité des Nations unies peut demander à ses États membres d'envoyer des troupes pour maintenir la paix dans les zones en guerre. La mission des soldats se cantonne à séparer les adversaires.

Nouvel ordre mondial

Un écusson indique la nationalité du soldat.

LA SÉCURITÉ

Tout pays a besoin d'un système de sécurité pour protéger ses citoyens. Un gouvernement doit avoir les moyens de défendre son pays contre les attaques et de réunir des renseignements pour les empêcher. Dans le nouvel ordre mondial, la sécurité internationale nécessite une coopération entre les nations.

La sécurité est-elle nécessaire ?

Après la guerre froide, nombre de pays espéraient pouvoir réduire leurs dépenses militaires au profit de projets sociaux comme la réduction de la pauvreté. Mais le nouvel ordre mondial a créé de nouvelles tensions : les dépenses consacrées à la défense ont de nouveau augmenté en 1995.

Que coûte la sécurité ?

Protéger le monde par des moyens militaires et autres coûte extrêmement cher. Les dépenses militaires mondiales se montent à 1 000 000 000 000 de dollars par an, soit 2,5 % de l'économie mondiale. Le budget militaire des États-Unis représente un tiers du montant total.

Des panneaux solaires alimentent le satellite en électricité.

SATELLITE MILITAIRE ▶
Ce satellite espion sert à détecter les lancements de missile et les explosions nucléaires. Il permet aux États-Unis de savoir quel pays teste ou lance des missiles nucléaires.

Un capteur à infrarouges détecte les sources de chaleur à partir de l'espace.

Les satellites 28 • La révolution industrielle 418-419 • Les organisations internationales 434 • La guerre froide 435

L'ALTERMONDIALISME

Lorsque les gens ne sont pas d'accord avec la politique de leur gouvernement, ils se réunissent pour manifester. Mais des questions comme la **DETTE** et l'**ENVIRONNEMENT** concernent le monde entier. Dans les années 1990, un mouvement altermondialiste a vu le jour à l'échelle planétaire.

Comment les altermondialistes s'organisent-ils ?

Aujourd'hui, les transports internationaux coûtent moins cher et les moyens de communication comme l'Internet permettent aux gens des différents pays – déjà unis par leurs opinions communes – d'organiser des actions politiques ou des manifestations.

Qu'est-ce que les protestataires peuvent obtenir ?

En contestant les décisions ou les actions des leaders mondiaux et des grandes entreprises, les protestataires veulent attirer l'attention de tous et provoquer un vaste débat démocratique sur les décisions mondiales et nationales. Ils peuvent en outre informer les populations sur les conséquences des problèmes mondiaux sur leur pays.

◄ EN MARCHE
Manifester sert à alerter le public sur les problèmes importants. Cette manifestation, en 1999 à Seattle, a attiré l'attention des médias sur les débats de l'Organisation mondiale du commerce et mobilisé l'opinion publique en faveur de l'altermondialisme.

Sur quoi les protestations portent-elles ?

L'altermondialisme porte sur de nombreux problèmes différents, mais tout particulièrement sur l'inégalité. Par exemple, les altermondialistes estiment que les pays pauvres sont maltraités car les règles internationales sont adoptées par les pays riches, dont le souci est de favoriser leur propre économie.

LA DETTE

Les pays riches prêtent de l'argent aux pays pauvres. De ce fait, les nations les plus pauvres du monde ont accumulé une dette totale de 2,5 milliards de milliards de dollars. S'ajoutant à leurs efforts pour survivre, cette dette aggrave leur pauvreté.

Peut-on annuler la dette ?

Environ 5 % de la dette des pays en développement ont été annulés par les pays riches. En retour, les nations endettées ont accepté d'ouvrir leur économie au marché mondial. Les partisans de la réduction de la dette demandent qu'une plus grande partie soit annulée et que les pays endettés soient moins contrôlés.

@ ►►
Alter-mondialisme

L'ENVIRONNEMENT

Pour entrer à tout prix dans le marché mondial, certaines entreprises ne respectent pas l'environnement. Les écologistes réclament des contrôles internationaux pour protéger l'environnement contre la pollution ou la destruction des écosystèmes, notamment.

Qu'est-ce que le développement durable ?

Les pays occidentaux se sont longtemps enrichis en exploitant des ressources naturelles comme le charbon ou les forêts sans se soucier des conséquences à long terme. Le développement durable vise à favoriser la croissance sans épuiser les ressources naturelles : par exemple, en replantant les zones où les arbres sont abattus.

CONTRE LES OGM ►
Ces membres de Greenpeace arrachent des plantes génétiquement modifiées dans un champ du Royaume-Uni. Ils estiment qu'elles sont nuisibles pour l'environnement et la santé.

POUR EN SAVOIR PLUS ►► L'impact humain 64-65 • L'économie 302-303 • Le nouvel ordre mondial 314-315

LES DROITS DE L'HOMME

Les droits de l'homme sont des lois établissant un équilibre entre le pouvoir d'un État et les droits de ses citoyens. Après la Seconde Guerre mondiale, l'Organisation des Nations unies (ONU) a dressé une liste de ces droits pour protéger tous les citoyens.

Les droits de l'homme sont-ils acceptés par tous de la même façon ?

Certains droits sont reconnus par presque toutes les cultures et tous les partis politiques. D'autres sont toujours contestés. Par exemple, les droits en faveur de la liberté politique comme le droit de vote sont davantage acceptés que ceux concernant la liberté économique ou sociale comme l'égalité de la femme.

Qu'est-ce que la souveraineté ?

Une nation a des droits. Celui qui lui permet de prendre des décisions sans en référer à d'autres pays s'appelle la souveraineté. Celle-ci peut porter atteinte au **DROIT HUMANITAIRE** si la nation concernée refuse d'admettre qu'elle a des problèmes en matière de droits de l'homme.

@ ►►
Droits de l'homme

◄ **LUTTER POUR SES DROITS**
Les organisations comme Amnesty International défendent les droits de l'homme dans le monde. Lors d'une manifestation au Pakistan, cette banderole réprouve le régime des talibans qui gouvernait l'Afghanistan voisin jusqu'à fin 2001.

Ceux qui enfreignent les droits de l'homme sont-ils punis ?

La législation internationale permet à la communauté internationale de blâmer les responsables politiques qui ne respectent pas les droits de l'homme. Mais de nombreux pays rejettent cette législation qu'ils soupçonnent être destinée à contrôler un pays plutôt qu'à améliorer les droits de l'homme.

LE DROIT HUMANITAIRE

L'objet de l'humanitaire est le bien-être des hommes avant tout. Dans une guerre, par exemple, la démarche humanitaire exige que les médecins puissent soigner tous les blessés, même ennemis, quels que soient les problèmes politiques. Les organismes humanitaires apportent une aide vitale en temps de guerre ou de crise.

Qu'est-ce que l'aide impartiale ?

Les organisations humanitaires comme la Croix-Rouge pénètrent dans les zones en guerre pour aider tous ceux qui en ont besoin. Les adversaires font confiance à leur impartialité, c'est-à-dire leur vocation à aider les personnes en difficulté, quel que soit le camp auquel elles appartiennent. Certaines agences d'aide humanitaire sont partiales et n'aident que ceux dont elles partagent les opinions politiques.

▲ **LA DÉCLARATION UNIVERSELLE DES NATIONS UNIES**
Le 10 décembre 1948, les Nations unies ont annoncé avoir signé une déclaration universelle des droits de l'homme. L'Union soviétique, l'Afrique du Sud et l'Arabie saoudite se sont abstenues.

▲ **LA COUR DE JUSTICE INTERNATIONALE DE LA HAYE**
Tout pays peut saisir la cour de justice internationale de La Haye (Pays-Bas) concernant des crimes commis par une autre nation. En 1999, la cour a jugé que les pays de l'OTAN n'étaient pas coupables d'avoir bombardé illégalement la Yougoslavie.

▲ **L'AIDE ALIMENTAIRE**
En 2001, le Programme alimentaire mondial a apporté une aide alimentaire à des milliers de réfugiés afghans. En temps de guerre ou de répression, les réfugiés ont besoin de nourriture, d'eau et d'abris.

POUR EN SAVOIR PLUS ►► Les organisations internationales 434 • La guerre froide 435

LES ARTS et LES LOISIRS

LA PEINTURE 320

LE DESSIN 322

LA SCULPTURE 323

LES ARTISTES 324

LA PHOTOGRAPHIE 325

LE DESIGN 326

LES ARTS DÉCORATIFS 327

L'ARCHITECTURE 328

LA MUSIQUE 330

LES INSTRUMENTS DE MUSIQUE 332

LA COMPOSITION MUSICALE 333

LA MUSIQUE POP 334

L'ORCHESTRE 335

LA DANSE 336

L'OPÉRA 338

LA COMÉDIE MUSICALE 338

L'ÉCRITURE 339

L'IMPRIMERIE 339

LA LITTÉRATURE 340

LA POÉSIE 343

LE THÉÂTRE 344

LE CINÉMA 346

LES ÉCRIVAINS 348

L'ANIMATION 349

LES JOUETS 350

LES JEUX 350

LES LOISIRS DOMESTIQUES 351

LES SPORTS 352

LES COMPÉTITIONS SPORTIVES 354

LES JEUX OLYMPIQUES 356

LA PEINTURE

L'art de la peinture consiste à créer des images en appliquant des couleurs sur une surface. Les peintures restituent des événements, reproduisent l'aspect d'une personne, d'un lieu ou d'un objet. Elles décorent des murs, illustrent des textes, traduisent des émotions, des idées, ou servent une finalité purement esthétique.

Quelles peintures les artistes utilisent-ils ?

La peinture s'obtient à partir d'un pigment (poudre colorée) mélangé à un médium (substance liquide) comme l'eau. L'œuf sert à fabriquer la peinture a tempera ; l'huile de lin, la peinture à l'huile ; la résine acrylique, la peinture acrylique. Dans les fresques, les pigments sont appliqués sur du plâtre humide. Pour l'aquarelle, on mélange des pigments avec un liant soluble dans l'eau – la gomme arabique.

Quand la peinture est-elle apparue ?

Il y a 20 000 ans, les premiers hommes broyaient la terre, le charbon de bois et les minéraux. Avec ces poudres de couleur, ils peignaient des images, souvent des scènes de chasse, dans des grottes. Ils mélangeaient les poudres avec de la salive ou de la graisse animale, qu'ils soufflaient dans des roseaux ou appliquaient avec les doigts.

▲ *RÊVE DE KANGOUROU*, MICHAEL NELSON JAGAMARA, 2000
Traditionnellement, les peintures des Aborigènes relatent les récits d'ancêtres sacrés. Les symboles abstraits, au centre, représentent le feu et la pluie. Le serpent, être surnaturel, s'appelle Serpent Arc-en-ciel.

Quels sujets les artistes peignent-ils ?

Certains artistes peignent des aspects du monde visible : personnes, paysages, natures mortes (fruits ou fleurs), scènes tirées de l'histoire, de la littérature ou de l'imagination. Ces peintures, qui reproduisent la réalité, sont figuratives. D'autres sont abstraites : elles ne représentent pas le monde réel, mais expriment des sentiments, des humeurs ou des idées au moyen de couleurs, de formes et de lignes.

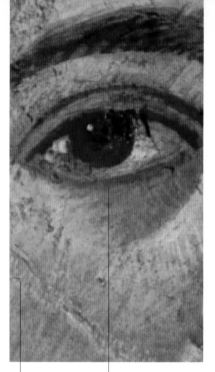
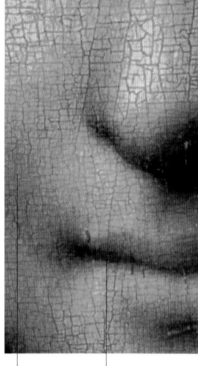

Traits de pinceau parallèles

Tracé renforcé soulignant l'œil

Craquelures dues au vieillissement et au dessèchement de la peinture

La technique du sfumat mélange les tons et estompe les lignes.

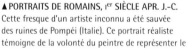

Craquelures du plâtre sur lequel a été réalisée la fresque

Stylet (instrument pour écrire) tenu par la femme, indiquant le statut social

▲ PORTRAITS DE ROMAINS, Iᵉʳ SIÈCLE APR. J.-C.
Cette fresque d'un artiste inconnu a été sauvée des ruines de Pompéi (Italie). Ce portrait réaliste témoigne de la volonté du peintre de représenter le statut social du jeune couple, sans doute un juriste et sa femme.

Paysage rocheux, élément souvent présent sur les peintures de Léonard de Vinci

Mains croisées sur le bra fauteuil – pose dégagean une impression de sérénit

▲ *LA JOCONDE*, v. 1503-1506
La Joconde, de Léonard de Vinci (1452-1519), est sans doute la peinture la plus célèbre de l'art occidental. Sur un fond de montagnes embrumées, une jeune Florentine adresse au spectateur un sourire mystérieux qui a fasciné des générations entières.

OCULUS, PALAIS DE GONZAGUE, MANTOUE ▼
Dans cet exemple d'illusionnisme, Andrea Mantegna (v. 1431-1506) a peint un oculus (ouverture circulaire) sur le plafond du palais, donnant l'impression que la pièce s'ouvre vers le ciel. Des visages apparaissent autour, et une plante en pot repose en équilibre sur le bord.

Feuilles réalisées
avec des traits de
pinceau fins

Peinture à l'huile
diluée avec de l'essence
de térébenthine, créant
un effet lumineux

La texture de la
toile apparaît sous la
peinture.

Traits de peinture
épaisse, pas
entièrement mélangée

Feuillage tombant au-
dessus de la tête de la
femme

Mains détendues et
jambes tendues – pose
informelle

*Bien que non
réalistes,* les
couleurs expriment
l'émotion.

La barbe rouge
contraste avec
les verts et bleus
dominants.

▲ *MRS. RICHARD BRINSLEY SHERIDAN*, v. 1785
Ce ravissant portrait a été réalisé par Thomas
Gainsborough (1727-1788), qui excellait dans l'art
du portrait et du paysage. Le charme de la célèbre
chanteuse est rehaussé par le traitement délicat
du décor boisé.

▲ *AUTOPORTRAIT*, 1889
L'un des nombreux autoportraits de Vincent Van Gogh
(1853-1890), cette peinture expressive a été réalisée
par le peintre durant son séjour à l'asile. Les couleurs
froides, les traits de pinceau épais et tourbillonnants,
le regard intense expriment la profonde souffrance
de l'artiste.

Un chérubin regarde
par-dessus bord
d'autres chérubins
dressant la tête.

Parapet en pierre
créant l'illusion
d'une architecture
en trois dimensions

@ ▶▶
Peinture

AQUARELLE ▶
Avant l'invention de la photographie,
l'aquarelle servait souvent à représenter
plantes et animaux. Le célèbre
illustrateur Pierre-Joseph Redouté (1759-
1814) a réalisé de superbes études à l'aquarelle
comme ces églantines.

Qu'est-ce que l'illusionnisme ?

Les peintures étant bidimensionnelles (plates) et le monde
réel tridimensionnel, les artistes emploient des méthodes
comme la perspective pour créer l'illusion que les
objets peints sont réels. Une forme d'illusionnisme,
sotto in sù, italien signifiant «du bas vers le haut»,
s'utilise sur les plafonds : les objets, présentés à partir
du bas, semblent se situer au-dessus du spectateur.

LA PERSPECTIVE

En peinture, la perspective sert à représenter sur
une surface plane un espace à trois dimensions.
Dans le monde réel, les objets paraissent d'autant
plus petits qu'ils sont plus éloignés de
l'observateur, et les lignes parallèles semblent
converger. La perspective reproduit cet effet.

Qui a inventé la perspective ?

La perspective a été élaborée pendant la Renaissance
italienne par deux peintres, Leon-Battista Alberti
(1404-1472) et Filippo Brunelleschi (1377-1446). Ils ont
créé un système mathématique, puis l'ont expérimenté.
Auparavant, les artistes ne pouvaient pas représenter
avec exactitude les objets dans l'espace. Désormais,
la perspective donne l'illusion de la profondeur.

Point de fuite

Ligne d'horizon

▲ *L'ALLÉE DE MIDDELHARNIS*, MEINDERT HOBBEMA, 1689
Ce paysage hollandais est célèbre pour son emploi d'une perspective
centrale et profonde. Les lignes parallèles de l'avenue droite et les arbres
convergent vers le point de fuite à l'horizon. Les lignes tracées délimitent
le cadre mathématique utilisé pour créer la perspective.

Qu'est-ce que le point de fuite ?

Le point de fuite correspond à l'endroit où des lignes,
parallèles dans la réalité, semblent converger au loin
sur la ligne d'horizon de la peinture (où se rencontrent
le ciel et la terre). En se dirigeant vers le point de fuite,
les lignes convergentes guident le regard de l'observateur
dans la profondeur imaginaire du tableau. Le regard
se pose sur le minuscule personnage sur la route, juste
en dessous du point de fuite, donnant à l'observateur
l'impression de pénétrer dans le paysage peint.

PRINCIPALES ÉCOLES DE PEINTURE		
ÉCOLE	*PÉRIODE*	*PRINCIPALES ŒUVRES*
Gothique	XIIIᵉ–XVᵉ	*L'Annonciation*, Simone Martini
Renaissance	XIVᵉ–XVIᵉ	*Arnolfini et sa femme*, Van Eyck *L'École d'Athènes*, Raphaël
Baroque	XVIIᵉ–XVIIIᵉ	*La Descente de Croix*, Rubens
Rococo	XVIIᵉ–XVIIIᵉ	*La Balançoire*, Fragonard
Néoclassicisme	XVIIIᵉ–XIXᵉ	*Le Serment des Horaces*, David
Romantisme	XVIIIᵉ–XIXᵉ	*Le Radeau de la Méduse*, Géricault
Impressionnisme Post-impressionnisme	Fin du XIXᵉ	*Le Bal du Moulin de la Galette*, Renoir, *La Montagne Sainte-Victoire*, Cézanne
Cubisme	XXᵉ	*Les Demoiselles d'Avignon*, Picasso

POUR EN SAVOIR PLUS ▶▶ Le dessin 322 • Les artistes 324 • Les premiers hommes 362-363 • La Renaissance 398

LE DESSIN

L'art du dessin consiste à créer des images ou des motifs au moyen de lignes, de points ou d'autres traits. Les dessins servent souvent de base aux peintures et aux sculptures. Mais ils peuvent aussi constituer des œuvres d'art à part entière.

▲ *DANSEUSES*, EDGAR DEGAS, v. 1900
Degas (1834-1917) a souvent travaillé avec des pastels, bâtons de couleurs en poudre. Le pastel se situe entre le dessin et la peinture.

Le dessin est-il toujours noir et blanc ?

Les artistes dessinent avec une variété d'instruments de couleur : crayons de couleur, crayons à la cire, encres, craies et pastels. Certains, comme Degas, sont aussi célèbres pour leurs pastels que pour leurs peintures.

Avec quels instruments les artistes dessinent-ils ?

Les artistes dessinent avec divers instruments : crayons, stylos et encres, stylos-feutres, craie, charbon de bois, pastels. En Occident, avant l'invention, au XVIIe siècle, des crayons à mine graphite, les artistes dessinaient avec un instrument à pointe en argent, sur du papier prévu à cet effet.

Que signifient les chiffres et les lettres sur les crayons ?

Les crayons à dessin sont classés selon leur degré de dureté. HB, dureté moyenne, donne des traits fins. 6B, plus tendre et plus foncé, convient aux OMBRES.

Des lignes précises reproduisent l'armure en détail.

▲ *PROFIL DE GUERRIER*, v. 1475
Léonard de Vinci (1452-1519) a dessiné toutes sortes de sujets, comme ce guerrier imaginaire à l'armure élaborée.

▲ VISAGE OMBRÉ
La lumière sur le visage crée des zones claires et foncées. L'artiste reproduit cet effet pour créer l'illusion du volume sur le papier.

LES OMBRES

Les ombres permettent de créer les tons – zones claires et foncées sur un dessin. Il existe de nombreuses techniques pour ombrer un dessin. Les hachures sont des séries de lignes parallèles ou presque. Du charbon de bois frotté avec le doigt permet aussi de créer des effets d'ombres sur le papier.

Comment effectuer les hachures ?

En travaillant sur la largeur, l'épaisseur et la proximité des lignes parallèles, l'artiste crée une impression de profondeur. Dans la technique des hachures croisées, il trace un ensemble de lignes parallèles, puis un autre ensemble par-dessus, en biais. Cette technique s'emploie souvent dans la gravure, pour graver un dessin sur du métal ou du bois.

Dessin

POUR EN SAVOIR PLUS ▶▶ La peinture 320-321 • Le design 326 • La Renaissance 398

LA SCULPTURE

La sculpture, art tridimensionnel, repose traditionnellement sur deux méthodes principales : le travail de matériaux comme le bois ou la pierre et le modelage de formes par assemblage de fragments de matériaux comme l'argile. Les artistes modernes expérimentent de nouveaux matériaux et d'autres techniques.

La sculpture mesure 4 m de hauteur.

Le cobra, ou serpent-démon, symbole du mal

MASQUE EN BOIS ▶
Le bois sculpté permet de réaliser des sculptures ou des objets fonctionnels tels que ce masque de danseur sri-lankais, à base de bois sculpté et peint.

Que signifie « tridimensionnel » ?

Ce terme renvoie aux trois dimensions de l'espace – longueur, largeur, profondeur. Il permet de distinguer les arts bidimensionnels (plats) comme la peinture, le dessin ou la gravure, de la sculpture, tridimensionnelle.

LES CHEVAUX DE SAINT-MARC ▼
Ces quatre chevaux grandeur nature en bronze dans la basilique Saint-Marc de Venise ont été réalisés entre le IVe siècle av. J.-C. et le IVe siècle apr. J.-C. Ils ont été transportés de Constantinople à Venise en 1204.

L'artiste a recouvert une structure grillagée de mousse expansée, puis de fibre de verre, et enfin de carreaux de céramique créant un effet de mosaïque.

▲ BAS-RELIEF HINDOU
Ce détail sculpté dans un rocher, dans le Tamil Nadu (sud de l'Inde), a été réalisé entre les VIIe et VIIIe siècles.

La sculpture est-elle toujours visible sous toutes ses faces ?

Toutes les sculptures ne sont pas réalisées en ronde bosse. Les bas-reliefs sont sculptés d'un côté seulement et se détachent sur un fond. Depuis les temps les plus reculés, les panneaux en relief décorent des bâtiments prestigieux, tels que temples et églises.

Comment la sculpture est-elle réalisée ?

Les techniques dépendent des matériaux utilisés. Dans le cas de la pierre ou du bois, le sculpteur travaille la matière avec un marteau et un burin. Dans le cas de l'argile, les artistes utilisent leurs mains. Le bronze coulé dans des moules permet de créer des sculptures solides et durables. Parmi les autres techniques figurent le métal soudé, le plastique ou le ciment moulé, la fibre de verre.

Les sculptures de Halpern prennent souvent la forme de visages gigantesques, inspirés de Picasso.

Sculpture

◀ OPHELIA, DEBORAH HALPERN, 1996
L'artiste australienne Deborah Halpern (1957) crée des sculptures pour l'extérieur. Celle-ci apporte couleur et exubérance dans le paysage urbain de Melbourne.

Le bronze est un alliage de cuivre, d'étain et de plomb. Ce bronze est recouvert d'or.

POUR EN SAVOIR PLUS ▶▶ Les arts décoratifs 327

LES ARTISTES

Les artistes créent des œuvres d'art. Si certains n'ont reçu aucune formation spécialisée, la plupart ont fait des études artistiques. Aujourd'hui, ils peuvent se former dans les écoles d'art, mais autrefois ils effectuaient leur apprentissage en atelier auprès d'artistes expérimentés. De grands artistes ont marqué chaque période de l'histoire.

Où les artistes travaillent-ils ?

La plupart des artistes ont un atelier, où ils pratiquent leur art. Beaucoup travaillent aussi à l'extérieur. Ainsi, les peintres de paysages dessinent des croquis en plein air et achèvent leurs tableaux dans leur atelier. Certains artistes travaillent uniquement dans la nature, comme les créateurs de compositions à base d'éléments naturels qui pratiquent le *Land Art*.

Comment les artistes gagnent-ils leur vie ?

Les artistes reçoivent parfois des commandes de clients – des individus ou des institutions. Ils vendent aussi leurs œuvres à des particuliers ou bien à des galeries. Les artistes ont souvent du mal à gagner leur vie. Vincent Van Gogh (1853-1890), dont les œuvres atteignent aujourd'hui des sommes astronomiques, n'a vendu qu'un seul tableau de son vivant.

▲ *ÎLES CERNÉES*
Christo et Jeanne-Claude ont recouvert de tissu rose ces îles de Floride en 1983.

▲ *L'ATELIER DE L'ARTISTE*, JAN VERMEER, v. 1665
Cet artiste néerlandais (1632-1675) nous laisse entrer dans son atelier. Assis devant son chevalet, il peint une femme représentant Clio, la muse de l'Histoire.

▲ PABLO PICASSO MÉLANGE SES PEINTURES DANS SON ATELIER
Certains artistes deviennent des célébrités. L'un des plus éminents du XXᵉ siècle a été le peintre espagnol Pablo Picasso (1881-1973), qui a acquis une renommée mondiale.

▲ BARBARA HEPWORTH SCULPTE LE BOIS
Le talent des femmes artistes est souvent méconnu. La sculptrice anglaise Hepworth (1903-1975) fut l'une des artistes les plus célèbres du XXᵉ siècle.

▲ LE METROPOLITAN MUSEUM
Au Metropolitan Museum à New York, un guide présente les différentes galeries aux visiteurs et explique les tableaux.

LES MUSÉES ET LES GALERIES

Pour pouvoir être admirées par le plus grand nombre, les œuvres d'art – peintures, sculptures, céramiques, installations vidéo, photos... – doivent être présentées et mises en valeur dans des musées ou des galeries. Les collections présentées dans les grands musées sont souvent issues de collections royales.

@ ▶▶
Artistes

Quelle différence existe-t-il entre un musée et une galerie ?

Les galeries sont des locaux d'exposition privés où se fait le commerce des objets présentés. Les musées présentent au grand public des collections de chefs-d'œuvre. Ils achètent parfois des tableaux pour compléter leurs collections permanentes, mais ne vendent jamais aux particuliers !

GRANDS MUSÉES DU MONDE	
VILLE	*PRINCIPAUX MUSÉES*
Londres	National Gallery, Tate, Victoria & Albert Museum
Saint-Pétersbourg	musée de l'Ermitage
New York	Metropolitan Museum, Museum of Modern Art
Paris	Louvre, centre Georges-Pompidou, musée d'Orsay
Rome	musées du Vatican

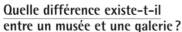

POUR EN SAVOIR PLUS ▶▶ La peinture 320-321 • Le dessin 322 • La sculpture 323

LA PHOTOGRAPHIE

Le terme « photographie » est dérivé de deux mots grecs, *photos* et *graphein,* signifiant « lumière » et « tracer ». L'art de la photographie consiste à créer des images fixes en utilisant l'action de la lumière sur une surface traitée chimiquement.

Qui a inventé la photographie ?

Nicéphore Niépce (1765-1833) prit la première photo vers 1827. Cependant, il dut exposer l'image pendant huit heures à la lumière, et il obtint une photo trouble. En 1837, Louis Daguerre (1787-1851) créa une image nette, mais unique, en quelques minutes. En 1839, William Henry Fox Talbot (1800-1877) inventa le film négatif et les tirages papier – base de la photographie actuelle.

Quand l'appareil photo portable est-il apparu ?

Les premiers appareils photo étaient gros et encombrants, et les photos réalisées sur des plaques de verre. L'invention du film transparent par George Eastman (1854-1932) constitua un progrès important. En 1888, il mit au point l'appareil Kodak – petit et léger, il fonctionnait avec un film en rouleau. La photographie fit soudain de nombreux adeptes.

▲ LA DÉCOMPOSITION DU MOUVEMENT

Eadweard Muybridge (1830-1904) a mis au point une technique destinée à prendre des séquences rapides de photos, très révélatrice de la manière dont les animaux se déplacent. Avant la publication de ses photos, les peintres représentaient à tort les chevaux au galop les quatre jambes tendues.

▲ PAYSAGE DE DENNIS STOCK
Sur ce paysage en couleur, le photographe américain Dennis Stock (1928) exploite les effets du ciel orageux pour créer une atmosphère. Les ombres foncées du premier plan contrastent avec les arbres et le chemin, inondés de lumière.

▲ INTÉRIEUR D'EUGÈNE ATGET
Le photographe français Atget (1856-1927) a retracé sur plus de 10 000 photos l'évolution de Paris aux XIXᵉ et XXᵉ siècles, réalisant un travail à la fois artistique et social.

La photographie a-t-elle influencé la peinture ?

L'influence a toujours été réciproque. Au début des instantanés, les peintres impressionnistes s'inspirèrent de leurs effets inattendus, tels que le flou de personnages en mouvement, ou le cadrage spontané des personnages. Les photos de portraits et de paysages sont souvent influencées par les créations picturales.

◄ *JEUNE AFGHANE* DE STEVE MCCURRY
Prise en 1984, cette photo d'une jeune Afghane dans un camp de réfugiés pakistanais a été publiée sur la couverture du magazine *National Geographic.* Vêtue de lambeaux, elle fixe le photographe et l'observateur avec une expression noble, mêlée de peur. Un portrait qui rivalise avec la *Mona Lisa* de Léonard de Vinci.

Photographie

Comment fonctionne la photographie couleur ?

En photographie, toutes les couleurs peuvent être obtenues en mélangeant le rouge, le bleu et le vert. Les films couleurs ont trois couches de matière sensible à la lumière, chacune réagissant à l'une de ces couleurs. Chaque couche produit des teintes colorées qui se mélangent pour créer la photo.

En quoi consiste le travail des reporters photographes ?

Depuis le XIXᵉ siècle, les reporters photographes fixent la vie des gens par l'image. Pendant la dépression des années 1930, les photos des fermiers américains appauvris ont beaucoup impressionné l'opinion publique. Celle-ci a également cessé de soutenir la guerre du Vietnam, suite aux images publiées.

POUR EN SAVOIR PLUS ▶▶ La lumière 178-179 • La couleur 180 • L'optique 181 • Les médias 298-299 • La peinture 320-321

LE DESIGN

Le design est la recherche de formes esthétiques, adaptées à leur fonction, pour les objets utilitaires, les meubles et la décoration. La plupart des objets que nous utilisons dans la vie quotidienne ont été créés par des designers. Les ordinateurs sont de plus en plus utilisés dans le design.

Les labyrinthes créent un divertissement et un intérêt visuel. *Les plantations sont espacées régulièrement dans le plan géométrique.*

▲ DESSIN DE JARDIN
Ce splendide jardin Renaissance de la villa d'Este à Tivoli, en Italie, suit un plan géométrique. Les jardins peuvent être formels – comme celui-ci, avec ses fontaines et ses labyrinthes –, ou naturels.

Qu'est-ce qu'un bon design ?

L'association réussie de la forme (l'esthétique) et de sa fonction (l'aspect pratique) constitue la base du design. Une chaise doit à la fois offrir un aspect attrayant et convenir à sa fonction – procurer un siège sûr et confortable. De nombreuses institutions récompensent les meilleurs designers avec des prix.

Pourquoi le design évolue-t-il ?

Le design évolue au rythme des goûts et des modes de vie, selon les matériaux et technologies inventés. Ainsi, au XXe siècle, le souci du confort et de la fonctionnalité s'est affirmé dans la cuisine. De nouveaux matériaux comme l'acier inoxydable ont été inventés. Les cuisines sont devenues plus épurées et plus attrayantes.

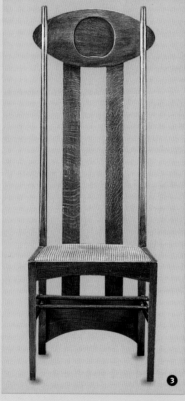

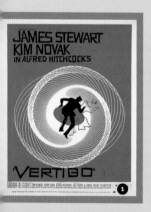

Le sifflet est un oiseau en plastique

1 **Graphisme** : cette affiche de cinéma a été conçue par Saul Bass pour *Vertigo* (1958). La spirale crée un effet de vertige. 2 **Objets ménagers** : cette élégante bouilloire a été dessinée par Michael Graves et réalisée par Alessi en 1985. 3 **Mobilier** : Charles Rennie Mackintosh a créé cette élégante chaise v. 1898.

4 **Mode** : ce gant de cuir du XVIe ou XVIIe siècle est orné de tapisserie en soie rehaussée d'or. 5 **Marques** : logo d'Apple Macintosh, première entreprise à avoir conçu des ordinateurs personnels de couleurs vives. 6 **Produits** : l'anneau pour ouvrir les boîtes est pratique. 7 **Mode** : le mannequin Twiggy en 1967. 8 **Automobile** : la Coccinelle Volkswagen de 1998 réhabilite le modèle d'origine, datant des années 1930.

À quand le design vestimentaire remonte-t-il ?

Il y a 40 000 ans, les hommes cousaient des peaux d'animaux pour se vêtir, avec des aiguilles en ivoire de mammouth et en os de renne. À cette fonction de survie pour les s'est ajoutée ensuite une valeur esthétique. Dans de nombreuses cultures anciennes, comme l'Égypte, la Grèce et Rome, la mode était liée à la richesse et au statut social.

Comment les produits sont-ils conçus ?

Les designers tracent des croquis de leurs idées sur du papier, choisissent les matériaux, puis réalisent des dessins détaillés. Avec l'ordinateur, ils créent des images de maquettes tridimensionnelles, qu'ils peuvent ensuite manipuler et considérer sous tous les angles. Un prototype (exemplaire d'essai) est généralement construit et testé avant la fabrication.

@ ▶▶
Design

POUR EN SAVOIR PLUS ▶▶ La technologie 154 • La construction 202-203 • L'architecture 328-329 • Le cinéma 346-347 • La Renaissance 398

LES ARTS DÉCORATIFS

Ce terme désigne les arts appliqués aux objets quotidiens, aux éléments de décor, qui deviennent des œuvres d'art. Les arts décoratifs comprennent les meubles, les textiles, les bijoux, les objets en verre, les vitraux, les céramiques...

Quels sont les grands créateurs des arts décoratifs ?

Le plus célèbre est William Morris (1834-1896). Selon lui, les métiers d'art améliorent la vie de ceux qui fabriquent les objets quotidiens et de ceux qui les utilisent.
Son entreprise créa des meubles, des tapisseries, des vitraux, des tissus, des tapis et des papiers peints, encore célèbres aujourd'hui. Parmi les autres artistes connus figurent Bernard Palissy (1510-1589), Hector Guimard (1867-1942), Émile Gallé (1846-1904) et Luis Comfort Tiffany (1848-1933).

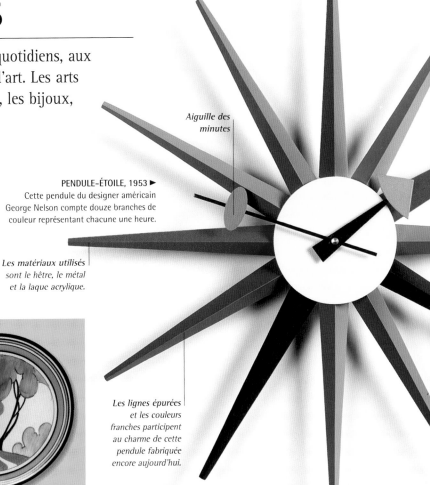

Aiguille des minutes

PENDULE-ÉTOILE, 1953 ▶
Cette pendule du designer américain George Nelson compte douze branches de couleur représentant chacune une heure.

Les matériaux utilisés sont le hêtre, le métal et la laque acrylique.

Les lignes épurées et les couleurs franches participent au charme de cette pendule fabriquée encore aujourd'hui.

Ce vase a une valeur à la fois esthétique et fonctionnelle.

L'illustration représente l'un des douze travaux d'Hercule.

①

②

③ **④** **⑤**

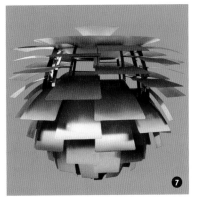

⑥ **⑦**

⑧

1 Céramique : vase grec ancien peint. **2 Céramique** : cette assiette Art déco de Clarice Cliff porte le motif *Automne*. **3 Textiles** : la styliste finlandaise Maija Isola a créé ce motif de tissu fleuri vers 1960. **4 Papiers peints** : dessiné au XIXe siècle par William Morris, ce modèle est toujours fabriqué de nos jours. **5 Textiles** : détail d'un tapis persan Bidjar, v. 1890. **6 Bijoux** : broche émaillée Art déco, v. 1925. **7 Travail du métal** : cet abat-jour *Artichaut* a été dessiné en 1958 par Paul Henningsen. Fabriqué en cuivre et acier par Louis Poulsen, il est encore prisé aujourd'hui. **8 Travail du verre** : cette superbe lampe de table en verre à motif *Coquelicot* a été conçue dans le style Art nouveau par le créateur américain Louis Comfort Tiffany.

Qu'est-ce que l'Art déco ?

Ce style décoratif a touché tous les secteurs des arts décoratifs entre les deux guerres mondiales – des bijoux aux céramiques, du mobilier à l'architecture. Associant diverses influences, de la peinture cubiste aux bijoux anciens égyptiens et aztèques, le style Art déco se définit par des lignes souples, des couleurs franches et des formes géométriques.

Qu'est-ce que la porcelaine ?

Différente de la faïence, la porcelaine est une variété de céramique. Fabriquée pour la première fois en Chine au VIIe ou VIIIe siècle, elle est dure et translucide (on aperçoit la lumière à travers). Les Européens n'ont su la fabriquer qu'à partir du XVIIIe siècle, à Meissen (Allemagne), encore célèbre pour sa porcelaine.

@ ▶▶
Arts décoratifs

POUR EN SAVOIR PLUS ▶▶ La sculpture 323 • La Grèce antique 376-377 • Le premier Empire chinois 378

L'ARCHITECTURE

L'art de l'architecture consiste à concevoir et à construire des bâtiments. Les architectes dessinent des constructions de différentes tailles et formes, des simples abris de jardin aux immenses **GRATTE-CIEL**. Ces constructions doivent répondre à des impératifs esthétiques et fonctionnels – offrir la sécurité, être agréables à l'œil et répondre à l'objectif de leur édification.

Pourquoi les constructions sont-elles variées ?

L'aspect des constructions dépend de divers facteurs : les matériaux et la technologie disponibles, le style architectural, la fonction. Ainsi, les constructions privées, les ensembles de bureaux et l'architecture sacrée servent des usages très différents qui se reflètent dans leurs dimensions, leur forme et leur contenu.

Marbre sur briques   *Arche gothique percée de fenêtres*   *Statues de saints dans les alcôves*

▲ LA CATHÉDRALE DE MILAN
L'une des plus grandes cathédrales du monde, celle de Milan a été conçu pour 40 000 personnes. Commencé au XIVe siècle, il fut achevé au XIXe siècle. La façade réunit plusieurs styles, dont le gothique et le néoclassique.

Qu'est-ce que l'architecture durable ?

Les constructions durables visent à protéger l'environnement. La construction et le fonctionnement des bâtiments entraînent de la pollution, une consommation d'énergie et de ressources. Des matériaux renouvelables, des peintures non toxiques, des panneaux solaires, une bonne isolation et des mécanismes de chasses d'eau à deux vitesses contribuent à la protection de la planète.

Comment les architectes travaillent-ils ?

Souvent à l'aide de programmes informatiques, l'architecte crée un projet en fonction du genre de construction que souhaite son client et de son budget. Les ingénieurs vérifient les plans et les maquettes pour s'assurer que la construction ne présente aucun danger.

La lumière naturelle se reflétant sur la construction, celle-ci nécessite moins d'éclairage artificiel.

Le cône central se compose de 360 miroirs de verre laminé qui réfléchissent la lumière environnante.

Le cône intérieur soutient la coupole située en haut du bâtiment (voir photo en bas).

LE REICHSTAG, À BERLIN ▶
Le bâtiment du Parlement allemand, le Reichstag, a été en partie détruit par un incendie en 1933. Dans la rénovation effectuée par l'architecte anglais Norman Foster pendant les années 1990, l'emploi du verre symbolise l'ouverture de la démocratie.

Architecture

Les visiteurs suivent la rampe qui monte en spirale jusqu'à la coupole de verre.

La nouvelle coupole de verre surmonte la construction du XIXe siècle.

EXTÉRIEUR DU REICHSTAG

LE STADE DE SAPPORO ▶
Construit par les Japonais pour la
Coupe du monde 2002, ce stade
futuriste d'Hokkaïdo a une coupole
translucide en fibre de verre
recouverte de Téflon. Son terrain de
football en gazon naturel peut être
placé à l'intérieur ou à l'extérieur,
par un système de coussin d'air.

Quels matériaux les architectes utilisent-ils ?

Aux matériaux traditionnels, pierre, bois, brique et
ciment, s'ajoutent de nouveaux, comme l'acier et le
verre. En recouvrant de la fibre de verre d'un plastique
solide comme le Téflon, on fabrique des revêtements
qui peuvent être fixés sur une structure métallique.

Qu'est-ce que l'architecture classique ?

C'est celle des Grecs et des Romains anciens, reposant
sur des proportions équilibrées et harmonieuses.
Elle a largement influencé l'histoire de l'architecture
occidentale. La redécouverte de certains monuments
antiques grecs et romains à la Renaissance a remis au
goût du jour l'architecture classique. Certains architectes
contemporains continuent à emprunter des éléments
à la tradition classique.

▲ LE PARTHÉNON (447–432 AV. J.-C.), À ATHÈNES
Les colonnes doriques de ce temple soutenaient jadis des poutres et un
fronton richement sculpté à chaque extrémité du toit. Aujourd'hui en
ruine, le Parthénon reste l'exemple le plus célèbre d'architecture classique.

LES ORDRES CLASSIQUES

Les Grecs anciens classaient les
constructions en trois ordres (styles).
Chacun avait ses caractéristiques,
comme le dessin des colonnes. Le fût
des colonnes est surmonté d'un
chapiteau.

*Le chapiteau
est un cercle
surmonté
d'un carré.*

*Le fût est
cannelé.*

DORIQUE

*Volute
(rouleau
en spirale)*

*Le fût est
cannelé.*

IONIQUE

*Décoration
de feuilles
d'acanthe*

*Le fût est
étroit et simple.*

CORINTHIEN

LES GRATTE-CIEL

Ce terme est apparu vers 1880 aux États-Unis
pour décrire un nouveau type d'immeubles de
bureaux à Chicago et New York. Ils s'élevaient
sur douze étages, hauteur encore jamais atteinte.

Quel est le bâtiment le plus haut du monde ?

Les constructions ne dépassaient pas 75 m de hauteur
jusqu'à l'invention des structures en acier. En 1998, la
tour Sears de Chicago – le bâtiment le plus haut du monde,
avec ses 442 m – fut dépassée par les tours Petrona de
Kuala Lumpur, en Malaisie, qui atteignent 452 m.
Depuis, le record est désormais détenu par le gratte-ciel
Taipei 101, dans la capitale de Taïwan, une tour de
101 étages haute de 508 m.

LE CHRYSLER BUILDING, À NEW YORK ▶
Achevé en 1930, ce chef-d'œuvre Art déco, haut de 319 m,
autrefois le bâtiment le plus élevé du monde, a été dépassé en 1931 par
l'Empire State Building, de 381 m de hauteur.

POUR EN SAVOIR PLUS ▶▶ La construction 202-203 • Le design 326 • La Grèce antique 376-377

L'art de la musique consiste à produire des sons et à les arranger d'une manière divertissante et agréable. On fête des événements, on exprime des idées et des sentiments avec la musique, qui peut être classique, folklorique ou pop.

Comment la musique est-elle créée ?

Les instruments produisent des sons, comme la voix humaine. Certains sons ayant une hauteur spécifique sont appelés notes. Ces sons sont ensuite groupés pour créer un rythme et une mélodie. Certaines musiques sont produites spontanément, d'autres sont le fruit de compositions élaborées. Les musiciens composent seuls et en groupes.

CONCERT ▶
Les concerts se déroulent sur une scène, devant un public. On peut écouter de la musique enregistrée (sur des CD ou à la radio), mais il est plus intéressant de voir les musiciens jouer devant soi.

◀ WOODSTOCK AUX ÉTATS-UNIS EN 1969
L'orchestre de Joe Cocker se prépare à jouer devant une foule immense au festival de Woodstock. Environ 500 000 fans assistèrent à la manifestation à laquelle participèrent trente groupes et musiciens. Ce fut le premier festival de musique pop.

Comment mémorisons-nous la musique ?

La musique peut être mémorisée, écrite ou enregistrée sur des supports comme les CD. Il existe plusieurs systèmes pour noter la musique. Le plus courant consiste à créer une partition – une page avec des ensembles de cinq lignes appelés portées. Le compositeur écrit la mélodie et le rythme d'un morceau de musique au moyen de notes.

La contrebasse a quatre cordes, mais une cinquième peut être ajoutée pour obtenir des notes plus graves.

En pinçant les cordes avec les doigts, on obtient un rythme plus soutenu qu'avec un archet.

Musique

LE RYTHME

La musique a pour base le temps, partagé en unités. Les compositeurs et les musiciens regroupent ces temps, décident de leur longueur, accentuent certains. Ils créent le rythme d'un morceau de musique.

Quels sont les principaux rythmes ?

Le rythme de base, à deux temps (1, 2), évoque la marche ou les battements du cœur. Un autre, à trois temps (1, 2, 3), correspond à celui de la valse. L'un et l'autre sont accentués sur le premier temps. Ces deux rythmes de base peuvent être multipliés ou associés pour créer des rythmes plus complexes. Les mesures d'un morceau se composent du même nombre de temps.

▲ CAISSE CLAIRE ET BAGUETTES
Baguettes, mains ou pédale marquent le rythme.

Le chevalet est en bois. En appuyant la corde contre le chevalet, on change la hauteur du son.

LA HAUTEUR DU SON

La hauteur est l'un des éléments constitutifs d'un son ou d'une note. Lorsque deux notes ou davantage sont jouées ensemble, le son produit s'appelle un accord. Les accords déterminent le mode d'un morceau de musique, le rendant triste ou gai.

Pourquoi les notes ont-elles des hauteurs différentes ?

La hauteur d'une note dépend de la vitesse de vibration du son : une vibration rapide produit une note aiguë, une vibration lente, une note grave. Le nombre de vibrations à la seconde s'appelle la fréquence de la note. En Occident, le diapason (le *la*) est la note de référence utilisée pour l'accord des instruments.

LA MÉLODIE

L'arrangement de notes de hauteurs différentes les unes après les autres crée une mélodie ou un air. Les mélodies simples se composent de quelques notes seulement. D'autres, plus complexes, utilisent différents rythmes, notes et accords. Les bonnes mélodies sont entraînantes et se retiennent facilement.

Les mélodies sont-elles nombreuses ?

Le nombre de mélodies est infini, celles qui existent donnant naissance à d'autres. En Occident, la gamme ne compte que huit notes. Mais les associations de notes sous forme d'harmonies et de rythmes créent une infinité de mélodies. D'autres cultures ont des gammes plus élaborées produisant davantage de mélodies.

Le saxophone est un instrument à vent, pas un cuivre, car son embouchure est un roseau.

▲ DIDGERIDOO
Les sons produits en soufflant dans un didgeridoo ont une vitesse de vibration lente, créant des notes graves.

Les noms permettent d'identifier les huit notes de l'octave qui monte de do à do. Une nouvelle octave d'une hauteur plus élevée commence ensuite.

◄ TONALITÉ DE *DO* MAJEUR
Une gamme est un ensemble de notes ascendantes ou descendantes, constituant généralement une octave (huit notes). Une tonalité est un groupe de notes ayant pour base une note précise, comme ici *do* majeur.

▲ RAVI SHANKAR
Les musiciens indiens classiques, comme le joueur de sitar Ravi Shankar (1920), utilisent des ensembles de notes appelés ragas, ou gammes modales. Il existe environ 130 ragas, chacun exprimant un sentiment.

◄ BILLIE HOLLIDAY
Cette chanteuse de jazz (1915-1959) a interprété des centaines de chansons, souvent connues, d'une manière très personnelle.

La composition musicale 333 • La musique pop 334 • L'orchestre 335 • La comédie musicale 338 • L'opéra 338

LES INSTRUMENTS DE MUSIQUE

Nous utilisons une grande diversité d'instruments pour produire des sons et jouer de la musique. Certains sont de simples morceaux de bois ou des coquillages. D'autres sont électriques. Les instruments varient à travers le monde, chacun ayant sa spécificité.

Comment les instruments sont-ils classés ?

Les instruments acoustiques produisent des sons physiquement, les instruments électroniques, électriquement. Il existe quatre groupes d'instruments acoustiques : percussions (frappées ou secouées), vents (soufflés) – bois et cuivres –, cordes (pincées ou frottées), claviers (joués avec les doigts).

Cymbale

Tom-tom

Caisse claire

Cymbale charleston

Tom sur trépied

Grosse caisse

▲ BATTERIE
La batterie, qui appartient à la famille des percussions, s'utilise surtout dans le jazz et le rock. Le batteur doit déployer énergie et sens de la coordination pour jouer sur plusieurs instruments à différents rythmes.

Comment les instruments produisent-ils des sons ?

Un instrument produit des sons lorsqu'il vibre rapidement. La colonne d'air dans un instrument à vent, la corde d'un instrument à cordes ou la peau tendue d'un tambour vibrent tous lorsque nous les utilisons. Ces vibrations produisent dans l'air des ondes sonores que nous percevons sous forme de notes musicales.

Cheville

Archet

◄ VIOLON
Comme la plupart des instruments à cordes, le violon a quatre cordes accordées sur différentes notes. Le violoniste frotte les cordes avec l'archet ou les pince avec ses doigts.

▲ PIANO À QUEUE
Lorsque le pianiste frappe une touche, un marteau touche une corde dans le piano. La corde vibre et produit un son. Les cordes sont disposées horizontalement dans un piano à queue, verticalement dans un piano droit, pour économiser l'espace.

Le clavier compte 88 touches. Les noires correspondent aux demi-tons.

La cheville permet de régler la tension de la corde pour produire la hauteur de son correcte.

Les marteaux recouverts de feutre font vibrer les cordes.

Embouchure

Piston

Pavillon diffusant le son

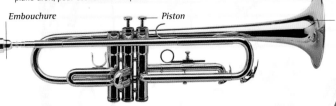

▲ TROMPETTE
Cet instrument en cuivre se joue en soufflant l'air à travers une embouchure dans un tube métallique étroit. La pression sur les pistons modifie la longueur de la colonne d'air, produisant différentes notes.

@ ►►
Instruments de musique

Comment les instruments électroniques fonctionnent-ils ?

Un instrument électronique ne produit pas de véritables sons, mais déclenche un signal électrique qui est transmis à un amplificateur, puis diffusé par un haut-parleur. Par le processus de synthèse, l'instrument électronique imite l'instrument acoustique ou crée ses propres sons.

POUR EN SAVOIR PLUS ►► Le son 176-177 • La musique 330-331 • L'orchestre 335

LA COMPOSITION MUSICALE

La musique est composée mentalement avant d'être écrite sur une **PARTITION**. Elle peut être vocale ou instrumentale, pour un seul chanteur ou un grand orchestre. Elle peut durer quelques minutes ou quelques heures. Une chanson pop, une musique de film, une symphonie de Mozart sont toutes des compositions.

Où les compositeurs prennent-ils leurs idées ?

Les compositeurs peuvent être inspirés par une mélodie existante ou quelques notes qu'ils ont en tête. Ils expriment parfois leurs états d'âme ou leurs émotions du moment. Des personnes, des poèmes, des romans, des peintures ou des paysages peuvent aussi être des thèmes d'inspiration. Dans la musique sacrée, l'inspiration est supposée venir de Dieu.

Quelles sont les parties d'une composition ?

Les compositions sont lyriques (avec texte) ou instrumentales (sans texte). Une chanson comprend souvent plusieurs couplets et un refrain, répété. Une composition instrumentale a parfois plus d'un mouvement (partie). Un concerto, pour un orchestre et un ou plusieurs solistes, en compte souvent trois. Une symphonie, composition pour orchestre, a quatre ou cinq mouvements.

Les mots ou la musique en premier ?

Certains compositeurs écrivent d'abord la musique, qui inspire le parolier pour écrire le texte. Chez d'autres, ce sont les paroles qui les inspirent pour écrire la musique. Paroles et musique peuvent aussi être écrites ensemble par un seul compositeur ou bien plusieurs musiciens.

La musique est-elle toujours composée ?

Certaines musiques, comme le jazz, sont souvent improvisées (composées sur-le-champ). Les musiciens partent d'une mélodie de base pour créer individuellement ou collectivement une nouvelle musique non écrite. Dans le folk et le blues, paroles et mélodies sont souvent improvisées.

▲ CHANTEUSE COMPOSITRICE
Alicia Keys (1981), chanteuse de blues américaine, écrit la musique et les paroles de ses chansons. Mais la chanteuse de jazz Ella Fitzgerald (1917-1996) interprétait les chansons des autres.

COMPOSITEURS

1567-1643	● Claudio Monteverdi
1685-1750	● Jean-Sébastien Bach
1685-1759	● Georg Friedrich Händel
1756-1791	● Wolfgang Amadeus Mozart
1770-1827	● Ludwig van Beethoven
1882-1971	● Igor Stravinsky

▲ TECHNOLOGIE MUSICALE
Les ordinateurs permettent de composer rapidement la musique. Les compositeurs peuvent utiliser des logiciels pour transcrire une partition plutôt que de l'écrire à la main. Ils peuvent aussi enregistrer des mélodies avec des instruments électroniques et créer une composition.

LES PARTITIONS

Une partition est un document sur lequel est notée une composition. Elle indique le tempo (vitesse), le rythme, la tonalité et les instruments. Écrites auparavant à la main, les partitions sont maintenant retranscrites par ordinateur.

Que sont les parties d'une partition ?

Une partition entière est la composition complète pour tous les musiciens. Les parties d'une partition indiquent les notes destinées à un seul musicien ou chanteur. Le chef d'orchestre ou de chœur utilise la partition entière, mais chaque musicien ou chanteur n'a besoin que de la partie qui le concerne.

Composition musicale

Le symbole du soupir indique l'absence de notes à jouer.

Les portées, groupées par deux, sont des ensembles de cinq lignes. Ici, la main droite joue la mélodie du haut ou aiguë, la main gauche, la mélodie du bas, ou grave.

PARTITION ÉCRITE À LA MAIN ►
Cette partition de J.-S. Bach est extraite du célèbre *Clavecin bien tempéré*, fugue pour piano en *do* mineur. Une fugue est une variation sur une mélodie principale, jouée à une hauteur de son plus élevée ou plus basse.

POUR EN SAVOIR PLUS ▸▸ La musique 330-331 • L'orchestre 335 • L'opéra 338 • La poésie 343 • Le cinéma 346-347

LA MUSIQUE POP

Surtout vocale, la musique pop s'adresse à un large public, principalement jeune. Disponible auparavant sur disques vinyles 33 ou 45 tours, elle se vend désormais sous forme de disques compacts (CD). Son succès se mesure aux **HIT-PARADES**

Elvis remplaça la guitare acoustique par une électrique au cours de sa carrière.

Des tenues voyantes, comme cette chemise de cow-boy en satin, participaient à l'image de marque d'Elvis.

Musique pop

Quand la musique pop est-elle née ?

La musique pop est apparue dans les années 1930 aux États-Unis, avec une musique rythmée par le swing. Bing Crosby et Frank Sinatra ont chanté d'abord avec des orchestres swing, puis en solos. Pendant les années 1950, le rock and roll – musique pop plus bruyante et plus rythmée – est né avec des chansons sur la révolte et l'amour des jeunes.

Quels sont les styles de musique pop ?

La principale forme de musique pop est la pop. Les groupes pop rassemblent chanteurs, guitares, claviers et percussions. Dans la musique rock, plus bruyante, les guitares mènent le jeu. Le reggae jamaïcain, le country américain et les musiques folk du monde entier, comme le raï algérien, sont également très prisés.

◄ POP STAR
Certaines chanteuses de variétés comme Britney Spears, devenue une célébrité, vendent des millions d'exemplaires de leurs enregistrements à travers le monde.

DISQUE D'OR ►
Une maison de disques décerne un disque d'or à un artiste lorsqu'un de ses titres atteint un certain nombre de ventes. Ce disque a été attribué au groupe suédois Abba.

LES HIT-PARADES

Les hit-parades déterminent la popularité d'un disque en fonction du nombre d'exemplaires vendus dans une période donnée, souvent une semaine. La plu des musiciens pop aspirent à devenir n° 1. Les hit-parades indiquent les meil ventes, les nouveaux succès, les albums qui grimpent et ceux qui baissent.

Pourquoi existe-t-il tant de hit-parades ?

Les magazines de musique, les chaînes de radio et de télévision publient des hit-parades. Les plus connus sont ceux qui paraissent chaque semaine pour les albums et les singles de musique pop, mais il en existe aussi pour la musique classique ou de jazz. Les hit-parades couvrent généralement des pays et des périodes – semaine, mois, année.

Comment devient-on n° 1 ?

Un disque arrive en tête d'un hit-parade lorsqu'il s'est vendu en davantage d'exemplaires que les autres pendant une période donnée. Si une maison de disques ou un musicien essaie d'influencer les hit-parades en favorisant les ventes (par des prix réduits ou autres moyens), tous les hit-parades sont vérifiés pour s'assurer de leur exactitude.

▲ LES BEATLES À ABBEY ROAD
L'album *Abbey Road* a été enregist dans les studios d'Abbey Road à Lo En 1969, il est arrivé en tête des h parades aux États-Unis et en Angle où il est resté n° 1 pendant 81 sem

▲ ELVIS PRESLEY
Figure emblématique du rock and roll, Elvis Presley (1935-1977) a enregistré des records pour la vente de ses disques. Il était aussi connu pour ses jeux de scène exubérants que pour sa superbe voix. Ses chansons provenaient du répertoire blues et country américain.

POUR EN SAVOIR PLUS ▶▶ La musique 330 • La composition musicale 333 • La comédie musicale 338

L'ORCHESTRE

Un orchestre est un groupe de musiciens qui jouent ensemble sous la direction d'un chef. Les musiciens exécutent la musique composée pour leurs instruments. Pendant les concerts, ils jouent en solistes, en petits groupes, ou tous ensemble.

▲ ORCHESTRE DE PERCUSSIONS GAMELAN
Les orchestres de gamelan de Bali (Indonésie), comprennent une diversité d'instruments à percussion, tels que gongs, carillons, marimbas et tambours, ainsi que des cordes et des bois. Ils produisent des sons aux rythmes étranges, très différents de ceux des orchestres symphoniques occidentaux.

Combien de musiciens jouent dans un orchestre ?

Un orchestre complet jouant une symphonie comprend au moins 90 musiciens. Un orchestre de musique de chambre rassemble 15 à 45 musiciens. Des parties d'orchestre peuvent jouer séparément – les cordes, par exemple, comptent environ 60 musiciens.

Comment les musiciens sont-ils disposés ?

Les musiciens sont regroupés en quatre parties. Les cordes – comme les violons et les violoncelles – sont placées devant. Les bois – hautbois, clarinettes et bassons – et les cuivres – comme les trompettes et les cors – sont au milieu. Les percussions – par exemple les timbales et un xylophone – sont à l'arrière.

Que fait le chef d'orchestre ?

Le chef d'orchestre doit s'assurer que les musiciens jouent parfaitement ensemble. Il bat la mesure avec une baguette, en comptant chaque temps dans le tempo (vitesse) qui convient à la musique.

▲ SIMON RATTLE
Le chef d'orchestre de l'Orchestre philharmonique de Berlin indique à ses musiciens la manière de jouer avec ses mains et les expressions de son visage.

DEUX TEMPS

TROIS T

QUATRE TEMPS

CINQ

▲ LES TEMPS
Le chef d'orchestre bat la mesure avec une baguette.

@ ▶▶
Orchestre

Cuivres

Percussions, dont tambours

Bois

▲ ORCHESTRE
Lorsque tous les musiciens d'un orchestre jouent ensemble, ils produisent une musique d'une grande puissance.

Chef d'orchestre sur une estrade

Cordes

POUR EN SAVOIR PLUS ▶▶ Les instruments de musique 332 • La composition musicale 333 • L'opéra 338

Danser, c'est bouger au rythme d'une musique. En dansant, on organise les mouvements de son corps selon des schémas rythmiques et visuels. Ces schémas peuvent être formels, comprenant des pas et des figures, ou bien tout à fait informels – comme dans l'IMPROVISATION.

Pourquoi danse-t-on?

L'être humain bouge instinctivement au rythme de la musique. Il danse pour fêter un événement, pour s'amuser ou se détendre. La danse participe à la pratique de certaines religions. Dans certains pays, des danses folkloriques célèbrent des étapes de la vie, comme la naissance et la mort.

Qu'est-ce que la danse classique?

La danse classique nécessite de nombreuses années d'apprentissage. Née en Europe au XVᵉ siècle, la danse classique occidentale associe la danse et le mime (gestes silencieux). Des pays comme l'Inde et la Thaïlande ont aussi des traditions de danse classique. La CHORÉGRAPHIE sert à créer des ballets.

Chaque mudra, ou geste de la main, porte une signification précise.

DERVICHE TOURNEUR ▶
La secte islamique des soufis rend hommage à Allah, ou Dieu, par la danse et la musique. Certains danseurs, les derviches tourneurs, tournoient en état de transe pour vider leur esprit et mieux se concentrer sur Dieu.

DANSE CLASSIQUE INDIENNE ▶
Le bharatanatya est la danse classique du sud de l'Inde. La plupart des danses indiennes mettent en scène des récits de la mythologie indienne. Les figures sont souvent lentes, gracieuses et maîtrisées.

Pieds et mains sont ornés de bijoux et colorés de henné rouge, une teinture végétale.

CHAUSSURES DE DANSE

POUR LA DANSE CLASSIQUE
Rembourrés de papier et de toile de jute (fibre végétale), ces chaussons permettent de monter sur la pointe des pieds.

POUR LE FLAMENCO
Les danseuses de flamenco portent des chaussures munies de semelles rigides et de morceaux de métal sous les talons pour marquer le rythme.

L'IMPROVISATION

Contrairement à la danse classique, la danse improvisée n'a pas de figures formelles, mais elle peut être chorégraphiée. L'improvisation est la base de la danse contemporaine, ou moderne. Les danseurs expriment leurs sentiments par des mouvements, créant des spectacles très personnels.

Danse

◀ DANSE CONTEMPORAINE
Ces danseurs contemporains travaillent en étroite collaboration, associant les mouvements de leurs corps pour créer des formes et des séquences. Chaque fois qu'ils interprètent cette danse improvisée, elle est légèrement différente.

Les danseurs contemporains portent souvent des vêtements ordinaires et dansent pieds nus pour être à l'aise.

Quand la danse contemporaine est-elle née?

La danse contemporaine est née au début du XXᵉ siècle, lorsque la danseuse américaine Isadora Duncan (1878-1927), rompant avec la danse classique, élabora son propre style, plus naturel. La danse contemporaine couvre de nombreux styles, souvent très liés à la musique – jazz, rock'n'roll, hip-hop.

Tout le monde peut-il danser?

N'importe qui peut danser, quels que soient son âge et ses capacités physiques. Les personnes dans des chaises roulantes peuvent se déplacer en tournant au rythme de la musique. On peut aussi bouger la tête ou les mains tout en restant immobile. Les sourds entendent les vibrations de la musique et y réagissent.

Une chorégraphie est un arrangement de pas et de figures de danse en une séquence organisée. Chaque danseur sait ainsi quels pas exécuter pendant la représentation. La danse est généralement chorégraphiée sur la musique.

Les danses folkloriques sont-elles chorégraphiées ?

Les danses folkloriques comme le quadrille écossais ou le flamenco espagnol ne sont pas chorégraphiées. Cependant, elles comportent des pas, définis au cours des siècles et transmis de génération en génération jusqu'à aujourd'hui. Chaque danseur apprend la danse par cœur et sait quels pas exécuter en fonction de la musique.

Comment les pas de danse sont-ils notés ?

Les pas de danse chorégraphiés peuvent être transcrits par écrit pour être conservés. Le système de notation le plus répandu, la notation Benesh, fut créé en 1955 par Rudolf et Joan Benesh. Chaque figure est indiquée par des symboles sur un diagramme à cinq lignes. Celui-ci est associé à la notation musicale pour qu'ils soient déchiffrés ensemble.

Comment travaille un chorégraphe ?

Un chorégraphe travaille en liaison étroite avec un groupe de danseurs pour créer une danse, en trouvant des pas convenant à leurs capacités. Les pas sont mémorisés sous forme de séquences. Les grands chorégraphes actuels – Maurice Béjart, Carolyn Carlson, Pina Bausch, Marie-Claude Pietragalla – sont tous eux-mêmes de prodigieux danseurs.

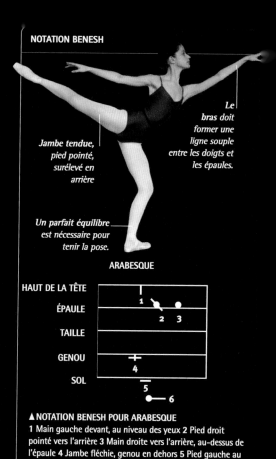

NOTATION BENESH

Le bras doit former une ligne souple entre les doigts et les épaules.

Jambe tendue, pied pointé, surélevé en arrière

Un parfait équilibre est nécessaire pour tenir la pose.

ARABESQUE

HAUT DE LA TÊTE	
ÉPAULE	
TAILLE	
GENOU	
SOL	

▲ **NOTATION BENESH POUR ARABESQUE**
1 Main gauche devant, au niveau des yeux 2 Pied droit pointé vers l'arrière 3 Main droite vers l'arrière, au-dessus de l'épaule 4 Jambe fléchie, genou en dehors 5 Pied gauche au sol 6 Regard vers la gauche

▲ **DANSE IRLANDAISE**
Les danses folkloriques, comme cette gigue irlandaise, sont souvent exécutées en costume. Cette danseuse porte des chaussures légères, mais certaines danses irlandaises nécessitent des semelles dures.

LE *LAC DES CYGNES* ►
Le célèbre ballet du *Lac des Cygnes* (1895) est une création du chorégraphe français Marius Petipa, du chorégraphe russe Lev Ivanov et du compositeur Piotr Tchaïkovski. S'inspirant d'un conte de fées allemand, il relate l'histoire de la princesse Odette, transformée en cygne par un magicien malveillant.

Les cheveux doivent être soigneusement maintenus.

Le pouce doit être légèrement écarté des autres doigts.

Les ballerines (danseuses de ballet) portent des costumes blancs identiques, évoquant les cygnes du récit.

Les ballerines portent un tutu, ou jupe rigide.

Les pointes de pieds ...ndues et les pieds arqués ...ongent élégamment la jambe.

POUR EN SAVOIR PLUS ▶▶ La musique 330-331 • La composition musicale 333 • La comédie musicale 338

L'OPÉRA

L'opéra est une œuvre dramatique mise en musique. Il est représenté et chanté par des chanteurs qui interprètent différents rôles. L'opéra est souvent mis en scène dans un opéra ou un théâtre, avec des costumes et des décors. Les chants sont remplis de passion et d'émotion. L'opéra est né en Europe pendant la Renaissance.

@ ▸▸ Opéra

Quelles sont les voix de l'opéra ?

Les chanteurs d'opéra se forment pendant de longues années. Les voix de femmes sont : soprano (aiguë), mezzo-soprano (intermédiaire) et contralto (grave). Les voix d'hommes sont : ténor (aiguë), baryton (intermédiaire) et basse (grave).

Quelles sont les parties d'un opéra ?

Un opéra commence avec une ouverture (morceau de musique instrumental). Les parties chantées par les solistes sont des *arias* (italien pour « air »). Les récitatifs sont des déclamations entre les *arias*, qui font avancer le récit. Un long opéra peut être coupé en plusieurs actes.

▾ *LA TRAVIATA*
L'un des opéras les plus célèbres, *La Traviata (La Femme qui s'est égarée)*, a été écrit par le compositeur italien Giuseppe Verdi (1813-1901). Il relate l'histoire d'amour tragique entre Violetta et Alfredo.

Le chanteur principal est souvent un ténor, la chanteuse principale une soprano.

La danse reflète les origines de l'opéra – divertissement de cour avec ballet.

Le chœur est un groupe de chanteurs qui chantent à l'unisson.

POUR EN SAVOIR PLUS ▸▸ La musique 330-331 • Le théâtre 344-345

LA COMÉDIE MUSICALE

Les comédies musicales sont des pièces chantées et dansées. Les récits sont riches en action, les chansons entraînantes. Elles sont représentées dans les théâtres ou enregistrées sous forme de films. Ces énormes productions nécessitent des centaines d'acteurs et de techniciens. Certaines, très populaires, restent plusieurs années à l'affiche dans un théâtre.

Où les comédies musicales sont-elles nées ?

Elles sont nées en Angleterre à la fin du XIXe siècle, de l'association des opérettes (opéras courts et comiques) avec les chansons et danses de music-hall. C'est dans le quartier des théâtres de Broadway, à New York, qu'elles ont pris au début du XXe siècle la forme de spectacles de musique et de danse divertissants.

Comment les comédies musicales sont-elles produites ?

Les comédies musicales sont des productions spectaculaires, impliquant de nombreux chanteurs et danseurs. Un compositeur écrit la musique et les chansons ; un chorégraphe crée les séquences dansées. Des coachs aident les acteurs à apprendre leur rôle. Les décors créés pour les comédies musicales sont souvent immenses et impressionnants.

@ ▸▸ Comédie musicale

▴ *CHANTONS SOUS LA PLUIE*, 1952
Cette comédie musicale, avec en vedette Gene Kelly, est surtout célèbre pour la chanson du titre, *Chantons sous la pluie* : Gene Kelly descend une rue sous la pluie en chantant et dansant de lampadaire en lampadaire.

POUR EN SAVOIR PLUS ▸▸ La danse 336-337 • Le cinéma 346-347

L'ÉCRITURE

Avant de savoir écrire, les hommes devaient mémoriser les informations. L'écriture a été inventée pour noter des données, afin qu'elles soient transmises plus facilement. Elle est devenue ensuite un moyen d'expression.

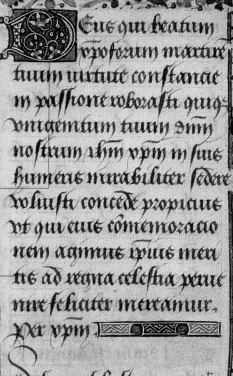

L'écriture existera-t-elle toujours ?
L'écriture a évolué. Au départ, les hommes écrivaient en grattant l'argile. Ensuite, les Égyptiens anciens ont utilisé des plumes ou des baguettes plongées dans du jus de fruits. Aujourd'hui, nous utilisons beaucoup le traitement de texte, qui finira peut-être par remplacer l'écriture.

Qu'est-ce que la création littéraire ?
La création littéraire consiste à utiliser l'imagination pour raconter des histoires, exprimer des sentiments ou des idées. Elle se distingue des écrits qui rapportent des faits et des événements, comme l'histoire ou la biographie. La création littéraire regroupe poèmes, pièces de théâtre, nouvelles, romans, ainsi que journaux intimes.

Une lettrine, une initiale décorée, ouvre la page.

Les marges sont rehaussées d'illustrations élaborées en couleur, comme des fleurs.

Le texte latin relate la vie et la mort de saint Sébastien.

◀ LIVRE D'HEURES ▶
Les livres de prières du Moyen Âge, souvent réalisés par les moines, étaient destinés à la lecture et à la méditation, à différentes heures de la journée. Ils étaient rédigés avec une écriture superbe sur du parchemin (peau de mouton ou de chèvre), et décorés de miniatures colorées. Celui-ci a été créé en 1470 pour une femme noble, Marguerite de Foix.

Ce hiéroglyphe, sculpté dans la pierre au VIIᵉ siècle apr. J.-C., provient du palais royal de Palenque, au Mexique.

◀ ÉCRITURE MAYA
L'écriture maya était pictographique. Elle représentait des objets ou des idées au moyen d'images ou de symboles. Cette sculpture comprend quatre pictogrammes.

Écriture

Qu'est-ce qu'un analphabète ?
Un analphabète ne sait ni lire ni écrire. Les personnes qui ne possèdent pas ces capacités sont désavantagées. Elles ne peuvent pas lire des informations sur des supports comme les livres ou Internet. Elles ne peuvent pas remplir des formulaires, écrire des lettres, des notes, des messages.

POUR EN SAVOIR PLUS ▶▶ Les écrivains 348 • Les premières écritures 369

L'IMPRIMERIE

L'imprimerie est la production en masse du mot écrit. Les Chinois ont inventé les formes d'imprimerie en bois au VIIIᵉ siècle. En Occident, tous les livres étaient écrits à la main jusqu'à l'invention du caractère mobile par Gutenberg vers 1450.

Imprimerie

▲ IMPRIMERIE ANCIENNE
Cette peinture représente une imprimerie du XVIIᵉ siècle en France. Les imprimeurs disposaient les caractères sous forme de mots sur un cadre, puis ils ajoutaient de l'encre. Le papier et les caractères étaient placés dans une presse en bois serrée par une vis. L'encre s'imprimait ainsi sur le papier.

Comment l'imprimerie s'est-elle développée ?
Les caractères mobiles en plomb – lettres moulées qui sont assemblées pour former des mots, puis séparées et réutilisées – ont facilité l'usage de l'imprimerie. Associée au développement des livres, elle a permis aux masses d'accéder à l'information et à la littérature. Les ordinateurs et la technologie numérique ont remplacé les caractères mobiles et fait progresser l'imprimerie.

| GOTHIQUE | TIMES | UNIVERS |

▲ POLICES DE CARACTÈRES
L'alphabet a été dessiné dans différents styles, les polices de caractères. Les styles anciens sont plus élaborés, les modernes plus simples et plus faciles à lire. Chaque police de caractère porte un nom.

POUR EN SAVOIR PLUS ▶▶ Le design 326 • La Réforme 399 • La révolution industrielle 418-419

LA LITTÉRATURE

La littérature crée des œuvres d'art avec des mots. Elle est généralement écrite, mais certaines œuvres se transmettent oralement. Les différentes formes de littérature, telles que poésie, pièces de théâtre, nouvelles ou **ROMANS**, décrivent les sentiments et les pensées des hommes.

REPÈRES	
v. 1160-1190	● *Le Conte du Graal* Chrétien de Troyes
v. 1307-1321	● *La Divine Comédie,* Dante Alighieri
1671	● *Les Fourberies, de Scapin* Molière
1885	● *Germinal,* Émile Zola
1913	● *Du côté de chez Swann,* Marcel Proust
1947	● *La Peste,* Albert Camus
1968	● *Cent Ans de solitude,* Gabriel Garcia Márquez

Quelles furent les premières œuvres littéraires ?

Les premières œuvres écrites étaient des poèmes épiques – longs récits ou **MYTHES** relatant les aventures de héros. Les épopées indiennes du *Ramayana* et du *Mahabharata* (v. 500 av. J.-C.) se lisent encore aujourd'hui. Les célèbres poèmes du Grec Homère, *L'Iliade* et *L'Odyssée*, ont été transcrits au VIIIe siècle à partir de la tradition orale.

Existe-t-il différentes littératures ?

La littérature diffère d'un pays à l'autre en raison de la langue dans laquelle elle est écrite. Certaines formes littéraires n'appartiennent qu'à certains pays, comme la poésie haïku, au Japon. Mais des thèmes comme l'amour, la vengeance, la mort, la beauté de la nature, sont universels.

◄ *LES MILLE ET UNE NUITS*
Les Mille et Une Nuits regroupent des récits traditionnels du Moyen-Orient. Shéhérazade raconte à son mari, le sultan, mille et une histoires merveilleuses pour sauver sa vie. Celle d'Aladin et de son tapis volant est l'une des plus célèbres.

Les monstres ont l'air féroce, mais Max les apprivoise du regard.

Le décor et les costumes étaient étonnants dans cette mise en scène de l'histoire en 1999.

La mère de Max le surnomme «monstre» parce qu'il n'est pas gentil.

◄ *MAX ET LES MAXIMONSTRES*
Ce livre de l'auteur américain Maurice Sendak a été publié en France en 1967. Un garçon, Max, navigue jusqu'au pays des Maximonstres, où il rencontre des monstres et devient roi. Mais les voyages de Max sont imaginaires, et l'odeur du dîner le ramène à la réalité.

Gargantua était déjà le héros d'histoires populaires avant d'être un personnage de Rabelais.

Page de titre de l'édition de 1537 du *Gargantua* de Rabelais paru en 1534

Année de parution indiquée en chiffres romains (1537)

▲ LE *GARGANTUA* DE RABELAIS
Ce roman raconte la « vie inestimable », haute en couleur et souvent drôle, du géant Gargantua, fils de Grand Gousier, roi sage. François Rabelais (v.1494-1553) témoigne dans son œuvre d'une volonté de renouveau tant dans l'enseignement aux étudiants que dans l'expression verbale.

Pourquoi écrit-on de la littérature ?

Les créateurs utilisent un support pour s'exprimer : les peintres, la peinture ; les écrivains, les mots. Les auteurs écrivent pour informer, divertir, inspirer, ou simplement raconter des histoires. Ils rédigent aussi des **DOCUMENTS**, témoignages ou biographies.

LE FACTEUR ►
Le Facteur est l'adaptation au cinéma d'*Une ardente patience* d'Antonio Skarmeta. Dans une des îles Lipari, où il est exilé, le poète chilien Neruda se lie d'amitié avec le fils d'un pêcheur qui lui apporte son courrier, et l'aide à gagner le cœur de la femme qu'il aime.

▲ *LE CONTE DE GENJI*
Ce roman ancien a été écrit par une noble japonaise, Murasaki Shikibu, au XIᵉ siècle. Centré sur la vie d'un prince, Genji, il évoque la vie quotidienne à la cour royale de Kyoto.

LES ROMANS

Les romans sont des récits en prose (pas de la poésie) qui mettent en scène l'homme et la société avec des personnages imaginaires. Ils sont structurés autour d'INTRIGUES, et peuvent être de courts récits ou de longues sagas. Les romans sont classés en catégories appelées GENRES.

Quels furent les premiers romans ?
L'un des premiers romans occidentaux fut *Don Quichotte* (1605), de l'auteur espagnol Miguel de Cervantes (1547-1616). Environ cent ans après, le roman se popularisa avec la publication de *Robinson Crusoé* (1719). Écrit par l'auteur anglais Daniel Defoe (1660-1731), c'est l'histoire d'un naufragé, seul sur une île.

▲ *LES LIVRES DE POCHE*
Les ouvrages étaient reliés, jusqu'à l'apparition des premiers livres de poche, brochés, vers 1953. Moins chers, ils devinrent plus accessibles aux lecteurs.

LES GENRES

Les genres sont des catégories de récits imaginaires, selon leur nature. Une histoire d'amour est classée dans les romans d'amour ; une histoire de meurtre, dans les policiers. Certains récits peuvent appartenir à plusieurs genres.

Pourquoi existe-t-il différents genres ?
Comme les lecteurs, les auteurs privilégient certains sujets, sur lesquels ils écrivent. La classification en genres permet aux lecteurs de choisir les livres dans les librairies et bibliothèques. L'évolution de la société et des goûts peut inspirer de nouveaux genres.

1 POLICIER **2 AMOUR** **3 FANTASTIQUE**

1 Maurice Leblanc (1864-1941) invente le personnage d'Arsène Lupin en 1905, gentleman cambrioleur en prise avec Herlock Scholmès ! 2 *Autant en emporte le vent* est une histoire d'amour écrite par Margaret Mitchell (1900-1949). 3 Le sanguinaire comte Dracula de Transylvanie a été créé par Bram Stoker (1847-1912).

LA SCIENCE-FICTION ▶
Les récits de science-fiction (sur l'avenir et les voyages spatiaux) étaient un genre très populaire dans les années 1950. Ils reflétaient un grand intérêt pour l'espace à l'époque.

L'INTRIGUE

L'intrigue est l'ensemble des événements formant le nœud d'un récit, qui est finalement résolu. Elle comporte un début, un milieu, une fin. Les auteurs inventent généralement les intrigues, mais certains, comme Alexandre Dumas, s'inspirent de l'Histoire ou d'événements réels.

Qu'est-ce qu'une bonne intrigue ?
Une bonne intrigue capte l'intérêt du lecteur d'un bout à l'autre du récit. L'auteur exploite le suspense et les effets de surprise tout au long de l'intrigue. Parfois, des retours dans le passé, ou *flash-back*, servent de toile de fond au récit.

▲ *LE SONGE D'UNE NUIT D'ÉTÉ*
Le Songe d'une nuit d'été (v. 1595), de Shakespeare, est une comédie. L'intrigue, fantastique et amusante, a un dénouement heureux.

Littérature

LES MYTHES

Toutes les cultures possèdent des mythes – des récits qui reflètent les croyances religieuses et sociales. Ils mettent en scène des dieux, des êtres fabuleux, et traitent de questions existentielles comme «D'où venons-nous?», «Pourquoi sommes-nous ici?», «Pourquoi le mal existe-t-il?»

Qu'est-ce qu'un héros?

Les héros mythiques sont des hommes aux pouvoirs surhumains, souvent parce que l'un de leurs parents était un dieu ou une déesse. Ils doivent manifester un courage exceptionnel pour relever des défis spirituels et physiques, pour sauver des individus, leurs familles ou une nation.

▼ *BHAGAVATA PURANA*
Ce texte hindou sacré rassemble des éléments d'histoire et de mythologie indiennes. Ici, le dieu Rama (avatar du dieu suprême Vishnou) et sa femme Sita sont assis sur un serpent à cinq têtes.

La peau bleue de Rama indique qu'il est un avatar du dieu Vishnou.

La fleur de lotus est le symbole hindou de la beauté divine.

Sita est une forme humaine de la déesse de la Richesse, Laksmi.

Le demi-frère de Rama, Laksmana, se transforme en serpent pour offrir un lit au couple.

▲ LE MYTHE GREC DE PERSÉPHONE
La déesse Perséphone est enlevée et emmenée en enfer. Sa mère, Déméter, déesse de la Terre, pleure son absence, et les champs ne produisent plus. Au printemps, Perséphone revient, et les cultures sortent de terre.

Pourquoi les mythes existent-ils?

Bien que les mythes soient anciens, ils nous concernent toujours, car ils contiennent des vérités universelles sur les comportements humains. Ainsi, celui de Perséphone, qui traite du cycle annuel des cultures, illustre aussi la force du lien entre mère et fille.

Qu'est-ce que la tradition orale?

La tradition orale (parlée) est la littérature non écrite, transmise par les conteurs au fil des années. C'est ainsi que naissent les mythes. La tradition orale existe encore aujourd'hui sous forme de contes et d'histoires pour enfants.

LES DOCUMENTS

Certains écrits en prose, traitant de faits réels, n'appartiennent pas à la fiction: mémoires, essais, récits de voyages, correspondances, biographies, journaux. Le premier ouvrage de prose connu était une histoire des guerres médiques, rédigée par Hérodote vers 430 av. J.-C. dans la Grèce antique.

Ces écrits sont-ils de la littérature?

Beaucoup de ces ouvrages de référence, écrits dans un but informatif, n'appartiennent pas à la littérature, car souvent le style et le point de vue de l'auteur importent moins que le contenu lui-même. En revanche, les œuvres littéraires – romans, poésie, nouvelles – sont écrites dans un souci esthétique et livrent la vision de l'auteur.

Pourquoi les correspondances et les journaux intimes sont-ils importants?

Témoignage quotidien des pensées et de la vie d'une personne, un journal ou une correspondance n'est souvent pas destiné à la publication. La marquise de Sévigné (1626-1696) correspondit pendant plus de trente ans avec sa fille Mme de Grignon (1646-1705) composant ainsi un document passionnant sur l'époque de Louis XIV.

▲ *LE JOURNAL D'ANNE FRANK*
Cette fillette juive raconte la vie clandestine de sa famille à Amsterdam pendant la guerre de 1939-1945, pour échapper aux nazis. Témoignage émouvant de ses difficultés, le livre relate aussi son amitié avec la famille qui partageait leur cachette. Anne Frank est morte dans un camp de concentration.

▲ DINDE SAUVAGE DE JOHN JAMES AUDUBON
Auteur et illustrateur américain d'histoire naturelle, Audubon (1785-1851) a publié *Les Oiseaux d'Amérique*, qui comportait de superbes gravures coloriées à la main.

POUR EN SAVOIR PLUS ▶▶ L'écriture 339 • Le théâtre 344-345 • Les écrivains 348

LA POÉSIE

La poésie est de la littérature qui utilise le rythme, les sons et les images. À l'origine, elle était lue devant un public. Les rythmes et les sons renforcent la signification des mots. Le langage poétique exprime des sentiments et des idées de manière concise (en peu de mots).

Existe-t-il différents types de poésie ?

Première forme de poème, l'épopée présentait en un long récit des actes héroïques. Les poèmes lyriques, chantés à l'origine avec une lyre, un instrument de musique ancien, sont courts. Ils expriment souvent les idées ou sentiments du poète. Écrite pour plusieurs personnages, la poésie dramatique peut être mise en scène.

Quel est le poème le plus ancien ?

Le poème écrit le plus ancien est l'*Épopée de Gilgamesh*, de Babylone. Datant de 4 000 ans, il relate l'histoire d'un roi, Gilgamesh, mi-homme, mi-dieu. Le plus ancien poème français est la *Chanson de Roland*, datant de la fin du XIᵉ siècle. Il inaugura le genre de la chanson de geste, long poème épique chanté par un troubadour et accompagné de musique.

▲ LECTURE DE POÈMES
Les poèmes sont mieux appréciés lorsqu'ils sont lus à voix haute. Ici, le poète anglais Benjamin Zephaniah récite ses poèmes lors d'un concert. Le rap et le hip-hop sont une nouvelle forme de poésie.

Que sont les procédés poétiques ?

Les procédés poétiques sont des techniques qui différencient la poésie du langage ordinaire. Les allitérations sont des répétitions de consonnes initiales, comme dans «le serpent qui siffle» – l'emploi répété du s évoque le sifflement et renforce l'image. Parmi les procédés courants figurent aussi la métaphore et la comparaison, deux techniques proches. La comparaison utilise *comme* ou *tel* : «Mon amour est comme une rose rouge», contrairement à la métaphore : «Mon amour est une rose rouge.»

Qu'est-ce que le mètre ?

Le mètre structure et rythme le poème. Le rythme est créé par l'alternance des syllabes (parties d'un mot) accentuées (longues) et non accentuées (brèves), dans un vers. Les syllabes brèves et longues sont disposées selon des schémas fixes appelés pieds. Un pied formé d'une syllabe longue et d'une brève est appelé trochée. Un vers de douze pieds est un alexandrin.

LES RIMES EN POÉSIE

1 — Je m'étais endormi la nuit près de la grève. — A — *Rimes*
Un vent frais m'éveilla, je sortis de mon rêve, — A — *plates ou*
J'ouvris les yeux, je vis l'étoile du matin. — B — *suivies :*
Elle resplendissait au fond du ciel lointain... — B — *AABB*
Extrait de *Stella* de Victor Hugo

2 — La ville sérieuse avec ses girouettes — A — *Rimes*
Sur le chaos figé du toit de ses maisons — B — *croisées :*
Ressemble au cœur figé, mais divers, du poète — A — *ABAB*
Avec les tournoiements stridents des déraisons. — B
Extrait de *Ville et cœur* de Guillaume Apollinaire

1 Vers avec une rime féminine : qui se termine par une syllabe muette.
2 Vers avec une rime masculine : qui se termine par une syllabe tonique.

Les poèmes ont-ils toujours des rimes ?

Les rimes (sons identiques à la fin de deux vers) ne convenant pas toujours au sujet ou à l'esprit d'un poème, certains poètes écrivent des vers non rimés, ou vers blancs. Les vers non rimés et irréguliers se dénomment vers libres. Le mouvement du vers-librisme a été créé par les poètes symbolistes.

Qu'est-ce qu'une strophe ?

Une strophe est un ensemble de vers, avec une disposition déterminée de mètres et de rimes. Traditionnellement, elle ne contient pas plus de douze lignes. Une strophe s'appelle tercet, quatrain ou sizain, selon qu'elle contient trois, quatre ou six vers.

▲ CALLIGRAMME D'APOLLINAIRE
Guillaume Apollinaire (1880-1918) donna le nom de calligramme à ce genre poétique où la disposition du texte figure le thème évoqué.

▲ *HAÏKU* DU XVIIIᵉ SIÈCLE
Ce poème classique japonais ne contient que 17 syllabes. Une *haïga* représente par la peinture les mots et l'image d'un *haïku*.

@ ▸▸ Poésie

IL ÉTAIT UNE FOIS UN VIEIL HOMME SUR LE NEZ DUQUEL LES OISEAUX VENAIENT SE REPOSER... ▸
Le poète anglais Edward Lear (1812-1888) a inventé des poèmes burlesques appelés limericks, composés de cinq vers qui riment. Il a aussi illustré ses poèmes.

POUR EN SAVOIR PLUS ▸▸ Le théâtre 344-345 • Les écrivains 348

Le théâtre est la représentation d'une pièce sur une SCÈNE, devant un public. Les Grecs anciens furent les premiers à construire des théâtres où le public pouvait voir deux sortes de pièces : TRAGÉDIES et COMÉDIES.

Comment étaient les premières pièces?

Dans les premières pièces, issues des rituels religieux, un chœur (un groupe d'acteurs) chantait les récits des dieux et héros grecs. Au VIᵉ siècle av. J.-C., un poète grec, Thespis, fut le premier acteur à réciter un texte seul.

Qui participe à la création d'une pièce?

Le metteur en scène choisit la pièce et attribue les rôles aux comédiens. Ceux-ci deviennent les personnages de la pièce en jouant l'intrigue (l'histoire). D'autres personnes conçoivent et fabriquent le décor et les costumes, sont responsables du son et de l'éclairage.

KABUKI ►
Dans le théâtre traditionnel japonais, le *kabuki*, les hommes jouent les rôles féminins. Ils doivent associer leur talent d'acteurs à celui de danseurs et de chanteurs.

Le maquillage s'appelle kumadori. *Le rouge foncé s... le visage blanc symbolise... rage mêlée de cruauté.*

◄ MACBETH ZOULOU
Macbeth de Shakespeare (1606), qui a pour cadre l'Écosse ancienne, a été adapté à l'Afrique du XXᵉ siècle, illustrant le thème intemporel de l'ambition.

Un assistant travaille sur scène pour ajuster le costume.

La hakama, *ou jupe ouverte, est portée ici par un samouraï (guerrier). Chaque personnage porte un costume spécifique.*

▲ COSTUME ÉLISABÉTHAIN
Volpone (1606), de Ben Jonson, fut l'une des principales pièces anglaises écrites pendant ou juste après le règne de la reine Élisabeth Ire (1558-1603). Pour évoquer la période, le costumier a fabriqué des costumes au modèle de ceux qui étaient portés à cette époque.

Qu'est-ce que le mime ?

Le mime exprime des sentiments ou des idées au moyen de gestes et d'expressions du visage, sans utiliser de mots. Arlequin et Pierrot, célèbres personnages de mime, sont apparus au XVIe siècle dans le théâtre italien. Ils ont donné naissance au clown. En Chine, le théâtre était muet jusqu'au XIXe siècle.

Le théâtre est-il toujours représenté dans un théâtre ?

Le théâtre de rues, représenté dans les lieux publics, est souvent gratuit. Il permet de faire découvrir des pièces à un public qui ne va généralement pas au théâtre, et de communiquer avec la population locale sur des questions qui la concernent.

DRAMATURGES		
XVIe-XVIIe siècle	•	Shakespeare (Angleterre)
XVIIe siècle	•	Molière (France)
XVIIIe-XIXe siècle	•	Goethe (Allemagne)
XIXe siècle	•	Hugo (France)
XIXe-XXe siècle	•	Tchekhov (Russie)
XIXe-XXe siècle	•	Ibsen (Norvège)
XXe-XXIe siècle	•	Miller (États-Unis)
XXe-XXIe siècle	•	Soyinka (Nigeria) Tremblay (Canada)

LES TYPES DE SCÈNES ▶
L'arène s'inspire du théâtre grec. L'éperon était très populaire à l'époque élisabéthaine.

LA TRAGÉDIE

La tragédie est un récit triste, au dénouement funeste. Elle est née en Grèce au Ve siècle av. J.-C. Dans la tragédie classique, le personnage principal, noble et bon, a un défaut ou une faiblesse qui provoque sa déchéance.

Pourquoi le public regarde-t-il des tragédies ?

Selon l'érudit grec Aristote (384-322 av. J.-C.), le public partage la tristesse et la peur des personnages qu'il regarde. À la fin de la pièce, il se sent purgé de ses émotions et libéré par le relâchement de la tension. Ce processus est appelé la catharsis.

Existe-t-il des tragédies modernes ?

Les tragédies modernes sont souvent différentes des pièces classiques. Elles mettent en scène des personnes ordinaires. Le dénouement tragique n'est pas dû à un défaut du héros, mais à la perte de ses illusions, à la remise en question de ses croyances.

▲ CHŒUR GREC
Dans la tragédie grecque, le chœur réunissait des acteurs (uniquement des hommes) qui parlaient à l'unisson en exécutant des pas de danse. Son rôle consistait à commenter l'intrigue.

▲ FARCE
Noises off (1982), de l'auteur anglais Michael Frayn, est une farce, ou comédie grossière.

LA COMÉDIE

Une comédie est une pièce qui a pour but de divertir et d'instruire en mettant en scène des personnages ordinaires dans leur vie quotidienne. Le public comprend leur ridicule à travers les jeux de scène des acteurs et les plaisanteries qui le font rire.

La satire est-elle un type de comédie ?

La satire est une forme critique de comédie qui attaque les défauts, les faiblesses de personnalités publiques. Elle a recours à la caricature (exagération du caractère d'une personne) et à la moquerie. Les Romains anciens furent les premiers grands écrivains de satires.

LA SCÈNE

Une scène de théâtre est une estrade sur laquelle sont jouées les pièces. Les Grecs anciens regardaient les pièces dans des théâtres circulaires, en plein air. Les Romains construisaient des théâtres fermés, pourvus de scènes permanentes et d'une machinerie complexe pour les effets de sons et de lumière.

Toutes les scènes sont-elles identiques ?

La forme la plus répandue est celle du théâtre à l'italienne, apparu en Italie au XVIIIe siècle. Le public est séparé de la scène surélevée par un rideau. D'autres agencements rapprochent le public des acteurs.

■ SCÈNE ■ PUBLIC

ARÈNE

ÉPERON

SCÈNE À L'ITALIENNE

POUR EN SAVOIR PLUS ▶▶ L'opéra 338 • Les écrivains 348

LE CINÉMA

Le cinéma est une forme d'art moderne très populaire qui raconte des histoires au moyen d'images animées. Les premiers films, muets, étaient en noir et blanc. *Le Chanteur de jazz* (1927) fut le premier film sonorisé, et les films en couleur apparurent dans les années 1930. Aujourd'hui, de nombreux films utilisent des EFFETS SPÉCIAUX.

Où les films sont-ils réalisés ?

Les films sont réalisés dans des studios avec des décors grandeur nature, ou en plein air, dans de vraies constructions. Les tournages dans les villes s'effectuent tôt le matin, lorsque les rues sont vides. Les scènes sous-marines sont parfois filmées dans d'immenses piscines.

▲ TOURNAGE
Le cinéaste Alfred Hitchcock (2ᵉ à partir de la droite) travaille avec l'acteur Paul Newman (à gauche) sur le tournage du *Rideau déchiré* (1966). La caméra, montée sur un travelling (chariot roulant sur des rails), se déplace dans l'espace.

Que fait le réalisateur ?

Le réalisateur choisit le scénario et un style en fonction de sa vision personnelle. Il conseille les acteurs sur leur jeu, indique aux cameramen quand et comment filmer. Il choisit aussi la musique du film.

Quand le cinéma est-il né ?

Les images animées ont été inventées en 1889 aux États-Unis par Thomas Edison. En 1895, les frères Lumière, des Français, ont projeté des films pour la première fois devant un public payant. Vingt ans après, HOLLYWOOD dominait l'industrie du cinéma dans le monde.

Le décor en forme d'engin spatial était étonnant à l'époque. Le réalisateur, George Lucas, s'est inspiré des livres et films de science-fiction.

L'androïde C3PO, robot intelligent, a un petit compagnon nommé R2D2.

Dans son combat contre l'empire galactique du mal, la princesse Leia (Carrie Fisher) est assistée par le contrebandier Han Solo (Harrison Ford), à droite.

@ ▶▶
Cinéma

LA GUERRE DES ÉTOILES ▶
La Guerre des étoiles (1977), de George Lucas, avec ses effets spéciaux surprenants et son récit épique, a marqué l'histoire du cinéma. Récompensé par sept Oscars, il a été l'un des plus grands succès commerciaux du cinéma mondial.

▲ BOLLYWOOD
Bollywood est le surnom de l'industrie du cinéma indienne, centrée à Bombay. Les films, souvent romantiques, comportent des chants et des danses.

▲ CASCADES
Les cascades, comme les courses poursuites, sont effectuées par des doublures. Mais dans *Tigre & Dragon* (2000), Zhang Ziyi, dans le rôle de Jade Fox, se révèle experte en arts martiaux.

▲ ADAPTATIONS
De nombreux films s'inspirent de livres. *Un mari idéal* (1999) est adapté de la pièce d'Oscar Wilde de 1895. Les films qui retracent une période historique sont appelés films historique

HOLLYWOOD

Hollywood, banlieue de Los Angeles (États-Unis) est le centre de l'industrie mondiale du film. Le soleil californien y a attiré les premiers réalisateurs, car les films, à l'époque, nécessitaient une lumière vive. Les paysages variés offraient aussi des sites de choix.

Pourquoi Hollywod est-il célèbre ?

Les studios d'Hollywood ont dominé le secteur pendant longtemps, car ils produisaient les films, mais étaient aussi propriétaires des cinémas. Grâce à leur puissance, leurs acteurs sont devenus des vedettes mondiales. Aujourd'hui, les studios d'Hollywood subventionnent et distribuent des films également réalisés par d'autres producteurs. Si Hollywood s'impose toujours, d'autres cultures cinématographiques, comme Bollywood, en Inde, sont aussi connues.

STATUETTE D'OSCAR ►
Ce trophée est remis chaque année aux gagnants des oscars de l'Academy Awards (comme celui du Meilleur Acteur). Il représente un chevalier portant une épée qui repose sur un film.

© A.M.P.A.S. ®

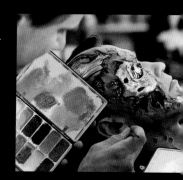

Leonardo DiCaprio Kate Winsl

TITANIC ▲
Titanic (1997) est un film à succès – un film spectaculaire qui attire des foules de spectateurs et réalise des recettes énormes. Avec *Ben-Hur* (1959), il détient le record des Oscars – onze.

LES EFFETS SPÉCIAUX

Ces techniques visent à créer des effets d'illusion. Ainsi, des fils cachés donnent l'impression que les acteurs volent. Une collision entre des trains peut être filmée avec des trains miniatures. La plupart des effets sont produits par ordinateur.

Quels furent les premiers effets spéciaux ?

Un paysage mobile, projeté sur un écran derrière les acteurs, donnait l'impression qu'une voiture roulait sur une route, alors qu'elle était à l'arrêt dans un studio. Un autre effet consistait à cacher une partie de la caméra pour utiliser deux fois le même morceau de film. Ainsi, les acteurs pouvaient être superposés à des fonds.

LE MAQUILLAGE ▲
Arnold Schwarzenegger se fait maquiller pour *Terminator* (1984). Des traces couleur sang reproduisent l'effet d'une blessure.

▲ NOUVELLE VAGUE
À partir de 1958, un groupe de réalisateurs français s'affirment à travers un style très libre. Parmi eux François Truffaut (1932-1984), réalisateur des *400 Coups* (ci-dessus).

▲ EFFETS SPÉCIAUX
L'informatique a révolutionné les effets spéciaux. Cette explosion, dans *The Rock* (1996), a été filmée, puis complétée d'images assistées par ordinateur, qui la rendent plus impressionnante.

▲ DÉCORS DE STUDIO
Un sous-marin entre dans le décor conçu pour le film de James Bond *L'Espion qui m'aimait* (1977). Ce décor coûteux reproduit l'intérieur d'un navire de guerre.

POUR EN SAVOIR PLUS ►► La comédie musicale 338 • La littérature 340-342 • L'animation 349

LES ÉCRIVAINS

Écrire constitue l'activité professionnelle de nombreuses personnes. Les journalistes expliquent et décrivent l'actualité dans les journaux ; les rédacteurs techniques rédigent des notices d'emploi. Les écrivains ou auteurs composent des œuvres littéraires. Ils sont appréciés selon la manière dont ils racontent les histoires et utilisent la langue.

▲ WILLIAM SHAKESPEARE
Shakespeare (1564-1616) était un dramaturge et poète anglais. Sa perception fine de la nature humaine l'a rendu célèbre dans le monde entier. Ses pièces, datant d'environ 400 ans, se jouent toujours aujourd'hui.

@ ▸▸
Écrivains

Qu'est-ce qu'un bon écrivain ?

Un bon écrivain a un style qui capte l'attention, que ce soit dans un long roman ou un poème court. Le style est l'ensemble des moyens d'expression mis en œuvre par l'auteur – ordre des mots, figures de style, rythme, choix des temps... Des écrivains comme Raymond Queneau (1903-1976) ou encore Georges Perec (1936-1982) ont joué avec le langage, en créant l'Oulipo, mouvement fondé sur l'utilisation de contraintes de formes.

Existe-t-il des modes en littérature ?

Certaines tendances dominent selon les époques. Les auteurs du XVIIIᵉ siècle imitèrent les Grecs et les Romains. Au début du XIXᵉ siècle, les écrivains romantiques, comme François René de Chateaubriand (1718-1848), privilégiaient la nature et l'expérience personnelle. Un peu plus tard, les réalistes comme Gustave Flaubert (1821-1880) et les naturalistes comme Émile Zola (1821-1880) étudièrent l'homme dans son milieu social.

La littérature pour la jeunesse est-elle différente ?

Les auteurs pour la jeunesse mettent souvent en scène des enfants comme personnages principaux et écrivent du point du vue des enfants. Les récits, humoristiques, font souvent appel à l'imagination. Les sujets sont choisis dans l'univers des enfants, comme l'école dans *Harry Potter*, de J. K. Rowling (1965) ; ou la famille, comme dans *Les Quatre Filles du Dr March*, de Louisa May Alcott (1832-1888). Mais de nombreux thèmes concernent tous les âges, tels l'amour, l'amitié, l'aventure.

▲ GUSTAVE FLAUBERT
Après des études de droit, Flaubert (1821-1880) s'imposa par un succès à scandale (*Madame Bovary*, 1857). Sa vie entière fut consacrée à une œuvre oscillant entre l'exaltation romantique et un certain réalisme caricatural. Cette dualité atteint l'harmonie dans *L'Éducation sentimentale* (1869).

▲ ARUNDHATI ROY
Cet écrivain indien (1961) remporta en 1997 le prix anglais Booker Prize avec son premier roman, *Le Dieu des petits riens*. Les grands prix littéraires français sont le Goncourt, le Fémina, le Renaudot et le Médicis.

▲ J. K. ROWLING
L'écrivain anglais J. K. Rowling avait du mal à gagner sa vie lorsque son premier roman *Harry Potter* parut en 1997. Elle est devenue milliardaire et très célèbre, avec des centaines de millions de livres vendus dans le monde.

Qu'est-ce qu'un narrateur ?

Dans un roman, le narrateur est la personne qui raconte l'histoire : l'auteur ou l'un des personnages. Dans la narration à la première personne, le narrateur parle d'événements dans lesquels il a été impliqué.

Comment les écrivains deviennent-ils célèbres ?

Certains écrivains deviennent célèbres parce qu'ils vendent beaucoup de livres. Certains suscitent des controverses. D'autres gagnent des prix, comme le prix Nobel de littérature. Parfois, des films sont adaptés de leurs œuvres. Ils se font aussi connaître dans les établissements scolaires.

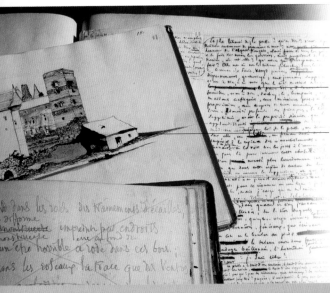

Manuscrit écrit à la main

Un écrivain révise son manuscrit en le relisant et en y apportant des corrections.

L'un des nombreux croquis à l'encre dessinés par Victor Hugo.

◄ LE BUREAU DE VICTOR HUGO
Victor Hugo dessinait des croquis et rédigeait des notes qui constituaient la base de ses manuscrits (textes finals). Ce manuscrit, qui raconte un voyage sur le Rhin, en Allemagne, montre comment il révisait son texte avant la publication.

POUR EN SAVOIR PLUS ▸▸ L'écriture 339 • La littérature 340 • La poésie 343

L'ANIMATION

L'animation est une illusion créée par une séquence d'images immobiles, toutes légèrement différentes. Pour donner l'impression du mouvement, elles sont généralement projetées à 24 ou 12 images par seconde. On distingue l'animation sur celluloïdes, en volume et par ORDINATEUR.

Qu'est-ce que l'animation sur celluloïdes ?

Un animateur produit une séquence de dessins au crayon sur du papier. Ils sont reproduits sur des feuilles transparentes ou celluloïdes, et peints à la gouache. Chaque cellulo est superposé à un décor et filmé isolément. Le décor reste identique, et les cellulos changent.

Qu'est-ce que l'animation en volume ?

L'animation en volume utilise des figurines. Un décor miniature construit peut représenter une pièce ou une rue. Des personnages sont installées dans le décor, déplacés légèrement, et filmés par clichés successifs. Aujourd'hui, l'animation en volume est aussi produite par ordinateur.

▲ CONSTRUCTION D'UNE FIGURINE
Les figurines d'animation sont en argile ou en latex (mélange de caoutchouc et de plastique). Elles sont montées sur une armature métallique qui peut être animée.

▲ *AN AMERICAN TAIL*
Ce film d'animation fut réalisé en 1986 sur cellulo par le célèbre animateur américain Don Bluth. Il raconte l'histoire de souris juives de Russie qui s'enfuient aux États-Unis, où elles découvrent aussi des chats !

▲ *CHICKEN RUN*
Réalisé par la société d'animation Aardman, le décor de *Chicken Run* (2000) a été construit dans un entrepôt. Les 40 animateurs ont déplacé légèrement chaque figurine pour chacun des 24 clichés nécessaires à la production d'une seconde de film.

L'ANIMATION PAR ORDINATEUR

Apparue dans les jeux vidéo, l'animation par ordinateur s'est étendue au cinéma et à la télévision pour les effets spéciaux et les détails animés. Elle s'est développée à partir des techniques d'animation sur cellulos et en volume.

Comment l'animation par ordinateur est-elle produite ?

Des logiciels en 3D permettent de construire des figurines, de les colorier et de les animer dans un environnement virtuel. Contrairement à l'animation en volume, les figurines n'ont pas besoin d'être placées dans toutes les positions. Des poses fixes sont déterminées, entre lesquelles l'ordinateur en crée d'autres.

Les ordinateurs peuvent-ils animer seuls ?

Les logiciels peuvent calculer et recréer le mouvement physique d'objets qui tombent, rebondissent, ou même s'entrechoquent. Cependant, les caractères et émotions des personnages ne peuvent être compris par un ordinateur. Les animateurs jouent un rôle essentiel dans ce processus.

@ ▶▶
Animation

FOURMIZ ▶
Réalisé par Dreamworks, *Fourmiz* (1998) fut le deuxième film animé créé entièrement par ordinateur. Les personnages sont animés individuellement, mais le film a utilisé un système d'animation spécial pour que les scènes puissent contenir des milliers de fourmis.

POUR EN SAVOIR PLUS ▶▶ Le cinéma 346-347 • Les loisirs domestiques 351

LES JOUETS

Un jouet est un objet avec lequel les enfants s'amusent. Les jouets sont divertissants, souvent éducatifs. Aux jouets traditionnels - poupées, ballons, cerfs-volants - s'ajoutent les modernes - robots électroniques, voitures télécommandées, consoles de jeux.

@ ▸▸ Jouets

À quoi les jouets servent-ils ?

Les jouets permettent d'apprendre en s'amusant, de comprendre la vie et les autres. Un enfant s'initie au partage en prenant le thé avec son ours. Avec son imagination, il transforme une poupée en héros, dans une aventure fantastique. Les adultes s'amusent aussi avec les jouets, lorsqu'ils ont un hobby comme les trains électriques ou les cerfs-volants.

Quels sont les jouets les plus anciens ?

L'un des jouets les plus anciens est la toupie. Les premiers modèles étaient des objets naturels, comme des coquillages et des glands. Des toupies en argile furent découvertes dans la cité ancienne d'Our en Mésopotamie. Le cerf-volant était connu en Chine vers 2300 av. J.-C. Dans l'Égypte et la Grèce antiques, les yoyos étaient supposés apporter la protection des dieux.

▲ «AIBO» SONY
Ce robot fonctionnant sur piles reproduit les instincts du chien. Il peut jouer avec un ballon ou demander à manger.

OURS EN PELUCHE ANCIEN ▶
En 1903, l'entreprise allemande Steiff commença à fabriquer des ours, connus pour leur qualité.

▲ TOUPIE
Les toupies actuelles fonctionnent souvent avec un ressort. Les modèles simples, que l'on tourne entre les doigts, exigent davantage d'adresse.

POUR EN SAVOIR PLUS ▸▸ Les instruments de musique 332

LES JEUX

Un jeu oppose souvent deux personnes ou plus, qui jouent selon des règles. Certains, comme les échecs, font appel au sens de la stratégie, d'autres, comme les dés, à la chance. Les jeux divertissent ceux qui jouent et ceux qui regardent.

De quand les échecs datent-ils ?

Les échecs seraient apparus en Chine ou en Inde il y a environ 1 400 ans. Ils se propagèrent ensuite en Afrique du Nord, puis en Europe. Les échecs actuels, remontant au XVIe siècle, sont l'un des jeux les plus populaires dans le monde. On peut aussi jouer aux échecs par ordinateur.

Qui invente les jeux ?

Les entreprises produisent de nouveaux jeux, mais n'importe qui peut en inventer. En 1931, un architecte au chômage élabora le Scrabble. Le Monopoly fut mis au point pendant la crise des années 1930 par un vendeur américain. Le Yahtzee, jeu de dés, fut inventé en 1956 par un couple de Canadiens qui y jouaient sur leur bateau.

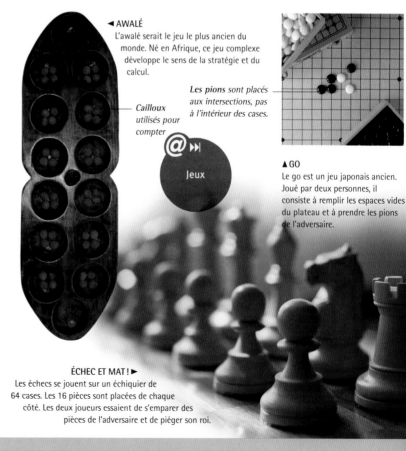

◀ AWALÉ
L'awalé serait le jeu le plus ancien du monde. Né en Afrique, ce jeu complexe développe le sens de la stratégie et du calcul.

Cailloux utilisés pour compter

Les pions sont placés aux intersections, pas à l'intérieur des cases.

@ ▸▸ Jeux

▲ GO
Le go est un jeu japonais ancien. Joué par deux personnes, il consiste à remplir les espaces vides du plateau et à prendre les pions de l'adversaire.

ÉCHEC ET MAT ! ▶
Les échecs se jouent sur un échiquier de 64 cases. Les 16 pièces sont placées de chaque côté. Les deux joueurs essaient de s'emparer des pièces de l'adversaire et de piéger son roi.

POUR EN SAVOIR PLUS ▸▸ Les jeux Olympiques 356-357

LES LOISIRS DOMESTIQUES

Les loisirs domestiques permettent de se divertir et de se détendre chez soi. Aujourd'hui, ils sont dominés par la technologie, notamment la télévision. Vidéos, jeux électroniques, musique font partie des loisirs domestiques, de même que la lecture, les jeux de cartes, les histoires que l'on raconte.

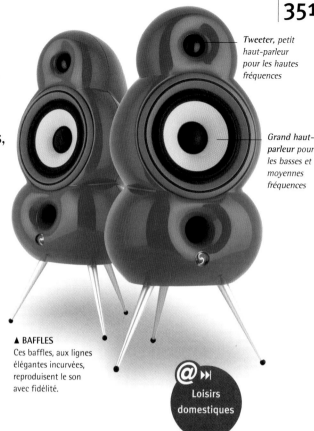

Tweeter, petit haut-parleur pour les hautes fréquences

Grand haut-parleur pour les basses et moyennes fréquences

▲ BAFFLES
Ces baffles, aux lignes élégantes incurvées, reproduisent le son avec fidélité.

@ ▶▶ Loisirs domestiques

Comment les gens s'amusaient-ils avant l'invention de la télévision?

Les gens devaient se divertir eux-mêmes en jouant, en chantant ou en racontant des histoires. Avec l'invention de la radio et du gramophone au début du XXᵉ siècle, ils commencèrent à écouter de la musique et des émissions chez eux – assis près de la radio ou du gramophone, comme nous le faisons aujourd'hui devant le téléviseur.

Qu'est-ce que le home cinema?

Le home cinema (cinéma maison) vise à reproduire chez soi les images, les sons, l'ambiance du cinéma. Le modèle de base comprend une télévision grand écran, un lecteur DVD (disque vidéo numérique) et un jeu de plusieurs baffles qui diffusent le son dans toute la pièce. Le modèle plus élaboré réunit un projecteur numérique mural et un écran de projection, au lieu d'une télévision.

▲ ÉLECTROPHONE DES ANNÉES 1960
Les électrophones étaient prévus pour deux types de disques vinyles, les 33 tours et 45 tours.

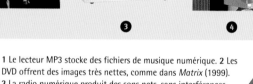

① ② ③ ④ ⑤

1 Le lecteur MP3 stocke des fichiers de musique numérique. 2 Les DVD offrent des images très nettes, comme dans *Matrix* (1999). 3 La radio numérique produit des sons nets, sans interférences. 4 Appareil sophistiqué pour CD, MP3 et radio. 5 Les écrans de TV plats ne déforment pas l'image comme les écrans incurvés.

Quel est l'avenir de la radio et de la télévision numériques?

La radio et la télévision numériques offrent de nombreux atouts par rapport à l'ancien système analogique. Le numérique produit des images et des sons de meilleure qualité. La technologie numérique permet par ailleurs l'interactivité entre les auditeurs et les émetteurs.

Que signifie hi-fi?

C'est l'abréviation de haute fidélité, signifiant que l'enregistrement est une copie exacte de la musique originale. La hi-fi fut mise au point avec des disques vinyles, puis des cassettes. Elle utilise maintenant des supports numériques (CD ou DVD).

Un écran indique la partie du système sélectionnée.

Boutons de commande pour des fonctions comme le volume

Commandes de navigation pour radio et télévision

◀ TÉLÉCOMMANDE
Ce système est prévu pour la musique, la TV, le satellite, les DVD, vidéos, CD, la radio – et même l'éclairage de la pièce!

SUPER MARIO DE NINTENDO ▶
Depuis le premier jeu, *Donkey Kong* (1981), Super Mario est apparu dans plus de 30 jeux vidéos, ainsi que dans son propre film.

POUR EN SAVOIR PLUS ▶▶ • Le son 176-177 • Les télécommunications 192-193 • Le cinéma 346-347

LES SPORTS

Activités physiques réglementées, exercées dans le sens du jeu, de la compétition, de l'effort et de la coordination, les sports sont variés : **SPORTS D'ÉQUIPE**, individuels, sports d'hiver, de combat, mécaniques, nautiques, équestres, aériens, athlétisme ou bien encore **SPORTS EXTRÊMES**.

Les sports ont-ils toujours existé ?

De tout temps et dans toutes les cultures, des jeux ont permis de tester les capacités physiques des individus. Les premiers ballons étaient fabriqués avec de la paille ou des vessies d'animaux gonflées. Les jeux étaient souvent liés à des rituels sociaux et religieux. C'est seulement au cours des deux derniers siècles qu'ils ont été réglementés pour la compétition.

Depuis quand les sports sont-ils organisés ?

Les premières règles pour le golf ont été établies en Écosse au XVIIIe siècle. D'autres sports – comme le football, le base-ball, le hockey, le cricket, le handball – ont été réglementés à partir de 1850. Certains jeux sont relativement récents – le basket date de 1891.

Quels sont les sports professionnels ?

Dans les sports professionnels, les joueurs reçoivent l'argent des prix, celui des sponsors, un salaire, ou les trois. Dans les sports amateurs, les joueurs ne sont pas payés. Avant que des sports comme le rugby et l'athlétisme deviennent professionnels, les amateurs devaient exercer d'autres activités à temps partiel pour gagner leur vie.

▲ LA FORMULE 1
Le Grand Prix de formule 1 est la plus importante course automobile. Ici, Michael Schumacher (1969) au volant de sa Ferrari en 2002.

▲ TIGER WOODS
Superchampion de golf, Tiger Woods (1975) est le premier et le seul joueur à avoir remporté les quatre principaux titres de championnat en une seule fois – Masters Tournament, PGA, US Open, British Open.

LE SNOWBOARD ▲
Inventé aux États-Unis dans les années 1960, le snowboard se pratiquait avec des skis assemblés et des cordes pour les guider. La première planche, conçue sur le modèle du surf, date de 1966.

La taille de la planche de snowboard dépend de celle de la personne, de sa corpulence et de sa pointure.

Sports

LES SPORTS D'ÉQUIPE

Les sports d'équipe, par opposition aux sports individuels, se disputent entre deux équipes de plus d'un membre chacune. Presque tous sont des jeux de balle ou de ballon. Les équipes sont organisées en clubs, qui suscitent davantage d'intérêt et de soutien que les joueurs eux-mêmes – clubs et équipes survivant à leurs vedettes.

Le casque protège la tête en cas de chute.

▲ LE RUGBY
Né en Angleterre, le rugby est un sport d'équipe très populaire en Australie, en Nouvelle-Zélande, en Afrique du Sud ainsi qu'en Europe de l'Ouest. Ici, l'Australie (en jaune) joue contre l'Afrique du Sud.

Quels sont les sports d'équipe les plus populaires ?

Le football est le principal sport d'équipe dans le monde. Le base-ball est très populaire aux États-Unis. Hockey, cricket et rugby dominent dans certains pays. Handball, basket-ball et volley-ball se pratiquent également beaucoup, mais ils sont moins couverts par les médias.

▲ LE BASE-BALL
Le base-ball est le sport national aux États-Unis. Pendant un match contre les Los Angeles Dodgers, le gardien de base des New York Yankees rattrape la balle dans son gant.

Les lunettes évitent d'être ébloui par la neige.

▲ LE BASKET-BALL
Michael Jordan (1963) est considéré comme le plus grand joueur de basket de tous les temps. Ce sportif de 1,83 m fit partie des Chicago Bulls de 1984 à 1994 et de 1995 à 1998, se consacrant entre-temps au base-ball.

Quel est le rôle de l'entraîneur ?

L'entraîneur comme son nom l'indique entraîne les joueurs au travail en équipe. Il les incite à observer les règles et à se concentrer durant l'entraînement. Il élabore des stratégies pour gagner. Pendant les matchs, l'entraîneur peut désigner d'autres joueurs pour remplacer ceux qui jouent mal ou qui sont blessés.

LES SPORTS EXTRÊMES

Dangereux et parfois surprenants, les sports extrêmes sont souvent dérivés de sports plus anciens. Peu réglementés, ils ne sont pas organisés en équipes. Les sportifs doivent déployer toute leur adresse pour surmonter les risques.

Quels sont les sports extrêmes ?

Cette dénomination groupe une large diversité de sports – de l'escalade au parapente, en passant par le rafting et le kite-surf, mélange de surf et de cerf-volant. Beaucoup se pratiquent en été ; certains en hiver, sur la neige et la glace. Depuis 1995, les États-Unis organisent chaque année la plus importante rencontre internationale de sports extrêmes.

L'ESCALADE ▶
Catherine Destivelle (1960) escalade une paroi abrupte en Espagne. Elle grimpe avec des prises et des appuis naturels, contrairement à la méthode traditionnelle, dans laquelle des cordes sont fixées dans des pitons.

POUR EN SAVOIR PLUS ▶▶ Les compétitions sportives 354-355 • Les jeux Olympiques 356-357

LES COMPÉTITIONS SPORTIVES

Des compétitions internationales de haut niveau existent dans les principaux sports. Le football a la **COUPE DU MONDE**, le tennis ses **INTERNATIONAUX**, le football américain, le **SUPER BOWL**. Les grandes compétitions sont couvertes par les médias du monde entier et financées par des **SPONSORS**.

Quelles furent les premières grandes compétitions ?

Si les courses d'avirons entre les équipes d'Oxford et de Cambridge se disputent chaque année à Londres depuis 1829, les compétitions organisées ont commencé à se développer à la fin du XIXᵉ siècle. La première coupe de football est née en 1872 en Angleterre. La première ligue de base-ball américaine date de 1876.

Certaines compétitions sont-elles célèbres ?

Les compétitions deviennent célèbres lorsqu'elles existent depuis longtemps, et que leur histoire a été ponctuée de grands événements comme, par exemple, le Tour de France cycliste, qui attire chaque année des millions de spectateurs enthousiastes.

▲ LES CENDRES
Cette urne est remise au gagnant de la Test Series au cricket. Elle est supposée contenir les cendres des guichets utilisés lors du premier match en 1882.

LE TOUR DE FRANCE ▶
Le cycliste américain Lance Armstrong en tête du Tour de France 2000. Le maillot jaune est porté par le gagnant de chaque étape. La compétition date de 1903.

LA COUPE DU MONDE

Née en 1930, la Coupe du monde de la FIFA (Fédération internationale de football) est la principale rencontre pour les équipes de football nationales. Elle a lieu tous les quatre ans. Elle regroupait 11 équipes en 1930, 32 en 2002.

Combien de spectateurs regardent la Coupe du monde de football ?

Environ un million de personnes peuvent assister aujourd'hui à la Coupe du monde, qui attire plus de 60 milliards de téléspectateurs dans le monde. Ainsi, chaque habitant de la planète regarde en moyenne dix matchs. La finale de 1950 à Rio de Janeiro (Brésil) réunit plus de 200 000 spectateurs – un exploit dans l'histoire du football.

Quel pays a gagné le plus de coupes ?

Le Brésil a remporté cinq Coupes du monde (1958, 1962, 1970, 1994, 2002). Deux pays ont remporté trois titres chacun – Italie (1934, 1938, 1982) et Allemagne (1954, 1974, 1990). L'Uruguay (1930, 1950) et l'Argentine (1978, 1986) l'ont gagnée deux fois, l'Angleterre (1966) et la France (1998), une fois.

GAGNANT DE LA COUPE DU MONDE 2002 ▶
Le capitaine Cafu lève le trophée après la victoire du Brésil sur l'Allemagne 2-0 à Yokohama, Japon. Le Brésil est la seule équipe à avoir remporté le titre en dehors de son continent (en Suède, en 1958, au Japon, en 2002).

@ ▶▶
Compétitions sportives

LES INTERNATIONAUX DE TENNIS

Les internationaux de tennis groupent quatre grands tournois, Wimbledon pour la Grande-Bretagne, Roland-Garros pour la France, Flushing Meadow pour les États-Unis et Melbourne Park pour l'Australie.

Qu'appelle-t-on le Grand Chelem ?

Cette formule empruntée au bridge recouvre pour le tennis la victoire dans la même saison aux quatre tournois internationaux. À ce jour, les seuls à avoir réalisé le Grand Chelem sont : Donald Budge et Rod Laver et Maureen Connelly, Margaret Court et Stefi Graf.

LE SUPER BOWL

Le Super Bowl est le principal événement sportif américain. Cette compétition oppose les gagnants de la NFL (Ligue nationale de football) et ceux de l'AFL (Ligue de football américaine) pour le championnat national.

LE SUPER BOL XXXVII ▶
Les Tampa Bay Buccaneers (en blanc) ont gagné leur premier Super Bowl à San Diego en janvier 2003. Ils ont battu les Oakland Raiders 48-21. XXXVII, 37 en chiffres romains, signifie la 37ᵉ année de la compétition.

LES SPONSORS

L'organisation et la promotion des grands événements sportifs, les primes et les salaires impliquent aujourd'hui d'énormes sommes d'argent. Les marques paient les organisateurs, les frais des manifestations, les équipes et les champions qui deviennent leurs supports publicitaires. Les sponsors utilisent aussi leurs liens avec les champions pour promouvoir leurs marques. De ce fait, les compétitions sont de plus en plus conditionnées par l'argent.

Pourquoi tant d'argent ?

Certaines marques de vêtements ou d'équipements sportifs proposent des sommes énormes à des champions pour faire leur publicité comme 120 millions d'euros sur cinq ans pour un golfeur !

Quelle influence ont les sponsors sur les compétitions sportives ?

Certaines organisations conçoivent leurs événements pour attirer les sponsors et les téléspectateurs. Le basket-ball américain a créé la règle des 24 secondes – une équipe doit tirer au maximum 24 secondes après avoir reçu le ballon. Cette règle accélère le rythme du jeu, ce qui le rend plus stimulant pour les commentateurs.

Le ballon de football américain, de forme ovale, est en cuir.

Des épaulettes protègent contre les coups.

▲ SERENA WILLIAMS, LORS DE L'OPEN D'AUSTRALIE EN 2003
En 1998, cette championne de tennis américaine a signé avec une société un contrat de 11 millions d'euros sur cinq ans. Le contrat dépendait de son classement : être parmi les dix premiers joueurs au rang mondial.

POUR EN SAVOIR PLUS ▶▶ Les sports 352-353 • Les jeux Olympiques 356-357

LES JEUX OLYMPIQUES

Les jeux Olympiques sont les principaux événements sportifs du monde. Ils comprennent les Jeux d'été et ceux d'hiver, qui se déroulent en alternance tous les deux ans. Les Paralympiques sont organisés pour les handicapés. Plus de 10 000 athlètes participent aux Jeux d'été.

La flamme olympique a une origine ancienne – la flamme sacrée allumée en l'honneur de la déesse Hera.

Apparue pour la première fois dans les Jeux modernes de 1936, la flamme olympique fut relayée par des athlètes de Grèce à Berlin.

@ ▸▸
Jeux Olympiques

◂ **LES JEUX OLYMPIQUES DE BERLIN, 1936**
L'arrivée de l'athlète portant la flamme olympique ouvre les Jeux de 1936. Organisés par le gouvernement nazi, les Jeux de Berlin furent les premiers à être marqués par la propagande politique.

▲ **LES ANNEAUX OLYMPIQUES**
Le baron de Coubertin avait remarqué les cinq anneaux sur un objet ancien grec. Ils symbolisent l'unité des cinq continents du monde (Europe, Asie, Afrique, Océanie, Amérique). Tous les drapeaux nationaux du monde contiennent au moins l'une des cinq couleurs.

Qui a inventé les jeux Olympiques modernes ?

Au XIXe siècle, des découvertes archéologiques ont ravivé l'intérêt pour les JEUX ANCIENS. Les Grecs ont essayé de recréer les jeux à Athènes en 1859 et 1870. Cependant, c'est le baron français Pierre de Coubertin (1863-1937), qui donna la principale impulsion aux Jeux modernes. En 1894, il organisa une conférence internationale à Paris pour faire revivre les Jeux.

Qui gère actuellement les jeux Olympiques ?

La conférence de 1894 créa le Comité olympique international (IOC), qui organise les Jeux depuis. L'IOC choisit les villes hôtes et définit les règles de compétition. Récemment, sa réputation a été ternie par des scandales liés à la corruption dans le choix des villes hôtes.

Quel est l'idéal des jeux Olympiques ?

Le baron de Courbertin envisageait les Jeux comme un événement permettant de célébrer l'excellence sportive, dans une volonté de tolérance et de coopération internationales. Le code olympique favorise l'amateurisme – participation sans gains –, et les professionnels ne peuvent participer qu'à certaines conditions.

LES JEUX ANCIENS

Les Jeux anciens se déroulaient tous les quatre ans à Olympie, en Grèce, en l'honneur du dieu Zeus. Les gagnants recevaient une couronne d'olivier. Si la date des premiers Jeux est imprécise, le premier champion fut un boulanger nommé Koroïbos, qui gagna une course en 776 av. J.-C.

Comment les Jeux anciens se déroulaient-ils ?

En 776 av. J.-C., les Jeux comprenaient des courses de stade et de chevaux. Des courses plus longues furent ajoutées, dont certaines en armure complète. Les courses de chars et les sports de combat comme la boxe et la lutte figurèrent ensuite régulièrement. Toutes les compétitions se déroulaient sur un stade ; les courses de chevaux, sur un hippodrome.

Pourquoi les Jeux anciens s'arrêtèrent-ils ?

Les Romains envahirent Olympie en 85 av. J.-C. Les Jeux continuèrent sous la loi romaine, mais furent suspendus par une invasion germanique vers 300 apr. J.-C. Ils furent réintégrés à une fête païenne jusqu'à leur interdiction en 393 par l'empereur chrétien Théodose Ier, comme symbole du paganisme.

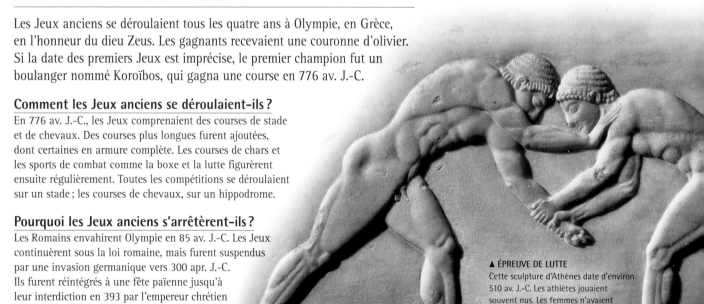

▲ **ÉPREUVE DE LUTTE**
Cette sculpture d'Athènes date d'environ 510 av. J.-C. Les athlètes jouaient souvent nus. Les femmes n'avaient pas le droit de participer ni de regarder.

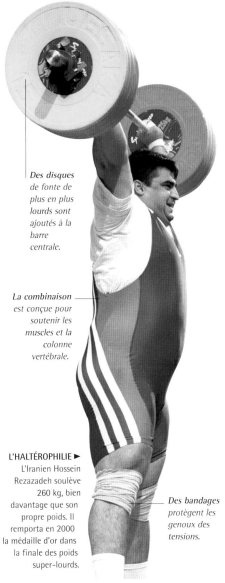

Des disques de fonte de plus en plus lourds sont ajoutés à la barre centrale.

La combinaison est conçue pour soutenir les muscles et la colonne vertébrale.

L'HALTÉROPHILIE ▶
L'Iranien Hossein Rezazadeh soulève 260 kg, bien davantage que son propre poids. Il remporta en 2000 la médaille d'or dans la finale des poids super-lourds.

Des bandages protègent les genoux des tensions.

L'accueil des jeux Olympiques est-il coûteux ?

L'accueil des Jeux d'été et d'hiver coûte 3 milliards d'euros. Les villes doivent héberger des centaines de milliers de visiteurs, prévoir la sécurité et les moyens de transport. La ville hôte doit aussi construire des stades et des infrastructures spéciales. C'est ainsi que Montréal a été ruinée en 1976. En principe, les coûts sont couverts par les revenus du tourisme et de la télévision.

Y a-t-il de nouvelles épreuves ?

Les Jeux ont beaucoup évolué depuis 1896 (les femmes ne participaient pas !). Les Jeux d'hiver sont nés en 1924. L'ATHLÉTISME reste le centre des Jeux d'été, mais beaucoup d'épreuves ont été ajoutées et supprimées. Parmi les ajouts récents figurent le handball, le canoë et le tennis de table.

▲ LES JEUX OLYMPIQUES DE SYDNEY EN 2000
1 La gymnaste chinoise Xuan Liu aux barres asymétriques. **2** Le Chinois Linghui Kong se concentre pour emporter la médaille d'or à la finale des simples messieurs de tennis de table. **3** Le Hollandais Pieter Van den Hoogenband (à droite) et l'Australien Ian Thorpe dans la finale du 200 m nage libre. Le Hollandais gagna la médaille d'or.

L'ATHLÉTISME

L'athlétisme est un ensemble de disciplines individuelles. Nombreuses dans les Jeux anciens, elles comprenaient la course, le lancer et le saut, associés sous forme de compétitions à plusieurs épreuves : pentathlon (cinq), décathlon (dix). Aujourd'hui, l'athlétisme comprend aussi le saut à la perche, la course de haies et de relais.

Qu'est-ce qu'un grand athlète ?

Pour être un grand athlète, il faut avoir des capacités physiques et être passionné. Certains surpassent les autres par leur ambition, leur force psychologique, leur faculté à donner le meilleur d'eux-mêmes sous n'importe quelles conditions.

Comment les athlètes battent-ils des records ?

Grâce à l'argent des sponsors, les athlètes ont davantage de ressources et de temps pour se consacrer à leur sport. Pistes, vêtements et chaussures de qualité ont amélioré les performances, de même que de nouvelles techniques, comme le Fosbury dans le saut en hauteur. Mais le dopage porte atteinte à l'idéal olympique et à la santé des sportifs.

LA COURSE DE RELAIS ▶
Les membres de l'équipe américaine se passent le témoin aux Jeux 2000 dans la course de relais du 4 x 100 m.

POUR EN SAVOIR PLUS ▶▶ Les sports 352-353 • Les compétitions sportives 354-355 • La Grèce antique 376-377

HISTOIRE DU MONDE

L'HISTOIRE	360
LES PREMIERS HOMMES	362
LES PREMIERS AGRICULTEURS	364
L'EUROPE MÉGALITHIQUE	366
LA CÉRAMIQUE PRÉHISTORIQUE	367
LE TRAVAIL DES MÉTAUX	367
LA MÉSOPOTAMIE	368
LA VALLÉE DE L'INDUS	368
LES PREMIÈRES ÉCRITURES	369
L'ÉGYPTE ANCIENNE	370
LES EMPIRES DU MOYEN-ORIENT	372
LES PEUPLES DE LA MER	374
L'EMPIRE PERSE	375
LA GRÈCE ANTIQUE	376
LE PREMIER EMPIRE CHINOIS	378
L'INDE MAURYA	379
L'INDE GUPTA	379
LES PREMIERS AMÉRICAINS	380
LES MAYAS	381
LA ROME ANTIQUE	382
LES CELTES	383
LES GRANDES INVASIONS	384
L'EMPIRE BYZANTIN	385
L'EMPIRE DE CHARLEMAGNE	385
LA CIVILISATION MUSULMANE	386
LES VIKINGS	388

LES NORMANDS	389
LES CROISADES	389
L'EUROPE MÉDIÉVALE	390
LES MONGOLS	392
LES SAMOURAÏS	392
LA CHINE IMPÉRIALE	393
L'AFRIQUE MÉDIÉVALE	394
LA POLYNÉSIE	396
LES ROYAUMES D'ASIE	397
L'EMPIRE OTTOMAN	397
LA RENAISSANCE	398
LA RÉFORME	399
LES GRANDES DÉCOUVERTES	400
LES INCAS	402
LES AZTÈQUES	403
L'EUROPE DU XVIe SIÈCLE	404
LES CONQUISTADORES	405
LA GUERRE DE TRENTE ANS	406
LA GUERRE CIVILE ANGLAISE	406
L'INDE MOGHOLE	407
LES INDIENS D'AMÉRIQUE	408
LA COLONISATION DE L'AMÉRIQUE	409
LA MONARCHIE ABSOLUE	410
LA RÉVOLUTION SCIENTIFIQUE	411
LA RÉVOLUTION AGRICOLE	412
LA TRAITE DES ESCLAVES	413

L'INDÉPENDANCE AMÉRICAINE	414
LA RÉVOLUTION FRANÇAISE	415
LE SIÈCLE DES LUMIÈRES	416
LE PREMIER EMPIRE	416
LE CANADA	417
LES GUERRES INDIENNES	417
LA RÉVOLUTION INDUSTRIELLE	418
L'INDÉPENDANCE DE L'AMÉRIQUE DU SUD	420
LE NATIONALISME	421
LES EMPIRES COLONIAUX	422
LA GUERRE DE SÉCESSION	424
L'AUSTRALIE	425
LA NOUVELLE-ZÉLANDE	425
LA PREMIÈRE GUERRE MONDIALE	426
LA RÉVOLUTION RUSSE	428
LA RÉVOLUTION CHINOISE	429
LES CONFLITS ASIATIQUES	430
LA CRISE DE 1929	430
LE FASCISME	431
LA SECONDE GUERRE MONDIALE	432
LES ORGANISATIONS INTERNATIONALES	434
LA DÉCOLONISATION	434
LA GUERRE FROIDE	435
LE MOYEN-ORIENT	435
HISTOIRE DU QUÉBEC ET DU CANADA	436

L'HISTOIRE

L'histoire est une des sciences humaines qui consiste à rassembler les vestiges du passé (documents, monuments...) pour en comprendre l'utilité et l'importance dans les civilisations qui les ont laissés.

Pourquoi étudions-nous l'histoire ?

L'histoire est reconstitution du passé. Elle raconte comment les peuples vivaient et ce que les hommes ont fait au cours des siècles. Comme les détectives, les historiens rassemblent des TÉMOIGNAGES, cherchent des trésors, dévoilent leurs découvertes.

Le masque en or a été posé sur le visage du défunt.

Le travail du métal restitue les détails de la barbe.

MASQUE FUNÉRAIRE, GRÈCE ▶
Ce masque a été découvert vers 1870 dans un tombeau, à Mycènes, par l'archéologue allemand Heinrich Schliemann. Il l'attribua au départ à Agamemnon, roi de Mycènes décrit dans *l'Iliade* d'Homère. Des experts l'ont daté d'environ 1500 av. J.-C., mais selon les techniques de datation modernes, il serait plus ancien.

▲ PEINTURE RUPESTRE ÉTRUSQUE, ITALIE
Sur cette fresque (peinture murale) étrusque, les danseurs paraissent aussi vivants que lorsqu'ils furent peints, il y a 2 500 ans. De telles représentations nous révèlent des aspects du passé.

À quoi sert l'histoire ?

L'histoire nous aide à comprendre le présent et à préparer l'avenir. La connaissance du passé influe sur nos comportements. Les erreurs du passé nous incitent à évoluer.

Les historiens sont-ils d'accord entre eux ?

Les historiens perçoivent souvent le passé différemment. Certains sont influencés par des points de vue religieux ou politiques. Avec de nouveaux témoignages et de nouvelles recherches, ils remettent en cause les théories existantes sur des périodes et des événements historiques.

LES TÉMOIGNAGES

N'importe quel vestige ancien peut servir de témoignage (preuve) sur le passé. Certains témoignages proviennent de documents écrits tels que lettres, journaux, rapports administratifs. D'autres existent toujours – constructions, statues, monuments anciens. Beaucoup ne sont pas encore connus car ils ont été enfouis sous le sol.

◀ *MAGNA CARTA*, ANGLETERRE
La Grande Charte fut un accord conclu en 1215 entre le roi Jean sans Terre et les barons anglais révoltés. Elle fixait les lois et les coutumes que le roi devait respecter dans ses relations avec ses sujets. Elle influence toujours la législation anglaise.

Comment les historiens étudient-ils les témoignages ?

Les historiens étudient diverses formes de témoignages, conservés dans les bibliothèques, archives, musées. Ils doivent souvent apprendre des langues anciennes pour lire et comprendre les documents du passé. Ils utilisent aussi les techniques d'autres disciplines, comme l'ARCHÉOLOGIE et l'ANTHROPOLOGIE.

POUR EN SAVOIR PLUS ▶▶
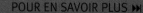

L'ARCHÉOLOGIE

L'archéologie étudie le passé en recherchant et en analysant les vestiges : objets en pierre, en silex, en métal, poteries, peintures, outils, armes et textiles, mais aussi champs, villes et monuments en ruine.

Quelles techniques les archéologues utilisent-ils ?

Aujourd'hui, les archéologues localisent les sites au moyen de la photographie aérienne, des images par satellite et d'un système de satellite appelé GPS. Ensuite, ils fouillent les sites pour mettre au jour les vestiges ensevelis. Ils enregistrent leurs découvertes sur des photos, croquis, diagrammes et cartes. Ils les étudient au scanner et aux rayons X pour ne pas les endommager. Avec des logiciels spéciaux, ils recréent des objets ou constructions abîmés.

CRUCHE EN ÉTAIN DU *MARY ROSE*, ANGLETERRE ▶
Cette cruche incrustée de coquillages fut découverte en 1982. Elle fait partie des vestiges de l'épave d'un navire de guerre anglais, le *Mary Rose*, construit pour le roi Henri VIII. Le navire fit naufrage en 1545.

Où les archéologues cherchent-ils des vestiges ?

Les archéologues cherchent des vestiges un peu partout, y compris dans les épaves, tombeaux, grottes, même les décharges à ordures. Ils repèrent les sites historiques dans les villes et les villages, et fouillent le sol pour trouver des traces de feux, de champs ou de constructions. L'étude des os d'animaux et des graines les informe sur l'alimentation des hommes et l'état du climat.

Le nœud autour du cou indique que l'homme de Tollund fut étranglé.

Comment les archéologues datent-ils leurs trouvailles ?

Ils disposent de nombreux moyens. Des fragments de poteries, des pièces de monnaie indiquent l'époque d'un site. Les anneaux de croissance sur le bois révèlent la date de construction d'un bâtiment. Ces experts peuvent aussi mesurer le taux de carbone radioactif ou d'énergie magnétique contenu dans un objet pour calculer son âge.

HOMME DE TOLLUND, DANEMARK ▶
Cet homme fut enseveli dans un marécage il y a environ 2 000 ans, en sacrifice aux dieux. La terre acide du marécage (la tourbe) a préservé son corps. Les archéologues ont pu ainsi déterminer son âge, sa taille, son poids, son état de santé, son statut social – et même la composition de son dernier repas !

L'ANTHROPOLOGIE

L'anthropologie est la science qui étudie l'homme, notamment les peuples vivant actuellement selon des traditions passées, ou qui continuent d'employer des technologies anciennes. Les anthropologues observent leurs coutumes familiales, sociales, leurs rituels religieux. Ils les interrogent, enregistrent leurs chants, mythes et légendes.

Comment l'anthropologie aide-t-elle les historiens ?

L'anthropologie aide les historiens à comprendre l'utilisation d'objets antiques ou l'importance de croyances anciennes, en comparant les témoignages du passé avec les observations actuelles. Elle est surtout utile aux historiens qui étudient des civilisations n'ayant laissé aucun témoignage écrit.

@ ▶▶ Histoire

Ce visage sculpté dans la pierre représente peut-être un ancêtre.

◀ SCULPTURE FUNÉRAIRE, ÉTATS-UNIS
Découverte dans un tumulus de l'Ohio (États-Unis), cette tête date d'environ 300 av. J.-C. Elle a été sculptée par des descendants de la culture Hopewell. Les anthropologues étudient aujourd'hui les coutumes religieuses des cultures actuelles de l'Ohio. Leurs recherches aident les historiens à comprendre la finalité de figurines comme celle-ci.

Le travail des métaux 367 • La céramique préhistorique 367 • La Grèce antique 376-377 • Les premiers Américains 380

LES PREMIERS HOMMES

Homo sapiens sapiens (l'homme moderne) est apparu entre 200 000 et 100 000 av. J.-C. Son physique ressemblait au nôtre, et il avait le même cerveau. Il élabora de nombreuses stratégies de survie et des techniques comme la **TAILLE DU SILEX** pour fabriquer des outils.

Où les premiers hommes modernes vivaient-ils ?

La plupart des paléontologues pensent qu'*Homo sapiens sapiens* est apparu en Afrique, et que notre ancêtre direct était *Homo habilis* («l'homme adroit»), datant de 2,5 millions d'années. Mais selon certains, notre ancêtre était *Homo ergaster* («l'homme ouvrier»), apparu il y a près de 2 millions d'années, et qui s'établit dans différentes régions du monde.

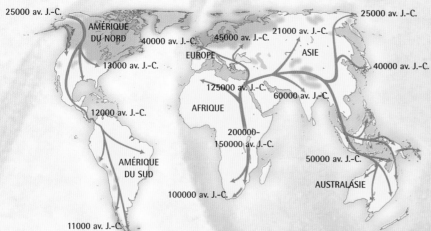

25000 av. J.-C.
AMÉRIQUE DU NORD
40000 av. J.-C.
45000 av. J.-C.
21000 av. J.-C.
25000 av. J.-C.
EUROPE
ASIE
13000 av. J.-C.
40000 av. J.-C.
125000 av. J.-C.
60000 av. J.-C.
AFRIQUE
12000 av. J.-C.
200000-150000 av. J.-C.
50000 av. J.-C.
AMÉRIQUE DU SUD
100000 av. J.-C.
AUSTRALASIE
11000 av. J.-C.

➤ ITINÉRAIRES PROBABLES EMPRUNTÉS PAR L'HOMME MODERNE

▢ CALOTTES GLACIAIRES V. 10000 AV. J.-C.

▲ PEINTURE RUPESTRE
Ce cheval figure parmi plus de 600 peintures rupestres, datant de 15000 av. J.-C., découvertes à Lascaux, en France. Sans doute les premiers hommes modernes attribuaient-ils aux animaux des pouvoirs magiques, qui protégeaient familles et tribus, et aidaient les chasseurs.

Comment les hommes modernes se sont-ils déplacés ?

Des groupes d'hommes modernes quittèrent l'Afrique vers 125 000 av. J.-C., à la recherche de nourriture. Ils atteignirent d'autres continents par des ponts terrestres – zones de fonds marins découvertes pendant le dernier âge glaciaire (v. 70000 à v. 10000 av. J.-C.). Vers 28000 av. J.-C., ils avaient remplacé tous les premiers hommes, y compris leurs parents proches, ceux de Neandertal.

▲ EXPANSION DE L'HOMME MODERNE
Sur cette carte, les flèches montrent l'expansion de l'homme moderne à partir de l'Afrique. Les dates indiquent l'âge des premiers ossements et outils de l'homme moderne sur chaque continent.

Qui était l'homme de Neandertal et pourquoi a-t-il disparu ?

Comme nous, Neandertal est une sous-espèce d'*Homo sapiens* («homme sage»). Il vécut en Europe et en Asie de 130 000 à 28000 av. J.-C. C'est sans doute l'expansion de l'homme de Cro-Magnon (*Homo sapiens sapiens* lui aussi) qui a provoqué son extinction.

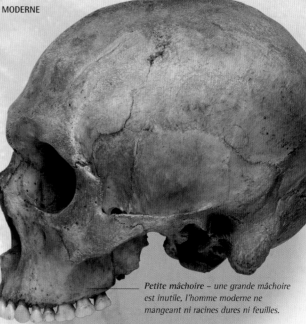

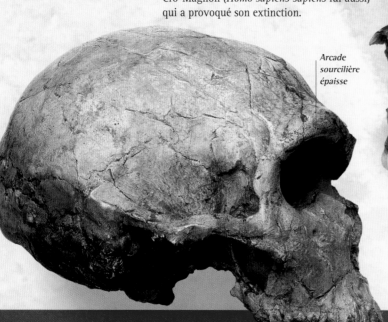

Arcade sourcilière épaisse

Petite mâchoire – une grande mâchoire est inutile, l'homme moderne ne mangeant ni racines dures ni feuilles.

▲ CRÂNE D'HOMME MODERNE
Les premiers hommes modernes étaient grands. Ils avaient des os fins, des fronts très bombés et de petites mâchoires. Leurs muscles étaient moins développés que ceux de Neandertal, et leur vision plus faible.

◄ CRÂNE DE NEANDERTAL
Neandertal avait un cerveau plus gros que l'homme moderne. Sa corpulence trapue, son nez large préservaient la chaleur de son corps dans le climat rude de l'âge glaciaire en Europe. La robustesse physique était plus importante que la puissance de son cerveau.

Ces fragments d'écorce servaient à entreposer noisettes et mûres.

LA TAILLE DU SILEX

Les premiers hommes et les hommes modernes taillaient le silex pour fabriquer des outils. Ils détachaient des fragments d'un morceau de silex en le frappant contre un autre. Cette technique, qui exigeait patience et adresse, est toujours employée par les **ABORIGÈNES** aujourd'hui.

Quels outils utilisaient les premiers hommes ?

Ils utilisaient cinq principaux types d'outils en silex – couteaux pour couper, grattoirs pour détacher la chair des peaux, burins (petits outils pointus) pour sculpter, poinçons pour percer, pointes pour fixer aux lances. Ils employaient aussi des haches en silex pour débiter le bois et les carcasses d'animaux.

Les motifs évoquent ceux d'une feuille de laurier.

◄ BURIN
Cet outil pointu en silex, appelé burin, date d'environ 35000 av. J.-C. Les burins servaient sans doute à graver les os ou à creuser des sillons dans le cuir. L'artisan guidait la pointe à l'aide de son index.

Forme arrondie, adaptée à la main de l'artisan

Entaille

▲ PROVISIONS DE NOURRITURE
À la fin de l'été et en automne, femmes et enfants ramassaient des quantités de graines et de fruits qu'ils faisaient sécher sur le feu et conservaient pour l'hiver. Les archéologues ont trouvé des vestiges de nourriture datant de 12 000 ans.

FLÈCHE À PLUMES ▲
Les chasseurs fixaient des plumes de canard à l'extrémité des flèches pour les lancer plus loin. Ils pouvaient ainsi atteindre des proies à de grandes distances.

Bison en train de paître

Chien avançant ventre à terre

POINTE DE CLOVIS ►
Les chasseurs de l'âge glaciaire en Amérique du Nord utilisaient des fragments de silex incurvés, appelés pointes de Clovis, pour fabriquer des lances. Deux petites entailles permettaient de fixer la pointe sur un manche en bois, avec des tendons d'animaux ou de la ficelle végétale.

CHASSE AU BISON ▲
Ce dessin a été gravé en France entre 15000 et 10000 av. J.-C. sur un fragment d'os. Les chasseurs travaillaient en équipes pour traquer les grosses proies. Ils les pourchassaient jusqu'au bord des falaises ou les piégeaient dans des vallées étroites.

FER DE LANCE ►
Ce fer en forme de feuille était fixé à une lance de chasseur fabriquée en France entre 20000 et 15000 av. J.-C. De forme harmonieuse, il a été façonné avec la technique de retouche par pression, élaborée vers 35000 av. J.-C., qui permettait aux artisans de fabriquer leurs outils avec davantage de précision.

LES ABORIGÈNES

Les Aborigènes, ou Australiens indigènes, furent les premiers habitants de l'Australie. Jusqu'au XXe siècle, leur mode de vie était comparable à celui des premiers hommes. Leurs coutumes ont aidé les archéologues à comprendre les témoignages du passé lointain.

Comment les Aborigènes ont-ils survécu ?

En 10000 av. J.-C., la montée du niveau de la mer autour de l'Australie contraignit les Aborigènes à s'enfoncer vers l'intérieur, où les conditions de vie étaient rudes. Pour se nourrir, ils défrichaient les terres par le feu et laissaient pousser des plantes sauvages, ils chassaient les kangourous avec des boomerangs, pêchaient, déterraient des vers.

@ ▶▶
Premiers hommes

◄ L'ART ABORIGÈNE
Les Aborigènes sont connus pour leurs peintures rupestres, certaines datant de plus de 20 000 ans. Cette tortue a été réalisée sur le rocher d'Ubirr, dans le parc national de Kakadu, Territoire du Nord, en Australie.

POUR EN SAVOIR PLUS ▶▶ L'évolution 74-75 • L'Afrique 238-239 • L'Australie et la Nouvelle-Zélande 274-275

LES PREMIERS AGRICULTEURS

L'agriculture est apparue il y a 12 000 ans dans la région dite du **CROISSANT FERTILE**. Au néolithique, les chasseurs-cueilleurs se mirent à planter les graines sauvages qu'ils trouvaient pour produire de la nourriture.

Comment l'agriculture a-t-elle changé la vie de l'homme ?

Avant l'agriculture, l'homme vivait de la chasse aux animaux sauvages et de la récolte des plantes sauvages. Lorsque les provisions manquaient, ces chasseurs-cueilleurs partaient. L'agriculture leur permit de ne plus se déplacer pour trouver à manger. Les hommes établirent des campements, cultivant des céréales et élevant des animaux à proximité. Ils devinrent sédentaires, construisirent des maisons plus solides et entourèrent les villages de murailles pour se protéger.

Plâtre étalé sur le crâne humain

Yeux er coquillages de la mer Rouge

MOULAGE ▶
Cette tête d'homme, d'environ 7000 av. J.-C., a sans doute été réalisée en hommage à un ancêtre. De nombreuses statues identiques ont été découvertes à Jéricho. Elles dévoilent le mode de vie des premiers agriculteurs.

Base de la tour ronde qui faisait partie des anciens murs de Jéricho

@ ▶▶ Premiers agriculteurs

▲ MURS DE JÉRICHO
Jéricho fut fondée vers 9000 av. J.-C. par des agriculteurs qui bâtirent autour de la cité des murs de 3 m d'épaisseur, dominés par une tour de 9 m de hauteur. Jéricho se trouvait près d'une source.

Quelles plantes cultivaient-ils ?

Dans le Croissant fertile, ils cultivaient des graminées sauvages, dont une variété ancienne d'orge, et des variétés primitives de blé, l'engrain et l'amidonnier. Elles produisaient de gros grains savoureux et nourrissants. Dans d'autres régions du monde, entre 8000 et 3000 av. J.-C., les agriculteurs apprirent la **DOMESTICATION** des plantes locales et des animaux.

Comment les hommes sont-ils devenus agriculteurs ?

Vers 9000 av. J.-C., les hommes stockaient les graines durant l'hiver, puis ils les semaient sur des terres qu'ils défrichaient. Vers 8000 av. J.-C., ils sélectionnèrent les graines offrant le meilleur rendement pour les planter. Produisant davantage de denrées que nécessaire, ils purent nourrir les artisans et les négociants. Les agriculteurs échangèrent leurs produits contre d'autres biens utilitaires ou ornementaux.

▼ GRAINES ALIMENTAIRES
L'engrain et l'amidonnier produisent des graines qui tombent de l'épi (au bout de la tige) lorsqu'elles sont mûres. C'est sans doute ce qui incita premiers agriculteurs à tester différentes méthodes pour semer les graine

ENGRAIN

Grains mûrs de l'épi d'engrain

Épi d'engrain

AMIDONNIER

LA DOMESTICATION

Domestiquer des plantes et des animaux sauvages consiste à savoir les utiliser pour la culture et l'élevage sélectifs. Les agriculteurs sélectionnent et plantent les meilleures graines de la dernière récolte. Ils choisissent des têtes de bétail sauvage pour former un troupeau docile, facile à maîtriser.

LE CROISSANT FERTILE

Par l'expression Croissant fertile, les archéologues désignent la région, à l'est de la mer Méditerranée, où l'agriculture est née. Cette bande de terre en arc de cercle couvrait la région du Levant (actuels Israël, Liban, Syrie et Irak), et celle comprise entre les monts du Taurus et du Zagros.

Pourquoi l'agriculture est-elle née là-bas ?

Les précipitations régulières du Croissant fertile le rendaient propice aux cultures de céréales comme l'engrain et l'amidonnier, ainsi qu'à l'élevage d'animaux herbivores, comme les moutons et les chèvres. En Mésopotamie, où le sol était plus fertile, mais les précipitations assez rares, l'agriculture ne fut possible qu'après la mise au point de techniques d'irrigation pour approvisionner les terres avec l'eau du Tigre et de l'Euphrate.

DÉVELOPPEMENT DE L'AGRICULTURE	
9000 AV. J.-C.	Blé/orge, Croissant fertile
8000	Pommes de terre, Amérique du Sud
7500	Chèvres, moutons, Moyen-Orient
7000	Seigle, Europe
6000	Poulets, Asie du Sud
3500	Chevaux, Asie
3000	Coton, Amérique du Sud
2700	Maïs, Amérique du Nord

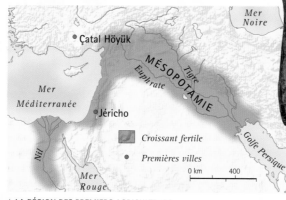

▲ LA RÉGION DES PREMIERS AGRICULTEURS
Le Croissant fertile s'étend en forme d'arc de cercle de l'extrémité nord de la mer Rouge jusqu'au golfe Persique. Certaines des premières villes, comme Jéricho, furent construites dans la région. D'importants centres de commerce, comme Çatal Höyük, se développèrent à proximité.

Pourquoi Çatal Höyük était-elle si prospère ?

Fondée vers 7000 av. J.-C., Çatal Höyük devint la plus grande ville du Moyen-Orient, tirant sa richesse de l'agriculture et du commerce. Les agriculteurs élevaient du bétail, cultivaient le blé, l'orge et les pois. La cité devait surtout sa prospérité au commerce de l'obsidienne (roche grossière, vitreuse), provenant d'un volcan voisin. Les artisans fabriquaient des outils de qualité avec cette pierre.

Quels furent les premiers animaux domestiqués ?

Les chiens furent les premiers animaux domestiqués, vers 12500 av. J.-C. Ils descendaient de louveteaux sauvages apprivoisés par des hommes qui les nourrissaient et en prenaient soin. Vers 10000 av. J.-C., les chasseurs élevaient des troupeaux sauvages de gazelles, moutons et chèvres, tuant les plus faibles pour les manger. Vers 7500 av. J.-C., les agriculteurs sélectionnaient les meilleurs animaux de leurs troupeaux et les élevaient pour la viande et le lait.

◄ TROUPEAU
Provenant de l'ancienne cité de Suse, au nord du golfe Persique, ce sceau date d'environ 3000 av. J.-C. À l'époque, le bétail assurait la survie des agriculteurs. Il servait aussi à préparer la terre pour recevoir les semences. Les moutons à longs poils avaient été sélectionnés pour produire de riches toisons avec lesquelles était fabriquée la laine.

Sceau (cachet) décoré de béliers et de chèvres

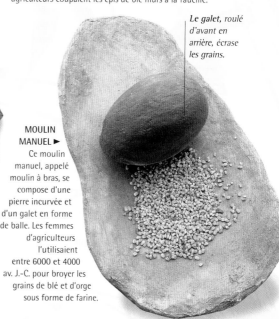

Le côté tranchant de la lame coupe les tiges de blé et d'orge.

◄ FAUCILLE
Cette faucille possède une poignée en bois et une lame en silex, fabriquée par un tailleur de pierre il y a 6000 ans. Les agriculteurs coupaient les épis de blé mûrs à la faucille.

Le galet, roulé d'avant en arrière, écrase les grains.

MOULIN MANUEL ►
Ce moulin manuel, appelé moulin à bras, se compose d'une pierre incurvée et d'un galet en forme de balle. Les femmes d'agriculteurs l'utilisaient entre 6000 et 4000 av. J.-C. pour broyer les grains de blé et d'orge sous forme de farine.

MAISONS DE ÇATAL HÖYÜK ►
Les fouilles du site de Çatal Höyük (Turquie) ont mis au jour des maisons de brique de boue séchée, collées les unes aux autres. On accédait aux maisons par des échelles conduisant à des entrées sur les toits. Les pièces comprenaient des âtres pour se chauffer, des bancs pour s'asseoir et dormir, des fours pour cuire le pain. Les défunts étaient ensevelis sous la maison.

L'agriculture 66 • Le Proche-Orient et le Moyen-Orient 264-265 • Les premiers Américains 380 • Les Mayas 381

L'EUROPE MÉGALITHIQUE

Entre 3200 et 1500 av. J.-C., les peuples du nord-ouest de l'Europe commencèrent à construire des monuments avec des pierres massives, appelés mégalithes. Certains étaient disposés en cercles, en lignes, ou pointaient vers le ciel. D'autres, dénommés CHAMBRES FUNÉRAIRES, étaient ensevelis sous terre.

Qui construisit les monuments mégalithiques?

Les monuments mégalithiques présentaient diverses formes et tailles. La plupart, de petites dimensions, étaient peut-être assemblés par des familles. Les plus imposants, comme ceux de Carnac et Stonehenge, étaient sans doute érigés par les sujets de puissants chefs, sous leurs ordres.

À quoi servaient les cercles de pierre?

Les cercles de pierre servaient probablement à des cérémonies religieuses en relation avec l'astronomie. La plupart sont disposés par rapport au Soleil, à la Lune et aux étoiles. Ainsi, le Soleil, au lever, éclaire le centre de Stonehenge, en Angleterre, en plein été, et une chambre funéraire à Newgrange, en Irlande, en plein hiver.

▲ LES MÉGALITHES DE CARNAC
Ces rangées de pierres levées à Carnac (France) sont disposées en lignes parallèles de 1 km de long, reliant deux cercles de pierre. Carnac compte aussi beaucoup de monolithes isolés, de chambres funéraires et de tumulus.

Trilithe – arche de pierre constituée de deux pierres verticales et d'une pierre transversale au sommet. Stonehenge en compte cinq.

▲ STONEHENGE (ANGLETERRE)
Vers 3000 av. J.-C., les hommes construisirent sur ce site un fossé circulaire et une levée de terre, et ils dressèrent une enceinte de poteaux en bois. Ceux-ci furent remplacés ensuite par d'énormes pierres verticales *(sarsen)*. Vers 1550 av. J.-C., des pierres bleues du pays de Galles furent ajoutées pour la finition.

CHAMBRES FUNÉRAIRES

Des tombes de plusieurs chambres (pièces) étaient bâties avec d'énormes dalles de pierre, puis recouvertes d'un monticule de terre appelé tumulus. Ces chambres servirent de sépultures pendant des siècles.

Qui était enterré dans les chambres funéraires?

Les archéologues ne savent pas avec certitude à qui étaient destinées les chambres funéraires, car elles ont été pillées depuis longtemps. Leur conception laisse penser qu'on y enterrait des chefs riches et puissants, qui contrôlaient des régions et leur population.

@ ▸▸
Europe mégalithique

Toit voûté constitué de dalles de pierre

◀ TOMBE DE MAES HOWE
Cette tombe, sur l'île de Mainland, dans l'archipel des Orcades (Écosse) fut bâtie vers 2700 av. J.-C. On accède à la chambre principale par un long couloir flanqué de pierres. Les ouvertures carrées, dans les murs, communiquent avec de petites pièces latérales, servant aussi de sépultures.

LA CÉRAMIQUE PRÉHISTORIQUE

La poterie fut inventée vers 10500 av. J.-C. par des pêcheurs japonais. Lorsqu'ils préparaient à manger, ils remarquèrent que le sol en argile, sous le feu, cuisait et durcissait. Ils se mirent à fabriquer des pots en argile, qu'ils faisaient cuire.

À quoi les premiers pots en argile servaient-ils ?

Contrairement aux autres contenants – en cuir, branches tressées, écorce, ficelle –, les pots en argile étaient résistants à la chaleur et imperméables. Ils permettaient de cuire des soupes et des ragoûts, de préparer des boissons comme le vin et la bière, de conserver les céréales et l'huile. Les vestiges de poteries aident les archéologues à identifier les différents peuples.

▲ JARRE JAPONAISE EN POTERIE
Cette jarre à motif de corde fut réalisée entre 10500 et 7500 av. J.-C. Un artisan l'a façonnée à la main avec des boudins d'argile.

@ ▶▶ Céramique préhistorique

Les motifs peints permettent de situer et de dater l'urne.

URNE FUNÉRAIRE ▲
Les poteries participaient souvent aux rituels funéraires. Cette urne de Banshan, appartenant à la culture chinoise de Yangshao, date d'environ 2500 av. J.-C.

POUR EN SAVOIR PLUS ▶▶ Les roches 46-47 • La sculpture 323

LE TRAVAIL DES MÉTAUX

Vers 9000 av. J.-C., les hommes, un peu partout, commencèrent à travailler des morceaux de métaux malléables, comme le cuivre. Ensuite, ils apprirent à extraire des rochers des métaux, comme l'étain, en les faisant fondre. Enfin, ils découvrirent que plusieurs métaux fondus ensemble donnaient de nouveaux matériaux appelés alliages, comme le bronze.

@ ▶▶ Premiers forgerons

DÉVELOPPEMENT DU TRAVAIL DES MÉTAUX	
9000 av. J.-C.	Cuivre martelé, Asie centrale
5000	Or/cuivre, Europe
4000	Bronze, Moyen-Orient
2300	Bronze, Europe
1500	Fer, Asie occidentale
1000	Fer, Europe

À quoi servait le bronze ?

Le bronze est un mélange de cuivre et d'étain. Beaucoup plus dur que ces deux métaux, il peut être affûté pour obtenir des bords tranchants. Il servait à fabriquer des armes, des outils, des ustensiles agricoles robustes. Les artisans l'employaient aussi pour les moulages – objets obtenus en coulant du bronze fondu dans un moule.

Comment le bronze fut-il obtenu ?

Les bronziers chauffaient le cuivre et l'étain dans un four alimenté au charbon de bois. En fondant, les deux métaux se mélangeaient pour former du bronze, liquide et chaud, qui se déversait à travers un tuyau d'argile dans des contenants en argile ou en sable. Une fois refroidis, ces lingots (blocs solides de métal) étaient refondus et coulés dans des moules de diverses formes.

Qui fabriqua les premiers objets en bronze ?

La fabrication des objets en bronze par coulage du métal fondu dans des moules fut inventée en Asie occidentale vers 3000 av. J.-C. Elle fut aussi découverte ailleurs en Chine vers 2000 av. J.-C. Les bronziers chinois développèrent leur talent, créant des motifs plus élaborés.

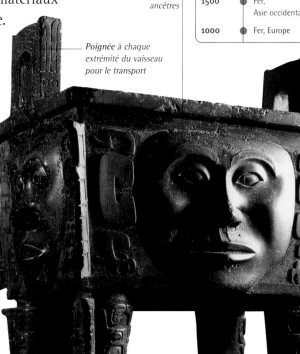

Visage représentant peut-être les ancêtres

Poignée à chaque extrémité du vaisseau pour le transport

▲ ARCHER EN BRONZE
Cette statuette de bronze fut fabriquée vers 600 av. J.-C. en Sardaigne, dans la Méditerranée. Le bronze servait aussi à réaliser des pointes de flèches, des fers de lances et des lames d'épées.

VAISSEAU RITUEL ▶
Ce vaisseau de bronze fut fabriqué sous la dynastie chinoise Shang (1650-1027 av. J.-C.). Il servait à cuire les repas rituels, pour honorer les esprits des ancêtres défunts.

Forme des pieds sans doute inspirée de celle de pattes d'animaux

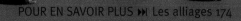

LA MÉSOPOTAMIE

La Mésopotamie est la région qui s'étend entre le Tigre et l'Euphrate. Les agriculteurs utilisaient l'eau des fleuves pour irriguer les champs et cultiver des céréales. Vers 3500 av. J.-C., les Sumériens bâtirent au sud de la Mésopotamie les premières cités du monde, dont Our, Ourouk et Éridou.

Qui gouvernait les cités sumériennes ?

De puissants rois, à la tête d'imposantes armées, firent édifier de magnifiques cités, palais et tombeaux. Ils étaient assistés de prêtres et de scribes qui collectaient les impôts, surveillaient les travaux d'irrigation et faisaient respecter les lois réglementant l'artisanat et le commerce. Les prêtres honoraient les dieux dans des ziggourats (temples).

Comment les ziggourats étaient-elles bâties ?

Les Mésopotamiens construisaient les ziggourats et les maisons avec des briques de boue mélangée à de la paille coupée, qu'ils laissaient sécher au soleil. Des équipes d'hommes déplaçaient d'énormes chargements de briques à l'aide de traîneaux montés sur des roulettes en bois, ou transportaient de petites quantités dans des paniers, sur leur dos. La boue servait de mortier pour lier les briques.

Mésopotamie

Tête de taureau en or

▼ ZIGGOURAT À OUR
Les ziggourats s'apparentaient à des montagnes sacrées, permettant aux hommes de se rapprocher des dieux. Celle d'Our (dans l'actuel Iraq) fut édifiée vers 2100 av. J.-C. À l'origine, elle comptait trois grandes terrasses superposées, plantées d'arbres et de fleurs. Un sanctuaire dédié à Nanna, dieu-lune, se trouvait au sommet. Aujourd'hui ne subsiste que la partie inférieure du temple.

▲ LE TRÉSOR DE LA REINE
Cette tête de taureau orne une harpe provenant de la tombe de la reine Shubad d'Our, décédée vers 2500 av. J.-C. Le squelette de la joueuse de harpe fut découvert à proximité, tenant les cordes dans ses doigts. Elle avait été enterrée vivante pour divertir la reine dans l'au-delà.

POUR EN SAVOIR PLUS ▶▶ Le Proche-Orient et le Moyen-Orient 264-265 • Les religions anciennes 282

LA VALLÉE DE L'INDUS

Entre 3500 et 2000 av. J.-C., les habitants de la vallée de l'Indus bâtirent plus de cent villes. Les plus grandes, Mohenjo-Daro et Harappa, avaient une population de 40 000 personnes. Elles possédaient de vastes temples, des greniers, des maisons en brique et des rues conçues selon un plan quadrillé.

Comment vivait-on dans la vallée de l'Indus ?

Les agriculteurs cultivaient le blé, l'orge, le coton et le riz sur les terres fertilisées par les crues annuelles de l'Indus. Ils élevaient aussi des animaux. Les artisans fabriquaient des toiles, des poteries, des objets en métal et des bijoux. La population des côtes faisait du commerce avec l'étranger.

Vallée de l'Indus

PRÊTRE ROYAL ▶
Sculptée dans le calcaire vers 2500 av. J.-C., cette statue a été découverte à Mohenjo-Daro (Pakistan).

Pourquoi les villes ont-elles disparu ?

À Mohenjo-Daro, le cours de l'Indus se modifia, provoquant un manque d'eau. D'autres cités furent peut-être détruites par les crues, les maladies ou les envahisseurs. Personne ne sait avec certitude pourquoi la civilisation de la vallée de l'Indus a disparu.

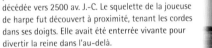

◀ CHARIOT À DEUX ROUES
Ce chariot miniature en céramique, tiré par des mulets, a été trouvé à Mohenjo-Daro. Il date d'environ 2500 av. J.-C.

POUR EN SAVOIR PLUS ▶▶ Le Proche-Orient et le Moyen-Orient 264-265

LES PREMIÈRES ÉCRITURES

L'écriture fut inventée en Mésopotamie vers 3200 av. J.-C. Le commerce s'était tellement développé dans les villes qu'il n'était plus possible de mémoriser toutes les informations. Il fallait tenir des registres indiquant ceux qui avaient payé leurs impôts, quels artisans avaient reçu des rations, et le nombre d'objets qu'ils avaient fabriqués.

Quelles furent les premières formes d'écriture ?
L'écriture la plus ancienne était constituée de pictogrammes – dessins figurant des objets, exprimant des actions ou des idées. Ils se sont stylisés sous la forme de signes CUNÉIFORMES. Ces écritures étaient difficiles à déchiffrer et à apprendre.

Où les pictogrammes étaient-ils aussi utilisés ?
Différentes formes de pictogrammes se sont développées en Égypte, en Chine et en Amérique centrale. Dans la vallée de l'Indus, les scribes associaient les dessins à des symboles – système que les experts n'ont pas encore réussi à élucider.

Premières écritures

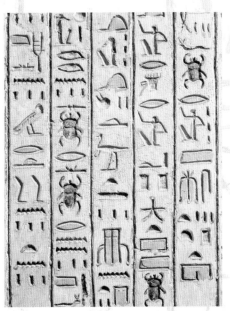

Le dessin des craquelures sur l'os chauffé donnait la réponse à la question.

▲ HIÉROGLYPHES ÉGYPTIENS
Ces hiéroglyphes sont extraits du *Livre des Morts*, gravé sur les murs du tombeau du pharaon Ramsès VI (1156-1148 av. J.-C.), dans la Vallée des Rois, en Égypte.

OS À ORACLE ▶
Vers 1500 av. J.-C., les prêtres gravaient des questions en caractères chinois sur les os.

LE CUNÉIFORME

Le cunéiforme désigne l'écriture en forme de coins, exécutée avec des roseaux taillés, élaborée par les scribes sumériens vers 2900 av. J.-C. Elle fut adoptée par d'autres peuples du Moyen-Orient pour écrire et développer leurs propres langages, avant l'invention de l'ALPHABET.

Comment la première écriture fut-elle exécutée ?
Les premiers pictogrammes étaient gravés sur des tablettes d'argile humide, avec les tiges de roseaux qui poussaient au bord des fleuves de Mésopotamie. Les tablettes, en séchant au soleil, préservaient le texte écrit. Les scribes (personnes qui avaient appris l'écriture) commencèrent à tailler les roseaux en pointes triangulaires, qui traçaient des signes en forme de coins.

ÉCRITURE CUNÉIFORME ▲
Réalisée en Mésopotamie juste après 2900 av. J.-C., cette tablette en argile recense des champs et des cultures. L'écriture cunéiforme se compose de signes précis en coins, fers de lance ou clous, disposés en rangées.

Surface d'argile lisse pour l'écriture

Signes cunéiformes gravés dans l'argile

Hiéroglyphes égyptiens (signes)

L'ALPHABET

Le premier alphabet du monde fut inventé vers 1000 av. J.-C. par les Phéniciens, qui vivaient à l'est de la Méditerranée. Contrairement aux pictogrammes, l'alphabet utilisait des lettres correspondant à des sons.

Pourquoi le premier alphabet fut-il si important ?
Les Phéniciens découvrirent que les lettres pouvaient être regroupées en diverses associations pour transcrire presque tous les mots connus. L'écriture alphabétique exigeait moins de 30 lettres, comparées aux 600 signes cunéiformes utilisés par les scribes sumériens, ou aux 5000 caractères employés par les érudits chinois. Les écritures alphabétiques, plus faciles à maîtriser, favorisèrent l'apprentissage de la lecture et de l'écriture.

LA PIERRE DE ROSETTE ▶
En 196 av. J.-C., des scribes égyptiens gravèrent le même texte en trois écritures différentes sur cette pierre. Découverte à Rosette (Égypte), en 1799, elle permit au Français Jean-François Champollion de déchiffrer les hiéroglyphes égyptiens.

Démotique égyptien (écriture cursive à base de signes)

Grec ancien (écriture alphabétique)

L'ÉGYPTE ANCIENNE

De 3100 à 30 av. J.-C., les terres désertiques d'Égypte ont accueilli une civilisation avancée. Les Égyptiens anciens ont laissé de massives PYRAMIDES, de fabuleux trésors en or, de somptueuses œuvres d'art. Inventeurs des hiéroglyphes, ils furent aussi experts en travaux publics.

Pourquoi les crues du Nil étaient-elles importantes ?

Le Nil traverse l'Égypte avant de se jeter dans la mer. Chaque année, entre juin et octobre, il inondait le désert environnant, recouvrant les terres d'un limon (fine boue) fertile. Elles produisaient d'excellentes récoltes – blé, orge, raisin, figues, diverses espèces de légumes.

◄ LE BATTAGE DU BLÉ
Ces ouvriers agricoles battent le blé pour séparer les grains mûrs des tiges. Cette scène décorait les murs d'un tombeau égyptien datant de 1400 av. J.-C.

Quels dieux les Égyptiens vénéraient-ils ?

Les Égyptiens vénéraient des centaines de dieux et de déesses. Certains, comme Osiris, qui régnait sur le monde souterrain, avaient une apparence humaine. D'autres ressemblaient à des animaux, telle la déesse-chatte Bastet, qui apportait la fertilité. La divinité la plus importante était Amon, roi des dieux à tête de bélier.

Pourquoi la civilisation égyptienne a-t-elle duré ?

L'Égypte s'est enrichie grâce à l'agriculture et au commerce. Sa puissance reposait sur des gouvernements solides, dirigés par des PHARAONS assistés de prêtres et de scribes. D'imposantes armées défendaient la nation.

Boule dorée représentant le Soleil pourvoyeur de vie, poussé par le scarabée

▲ SCARABÉE SACRÉ
Ce bracelet en or, provenant du tombeau d'Aménémopé, est orné d'un scarabée en lapis-lazuli bleu, pierre semi-précieuse. Pour les Égyptiens, le scarabée symbolisait le Soleil, pourvoyeur de vie.

LES PHARAONS

L'Égypte ancienne était gouvernée par des pharaons. Ces souverains puissants jouaient le rôle de chefs religieux et militaires et dirigeaient le gouvernement. Pour les Égyptiens, les pharaons étaient des intermédiaires vivants entre le peuple et les dieux, devenant eux-mêmes des dieux après la mort.

Que signifie « pharaon » ?

Le terme « pharaon » vient de deux mots égyptiens, *per-aa*, signifiant « grande maison » ou « palais ». Le terme désignant la construction s'appliqua bientôt au roi qui y vivait, en signe de respect.

@ ►►
Égypte ancienne

BARQUE FUNÉRAIRE ►
Des barques comme celle-ci étaient ensevelies avec les pharaons dans les sépultures royales des pyramides.

L'esprit du pharaon transporté dans le monde des défunts

Uraeus *(cobra), symbole de la Basse-Égypte (au nord)*

Vautour, *symbole de la Haute-Égypte (au sud)*

Coiffure *(nemes) en or massif et bandes de pâte de verre bleu foncé*

MASQUE EN OR ►
Ce masque recouvrait le visage du corps momifié du pharaon Touthankhamon (1336-1327 av. J.-C.). Le tombeau de Toutankhamon fut découvert en 1922 dans la Vallée des Rois, en Égypte.

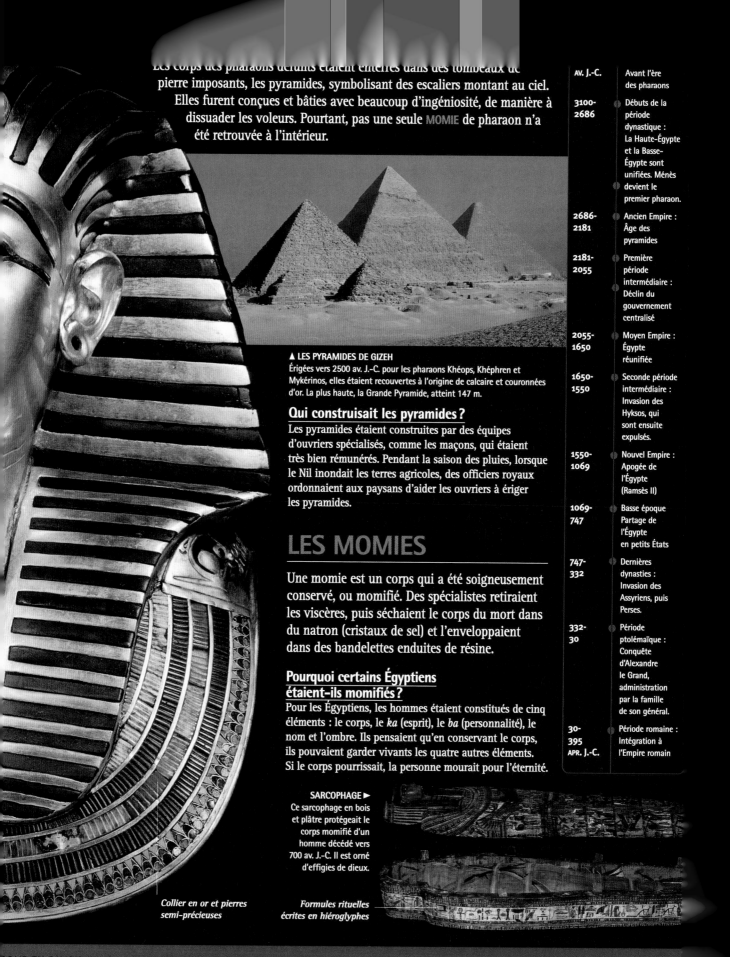

Les corps des pharaons défunts étaient enterrés dans des tombeaux de pierre imposants, les pyramides, symbolisant des escaliers montant au ciel. Elles furent conçues et bâties avec beaucoup d'ingéniosité, de manière à dissuader les voleurs. Pourtant, pas une seule MOMIE de pharaon n'a été retrouvée à l'intérieur.

▲ LES PYRAMIDES DE GIZEH
Érigées vers 2500 av. J.-C. pour les pharaons Khéops, Khéphren et Mykérinos, elles étaient recouvertes à l'origine de calcaire et couronnées d'or. La plus haute, la Grande Pyramide, atteint 147 m.

Qui construisait les pyramides ?

Les pyramides étaient construites par des équipes d'ouvriers spécialisés, comme les maçons, qui étaient très bien rémunérés. Pendant la saison des pluies, lorsque le Nil inondait les terres agricoles, des officiers royaux ordonnaient aux paysans d'aider les ouvriers à ériger les pyramides.

LES MOMIES

Une momie est un corps qui a été soigneusement conservé, ou momifié. Des spécialistes retiraient les viscères, puis séchaient le corps du mort dans du natron (cristaux de sel) et l'enveloppaient dans des bandelettes enduites de résine.

Pourquoi certains Égyptiens étaient-ils momifiés ?

Pour les Égyptiens, les hommes étaient constitués de cinq éléments : le corps, le *ka* (esprit), le *ba* (personnalité), le nom et l'ombre. Ils pensaient qu'en conservant le corps, ils pouvaient garder vivants les quatre autres éléments. Si le corps pourrissait, la personne mourait pour l'éternité.

SARCOPHAGE ▶
Ce sarcophage en bois et plâtre protégeait le corps momifié d'un homme décédé vers 700 av. J.-C. Il est orné d'effigies de dieux.

Collier en or et pierres semi-précieuses

Formules rituelles écrites en hiéroglyphes

AV. J.-C.	Avant l'ère des pharaons
3100-2686	Débuts de la période dynastique : La Haute-Égypte et la Basse-Égypte sont unifiées. Ménès devient le premier pharaon.
2686-2181	Ancien Empire : Âge des pyramides
2181-2055	Première période intermédiaire : Déclin du gouvernement centralisé
2055-1650	Moyen Empire : Égypte réunifiée
1650-1550	Seconde période intermédiaire : Invasion des Hyksos, qui sont ensuite expulsés.
1550-1069	Nouvel Empire : Apogée de l'Égypte (Ramsès II)
1069-747	Basse époque Partage de l'Égypte en petits États
747-332	Dernières dynasties : Invasion des Assyriens, puis Perses.
332-30	Période ptolémaïque : Conquête d'Alexandre le Grand, administration par la famille de son général.
30-395 APR. J.-C.	Période romaine : Intégration à l'Empire romain

POUR EN SAVOIR PLUS ▶▶ L'Afrique du Nord et l'Afrique de l'Ouest 240-241 • Les religions anciennes 282 • Les premières écritures 369

Taureau, symbole du dieu Adad

Dragon, symbole du dieu Marduk

LES EMPIRES DU MOYEN-ORIENT

Vers 2000 av. J.-C., les peuples du Moyen-Orient ont commencé à se battre pour conquérir ou défendre des territoires. Certains, comme les BABYLONIENS et les ASSYRIENS, possédaient de magnifiques cités. D'autres, comme les HITTITES et les HÉBREUX, venus d'ailleurs, fondèrent de nouveaux royaumes.

Pourquoi le Moyen-Orient était-il si convoité ?

Les terres fertiles du Moyen-Orient attiraient les rois et les peuples. Les meilleures terres s'étendaient au bord de l'Euphrate et du Tigre, en Mésopotamie. Mais les vallées dans les montagnes, au nord et au sud, recelaient aussi des champs, des forêts et des vergers. Les peuples se disputaient également le contrôle des routes commerciales qui reliaient l'Europe à l'Asie en passant par le Moyen-Orient.

▲ CARTE EN ARGILE
Réalisée vers 600 av. J.-C. par des savants babyloniens, c'est l'une des premières cartes connues.

LES BABYLONIENS

Babylone devint puissante vers 1792 av. J.-C., sous le roi Hammourabi. À partir de 1595 av. J.-C., elle passa sous la tutelle des envahisseurs. En 625 av. J.-C., un général nommé Nabopolassar chassa les étrangers et devint roi. Son fils Nabuchodonosor (r. 605-562 av. J.-C.) donna naissance à un empire prestigieux.

Comment les Babyloniens mesuraient-ils le temps ?

Les Babyloniens bâtissaient des monuments en brique de boue, qu'ils utilisaient comme cadrans solaires. Ils observaient les étoiles et les planètes, prévoyaient leurs mouvements et fabriquaient des calendriers. Leurs calculs reposaient sur des unités de soixante – avec lesquelles nous mesurons toujours les minutes et les secondes –, et ils transcrivaient leur savoir avec des signes cunéiformes.

HAMMOURABI
r. 1792-1750 av. J.-C.
Le roi Hammourabi (ici, debout devant le dieu-soleil Shamash) conquit toute la Mésopotamie pour créer un nouveau royaume, qui fut baptisé d'après le nom de sa principale cité, Babylone. Il établit une législation (Code d'Hammourabi) punissant de mort de nombreux crimes. Sa disparition entraîna la chute de l'empire.

▲ LA PORTE D'ISHTAR
Cette porte, baptisée d'après la déesse babylonienne de l'Amour et de la Guerre, était la principale entrée de la cité de Babylone vers 600 av. J.-C. Elle menait aux Jardins suspendus de Babylone, créés sous le roi Nabuchodonosor.

LES HITTITES

Les Hittites s'établirent en Anatolie, l'actuelle Turquie, vers 1700 av. J.-C. Ils savaient faire fondre le fer et pouvaient donc fabriquer des armes plus solides que celles de leurs ennemis. Vers 1400 av. J.-C., les cités-États hittites s'unifièrent pour créer un royaume puissant.

Comment les Hittites combattaient-ils ?

Vers 1800 av. J.-C., les guerriers hittites utilisaient des chariots rapides à deux roues, tirés par des chevaux. Armés d'arcs et de flèches, montés sur les chariots, ils chargeaient les rangs ennemis pour les disperser. Les Hittites assiégeaient aussi les cités ennemies à l'aide de machines ressemblant à des tours. Leurs principaux ennemis étaient les Égyptiens, et un peuple guerrier de l'État de Mitanni, en Mésopotamie.

◀ DIEU HITTITE
Ce dieu guerrier fut sculpté vers 1300 av. J.-C. sur une porte dans la capitale hittite de Bogazkoy (dans l'actuelle Turquie).

Le dieu brandit sa hache en direction des ennemis.

Pourquoi la puissance hittite s'est-elle effondrée ?

Les Hittites et leurs ennemis se battirent pour conquérir la Méditerranée orientale, riche en forêts, terres agricoles et ports de commerce. Vers 1200 av. J.-C., les Hittites furent aussi attaqués par des envahisseurs des îles méditerranéennes, appelés Peuples de la Mer, et par des tribus nomades de l'Est. Ces guerres, associées à la famine, anéantirent la puissance hittite.

LES HÉBREUX

Les Hébreux étaient des bergers et des agriculteurs dans le pays de Canaan, à l'est de la Méditerranée, où s'établirent aussi des Peuples de la Mer. Vers 1020 av. J.-C., les Hébreux conquirent leurs territoires et fondèrent un royaume puissant, dirigé par de grands rois. Au premier, Saül, succédèrent David, qui prit Jérusalem pour capitale, puis Salomon.

Où la Terre promise se trouvait-elle ?

Les Hébreux croyaient que Dieu leur avait promis un territoire en Canaan. Selon la Bible, le prophète Moïse les mena jusqu'à cette terre vers 1200 av. J.-C. Puis, en 931 av. J.-C., le royaume hébreu de Canaan fut partagé en deux nations – royaume d'Israël au nord, royaume de Juda au sud.

Le précieux bétail des Hébreux fut également emmené en captivité.

Empires du Moyen-Orient

◄ PRISONNIERS HÉBREUX

Les Assyriens prirent la ville de Lachish, en Judée, en 701 av. J.-C. Ce bas-relief figure des prisonniers juifs emmenés par le roi d'Assyrie Sennachérib (r. 705-681 av. J.-C.). Il ornait jadis le palais royal dans la cité assyrienne de Ninive.

LES ASSYRIENS

Les Assyriens vivaient au nord de la Mésopotamie. Ils cultivaient des céréales dans des champs irrigués et bâtirent de superbes cités. À partir de 900 av. J.-C., ils conquirent un empire s'étendant de l'Égypte au golfe Persique qui s'effondra en 612 av. J.-C., lorsque les Babyloniens et les Mèdes l'attaquèrent.

Comment les Assyriens livraient–ils bataille ?

Les premiers soldats assyriens étaient des agriculteurs, qui quittaient leurs champs pour combattre. Mais vers 740 av. J.-C., les rois assyriens constituèrent de puissantes armées avec des prisonniers étrangers. Ils se battaient avec des épées, des lances, des arcs et des flèches, des béliers. Ils réclamaient des tributs de bois, de métal et de chevaux aux peuples vaincus.

Roi Assurnazirpal

L'ENTRAÎNEMENT À LA GUERRE ►

Cette sculpture en pierre représente le roi assyrien Assurnazirpal II et ses soldats s'entraînant au combat avec des lions. Elle provient du palais royal de Nimroud.

Chariot de guerre imité de ceux des Hittites

Couronne, symbole de puissance

Tête humaine représentant l'intelligence

Ailes d'aigle, l'oiseau le plus puissant

Corps et pattes de taureau, symboles de force

GARDIEN DE PORTE ►

L'une des deux gigantesques statues de pierre qui rehaussaient l'entrée du palais du roi assyrien Sargon II (r. 722-705 av. J.-C.), à Khorsabad (actuel Irak). Symboles de la puissance assyrienne, ils gardaient le palais.

LES PEUPLES DE LA MER

À partir de 2000 av. J.-C., les peuples de la Méditerranée – **MINOENS**, Mycéniens et **PHÉNICIENS** – construisirent de solides navires en bois actionnés par des voiles et des rames. Ils établirent des routes maritimes entre l'Europe, l'Afrique, l'Asie, et devinrent des marchands prospères. Plus tard, ils fondèrent des colonies.

Pieuvre révélant l'importance de la mer comme source de nourriture.

Pourquoi les marchands étaient-ils si prospères ?

Les marchands bravaient les eaux de la Méditerranée pour retirer le plus de profits possible du commerce maritime. Parmi les denrées les plus rentables figuraient l'argent d'Espagne (pour fabriquer des pièces), l'étain d'Angleterre et le cuivre de Chypre. Ils fondaient l'étain et le cuivre pour fabriquer le bronze. Colorées en pourpre avec une teinture provenant d'un coquillage, les toiles phéniciennes étaient si chères que seuls les rois et reines pouvaient les acheter.

◀ POTERIE MYCÉNIENNE
Fabriquée entre 1400 et 1300 av. J.-C., cette cruche fut découverte dans un comptoir mycénien, sur l'île grecque de Rhodes. Les négociants utilisaient ce genre d'objet pour transporter des denrées comme l'huile d'olive. Selon les spécialistes, les Mycéniens reprirent le commerce maritime des Minoens.

@ ▸▸
Peuples de la Mer

LES MINOENS

De 3000 à 1450 av. J.-C., les rois minoens dominèrent l'est de la Méditerranée à partir de la Crète. Ils s'enrichirent du commerce avec les autres îles et des tributs imposés aux peuples moins puissants. Ils vivaient dans d'immenses palais, superbement décorés.

Pourquoi la puissance minoenne s'effondra-t-elle ?

En 1450 av. J.-C., l'île méditerranéenne de Théra (actuelle Santorin) fut détruite par une éruption volcanique. En Crète, à proximité, le niveau de la mer monta, les poussières cachèrent le Soleil, et les plantes disparurent. Puis, le palais crétois de Cnossos fut assiégé par les Mycéniens. La civilisation minoenne s'éteignit vers 1100 av. J.-C.

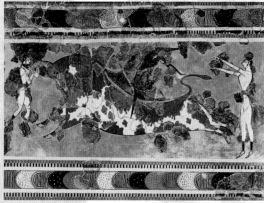

▲ SAUT DE TAUREAU
Cette fresque (peinture murale) provenant du palais de Cnossos, en Crète, représente un sport minoen. Il consistait à sauter par-dessus le dos d'un taureau qui chargeait, pendant les cérémonies religieuses. Le taureau était ensuite sacrifié.

LES PHÉNICIENS

Établis sur les rives est de la Méditerranée, les Phéniciens furent puissants de 1000 à 500 av. J.-C. Ils étaient agriculteurs, artisans experts dans le travail du bois, du verre et des textiles, navigateurs et commerçants.

◀ PIÈCE PHÉNICIENNE
Cette pièce en argent représente un navire de guerre phénicien, de forme étroite, pour maximiser la vitesse. Les navires marchands, à coque large et lourde, étaient plus lents.

Où les Phéniciens faisaient-ils du commerce ?

Les Phéniciens sillonnaient toute la Méditerranée. Certains s'aventuraient plus loin – jusqu'à l'ouest de l'Espagne et de l'Afrique, au sud-ouest de l'Angleterre –, où ils bâtirent des cités. La plus célèbre fut Carthage, en Afrique du Nord, qui resta puissante jusqu'à sa destruction par les Romains en 146 av. J.-C.

POUR EN SAVOIR PLUS ▸▸ L'Europe de l'Ouest 252-253

L'EMPIRE PERSE

De 539 à 331 av. J.-C., l'Empire perse fut le plus puissant du monde. Dirigé depuis la Perse (actuel Iran), il s'étendait de l'Égypte à l'Inde, et possédait d'importantes ressources : eau, terres fertiles, or. Les Perses vénéraient le dieu du Feu Zoroastre.

▼ PALAIS ROYAL
En 520 av. J.-C., le roi Darios fit ériger un magnifique palais à Persépolis, en Perse. Il demanda à tous les dirigeants de l'Empire de lui apporter des tributs (cadeaux imposés).

BRACELET EN OR ►
La Perse était riche en or. Ce bracelet a été découvert sur une rive de l'Oxus, dans l'actuel Afghanistan.

Bas-relief représentant des ambassadeurs de Médie (nord de l'Iran) apportant des tributs

Perses

Comment l'Empire perse était-il gouverné ?

Les souverains perses revendiquaient le titre de «roi des rois», exigeant l'obéissance totale de leurs sujets. Sous le roi Darios, l'Empire fut partagé en vingt provinces pour éviter la domination d'une seule région. Chaque province était dirigée par un gouverneur appelé **SATRAPE**.

Griffon, monstre de la mythologie perse

Qu'était la route royale ?

C'était la plus longue route de l'Empire perse. Elle couvrait plus de 2 500 km – de Sardes, en Asie Mineure, jusqu'à la capitale de l'Empire, Suse, près du golfe Persique. Un immense réseau routier reliait les provinces de l'Empire. Des messagers distribuaient à dos de cheval les ordres royaux ou nouvelles urgentes. Les marchands transportaient les denrées à dos de chameaux.

> *DARIOS Ier*
> *r. 522-486 av. J.-C.*
> Darios Ier réorganisa le gouvernement perse, remporta de grandes victoires en Thrace, et envahit la Grèce. Mais son armée fut vaincue par les soldats grecs à la célèbre bataille de Marathon, en 490 av. J.-C. Elle marqua le début d'une longue série de guerres (guerres médiques) avec les Grecs qui mena à la chute de l'Empire perse.

LES SATRAPES

Les satrapes étaient des gouverneurs locaux, nommés par le roi pour diriger les provinces. Leur travail consistait à faire respecter la loi et l'ordre, à collecter impôts et tributs. Ils travaillaient avec les commandants de l'armée perse pour défendre les frontières contre les attaques ennemies.

Les satrapes étaient-ils fiables ?

Les rois perses ne faisaient pas confiance aux satrapes. Ils employaient des espions, les «oreilles du roi», pour s'assurer que les satrapes ne volaient pas l'argent des impôts ni les tributs. Mais certains satrapes, devenus puissants, complotèrent contre les rois. Ils s'unirent aux ennemis de l'Empire, comme Alexandre le Grand – le chef grec qui conquit l'Empire perse en 331 av. J.-C.

LA GRÈCE ANTIQUE

La Grèce fut le berceau d'une riche civilisation qui atteignit son apogée entre 500 et 300 av. J.-C. La population vivait de l'agriculture, de la pêche, de l'artisanat et du commerce. Elle créa 300 **CITÉS-ÉTATS** et fonda des colonies. En 146 av. J.-C., la Grèce fut conquise par les Romains.

Que savons-nous des rois mycéniens ?

Les rois mycéniens étaient puissants de 1600 à 1200 av. J.-C. Ces chefs guerriers, qui vivaient dans des cités-forteresses, dominaient de petits royaumes. Leur nom vient du plus riche d'entre eux – Mycènes, au sud de la Grèce. Ils employaient des artistes et artisans qui fabriquaient de superbes poteries et bijoux en or. Ils possédaient des flottes de navires marchands qui commerçaient avec de nombreux ports.

@ ▸▸ Grèce antique

▲ LA PORTE DES LIONNES, MYCÈNES
Cette porte datant de 1550-1110 av. J.-C. faisait partie d'une enceinte qui entourait la cité antique de Mycènes. Celle-ci était le centre du royaume le plus riche et le plus important de l'époque.

Décoration en or figurant une chasse au lion

▲ LAME DE POIGNARD EN BRONZE
Cette lame, fabriquée vers 1500 av. J.-C., fut trouvée dans une tombe à Mycènes. Les rois mycéniens étaient souvent ensevelis avec leurs armes et leurs plus beaux bijoux.

Chasseurs armés de lances et de boucliers

Les colonnes hautes de 11 m sont en marbre de Paros

Échafaudage mis en place pour faciliter la restauration

Quelles divinités les Grecs vénéraient-ils ?

Les Grecs anciens vénéraient de nombreux dieux et déesses. Selon eux, ils possédaient des pouvoirs magiques et ressemblaient aux hommes, bien que plus grands et plus beaux. Chaque divinité régissait un aspect différent de la vie. Le dieu suprême Zeus dominait tous les autres dieux. Son frère Poséidon régnait sur la mer, et son autre frère, Hadès, sur le monde des morts.

◄ SACRIFICE AUX DIEUX
Cette sculpture en marbre fait partie d'une frise qui ornait le temple du Parthénon à Athènes. Elle représente des Athéniens tirant un taureau qui sera sacrifié pour la déesse Athéna. Les Grecs offraient aux divinités de la nourriture, des boissons et des fleurs, espérant leur aide en retour.

Taureau emmené vers un temple pour être sacrifié

Quels étaient les sujets du théâtre grec ?

Les tragédies et comédies grecques relataient les récits des divinités ou tournaient en dérision des citoyens comme les politiciens. Seuls les hommes assistaient aux représentations, qu'ils jugeaient perturbantes pour les femmes. Les pièces de Sophocle, Eschyle et Euripide sont toujours jouées.

AMPHITHÉÂTRE ►
Ce théâtre en hémicycle fut construit à Épidaure, vers 350 av. J.-C. Les acteurs grecs (tous masculins) portaient les masques de leurs personnages et récitaient leur texte en musique. Un chœur de jeunes acteurs chantait, dansait et commentait l'intrigue.

Orchestre (terrain plat) pour le chœur

Scène

Sièges p[our] 14 000 person[nes]

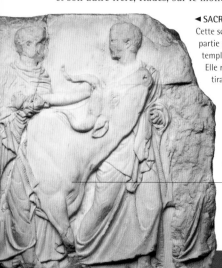
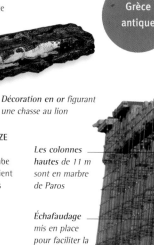

▼ LE PARTHÉNON

Les temples, demeures des dieux, étaient aussi des symboles de prestige pour les cités. Le Parthénon, à Athènes, fut érigé v. 480 av. J.-C., après la victoire sur les Perses lors des guerres médiques. L'un des monuments les plus célèbres du monde, il fut bâti avec 22 000 t de marbre. C'est Périclès qui le fit construire. Dédié à Athéna, il abritait une statue de la déesse de 12 m de hauteur, avec une armure en or.

La frise représente la naissance d'Athéna et son combat avec Poséidon à propos de la région de l'Attique.

ALEXANDRE LE GRAND
356-323 av. J.-C.
Alexandre dirigeait la Macédoine, au nord de la Grèce. Jeune homme, il conquit de nombreux pays et certaines cités-États grecques. À sa mort, son vaste empire s'étendait de l'Égypte au Pakistan.

Pourquoi le sport était-il si prisé ?

Le sport était un bon entraînement pour la guerre, mais les cités-États organisaient aussi des compétitions sportives pendant les fêtes religieuses. Les plus célèbres, les jeux Olympiques, avaient lieu tous les quatre ans en l'honneur de Zeus. Les athlètes venaient de toute la Grèce. La victoire était source de gloire pour les gagnants, de prestige pour leurs familles et leurs villes.

LE DISCOBOLE ▶
Cette statue de Miron (450 av. J.-C.) figure un lanceur de disque. Le lancer fut l'un des plus anciens sports olympiques. Les artistes prenaient souvent des athlètes comme modèles.

LES CITÉS-ÉTATS

Une cité-État se composait d'une ville et des terres environnantes. Chacune avait son gouvernement, ses lois, son mode de vie. Les cités-États se battaient souvent entre elles, avec des troupes de **HOPLITES** et des navires de guerre.

Comment fonctionnait la démocratie à Athènes ?

À Athènes, tous les citoyens hommes adultes pouvaient assister aux débats de l'Assemblée, qui se réunissait presque chaque jour. Ils élisaient et renvoyaient les dirigeants, votaient les lois. Les femmes, les esclaves et les étrangers n'avaient pas le droit de vote. Trois des plus célèbres philosophes du monde – Socrate, Platon et Aristote – vivaient et enseignaient à Athènes.

◀ PIÈCE ATHÉNIENNE
La chouette symbolise Athéna, déesse de la Sagesse et protectrice d'Athènes. Les pièces grecques anciennes représentaient aussi des produits ou dieux locaux.

Les olives et l'huile d'olive étaient des produits d'exportation précieux pour la Grèce.

LES HOPLITES

Les hoplites étaient des fantassins expérimentés qui défendaient leur cité-État avec des épées et des lances. Leur nom vient du grec *hoplon*, bouclier rond avec lequel ils se protégeaient. Ils portaient aussi un casque, une armure et des jambières appelées cnémides.

Comment les Grecs anciens se battaient-ils ?

En une formation appelée phalange, les soldats se tenaient côte à côte en rangs, leurs boucliers se chevauchant pour former une barrière défensive lorsqu'ils avançaient vers l'ennemi. Les commandants, montés sur des chariots tirés par des chevaux, surveillaient le champ de bataille. Les cités-États employaient des experts étrangers, comme les archers scythes, et utilisaient des navires appelés trirèmes.

HOPLITES COMBATTANT CORPS À CORPS ▶
Ces hoplites rehaussent un vase en céramique fabriqué à Athènes vers 530 av. J.-C. Seuls les hommes des familles aisées pouvaient être hoplites. Les pauvres ne pouvaient se payer ni les armes ni l'armure.

Soldat mort sur le champ de bataille

POUR EN SAVOIR PLUS ▶▶ L'Europe du Sud-Est 256-257 • La Rome antique 382-383

LE PREMIER EMPIRE CHINOIS

La Chine rassemblait des royaumes gouvernés par des dynasties (puissantes familles) rivales jusqu'en 221 av. J.-C., lorsqu'un souverain soumit les autres et devint le premier empereur. Le nom «Chine» vient de son titre, Qin Shi Huangdi, signifiant «premier empereur de Qin».

Premier Empire chinois

Comment la Chine fut-elle unifiée?

Qin Shi Huangdi battit ses ennemis et unifia la Chine à l'aide d'armées de soldats comme les **GUERRIERS DE TERRE CUITE** qui gardent sa tombe. Le gouvernement fut centralisé par des lois imposant un système unique d'écriture, de poids et de mesures.

Comment les Chinois se nourrissaient-ils?

Dans le Nord, les agriculteurs cultivaient le millet et le blé sur des terrasses bâties à flanc de collines. Dans le sud du pays, ils creusèrent des fossés d'irrigation et inventèrent des machines pour acheminer l'eau des rivières. Vers l'an 2, la Chine comptait 57 millions d'habitants.

Les fragments de jade étaient réunis par des filets d'or.

Plus de 2 000 fragments de jade, une pierre semi-précieuse

▲ **POIDS STANDARD**
Des poids comme celui-ci étaient utilisés par les nombreux fonctionnaires de la dynastie Han, qui gouverna la Chine après la dynastie Qin.

▲ **SAMPAN**
Cette reproduction en terre d'un sampan (bateau fluvial) provient d'un tombeau chinois ancien. Pendant des siècles, des bateaux comme celui-ci naviguèrent le long des deux principaux fleuves de Chine, le Huang He et le Yangzi Jiang.

Quel était le secret le mieux gardé des Chinois?

Vers 2500 av. J.-C., les agriculteurs chinois apprirent à élever le ver à soie et à dévider le fil de ses cocons. Les femmes tissaient les fils sous forme d'étoffes chatoyantes qu'elles teignaient de couleurs vives. Pour préserver la valeur de la soie, le gouvernement essaya de garder secret le procédé de fabrication.

◀ **COSTUME FUNÉRAIRE**
Une princesse de la dynastie Han fut ensevelie dans ce costume, qui exigea dix ans de fabrication. Le jade était censé posséder des pouvoirs magiques qui préservaient les corps après la mort.

▲ **BANNIÈRE FUNÉRAIRE**
Cette bannière en soie provient du tombeau des Han. Elle représentait le voyage au paradis d'une femme décédée vers 160 av. J.-C.

LES GUERRIERS DE TERRE CUITE

À la mort de Qin Shi Huangdi, en 210 av. J.-C., son corps fut enterré avec plus de 7 000 guerriers de terre cuite, grandeur nature, ainsi que des chevaux et des chariots. Le tombeau fut construit en trente-six ans grâce à 700 000 esclaves-ouvriers.

Quelle était la fonction de ces guerriers?

Ils étaient supposés garder l'empereur dans l'au-delà. L'entrée du tombeau était défendue par des arbalètes, qui tiraient automatiquement en cas d'effraction. Les Chinois enterraient les gens importants avec de la nourriture et tuaient des serviteurs pour prendre soin d'eux.

Le jade fut découpé délicatement pour assembler les pièces.

▲ **UNE ARMÉE DE GUERRIERS EN TERRE CUITE**
Chaque soldat d'argile gardant le tombeau de Qin Shi Huangdi a un visage différent, imitant sans doute celui des membres de l'armée impériale. Ils font face à l'est en onze rangées s'étendant sur plus de 200 m.

L'INDE MAURYA

La dynastie Maurya gouverna l'Inde de 322 à 185 av. J.-C. Son principal roi fut Ashoka (269-232 av. J.-C.). Après un début de règne belliqueux, il se convertit au bouddhisme et devint pacifique.

Stupa

Porte nord, rehaussée d'esprits protecteurs et de scènes des légendes bouddhiques.

Comment étaient les cités de l'Inde Maurya ?

Les cités Maurya étaient défendues par des remblais de terre abrupts et des murs en bois. Dans la capitale d'Ashoka, Pataliputra (actuelle Patna), ils s'étendaient sur 14 km. À l'intérieur, palais et temples côtoyaient réservoirs, entrepôts et ateliers.

Comment Askoka propagea-t-il le bouddhisme ?

Ashoka installa des piliers en pierre dans les lieux importants, gravés d'écritures bouddhiques et de ses engagements de souverain. Il s'efforça de faire la paix entre les peuples de son empire, mais après sa mort, celui-ci fut divisé en petits États, jusqu'à la création d'un nouvel empire par les Gupta.

LE PILIER AUX LIONS ▶
Ces lions couronnent le sommet du premier pilier sculpté dressé par Ashoka, à Sarnath, dans le nord de l'Inde. Sous chaque lion, une roue symbolise les enseignements bouddhiques.

@ ▸▸
Inde Maurya

LE GRAND STUPA DE SANCI ▲
Ashoka encouragea ses sujets à édifier des stupas (monuments en forme de dômes), symboles du bouddhisme, comme celui-ci, dans le centre de l'Inde.

POUR EN SAVOIR PLUS ▸▸ Le bouddhisme 289 • L'Inde moghole 407

L'INDE GUPTA

La dynastie Gupta fut fondée par le roi hindou Candragupta Ier en 320. De leur territoire, dans le nord-est de l'Inde, les rois Gupta dominèrent un vaste empire, qui dura plus de deux cents ans.

Coiffure portant un crâne, signe de mort

Trident, symbole du pouvoir destructeur de Shiva

Nandi, taureau blanc, symbole de fertilité

Pourquoi l'ère Gupta est-elle considérée comme un âge d'or ?

Art, architecture, sciences, musique, littérature et danse prospérèrent dans l'Inde du Nord sous les bienveillants et tolérants souverains Gupta. Les mathématiciens élaborèrent le système numérique en vigueur aujourd'hui dans le monde entier, inventant le concept du zéro.

Qu'est-ce que le « Mahabharata » ?

Le *Mahabharata*, ou « Grande Épopée de l'Inde », est le plus long poème du monde. Il relate les aventures de cinq princes hindous qui perdirent leur royaume et se battirent pour le récupérer. Écrit en sanskrit, c'est l'une des œuvres fondamentales de la littérature hindoue.

◀ STATUE DE SHIVA
De superbes sculptures, comme cette statue du dieu hindou Shiva, furent réalisées à l'âge d'or de la dynastie Gupta.

@ ▸▸
Inde Gupta

▲ SINGE RUPESTRE
Dans les grottes d'Ajanta, les artistes Gupta décorèrent de plantes et d'animaux indiens les murs de temples bouddhiques.

POUR EN SAVOIR PLUS ▸▸ L'hindouisme 286 • L'Inde moghole 407

LES PREMIERS AMÉRICAINS

Durant le dernier âge glaciaire, des tribus franchirent le «pont terrestre» qui reliait la Sibérie à l'Alaska (actuel détroit de Béring). Elles se dispersèrent à travers le continent américain. Vers 8000 av. J.-C., toutes les régions d'Amérique étaient habitées.

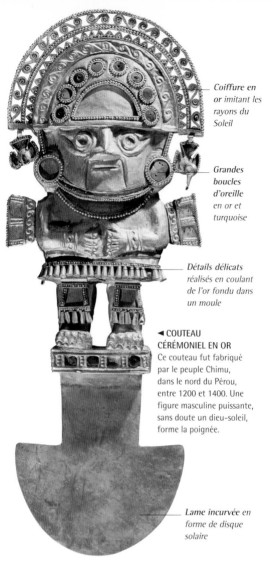

Coiffure en or imitant les rayons du Soleil

Grandes boucles d'oreille en or et turquoise

Détails délicats réalisés en coulant de l'or fondu dans un moule

◀ **COUTEAU CÉRÉMONIEL EN OR**
Ce couteau fut fabriqué par le peuple Chimu, dans le nord du Pérou, entre 1200 et 1400. Une figure masculine puissante, sans doute un dieu-soleil, forme la poignée.

Lame incurvée en forme de disque solaire

Comment vivaient-ils ?

Les premiers Américains poursuivirent leurs activités de chasseurs, cueilleurs, pêcheurs dans les forêts tropicales et celles, plus froides, au nord. Certains devinrent agriculteurs. Dans les Andes, en Amérique du Sud, ils cultivaient des pommes de terre et élevaient des lamas. Dans les vallées fertiles, les BÂTISSEURS DE TUMULUS faisaient pousser le maïs, les haricots et les courges. Dans les régions sèches, le peuple PUEBLOS exploitait des champs irrigués.

◀ **TÊTE DE CERF CALUSA**
Cette tête sculptée en bois fut réalisée par les Indiens Calusa, qui peuplaient le sud-ouest de la Floride dès 1450 av. J.-C.

Comment les tribus honoraient-elles leurs dieux ?

Les rituels des tribus visaient à persuader les dieux, ou esprits, de continuer à leur apporter le soleil et la pluie. Elles honoraient les dieux dont dépendait leur vie avec des dons de sang et de nourriture, ainsi qu'avec des sacrifices d'animaux et de jeunes gens.

◀ **OFFRANDE FUNÉRAIRE**
Ce bol en argile fut fabriqué vers 1000 dans la vallée des Mimbres, en Arizona. Les trous sont supposés chasser les esprits.

Quels métaux les tribus travaillaient-elles ?

Vers 1500 av. J.-C., les artisans d'Amérique du Sud travaillaient des pépites d'or, d'argent et de cuivre en les martelant, en les étirant sous forme de fils, en les faisant fondre et en les coulant dans des moules. Ils fabriquaient des bijoux, des objets rituels, des effigies de dieux.

LES PUEBLOS

À partir de 800, dans certaines régions du sud-ouest de l'Amérique du Nord, les villages, appelés *pueblos*, consistaient en des superpositions de pièces. Les populations prirent à leur tour le nom de Pueblos.

◀ **UN HABITAT TROGLODYTIQUE**
Le *pueblo* de Mesa Verde dans le Colorado, fut bâti dans une falaise. Les *pueblos* étaient construits en adobe (briques d'argile séchées au soleil) et en pierre. Ils furent abandonnés vers 1400, sans doute suite à la sécheresse.

Combien de personnes vivaient dans un «pueblo»

Certains *pueblos*, comme Pueblo Bonito, au Nouveau-Mexique, comptaient 650 pièces, et plus de 30 chambres cérémonielles *(kivas)*. Chaque pièce abritant une famille entière, la population d'un *pueblo* s'élevait à plus de 3 000 personnes.

DES BÂTISSEURS DE TUMULUS

Entre 700 av. J.-C. et 550 apr. J.-C., les cultures d'Adena et de Hopewell, dans l'Ohio, érigèrent de gigantesques tumulus. Parfois lieux de rencontre pour les négociants, ils abritaient souvent des tombes ou des monuments sacrés.

@ ▶▶
Premiers Américains

Le roi et les servantes furent enterrés en profondeur.

Un palais royal et un temple couronnaient le tumulus.

Où leurs premières cités se trouvaient-elles ?

Vers 800, les bâtisseurs de tumulus, près du Mississippi, commencèrent à construire des cités. La plus grande fut Cahokia, près de Saint Louis. Couvrant près de 16 km², elle comptait plus de 120 tumulus. Plus de 10 000 personnes y vivaient en l'an 1200.

LE TUMULUS DE CAHOKIA ▶
Un roi fut enterré sous le tumulus de Cahokia, avec 300 jeunes femmes tuées pour le servir dans l'au-delà.

POUR EN SAVOIR PLUS ▶▶ Les Indiens d'Amérique 408 • Les guerres indiennes 417

LES MAYAS

Peuple d'Amérique centrale, les Mayas furent puissants de 250 à 900. Agriculteurs et négociants, ils bâtirent des cités impressionnantes et élaborèrent un système d'écriture à base de pictogrammes appelés **GLYPHES**.

Qui gouvernait les royaumes mayas ?

Les Mayas étaient partagés en royaumes, possédant chacun une cité et un gouverneur jouant le rôle de chef militaire, religieux et législateur. La civilisation maya déclina à partir de 900, sans doute à la suite de l'épuisement des terres, dû aux pratiques agricoles.

LE DIEU DE LA PLUIE ►
Cette effigie représente Chac, le dieu maya de la Pluie, sans qui rien ne pourrait pousser. Selon le mythe, Chac découvrit le premier plant de maïs en cassant un énorme rocher.

Pourquoi les Mayas érigeaient-ils des pyramides ?

Servant de temples et de tombes royales, les pyramides étaient les monuments les plus imposants des cités mayas. Dans les sanctuaires, au sommet, avaient lieu les sacrifices aux dieux, et les chambres funéraires étaient enterrées en profondeur. Bâties en pierre, les pyramides étaient recouvertes de plâtre peint en rouge, qui a disparu.

Marches abruptes menant au sanctuaire, au sommet de la pyramide

Escalier (un sur chacun des quatre côtés)

@ ►► **Mayas**

Dans la main gauche, Chac porte un bol cérémoniel ; dans la droite, une boule d'encens.

◄ PYRAMIDE DE KUKULCÁN
Ce temple fut édifié dans la cité de Chichén Itzá entre 900 et 1200. Ses 365 marches symbolisent l'année solaire. Les Mayas étaient des astronomes et des mathématiciens ingénieux.

LES GLYPHES MAYAS

Les glyphes mayas étaient peints sur les murs et les pots, gravés dans des morceaux de jade et des monuments de pierre. Ils étaient aussi transcrits dans des manuscrits appelés *codex* – longues bandes de papier en fibre végétale pliées en accordéon. Cette écriture pictographique fort élaborée était contrôlée par des scribes de très haut rang.

Quand fut résolue l'énigme des glyphes ?

L'étude des glyphes mayas commença il y a deux cents ans. Vers 1950, les savants étaient parvenus à déchiffrer les noms des dirigeants et des animaux. En 1960, il apparut que les inscriptions pictographiques mayas retraçaient des événements importants tels que naissances, mariages et morts, victoires des rois mayas, assimilés à des dieux.

Les glyphes représentaient des noms, des objets, des idées.

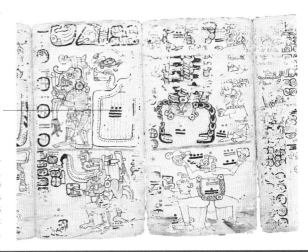

UN CALENDRIER PRÉVISIONNEL ►
Quatre codex mayas ont survécu. Celui-ci, compilé entre 1300 et 1400, contient des informations qui permettaient aux prêtres de prédire des événements heureux et malheureux.

POUR EN SAVOIR PLUS ►► Les Incas 402 • Les Aztèques 403 • Les conquistadores 405

LA ROME ANTIQUE

À l'origine, vers 1000 av. J.-C., Rome était une communauté d'agriculteurs et de bergers, au centre de l'Italie. Au fil du millénaire, elle devint une puissante cité-État, puis la capitale d'un empire qui s'étendait de l'île de Bretagne (Grande-Bretagne actuelle), au nord, à l'Arabie, au sud-est.

Comment Rome s'est-elle développée ?

Peu à peu, la République romaine soumit ses voisins, et vers 260 av. J.-C., domina toute l'Italie. Ensuite, les Romains battirent les Carthaginois, prenant le contrôle de la Méditerranée vers 100 av. J.-C. Des hommes politiques, les **SÉNATEURS**, gouvernaient la république en expansion.

COMBAT FATAL ▶
Sur cette mosaïque romaine datant de 300, un gladiateur affronte un léopard. Les gladiateurs étaient souvent des esclaves ou des criminels entraînés dans des écoles spécialisées.

Quelle était la religion de la Rome antique ?

Jupiter, Minerve, Vesta et Mars figuraient parmi les principales divinités de la Rome antique. À certaines dates, ils recevaient des animaux sacrifiés dans les temples. Ainsi, avant de partir en guerre, un sacrifice public avait lieu en l'honneur de Mars, dieu de la Guerre. L'Empire tolérait une large diversité de religions non romaines, dans la mesure où elles respectaient les dieux romains officiels et les **EMPEREURS**.

LE COLISÉE ▼
Inauguré par l'empereur Titus en l'an 80, le Colisée était le plus grand amphithéâtre de Rome. Pour les jeux cruels qui s'y déroulaient, on faisait venir des gladiateurs et des animaux de toutes les régions de l'Empire.

Comment les soldats étaient-ils recrutés ?

Au départ, tous les citoyens devaient se préparer à la guerre, puis les soldats de l'armée impériale furent des professionnels entraînés et rémunérés, qui s'engageaient pour vingt à vingt-cinq ans de service. Le fantassin ordinaire était équipé d'une petite épée, de deux javelots et d'un lourd bouclier de cuir et de bois. Lorsqu'il n'était pas en guerre, il construisait des forts et des routes.

▲ FEMMES ROMAINES
Sur cette fresque de Pompéi, des femmes nobles se font coiffer par des esclaves. Si les femmes romaines devaient assumer la maternité comme principale fonction, les veuves aisées jouissaient de certaines libertés.

LES SÉNATEURS

La République romaine était gouvernée par le Sénat, conseil de nobles qui détenaient les postes clés de l'administration et de l'armée et qui se réunissaient à la curie. Après 27 av. J.-C., lorsque l'Empire romain succéda à la République romaine, le Sénat continua à jouer un rôle politique.

@ ▶▶
Rome antique

Pourquoi Jules César fut-il assassiné ?

En 44 av. J.-C., cinq ans après qu'il fut devenu chef absolu de Rome, Jules César fut poignardé à mort au Sénat par des sénateurs qui le trouvaient trop puissant, lui reprochaient de se comporter en roi et d'avoir nommé parmi les sénateurs des centaines de ses partisans. Le Sénat comptait désormais 900 membres, au lieu de 300 à 600 auparavant.

◀ PIÈCE DE BRONZE FIGURANT JULES CÉSAR
Sur cette pièce, le profil de Jules César atteste de son tempérament hautain, que n'appréciaient guère les sénateurs. César fit frapper des pièces à son effigie de son vivant.

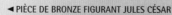
POUR EN SAVOIR PLUS ▶▶ Les grandes invasions 384 • L'Empire byzantin 385

LES EMPEREURS

Après la mort de Jules César, Rome fut divisée par les guerres civiles. Vers 27 av. J.-C., son fils adoptif Octavien se rendit maître de l'État romain. Sous le titre d'Auguste, signifiant «vénéré» en latin, il devint le premier empereur romain. Son règne apporta paix et prospérité dans un monde déchiré par la guerre.

Pourquoi les Romains recevaient-ils «du pain et des jeux»?

La plus grande ville du monde, Rome, comptait vers les années 300 un million d'habitants, dont beaucoup étaient mal nourris et sans emploi. Pour éviter les émeutes, ils reçurent «du pain et des jeux». Le pain était la ration régulière de céréales accordée aux citoyens romains. Les jeux étaient les loisirs gratuits, comme les courses de chars, financés par les politiciens et empereurs.

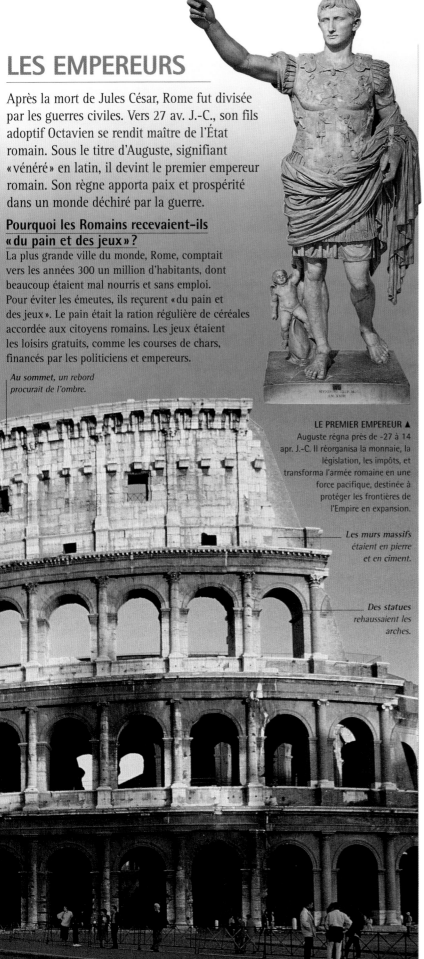

Au sommet, un rebord procurait de l'ombre.

LE PREMIER EMPEREUR ▲
Auguste régna près de -27 à 14 apr. J.-C. Il réorganisa la monnaie, la législation, les impôts, et transforma l'armée romaine en une force pacifique, destinée à protéger les frontières de l'Empire en expansion.

Les murs massifs étaient en pierre et en ciment.

Des statues rehaussaient les arches.

LES CELTES

Les tribus qui peuplaient l'Europe occidentale avant la conquête romaine étaient appelées Celtes. Elles se composaient de trois classes – druides, guerriers et agriculteurs – et vivaient dans des forteresses *(oppida)*, au sommet de collines.

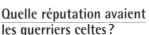

TORQUE EN OR ►
Les Celtes excellaient dans le travail des métaux. Armes et outils étaient en fer, mais ce torque (collier), trouvé en Angleterre, fut réalisé avec des fils d'or torsadés.

Quelle réputation avaient les guerriers celtes?

Les guerriers celtes aimaient les festins, les combats et les bijoux. Ils recouvraient leur visage d'une peinture bleue à base de guède et poussaient des hurlements en engageant le combat. Mais l'aspect terrifiant et les cris perçants d'une armée celte ne pouvaient rivaliser avec la discipline rigoureuse des légions romaines.

@ ►►
Celtes

Qui étaient les druides?

Après une longue formation, fondée sur la transmission orale des savoirs allant de la botanique à l'astronomie, les druides servaient la société celte comme prêtres et juges. Aux sources sacrées ou au pied des chênes, ils accomplissaient des rites religieux impliquant parfois des sacrifices humains. Les druides savaient lire et écrire.

▲ LE FORT CELTE DE DUN AENGUS (IRLANDE)
Les tribus celtes se battaient entre elles, ainsi que contre les envahisseurs. Pour se protéger avec leur bétail, elles érigèrent des forts sur des sites stratégiques comme le sommet des collines ou les falaises, en bordure de mer.

POUR EN SAVOIR PLUS ►► Le travail des métaux 367 • L'empire de Charlemagne 385

LES GRANDES INVASIONS

En 285, l'Empire romain se divisa entre une partie est et une partie ouest, dirigée chacune par un empereur. Malgré cette réorganisation, vers 400, l'empire d'Occident ne put résister aux vagues de tribus barbares provenant du nord-est de l'Europe. En 410, Rome fut assiégée et mise à sac.

@ ▶▶ **Grandes invasions**

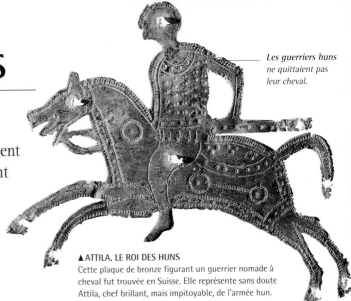

Les guerriers huns ne quittaient pas leur cheval.

▲ ATTILA, LE ROI DES HUNS
Cette plaque de bronze figurant un guerrier nomade à cheval fut trouvée en Suisse. Elle représente sans doute Attila, chef brillant, mais impitoyable, de l'armée hun.

Qu'appelle-t-on les Barbares ?

Les Romains appelaient Barbares les tribus germaniques qui ravageaient l'Empire. Peu à peu, elles s'établirent dans des régions auxquelles elles donnèrent leur nom : les Francs en France, les **ANGLES** et les **SAXONS** en Angleterre, les Lombards en Italie du Nord, etc.

Qui étaient les Huns ?

Les Huns étaient un peuple nomade originaire de l'actuel Turkestan. Montés sur des poneys, armés d'arcs et de flèches, les soldats huns firent des incursions dans l'Empire romain. Ils cherchaient à acquérir du butin et non de nouvelles terres.

ATTAQUES BARBARES	
235 ●	Invasions par les Wisigoths
410 ●	Prise de Rome par les tribus germaniques
435 ●	Conquête de l'Afrique du Nord par les Vandales
451 ●	Invasions par les Huns
455 ●	Destruction de Rome par les Vandales
476 ●	Déposition du dernier empereur d'Occident

ANGLES ET SAXONS

Angles et Saxons, dénommés plus tard Anglo-Saxons, peuplaient les côtes de la mer du Nord. Ils commencèrent à envahir l'île de Bretagne sous l'hégémonie romaine. Après 410, lorsque les Romains partirent, ils s'établirent en plus grand nombre, conquérant peu à peu l'est de l'île.

Qui était enterré dans des navires ?

Peuples marins païens, les Angles et les Saxons accordaient une place importante aux navires dans leur culture. Selon eux, ils transportaient l'esprit des défunts vers l'au-delà. Les riches étaient ensevelis dans des navires avec des biens et des trésors dont ils profiteraient après la mort. Les pauvres étaient parfois enterrés avec quelques planches de bateau.

Pourquoi Angles et Saxons s'installèrent-ils en Angleterre ?

Vers l'an 200, le climat se réchauffant et le niveau de la mer montant, les conditions de vie devinrent difficiles pour les Angles et les Saxons, sur les côtes de la mer du Nord. Ils étaient également menacés par des tribus germaniques venues de l'est. Certains des premiers Anglo-Saxons établis en Angleterre étaient peut-être des soldats engagés pour protéger les villages contre les envahisseurs.

Structure solide en fer, décorée d'or, d'argent et de grenats

Oiseau de proie – ses ailes déployées protègent les arcades sourcilières.

Des pièces latérales protègent les oreilles.

◄ CASQUE ROYAL
Ce casque a été découvert dans un navire enterré à Sutton Hoo, dans l'est de l'Angleterre. Il appartenait sans doute à Raedwald, puissant roi anglo-saxon, décédé vers 625. Sa sépulture renfermait aussi une épée, un bouclier, des pièces en or et des objets en argent.

L'EMPIRE BYZANTIN

En 324, l'empereur Constantin réunifia l'Empire romain. Rome étant devenue vulnérable aux attaques barbares, il déplaça la capitale vers l'est, à Byzance, qu'il rebaptisa CONSTANTINOPLE.

▲ PAPE ET PATRIARCHE
En 1054, l'Église d'Occident, dirigée par le pape, se sépara de l'Église d'Orient, sous la loi du patriarche de Constantinople. L'Église orthodoxe d'Orient adopta le grec plutôt que le latin.

Qui gouvernait l'Empire byzantin ?

Depuis Constantinople (aujourd'hui Istanbul), Constantin dominait tout l'Empire romain, qui finit par se diviser de nouveau. En 476, l'Empire romain d'Occident s'effondra. Cependant, l'Empire d'Orient, ou Empire byzantin, perdura jusqu'en 1453, date de la chute de Constantinople.

CONSTANTINOPLE

En 330, Constantinople fut proclamée capitale de l'Empire romain. Les splendides édifices publics, comprenant un forum, étaient rehaussés des richesses de tout l'Empire.

Pourquoi Constantinople était-elle si prospère ?

Constantinople, port actif, était aussi le carrefour des routes commerciales reliant l'Europe, l'Asie et le Moyen-Orient. Les négociants vendaient sur ses marchés les soieries de Chine, les perles et parfums d'Arabie, les épices de l'Asie du Sud-Est, la laine et les fourrures d'Europe.

Empire byzantin

ART BYZANTIN ▲
Cette mosaïque figure le Christ lavant les pieds de ses disciples. Située dans le monastère d'Hosios Loukas, en Béotie (Grèce), elle date du début du XIe siècle. Le christianisme régissait la vie des Byzantins, l'objectif de l'art et de l'architecture étant de célébrer Dieu.

POUR EN SAVOIR PLUS ►► Le christianisme 288 • L'Empire ottoman 397

L'EMPIRE DE CHARLEMAGNE

Le jour de Noël 800, Charlemagne, roi des Francs, fut couronné par le pape empereur d'Occident. Il gouverna une grande partie de l'Europe occidentale, mais, quarante ans après sa mort, en 843, l'Empire d'Occident était désagrégé.

Pourquoi l'empire fut-il fondé ?

Brillant souverain, Charlemagne dominait un royaume s'étendant de la mer du Nord à l'Italie. En tant qu'empereur couronné par le pape, il devait gouverner l'Europe comme un empereur romain, tout en étant responsable de la sécurité et de la prospérité de l'Église et du pape.

L'empire de Charlemagne

Comment Charlemagne travaillait-il avec les lettrés ?

Charlemagne protégeait les lettrés, qu'il invitait à sa cour d'Aix-la-Chapelle. Parmi ses conseillers et amis figuraient Pierre de Pise, Agobard de Lyon et Alcuin de York. Sous Charlemagne, des manuscrits rares furent rassemblés, le texte de la Bible fut révisé, des grammaires et des livres d'histoire furent publiés.

Que devint le titre d'empereur ?

Vers 843, à la suite du traité de Verdun, l'empire de Charlemagne fut divisé en trois royaumes, chacun gouverné par un de ses petits-fils. Il n'y eut plus d'autre empereur jusqu'au couronnement d'Otton Ier en 962. Après 1438, presque tous les détenteurs du prestigieux titre impérial appartinrent à la dynastie des Habsbourg. En 1806, Napoléon abolit le titre.

VITRAIL ▲
Charlemagne et Constantin (à droite), sur un vitrail de la cathédrale de Chartres.

POUR EN SAVOIR PLUS ►► L'Europe médiévale 390-391 • Le premier Empire 416

LA CIVILISATION MUSULMANE

En 610, un marchand arabe nommé Mahomet fonda une nouvelle religion, l'islam. Ses enseignements influencèrent les peuples arabes. Vers 750, les musulmans (adeptes de l'islam) dominaient un territoire s'étendant de l'Afghanistan à l'ANDALOUSIE, au sud de l'Espagne. Le commerce, les sciences et la culture prospérèrent dans cet empire arabo-musulman.

@ ▶▶
Civilisation musulmane

Comment vivaient les populations en terres musulmanes ?

Les terres nouvellement conquises étaient unifiées par l'islam, par un système d'impôts, une monnaie et une législation uniques. Juifs et chrétiens payaient parfois davantage d'impôts, mais leur religion était tolérée dans la mesure où elle respectait le prophète Mahomet.

◀ LA TOUR QUTB-MINAR
Ce minaret, tour élancée servant à l'appel des fidèles à la prière, fut érigé en 1199 par une nouvelle dynastie pour célébrer sa victoire. Il fait partie de la mosquée Quwwat al-Islam («Puissance de l'islam») à Delhi, en Inde.

La tour atteint 73 m de hauteur.

Des inscriptions gravées dans la pierre célèbrent Dieu et la puissance de l'islam.

Comment l'islam s'est-il propagé si vite ?

L'islam unifia les négociants et tribus de la péninsule Arabique. Les armées arabes, menées par les CALIFES, propagèrent l'islam au Moyen-Orient et au-delà. Elles profitèrent de l'affaiblissement des Sassanides en Iran et des Byzantins en Europe orientale, dû aux conflits qui les opposaient. Les négociants musulmans répandirent aussi l'islam.

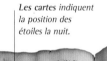
Les cartes indiquent la position des étoiles la nuit.

Les étoiles formant les constellations figurent en rouge.

▲ LIVRE SUR LES CONSTELLATIONS DES ÉTOILES FIXES
Ce guide des constellations fut compilé au Xᵉ siècle par un célèbre astronome arabe, Abd al-Rahman ibn Umar al-Sufi. Les noms arabes des étoiles sont toujours en usage aujourd'hui.

LES CALIFES

Après la mort de Mahomet en 632, les musulmans furent dirigés par des califes, qui imposèrent leur autorité politique et spirituelle, à mesure que l'islam se propageait. Pendant le règne du quatrième calife, de 656 à 661, l'islam se divisa entre sunnites et chiites. Suite à cette division, le monde islamique ne pouvait plus être gouverné par un seul calife.

Qui étaient les Omeyyades et les Abbassides ?

Les Omeyyades et les Abbassides étaient des dynasties de califes. À partir de 661, les Omeyyades dominèrent l'islam depuis Damas, en Syrie. En 750, une nouvelle dynastie, les Abbassides, prit le pouvoir, une branche des Omeyyades continuant à gouverner l'Espagne musulmane. Les Abbassides régnaient depuis Bagdad, qui devint un centre commercial prospère et la capitale artistique du monde musulman.

HARUN ET LE BARBIER ▶
Harun al-Rachid fut le plus célèbre calife abbasside. Sa cour, à Bagdad, inspira de nombreux récits, en particulier ceux des *Mille et Une Nuits*. Cette miniature illustre le conte dans lequel Harun remarque que son barbier travaille toujours au même endroit. Il fait creuser le sol et trouve des trésors.

Où les musulmans voyageaient-ils ?

Les musulmans – pèlerins, négociants, soldats, savants, officiels – effectuaient de longs voyages dans l'Empire islamique et au-delà. L'un des explorateurs les plus célèbres, Ibn Battuta, entreprit un pèlerinage à La Mecque en 1325. Il passa les vingt-cinq années qui suivirent à voyager, traversant le Sahara et gagnant la Chine avant de rejoindre le Maroc pour écrire son récit.

▲ BRAVER LES VENTS DE LA MOUSSON
Pour les explorations et le commerce, les marins arabes utilisaient des bateaux appelés *dhows*, manœuvrés par de petits équipages. Les voyages sur mer inspirèrent les aventures imaginaires de Sinbad le marin.

Pourquoi les textiles étaient-ils si importants ?

Les premiers musulmans, nomades, devaient pouvoir emballer et déplacer facilement tous leurs biens. La toile servait à fabriquer tentes, sacs, vêtements, coussins, literie et kilims (tapis). La tradition des textiles se poursuivit ensuite dans le monde musulman, donnant naissance à des termes comme damas (de Damas), mousseline (de Mossoul) et cachemire (de Cachemire).

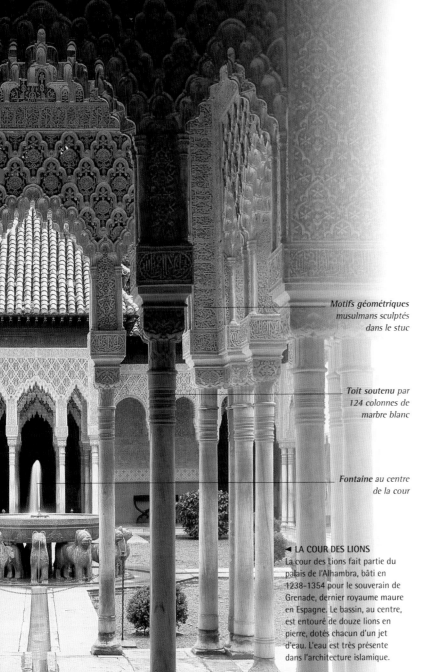

Motifs géométriques musulmans sculptés dans le stuc

Toit soutenu par 124 colonnes de marbre blanc

Fontaine au centre de la cour

◄ LA COUR DES LIONS
La cour des Lions fait partie du palais de l'Alhambra, bâti en 1238-1354 pour le souverain de Grenade, dernier royaume maure en Espagne. Le bassin, au centre, est entouré de douze lions en pierre, dotés chacun d'un jet d'eau. L'eau est très présente dans l'architecture islamique.

L'ANDALOUSIE

En 711, des armées musulmanes conquirent le sud de l'Espagne, qu'elles baptisèrent Al Andalous (Andalousie), et qui devint la région la plus riche d'Europe. Les musulmans, ou Maures, importèrent des cultures, telles que oranges, amandes, coton, et des technologies, comme la roue à eau. En 1492, le dernier royaume islamique survivant en Espagne, Grenade, dirigé par Boabdil, tomba aux mains des chrétiens.

Comment l'Andalousie reliait-elle l'Orient et l'Occident ?

Pendant le règne d'Abd al-Rahman, au Xe siècle, Cordoue devint la capitale de l'Andalousie. Ses prestigieuses bibliothèques attirèrent les savants, mettant en contact les érudits chrétiens d'Europe occidentale avec les scientifiques de l'Orient. Après 1031, un changement de dynastie mit un terme à l'âge d'or de Cordoue. En 1236, elle fut reconquise par les forces espagnoles chrétiennes.

LA GRANDE MOSQUÉE DE CORDOUE ►
Un *mihrab* est une niche dirigée vers La Mecque, centre de l'islam. Ce *mihrab* est situé dans la Grande Mosquée *(Mezquita)* de Cordoue, l'un des chefs-d'œuvre architecturaux légués par l'islam à l'Europe. Commencée en 785 par les dirigeants de la ville, elle fut achevée deux siècles après.

POUR EN SAVOIR PLUS ▶▶ L'islam 290 • Les croisades 389 • L'Afrique médiévale 394-395 • L'Empire ottoman 397

LES VIKINGS

À la fin du VIIIᵉ siècle, des Vikings venus de Norvège, du Danemark et de Suède firent des incursions en Europe. Ils parcouraient de longues distances dans leurs **DRAKKARS**. L'âge d'or de leur commerce, de leurs explorations et de leurs colonisations dura jusqu'en 1100.

La haute proue empêchait le drakkar de sombrer dans les vagues en cas de tempête.

Où les Vikings allaient-ils ?

Les Vikings s'établirent le long des côtes d'Angleterre, d'Irlande et d'Europe continentale. Ils traversèrent l'Atlantique, gagnant l'Islande, le Groenland et Terre-Neuve. Les négociants vikings atteignirent Constantinople par la Russie. Ils échangeaient l'ambre, les fourrures et l'huile de baleine contre le vin, les soieries, les épices et les pièces d'argent du Moyen-Orient.

Pourquoi les Vikings sont-ils réputés féroces ?

Les Vikings, qui n'étaient pas chrétiens, pillaient les monastères et les églises. Ainsi les premiers écrits sur les Vikings furent rédigés par des moines qui avaient été victimes de leurs attaques. C'est pourquoi ils sont davantage connus pour leurs atrocités que pour leurs exploits.

Comment les Vikings pratiquaient-ils leur culte ?

Les Vikings vénéraient leurs dieux en plein air, dans des sites tels que rochers, arbres insolites ou cascades. Parmi les principaux dieux figuraient Odin, dieu du Savoir et de la Guerre, Thor, dieu du Tonnerre, Freyja, déesse de la Fécondité. Après l'an 1000, les Vikings devinrent chrétiens.

▲ **AMULETTE EN ARGENT**
Cette tête d'homme barbu en argent, portant un casque viking, servait de porte-bonheur et était suspendue à une chaîne. Les Vikings appréciaient beaucoup l'argent. L'identité de l'homme est inconnue.

▼ **ARME VIKING**
Cette épée danoise possède une large lame en fer à double tranchant. Les guerriers vikings étaient fiers de leurs épées, qu'ils transmettaient aux générations suivantes, ou déposaient dans les tombes.

@ ▶▶
Vikings

LA TOUR RONDE D'ARDMORE ▲
Cette tour se dresse dans le cimetière d'Ardmore, en Irlande. Elle fut érigée vers 1100 par des moines, pour se protéger contre les Vikings. L'entrée, à 4,50 m du sol, était accessible par une échelle qui pouvait être rentrée à l'intérieur.

LES DRAKKARS

Les navires vikings étaient les meilleurs d'Europe. En dehors des drakkars pour les raids et la guerre, les Vikings possédaient des bateaux de pêche. Pour les longs voyages, ils construisaient des navires profonds et larges, appelés *knorrs*.

Comment les navires étaient-ils construits ?

Solides et faciles à manier, les navires vikings étaient fabriqués avec des planches de chêne ou de pin, clouées à une lourde quille, au centre. Le mât, fabriqué dans un grand tronc d'arbre, soutenait une grande voile carrée. Chaque membre de l'équipage avait une rame pour faire avancer le navire en l'absence de vent.

◀ **REPRODUCTION D'UN DRAKKAR VIKING**
La coque peu profonde du drakkar évitait qu'il ne chavire. Il servait notamment dans les eaux peu profondes, près des côtes et permettait de remonter les fleuves. Il devait sa robustesse aux planches qui se chevauchaient, entre lesquelles de la laine goudronnée assurait l'étanchéité.

PIERRE SCULPTÉE ▶
Des pierres comme celle-ci, figurant les actes de bravoure et les voyages épiques des guerriers vikings, étaient exposées par les familles.

POUR EN SAVOIR PLUS ▶▶ L'Empire byzantin 385 • Les grandes découvertes 400-401

LES NORMANDS

Les Normands étaient les descendants de Vikings qui s'établirent en Normandie en 912. Ils conquirent de vastes régions d'Europe, de l'Angleterre au sud de l'Italie. Les rois normands étaient de puissants dirigeants.

Que se passa-t-il en 1066 ?

En 1066, les Normands envahirent l'Angleterre sous la conduite du duc de Normandie, Guillaume le Conquérant, qui devint roi d'Angleterre. Il chassa les nobles anglais et donna leurs terres aux Normands. Les nobles normands dirigeaient l'administration, les prêtres normands, l'Église. Les Normands, qui parlaient français, bâtirent des châteaux, imposèrent de lourds impôts et des lois rigides.

LA CATHÉDRALE DE MONREALE ▶
Bâtie en Sicile en 1174-1189, cette cathédrale mêle divers styles : byzantin, arabe, normand, nord-africain. Les Normands édifièrent des châteaux et des cathédrales dans toutes les régions qu'ils conquirent.

Normands

◀ LA BATAILLE D'HASTINGS, 1066
La tapisserie de Bayeux retrace les exploits guerriers de Guillaume le Conquérant du point de vue normand. Dans cette scène, des fantassins anglais sont piétinés par les chevaux normands pendant la bataille d'Hastings.

Pourquoi la Sicile normande fut-elle florissante ?

En 1060-1091, la Sicile fut conquise par les Normands. Les nouveaux dirigeants tolérèrent la population musulmane de l'île, cette dernière prospéra comme centre international d'art et de culture après la conquête. Les rois normands de Sicile encouragèrent le travail des géographes et scientifiques arabes, ainsi que la traduction des textes classiques grecs en latin.

POUR EN SAVOIR PLUS ▶▶ La civilisation musulmane 386-387 • Les Vikings 388 • L'Europe médiévale 390-391

LES CROISADES

En 1095, le pape Urbain II appela à une guerre contre les souverains musulmans de Jérusalem. Ce fut la première croisade. Pendant les deux siècles qui suivirent, les armées chrétiennes d'Europe menèrent d'autres croisades, qui furent des échecs.

Croisades

Pourquoi la première croisade eut-elle lieu ?

Pendant des siècles, les pèlerins chrétiens visitèrent la Terre sainte, où Jésus avait vécu, et qui était gouvernée par les musulmans depuis 637. La première croisade eut lieu parce que, vers le XIᵉ siècle, les dirigeants de la région manifestèrent de l'hostilité envers les pèlerins chrétiens.

Que rapportèrent les croisés en Europe ?

Les croisés revinrent avec des abricots, des citrons, du riz, des teintures, des épices, des parfums, du savon et des miroirs. Ils rapportèrent aussi un instrument de musique, ancêtre de la guitare moderne.

▲ L'ATTAQUE DE CONSTANTINOPLE PAR LES CROISÉS
En 1204, des croisés d'Europe occidentale gagnèrent Constantinople en bateau. Après avoir pris et pillé la ville, ils la gouvernèrent pendant près de soixante ans. Cette quatrième croisade n'atteignit pas la Terre sainte.

SOLDAT EN PRIÈRE ▶
Ce croisé, figurant sur un manuscrit anglais d'environ 1200, fait une prière avant un combat.

POUR EN SAVOIR PLUS ▶▶ La civilisation musulmane 386-387 • L'Europe médiévale 390-391

L'EUROPE MÉDIÉVALE

Entre 1000 et 1500, une brillante société se développa
en Europe. Si la plupart des habitants travaillaient la terre,
ce fut aussi l'âge des **CHÂTEAUX FORTS**, des cathédrales et des
villes. Négociants et artisans des villes prirent progressivement
de l'importance.

*Au Moyen Âge, les reines
étaient les mères, les sœurs
et les filles des rois.*

*Les évêques étaient les
chefs religieux locaux.*

@ ▶▶
Europe
médiévale

▲ PIÈCES D'ÉCHECS MÉDIÉVALES
Ces pièces d'échecs, fabriquées en Scandinavie vers 1200, représentent
les principaux personnages de la société médiévale (de gauche à droite) :
reine, roi, évêque (chef religieux), chevalier (noble).

LES CHÂTEAUX FORTS

Un château fort est un grand édifice fortifié.
Les premiers châteaux, datant de 900, étaient
des forteresses en bois bâties au sommet de
collines. Plus tard, les châteaux en pierre
comprirent des tours, des douves et de solides
murs défensifs pourvus de créneaux. Ils devinrent
aussi de prestigieuses demeures.

Les châteaux servaient-ils seulement en temps de guerre ?

Les premiers châteaux furent construits pour abriter
nobles, **CHEVALIERS** et soldats pendant les guerres. Après
1200, des familles nobles vécurent dans les châteaux
en temps de paix. Des pièces confortables accueillaient
les hôtes importants.

Qu'est-ce qui menaça la sécurité des châteaux ?

À partir de 1300, le canon apparut dans les combats
en Europe. Les boulets de canon, tirés dans les murs
en pierre, rendaient les châteaux vulnérables. Leur
construction se poursuivit, mais comme symboles de
prestige, plutôt que comme forteresses à usage défensif.

▲ ROCHESTER (ANGLETERRE)
Le principal élément d'un château
était son donjon (tour centrale).
Celui-ci fut édifié vers 1130.
Ses murs en pierre, résistants au
feu, étaient difficiles à détruire.

Comment était gouvernée l'Europe médiévale ?

Les rois dirigeaient des armées de **CHEVALIERS** et de
fantassins. Ils votaient les lois, collectaient les impôts,
favorisaient le commerce. Les nobles géraient de vastes
domaines, qui leur étaient attribués à condition qu'ils
aident le roi à gouverner. Présente dans tous les aspects
de la vie quotidienne, l'Église dirigeait écoles, hôpitaux
et universités.

En quoi consistait la foi au Moyen Âge ?

Pour les Européens du Moyen Âge, Dieu avait créé le
monde, qu'il dirigeait par l'intermédiaire de l'Église et du
roi. Peu d'hommes, en dehors des prêtres et des moines,
savaient lire et écrire.
Ils découvraient les récits
de la Bible et des saints
grâce aux prédicateurs
et aux images saintes,
dans les églises sur
les sculptures des
chapiteaux ou sur
les vitraux.

LABOURS ET SEMENCES ▶
Cette peinture médiévale illustre une scène se déroulant en octobre,
à l'extérieur de Paris. Des paysans labourent la terre et sèment au
pied du château royal. L'épouvantail représente un archer.

ALIÉNOR D'AQUITAINE
1122-1204

Aliénor d'Aquitaine était la plus riche héritière de France. Elle épousa le roi de France Louis VII en 1137, qui la répudia, puis Henri Plantagenêt, futur roi d'Angleterre. À la fin de sa vie, elle était encore une femme puissante, gouvernant l'Angleterre en l'absence de son fils, le roi Richard Cœur de Lion.

Comment les villes se sont-elles développées?

Les villes se sont développées autour de marchés, où les produits fermiers étaient échangés contre des objets et les services d'artisans comme les cordonniers ou les tisserands. Négociants et artisans fixaient les prix et organisaient la formation des apprentis au sein de corporations.

Comment les paysans vivaient-ils?

Beaucoup de paysans travaillaient les terres de leur seigneur en échange des parcelles qu'ils recevaient. Certains, les serfs, n'étaient pas libres. Ils ne pouvaient ni voyager, ni se marier sans l'accord du seigneur. Les hommes étaient parfois charpentiers ou couvreurs. Les femmes fabriquaient de la toile ou de la bière.

Les tours des châteaux eurent une fonction défensive, puis décorative.

Cette victime de la peste est enveloppée dans un linceul. Une fois la personne contaminée, elle avait peu de chances de survivre.

▲ LA PESTE NOIRE
Ce vitrail représente la peste noire, qui tua plus d'un quart de la population européenne en 1347-1349. Elle se transmettait du rat à l'homme par les piqûres de puces et le contact avec les personnes contaminées.

LES CHEVALIERS

Guerriers à cheval, les chevaliers étaient issus de familles nobles. Dès l'enfance, ils s'entraînaient à manier les armes, porter une armure, diriger de lourds chevaux de guerre. Certains, propriétaires d'un château et de terres, maintenaient l'ordre parmi leurs sujets. D'autres servaient dans les armées de grands seigneurs. Chaque chevalier portait un blason, qui permettait de l'identifier au combat.

Le heaume en métal protège la tête.

Plastron en métal et cotte de mailles

La pointe de l'épée transperce l'armure de l'ennemi.

Comment les chevaliers se battaient-ils?

Les chevaliers chargeaient à dos de cheval, transperçant les ennemis avec leurs longues lances, ou leur assenant des coups d'épée, de massue et de hache. À pied, ils se battaient avec des poignards et de courtes épées.

Quelles étaient leurs valeurs?

Les chevaliers étaient liés à leur roi par un serment d'allégeance. Ils devaient aussi respecter les femmes, protéger les faibles, défendre l'Église, obligations qui constituaient le code de chevalerie.

Jambières en métal

Les pieds sont aussi protégés par l'armure.

Chevalier à genoux devant une femme noble

▲ CHEVALIER ITALIEN
Cette armure, qui date de 1380, assurait une bonne protection au chevalier à cheval. Mais elle tenait chaud et pesait lourd lorsqu'il était à pied.

BOUCLIER DE TOURNOI ▶
Ce bouclier décoratif fut fabriqué pour un tournoi. Ces combats courtois permettaient aux chevaliers d'exercer leur adresse. Leur vie et leurs amours étaient célébrées par les ménestrels et troubadours, chanteurs et poètes ambulants.

POUR EN SAVOIR PLUS ▶▶ Les croisades 389 • Les Normands 389 • La Renaissance 398 • La Réforme 399

LES MONGOLS

Les Mongols étaient des tribus nomades originaires des steppes d'Asie centrale.
En 1206, ils proclamèrent empereur Gengis Khan. Celui-ci conquit un empire qui,
en 1279, comprenait la Chine, presque toute la Russie, ainsi que l'Asie centrale,
l'Iran et l'Irak – le plus vaste empire qui ait jamais existé.

GENGIS KHAN
r. 1206-1227

Gengis Khan commença sa carrière sous le nom de Temüdjin, chef brillant et ambitieux d'une tribu mongole. Élu empereur par toutes les tribus mongoles, il reçut le titre de Gengis Khan. Après sa mort, en 1227, son empire fut partagé entre ses fils.

Quelle était la particularité de leurs armées ?

La puissance militaire mongole reposait sur la vitesse et la férocité des archers à cheval. De leurs chevaux au galop, ils décochaient des flèches qui transperçaient les armures des ennemis. Résistants, chevaux et archers pouvaient couvrir plus de 160 km par jour.

Quelles étaient les ambitions de Gengis Khan ?

Gengis Khan voulait vivre à la hauteur de son titre, signifiant «prince de tout ce qui s'étend entre les océans». Il désirait conquérir le monde, et il était fier que la traversée de son royaume exige près d'un an de voyage à cheval.

◀ **TAMERLAN EN INDE**
En 1398 un guerrier mongol nommé Tamerlan envahit l'Inde et saccagea Delhi.

@ ▶▶
Mongols

POUR EN SAVOIR PLUS ▶▶ La Chine impériale 393 • L'Inde moghole 407

LES SAMOURAÏS

Les samouraïs étaient des guerriers issus des familles nobles japonaises,
enrôlés dans les armées privées recrutées par les *daimyo* (seigneurs féodaux).
Ils servirent dans les guerres civiles qui dévastèrent le Japon à partir de 1159.
En 1603, les **SHOGUNS** Tokugawa restaurèrent la paix. Les samouraïs
devinrent des administrateurs locaux.

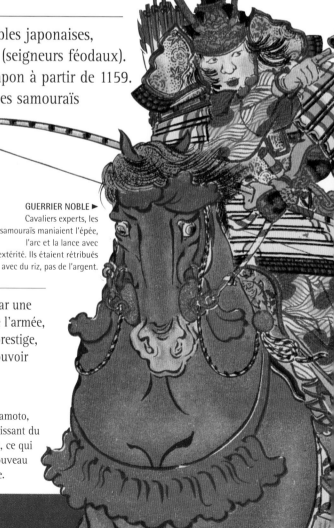

En quoi consistait le code du guerrier ?

Les samouraïs étaient liés à leur seigneur et à leurs camarades par un serment de fidélité. Ils devaient respecter le code du guerrier, dénommé *bushido*, exigeant discipline, adresse, bravoure, obéissance, sens de l'honneur et du sacrifice. De nombreux samouraïs suivaient aussi les enseignements du bouddhisme zen.

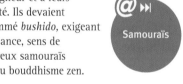
@ ▶▶
Samouraïs

GUERRIER NOBLE ▶
Cavaliers experts, les samouraïs maniaient l'épée, l'arc et la lance avec dextérité. Ils étaient rétribués avec du riz, pas de l'argent.

LES SHOGUNS

De 1192 à 1867, le Japon fut gouverné par une succession de puissants commandants de l'armée, les shoguns. Bien que dotés d'un grand prestige, les empereurs japonais avaient peu de pouvoir effectif.

▲ **PORTRAIT DE YORITOMO**
Minamoto Yoritomo prétendait descendre de la famille impériale japonaise. À sa mort, en 1199, il transmit le titre de shogun à ses fils, qui gouvernèrent jusqu'en 1219.

Qui fut le premier shogun ?

En 1192, le guerrier Yoritomo, chef du clan Minamoto, battit un clan rival et devint l'homme le plus puissant du Japon. L'empereur lui attribua le titre de shogun, ce qui signifie «grand général». Yoritomo établit un nouveau gouvernement militaire loin de la cour impériale.

POUR EN SAVOIR PLUS ▶▶ Le bouddhisme 289

LA CHINE IMPÉRIALE

Pendant plus de deux mille ans, de 221 av. J.-C. à 1912, la Chine fut gouvernée par des empereurs. La capitale et la dynastie impériale (famille dirigeante) changèrent à diverses reprises. Malgré des périodes de trouble et les incursions de tribus, comme les Mongols, le même système de gouvernement perdura.

Civilisation remarquable par sa stabilité, la Chine impériale s'imposa dans les domaines de l'art et de la technologie, avec des inventions comme le papier, la PORCELAINE et la poudre à canon.

▲ LA GRANDE MURAILLE DE CHINE
Des tronçons de murs défensifs avaient été édifiés depuis les temps les plus reculés. Ils furent réunis en une longue muraille de 6 000 km par le premier empereur chinois Shi Huangdi.

EMPEREURS CHINOIS	
221 AV. J.-C.	Dynastie Qin
206	Dynastie Han
221 APR. J.-C.	Période de troubles
581	Dynastie Sui
618	Dynastie Tang
907	Partage de la Chine entre cinq dynasties
960	Dynastie Song
1279	Dynastie Yuan (Mongols)
1368	Dynastie Ming (dernière dynastie chinoise)
1644 1912	Dynastie Qing (dynastie mandchoue de Mandchourie)

Pourquoi les concours étaient-ils importants ?

Le premier empereur Han créa un service public pour administrer la Chine. Le recrutement des fonctionnaires s'effectuait par concours. Ceux qui réussissaient les plus difficiles pouvaient prétendre aux fonctions de ministres, et épouser des princesses.

Comment Pékin est-elle devenue la capitale ?

Après avoir envahi la Chine en 1279, les empereurs mongols (Yuan) établirent leur capitale à Pékin, à l'intérieur de la Grande Muraille, dans ce qui était alors le nord de la Chine. En 1368, une nouvelle dynastie, les Ming, arriva au pouvoir. Elle conserva Pékin comme capitale, qu'elle rebâtit et agrandit.

Qui vivait dans la Cité interdite ?

La Cité interdite désigne le palais impérial de Pékin. Cerné d'un fossé et d'une muraille de briques, cet ensemble de palais, cours, jardins, bureaux et entrepôts fut érigé sous la dynastie Ming. La famille impériale y vivait avec les nobles, serviteurs et officiels.

@ ►► Chine impériale

Les palais étaient entourés de jardins.

Un officiel de la maison impériale vêtu d'une robe rouge

Échange de salutations entre officiels à l'extérieur de l'enceinte.

LA CITÉ INTERDITE ▲
Cette peinture sur soie d'époque Ming montre la Cité interdite. Le complexe, fermé, était interdit aux citoyens ordinaires, et les empereurs le quittaient rarement.

LA PORCELAINE

La porcelaine est une céramique translucide (semi-transparente), mélange d'argile blanche fine et de roche écrasée. Elle peut être travaillée à la main ou sur un tour de potier. Une fois cuite à des températures très élevées, elle devient étanche, et si dure qu'elle ne peut être rayée par l'acier.

Pourquoi la porcelaine était-elle si précieuse ?

La porcelaine fut d'abord fabriquée par les potiers chinois de la dynastie Tang. Ce produit de luxe était réservé aux nobles et aux empereurs. Pendant des siècles, seuls les Chinois eurent le secret de sa fabrication. Au XVIIe siècle, les marins hollandais importèrent les premiers objets en porcelaine de Chine en Europe, où elle devint très prisée.

Le dessin du dragon est peint au pinceau sur la surface lisse.

◄ BOL EN PORCELAINE
Ce bol raffiné, datant de la dynastie Ming, est orné de motifs bleus et blancs, devenus très populaires. Des millions d'objets en porcelaine étaient fabriqués pour l'exportation.

POUR EN SAVOIR PLUS ►► Le premier Empire chinois 378 • La révolution chinoise 429

L'AFRIQUE MÉDIÉVALE

De 750 à 1500, les terres situées au sud du Sahara, en Afrique, accueillirent des civilisations florissantes. Des rois musulmans gouvernaient des villes comme TOMBOUCTOU, et des chefs appelés «OBAS» dirigeaient les royaumes des forêts tropicales. Le peuple SWAHILI s'enrichit par le commerce.

Comment les négociants traversaient-ils le désert du Sahara ?

Les marchands d'Afrique du Nord traversaient le Sahara en caravanes comptant jusqu'à 10 000 chameaux chargés de marchandises. Au sud du Sahara, elles étaient transférées sur le dos d'ânes ou d'hommes qui les acheminaient plus au sud.

Quels produits africains étaient recherchés ?

L'or, l'ivoire, l'ébène et les esclaves des royaumes d'Afrique occidentale comme le Ghana, le Mali et Songhai, étaient vendus en Afrique du Nord et au Moyen-Orient. Ils étaient échangés contre le sel et le cuivre du Sahara. Plus tard, les Européens vinrent se procurer l'or, l'ébène et les esclaves.

◄ LE CHÂTEAU D'ELMINA, GHANA
Ce château fut érigé par les Portugais en 1382. Les négociants portugais, puis hollandais et anglais, l'utilisèrent pour le commerce des esclaves, de l'or et des objets d'importation européenne. Les Européens fondèrent de nombreux comptoirs en Afrique occidentale.

Couronne de têtes portugaises

Afrique médiévale

TOMBOUCTOU

Tombouctou, au centre du Mali, était l'une des plus importantes cités aux confins du Sahara. Après l'introduction de la religion musulmane dans la région par des lettrés, vers 900, elle devint un important centre culturel, avec des écoles, une université et un marché vendant des livres rares.

L'échafaudage en bois permet aux ouvriers de réparer les murs.

Comment Tombouctou prospéra-t-elle ?

Comme d'autres cités aux confins du Sahara, telles que Gao et Djenné, Tombouctou était un port, sur les rives du Niger. Des marchands du Sud envoyaient par le fleuve des cargaisons d'or, d'ivoire, de coton, de poisson séché, de graines de cola. Ces denrées étaient vendues à la population locale ou acheminées vers le Nord. Tombouctou se situait à l'extrémité de l'une des principales routes commerciales traversant le Sahara.

Pourquoi les pèlerins musulmans se rendaient-ils à Tombouctou ?

De nombreux pèlerins musulmans allaient à Tombouctou pour célébrer les 333 saints de la cité – des lettrés musulmans qui enseignaient leur foi aux populations locales. De superbes mosquées furent construites à Tombouctou.

◄ LA MOSQUÉE DJINGUEREBER
Cette mosquée, datant de 1327, est l'édifice le plus ancien de Tombouctou. Elle fut construite sur une structure en bois avec des briques de boue et du plâtre à base de boue et de paille.

POUR EN SAVOIR PLUS ▶▶

LE SWAHILI

Le swahili devint la principale langue parlée par les peuples des côtes et des îles d'Afrique orientale. De nombreux mots étaient empruntés à l'arabe – la langue des négociants qui traversaient l'océan Indien, reliant l'Inde et l'Arabie avec les ports d'Afrique orientale comme Mogadishu, Gedi et Kilwa.

Avec qui les Swahilis commerçaient-ils ?

Les Africains de l'Est vendaient des biens précieux aux marchands de l'océan Indien : cuir, encens, peaux de léopard, ivoire, fer, cuivre, or. À partir de 1071, ils envoyèrent des ambassadeurs négocier en Chine, et après 1418, ils accueillirent des navires marchands chinois dans les ports d'Afrique orientale.

ZANZIBAR ▼
C'est sur l'île de Zanzibar, au large de l'Afrique orientale, qu'est née la langue swahilie. L'île fut un centre d'échange important pour les esclaves, l'ivoire et le clou de girofle.

Collier ouvragé en métal

◄ MASQUE *OBA*
Ce masque d'*oba* date d'environ 1500. En cuivre, il est décoré d'une couronne de petites têtes, figurant les premiers Portugais arrivés sur le territoire yoruba, vers 1430. Ils paraissent faibles et peu importants, comparés à la taille impressionnante et à l'expression fière de l'*oba*.

LES « OBAS »

De 1250 à 1800, différents royaumes composaient ce qui correspond aujourd'hui au sud-ouest du Nigeria, en Afrique occidentale. Chacun était gouverné par un *oba*, chef religieux et politique. Ses sujets, les Yorubas, vivaient de l'agriculture. Ils bâtirent des cités-États entourées d'épais murs de terre ; leur capitale culturelle et spirituelle était Ife.

Où étaient fabriquées les statues des « obas » ?

Les populations du royaume du Bénin, au sud du Nigeria actuel, excellaient dans le travail des métaux, avec lesquels ils fabriquaient des portraits élaborés de leurs *obas*, ainsi que des plaques décoratives et des objets cérémoniels. En cuivre ou en bronze, ces ouvrages servaient au culte des ancêtres, ou ornaient les palais des dirigeants.

Que devinrent les royaumes des « obas » ?

Le pouvoir des *obas* et autres souverains africains fut affaibli par l'arrivée des Européens. Les négociants portugais, hollandais et anglais vantèrent l'importance des richesses africaines. Les explorateurs furent encouragés à se rendre en Afrique, et vers 1900, presque toute l'Afrique était entre les mains des puissances européennes.

Cette coiffure d'oba était probablement en perles.

▲ STATUE D'*OBA* DU BÉNIN
À la tête d'armées importantes, les *obas* supervisaient le commerce de l'ivoire, de l'huile de palme, du poivre et des esclaves.

L'Afrique 238-239 • La civilisation musulmane 386-387 • Les grandes découvertes 400-401 • Les empires coloniaux 422-423

LA POLYNÉSIE

La Polynésie groupe des îles dispersées dans l'océan Pacifique. Vers 2000 av. J.-C., des familles effectuèrent de périlleux voyages pour s'y établir, avec porcs, chiens et poulets. Elles bâtissaient des cabanes aux toits de chaume, se nourrissaient de bananes, de noix de coco, de fruits de l'arbre à pain, et de la pêche.

▲ LE TRIANGLE POLYNÉSIEN
Les îles de Polynésie couvrent une superficie de plus 2 millions de km², en forme de triangle, dont les sommets sont constitués par la Nouvelle-Zélande, Hawaii et l'île de Pâques. Plusieurs jours de navigation étaient nécessaires pour aller d'île en île. Les colons transportaient des outils et des plantes alimentaires pour survivre sur les îles où ils abordaient.

Polynésie

D'où venaient les Polynésiens ?

Les Polynésiens venaient de l'Asie du Sud-Est, où ils vivaient depuis au moins 30 000 ans. Ils s'établirent progressivement sur des îles du Pacifique. Vers 1200 av. J.-C., ils atteignirent les îles Tonga et Samoa, à l'ouest de la Polynésie. Vers 300 av. J.-C., ils s'aventurèrent plus loin dans l'océan.

Pourquoi les populations migraient-elles en Polynésie ?

Les îles de l'Asie du Sud-Est, d'où partaient les colons, étaient sans doute surpeuplées. Les terres agricoles étaient épuisées, les forêts défrichées, le sol érodé. Les populations des îles se battaient entre elles pour la nourriture et les terres. En outre, certains marins, aventureux, désiraient explorer de nouvelles terres.

Comment les colons naviguaient-ils ?

Les colons se déplaçaient dans des pirogues à double coque, pourvues de voiles en nattes. Ils observaient les étoiles, les nuages, le mouvement de la mer, les oiseaux migrateurs, la réflexion du soleil sous l'eau. Ils fabriquaient des cartes avec des bâtonnets, des cailloux et des coquillages. Ils atteignirent ainsi des îles éloignées comme Hawaii et la Nouvelle-Zélande, où ils se nommèrent **MAORIS**.

DE GIGANTESQUES STATUES DE PIERRE ▶
L'île de Pâques (appelée aussi Rapa Nui) constituait le point le plus à l'est accessible par les colons. Ils l'atteignirent en 500. Avec des outils rudimentaires en pierre et en bois, ils élevèrent de nombreux *moai* (statues de pierre), certains de 10 m de haut.

Les statues représentent des ancêtres ou des dieux.

LES MAORIS

Les colons atteignirent la Nouvelle-Zélande dans les années 800. Au départ, ils vivaient en petits groupes pacifiques, mais la population augmentant, ils devinrent belliqueux. Vers 1500, ils commencèrent à construire des forteresses en haut des collines, appelées *pa*. Ils décoraient les édifices de sculptures en bois, et tatouaient leur peau de motifs en spirales.

Comment les Maoris vivaient-ils ?

Le climat de la Nouvelle-Zélande étant plus froid et plus humide que celui de leurs îles d'origine, les colons durent s'adapter à leur nouvel environnement. Ils chassaient de grands oiseaux coureurs, appelés moas, dans les forêts. Ils tuaient des phoques et ramassaient des coquillages sur les côtes.

◀ *HEITIKI* EN FORME DE FIGURE HUMAINE
Ce *heitiki* (pendentif en jade), héritage sacré, symbolisait le *mana* (prestige) du clan. Il était aussi censé rapprocher les hommes des dieux.

POUR EN SAVOIR PLUS ▸▸ Les grandes découvertes 400-401 • La Nouvelle-Zélande 425

Royaumes d'Asie

LES ROYAUMES D'ASIE

Entre 700 et 1300, de puissants royaumes apparurent en Asie du Sud-Est, notamment ceux des Khmers, de Pagan et de Sukhothai. Ils prospérèrent avec la culture du riz, la vente des épices, le contrôle des routes maritimes. Leurs souverains firent élever des temples prestigieux.

▲ **TEMPLE BOUDDHIQUE**
Plus de 5000 temples comme celui-ci furent érigés en 1000-1200 dans le royaume Pagan, dans l'actuelle Birmanie.

Pourquoi les souverains asiatiques bâtissaient-ils des temples ?
Les souverains faisaient édifier des temples hindous et bouddhiques par des milliers d'ouvriers. Les édifices bouddhiques se multiplièrent avec la propagation du bouddhisme. Symboles du pouvoir et de la richesse des souverains, les temples leur conféraient aussi un prestige religieux.

Qui influença ces royaumes ?
Les moines bouddhistes et les religieux hindous de l'Inde se rendaient en Asie du Sud-Est. Ils conseillaient les souverains et accomplissaient des rituels religieux. Prières, offrandes et fêtes ponctuaient la vie des populations.

LE MONUMENT DE BOROBUDUR ▼
Cet imposant temple bouddhique fut édifié sur l'île de Java (en Indonésie) en 750-850.

Terrasses superposées, aménagées dans un tertre naturel

Stupa (tumulus funéraire bouddhique)

L'une des 500 statues du Bouddha

POUR EN SAVOIR PLUS ▶▶ L'hindouisme 286 • Le bouddhisme 289

L'EMPIRE OTTOMAN

Vers 1300, un empire musulman dirigé par des chefs turcs, appelés sultans, vit le jour. À son apogée, en 1700, il couvrait de vastes régions de l'Europe, de l'Afrique et de l'Asie. Il dura jusqu'à la fin de la Première Guerre mondiale, en 1918. L'actuelle république de Turquie fut fondée en 1923.

Empire ottoman

Qui était Soliman le Magnifique ?
Le principal sultan ottoman fut Soliman le Magnifique. Pendant son règne (1520-1566), l'Empire ottoman atteignit son apogée. Poète et protecteur des arts, il embellit Istanbul et d'autres cités ottomanes de prestigieuses mosquées.

Comment Constantinople devint-elle Istanbul ?
En 1453, après un siège durant lequel ses murs furent pillés par une batterie de canons, Constantinople fut prise par le sultan Mehmed II. Rebaptisée Istanbul, l'ancienne capitale de l'Empire byzantin devint alors la nouvelle capitale de l'Empire ottoman en expansion.

▲ **CÉRAMIQUES DE LA MOSQUÉE BLEUE, ISTANBUL**
Les superbes murs de céramiques de la mosquée du sultan Ahmet, érigée en 1609-1619, et surnommée la mosquée Bleue. En rehaussant Istanbul de magnifiques mosquées et édifices publics, les sultans voulaient surpasser les réalisations des empereurs byzantins.

D'où venaient les janissaires ?
Les janissaires étaient des soldats d'élite – jeunes chrétiens non turcs originaires des Balkans. Ils étaient formés à Istanbul, où ils recevaient une éducation musulmane.

LE SULTAN OSMAN Iᵉʳ ▲
Le premier sultan, Osman Iᵉʳ (1259-1326), était le fils d'un chef turc. Il menait une armée de *gazis* (guerriers se battant pour la foi musulmane).

POUR EN SAVOIR PLUS ▶▶ La civilisation musulmane 386-387 • Les croisades 389

LA RENAISSANCE

Les années 1350-1550 en Europe ont constitué l'une des périodes les plus créatives de l'histoire. Ce renouveau culturel, dénommé Renaissance, était inspiré par les civilisations de la Grèce et de la Rome antiques.

Où la Renaissance est-elle apparue ?

La Renaissance est née en Italie qui était alors partagée en États indépendants, dans lesquels des souverains prospères étaient les mécènes de grands artistes. La Renaissance s'est étendue au sud de la France et à l'Espagne, gagnant aussi le nord de l'Europe.

Quels points de vue dominaient ?

L'époque fut marquée par une soif de connaissances. Après avoir étudié les enseignements de l'Église, les lettrés redécouvraient les philosophes anciens. Les artistes étaient fascinés par le corps humain. Pour célébrer sa beauté, ils rompirent avec le dessin formel du Moyen Âge et adoptèrent un style plus réaliste, plus naturel.

LÉONARD DE VINCI
1452-1519

Véritable génie, Léonard de Vinci était écrivain, peintre, sculpteur, ingénieur, architecte. Il a laissé derrière lui une quantité de croquis, ainsi que le tableau le plus célèbre du monde – La Joconde, portrait d'une femme au sourire mystérieux, Mona Lisa.

La force musculaire actionnait un système de treuils et de poulies.

Le bois, les cordes et autres matériaux disponibles à l'époque de Léonard de Vinci étaient trop lourds pour la mise en pratique du projet.

▲ DES VOLS IMAGINAIRES
Léonard de Vinci fut un inventeur ingénieux. Cette machine volante prit forme dans ses carnets à croquis, avec les plans futuristes d'un hélicoptère, d'un char et d'un scaphandre.

Dans le cortège figurent des membres de la famille Médicis.

Les serviteurs transportent des arcs et des lances pour chasser.

LE CORTÈGE DES MAGES ▶
Cette peinture de Benozzo Gozzoli, de 1459, figure dans la collection privée de la chapelle des Médicis à Florence, Italie. Bien qu'inspirée d'une scène biblique, elle témoigne du faste qui régnait dans les cours de la Renaissance.

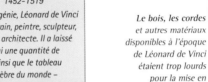

POUR EN SAVOIR PLUS ▶▶ La philosophie 292-293 • La peinture 320-321 • Les artistes 324

LA RÉFORME

Le mouvement de la Réforme secoua le christianisme au XVIᵉ siècle. Ses partisans dénoncèrent la corruption de l'Église catholique et demandèrent des réformes. Ces contestataires prirent le nom de protestants.

Qui fut l'initiateur de la Réforme ?

La Réforme apparut en 1517 lorsqu'un moine allemand, Martin Luther, afficha une liste de plaintes sur la porte de l'église de Wittenberg. D'autres religieux propagèrent le message protestant en Europe du Nord. Ils réclamaient un culte plus simple et davantage d'engagement personnel.

Quels furent les résultats de la Réforme ?

Le succès des protestants suscita la crainte et la colère des catholiques romains. Pendant des siècles, l'Europe fut déchirée par des conflits religieux sanglants. De nombreuses églises furent détruites. Les guerres civiles et nationales provoquèrent beaucoup de dégâts, contraignant certaines populations à fuir.

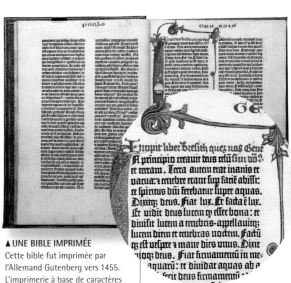

▲ UNE BIBLE IMPRIMÉE
Cette bible fut imprimée par l'Allemand Gutenberg vers 1455. L'imprimerie à base de caractères mobiles permit de diffuser largement la Bible et autres écrits. Martin Luther traduisit ensuite la Bible du latin en allemand.

Les protestants rejetaient le latin, qui n'était compris que de l'élite.

@ ▸▸ Réforme

CONFLITS RELIGIEUX, EUROPE 1517-1568	
1517	Le moine allemand Martin Luther réclame une réforme.
1518	Le suisse Ulrich Zwingli demande des changements.
1541	Jean Calvin fonde l'Église réformée à Genève.
1545	Les catholiques lancent la Contre-Réforme.
1560	John Knox fonde le presbytérianisme en Écosse.
1562-1598	Huit guerres entre catholiques et protestants ravagent la France.
1568	Les protestants hollandais se révoltent contre l'Espagne catholique.

Les ailes étaient actionnées par la pression sur les pédales.

Roi biblique figuré sous les traits d'un prince de la Renaissance

▲ AUX CONFINS SEPTENTRIONAUX
En Pologne, dirigeants et marchands admiraient l'architecture de la Renaissance italienne. Cette façade classique se dresse dans la ville de Zamosc, fondée en 1579 par Jan Zamoyski, qui avait étudié à Padoue.

Que reste-t-il de la Renaissance aujourd'hui ?

De nombreuses villes italiennes ont conservé de splendides palais, églises, bibliothèques et places datant de la Renaissance. À Rome, les visiteurs peuvent admirer la voûte de la chapelle Sixtine, décorée par Michel-Ange, ou les chefs-d'œuvre du peintre Raphaël.

LES MÉCÈNES

Les mécènes sont des personnes fortunées qui aident les artistes en finançant leur travail. Parmi eux figuraient la famille royale de France et de puissants nobles italiens comme les Sforza, les Médicis et les Borgia.

Pourquoi Florence fut-elle si prospère ?

Pendant la Renaissance, période de grands changements sociaux, le pouvoir politique était lié à l'argent et au commerce. La ville italienne de Florence comptait de nombreux marchands et banquiers. La famille dirigeante, les Médicis, prêtait de l'argent aux papes et aux rois. C'est la fortune des Médicis qui payait les salaires d'artistes comme Michel-Ange ou Léonard de Vinci.

@ ▸▸ Renaissance

POUR EN SAVOIR PLUS ▸▸ Le christianisme 288 • L'écriture 339

LES GRANDES DÉCOUVERTES

De tout temps, les hommes ont cherché à explorer terres et océans. Commencée au début du XVᵉ siècle, la période des grandes découvertes dura plus de quatre siècles. Les Arabes et les Chinois avaient réalisé des progrès importants dans la construction des navires et la **NAVIGATION**. Les marins européens allaient poursuivre leurs recherches.

@ ▶▶ Grandes découvertes

Le Brésil, en Amérique du Sud, fut découvert par hasard en 1500 – ses côtes ne sont pas encore complètes sur cette carte.

À Tordesillas, en 1494, l'Espagne et le Portugal signèrent un traité fixant la ligne de partage des terres nouvellement découvertes en Amérique.

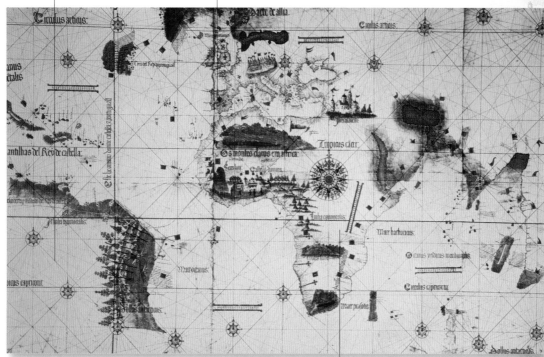

▲ CARTE DU MONDE
Cette carte, datant de 1502, montre le monde tel qu'il était connu alors par les explorateurs européens. Les côtes d'Europe, d'Afrique et d'Asie occidentale sont figurées, mais celles d'Amérique sont à peine esquissées.

L'intérieur de l'Afrique resta inexploré par les Européens jusqu'au début du XIXᵉ siècle.

Pourquoi les hommes ont-ils exploré le monde ?

La principale raison était le commerce. L'Ancien Monde convoitait les épices asiatiques, l'ivoire africain et l'or. Les négociants européens allaient bientôt conquérir des terres et tenter de convertir les populations locales au christianisme. Mais beaucoup étaient poussés par le goût de l'aventure et des découvertes scientifiques.

Comment les découvertes ont-elles changé le monde ?

Les pays européens soumirent de vastes territoires. Le monde s'ouvrant, de nouvelles cultures furent introduites d'un pays à un autre. Mais certains effets furent désastreux. Dans le Nouveau Monde, beaucoup d'indigènes moururent car ils ne purent résister aux maladies apportées par les Européens.

▲ SE REPÉRER EN MER
Ce type de boussole marine est entré en usage vers 1250. Celle-ci date des années 1500.

EXPLORATIONS	
1405-1433	La flotte chinoise explore l'océan Indien.
1486	Diaz contourne l'Afrique du Sud.
1492	Christophe Colomb atteint les Antilles.
1497	Jean Cabot gagne le Canada.
1498	Colomb atteint l'Amérique du Sud.
1498	Vasco de Gama découvre la route de l'Inde.
1500	Pedro Cabral atteint le Brésil.
1522	L'équipage de Magellan effectue le tour du monde.
1606	Willem Janszoon découvre l'Australie.

L'ANCIEN MONDE

Connues des géographes depuis les temps anciens, l'Europe, l'Asie et l'Afrique prirent le nom d'Ancien Monde après la découverte de l'Amérique par les Européens.

Qui explora l'Ancien Monde ?

Aux XIIIe et XIVe siècles, le Vénitien Marco Polo et le Marocain Ibn Battuta gagnèrent la Chine à l'est. En 1400, l'amiral chinois Zheng He prit la route de l'Afrique vers l'ouest. Vers 1500, des navires portugais et hollandais faisaient du commerce en Asie du Sud-Est.

DES TRÉSORS D'ORIENT ▶
La soie était acheminée de Chine en Europe par les routes terrestres suivies par Marco Polo. L'exportation de la porcelaine chinoise prit de l'importance avec l'ouverture des routes maritimes est-ouest aux XVIe et XVIIe siècles.

LA NAVIGATION

La navigation groupe les méthodes utilisées pour se repérer en mer ou suivre un trajet précis. Dans les années 1500, les marins possédaient divers instruments pour traverser les océans.

Quels instruments étaient en usage ?

Les marins vérifiaient leur direction à la boussole. Ils pouvaient aussi déterminer la position d'un navire en mesurant la hauteur du Soleil ou des astres au-dessus de l'horizon. Ils utilisaient à cet effet une plaque de métal appelée quadrant, un disque appelé astrolabe, ou un simple bâton, le bâton de Jacob.

Comment mesurait-on la distance ?

Les distances en mer étaient calculées d'après la vitesse et le temps. Pour les mesurer, les marins utilisaient un morceau de bois, le loch – terme dérivé de l'anglais *log*, ou bûche. Après l'avoir jeté à l'avant du navire, ils mesuraient le temps de passage jusqu'à l'arrière, donc sur une distance connue.

HENRI LE NAVIGATEUR
1394-1460
Ce prince portugais fonda un observatoire et une école de navigation à cap Saint-Vincent, où fut conçu un nouveau type de bateau, la caravelle. Henri lança aussi des expéditions sur le littoral occidental de l'Afrique.

LE NOUVEAU MONDE

Le Nouveau Monde fut l'une des expressions employées par les Européens pour décrire les nouvelles terres d'Amérique du Nord et du Sud.

Pourquoi Colomb se dirigea-t-il vers l'ouest ?

En 1492, Christophe Colomb persuada les Rois Catholiques, Ferdinand et Isabelle d'Espagne, de l'aider à entreprendre une expédition vers l'ouest. Il voulait trouver une nouvelle route commerciale vers l'Inde. Son arrivée aux Bahamas marqua le point de départ d'un nouvel âge de découvertes et de conquêtes.

◀ARRIVÉE SUR UNE TERRE INCONNUE
Christophe Colomb et son équipage rencontrent les Tainos aux Bahamas, croyant qu'il s'agit d'Asiatiques. Les Tainos conquis devaient donner des tributs en or aux Espagnols. La découverte de Christophe Colomb enrichit l'Espagne, mais elle se révéla un désastre pour les peuples indigènes.

▲ UNE ÎLE FORTERESSE
L'Espagne envahit Porto Rico en 1508. En 1540, des défenses furent élevées à San Felipe del Morro (ci-dessus). Les colonies espagnoles furent ensuite attaquées par des ennemis anglais.

Incas

Ce masque a été réalisé par les orfèvres chimus du nord de l'empire.

Le masque était placé sur le visage d'un noble défunt pendant le rituel funéraire.

L'or martelé était un métal sacré pour les Incas.

▲ MASQUE EN OR
Les artisans avaient un statut privilégié dans la société inca. Dans différentes régions de l'empire, ils fabriquaient des masques en or. Ce sont l'or et ces trésors qui attirèrent les Espagnols au Pérou en 1532.

LES INCAS

Les Incas vivaient dans les montagnes des Andes, au Pérou. Entre 1100 et 1532, ils conquirent un empire qui s'étendait sur 320 km de large seulement, mais sur 3 600 km de la Colombie au Chili.

Qui gouvernait l'Empire inca ?
Les Incas formaient une tribu d'élite qui gouvernait 12 millions de personnes parlant vingt langues différentes. Les chefs soumis gardaient une partie de leur pouvoir local, à condition qu'ils adoptent le mode de vie inca.

Comment fonctionnait la société inca ?
Les nobles qui étaient fidèles à l'empereur étaient nommés gouverneurs, généraux ou prêtres. Ils portaient des bijoux, notamment des boucles d'oreilles en or, qui permettaient de les distinguer. La plupart des citoyens, agriculteurs pauvres, devaient aussi servir l'État comme soldats, maçons ou ouvriers agricoles.

Quelles étaient les divinités incas ?
L'empereur inca prétendait descendre d'Inti, le dieu-soleil, l'impératrice de Mama Killa, la déesse-lune. D'autres divinités représentaient la Mer, le Tonnerre, la Fécondité de la Terre. Les Incas vénéraient aussi les lieux saints de peuples des Andes plus anciens.

Les murs incas, solides, résistaient aux tremblements de terre.

Au centre de la ville, une grande place était réservée aux cérémonies religieuses.

La ville fut bâtie à 2 743 m au-dessus du niveau de la mer.

◄ MACHU PICCHU
La cité inca de Machu Picchu fut bâtie sur la crête d'une montagne vers 1450. Elle comprenait un palais, des maisons, des temples, des casernes et des ateliers. Ignorée par les conquérants, la cité fut découverte en 1911.

POUR EN SAVOIR PLUS ▶▶ Les religions anciennes 282 • Les conquistadores 405

LES AZTÈQUES

Les Aztèques fondèrent la dernière grande civilisation précolombienne qui existait au Mexique avant l'invasion espagnole. Leur puissant empire dura de 1325 à 1521. Agriculteurs et guerriers, les Aztèques bâtirent de prestigieuses villes.

Où se trouvait la « cité du lac » ?

En 1325, des Aztèques en migration atteignirent une vaste île, sur le lac Texcoco. En apercevant un aigle qui se posait sur un cactus, les prêtres déclarèrent qu'il fallait bâtir à cet endroit une cité splendide, Tenochtitlán. C'est aujourd'hui le site de Mexico.

▲ RÉCIT AZTÈQUE
Cette illustration fait partie d'un *codex*, ou manuscrit, peint après la conquête espagnole. Le carré bleu représente le lac Texcoco, l'aigle et le cactus figurent Tenochtitlán. Le bouclier symbolise le pouvoir aztèque.

TEMPLE DE LA MORT ▶
L'empereur ou son prêtre poignarde la victime pour en extraire le cœur vivant. Le sang se déverse sur les marches du temple.

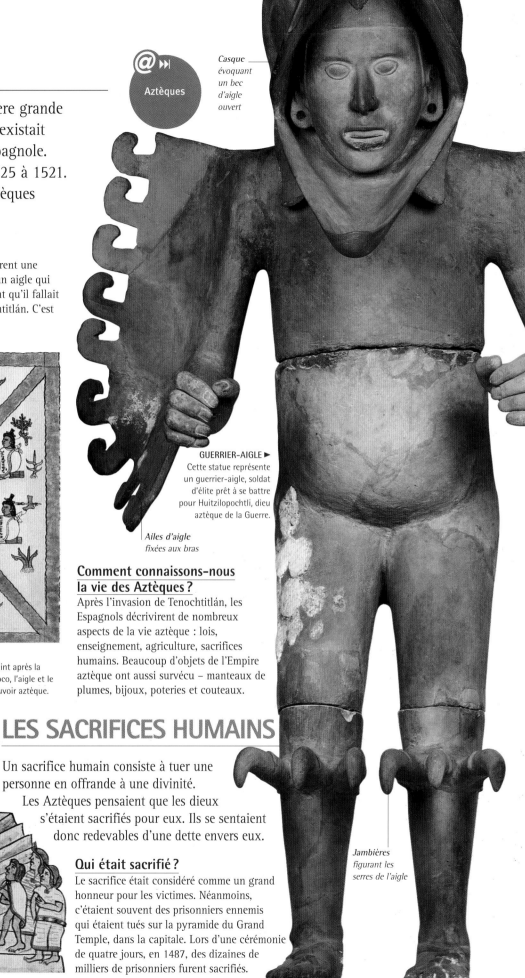

@ ▶▶
Aztèques

Casque évoquant un bec d'aigle ouvert

GUERRIER-AIGLE ▶
Cette statue représente un guerrier-aigle, soldat d'élite prêt à se battre pour Huitzilopochtli, dieu aztèque de la Guerre.

Ailes d'aigle fixées aux bras

Comment connaissons-nous la vie des Aztèques ?

Après l'invasion de Tenochtitlán, les Espagnols décrivirent de nombreux aspects de la vie aztèque : lois, enseignement, agriculture, sacrifices humains. Beaucoup d'objets de l'Empire aztèque ont aussi survécu – manteaux de plumes, bijoux, poteries et couteaux.

LES SACRIFICES HUMAINS

Un sacrifice humain consiste à tuer une personne en offrande à une divinité. Les Aztèques pensaient que les dieux s'étaient sacrifiés pour eux. Ils se sentaient donc redevables d'une dette envers eux.

Qui était sacrifié ?

Le sacrifice était considéré comme un grand honneur pour les victimes. Néanmoins, c'étaient souvent des prisonniers ennemis qui étaient tués sur la pyramide du Grand Temple, dans la capitale. Lors d'une cérémonie de quatre jours, en 1487, des dizaines de milliers de prisonniers furent sacrifiés.

Jambières figurant les serres de l'aigle

POUR EN SAVOIR PLUS ▶▶ Les religions anciennes 282 • Les conquistadores 405 • Les Mayas 381

L'EUROPE DU XVIᵉ SIECLE

Au XVIᵉ siècle, le sentiment national se développant de plus en plus, les États européens se renforcèrent territorialement. Ils organisaient des armées permanentes bien équipées, en prélevant de lourds impôts. Ces États s'affrontèrent, en Italie surtout. Les échanges s'intensifiaient pourtant entre ces pays rivaux. Ils étaient économiques, mais aussi culturels.

Jusqu'où l'Empire ottoman s'étendait-il ?

L'Empire ottoman occupait l'Europe balkanique. L'échec des Ottomans devant Vienne, en 1529, arrêta leur expansion. La flotte turque d'Ali Pacha fut mise en déroute à Lépante, en 1571. Cette victoire mit fin à la légende de l'invincibilité ottomane, mais n'eut pas de conséquences importantes.

Quel est alors le principal ennemi de la France ?

Charles Quint, empereur en 1519, était héritier, par sa mère, du royaume d'Espagne et de son empire en Amérique, de possessions en Italie, et par son père, de la dynastie des Habsbourg, des États autrichiens, de la Franche-Comté, de l'Artois, de la Flandre et des Pays-Bas. Le royaume de France était donc encerclés par les possessions de Charles Quint.

FRANÇOIS Iᵉʳ
1494-1547

Roi de la Renaissance française, il succéda à Louis XII en 1515, poursuivit les guerres d'Italie (victoire de Marignan) et brigua sans succès le trône impérial contre la Maison d'Autriche. À l'intérieur, il renforça le pouvoir royal et commença les premières persécutions contre les protestants. Enfin, il appela près de lui de grands artistes italiens.

L'Armada espagnole, ou flotte de guerre, s'approche de l'Angleterre en 1588 dans le but de l'envahir.

Couronne, symbole du pouvoir royal

Europe au XVIᵉ siècle

Le globe suggère la montée de la puissance anglaise dans le monde.

L'Armada espagnole est attaquée par les navires anglais et dispersée par une tempête.

◄ PORTRAIT DE REINE
Le règne d'Élisabeth Iʳᵉ d'Angleterre, reine élégante et raffinée, fut marqué par les guerres avec l'Espagne, l'exploration du Nouveau Monde, et l'essor de la poésie et du théâtre.

FAITS DU XVIᵉ SIÈCLE

1515	Victoire de Marignan
1517	Luther affiche ses thèses, début de la Réforme protestante
1519	Charles Quint élu empereur
1545	Concile de Trente
1555	Paix d'Augsbourg entre catholiques et luthériens
1556	Abdication de Charles Quint
1559	Paix de Cateau-Cambrésis entre la France et l'Empire
1571	Bataille de Lépante
1588	Échec de l'Armada espagnole

L'ÉGLISE ANGLICANE

Henri VIII rompit avec l'Église catholique romaine en 1534. Mais il rejeta aussi les enseignements protestants de Luther. En 1559, après des années de conflits religieux, Élisabeth Iʳᵉ créa l'Église anglicane, mêlant des éléments catholiques et protestants. Elle était, et elle est toujours, dirigée par le monarque.

Pourquoi Henri VIII s'opposa-t-il au pape ?

Le roi Henri VIII épousa la veuve de son frère aîné, la princesse espagnole Catherine d'Aragon. Elle donna naissance à une fille, Marie, mais pas à l'héritier attendu par Henri VIII. Le roi s'éprit d'une courtisane, Anne Boleyn. Le pape lui ayant refusé l'autorisation de divorcer, Henri VIII institua l'Église d'Angleterre.

FOUNTAINS ABBEY (YORKSHIRE) ►
Les monastères et couvents catholiques furent fermés ou «dissous» par une loi de 1539. Beaucoup, mis à sac, sont aujourd'hui en ruine.

POUR EN SAVOIR PLUS ▶▶ La Réforme 399 • La monarchie absolue 410

LES CONQUISTADORES

Au début du XVIᵉ siècle, l'Amérique centrale et du Sud fut envahie par des soldats espagnols, les conquistadores, qui renversèrent les Empires aztèque et inca. Certains étaient en quête d'un pays riche, l'Eldorado.

HERNÁN CORTÉS
1485-1547
Né en Espagne, Cortés fut chargé en 1518 du commandement d'une force de 550 soldats. Il accosta au Mexique et atteignit la capitale aztèque en 1519. Après un accueil pacifique, de violents combats éclatèrent. En 1521, Cortés détruisit la cité, et, en 1522, il fut nommé gouverneur de la Nouvelle Espagne par Charles Quint.

Qui était Quetzalcóatl ?

En 1517, des espions aztèques ayant aperçu des conquistadores sur la côte informèrent l'empereur Moctezuma de la présence de ces étrangers pâles et barbus. Il crut que leur arrivée marquait le retour d'un dieu et roi disparu depuis longtemps, Quetzalcóatl.

Comment les conquistadores gagnèrent-ils ?

Peu nombreux, les conquistadores possédaient néanmoins des navires, des chevaux, des armures et des armes à feu. Au Mexique, ils se rallièrent à des indigènes en révolte contre la loi aztèque.

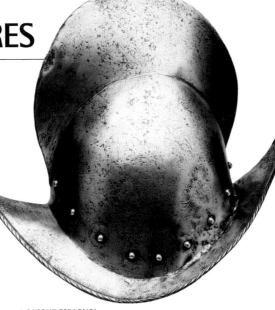

▲ CASQUE ESPAGNOL
De solides casques et plastrons en acier protégeaient les conquistadores des lances et massues des guerriers indigènes.

Les Aztèques étaient sans défenses face aux épées et armes à feu de leurs ennemis.

Qui tua l'empereur inca ?

En 1532, un groupe de conquistadores menés par Francisco Pizarro rencontra l'empereur inca Atahualpa. Ils le capturèrent et demandèrent une forte rançon d'or et d'argent en échange de sa libération. Après l'avoir obtenue, ils l'exécutèrent en 1533.

SCÈNE DE TERREUR ▶
En 1520, Pedro de Alvarado devint gouverneur de Tenochtitlán. Sa brutalité provoqua un soulèvement. Les Espagnols s'enfuirent, mais ils reprirent la cité en 1521.

@ ▸▸
Conquistadores

ELDORADO

Eldorado, signifiant «le (pays) Doré», est le nom espagnol d'un pays mythique d'Amérique du Sud, riche en or, que les conquistadores situaient entre l'Orénoque et l'Amazone.

Pourquoi les conquistadores cherchaient-ils l'Eldorado ?

Courageux, les conquistadores étaient aussi querelleurs et violents, poussés par la soif irrésistible de l'or et du pouvoir. Beaucoup moururent au fond des jungles, en quête des richesses de l'Eldorado.

Pinces décoratives, réalisées au Pérou par un orfèvre de culture moche.

UN TRÉSOR EN OR ▶
Les conquistadores volèrent des statuettes et des ornements en or dans les temples et palais d'Amérique centrale et du Sud. Ils les fondaient avant de les envoyer en Espagne.

POUR EN SAVOIR PLUS ▸▸ Les Incas 402 • Les Aztèques 403

LA GUERRE DE TRENTE ANS

La guerre de Trente Ans ravagea l'Europe de 1618 à 1648. Le conflit entre protestants et catholiques du Saint Empire prit une ampleur européenne, englobant le Danemark, la Suède et la France.

Qu'appelle-t-on la défenestration de Prague ?

La famille catholique des Habsbourg gouvernait le Saint Empire romain germanique et l'Espagne. Lorsque les Habsbourg tentèrent de placer un catholique sur le trône de la Bohême protestante, leurs représentants furent jetés par une fenêtre du château de Prague. La rébellion s'étendit à l'Allemagne, où les princes protestants contestaient l'autorité impériale catholique.

Qui était le « Lion du Nord » ?

La guerre s'inscrivait dans un conflit plus large entre le Saint Empire romain germanique et ses ennemis. Le Danemark, la Suède et la France étaient opposés à l'Empire. Victorieux à Lützen en 1632, le roi de Suède Gustave-Adolphe, le « Lion du Nord », mourut pendant le combat.

GUERRE DE TRENTE ANS	
1618	Révolte protestante à Prague
1625-1629	Le Danemark entre dans la guerre aux côtés des protestants.
1630	La Suède rallie la cause protestante.
1635	La France entre en guerre comme alliée de la Suède
1646	La France et la Suède envahissent la Bavière.
1648	Le traité de Westphalie met un terme à la guerre.

@ ▸▸ Guerre de Trente Ans

LA DESTRUCTION DE MAGDEBOURG ▶
En 1631, la ville allemande de Magdebourg fut incendiée par les forces du Saint Empire. La paix apporta davantage de libertés religieuses, mais affaiblit considérablement l'Empire.

POUR EN SAVOIR PLUS ▸▸ L'empire de Charlemagne 385

LA GUERRE CIVILE ANGLAISE

De 1642 à 1648, la population des îles Britanniques fut divisée par une guerre entre Charles Ier et le Parlement. Les opposants au roi prétendaient qu'il gouvernait sous l'influence de sa femme, une catholique française. La mise en place d'impôts impopulaires et son autoritarisme vis-à-vis du Parlement déclenchèrent une guerre civile.

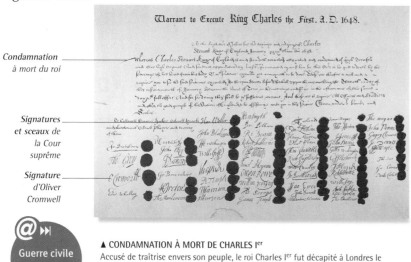

Condamnation à mort du roi

Signatures et sceaux de la Cour suprême

Signature d'Oliver Cromwell

@ ▸▸ Guerre civile anglaise

▲ CONDAMNATION À MORT DE CHARLES Ier
Accusé de traîtrise envers son peuple, le roi Charles Ier fut décapité à Londres le 30 janvier 1649, sur ordre du Parlement. La nouvelle bouleversa l'Europe entière. Conformément à l'opinion reçue, les rois gouvernaient selon le principe du droit divin ; l'exécution apparut ainsi comme un péché honteux.

Qui étaient les Côtes de Fer ?

Le propriétaire terrien et membre du Parlement Oliver Cromwell (1599-1658) s'illustra comme soldat durant la guerre civile. Ses troupes prirent le nom de Côtes de Fer. En 1649, Cromwell lança une attaque sanglante sur l'Irlande catholique.

Qui étaient les Têtes rondes et les Cavaliers ?

Les forces du Parlement regroupaient des protestants extrémistes, ou puritains (également surnommés Têtes rondes, en raison de leur coupe de cheveux). Les royalistes portaient le nom de Cavaliers. La guerre s'acheva avec l'arrestation de Charles Ier.

Qui étaient les Bécheux et les Niveleurs ?

Les forces du Parlement étaient dirigées par des propriétaires terriens et des négociants. Les soldats pauvres qui se battaient pour eux réclamèrent le partage des terres et des droits égaux pour tous. En 1649, Cromwell réprima le mouvement de ces Bécheux et Niveleurs.

Qu'est-ce que le Commonwealth ?

En 1649 fut proclamée une république, le Commonwealth. Le roi fut remplacé par un Conseil d'État. Mais l'armée exigeant des changements radicaux, Oliver Cromwell prit le pouvoir en 1653 et reçut le titre de Lord-Protecteur. À sa mort, son fils lui succéda, et le Commonwealth se désagrégea peu après. La monarchie fut rétablie en 1660, avec cependant des pouvoirs limités.

POUR EN SAVOIR PLUS ▸▸ La monarchie absolue 410

L'INDE MOGHOLE

L'Empire moghol fut fondé en 1526 par une puissante dynastie musulmane qui régna en Inde. C'est à son apogée, au XVIIe siècle, que furent construits de superbes édifices comme le TADJ MAHALL.

Qui étaient les Moghols ?

Moghol signifie «Mongol». Babur, l'envahisseur asiatique qui créa l'Empire, descendait de guerriers mongols. Sous les empereurs moghols, des routes furent construites, le commerce et les arts prospérèrent.

Où l'Empire moghol se trouvait-il ?

Les Moghols gouvernaient le nord de l'Inde. À certaines périodes, leur loi s'étendit de l'Afghanistan à l'ouest, au Bengale à l'est. L'empereur Aurangzeb déplaça la capitale d'Agra à Delhi et poussa les frontières de l'Empire vers le sud.

L'EMPIRE MOGHOL	
1526	Babur fonde l'Empire moghol.
1556	Début du règne d'Akbar
1605	Djahangir devient empereur.
1628	Chah Djahan arrive au pouvoir.
1659	Aurangzeb s'empare du trône.
1675	Les sikhs se rebellent contre la loi moghole.
1707	Début du déclin de l'Empire moghol
1857	Dernier empereur

Manche en or incrusté de pierres précieuses

POIGNARD MOGHOL ▶
Les empereurs moghols possédaient de magnifiques dagues, épées et armes de chasse, des bijoux précieux, de l'or et de l'ivoire. Ils portaient de splendides soieries et brocards. Le luxe de leur cour était réputé dans le monde entier.

Qui menaça la loi moghole ?

Les Moghols durent se mesurer aux Afghans et à de nombreux souverains régionaux hindous. Si les premiers empereurs musulmans toléraient toutes les religions, Aurangzeb offensa les hindous et provoqua une rébellion des sikhs. Il s'opposa vigoureusement au royaume occidental des Marathes et à son gouverneur, Sivaji. Mais ce fut la montée du pouvoir politique des négociants anglais en Inde qui provoqua le déclin et la chute de l'Empire moghol au XVIIIe siècle.

@ ▶▶ Inde moghole

▲ MINIATURE MOGHOLE
Cette peinture d'environ 1590 représente la construction du palais d'Akbar. L'art moghol, souvent sous forme de miniatures, mêlait les styles persan et indien.

LE TADJ MAHALL

Le monument le plus célèbre de l'architecture moghole est le Tadj Mahall. Il fut érigé au XVIIe siècle par Chah Djahan pour servir de mausolée à son épouse, Mumtaz Mahall, décédée en couches.

Combien de temps la construction dura-t-elle ?

Commencé en 1632, le Tadj Mahall fut achevé vingt-deux ans après. Quelque 20 000 personnes, dont les artisans les plus talentueux d'Asie, participèrent à sa construction. Célèbre pour sa parfaite symétrie, il est aussi large que haut, et le dôme est de la même hauteur que la façade.

◀ DES INSCRIPTIONS DÉCORATIVES
Des inscriptions élaborées de style persan ornent les arches du Tadj Mahall. Beaucoup sont des versets du Coran, l'Écriture sainte de l'islam.

TADJ MAHALL ▶
Le dôme, les minarets et les arches du Tadj Mahall se réfléchissent dans l'eau. Les murs de marbre blanc sont incrustés de plus de 43 variétés de pierres précieuses.

POUR EN SAVOIR PLUS ▶▶ L'Inde Gupta 379 • L'Inde Maurya 379

LES INDIENS D'AMÉRIQUE

Les terres d'Amérique du Nord étaient occupées à l'origine par diverses tribus d'Indiens, chacune ayant son langage et sa culture. Les modes de vie variaient d'une région à l'autre, selon l'environnement – certains Indiens pratiquaient l'agriculture dans des villages, d'autres chassaient le buffle. La conquête européenne modifia radicalement leur univers.

Bandeau décoratif

Qu'appelle-t-on la Confédération iroquoise ?

Cinq nations d'Indiens du Nord-Est – Sénécas, Cayugas, Onondagas, Oneidas et Mohawks – conclurent une puissante alliance, la Confédération iroquoise. Fondée vers 1570 par Deganawida, elle avait pour objectif la coopération et la défense réciproque. Un conseil se réunissait chaque année pour discuter les lois.

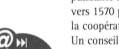

@ ▶▶ Indiens d'Amérique

La résine assurait l'étanchéité du canoë.

▲ DES CONSTRUCTEURS DE CANOËS
Les Indiens construisaient diverses embarcations avec des troncs d'arbres, des roseaux ou de la peau de buffle. Ils naviguaient sur les lacs et les rivières avec des canoës en écorce de bouleau.

▲ COIFFE D'INDIEN
Chez de nombreux chasseurs des Grandes Plaines, comme les Lakotas (ou Sioux), les coiffes de guerre indiquaient le rang et le degré de bravoure au combat. Celle-ci se compose de plumes d'aigle, piquants de porc-épic, peau de daim, queues d'hermine et crins de cheval.

L'écorce de bouleau était appliquée sur une charpente en bois léger.

Comment vivaient les peuples du Nord-Ouest ?

Le Nord-Ouest (actuels Canada et États-Unis) comptait une importante population d'Indiens. Beaucoup vivaient de la pêche au saumon, de la chasse à la baleine, de la collecte des fruits. Ils habitaient de grandes maisons en bois de cèdre rouge. Le cèdre servait aussi à fabriquer des chapeaux, des bateaux, des cordes, des toiles, des boîtes et des paniers.

Pourquoi les agriculteurs devinrent-ils chasseurs ?

Suite à la conquête du Nord-Est par les Européens, de nombreuses tribus d'Indiens durent fuir vers l'ouest. Certaines durent abandonner l'agriculture. Elles se tournèrent vers la chasse au buffle dans les Grandes Plaines s'étendant à l'ouest du Mississippi.

▼ CHASSEURS DE BUFFLES
Pendant des générations, les Indiens des Plaines chassèrent le buffle, à pied et à cheval. Dans les années 1800, les troupeaux furent presque totalement décimés par l'arrivée du chemin de fer, qui les empêchait de paître librement et amenait les chasseurs blancs armés de fusils.

INDIENS D'AMÉRIQUE	
1547	Introduction du cheval en Amérique du Nord par les Espagnols
v. 1570	Fondation de la Confédération iroquoise
1626	Vente de l'île de Manhattan aux Hollandais
1648	Guerre Iroquois-Hurons
1722	Les Tuscaroras rejoignent la Confédération iroquoise.
1763	Pontiac, chef ottawa, unifie les tribus contre les troupes britanniques.

POUR EN SAVOIR PLUS ▶▶ L'ouest des États-Unis 228-229 • Les premiers Américains 380 • Les guerres indiennes 417

LA COLONISATION DE L'AMÉRIQUE

Du XVIe au XVIIIe siècle, les nations européennes envahirent et colonisèrent de vastes régions d'Amérique du Nord. Après avoir attaqué et dispersé les Indiens d'Amérique, les colons se disputaient le contrôle des territoires.

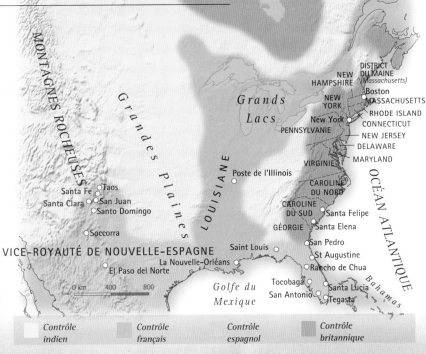

LE NOUVEAU MONDE
Cette carte indique les premiers établissements autour du golfe du Mexique et les treize colonies britanniques de la côte atlantique, qui formèrent ensuite les États-Unis d'Amérique. Les Européens s'établirent aussi sur la côte pacifique, et les Russes colonisèrent l'Alaska en 1784.

Qui construisit Saint Augustine ?

Après avoir atteint la Floride en 1513, les Espagnols fondèrent Saint Augustine en 1565, premier établissement européen des actuels États-Unis. Ils furent les premiers Européens à voir le Mississippi et à atteindre le Kansas. À partir du Mexique, les Espagnols gagnèrent le Texas au nord, le Nouveau-Mexique et la Californie, territoires qui feraient partie des États-Unis au XIXe siècle.

SAMOSET ET LES PÈLERINS
En 1620, un navire, le *Mayflower*, débarqua un groupe de colons à Plymouth, en Nouvelle-Angleterre. Ces réfugiés religieux anglais prirent le nom de Pères Pèlerins. Ils moururent presque de faim pendant le premier hiver, mais un chef Pemaquid nommé Samoset les aida à survivre. En 1625, ils avaient conquis en partie son territoire.

Pourquoi la Louisiane fut-elle française ?

En 1682, l'explorateur français Robert Cavelier de la Salle revendiqua pour la France les terres voisines du Mississippi. Il baptisa la région Louisiane, en l'honneur de Louis XIV. La Louisiane orientale passa sous le contrôle de l'Espagne, puis des États-Unis. L'Ouest fut acheté à la France par les États-Unis en 1803.

Où les Anglais s'établirent-ils ?

Le navigateur anglais Walter Raleigh organisa trois expéditions vers l'Amérique du Nord après 1584. Il nomma la Virginie d'après Élisabeth Ire, surnommée la «Reine Vierge», car elle n'était pas mariée. En 1607, Jamestown, en Virginie, premier établissement anglais sur la côte atlantique, s'enrichit de l'exportation du tabac.

Colonisation de l'Amérique

LA NOUVELLE-AMSTERDAM
En 1626, les Hollandais achetèrent l'île de Manhattan et baptisèrent son port La Nouvelle-Amsterdam. Prise par les Anglais en 1664, la colonie reçut le nom de New York.

Maisons de style hollandais

Navires à l'ancre dans l'estuaire de l'Hudson

Qui étaient les colons ?

Les Européens colonisèrent le Nouveau Monde pour différentes raisons. Des réfugiés religieux, comme les quakers, ne pouvaient pratiquer leur culte librement dans leur pays. Des criminels avaient été envoyés dans les colonies pour purger leur peine. Pirates et hors-la-loi côtoyaient agriculteurs et hommes d'affaires, à la recherche de terres fertiles ou d'occasions de s'enrichir.

POUR EN SAVOIR PLUS ▸▸ L'indépendance américaine 414 • Les guerres indiennes 417

LA MONARCHIE ABSOLUE

Dans la monarchie, l'autorité politique est détenue par une seule personne, souvent un roi ou une reine. En général, le pouvoir se transmet d'une génération à une autre dans la même famille, ou **DYNASTIE**. Au XVIIᵉ siècle, les monarques accrurent leur pouvoir mais cette toute-puissance fut ensuite mise en cause.

Que signifiait le droit divin des rois ?

Les monarques considéraient qu'ils étaient désignés par Dieu pour régner, et qu'ils avaient le droit d'imposer leur volonté à leurs sujets. Critiquer le pouvoir du roi revenait donc à contester la religion.

Les rois étaient-ils parfois élus ?

À partir de 1573, les rois polonais furent élus par une assemblée de seigneurs, la république des Nobles. L'éminent soldat polonais Jean Sobiewski fut élu roi en 1674, après avoir battu les envahisseurs turcs. De nombreux rois élus étaient des étrangers.

◄ **LA GALERIE DES GLACES**
Symbole de la gloire et du pouvoir royal, la prestigieuse galerie de Versailles impressionne toujours les visiteurs.

Monarchie absolue

LA COUR À VERSAILLES ►
En 1668, le plus luxueux château du monde était celui de Versailles, où vivaient Louis XIV et sa cour.

LES DYNASTIES

Les dynasties, ou familles, ont souvent gardé le pouvoir pendant des siècles. Certaines étaient très riches. Leur règne s'arrêtait en l'absence d'héritiers pour accéder au trône, ou à la suite d'un renversement d'un monarque par des ennemis ou des révolutions.

Quelle fut la dynastie la plus ancienne ?

La même dynastie a gouverné le Japon pendant plus de 2 000 ans. Selon la légende, elle serait plus ancienne, remontant à Jimmu, en 660 av. J.-C. Cependant, les empereurs avaient peu d'autorité. Le pouvoir réel était parfois détenu par des gouverneurs militaires : les shogun.

▲ **LES HABSBOURG 1273-1918**
Ils gouvernèrent l'Autriche, le Saint Empire romain germanique, les Pays-Bas et l'Espagne. Charles Quint régna de 1516 à 1556.

▲ **LES STUARTS 1371-1714**
Ils gouvernèrent l'Écosse et, après 1603, l'Angleterre, le pays de Galles et l'Irlande. Charles II régna de 1660 à 1685.

▲ **LES BOURBONS 1589-1830**
Ils régnèrent en France, Navarre, à Naples et en Espagne. Louis XIV (ci-dessus, en Roi-Soleil) fut roi de 1643 à 1715.

▲ **LES QING 1644-1912**
La dernière dynastie de l'Empire chinois fut fondée par les envahisseurs mandchous. L'empereur Qianlong régna de 1711 à 1799.

▲ **LES ROMANOV 1613-1917**
Ils constituèrent la dernière dynastie russe. Catherine la Grande épousa un Romanov et fut impératrice de 1762 à 1796.

POUR EN SAVOIR PLUS ►► Les samouraïs 392 • La guerre civile anglaise 406

LA RÉVOLUTION SCIENTIFIQUE

Le XVIIIe siècle fut marqué par d'importantes découvertes scientifiques, qui prolongèrent les progrès réalisés aux XVIe et XVIIe siècles. Les scientifiques privilégiaient l'observation sur les théories non étayées et vérifiaient leurs hypothèses par l'expérience.

Qui découvrit la circulation du sang ?

En 1597, l'Anglais William Harvey se rendit à Padoue, en Italie, pour étudier le corps humain. À son retour, il devint médecin royal, et en 1628, il annonça que le sang était véhiculé dans le corps par le cœur. Bien que tourné en dérision par de nombreux confrères, Harvey avait raison. Sa découverte fit beaucoup avancer notre compréhension du corps humain.

DÉCOUVERTES

1609	Johannes Kepler détermine le mouvement des planètes.
1638	Galilée publie ses théories sur la mécanique.
1687	Isaac Newton énonce ses trois principes sur la mécanique.
1753	Carl von Linné formule une classification des espèces.
1783	Lavoisier découvre la composition de l'eau.

Qui identifia en premier les microbes ?

Inventés vers 1590 aux Pays-Bas, les premiers microscopes furent améliorés par Robert Hooke et Anton Van Leeuwenhoek. Ce dernier fit des observations importantes. En 1675, il fut le premier à identifier les bactéries, ou microbes.

L'oiseau peut-il survivre sans air ? _____

DENIS DIDEROT
1713-1784

Issu de la bourgeoisie aisée, Diderot étudia la philosophie, la théologie et le droit. Il élabora l'Encyclopédie, une tâche énorme, de 1747 à 1766. Il publia aussi des romans, des dialogues philosophiques et une abondante correspondance.

L'EXPÉRIENCE ▶
Cette peinture de 1768, de Joseph Wright de Derby, s'intitule *Expérience avec une pompe à air*. L'opinion publique manifestait à l'époque un vif intérêt pour la science et ses applications à l'industrie.

Les fillettes craignent le pire.

Qui furent les premiers chimistes ?

Du Moyen Âge au début du XVIIIe siècle, les alchimistes croyaient pouvoir transformer les métaux ordinaires en or, et trouver ainsi le secret de l'immortalité. Même s'ils n'y parvinrent pas, l'alchimie fournit la base d'expériences utiles en chimie et inspira les recherches de l'ingénieux Robert Boyle.

◀ LE LABORATOIRE DE LAVOISIER
L'un des fondateurs de la chimie moderne, Lavoisier poursuivit les travaux de l'Anglais Joseph Priestley sur l'oxygène.

LE TÉLESCOPE ▶
Le télescope fut inventé aux Pays-Bas vers 1608. En 1668, Isaac Newton fut le premier à utiliser un miroir pour améliorer l'image vue à travers un télescope.

@ ▶▶
Révolution scientifique

POUR EN SAVOIR PLUS ▶▶ Les sciences 154 • La chimie 162 • Le siècle des Lumières 416

LA RÉVOLUTION AGRICOLE

L'agriculture connut une importante évolution en Europe et en Amérique du Nord aux XVIIIe et XIXe siècles. Les progrès scientifiques améliorèrent le rendement des cultures et la qualité du bétail. La mécanisation accrut la production agricole. Les famines se firent de plus en plus rares.

Pourquoi l'agriculture évolua-t-elle ?

Un intérêt se manifestait pour la science et la technologie. Des métiers anciens se modernisaient, l'agriculture ne faisant pas exception. Cette évolution était nécessaire en raison du développement des villes et de l'augmentation de la population. Parfois, des disettes dues aux mauvaises récoltes étaient à l'origine de révoltes populaires.

▲ LES MOTEURS DU CHANGEMENT
Désireux de tirer un meilleur profit de leurs terres, les propriétaires furent les moteurs du changement. Ils élevèrent de nouvelles races de bétail et adoptèrent la rotation des cultures pour éviter l'épuisement des sols.

◄ SEMOIR
Les semences s'effectuaient à la main jusqu'à l'invention du semoir par Jethro Tull en 1701. Il permit de semer les graines en rangées, qui pouvaient être ensuite facilement sarclées.

Les graines déposées dans le réservoir descendaient dans le tube.

Révolution agricole

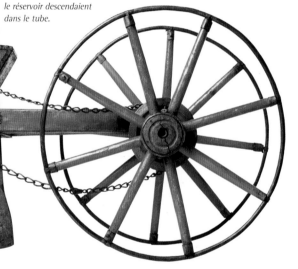

CHRISTOPHE JOSEPH MATHIEU DE DOMBASLE 1777-1843
Cet agronome perfectionna l'agriculture : il inventa une charrue, préconisa le chaulage dans les terres argileuses et créa une école d'agriculture près de Nancy, qui contribua au développement de l'enseignement agricole sous la Restauration.

Qui travaillait à la campagne ?

Dans de nombreuses régions d'Europe, l'agriculture évoluait lentement depuis le Moyen Âge. On distingue différents types de paysans, tels que le riche laboureur et le simple manouvrier.

LA MÉCANISATION

Au XIXe siècle, de nouvelles machines comme la moissonneuse et la batteuse furent inventées pour faciliter les travaux effectués jusqu'alors à la main.

Les machines ont-elles remplacé les hommes ?

Ces inventions visaient à rendre le travail plus rapide et à réduire les coûts. Vers 1830, les ouvriers agricoles commencèrent à craindre que la mécanisation n'entraîne une perte de travail. Ils protestèrent en détruisant les machines et en brûlant des tas de foin. Leurs craintes étaient fondées. Dans les cent cinquante ans qui suivirent, le nombre d'ouvriers agricoles déclina rapidement.

MANIFESTATIONS AGRICOLES ►
Réunion de la Société royale d'agriculture à Bristol (Angleterre), en 1842. À partir de 1839, elle informa les agriculteurs sur les cultures, les races de bétail et les nouvelles machines.

LA TRAITE DES ESCLAVES

L'esclavage est une pratique ancienne, mais ce commerce s'intensifia du XVIᵉ au XIXᵉ siècle, lorsque les Arabes et les Européens pillèrent l'Afrique. Au début du XVIIIᵉ siècle, 8 millions d'Africains auraient traversé l'océan Atlantique.

TOUSSAINT LOUVERTURE
1743-1803
Esclave libéré de la colonie française de Saint-Domingue (Haïti), Toussaint rejoignit une rébellion d'esclaves en 1791. Lorsque la France révolutionnaire abolit l'esclavage, Toussaint devint un chef respecté. Mais il fut emprisonné en 1802 par Bonaparte.

◄ **CHAÎNE D'ESCLAVE**
Les esclaves étaient enchaînés durant le voyage vers l'Amérique. De nombreux Européens et Américains protestèrent contre l'esclavage. Il fut aboli vers 1830 dans l'Empire britannique, en 1848 en France et en 1865 aux États-Unis.

Les chaînes en fer étaient fixées autour du cou ou des chevilles.

@ ►► Traite des esclaves

Comment était organisée la traite des Noirs?

Les esclaves d'Afrique occidentale étaient souvent capturés par des chefs africains. Sur les côtes, ils étaient échangés contre des fusils ou des textiles européens. Les marchands européens entassaient les esclaves sur des navires en partance pour le Nouveau Monde. Une fois les esclaves vendus, les capitaines européens chargeaient leurs bateaux de marchandises avant de regagner leur pays.

Comment les esclaves étaient-ils traités?

Après le supplice de la traversée en mer, les esclaves étaient vendus aux enchères. Ils devaient ensuite travailler de longues heures sur les plantations sans être payés. Beaucoup étaient maltraités, enchaînés et tatoués. Ceux qui tentaient de s'enfuir étaient fouettés ou pendus.

◄ **VENTE D'ESCLAVES AUX ENCHÈRES**
Pour connaître leur état de santé, ces esclaves vendus à des propriétaires de plantations dans le sud des États-Unis étaient examinés. Les membres d'une même famille étaient parfois séparés pour le reste de leur vie.

LES PLANTATIONS

Aux Antilles ou sur le continent américain, les esclaves travaillaient dans les plantations, spécialisées dans la culture de la canne à sucre et du coton. Les esclaves n'étant pas rémunérés, les propriétaires percevaient d'énormes bénéfices.

Pourquoi les plantations furent-elles créées?

Les plantations du Nouveau Monde marquèrent le début de l'agriculture à une échelle industrielle et mondiale. Elles produisaient des cultures pour la vente et l'exportation plutôt que pour l'usage local. La main-d'œuvre composée d'esclaves réduisait les coûts.

UNE PLANTATION EN GÉORGIE ►
Plantation de coton en Géorgie, aux États-Unis, en 1895. Trente ans après l'abolition de l'esclavage, les travaux sont toujours exténuants sous la grande chaleur, les journées toujours longues.

POUR EN SAVOIR PLUS ►► L'Afrique médiévale 394-395 • La guerre de Sécession 424

@ ▸▸
Indépendan
américaine

L'INDÉPENDANCE AMÉRICAINE

Les années 1765 à 1788 furent marquées par des changements profonds en Amérique. Les treize colonies de l'Est réclamèrent un gouvernement démocratique et déclarèrent la guerre à l'Angleterre en 1775. En 1776, elles signèrent la **DÉCLARATION D'INDÉPENDANCE**, et en 1781 les Britanniques se rendirent.

Pourquoi les colons se révoltèrent-ils ?

Les colons établis en Amérique du Nord revendiquaient la liberté. Beaucoup avaient quitté l'Europe en raison de leurs croyances religieuses ou politiques. Ils protestèrent contre le fait que le gouvernement britannique prélevait de lourds impôts sans leur consentement.

Que fut la « partie de thé de Boston » ?

Les taxes imposées sur les produits importés étaient très impopulaires. En 1773, des colons déguisés en Indiens montèrent à bord d'un navire anglais dans le port de Boston et jetèrent à la mer sa cargaison de thé lourdement taxé. L'incident prit le nom de « partie de thé de Boston ».

Qui participa à la guerre d'Indépendance ?

Les troupes anglaises, comprenant des mercenaires allemands, étaient soutenues par les colons loyalistes. Les Insurgents formèrent l'Armée continentale après 1775, battant les Anglais à Saratoga Springs en 1777. Les Français envoyèrent 6 000 troupes contre les Anglais.

▼ LE SIÈGE DE YORKTOWN, 1781
En 1781, George Washington et le commandant français, le comte de Rochambeau, assiégèrent et battirent les Anglais à Yorktown, en Virginie.

LA DÉCLARATION D'INDÉPENDANCE

En 1774, les Insurgents convoquèrent le premier d'une série de Congrès continentaux à Philadelphie, en Pennsylvanie, pour coordonner leur combat contre les Anglais. Le Congrès de 1776 adopta la Déclaration d'indépendance, fixant les principes de la liberté. Le gouvernement des États-Unis fut créé en 1788.

◀ LA CLOCHE DE LA LIBERTÉ
Cette cloche était suspendue dans la maison du gouvernement de Pennsylvanie. Elle sonna à l'occasion de la « partie de thé de Boston » et de la proclamation publique de la Déclaration d'indépendance.

Qui demandait la liberté ?

La Déclaration d'indépendance de 1776 fut proclamée à Philadelphie au nom de John Hancock, président du Congrès continental. Elle fut rédigée par Thomas Jefferson, qui devint ensuite le troisième président des États-Unis. Elle proclamait que « tous les hommes sont égaux » et qu'ils ont le droit à « la vie, à la liberté et à la recherche du bonheur ». Cette revendication allait inspirer les révolutionnaires du monde entier.

MARIE-JOSEPH DE LA FAYETTE
1757-1834

Noble acquis aux idées de liberté et d'égalité, il partit en Amérique pour se battre aux côtés des Insurgents (colons d'Amérique ne reconnaissant plus l'autorité de l'Angleterre). De retour en France, il s'engagea dans la Révolution de 1789 ; il joua également un rôle lors de la révolution de 1830.

POUR EN SAVOIR PLUS ▸▸ La colonisation de l'Amérique 409

LA RÉVOLUTION FRANÇAISE

Les années 1789-1799 marquèrent un tournant dans l'histoire. En France, la demande de réformes politiques aboutit à une révolution qui balaya la monarchie, l'aristocratie et le pouvoir de l'Église. À cause de la guerre, la révolution se radicalisa jusqu'à la mise en place d'un GOUVERNEMENT DE LA TERREUR.

Pourquoi les Français se soulevèrent-ils ?

En 1789, l'aristocratie française et les dirigeants de l'Église avaient beaucoup de pouvoir et de privilèges. Les bourgeois en réclamaient davantage. Les impôts étaient élevés, les pauvres affamés et le pays était complètement ruiné. Le roi Louis XVI ne mit pas en place les réformes nécessaires pour éviter la révolution.

Que se passa-t-il le 14 juillet 1789 ?

Ce jour-là, le peuple de Paris craignit d'être attaqué par l'armée. Il s'arma et marcha jusqu'à la Bastille, fort royal converti en prison, pour se procurer de la poudre à canon. L'attaque et la prise du fort marquèrent le début de la révolution. C'est en souvenir de cet événement que la date du 14 juillet a été retenue comme fête nationale.

▲ MONARQUES CONDAMNÉS
Arrivé sur le trône en 1774, le roi Louis XVI ne parvint pas à résoudre les problèmes de son pays. La reine Marie-Antoinette qui n'était guère populaire fut exécutée en 1793.

MAXIMILIEN DE ROBESPIERRE
1758-1794

Avocat à Arras, puis député aux États généraux, Robespierre fut l'un des chefs les plus radicaux de la Révolution. Il créa un climat de terreur, faisant guillotiner ses opposants. Il fut lui-même décapité en 1794 sans avoir été jugé.

@ ▶▶ Révolution française

◀ LA MARCHE SUR VERSAILLES
En octobre 1789, les Parisiennes pauvres organisèrent une marche jusqu'au château de Versailles, réclamant du pain pour leurs familles affamées. Le roi écouta leur demande, mais la foule grossit et des émeutes éclatèrent. Le lendemain, le roi fut ramené à Paris.

LE GOUVERNEMENT DE LA TERREUR

Si la Révolution française mit un terme à un système de gouvernement injuste, elle ne fut pas maîtrisée. Des aristocrates furent exécutés, puis les révolutionnaires s'opposèrent les uns aux autres. Une dictature dirigea le pays, en gouvernant par la peur.

Combien de personnes périrent-elles ?

Durant la Terreur (1793-1794), environ 40 000 personnes furent exécutées ou assassinées. Une guillotine fut installée sur la place de la Révolution à Paris. Dans un cadre en bois, une lame tranchante sectionnait le cou des victimes. Cette méthode, considérée comme un «progrès», fit néanmoins des centaines de victimes par jour.

Comment la Terreur s'est-elle achevée ?

En 1794, l'instigateur de la Terreur, Robespierre, fut arrêté par ses opposants lors de la Convention nationale, et guillotiné. D'importantes émeutes eurent lieu en 1795. L'ordre fut restauré par un soldat nommé Napoléon Bonaparte. Le pouvoir fut confié à un groupe de cinq hommes, le Directoire. En 1799, Napoléon s'empara du pouvoir, mettant un terme à la révolution.

◀ LA TÊTE DU ROI
Le roi Louis XVI fut accusé de trahison par la Convention nationale. Son exécution en janvier 1793 mit un terme à 1 000 ans de monarchie en France. Les guillotines des révolutionnaires firent de nombreuses victimes.

POUR EN SAVOIR PLUS ▶▶ La monarchie absolue 410 • Le premier Empire 416

LE SIÈCLE DES LUMIÈRES

Les progrès scientifiques des XVIIe et XVIIIe siècles suscitèrent de nouvelles idées. Les philosophes européens en conclurent que l'homme progressait par la raison et la logique, plutôt que par la foi ou la superstition. Cette période prit le nom de siècle des Lumières ou de la Raison.

Une statue de la sagesse remplaça celle de l'athéisme.

@ ▶▶
Siècle des Lumières

◀ **UNE NOUVELLE RELIGION ?**
En 1794, Robespierre institua le culte de l'Être suprême. Bien que non athée, il dénonçait les rituels et doctrines de l'Église, ainsi que le pouvoir du clergé.

Qui créa la première encyclopédie ?
Les dictionnaires commencèrent à apparaître. Les Français Denis Diderot et Jean Le Rond d'Alembert publièrent une encyclopédie en dix-sept volumes (1751-1772). Parmi les auteurs figuraient des penseurs comme Montesquieu, Rousseau et Voltaire.

Qui abolit le culte chrétien ?
En 1793, la Convention nationale abolit le culte chrétien et interdit les fêtes «superstitieuses». Un nouveau calendrier fut adopté – il avait pour point de départ la Révolution, et non la naissance du Christ.

POUR EN SAVOIR PLUS ▶▶ La révolution scientifique 411

LE PREMIER EMPIRE

Pendant la Révolution, la France était en guerre avec ses voisins européens. Ces guerres reprirent en 1800 sous la conduite de Napoléon, qui se proclama empereur en 1804. Après une succession de victoires, il domina une partie de l'Europe, mais les défaites infligées par les coalitions européennes l'obligèrent à abdiquer.

Où opérèrent les armées de Napoléon ?
Brillant soldat, Napoléon vainquit l'Autriche. Il envahit l'Espagne en 1808, et ses armées atteignirent Moscou en 1812, mais les rigueurs de l'hiver l'obligèrent à battre en retraite. Il nomma les membres de sa famille à la tête de l'Espagne, de l'Italie et de la Westphalie. Il fut vaincu par l'Angleterre et la Prusse à Waterloo, en Belgique, en 1815.

@ ▶▶
Premier Empire

L'EUROPE EN GUERRE	
1805	● Victoire française à Austerlitz
1805	● Victoire anglaise à Trafalgar
1808-1814	● Guerre d'Espagne
1812	● Invasion de la Russie par la France
1815	● Défaite de Napoléon

Quel fut l'héritage de Napoléon ?
Napoléon (1769-1821) mourut en exil, à Sainte-Hélène. Il est considéré comme l'homme qui arrêta la Révolution, comme un grand chef militaire et comme un personnage autoritaire. Administrateur habile, il élabora un système législatif, le Code civil, qui accordait aux pauvres certains droits revendiqués pendant la Révolution. Le code fut bien accueilli dans les pays conquis.

LE HÉROS CORSE ▶
Napoléon Bonaparte est né à Ajaccio. Il faisait figure de héros pour ses adeptes et ses troupes, mais il suscitait la peur chez ses ennemis, comme l'Angleterre.

LE CANADA

À partir du XVIe siècle, les pêcheurs et marchands de fourrures européens gagnèrent le Canada. Ils achetaient les fourrures à la population locale, apparentée aux peuples indigènes d'Amérique du Nord. La France établit des colonies au Canada en 1608 (Québec) et 1642 (Montréal). Les Anglais revendiquèrent un vaste territoire autour de la baie d'Hudson après 1670.

JACQUES CARTIER
1491-1557
Ce navigateur français entreprit trois expéditions vers l'Amérique du Nord entre 1534 et 1541. Il fut le premier Européen à remonter le Saint-Laurent et revendiqua la région pour la France.

▼ MORT DES GÉNÉRAUX
Le général anglais James Wolfe meurt en 1759, après avoir pris le Québec et vaincu les Français. Le général français, Montcalm, fut mortellement blessé en tentant d'assurer la défense du Québec.

Histoire du Canada

Quels pays se disputèrent le contrôle du Canada ?

La France et l'Angleterre se battirent pour le Canada, dont elles convoitaient les fourrures, le bois, les riches pêcheries. Les Français furent vaincus en 1759, et le Canada devint une colonie anglaise quatre ans après. De nombreux colons américains restés fidèles à l'Angleterre pendant la révolution américaine s'enfuirent au Canada dans les années 1780.

Les deux armées employaient des guerriers indigènes comme éclaireurs et guides.

Quand le Canada devint-il une nation ?

En 1791, les régions du Canada colonisées par les Européens furent partagées entre le Haut-Canada (anglais) et le Bas-Canada (français). Ils furent réunifiés en 1841. En 1867, le Canada devint un dominion autonome de l'Empire britannique. La colonisation s'étendit vers l'ouest avec l'arrivée des Européens.

POUR EN SAVOIR PLUS ▶▶ Le Canada, l'Alaska et le Groenland 224-225

LES GUERRES INDIENNES

Pendant une partie du XIXe siècle, notamment entre 1860 et 1890, un violent conflit déchira les États-Unis, opposant les colons et soldats aux Indiens d'Amérique. Ceux-ci furent pourchassés, privés de leurs terres et emmenés dans des camps appelés réserves.

◀ LA DANSE DES FANTÔMES
En 1890, de nombreux Indiens des réserves eurent d'étranges visions. Ils exécutèrent la «danse des fantômes», espérant récupérer ainsi leurs terres. Mais en vain. Beaucoup furent ensuite fusillés ou moururent de maladie.

Qu'appelle-t-on le «chemin des larmes» ?

Dans les années 1830, de l'or fut découvert dans le territoire cherokee, au sud-est des États-Unis. 16 000 Cherokees furent attaqués par l'armée américaine et contraints à suivre vers l'ouest, en 1838, le «chemin des larmes». Plus de 4 000 d'entre eux périrent pendant le voyage.

Quelle fut la dernière bataille de Custer ?

En 1876, le général George Custer mena la septième cavalerie des États-Unis dans les prairies baignées par la Little Bighorn, dans le Montana. Confrontée à un rassemblement de Sioux et de Cheyennes, la force de Custer fut vaincue et tuée. Ce fut la dernière victoire indienne.

Guerres indiennes

POUR EN SAVOIR PLUS ▶▶ Les Indiens d'Amérique 408

LA RÉVOLUTION INDUSTRIELLE

L'invention de nouvelles machines aux XVIIIe et XIXe siècles permit la production d'objets en masse dans les usines. Initiée en Angleterre, la révolution industrielle s'étendit à l'Europe et à l'Amérique du Nord. Elle s'accompagna d'importants changements sociaux et économiques, comme l'**URBANISATION**.

▲ MARTEAU-PILON
En 1830-1840, James Naysmith inventa à Manchester (Angleterre) un marteau-pilon fonctionnant à la vapeur.

▲ TAUDIS URBAINS
Au XIXe siècle, le développement des villes entraîna des conditions de vie insalubres pour les ouvriers de toute l'Europe.

▲ LES LUMIÈRES DE LA VILLE
Après les années 1880, l'éclairage électrique fut installé dans les rues des villes d'Europe et d'Amérique du Nord.

▲ EXPOSITION UNIVERSELLE
Cette première exposition de produits manufacturés eut lieu à Londres en 1851, dans le Crystal Palace, un bâtiment en verre.

Comment les usines fonctionnaient-elles ?

Au XVIIIe siècle, l'eau était une importante source d'énergie pour l'industrie, et beaucoup de machines fonctionnaient avec des roues à eau. L'énergie à la vapeur se développa à la même époque. Des machines à vapeur servaient à pomper l'eau des mines, à actionner les nouveaux moyens de **TRANSPORTS**. Machines et fourneaux étaient alimentés au charbon. Au début du XIXe siècle, le charbon parvenait aux usines par bateau ou chemin de fer.

Pourquoi les produits étaient-ils fabriqués en masse ?

Avant la révolution industrielle, les produits étaient fabriqués dans de petits ateliers ou à domicile. La production en masse permit de les fabriquer plus rapidement et à moindres coûts. Des marchés s'ouvrirent dans les villes pour écouler ces produits, ainsi que dans les pays colonisés par les Européens.

Comment évoluèrent les conditions de travail ?

Avec le développement de l'industrie, les ouvriers n'étaient plus propriétaires des moyens qui les faisaient vivre. Certains industriels augmentaient leurs bénéfices en diminuant les salaires des ouvriers. Hommes, femmes et enfants travaillaient de longues heures pour des rémunérations faibles, souvent dans des conditions dangereuses. Il fallut attendre de nombreuses années pour que s'améliorent les salaires et les conditions de travail.

EUGÈNE SCHNEIDER
1805-1875
Propriétaire de forges, il remit en exploitation celles du Creusot. Ses ateliers de mécanique comptèrent parmi les plus modernes. Il eut aussi un rôle de premier plan sur le plan politique, en étant député libéral, ministre du Commerce et de l'Agriculture, puis président du corps législatif sous le second Empire. Ses descendants poursuivirent le développement des usines du Creusot.

Le travail dans les filatures était monotone et bruyant.

@ ▶▶
Révolution industrielle

INDUSTRIE DU COTON ▶
Cette photo d'une filature aux États-Unis date d'environ 1890. Dans les années 1700, de nouvelles techniques de filage et de tissage avaient marqué les débuts de la révolution industrielle. Vers 1800, le coton devint la principale industrie textile. Il était produit en majorité dans les filatures de Manchester (Angleterre), avec du coton importé du sud des États-Unis ou de l'Inde.

Les enfants travaillaient dans les usines, souvent pieds nus.

▲ LA GRÈVE DES DOCKERS EN 1889, À LONDRES
Épouvantables au début de la révolution industrielle, les conditions de travail s'améliorèrent lorsque les travailleurs s'unirent en syndicats et réclamèrent de meilleurs salaires. Certains, socialistes ou communistes, prônaient des réformes politiques ou la révolution.

LES TRANSPORTS

Des moyens de transport étaient nécessaires pour acheminer les matériaux et les travailleurs. Des canaux facilitant la navigation furent creusés dans les années 1700. Puis apparut le chemin de fer.

Quand le chemin de fer est-il apparu ?

La première locomotive à vapeur roulant sur des rails vit le jour en 1804 au pays de Galles. La conception du chemin de fer fut améliorée vers 1820 par l'ingénieur anglais George Stephenson.

▲ LA TRAVERSÉE DES ÉTATS-UNIS
Carrefour ferroviaire important aux États-Unis en 1886. Le chemin de fer ouvrit de nouveaux horizons, traversant l'Europe, l'Asie, l'Afrique, l'Amérique du Sud et l'Australie. Les sociétés de chemin de fer prospérèrent.

L'URBANISATION

L'urbanisation signifie le développement des villes. Entre 1700 et 1900, la population mondiale passa de 680 millions à 1,6 milliard. Les citadins furent de plus en plus nombreux.

À quoi ressemblaient les villes industrielles ?

Les villes apparurent près de mines de charbon ou d'usines, dans des ports importants ou des carrefours ferroviaires. Elles offraient des logis bon marché aux ouvriers. Les villes ouvrières se composaient souvent de rangées de maisons identiques en brique, avec de petits jardins.

▲ LE CIEL DE GLASGOW
Les fumées des cheminées d'usines assombrissent le ciel de Glasgow. Cette ville écossaise se développa rapidement après l'aménagement de la Clyde en 1768, qui la rendit plus accessible aux navires.

L'INDÉPENDANCE DE L'AMÉRIQUE DU SUD

Les empires américains fondés par l'Espagne et le Portugal s'effondrèrent au début du XIXe siècle. Ces deux pays, affaiblis, furent confrontés à des révoltes dans leurs colonies. Les guerres aboutirent à l'indépendance, qui a pu être génératrice de conflits entre les nouvelles nations.

Qui était le Libérateur ?

Simón Bolívar, le «Libérateur», contribua à l'indépendance des pays d'Amérique du Sud. Il se battit au Venezuela, gouverna la Colombie et l'Équateur. Il libéra le Pérou, et la Bolivie fut rebaptisée en son honneur. Parmi les autres libérateurs figuraient Bernardo O'Higgins et José de San Martín, actifs en Argentine, au Chili et au Pérou.

Quand l'Argentine devint-elle indépendante ?

La capitale de l'Argentine, Buenos Aires, fut fondée par les Espagnols vers 1500. En 1810, sa population se souleva contre l'Espagne et obtint l'indépendance en 1816. Il s'ensuivit une guerre civile entre la capitale et les provinces. Le pays fut finalement réunifié en 1861.

Qui mit un terme à la loi portugaise au Brésil ?

Après l'invasion du Portugal par l'Empereur Napoléon en 1807, la famille royale portugaise s'enfuit dans sa colonie du Brésil. Le roi Jean VI regagna son pays en 1821, laissant son fils Pierre à la tête du Brésil. Mais en 1822, Pierre se proclama empereur du Brésil indépendant.

▲ *GAUCHOS* ARGENTINS
Les *gauchos* – des cow-boys argentins d'origine en partie espagnole, en partie indienne – s'opposèrent au nouveau gouvernement de Buenos Aires, soutenant leurs chefs dans le combat pour le pouvoir.

Quelles étaient les nouvelles richesses d'Amérique du Sud ?

Au début du XIXe siècle, les mines d'or et d'argent d'Amérique du Sud commencèrent à s'épuiser. Une nouvelle source de richesse était nécessaire. Des plantations de café et de caoutchouc apparurent au Brésil, tandis que l'Argentine élevait des ovins et des bovins sur ses prairies. Suite à l'invention de la réfrigération, d'énormes quantités de viande furent exportées de Buenos Aires.

Le drapeau espagnol est remis aux rebelles victorieux.

@ ▸▸
Indépendance de l'Amérique du Sud

◂ LE TOURNANT
Né au Venezuela, Bolívar vainquit les Espagnols à Carabobo en 1821. Le Venezuela, l'Équateur, la Colombie et le Panamá formèrent une république indépendante, la Grande-Colombie. Le Venezuela se retira en 1829.

LIBÉRATION

1816	Déclaration d'indépendance par l'Argentine
1818	Libération du Chili par San Martín
1819	Fondation de la Grande-Colombie
1820	Annexion de l'Uruguay par le Brésil
1821	Indépendance du Pérou
	Libération du Venezuela et de l'Équateur
1822	Indépendance du Brésil
1825	Libération de la Bolivie

POUR EN SAVOIR PLUS ▸▸ L'Amérique du Sud 232-233

LE NATIONALISME

Le nationalisme correspond au désir d'un peuple à se gouverner en tant que nation. Cet idéal remodela la carte de l'Europe au début du XIXᵉ siècle. Plus tard, le nationalisme prit parfois une autre signification – la croyance dans la supériorité de sa propre nation.

Pourquoi la Pologne se révolta-t-elle ?

Entre 1772 et 1795, la Pologne était divisée entre la Russie, la Prusse et l'Autriche. Les nationalistes se soulevèrent contre les Russes en 1830 et 1863, mais l'indépendance ne fut accordée qu'en 1918.

NOUVELLES NATIONS

1830-1831	Agitation nationaliste ; demande de réformes démocratiques en Europe
1832	La Turquie reconnaît l'indépendance de la Grèce.
1848	Révoltes nationalistes et libérales en Europe
1871	Unification de l'Allemagne au sein de l'Empire
1871	Unification de l'Italie en tant que nation

▲ INSURRECTION GRECQUE
Ce timbre commémore le 150ᵉ anniversaire de la rébellion grecque (1821-1827) contre la loi turque. La réponse brutale des Turcs suscita la sympathie des Européens pour les rebelles grecs.

Quand l'Allemagne est-elle née ?

Depuis le Moyen Âge, l'Allemagne était une mosaïque de cités libres et de petits États au sein du Saint Empire romain germanique. Au XIXᵉ siècle, ils s'unifièrent peu à peu sur le plan économique, puis politique. En 1871, Guillaume Iᵉʳ de Prusse devint empereur de cette Allemagne unifiée.

EXPLOSION IRLANDAISE ▶
L'irlande fut intégrée au Royaume-Uni en 1801. Une organisation nationaliste, la Fraternité républicaine irlandaise (ou Fenians), fut fondée à New York en 1857 pour libérer l'Irlande. Elle lança des attaques à Manchester et à Londres en 1867.

La chemise rouge devint le symbole de la liberté.

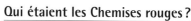

Qui étaient les Chemises rouges ?

Giuseppe Garibaldi (1807-1882) rêvait d'unifier l'Italie et de la libérer de la tutelle étrangère. En 1860, il rassembla un millier de volontaires qui portaient comme uniformes des chemises rouges. Ils se rendirent de Gênes en Sicile par la mer et rallièrent une rébellion contre les gouverneurs français de l'île. Puis ils gagnèrent le sud de l'Italie. Garibaldi entreprit ensuite une marche sur Rome et se battit contre l'Autriche.

◀ COMBATTANT DE LA LIBERTÉ ITALIEN
Garibaldi mène les Chemises rouges au combat. Jeune homme, Garibaldi avait rejoint le mouvement Jeune-Italie. Contraint à s'enfuir en Amérique du Sud, il y combattit la dictature et l'injustice avant de regagner l'Italie en 1847.

Nationalisme

OTTO VON BISMARCK
1815–1898
Politicien prussien, Bismarck était conservateur et royaliste. En 1848, il s'opposa aux nationalistes libéraux qui réclamaient des changements démocratiques en Allemagne, mais il joua un rôle décisif dans la fondation de l'Empire allemand en 1871.

POUR EN SAVOIR PLUS ▶▶ L'empire de Charlemagne 385 • La guerre de Trente Ans 406

LES EMPIRES COLONIAUX

Du début du XIXe au début du XXe siècle, quelques nations européennes puissantes se partagèrent une grande partie du monde. Les Britanniques contrôlaient les richesses de l'**INDE**. La **LÉGION ÉTRANGÈRE FRANÇAISE** défendait des forteresses dans le Sahara, et les pays impérialistes se disputaient l'**AFRIQUE**.

Pourquoi les Européens voulaient-ils gouverner le monde ?

Les usines des pays nouvellement industrialisés avaient besoin de ressources, comme le caoutchouc. Certains pays cherchaient des terres à coloniser, d'autres voulaient convertir des populations au christianisme.

Comment les peuples étaient-ils traités par leurs gouverneurs ?

Les impérialistes prétendaient civiliser les populations qu'ils considéraient inférieures à eux. Malgré la construction de villes, de ports, de chemins de fer, dans certaines colonies la population locale était traitée presque comme des esclaves.

LE MONDE EN 1900 ▶
Les principales puissances impérialistes étaient la France, l'Angleterre, l'Allemagne, le Danemark, la Belgique, les Pays-Bas, l'Espagne et le Portugal. Les États-Unis et le Japon conquièrent aussi des territoires à l'étranger. L'Empire russe dominait désormais tout le nord de l'Asie. Mais l'Empire chinois abandonnait des terres aux puissances étrangères.

L'INDE BRITANNIQUE

Au début du XIXe siècle, le pouvoir effectif en Inde était détenu par la Compagnie anglaise des Indes orientales. À la suite d'une révolte des soldats indiens en 1857, la loi britannique fut imposée sur l'Inde en 1858.

Qui devint impératrice d'Inde ?

La reine Victoria (1819-1901) fut proclamée impératrice d'Inde en 1876. Sous sa loi, l'Angleterre devint la nation la plus puissante du monde. Politicienne avisée, Victoria supervisait de près la politique étrangère de son gouvernement. L'Inde était considérée comme l'une des régions les plus importantes de l'Empire britannique. Des échanges avaient lieu entre les deux pays.

◀ LA REINE VICTORIA AU TRAVAIL
La reine Victoria, impératrice d'Inde, écrit des lettres et lit des papiers officiels en 1893, sous l'œil d'un serviteur.

LE PARTAGE DE L'AFRIQUE

Après les découvertes des explorateurs en Afrique, l'Europe s'empressa de conquérir les nouvelles terres. Français et Anglais se disputèrent le Soudan, tandis que les Allemands s'établissaient en Afrique orientale et occidentale.

Que se passa-t-il à Berlin en 1884 ?

De 1884 à 1885, les nations les plus puissantes du monde se réunirent à Berlin, capitale de l'Allemagne. Elles se partagèrent de vastes régions d'Afrique. Peu informées sur ces contrées lointaines, elles firent abstraction des populations locales, et fixèrent les frontières en fonction des intérêts politiques.

STANLEY TROUVE LIVINGSTONE ▶
L'explorateur et missionnaire écossais David Livingstone voulait ouvrir des routes commerciales en Afrique. Retenu par la maladie en 1871, il fut trouvé par H.M. Stanley, explorateur engagé par le journal *New York Herald*.

LE MONDE EN 1900

- Empire ottoman
- Angleterre et possessions
- France et possessions
- Danemark et possessions
- Espagne et possessions
- Portugal et possessions
- Pays-Bas et possessions
- Empire allemand et possessions
- Empire russe et possessions
- Japon et possessions
- Italie et possessions
- États-Unis et possessions
- Nations indépendantes
- ○ Comptoir
- ◇ Possession coloniale

EMPIRES 1800-1918

1824	●	Hollandais et Anglais se partagent des territoires dans l'Asie du Sud-Est.
1883-1885	●	L'Allemagne crée des colonies en Afrique et dans le Pacifique.
1885	●	La Belgique gouverne le Congo.
1887	●	La France dirige l'Indochine.
1899-1902	●	Guerre des Boers en Afrique du Sud
1904	●	Fédération de l'Afrique-occidentale française
1918	●	Fin des empires allemand et ottoman après leur défaite lors de la Première Guerre mondiale

@ ►►
Empires coloniaux

◄ SOLDATS DE L'EMPIRE
Les légionnaires et autres soldats au service des grands empires étaient confrontés à des conditions de vie rudes, aux maladies tropicales et aux longues missions loin du pays d'origine.

LA LÉGION ÉTRANGÈRE FRANÇAISE

D'importantes armées étaient nécessaires aux empires pour juguler les révoltes ou battre les puissances rivales. En 1831, la France créa la Légion étrangère pour les guerres coloniales. Recrutant ses membres chez les étrangers, elle était réputée pour sa discipline stricte.

Où les légionnaires se battaient-ils ?

Ils se battaient dans les pays de l'empire où la France avait besoin d'eux. La Légion était surtout connue pour ses campagnes en Afrique du Nord. Le territoire français s'étendait de l'Algérie au fleuve Congo, au sud. La France gouvernait aussi Madagascar, la Guinée française, ainsi que certaines îles des Antilles, de l'océan Indien et du Pacifique Sud.

POUR EN SAVOIR PLUS ►► L'Afrique médiévale 394-395 • L'Inde moghole 407

LA GUERRE DE SÉCESSION

En 1860-1861, des États du Sud regroupés au sein de la Confédération se retirèrent des États-Unis. L'attaque d'un fort fédéral par les confédérés à Charleston, Caroline du Sud, déclencha une guerre civile. En 1865, la victoire de l'Union sur la Confédération marqua la fin du conflit.

▲ BATAILLE DE CUIRASSÉS
Échange de coups de feu entre cuirassés au large de la Virginie en 1862. L'Union voulait arrêter les navires approvisionnant la Confédération.

Quelle fut la raison du conflit ?

Les États du Nord étaient industrialisés. Les États du Sud, agricoles, faisaient travailler les esclaves. Inquiets de la montée du pouvoir dans le Nord, ils craignaient que le gouvernement fédéral de Washington n'impose des réformes et n'abolisse l'esclavage.

Combien de personnes périrent ?

Les pertes humaines furent lourdes. 359 000 soldats périrent dans les troupes du Nord, 258 000 dans celles du Sud. Les civils furent victimes de pillages, de la destruction des chemins de fer, des villes et des plantations de coton.

Qu'était le chemin de fer souterrain ?

C'était un réseau clandestin d'itinéraires de fuite et d'abris pour les esclaves afro-américains. Entre 1786 et 1861, des activistes comme Harriet Tubman (1820-1913) aidèrent 50 000 esclaves à fuir vers les États du Nord et le Canada.

La guerre de Sécession mit-elle un terme à l'esclavage ?

En 1863, Abraham Lincoln proclama la fin de l'esclavage, et il fut aboli dans les États du Sud après la guerre. Les Afro-Américains eurent grand peine à sortir de la pauvreté. Les États du Sud votèrent des lois interdisant le droit de vote, parmi d'autres, malgré les amendements à la Constitution qui les garantissaient.

ABRAHAM LINCOLN
1809-1865
Lincoln fut élu président en 1860 et de nouveau en 1864. Il soutint le gouvernement fédéral et s'opposa à l'esclavage. Après avoir mené l'Union à la victoire pendant la guerre civile, il fut assassiné dans un théâtre à Washington en 1865.

◄ FEU !
L'obusier (canon court) fut la pièce d'artillerie la plus utilisée dans la guerre de Sécession.

GRANT CONTRE LEE ▼
En 1864, le général de l'Union Ulysses Grant affronta le général des confédérés Robert Lee pour tenter la prise du palais de justice de Spotsylvania, dans le nord de la Virginie. Les pertes furent lourdes. Aucun des deux camps ne remporta le combat.

@ ►►
Guerre de Sécession

POUR EN SAVOIR PLUS ►►► L'indépendance américaine 414 • La traite des esclaves 413

L'AUSTRALIE

LOUIS ANTOINE DE BOUGAINVILLE 1729-1811
Après des études de droit et de mathématiques, Bougainville entama une carrière militaire et accompagna Montcalm au Canada. Il entreprit ensuite une expédition scientifique autour du monde et publia à son retour le récit de ce voyage qu'il fit de 1766 à 1769.

Les côtes australiennes furent cartographiées par les explorateurs hollandais vers 1600, puis par les Anglais vers 1700. En 1788, ces derniers fondèrent une colonie en Nouvelle-Galles du Sud, avant de conquérir le reste de ce vaste pays.

Pourquoi les prisonniers étaient-ils envoyés en Australie ?

De 1788 à 1852, les Anglais envoyèrent les criminels purger leur peine en Australie. C'est à la force de leurs bras que fut construit le nouveau pays. D'autres colons arrivèrent ensuite pour faire fortune – notamment après la découverte de l'or en 1851.

Histoire de l'Australie

Qu'arriva-t-il aux Aborigènes ?

Des 2 millions d'Aborigènes vivant en Australie en 1788, seuls 50 000 restaient en 1900. Beaucoup moururent de maladies introduites par les colons. D'autres furent assassinés ou chassés de leurs terres. Certains travaillaient comme ouvriers agricoles dans des élevages de moutons.

Quand l'Australie devint-elle une nation ?

Les colonies fondées en Australie par les Anglais devinrent autonomes vers 1850. Après de nombreux conflits, elles se regroupèrent en États au sein du Commonwealth d'Australie en 1901.

PÊCHEURS ABORIGÈNES ▶
Les chasseurs et pêcheurs aborigènes parvenaient à survivre dans des environnements difficiles, mais ils furent gravement menacés par la conquête européenne et les longues années de souffrances qui suivirent.

POUR EN SAVOIR PLUS ▶▶ L'Australie et la Nouvelle-Zélande 274-275 • Les premiers hommes 362-363 • Les grandes découvertes 400-401

LA NOUVELLE-ZÉLANDE

Aotearoa est le nom maori de la Nouvelle-Zélande. Des navigateurs hollandais et anglais découvrirent ces îles, et dans les années 1800 négociants et chasseurs de baleines y accostèrent. Les îles passèrent sous domination anglaise en 1840.

Histoire de la Nouvelle-Zélande

LE TRAITÉ DE WAITANGI ▶
En 1840, les Anglais signèrent un traité avec des chefs maoris sur l'île du Nord. Il garantissait aux Maoris la possession de leurs terres, mais les colons firent abstraction de ce droit.

Quand la Nouvelle-Zélande devint-elle autonome ?

Les Anglais accordèrent l'autonomie aux colons en 1852. Le pays prospéra avec l'élevage des moutons et la découverte de l'or en 1862. En 1893, la Nouvelle-Zélande fut le premier pays à accorder le droit de vote aux femmes. En 1907, elle devint un dominion, nation indépendante au sein de l'Empire britannique.

Que devinrent les Maoris ?

Les Maoris possédaient des armes depuis l'arrivée des premiers étrangers. Après 1840, les colons poursuivant leurs conquêtes, les Maoris se révoltèrent entre 1845 et 1847, puis entre 1860 et 1872. Ils furent ainsi représentés au parlement.

▲ TRADITION MAORIE
Les Maoris descendent de Polynésiens qui colonisèrent *Aotearoa* un millier d'années avant l'arrivée des Européens. Ils sont fiers de leur culture et de leurs traditions.

POUR EN SAVOIR PLUS ▶▶ L'Australie et la Nouvelle-Zélande 274-275 • La Polynésie 396

LA PREMIÈRE GUERRE MONDIALE

La Première Guerre mondiale (1914-1918) fut le premier conflit de l'histoire du monde impliquant autant de nations. Huit millions d'hommes périrent, beaucoup durant la **GUERRE DES TRANCHÉES**, avant l'**ARMISTICE** de 1918.

Les canons tiraient depuis les tourelles latérales.

▲ CHAR AU COMBAT

Inventés par les Anglais, les chars apparurent en 1916 et furent utilisés dans la bataille de Cambrai, en France, en 1917. Ces véhicules blindés traversaient les tranchées boueuses et écrasaient les barbelés.

Qu'est-ce qui déclencha la guerre ?

Au début du XXe siècle, les nations européennes formaient des alliances militaires rivales. La guerre éclata en 1914 après l'assassinat de l'héritier au trône d'Autriche par un nationaliste serbe. L'Autriche déclara la guerre à la Serbie, puis d'autres pays entrèrent dans le conflit. D'un côté se trouvaient la France, la Grande-Bretagne, la Russie, l'Italie et le Japon (puissances de l'Entente) ; de l'autre, les Allemands, Autrichiens, Hongrois, Bulgares et Turcs (empires centraux).

▲ LES PAYS TOUCHÉS PAR LA GUERRE

L'Europe était au centre du conflit. Les troupes venaient d'Afrique, d'Inde, de Nouvelle-Zélande, d'Australie et du Canada. Le front de l'ouest s'étendait de la Belgique à la Suisse ; celui de l'est, de la Baltique à la mer Noire. En 1917, les Arabes se révoltèrent contre l'Empire ottoman, et l'Angleterre envahit le Moyen-Orient.

Puissances de l'Entente et alliés	États neutres	Empires centraux et alliés	Avance des empires centraux	×××× Lignes de front novembre 1918

GUERRE ET PAIX

1914	L'Allemagne envahit la Belgique pour attaquer la France.
1915	Campagne de Gallipoli en Turquie. L'Italie rejoint l'Entente.
1916	Bataille navale du Jutland, au Danemark
1917	Les États-Unis rallient l'Entente. La Russie se retire. L'Italie est vaincue par les Autrichiens. Les Arabes se révoltent contre les Turcs.
1918	L'armistice met un terme à la guerre.

LA GUERRE DES TRANCHÉES

Pendant la Première Guerre mondiale, les deux camps construisirent des lignes de défense, les tranchées, à travers l'Europe occidentale. Elles se remplirent bientôt d'une boue nauséabonde. Lors de cette guerre de position, chaque attaque se soldait par des milliers de victimes.

Où se trouvait le « no-man's land » ?

Le territoire entre les deux lignes de front s'appelait *no-man's land*. Il était rempli de boue, de souches d'arbres, de barbelés. Les obus de canons et l'artillerie lourde y creusaient d'énormes cratères où les soldats disparaissaient.

MORT À GALLIPOLI ▶

En 1915, la campagne de Gallipoli entre les puissances de l'Entente et la Turquie fut marquée par les combats de tranchées les plus cruels de la guerre.

Quelles nouvelles armes furent utilisées ?

De nouvelles technologies furent mises au point. En 1915, l'armée allemande utilisa pour la première fois des gaz toxiques, employés ensuite largement. Les Anglais inventèrent le char. Les sous-marins pouvaient désormais torpiller les navires ennemis, les obligeant à se déplacer en convois. Les avions jetaient des bombes, espionnaient les positions diverses et attaquaient les pilotes ennemis.

Pourquoi la guerre fut-elle « totale » ?

Ce fut une guerre d'une ampleur encore jamais atteinte. Elle n'était pas faite que par des soldats professionnels. La plupart des troupes se composaient de civils, appelés pour servir dans les forces armées. Des villes comme Londres furent victimes de raids aériens. Des paquebots transportant des passagers de pays neutres furent attaqués. Les économies nationales étaient entièrement tournées vers la guerre.

Première Guerre mondiale

▲ FEMMES AU TRAVAIL
Une femme aux commandes d'une machine dans une usine de munitions. Pendant la guerre, les femmes durent occuper des postes réservés auparavant aux hommes. Ayant prouvé leurs capacités, elles obtinrent, en Angleterre, le droit de vote après la guerre.

◄ LES YANKEES ARRIVENT !
Sur une affiche, l'oncle Sam enjoint aux Américains de s'enrôler dans l'armée. Irrités par l'activité des sous-marins allemands, les États-Unis entrèrent en guerre en 1917. L'arrivée de nouvelles troupes à ce stade de la guerre accéléra la défaite allemande.

GUILLAUME APOLLINAIRE
1880-1918
Apollinaire renouvela la poésie française. Engagé dans la Première Guerre mondiale, il fut blessé par un éclat d'obus. Il reprit alors une féconde activité littéraire, mais, atteint ensuite par la grippe espagnole, il mourut le 9 novembre 1918.

L'ARMISTICE

Signer un armistice signifie déposer les armes. Les fusils de la Première Guerre mondiale se sont tus le 11e jour du 11e mois de 1918 à 11 heures. L'armistice du 11 novembre fut signé à Rethondes, entre l'Allemagne et les alliés.

L'armistice apporta-t-il la paix en Allemagne ?

La République de Weimar se mit en place, mais, contrainte de signer un traité très défavorable à l'Allemagne, elle s'avéra assez impopulaire. Le nationalisme fut alors exacerbé, et un désir de revanche menaça la paix.

▲ GÉNÉRATION PERDUE
Dans les cimetières militaires du nord de la France, les pierres tombales se dressent à l'infini. La guerre anéantit presque une génération entière. Ceux qui survécurent étaient souvent mutilés ; on les surnomma les « gueules cassées ».

POUR EN SAVOIR PLUS ▶▶ Le fascisme 431 • La Seconde Guerre mondiale 432-433

LA RÉVOLUTION RUSSE

À la fin du XIXᵉ siècle, les nations européennes mirent en place des réformes démocratiques, alors qu'une autocratie dirigeait la Russie. De nombreux Russes cherchèrent dans le socialisme, l'anarchisme ou le **COMMUNISME**, des solutions aux injustices sociales.

▲ LE TSAR NICOLAS II ET SA FAMILLE
Arrivé sur le trône en 1895, Nicolas II (1868-1918) se préoccupa davantage de sa famille que des problèmes de son pays. Après la révolution d'Octobre de 1917, il fut emprisonné, puis exécuté avec les siens.

Qu'appelle-t-on le Dimanche rouge de Saint-Pétersbourg ?

En 1905, les soldats fusillèrent à Saint-Pétersbourg des travailleurs qui voulaient présenter une pétition au tsar. Des grèves, des mutineries et des insurrections eurent lieu dans toute la Russie. Une *douma*, ou parlement, fut créée. Toutefois, les réformes demandées furent rejetées par le tsar.

Qui renversa le tsar ?

En mars 1917, grèves, mutineries et insurrections immobilisèrent la Russie. Les troupes russes engagées dans la Première Guerre mondiale désertèrent le front de l'est. Le tsar dut se retirer, et la Russie devint une république. Ce fut la révolution de février (la Russie suivait un calendrier différent de celui des pays occidentaux).

Quant eut lieu la révolution d'Octobre ?

La *douma* républicaine ne parvint pas à maîtriser le chaos. Un groupe de communistes, les bolcheviks, rejetèrent les tentatives de réformes libérales. Ils appelèrent les travailleurs à une révolution communiste. Les bolcheviks prirent le pouvoir en octobre (c'est-à-dire novembre) 1917.

▲ L'APPEL DE LÉNINE
Vladimir Ilitch Oulianov, dit Lénine (1870-1924) revint d'exil en 1917. Il demanda que le pouvoir soit transmis aux soviets (conseils révolutionnaires). Après la révolution d'Octobre, il dirigea le parti communiste au pouvoir.

LE COMMUNISME

Les communistes du monde entier furent inspirés par les écrits de Karl Marx (1818-1883). Selon Marx, l'histoire étant dépendante des forces économiques, une société juste et progressiste ne pouvait exister que si les travailleurs (ou prolétaires) prenaient le contrôle du système économique.

Quand fut créée l'Union soviétique ?

De 1918 à 1920, la guerre civile opposa les communistes de l'Armée rouge aux ennemis de la révolution (les Blancs). Suite à la victoire des communistes, une Union des républiques socialistes soviétiques (Union soviétique) fut fondée en 1922. Le parti communiste détenait seul le pouvoir. Beaucoup d'industries furent étatisées, et l'économie centralisée.

@ ▶▶
Révolution russe

Qui était Staline ?

Le successeur de Lénine fut Joseph Staline (1879-1953). Sa police secrète assassina de nombreux opposants, des millions d'autres étant contraints aux travaux forcés (goulags). Staline fut critiqué après sa mort, et le système soviétique, incapable d'instaurer des réformes, s'effondra en 1991.

◀ 1ᵉʳ MAI 1920
Cette affiche de la fête du Travail (1ᵉʳ mai) représente un groupe de révolutionnaires. À l'époque, des partis communistes furent créés dans de nombreux pays.

POUR EN SAVOIR PLUS ▶▶ L'économie 302-303 • La politique 306-307

LA RÉVOLUTION CHINOISE

À la fin du XIXᵉ siècle, l'Empire chinois s'affaiblit et les nations étrangères contrôlèrent son commerce. En 1911, le dernier empereur, Puyi, fut renversé lors d'une révolution nationaliste. De nombreuses années de troubles s'ensuivirent.

Qui dirigea la Chine après la révolution ?

Diverses forces se disputèrent le gouvernement de la Chine. Les nationalistes fondèrent une république en 1911. Puis, les généraux et guerriers régionaux prirent le pouvoir, suivis, en 1921, du parti communiste chinois. Enfin, le Japon conquit des territoires chinois en 1919.

CHINE 1912-1949	
1911	Instauration de la république
1919	Le Japon conquiert le Shandong.
1931	Le Japon occupe la Mandchourie.
1934-1935	La Longue Marche
1937-1945	Le Japon envahit la Chine.
1949	Victoire des communistes

▲ LA VICTOIRE DE MAO ZEDONG

Cette affiche remonte à 1949, date de la création de la république populaire de Chine. Elle représente le dirigeant communiste Mao Zedong devant le palais impérial de Pékin, avec les travailleurs.

Qui gagna la bataille ?

Après 1925, Tchang Kaï-chek prit la tête des nationalistes. Ceux-ci entrèrent en conflit avec les communistes, mais ils furent contraints à des alliances lorsque le Japon envahit la Chine. La défaite du Japon en 1945 fut suivie par la guerre civile. En 1949, les communistes battirent les nationalistes.

Qu'était la « nouvelle Chine » ?

Les nationalistes s'enfuirent à Taïwan et le dirigeant communiste Mao Zedong proclama une république populaire. Dans les années 1950, il favorisa l'accès à l'instruction et à la santé. Cependant, des réformes agricoles et industrielles irréalistes conduisirent à la débâcle politique pendant la révolution culturelle.

Révolution chinoise

◄ LES BOXERS

En 1900, cette organisation nationaliste attaqua des étrangers vivant en Chine. Ses agissements nécessitèrent l'intervention d'une force internationale qui jugula la révolte.

LA RÉVOLUTION CULTURELLE

Les échecs économiques provoquèrent des conflits au sein du parti communiste chinois. Craignant que les idéaux de la révolution ne se perdent, Mao Zedong appela à une « révolution culturelle », à un changement autoritaire et profond des mentalités.

Qui étaient les Gardes rouges ?

Les étudiants et les jeunes adoptèrent les idées de Mao avec enthousiasme. Ils se proclamèrent « Gardes rouges », prêts à s'engager dans une révolution sans fin. Ils saccagèrent les temples, dénoncèrent leurs enseignants et les « traîtres ». En 1967, l'armée régulière s'opposa aux Gardes rouges, et Mao dut les dissoudre en 1968.

La Chine resta-t-elle communiste ?

La mort de Mao en 1976 suscita une lutte pour le pouvoir. Dans les années qui suivirent, la Chine était toujours gouvernée par le parti communiste, mais elle commença à adopter des politiques économiques capitalistes.

TOUS ENSEMBLE ►

Des soldats chinois lisent les citations de Mao Zedong. Toutes les déclarations de Mao faisaient l'objet d'une reconnaissance publique. Des affiches et des statues le représentaient partout. Mais ses ennemis politiques attendaient leur heure.

Le Petit Livre rouge des pensées de Mao était présent dans tous les rassemblements.

L'étoile rouge symbolise le communisme.

POUR EN SAVOIR PLUS ►► Le premier Empire chinois 378 • La Chine impériale 393

LES CONFLITS ASIATIQUES

Pendant la première moitié du XXe siècle, l'Angleterre, la France et les Pays-Bas furent menacés par les populations qu'ils gouvernaient dans l'Asie du Sud et du Sud-Est. Dans le même temps, le Japon essayait de prendre la place des Européens et de créer un vaste empire.

Comment Gandhi s'est-il battu pour la liberté ?

Le mouvement nationaliste indien pour l'indépendance fut conduit par Mohandas Gandhi (1869-1948). Au lieu d'appeler à la révolte, Gandhi eut recours à des moyens non violents. Menant une vie simple, il souhaitait un retour aux valeurs traditionnelles de la vie de village. Il fut surnommé *Mahatma*, ou «Grande Âme». Cet homme pacifiste fut assassiné en 1948.

Quand la puissance japonaise est-elle apparue ?

Après 1868, le Japon devint une nation industrielle. Il battit la Russie en 1904-1905 et annexa la Corée en 1910. En 1919, il conquit des possessions allemandes en Extrême-Orient. Pendant les années 1930, des nationalistes extrémistes japonais planifièrent avec les militaires l'invasion de la Chine. Pendant la Seconde Guerre mondiale, les armées japonaises ravagèrent l'Asie du Sud-Est.

ASIE 1920-1942	
1920-1922	Gandhi à la tête du parti nationaliste indien
1926-1942	Agitation nationaliste en Indochine
1940	Occupation de l'Indochine française par le Japon
1942	Fondation du Viêt-minh

MANIFESTATION PACIFISTE ▶
En 1930, Gandhi menaça l'ordre public en organisant une marche jusqu'à la mer pour ramasser du sel. Les Anglais détenaient alors le monopole du sel.

POUR EN SAVOIR PLUS ▸▸ Les empires coloniaux 422-423 • La révolution chinoise 429

LA CRISE DE 1929

Pendant cette crise économique, les prix et la production baissèrent, le taux de chômage grimpa. La crise de 1929-1934 toucha les États-Unis, les pays européens ainsi que leurs colonies. Les banques fermèrent, les entreprises firent faillite et une grande partie de la population sombra dans une grande pauvreté.

Qu'est-ce que le krach de Wall Street ?

En 1929, la valeur des titres et des actions s'effondra brusquement aux États-Unis. Toutes les transactions cessèrent à Wall Street, quartier financier de New York, suite au krach de la Bourse. En une nuit, des fortunes disparurent, et les entreprises licencièrent leurs ouvriers.

Quelle fut l'étendue de la crise ?

Les années 1920 et 1930 furent difficiles dans toute l'Europe, mais aussi en Australie et en Nouvelle-Zélande. Après l'effondrement d'une banque autrichienne, la crise s'étendit à l'Europe centrale. L'Allemagne fut très touchée, car elle essayait de se relever de la Première Guerre mondiale et devait payer des réparations à la France.

◀ SOUPE POPULAIRE
Des hommes font la queue pour la soupe populaire à New York en 1931. En 1932, plus de 12 millions d'Américains étaient sans emploi.

▲ JEUX D'ARGENT
De jeunes Allemands construisent une pyramide avec des liasses de billets de banque. La monnaie allemande perdit si rapidement sa valeur qu'un pain coûtait des millions de marks.

Crise de 1929

POUR EN SAVOIR PLUS ▸▸ L'économie 302-303 • L'État 308-309

LE FASCISME

En 1922, un mouvement politique d'extrême droite, le fascisme, apparut en Italie. Le nom était dérivé de *fasces*, hache qui symbolisait le pouvoir de l'État dans la Rome antique. Les fascistes prônaient l'autorité absolue de l'État sur l'individu. Très nationalistes, ils s'opposaient à la démocratie et au communisme.

DICTATEUR FASCISTE ▶
Benito Mussolini (1883-1945) organisa une marche sur Rome en 1922 et imposa sa dictature à l'Italie en 1925.

ADOLF HITLER
1889-1945
L'Autrichien Adolf Hitler servit dans un régiment allemand pendant la Première Guerre mondiale. Déçu par la défaite, il organisa le parti nazi et la prise du pouvoir en Allemagne. Ce dictateur persécuta les juifs et ses opposants. Son invasion des pays voisins déclencha la Seconde Guerre mondiale.

Où le fascisme s'est-il imposé ?

Le fascisme comptait des partisans dans plusieurs pays occidentaux. Il attirait des personnes fragilisées par la crise économique et ses conséquences. Le parti ouvrier allemand national-socialiste fut fondé en 1920. La phalange espagnole, mouvement fasciste créé en 1933, participa à la **GUERRE CIVILE** en Espagne.

Qui étaient les nazis ?

Les nationaux-socialistes allemands, ou nazis, avaient pour chef Adolf Hitler. Dès 1933, ce dernier lutta contre le chômage et reconstruisit l'armée allemande en violation des traités internationaux. Les nazis accédèrent au pouvoir par l'intimidation, la corruption, le meurtre. Très racistes, ils nourrissaient une forte haine pour le peuple juif.

▼ NUREMBERG, 1938
Les nazis organisèrent d'immenses rassemblements politiques, notamment dans la ville de Nuremberg. Ici, des soldats défilent en brandissant les bannières du parti nazi portant le slogan « Le Réveil de l'Allemagne ».

@ ▶▶ Fascisme

Les nazis reprirent un symbole ancien, la svastika, pour représenter la « race supérieure » des Aryens.

LA GUERRE CIVILE

La guerre civile dévasta l'Espagne de 1936 à 1939. Une alliance dirigée par le général Franco renversa le gouvernement élu de la République espagnole. Les franquistes étaient phalangistes, conservateurs, monarchistes et catholiques. Les républicains étaient socialistes, communistes et régionalistes.

Qui participa à la guerre ?

Francisco Franco était soutenu par l'Italie fasciste et l'Allemagne nazie. Les forces gouvernementales reçurent le soutien de l'Union soviétique et de volontaires anti-fascistes originaires de toute l'Europe et d'Amérique. Beaucoup de ces jeunes idéalistes périrent en se battant pour les Brigades internationales. Mais la république s'effondra, et Franco gouverna l'Espagne en dictateur jusqu'à sa mort en 1975.

▲ SALUTS NAZIS
Les troupes de Franco prennent la ville d'Irún. Le bombardement allemand bouleversa l'opinion publique internationale.

▲ « NO PASARÁN »
« Ils ne passeront pas » était le cri de ralliement des républicains pendant l'avance de Franco sur Madrid. Hommes et femmes tentèrent l'impossible, mais en vain. Cette guerre tragique laissa l'Espagne meurtrie et divisée. Les villes gardent toujours en mémoire les souffrances vécues.

POUR EN SAVOIR PLUS ▶▶ La Première Guerre mondiale 426-427 • La Seconde Guerre mondiale 432-433

LA SECONDE GUERRE MONDIALE

En 1939, l'Allemagne nazie envahit ses voisins, déclenchant une guerre mondiale qui se solda par 40 millions de victimes. Contrairement à la Première Guerre mondiale, celle-ci fut une **GUERRE-ÉCLAIR**. Elle s'acheva avec la découverte terrible de la **SHOAH** et l'explosion de la **BOMBE ATOMIQUE**.

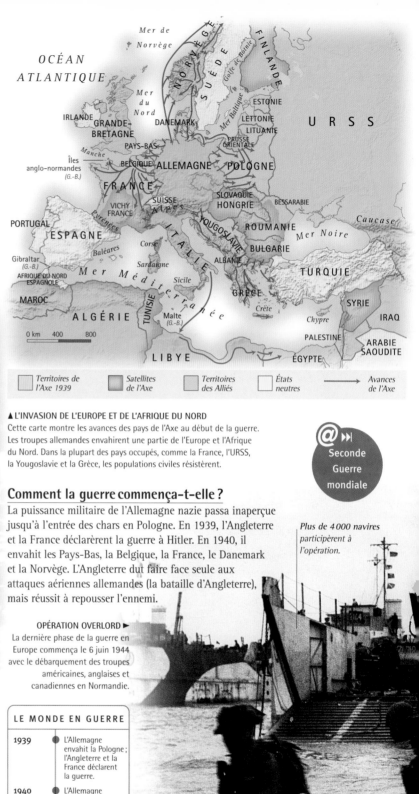

Territoires de l'Axe 1939	Satellites de l'Axe	Territoires des Alliés	États neutres	⟶ Avances de l'Axe

▲ **L'INVASION DE L'EUROPE ET DE L'AFRIQUE DU NORD**
Cette carte montre les avances des pays de l'Axe au début de la guerre. Les troupes allemandes envahirent une partie de l'Europe et l'Afrique du Nord. Dans la plupart des pays occupés, comme la France, l'URSS, la Yougoslavie et la Grèce, les populations civiles résistèrent.

@ ▸▸ Seconde Guerre mondiale

Comment la guerre commença-t-elle ?

La puissance militaire de l'Allemagne nazie passa inaperçue jusqu'à l'entrée des chars en Pologne. En 1939, l'Angleterre et la France déclarèrent la guerre à Hitler. En 1940, il envahit les Pays-Bas, la Belgique, la France, le Danemark et la Norvège. L'Angleterre dut faire face seule aux attaques aériennes allemandes (la bataille d'Angleterre), mais réussit à repousser l'ennemi.

Plus de 4 000 navires participèrent à l'opération.

OPÉRATION OVERLORD ▶
La dernière phase de la guerre en Europe commença le 6 juin 1944 avec le débarquement des troupes américaines, anglaises et canadiennes en Normandie.

▲ **LA GUERRE DU PACIFIQUE**
En 1941, le Japon lança une attaque surprise sur Pearl Harbor, base navale américaine située à Hawaii. Les États-Unis entrèrent en guerre. Le conflit du Pacifique avec le Japon dura près de quatre ans.

Pourquoi la guerre fut-elle mondiale ?

Parmi les Alliés figuraient la France, l'Angleterre et les pays du Commonwealth, la Belgique, les Pays-Bas, le Danemark, la Norvège, la Pologne. Ils furent rejoints en 1941 par l'Union soviétique et les États-Unis. L'alliance de l'Axe, composée de l'Allemagne et de l'Italie, s'étendit à la Hongrie, la Roumanie, la Bulgarie et au Japon.

Quand eut lieu le tournant de la guerre ?

En 1942, les États-Unis écrasèrent les Japonais lors de la bataille navale de Midway. Les victoires des Alliés en Afrique du Nord permirent une avancée en Italie en 1943. Lors de rudes combats sur le front de l'est en Europe, les Russes battirent les Allemands à Stalingrad. En 1945, les Alliés envahirent l'Allemagne à la fois par l'est et l'ouest.

LE MONDE EN GUERRE

1939	● L'Allemagne envahit la Pologne ; l'Angleterre et la France déclarent la guerre.
1940	● L'Allemagne envahit une partie de l'Europe occidentale. L'Italie entre en guerre.
1941	● L'Allemagne envahit la Yougoslavie, la Grèce, l'Union soviétique. Le Japon attaque les États-Unis.
1942	● Le Japon envahit l'Asie du Sud-Est et le Pacifique.
1944	● Libération de la France
1945	● Victoire des Alliés

LA GUERRE-ÉCLAIR

Le terme de «guerre-éclair», ou *blitzkrieg* en allemand, fut utilisé pour la première fois en 1939 pour désigner les tactiques militaires rapides qui conduisirent à l'invasion de l'Europe par les nazis. Elles furent favorisées par de nouveaux armements et de nouvelles technologies.

CHARLES DE GAULLE
1890-1970
Après la guerre de 1914-1918 au cours de laquelle il fut officier d'infanterie, il préconisa l'usage des blindés. En juin 1940, il refusa l'armistice et lança, de Londres, un appel à la résistance. Après la guerre de 1939-1945, il se retira de la vie politique pour ne revenir qu'en 1958. Il mit fin à la guerre d'Algérie et fonda la Vᵉ République. Il démissionna après mai 1968.

En quoi la guerre-éclair consistait-elle ?

Des chars et des avions rapides permettaient de déjouer les défenses au sol. Des parachutistes atterrissaient derrière les lignes ennemies. Les bombardements de villes provoquaient la mort des civils. Les Alliés eurent également recours aux tactiques du *blitzkrieg* ; ils dévastèrent les villes allemandes avec leurs bombes. Cette guerre fut aussi marquée par l'usage du radar pour détecter les avions ennemis, des bombes volantes et des fusées, ainsi que de la guerre sous-marine.

BOMBARDEMENTS AÉRIENS ▶
Les bombardiers allemands Ju-87 (Stuka) attaquaient les navires, les chars et les fortifications. Ces avions, qui plongeaient à 80 degrés, furent employés dans la bataille d'Angleterre et sur le front de l'est.

LA SHOAH

Les camps de concentration existaient en Allemagne depuis 1933, mais le génocide, qui visait à exterminer le peuple juif, fut décidé par la conférence de Wannsee en 1942. Environ 6 millions de juifs périrent dans les camps lors de la Shoah (mot hébreu signifiant «anéantissement»).

156 000 troupes traversèrent la Manche.

L'assaut fut donné sur cinq plages, sur 80 km de défenses côtières.

Qui découvrit les camps de concentration ?

En 1945, les Alliés, en progressant, découvrirent des témoignages de ce crime monstrueux. Des juifs de l'Europe entière avaient été arrêtés et emmenés dans des wagons à bestiaux jusqu'aux camps de la mort, avec d'autres populations que les nazis haïssaient, comme les Tsiganes. Certaines victimes étaient condamnées aux travaux forcés, d'autres étaient tuées aussitôt dans des chambres à gaz.

▲ UN CAMP DE LA MORT
C'est à Auschwitz (Pologne) que fut aménagé, de 1940 à 1945, l'un des plus effroyables camps d'extermination. Trois à quatre millions de personnes, dont des Polonais et des juifs, y furent tués.

LA BOMBE ATOMIQUE

Pendant la guerre, les États-Unis mirent au point secrètement l'arme la plus destructrice jamais inventée, la bombe atomique, qui produit de l'énergie par la fission nucléaire. En août 1945, ils lancèrent deux bombes atomiques sur le Japon, après quoi celui-ci se rendit.

Pourquoi les États-Unis lancèrent-ils la bombe atomique ?

Le gouvernement américain souhaitait mettre rapidement un terme à la guerre. Pour les opposants à la bombe, sa puissance et les morts de civils qu'elle engendra étaient inacceptables d'un point de vue moral.

NUAGE NUCLÉAIRE ▶
Des bombes furent lancées sur Hiroshima et Nagasaki. À Hiroshima, plus de 78 500 personnes moururent en une minute. De nombreuses victimes décédèrent des années après, suite aux effets des radiations.

POUR EN SAVOIR PLUS ▶▶ L'énergie nucléaire 167 • La Première Guerre mondiale 426-427 • Le fascisme 431

LES ORGANISATIONS INTERNATIONALES

Les nations ont toujours formé des alliances. Au XXᵉ siècle, de nombreuses organisations furent créées dans le monde entier pour des raisons économiques et politiques, pour la défense, la paix, la santé et le bien-être social.

Organisations internationales

Pourquoi les Nations unies furent-elles fondées ?

La Société des Nations fut créée en 1920 pour préserver la paix après la Première Guerre mondiale. Mais la SDN ne put empêcher la Seconde Guerre mondiale en 1939. En 1945, certains pays signèrent la charte de San Francisco, qui fondait une nouvelle organisation, les Nations unies. Depuis, l'ONU favorise la coopération internationale et tente de résoudre les conflits.

Quelles autres alliances ont été conclues ?

Certaines alliances sont politiques, comme la Ligue arabe (1945) et l'Organisation de l'unité africaine (1963). Petite alliance commerciale à l'origine, la Communauté économique européenne (1957) est devenue l'Union européenne (1993). Parmi les alliances militaires figurent l'Organisation du traité de l'Atlantique Nord (OTAN, 1949) et le pacte de Varsovie (1955-1991).

BRANCHES D'OLIVIER ►
Le drapeau des Nations unies représente le monde entouré de branches d'olivier, symbole de paix. Les Nations unies envoient des forces (les «casques bleus») à travers le monde pour sauvegarder la paix.

POUR EN SAVOIR PLUS ►► La Première Guerre mondiale 426-427 • La Seconde Guerre mondiale 432-433

LA DÉCOLONISATION

Après 1945, les nations européennes ont commencé à renoncer à leurs colonies. Le pouvoir a été parfois transmis pacifiquement aux populations locales. En Afrique du Sud, les Blancs ont refusé de partager le pouvoir et créé le système de l'APARTHEID.

Quand le «vent du changement» a-t-il soufflé ?

En 1960, dans un discours en Afrique du Sud, le Premier ministre britannique Harold Macmillan déclara qu'un «vent de changement» soufflait sur le continent africain – autrement dit, que l'ère des empires et des colonies parvenait à son terme. Aujourd'hui, seules existent encore quelques colonies, ou «territoires d'outre-mer».

L'ALGÉRIE FRANÇAISE ►
De 1954 à 1962, les Français se sont battus contre les rebelles nationalistes en Algérie. Cette guerre fut très douloureuse pour les Algériens et les colons Français. L'indépendance fut accordée en 1962.

L'APARTHEID

Décolonisation

Apartheid est un terme de la langue afrikaans signifiant «séparation». Ce fut la politique de ségrégation raciale adoptée par le gouvernement d'Afrique du Sud de 1948 à 1994. Les Blancs, représentant seulement 14 % de la population, refusèrent le droit de vote aux Noirs et aux Asiatiques. Ces populations, privées des droits fondamentaux, avaient interdiction de se mêler aux Blancs.

NELSON MANDELA
1918
L'avocat noir Nelson Mandela s'engagea contre l'apartheid. Emprisonné de 1964 à 1990, il devint un symbole de la résistance. Après sa libération, il obtint le prix Nobel de la paix et fut élu premier président noir d'Afrique du Sud.

Quels furent les effets de l'apartheid ?

Les Noirs n'étaient pas autorisés à vivre dans les quartiers réservés aux Blancs, ni à s'asseoir sur les mêmes bancs ou à se rendre dans les mêmes cafés. Ils étaient pauvres, mal logés et peu instruits. Les Noirs et les Blancs qui protestaient contre l'apartheid risquaient l'emprisonnement ou la mort.

Quand l'apartheid fut-il suspendu ?

En 1994, la victoire de Nelson Mandela aux premières élections démocratiques d'Afrique du Sud mit enfin un terme à l'apartheid. Toutefois, les nouvelles nations indépendantes d'Afrique sont confrontées à de nombreux autres problèmes.

POUR EN SAVOIR PLUS ►► Les empires coloniaux 422-423

LA GUERRE FROIDE

Après la Seconde Guerre mondiale, les alliés qui s'étaient battus ensemble contre le fascisme se disputèrent la domination du monde. La guerre froide désigne une période de tension qui dura de 1945 à 1990. Le bloc capitaliste, dirigé par les États-Unis, s'opposa au bloc communiste, constitué principalement par l'Union soviétique puis la Chine.

@ ▶▶
Guerre froide

RÉVOLUTION DE CASTRO ▶
En 1959, le révolutionnaire Fidel Castro renversa le dictateur cubain Fulgencio Batista, faisant de Cuba un État communiste.

▲ MANIFESTATION AUX ÉTATS-UNIS
Manifestation contre la guerre du Vietnam à Washington en 1969. Dans les pays occidentaux, beaucoup de citoyens considéraient cette guerre comme injuste, et des manifestations eurent lieu dans le monde entier.

Que fut la crise de Cuba ?
Les deux camps de la guerre froide disposaient d'armements nucléaires. En 1962, l'Union soviétique installa secrètement des missiles à Cuba, communiste. Après les avoir découverts, les États-Unis exigèrent qu'ils soient retirés. L'Union soviétique accepta, évitant de justesse une guerre nucléaire mondiale.

En quoi consistait le Rideau de fer ?
Après la Seconde Guerre mondiale, les pays d'Europe centrale et de l'Est, gouvernés par les communistes, étaient en conflit avec les pays d'Europe occidentale et les États-Unis. Les deux camps adverses se coupèrent l'un de l'autre. En 1946, dans un célèbre discours, l'homme politique anglais Winston Churchill déclara qu'un «Rideau de fer» partageait désormais l'Europe.

Que fut la guerre du Vietnam ?
En 1954, l'armée coloniale française du Vietnam fut battue par les rebelles communistes. Le pays fut partagé entre le nord et le sud, et les États-Unis intervinrent pour soutenir un gouvernement anti-communiste dans le sud. Dans les années 1960, ils envoyèrent des troupes pour combattre les communistes, ce fut un échec. En 1975, le Vietnam fut unifié sous la loi communiste.

POUR EN SAVOIR PLUS ▶▶ L'Extrême-Orient 268-269 • La Seconde Guerre mondiale 432-433

LE MOYEN-ORIENT

Le Moyen-Orient fut le théâtre de nombreux conflits au siècle dernier. Ses gisements de pétrole, les plus importants du monde, ont enrichi ses dirigeants, mais aussi engendré de nombreuses tensions. D'autres sources de conflits furent la création d'Israël et la place de l'islam dans les gouvernements.

Quelle est l'origine du conflit en Israël ?
En 1948, les Nations unies partagèrent la Palestine en un État arabe et un État juif, Israël. Les juifs regagnèrent ce nouvel État, mais de nombreux Palestiniens, chassés, durent s'enfuir. Israéliens et Palestiniens continuent à revendiquer cette terre.

Qui prit le pouvoir en Irak ?
En 1963, le parti Baas, soutenu par les États-Unis, prit le pouvoir en Irak. L'Irak, présidé par Saddam Hussein, fit la guerre à l'Iran de 1980 à 1989, puis envahit le Koweït, riche en pétrole, qui fut libéré en 1991 par une alliance dirigée par les États-Unis. En 2003, ceux-ci et l'Angleterre, considérant Hussein comme une menace pour le monde, envahirent l'Irak et renversèrent son président.

@ ▶▶
Conflits du Moyen-Orient

▼ LA GUERRE DES SIX JOURS
Ce conflit, en 1967, fut le troisième d'une succession de guerres israélo-arabes. Israël gagna et occupa de nombreux territoires arabes. Après la guerre, le nombre de réfugiés palestiniens s'élevait à 300 000.

POUR EN SAVOIR PLUS ▶▶ Les nations 312 • La guerre 313 • Les organisations internationales 434

HISTOIRE DU QUÉBEC ET DU CANADA

@ ►►
ligne
du temps

L'histoire québécoise et canadienne est celle d'une rencontre entre différentes cultures et différentes nations. Le vaste territoire canadien, qui occupe la majeure partie du continent nord-américain, a d'abord été peuplé par des femmes et des hommes venus d'Asie il y a plusieurs milliers d'années.

Ces peuples occupèrent tout le continent américain, et leurs descendants constituent les différentes nations amérindiennes de l'Amérique actuelle. À l'exception des Vikings, qui avaient traversé l'Atlantique dès le 10e siècle, ce n'est qu'au 15e siècle que les Européens parviennent à leur tour jusque dans le «Nouveau Monde», à la recherche de routes nouvelles vers la Chine et l'Inde. Cette «découverte» de l'Amérique par les Européens marque le début d'une période d'appropriation du territoire. Le territoire actuel du Québec et du Canada sera pendant longtemps disputé par la France et la Grande-Bretagne. Au cours d'une première période, les Français réussissent à dominer un immense territoire connu sous le nom de Nouvelle-France. Cet empire colonial s'effondre au terme de la guerre de Sept Ans (1765-1763): il est alors cédé à la Grande-Bretagne. À compter de 1763, le Canada britannique succède à la Nouvelle-France; on parle alors de la province de Québec, puis du Bas-Canada et du Canada tout court. Finalement, l'année 1867 coïncide avec la naissance du Canada contemporain, comme nation indépendante; c'est la Confédération, qui crée un pays et des provinces, dont le Québec.

Ainsi, trois grandes périodes de durée inégale composent l'histoire du Québec et du Canada: le **Régime français**, le **Régime britannique** et la **Confédération**.

Au cours de leur histoire respective, la France et le Royaume-Uni se sont fréquemment affrontés pour l'hégémonie de l'Europe. Au moment des grandes explorations des 15e et 16e siècles, ces deux pays accusent un retard considérable par rapport à l'Espagne et au Portugal, qui ont déjà pris possession de l'Amérique centrale et de l'Amérique du Sud. Pour les rois de France et d'Angleterre, il reste l'Amérique du Nord; et ils vont y transporter leurs luttes.

Malgré les guerres qui les opposent et leurs différences sur le plan de la religion, la France et le Royaume-Uni partagent un héritage occidental issu du monde gréco-romain et du christianisme. Le Québec et le Canada actuels sont le résultat d'un amalgame de la culture et des institutions françaises et anglaises, transposées en Amérique du Nord et influencées par l'environnement ainsi que par le contact avec les Amérindiens. Un bref aperçu de l'histoire millénaire de ces deux pays permet de saisir les principales étapes de leur évolution respective et de relever autant les caractéristiques qui les opposent que celles qui les unissent.

En 1534, en prenant possession du territoire qu'il découvre au nom du roi de France, le navigateur Jacques Cartier donne naissance à ce qui va devenir un immense empire, couvrant l'Amérique du Nord, de l'Atlantique aux Rocheuses et jusqu'au golfe du Mexique. L'Empire français d'Amérique, vaste mais peu peuplé, comprend le Canada (c'est-à-dire la vallée du Saint-Laurent), l'Acadie et d'immenses territoires à l'ouest, des Grands Lacs à la Louisiane. La forte population des colonies anglaises et les conflits entre la France et l'Angleterre poussent les colonies françaises et britanniques à s'affronter à plusieurs occasions. Au terme du dernier de ces conflits – la guerre de Sept Ans –, l'ensemble de ce territoire, à l'exception de Saint-Pierre-et-Miquelon, au large de Terre-Neuve, devient possession du Royaume-Uni.

Avant les Européens... les Amérindiens

-40 000 *Début du peuplement de l'Amérique par des chasseurs nomades venus d'Asie:* Par vagues successives, les Amérindiens entrent sur le continent américain par le détroit de Béring; au cours de la période glaciaire, la Sibérie est reliée à l'Alaska. Puis, il y a 35 000 ans, le réchauffement du climat élève le niveau des océans, et le passage entre les deux continents est alors submergé. Une autre glaciation, vers 25 000 avant J.-C., favorise une nouvelle fois le passage entre les deux continents. Puis, il y a 12 000 ans, le réchauffement du climat le referme définitivement.

-6000 *Peuplement de la vallée du Saint-Laurent:* D'abord installées plus au sud du continent nord-américain, en raison du climat, les nations amérindiennes remontent au gré du réchauffement de la planète et du retrait de la «mer de Champlain», qui recouvre la vallée du Saint-Laurent. On estime qu'ils se seraient fixés dans la vallée du Saint-Laurent il y a environ 8000 ans.

LES PROVINCES ET TERRITOIRES DU CANADA

Québec *(1867)*	Yukon *(1898)*
Ontario *(1867)*	Alberta *(1905)*
Nouvelle-Écosse *(1867)*	Saskatchewan *(1905)*
Nouveau-Brunswick *(1867)*	Territoires du Nord-Ouest *(1905)*
Manitoba *(1870)*	Terre-Neuve *(1949)*
Colombie-Britannique *(1871)*	Nunavut *(1999)*
Île-du-Prince-Édouard *(1873)*	

-3500   *Arrivée des Inuits :* Après la fonte de la mer de Béring, le passage de l'Asie à l'Amérique ne peut se faire que par voie maritime. Les Inuits accèdent au continent américain de cette manière il y a environ 5500 ans. Ils constituent les derniers migrants asiatiques de l'Amérique préhistorique. Leur occupation du nord du Québec remonte à 2000 avant J.-C.

1000   *Organisation de l'horticulture :* Vers l'an 1000, les populations des rives du Saint-Laurent et du sud de l'Ontario, là où le climat est propice, adoptent une horticulture basée sur la culture du maïs, des fèves et des courges.

1000   *Venue des Vikings en Amérique du Nord ; premiers contacts avec les Européens :* Leif Eriksson et d'autres Vikings traversent l'Atlantique et parviennent, via l'Islande et le Groenland, au Labrador et à Terre-Neuve (Anse-aux-Meadows). Il s'agit de la première présence européenne attestée en Amérique du Nord. Les Vikings installent une colonie au Labrador (Vinland) ; ils l'abandonnent deux ans plus tard et semblent avoir renoncé définitivement à leurs voyages nord-américains.

1534   *Premier voyage de Jacques Cartier :* Lorsqu'il prend possession du « Canada » au nom du roi de France, Jacques Cartier établit un premier contact avec les nations amérindiennes de la vallée du Saint-Laurent. Il ramène d'ailleurs en France deux jeunes Amérindiens, probablement des fils du chef iroquois Donnacona. L'année suivante, Cartier est le premier Européen à pénétrer à l'intérieur du continent, jusqu'aux emplacements actuels de Québec (Stadaconé) et de Montréal (Hochelaga). Le nom « Canada » donné au pays par Cartier, qui y a rencontré les Iroquoïens, signifierait vraisemblablement « village ». À l'hiver 1535, les Amérindiens sauvent d'une mort certaine l'équipage de Jacques Cartier, victime du scorbut, grâce à une tisane d'anneda, le cèdre blanc d'Amérique, qui contient de la vitamine C.

1608   *Fondation de Québec :* Le mot algonquien Québec signifie « là où le fleuve rétrécit ». À l'emplacement où Jacques Cartier a vu le village de Stadaconé, Champlain ne rencontre pas d'Amérindiens, car les Iroquoïens ont déserté la vallée du Saint-Laurent.

1650   *Destruction de la Huronie :* Dans la vallée du Saint-Laurent, à compter de la décennie 1650, les Français sont plus nombreux que les Amérindiens, décimés par les guerres entre tribus et les épidémies, conséquences de la présence européenne. Ainsi, dès 1649, la Huronie (région du lac Huron) est détruite par les Iroquois ; des Hurons, alliés des Français, trouvent refuge dans la région de Québec.

1701   *Grande Paix de Montréal :* À Montréal, les chefs des Cinq Nations de la confédération iroquoise concluent une paix générale avec la Nouvelle-France, déclarant leur neutralité dans les conflits entre la France et l'Angleterre.

POPULATION AUTOCHTONE DU QUÉBEC EN 2002

Abénaquis	2 009	Malécites	712
Algonquins	8 652	Micsmacs	4 659
Attikameks	5 465	Mohawks	15 672
Cris	13 857	Naskapis	798
Hurons-Wendats	2 927	Inuits	9 692
Innus (Montagnais)	14 725	**Total**	**79 268**

(59 803 personnes habitent dans les réserves et 19 463 à l'extérieur)

France

-15000   *Grottes de Lascaux (Dordogne) :* Les hommes de la Préhistoire peignent les murs des cavernes.

-52   *Jules César conquiert la Gaule :* Vercingétorix dépose les armes à Alésia à l'automne ; toute la Gaule devient romaine.

496   *Baptême de Clovis, roi des Francs :* C'est le début de la christianisation des Francs.

732   *Bataille de Poitiers :* Les Arabes sont repoussés par Charles Martel ; ils se replient sur l'Espagne.

8e s.   *Début des Invasions normandes :* Les hommes du Nord (les Normands, ou Vikings) envahissent le nord de la France et fondent le duché de Normandie au 10e siècle.

800   *Charlemagne devient empereur :* L'Empire romain d'Occident est restauré par Charlemagne, qui se fait couronner à Rome par le pape Léon III.

843   *Serment de Strasbourg :* Les petits-fils de Charlemagne fixent les frontières du futur royaume de France.

987   *Couronnement d'Hugues Capet :* Ses descendants seront rois de France jusqu'à la Révolution.

1066   *Conquête de l'Angleterre par le duc Guillaume de Normandie :* Malgré les changements de dynasties, trente générations plus tard, la reine Élisabeth II est sa descendante.

1099   *Première croisade :* Le pape Urbain II lance la première croisade à Clermont en Auvergne.

1163   *Construction de Notre-Dame de Paris :* C'est le début de l'époque des cathédrales gothiques.

1270   *Mort du roi Louis IX (saint Louis) :* Il meurt à Tunis lors de la huitième croisade ; il est canonisé moins de 30 ans plus tard.

1314   *Chute de l'ordre du Temple :* Issu des croisades, l'ordre religieux et militaire des templiers est anéanti après un procès intenté par Philippe IV. Le grand maître de l'ordre, Philippe de Molay, est envoyé au bûcher.

1337   *Début de la guerre de Cent Ans :* À la mort de Charles IV, sans enfants, la couronne revient à son cousin Philippe de Valois, son plus proche parent mâle. Le roi d'Angleterre Édouard III, neveu de Charles IV par sa mère Isabelle de France, réclame la couronne. Cette difficile succession entraîne la France et l'Angleterre dans le plus long conflit de leur histoire.

1348   *Peste noire :* Environ le tiers de la population d'Europe succombe pendant la terrible épidémie. La peste ravage l'Europe à de nombreuses reprises ; la dernière épidémie en France s'abat sur Marseille en 1720. Cependant, la peste noire de 1348, qui survient dans un contexte de guerres et de famines, cause des pertes humaines inégalées. La France et l'Europe mettront plusieurs siècles à se remettre de cette épidémie sur le plan démographique.

1415   *Bataille d'Azincourt :* La France essuie une défaite devant l'Angleterre.

1431   *Jeanne d'Arc brûlée vive à Rouen :* Âgée de 19 ans, Jeanne dite « la pucelle d'Orléans » est brûlée après avoir contribué à délivrer Orléans et à faire couronner Charles VII.

1453   *Fin de la guerre de Cent Ans.*

1515   *Bataille de Marignan :* François Ier y remporte une victoire sur les Suisses au cours des guerres d'Italie.

1534   *Jacques Cartier prend possession du Canada au nom de François Ier.*

1572 *Massacre de la Saint-Barthélemy :* C'est l'apogée des guerres de religion entre catholiques et protestants (huguenots) ; les protestants sont tués par milliers.

1598 *Édit de Nantes :* Le roi Henri IV permet la liberté religieuse et met fin aux guerres de Religion.

1624 *Richelieu, ministre de Louis XIII.*

1635 *Intervention de la France dans la guerre de Trente Ans :* La France entre en conflit avec l'Espagne et le Saint Empire romain germanique.

1682 *Établissement de la résidence de Louis XIV au château de Versailles :* Le « Roi-Soleil » règne en monarque absolu.

1751 *Publication de* L'Encyclopédie *par Diderot et d'Alembert.*

1756 *Début de la guerre de Sept Ans contre l'Angleterre.*

1763 *Le traité de Paris met fin à la guerre de Sept Ans :* La Nouvelle-France, que Voltaire avait décrite à Louis XV comme « Quelques arpents de neige », est cédée à la Grande-Bretagne.

Rupture du lien colonial

1789, *Prise de la Bastille :* La Révolution française commence.
14 juil. Louis XVI et Marie-Antoinette seront guillotinés.

1804 *Couronnement de l'empereur Napoléon :* Le pape Pie VII se rend à Paris pour le couronnement. L'empereur se lance à la conquête de l'Europe ; c'est le début des guerres napoléoniennes.

1815 *Waterloo :* La défaite française à Waterloo (Belgique) marque la fin de l'Empire. Napoléon est prisonnier des Britanniques. Il meurt en détention à l'île Sainte-Hélène en 1821. La monarchie est restaurée.

1852 *Début du Second Empire :* Le neveu de Napoléon Bonaparte perpétue un coup d'État et proclame le Second Empire. Celui-ci s'effondre en 1871, et la République est réintroduite.

1914- *Première Guerre mondiale :* À l'issue de la victoire contre
1918

l'Allemagne, la France récupère l'Alsace et la Lorraine, régions perdues en 1870.

1940 *Invasion de la France par l'armée allemande :* À Londres, le général de Gaulle lance son appel à la résistance.

1944 *Débarquement des alliés en Normandie :* La libération de la France est commencée.

1968, *Révolution étudiante :* Un mouvement de contestation des étu-
mai diants se transforme en crise sociale et politique.

2002, *L'euro, monnaie commune de l'Union européenne, remplace le*
1er jan. *franc.*

Royaume-Uni

-55 *Invasion de l'île de Bretagne par Jules César :* Les Romains s'y installent vers –43.

c.400- *Implantation du christianisme :* L'Écosse vénère saint Ninian
600 en Écosse ; l'Irlande, saint Patrick ; et l'Angleterre, saint Augustin.

c.449 *Début de l'établissement des Anglo-Saxons.*

787 *Raids vikings sur les côtes :* Les Vikings fondent Dublin.

1005- *Malcolm II unifie l'Écosse.*
1034

1016- *Canut unit l'Angleterre au Danemark, à la Norvège et à la*
1035 *Suède.*

1066 *Bataille de Hastings :* Conquête de l'Angleterre par le duc de Normandie, Guillaume.

1215 *Adoption de la Grande Charte :* Les rois anglais doivent dorénavant régner avec les Barons.

1337 *Début de la guerre de Cent Ans :* La France et l'Angleterre entrent dans le plus long conflit de leur histoire pour la succession du trône de France, revendiqué par le roi Édouard III d'Angleterre.

1349 *Peste noire :* La moitié de la population meurt.

1366 *Statut de Kilkenny :* La loi anglaise est imposée en Irlande.

1415 *Bataille d'Azincourt :* L'Angleterre remporte une victoire contre la France.

1429 *Jeanne d'Arc contribue à chasser les Anglais hors de France :* Elle sera brûlée en 1431.

1455 *Début de la guerre des Deux-Roses :* Les Lancastre et les York se font la lutte pour la succession au trône.

1476 *Début de l'imprimerie en Angleterre :* Le procédé mis au point par Gütenberg en 1444 fait son apparition.

1533 *Excommunication d'Henri VIII :* Après avoir forcé l'archevêque de Canterbury à annuler son mariage avec Catherine d'Aragon, Henri VIII est excommunié par le pape ; la religion anglicane est instaurée.

1536- *Fermeture des monastères en Angleterre et au Pays de Galles.*
1539

1536 *Acte d'union entre l'Angleterre et le Pays de Galles.*

1541 *Le Parlement irlandais déclare Henri VIII roi d'Irlande.*

1553- *Marie Ire ramène le catholicisme en Angleterre.*
1558

1559 *Élisabeth Ire réinstaure le protestantisme :* En 1587, elle ordonne l'exécution de sa cousine Marie Stuart, reine d'Écosse catholique, accusée de conspirer contre elle. Sans mari ni enfants, Élisabeth règne jusqu'en 1603, l'une des périodes les plus brillantes de l'histoire britannique, tant du point de vue culturel (théâtre de Shakespeare) que politique.

ROIS DE FRANCE

CAPÉTIENS

Hugues Capet *(987-996)*
Robert II *(996-1031)*
Henri Ier *(1031-1060)*
Philippe Ier *(1060-1108)*
Louis VI *(1108-1137)*
Louis VII *(1137-1180)*
Philippe II Auguste *(1180-1223)*
Louis VIII *(1223-1226)*
Louis IX (saint Louis) *1226-1270*
Philippe III *(1270-1285)*
Philippe IV *(1285-1314)*
Louis X *(1314-1316)*
Jean Ier *(1316)*
Philippe V *(1316-1322)*
Charles IV *(1322-1328)*

VALOIS

Philippe VI *(1328-1350)*
Jean II *(1350-1364)*
Charles V *(1364-1380)*
Charles VI *(1380-1422)*

Charles VII *(1422-1461)*
Louis XI *(1461-1483)*
Charles VIII *(1483-1498)*
Louis XII *(1498-1515)*
François Ier *(1515-1547)*
Henri II *(1547-1559)*
François II *(1559-1560)*
Charles IX *(1560-1574)*
Henri III *(1574-1589)*

BOURBONS

Henri IV *(1589-1610)*
Louis XIII *(1610-1643)*
Louis XIV *(1643-1715)*
Louis XV *(1715-1774)*
Louis XVI *(1774-1792)*

RÉVOLUTION

EMPIRE

Louis XVIII *(1814-1824)*
Charles X *(1824-1830)*
Louis-Philippe *(1830-1848)*

1588   *Destruction de l'Invincible Armada espagnole dans la Manche :* Cette victoire de la marine britannique marque le début de la grandeur maritime du Royaume-Uni.

1603   *Jacques VI d'Écosse succède à Élisabeth Ire comme roi d'Angleterre et d'Irlande :* Les trônes anglais et écossais sont unifiés.

1642-1649   *Guerre civile :* Conflit entre Charles Ier et le Parlement à propos de la monarchie de droit divin.

1649   *Exécution du roi Charles Ier.*

1653-1658   *Oliver Cromwell, Lord protecteur de Grande-Bretagne et d'Irlande.*

1660-1685   *Restauration de la monarchie :* Charles II règne.

1666   *Grand Incendie de Londres.*

1688   *Glorieuse Révolution :* En 1689, le «Bill of Rights» limite les pouvoirs de la monarchie. Le Royaume-Uni sera une monarchie constitutionnelle et non une monarchie de droit divin comme en France.

1692   *Exclusion des catholiques du Parlement irlandais.*

1702   *Le Courant, premier quotidien publié à Londres.*

1707   *Acte d'union de l'Écosse à l'Angleterre.*

1721   *Robert Walpole, premier Premier ministre britannique.*

1756-1763   *Guerre de Sept Ans contre la France :* En remportant la guerre, le Royaume-Uni établit son Empire.

1775-1783   *Révolution américaine :* Les États-Unis déclarent leur indépendance ; ils rejettent ainsi l'autorité de la Grande-Bretagne.

1776   *Invention de la machine à vapeur par James Watt :* Cet événement marque le début de la Révolution industrielle.

1801   *Acte d'union entre la Grande-Bretagne et l'Irlande :* Cet événement marque la fin du Parlement irlandais

1803-1815   *Guerres contre la France de Napoléon.*

1825   *Premier chemin de fer.*

1829   *Acte d'émancipation des catholiques :* Ils obtiennent le droit de se faire élire au Parlement.

1845-1847   *Grande famine en Irlande :* Émigration massive vers l'Amérique du Nord et l'Australie.

1854-1856   *Guerre de Crimée contre la Russie avec la France.*

1867   *Acte de l'Amérique du Nord britannique :* Le Canada devient indépendant. Toutefois, il demeure une monarchie constitutionnelle et choisit Victoria comme souveraine.

Rupture du lien colonial

1877   *Victoria, impératrice des Indes :* «Joyau» de l'Empire britannique, l'Inde demeurera une colonie jusqu'en 1948.

1902   *Victoire britannique dans la guerre des Boers :* La résistance des colons hollandais est mâtée.

1914-1918   *Première Guerre mondiale :* Le Royaume-Uni forme avec la France et la Russie la Triple-Entente, qui sortira victorieuse de la guerre contre l'Alliance allemande et austro-hongroise.

1919-1921   *Guerre d'indépendance en Irlande :* En 1921, le traité de Londres reconnaît l'État libre d'Irlande, dont l'Ulster (Irlande du Nord) est exclue. La république d'Irlande est proclamée en 1949.

1939-1945   *Seconde Guerre mondiale :* Après la défaite française devant les troupes allemandes, le Royaume-Uni résiste aux envahisseurs malgré les bombardements sur les villes britanniques. Le Premier ministre Winston Churchill symbolise cette résistance de la nation. Avec les Américains et les Canadiens, l'armée britannique réussit, à compter de juin 1944, à libérer l'Europe occupée par les Allemands.

1997, 11 sept.   *Les Écossais se prononcent pour un Parlement autonome, qui est entré en fonction en 2000.*

ROIS ET REINES DU ROYAUME-UNI

NORMANDS

Guillaume Ier le Conquérant *(1066-1087)*
Guillaume II *(1087-1100)*
Henri Ier *(1100-1135)*
Étienne et Mathilde *(1135-1154)*

PLANTAGENETS

Henri II *(1154-1189)*
Richard Ier *(1189-1199)*
Jean *(1199-1216)*
Henri III *(1216-1272)*
Édouard Ier *(1272-1307)*
Édouard II *(1307-1327)*
Édouard III *(1327-1377)*
Richard II *(1377-1399)*
Henri IV *(1399-1413)*
Henri V *(1413-1422)*
Henri VI *(1422-1461, 1470-1471)*
Édouard IV *(1461-1470, 1471-1483)*
Édouard V *(1483)*
Richard III *(1483-1485)*

TUDORS

Henri VII *(1485-1509)*
Henri VIII *(1509-1547)*
Édouard VI *(1547-1553)*
Marie Ire *(1553-1558)*
Élisabeth I *(1558-1603)*

STUARTS

Jacques Ier *(1603-1625)*
Charles Ier *(1625-1649)*
Charles II *(1660-1685)*
Jacques II *(1685-1688)*
Guillaume et Marie *(1689-1702)*
Anne *(1702-1714)*

HANOVRES

Georges Ier *(1714-1727)*
Georges II *(1727-1760)*
Georges III *(1760-1820)*
Georges IV *(1820-1830)*
Guillaume IV *(1830-1837)*
Victoria *(1837-1901)*
Édouard VII *(1901-1910)*

WINDSORS

Georges V *(1910-1936)*
Édouard VIII *(1936)*
Georges VI *(1936-1952)*
Élisabeth II *(1952-...)*

Le Régime français (1534–1763)

1497 *Premier voyage de l'Italien Giovanni Caboto en Amérique pour le compte du roi d'Angleterre Henri VII :* Comme les navigateurs européens qui suivront, il était à la recherche d'un passage vers l'Asie par l'ouest. C'est le continent américain (Terre-Neuve) que rencontre cet explorateur.

1534 *Premier voyage de Jacques Cartier :* Cartier visite le détroit de Belle-Isle et le golfe du Saint-Laurent. À Gaspé, il plante une croix et prend possession du territoire au nom du roi de France, François 1er.

16e s. *Pêcheurs européens sur les bancs de Terre-Neuve :* Après les premiers voyages d'Européens vers l'Amérique du Nord, des pêcheurs affluent, attirés par les bancs de morue de Terre-Neuve. Vers 1580, plus de 400 navires et près de 10 000 marins, dont de nombreux Basques, traversent l'Atlantique chaque année.

1604 *Premier essai de colonisation française :* Samuel de Champlain et Pierre du Gas de Monts installent une habitation à l'île Sainte-Croix dans la baie de Fundy (Acadie). Le premier hiver fait périr plus de 35 des 80 hivernants. En 1607, après trois hivers, la colonie ne pouvant plus subsister est abandonnée.

1608 *Fondation de Québec par Samuel de Champlain :* Un comptoir pour la traite des fourrures est établi au pied du Cap-Diamant. Champlain passe l'hiver sur place avec moins de 30 personnes. C'est le premier établissement permanent en Nouvelle-France.

1610 *Exploration de la baie d'Hudson par les Anglais :* L'explorateur Henry Hudson découvre ces territoires au profit du roi d'Angleterre.

1617 *Arrivée de la première famille à Québec :* L'apothicaire Louis Hébert et son épouse Marie Rollet s'établissent à Québec avec leurs trois enfants, sur une terre appelée «Sault-au-Matelot», au-dessus du Cap-Diamant. Ils sont considérés comme la première famille à avoir migré en Nouvelle-France.

1626 *Première seigneurie en Nouvelle-France :* La terre de Louis Hébert est érigée en seigneurie. C'est par la voie du système seigneurial, qui existe en France depuis le Moyen Âge, que les terres sont concédées au Canada. Des seigneurs reçoivent des étendues de terre aux dimensions variables et y concèdent gratuitement à leur tour des terres (les censives) à des individus (les censitaires) qui devront les défricher et y demeurer en échange de paiements de droits au seigneur (cens, rentes, corvées, etc.). Plus de 400 seigneuries seront concédées sous le Régime français.

1627 *Fondation de la compagnie des Cent Associés :* Le cardinal de Richelieu, principal ministre du roi de France Louis XIII, met sur pied la compagnie des Cent Associés à qui est octroyé le monopole du commerce des fourrures en Nouvelle-France, en échange de la charge de peupler le pays de Français. Cette entente se termine en 1663, lorsque Louis XIV prend en main l'avenir de la colonie.

1629-1632 *Occupation anglaise de Québec :* En 1628, la France et l'Angleterre entrent en guerre. Les frères Kirke, des commerçants anglais, forcent Champlain à leur livrer Québec. Entre 1629 et 1632, alors que la colonie est rétrocédée à la France, la ville est sous contrôle anglais. Il s'agit de la première tentative anglaise pour prendre Québec.

1635 *Fondation du collège des Jésuites à Québec :* C'est le premier établissement d'enseignement post-secondaire en Amérique du Nord.

1635 *Mort de Samuel de Champlain :* Le fondateur de Québec meurt dans le fort Saint-Louis, à Québec, le jour de Noël.

1639 *Arrivée des religieuses ursulines et augustines à Québec :* Ce sont les premières communautés religieuses de femmes en Nouvelle-France. Les ursulines, dont Marie de l'Incarnation est la supérieure, s'occupent de l'éducation des filles (notamment des Amérindiennes) ; elles fondent le couvent des Ursulines. Les augustines (hospitalières), pour leur part, fondent le premier hôpital au Canada, l'Hôtel-Dieu de Québec. Les deux établissements existent toujours au cœur du vieux Québec.

1642 *Fondation de Ville-Marie (Montréal) :* Le rêve d'établir une ville missionnaire dans une région sauvage incite un groupe de mystiques, dont Jeanne Mance, à quitter la France. Leur projet de convertir les Amérindiens et de les assimiler à la culture et au mode de vie français échoue, et Ville-Marie devient plutôt la plaque tournante du commerce des fourrures et une terre de colonisation presque exclusivement peuplée de Français.

1663 *Avènement du gouvernement royal :* À sa majorité, le roi de France, Louis XIV, prend en main les affaires du royaume et assume directement, avec son ministre de la marine, le gouvernement de la Nouvelle-France. À Québec, un intendant et un Conseil souverain sont nommés ; ils témoignent de la volonté royale de prendre en charge les destinées de la colonie.

1663-1673 *Arrivée des Filles du roi :* La décennie 1660-1670 marque l'apogée de l'immigration française en Nouvelle-France. Pendant cette période, près de 800 orphelines sont envoyées dans la colonie à la charge du roi pour y prendre époux. Les hommes étant à cette époque beaucoup plus nombreux que les femmes, cette politique visait à inciter le plus grand nombre d'entre eux à demeurer sur place.

1665 *Importation des premiers chevaux de France.*

1670 *Fondation de la Compagnie de la Baie d'Hudson par charte royale de Charles II d'Angleterre.*

1674 *François de Laval, évêque de Québec :* En 1674, le diocèse de Québec (qui englobe toute l'Amérique du Nord française) est créé. François de Laval en devient le premier évêque. Jusqu'au 19e siècle, Québec demeure le seul diocèse au Québec. Mgr de Laval fut également le fondateur du séminaire de Québec et seigneur de l'île Jésus (Laval) et de Beaupré.

LE PEUPLEMENT DE LA NOUVELLE-FRANCE

On estime à 30 000 le nombre de Français venus en Nouvelle-France. De ce nombre, environ 10 000 sont restés et ont fait souche au Canada.

En comparaison des 112 000 Britanniques qui ont migré dans les 13 colonies, l'apport français apparaît bien modeste surtout qu'il s'agissait alors de la nation la plus populeuse d'Europe, avec 20 millions d'habitants contre 5 millions en Grande-Bretagne.

C'est surtout au cours de la décennie 1663-1673 que les immigrants de France arrivent, alors que la colonie est prise en charge par Louis XIV. Les soldats du régiment de Carignan Salières, les filles du roi, les engagés sont du nombre.

Après 1680, l'immigration ralentit considérablement et le 18e siècle ne conduit que très peu de Français en Amérique du Nord. La croissance naturelle assure le renouvellement de la population, qui double tous les 25 ans. Dès la fin du 17e siècle, les natifs du Canada se désignent comme Canadiens et ne conservent que très rarement des liens avec la France, contrairement aux administrateurs ou aux religieux, qui ne sont parfois que de passage. Ainsi, au moment de la guerre de Sept Ans, et lors de la cession de la Nouvelle-France à la Grande-Bretagne, l'attachement de la population est plus grand envers le Canada qu'envers la France et bien peu quitteront le pays.

LES DÉSIGNATIONS HISTORIQUES DU TERRITOIRE QUÉBÉCOIS

Nouvelle-France/Canada (1534-1763)
Province of Quebec (1764-1791)
Bas-Canada (1791-1840)
Canada-Est (1841-1867)
Province de Québec (1867-2003)

1682 *Cavelier de La Salle atteint l'embouchure du Mississippi :* En 1673, Louis Jolliet et le jésuite Marquette avaient été les premiers Européens à explorer le Mississippi. En 1682, La Salle atteint l'embouchure du fleuve et le golfe du Mexique. C'est le début de la Louisiane française.

1690 *Attaque de Québec par l'amiral Phips :* L'amiral anglais William Phips assiège la ville de Québec avec ses navires et somme le gouverneur Frontenac de se rendre. Ce dernier donne pour réponse à son émissaire une phrase demeurée célèbre : «Je vous répondrai par la bouche de mes canons et de mes mousquets.» Québec n'est pas prise.

1694-1697 *Campagnes d'Iberville à la baie d'Hudson :* Les Français attaquent les postes anglais au nord de la Nouvelle-France.

1702 *Création de la Louisiane :* Nouvelle colonie française entre les territoires espagnols et anglais, la Louisiane se développe très lentement ; en 1713, elle ne compte pas encore 200 personnes.

1713 *Traité d'Utrecht :* Le traité d'Utrecht met fin à la guerre de succession d'Espagne et, en Amérique du Nord, confirme la possession de Terre-Neuve, de la baie d'Hudson et d'une partie de l'Acadie par les Britanniques. C'est le début de la plus longue période de paix de l'histoire de la Nouvelle-France qui se terminera en 1744.

1718 *Début de la construction de la forteresse de Louisbourg (Acadie).*

1737 *Ouverture du chemin du roi entre Québec et Montréal.*

1745 *Capitulation de Louisbourg :* La forteresse se rend aux Britanniques après un siège de 47 jours.

1755 *Déportation des Acadiens :* Les Britanniques procèdent à la déportation des Acadiens, qui seront dispersés dans les colonies anglaises. Le traité de Paris de 1763 leur donnera le droit de revenir, mais leurs terres auront déjà été octroyées à des colons anglais.

1756 *Début de la guerre de Sept Ans :* Les combats entre la France et la Grande-Bretagne pour le contrôle de l'Amérique du Nord entrent dans leur phase finale.

1759, été *Siège de Québec :* De la fin juin au début septembre, la ville de Québec est assiégée par les troupes britanniques. La ville est presque entièrement détruite par les bombardements et plusieurs centaines de fermes sont brûlées sur la rive sud entre Kamouraska et Lévis.

1759, 13 sept. *Bataille des plaines d'Abraham :* L'armée française est défaite en moins de 30 minutes sur les plaines d'Abraham à Québec devant l'armée britannique, après une attaque surprise par l'Anse-aux-Foulons. Les chefs des deux armées trouvent la mort : le général James Wolfe meurt sur le champ de bataille tandis que le marquis de Montcalm meurt le lendemain de ses blessures.

1760, 28 avril *Bataille de Sainte-Foy :* Français et Britanniques s'affrontent une dernière fois en Amérique du Nord. Les Français, commandés par le chevalier de Lévis, sont victorieux, mais la bataille ne change pas le sort de la colonie. Au mois de mai, en provenance d'Europe, les bateaux chargés de vivres et de renforts, tant attendus par les deux armées, sont britanniques.

1760, 8 sept. *Capitulation de Montréal :* Le gouverneur Vaudreuil capitule, et la Nouvelle-France tombe entièrement sous contrôle britannique.

1760-1632 *Régime militaire :* Avant que le traité de Paris ne confirme le devenir de la colonie, le Canada est contrôlé par l'armée.

1763 *Traité de Paris :* Au terme de la guerre de Sept Ans, le traité de Paris confirme la cession de toute la Nouvelle-France aux Britanniques, à l'exception de Saint-Pierre-et-Miquelon.

Rupture du lien colonial

Le Régime britannique (1763-1867)

1763 *Procès de La Corriveau :* Accusée du meurtre de son mari, Marie-Josephe Corriveau est condamnée par un tribunal militaire avant d'être pendue puis exposée dans une cage de fer. Cette histoire a marqué la littérature et l'imaginaire du 19e siècle au Québec.

1763 *Proclamation royale :* En octobre 1763, la «Province of Quebec» succède officiellement au Canada. Les institutions françaises sont menacées.

1764 *Parution du premier journal :* C'est au lendemain de la Conquête que paraissent les premiers journaux dans la colonie. La *Gazette de Québec*, en 1764, et la *Montreal Gazette*, en 1778.

1774 *Acte de Québec :* Ce traité reconnaît les droits des catholiques, préserve le régime seigneurial ainsi que le droit civil français en plus de redonner à la colonie une grande partie des territoires amérindiens du centre du continent. Le mécontentement ne tarde pas à se manifester dans les colonies anglaises du Sud qui sont surpeuplées et qui souhaitent obtenir ces territoires.

1775-1776 *Révolution américaine et invasions au Québec :* Les révolutionnaires américains envahissent le Québec ; Montréal est prise et Québec est assiégée. Les attaques de Québec échouent et les «rebelles» doivent rentrer au printemps 1775.

POPULATION CANADIENNE

Nouvelle-France (Canada)		Haut-Canada	Bas-Canada
1608	28	1806	70 718	250 000
1653	2 000	1831	236 702	553 134
1666	4 219	1851	952 004	890 261
1681	9 677	Canada après 1867		
1713	18 119		Canada	Québec
1736	39 063	1871	3 689 257	1 191 516
1760	70 000	1901	5 371 315	1 648 898
		1921	8 787 949	2 360 510
Province of Quebec		1951	14 009 429	4 055 681
1775	90 000	1981	24 820 393	6 547 705
		2001	30 021 300	7 397 000
		2003	31 629 700	7 487 200

Le Régime britannique (1763-1867) suite

1783 *Arrivée des Loyalistes :* À la suite de la déclaration d'indépendance des États-Unis, des Loyalistes, fidèles à la couronne d'Angleterre, trouvent refuge au Canada, seule colonie anglaise qui subsiste alors en Amérique du Nord. Cette immigration représente la première arrivée massive d'anglophones au Canada. Ceux-ci se dirigent principalement vers les territoires du Nouveau-Brunswick et de l'Ontario actuels.

1791 *Acte constitutionnel :* À la suite des demandes des Loyalistes établis dans la province, cette nouvelle constitution sépare la province de Québec en deux territoires : le Bas-Canada (Québec) et le Haut-Canada (Ontario). Elle instaure également les institutions parlementaires et une Chambre d'assemblée dans chaque province.

1792 *Premières élections :* Au printemps 1792, les 50 premiers députés de l'histoire du Québec sont élus ; près de la moitié d'entre eux sont des seigneurs.

1792 *Début de l'exploration de la côte du Pacifique par George Vancouver.*

1806 *Fondation du journal* Le Canadien*, organe du Parti canadien, qui deviendra le Parti patriote.*

1809 *Premier bateau à vapeur au Canada :* Le brasseur John Molson lance le premier bateau à vapeur, l'*Accomodation*, qui va assurer le transport entre Québec et Montréal.

1812-1813 *Guerre canado-américaine :* En 1812, les États-Unis déclarent la guerre à la Grande-Bretagne et attaquent le Canada. Au Bas-Canada, en 1813, la bataille de Châteauguay, où se distingue le premier régiment canadien-français, les Voltigeurs, sous le commandement de Charles-Michel de Salaberry, contribue à la victoire. Dans le Haut-Canada, c'est Laura Secord qui passe à l'histoire pour avoir révélé la stratégie des officiers américains.

1818 *Définition de la frontière avec les États-Unis :* À la suite du conflit de 1812-1813, la frontière entre le Canada et les États-Unis est définie le long du 49ᵉ parallèle. Aucune guerre n'opposera plus les deux pays.

1818 *Démolition des fortifications de Montréal :* La période de paix qui succède à la guerre de 1812 rend caduques les fortifications ; à Montréal, on les démolit dès 1818. Pourtant, à Québec, à la même époque, on construit la Citadelle par crainte d'une nouvelle invasion américaine ; les fortifications seront maintenues.

1820-1840 *Construction du canal Lachine :* Le canal Lachine est achevé en 1820. Dans les années 1840, on y aménage des écluses et des bassins d'évitage. Avec les canaux de Beauharnois, de Cornwall et de Welland, le canal Lachine rend possible la circulation maritime au-delà de Montréal jusqu'aux Grands Lacs.

1826 *Fondation de Bytown (Ottawa) :* À la frontière du Bas-Canada et du Haut-Canada.

1829 Fondation de l'Université McGill, la première université québécoise.

1832 *Épidémie de choléra :* Le choléra asiatique, qui ravage l'Europe, est apporté dans la colonie en 1832 par le navire *Voyageur*. À cette époque, une immigration considérable déferle sur le continent. Pour la seule année 1831, la ville de Québec, qui compte alors 30 000 habitants, reçoit 60 000 immigrants. Plusieurs épidémies de choléra vont sévir par la suite (au cours des années 1834, 1845, 1851, 1854 et 1857), mais celle de 1832 est la plus meurtrière (au-delà de 5000 morts).

1834 *Adoption des Quatre-vingt-douze Résolutions :* Le Parti patriote, dirigé par Louis-Joseph Papineau, principal représentant des francophones à la Chambre d'assemblée, rédige les Quatre-vingt-douze Résolutions. Revendiquant davantage de pouvoirs réels pour la Chambre, celles-ci demeurent lettre morte, ce qui contribue à alimenter le mécontentement populaire.

1837, 23 oct. *Assemblée des Six Comtés :* Devant une foule nombreuse, les chefs du Parti patriote lancent le mouvement insurrectionnel qui enflammera les campagnes de la région de Montréal durant l'hiver 1837-1838.

1837-1838 *Insurrections des Patriotes :* La bataille de Saint-Denis, le 23 novembre 1837, est une victoire des Patriotes. Par la suite, à Saint-Charles, à Saint-Benoît et à Saint-Eustache, les Patriotes sont écrasés par l'armée. Les villages de Saint-Benoît et de Saint-Eustache sont pillés et incendiés. La loi martiale est proclamée, la constitution est suspendue et lord Durham est nommé gouverneur tout en étant chargé de rédiger un rapport sur la situation ; 12 Patriotes sont pendus et 58 déportés en Australie.

Des rébellions, menées par William Lyon Mackenzie, ont également lieu dans le Haut-Canada en décembre 1837. Comme dans le Bas-Canada, les idéaux démocratiques sont à l'origine des soulèvements qui se soldent par un échec, la fuite de Mackenzie aux États-Unis (comme le chef Patriote Papineau) et deux pendaisons.

1839, 15 fév. *Pendaison des Patriotes :* Douze Patriotes, dont le notaire Chevalier de Lorimier, sont pendus à la prison du Pied-du-Courant à Montréal.

1840 *Acte d'union :* À la suite des recommandations du rapport Durham, l'union des deux Canada est proclamée ; l'objectif est l'assimilation des Canadiens français.

1840-1940 *Exode vers les États-Unis :* Pendant tout un siècle, l'émigration des Canadiens francophones vers les États-Unis sera un phénomène marquant. On estime à environ un million le nombre de francophones partis vers la Nouvelle-Angleterre où, encore aujourd'hui, les noms de famille témoignent de l'origine francophone d'une partie de la population devenue, cependant, le plus souvent anglophone unilingue.

1846 *Avènement du chemin de fer :* Les travaux de construction du chemin de fer reliant Montréal à Portland dans le Maine sont entrepris par la compagnie du Grand Tronc.

1847 *Famine en Irlande et immigration irlandaise :* Plus de 100 000 immigrants, majoritairement Irlandais, arrivent au Canada. Un grand nombre d'entre eux meurent : 5000 à la station de quarantaine de Grosse-Île et 15 000 après leur départ pour Québec, Montréal, Toronto ou Kingston.

1848 *Obtention du « Gouvernement responsable » :* Le nouveau gouverneur, Lord Elgin, reconnaît à la Chambre d'assemblée le pouvoir de former le conseil exécutif. Louis-Hippolyte Lafontaine et Robert Baldwin forment le premier cabinet.

1849 *Les femmes perdent le droit de vote, qui ne leur était pas interdit jusque-là.*

1851 *Création de la monnaie et du premier timbre-poste :* Le dollar est mis en place, et le castor figure sur le premier timbre.

1852 *Fondation de l'Université Laval :* La première université francophone d'Amérique du Nord est créée. Elle est issue du Séminaire de Québec et adopte les armoiries renversées de François de Laval.

1854 *Abolition du régime seigneurial :* Une loi, en décembre 1854, met fin au régime seigneurial, qui a survécu à la Conquête, ainsi qu'à la Révolution française.

1857 *Ottawa, capitale du Canada :* Après plusieurs années de parlement mobile, et après que la reine Victoria eut tranché la question, le Canada-Uni se donne une capitale : Ottawa.

1859 *Inauguration du pont Victoria à Montréal :* Commencée en 1854, la construction du pont Victoria est achevée à l'hiver 1859. Les plans ont été conçus par l'ingénieur Robert Brian Stephenson, fils de l'inventeur de la locomotive à vapeur.

1867 *Acte de l'Amérique du Nord britannique (Confédération) :* Naissance du Canada, constitué de quatre provinces : Québec, Ontario, Nouveau-Brunswick et Nouvelle-Écosse. John A. Macdonald devient le premier Premier ministre.

Les députés du nouveau Dominion emménagent dans le Parlement, de style néo-gothique à l'image du Parlement de Londres, dont la construction s'est achevée en 1866.

La Confédération (depuis 1867)

1870 *Fin de la première révolte des Métis :* La rébellion des Métis, malgré la résistance de Louis Riel, fondateur du Manitoba, est mâtée.

1870 *La garnison britannique quitte la Citadelle de Québec :* Trois ans après la Confédération, l'armée britannique rentre définitivement au Royaume-Uni et une armée canadienne est créée. Avec le départ des troupes, Québec cesse d'être une ville de garnison, ce qu'elle était depuis l'époque de la Nouvelle-France.

1872-1878 *Lord Dufferin, gouverneur général :* Fasciné par la ville de Québec, le nouveau gouverneur général, originaire d'Irlande, établit sa résidence à la Citadelle. Depuis, les gouverneurs généraux ont deux résidences officielles : Rideau Hall à Ottawa et la Citadelle à Québec. C'est aussi à Dufferin que l'on doit la sauvegarde des remparts de Québec et le réaménagement des portes de la ville.

1873 *Création de la Police montée du Nord-Ouest, à l'époque des conflits avec les Métis :* Elle deviendra la Gendarmerie royale du Canada.

1876 *Alexander Graham Bell invente le téléphone à Brantford en Ontario.*

PREMIERS MINISTRES DU CANADA

John A. Macdonald (1867-1873, 1878-1891)
Alexander Mackenzie (1873-1878)
John Joseph Caldwell Abbott (1891-1892)
John Sparrow David Thompson (1892-1894)
Mackenzie Bowell (1894-1896)
Wilfrid Laurier (1896-1911)
Robert Laird Borden (1911-1920)
Arthur Meighen (1920-1921, 1926)
William Lyon Mackenzie King (1921-1930, 1935-1948)
Richard Bedford Bennett (1930-1935)
Louis Stephen Saint-Laurent (1948-1957)
John George Diefenbaker (1957-1963)
Lester Bowles Pearson (1963-1968)
Pierre Elliott Trudeau (1968-1979, 1980-1984)
Charles Joseph Clark (1979-1980)
Brian Mulroney (1984-1993)
Kim Campbell (1993)
Jean Chrétien (1993-2003)
Paul Martin (2003-...)

1877-1886 *Construction de l'hôtel du Parlement de Québec :* Après la Confédération, la ville de Québec retrouve son statut de capitale de la province du même nom. La construction d'un nouveau parlement, plus grand, hors des fortifications, débute en 1877 et se terminera en 1883. C'est l'architecte Eugène-Étienne Taché qui en dessine les plans, dans un style Second Empire inspiré de l'architecture française.

1885 *Seconde rébellion des Métis :* Riel conduit la seconde rébellion. Les Métis sont défaits à Batoche et Riel est pendu pour trahison.

1885 *Le chemin de fer relie l'Atlantique au Pacifique :* Le chemin de fer du Canadien Pacifique, qui relie l'Est à l'Ouest, est terminé le 7 novembre 1885. Toutefois, le premier train de passagers quitte Montréal le 28 juin 1886 et atteint Port Moody, en Colombie-Britannique, le 4 juillet.

1895 *Début de la Ruée vers l'or au Yukon :* De l'or est découvert dans la rivière Klondike ; c'est le début d'une ruée vers l'or sans précédent. Près de 2,4 millions de pionniers arrivent dans le pays au cours de différentes vagues d'immigration.

1896-1911 *Wilfrid Laurier, Premier ministre du Canada :* Le chef du Parti libéral du Canada, Wilfrid Laurier, devient le premier Québécois à occuper la fonction de Premier ministre du Canada.

1899-1900 *Guerre des Boers, en Afrique du Sud :* Pour la première fois, des troupes canadiennes sont envoyées outre-mer. Les nationalistes canadiens, dont Henri Bourassa, et les partisans de l'Empire britannique s'opposent.

1899 *Le poète Émile Nelligan est interné :* Âgé d'à peine 20 ans, le poète Nelligan passera le reste de ses jours en établissement psychiatrique.

1900 *Fondation de la première Caisse populaire par Alphonse et Dorimène Desjardins à Lévis.*

1903 *Fin du conflit avec les États-Unis à propos de la frontière de l'Alaska :* Arbitré par la Grande-Bretagne, le litige est réglé en faveur des États-Unis.

1909 *Fondation de l'équipe de hockey Le Canadien de Montréal.*

1912 *Le territoire du Québec s'agrandit :* On lui adjoint l'Ungava (Nouveau Québec).

1914 *Publication à Paris de Maria Chapdeleine de Louis Hémon.*

1914 *Début de la Première Guerre mondiale :* La Grande-Bretagne déclare la guerre à l'Allemagne, faisant automatiquement entrer le Canada dans le conflit.

1916 *Le Manitoba est la première province canadienne à octroyer le droit de vote aux femmes.*

1917, 9 avril *Bataille de Vimy (France) :* Au terme d'un combat de deux jours, les Canadiens parviennent à prendre la Crête de Vimy, près d'Arras dans le nord de la France, détenue par les Allemands depuis 1914. Cette seule journée, près de 4000 Canadiens perdent la vie. Au total, 66 655 soldats canadiens sont morts au combat pendant la Grande Guerre.

1918 *Droit de vote pour les Canadiennes :* Ayant accordé le droit de vote à certaines femmes l'année précédente, dans le contexte de la guerre, le gouvernement fédéral généralise cette mesure en 1918.

1918 *La conscription est déclarée par le Premier ministre Borden :* La conscription est décrétée à la suite des pressions exercées par la Grande-Bretagne et le Canada anglais. Au Québec, des émeutes éclatent en opposition à cet enrôlement obligatoire.

1918, 11 nov. *Armistice :* La Première Guerre mondiale est terminée. Cette journée sera désignée « Jour du Souvenir ».

La Confédération (depuis 1867) suite

1918 *Épidémie de grippe espagnole :* Entre septembre et décembre 1918, plus de 500 000 Québécois sont victimes de la grippe espagnole et plus de 13 000 en meurent.

1922 *Entrée en ondes de CKAC, Montréal :* Première station française de radio en Amérique du Nord.

1922 *Quatre médecins de l'Université de Toronto, dont Frederick Banting, reçoivent le prix Nobel de médecine pour leur découverte de l'insuline.*

1927 *Annexion du Labrador à Terre-Neuve :* Le litige opposant le Québec et Terre-Neuve (alors une colonie britannique) est tranché par le Conseil privé de Londres.

1929, *Le krach boursier de ce jeudi noir plonge l'Amérique dans la*
24 oct. *« Grande Dépression ».*

1931 *Statut de Westminster :* La Grande-Bretagne accorde au Canada (comme à l'Australie et à la Nouvelle-Zélande) les pleins pouvoirs législatifs, qui étaient jusque-là la prérogative de Londres.

1932 *Joseph-Armand Bombardier construit la première motoneige.*

1936 *Maurice Duplessis devient Premier ministre du Québec.*

1937 *Décès du frère André :* Près d'un million de personnes se rendent à l'oratoire Saint-Joseph de Montréal pour les obsèques du frère André, auquel on attribue de nombreuses guérisons.

1939, *Début de la Seconde Guerre mondiale :* Le Canada déclare la
1er sept. guerre à l'Allemagne sept jours après la Grande-Bretagne.

1940 *Droit de vote pour les Québécoises :* Malgré l'opposition de l'Église catholique, la province de Québec donne le droit de vote aux femmes. Le Premier ministre libéral, Adélard Godbout, réalise ainsi l'une de ses promesses électorales et les suffragettes du Québec, dont Thérèse Casgrain et Idola Saint-Jean, obtiennent finalement gain de cause après plus de vingt ans de revendications. En 1943, Adélard Godbout rend aussi l'instruction obligatoire pour les enfants du Québec, jusqu'à l'âge de 14 ans.

1941 *Tragédie de Hong Kong :* Le jour de Noël, 290 soldats canadiens périssent dans un combat inégal pour empêcher l'invasion japonaise de ce territoire britannique.

1942, *Échec du raid de Dieppe :* Des 5000 militaires canadiens qui
19 août ont pris part à cette première opération d'envergure, plus de la moitié périt sur les côtes de la Haute-Normandie.

1942 *Internement des citoyens canadiens d'origine japonaise :* En Colombie-Britannique, représentant un « risque pour la sécurité », les citoyens canadiens d'origine japonaise sont internés dans des camps et voient leurs propriétés confisquées.

> **JE ME SOUVIENS ?**
>
> L'architecte du parlement de Québec, Eugène-Étienne Taché, avait inscrit cette phrase sur les plans de l'édifice, datés de 1883. On la retrouve au-dessus de la porte principale. Toute la thématique décorative du parlement étant tournée vers l'histoire du Québec, les symboles y sont omniprésents.
>
> Certains suggèrent que la phrase aurait eu une suite : « Je me souviens... que né sous le lys (symbole de la France monarchique), je crois sous la rose (symbole de l'Angleterre). » De manière plus générale, c'est une invitation à se souvenir que chacun peut interpréter à sa guise.
>
> C'est en 1939 que cette phrase devient la devise officielle du Québec et elle apparaît sur les plaques d'immatriculation québécoises depuis 1978.

1943- *Conférences de Québec :* À deux occasions, la Citadelle de
1944 Québec est l'hôte de conférences réunissant le Premier ministre britannique Winston Churchill, le Président américain Franklin D. Roosevelt et le Premier ministre du Canada William L. Mackenzie King.

1944 *Conscription imposée par le Premier ministre Mackenzie King :* À la suite du plébiscite pan-canadien tenu en 1942, où le Canada anglais est favorable et le Québec défavorable, le Premier ministre Mackenzie King rompt sa promesse électorale et impose la conscription.

1944, *Débarquement de Normandie :* Aux côtés des Britanniques et
6 juin des Américains, les troupes canadiennes débarquent sur les plages de Normandie (Juno Beach).

1945, *Bombes atomiques lancées par les États-Unis sur Hiroshima et*
Août *Nagasaki :* À l'Université de Montréal, des scientifiques des forces alliées mettent au point un réacteur nucléaire à eau lourde qui sera à l'origine de la fabrication de la première bombe atomique.

1945, *Fin de la Seconde Guerre mondiale :* Un million de Canadiens
2 sept. ont combattu pendant les six années de la guerre ; 42 042 d'entre eux ont perdu la vie.

1948 *Le fleurdelisé devient le drapeau du Québec.*

1948 *Refus global :* Un groupe d'artistes québécois, dont Paul-Émile Borduas, Claude Gauvreau et Jean-Paul Riopelle, signent un manifeste appelant à la liberté d'expression et à la fin du contrôle de la société québécoise par l'Église catholique. En dénonçant les problèmes de la société québécoise, cet événement annonce la Révolution tranquille, qui bouleversera la province dix ans plus tard.

1949 *Grève de l'amiante :* À Asbestos, les travailleurs de l'amiante entreprennent une grève illégale. Plusieurs centaines d'entre eux sont arrêtés ; l'archevêque de Québec, Mgr Maurice Roy, sera le médiateur.

1950- *Guerre de Corée :* Participation du Canada à la guerre de Corée
1952 dans le cadre des Nations unies. C'est la première « mission de paix » accomplie par l'armée canadienne.

1950- *Guerre froide :* Les pays membres de l'O.T.A.N., dont fait par-
1990 tie le Canada, et ceux du pacte de Varsovie divisent le monde en deux camps. Les États-Unis et l'U.R.S.S. s'élèvent au rang de superpuissances et la menace d'une guerre nucléaire plane.

1952 *Avènement de la télévision :* Création de Radio-Canada.

1954 *Jean Drapeau, maire de Montréal :* De 1954 à 1986, Jean Drapeau est maire de Montréal, réalisant de grands projets qui feront de Montréal une ville ouverte sur le monde.

1957 *Lester B. Pearson, prix Nobel de la paix pour son rôle dans la création des Casques bleus des Nations Unies :* Il deviendra Premier ministre du Canada en 1963.

1959 *Mort de Maurice Duplessis :* Le Premier ministre Maurice Duplessis meurt en fonction à Schefferville, dans le nord du Québec, après avoir dirigé le Québec pendant près de 20 ans d'une manière fortement conservatrice.

1960 *Début de la Révolution tranquille :* L'avènement du gouvernement de Jean Lesage marque le début de la Révolution tranquille, période pendant laquelle le Québec réforme profondément ses institutions.

1961 *Première femme élue députée au Québec :* Claire Kirkland Casgrain devient la première femme élue députée à l'Assemblée législative.

1962 *Nationalisation de l'hydroélectricité :* Ramené au pouvoir à l'issue d'une élection portant sur cette question et dont le slogan était « Maîtres chez nous », le parti libéral du Québec de

Jean Lesage procède à la nationalisation des compagnies d'électricité privées et les intègre à Hydro-Québec sous l'impulsion du ministre René Lévesque.

1964 *Début de l'affirmation d'une volonté d'indépendance au Québec :* La visite de la reine Élisabeth donne lieu à des manifestations ; c'est le « samedi de la matraque ».

De son côté, le Front de Libération du Québec (FLQ), mouvement qui procède par la violence, a recours à des actions terroristes ; des bombes explosent dans des boîtes aux lettres, symbole du fédéralisme canadien.

1964 *Parution du rapport Parent :* Ce document propose la création d'un ministère de l'Éducation et la réorganisation du système scolaire québécois.

1964 *L'âge de la majorité passe de 21 ans à 18 ans.*

1965 *Inauguration du drapeau canadien « unifolié » par le Premier ministre Pearson.*

1967 *Expo' 67 :* Montréal est l'hôte de l'Exposition universelle. C'est dans ce contexte que le président de la France, le général de Gaulle, lance « Vive le Québec libre » du balcon de l'hôtel de ville de Montréal.

1967 *Création des cégeps :* Dans la foulée de la réforme de l'éducation au Québec, les Collèges d'enseignement général et professionnel sont créés. Le réseau des Universités du Québec suivra en 1969.

1968 *Les Belles Sœurs de Michel Tremblay :* Le théâtre québécois prend son essor et la pièce *Les Belles sœurs* de Michel Tremblay met en scène le vécu des quartiers populaires en privilégiant la langue parlée québécoise (joual). C'est une véritable « révolution » culturelle.

1970 *Crise d'octobre :* Une poignée de terroristes, appartenant au Front de libération du Québec (FLQ), plongent le Québec dans une crise profonde. À la suite de l'enlèvement du diplomate britannique John Richard Cross et du ministre Pierre Laporte, qui est assassiné, le Premier ministre du Canada, Pierre Elliott Trudeau, proclame la Loi des mesures de guerre.

1976 *Jeux olympiques de Montréal.*

1976, 15 nov. *Accession au pouvoir du Parti québécois :* Pour la première fois, un gouvernement indépendantiste est élu au Québec ; René Lévesque est nommé Premier ministre.

1977 *Adoption de la Charte de la langue française par le gouvernement du Parti québécois.*

1980, 20 mai *Premier référendum sur la souveraineté du Québec :* Le camp du « Non » l'emporte par près de 60 %.

1982 *Rapatriement de la Constitution canadienne :* Le Premier ministre Trudeau, avec l'accord de toutes les provinces, sauf le Québec, procède au rapatriement de la Constitution canadienne. La nouvelle constitution, sanctionnée par la reine Élisabeth II à Ottawa, entre en vigueur le 17 avril.

1984 *Tuerie à l'Assemblée nationale :* Trois personnes sont tuées par le caporal Denis Lortie, venu attaquer René Lévesque. René Jalbert, le sergent d'armes de l'Assemblée nationale, réussit à calmer le forcené.

1984 *Visite du pape Jean-Paul II au Canada :* C'est la première visite d'un pape au pays.

1984 *L'astronaute Marc Garneau, premier Canadien à voler dans l'espace.*

1989 *Massacre de l'École polytechnique :* Quatorze jeunes femmes sont assassinées en pleine salle de classe.

1989 *Accord de libre-échange avec les États-Unis.*

1990 *Échec de l'accord du lac Meech :* La réforme constitutionnelle proposée par le Premier ministre Brian Mulroney échoue.

1989-1991 *L'effondrement du bloc communiste met fin à la Guerre froide :* De la chute du mur de Berlin au démantèlement de l'U.R.S.S., le « rideau de fer » cesse d'exister.

1991 *Guerre du Golfe :* Le Canada prend part à la guerre contre l'Irak après l'invasion du Koweït.

1992 *Début de l'intervention des Casques bleus canadiens en Bosnie-Herzégovine (ex-Yougoslavie).*

1995, 30 nov. *Deuxième référendum sur la souveraineté :* Le résultat est très serré ; 49,4 % des Québécois votent en faveur de la souveraineté. Le Premier ministre Jacques Parizeau démissionne le jour suivant.

2001, 11 sept. *Attentats terroristes à New York et à Washington :* Des avions sont détournés par des pilotes kamikazes et détruisent les tours jumelles du World Trade Center et une section du Pentagone. Une nouvelle période d'insécurité s'amorce à l'échelle internationale. Le Canada, comme les autres pays, renforce les mesures de sécurité nationale pour contrer le terrorisme.

2003, Déc. *Reconnaissance par le Canada de la « grande erreur » commise lors de la déportation des Acadiens :* Le 28 juillet est désigné jour de commémoration du « Grand Dérangement ».

PREMIERS MINISTRES DU QUÉBEC

Pierre-Joseph-Olivier Chauveau *(1867-1873)*

Gédéon Ouimet *(1873-1874)*

Charles-Eugène Boucher de Boucherville *(1874-1878, 1891-1892)*

Henri-Gustave Joly de Lotbinière *(1878-1879)*

Joseph-Adolphe Chapleau *(1879-1882)*

Joseph-Alfred Mousseau *(1882-1884)*

John Jones Ross *(1884-1887)*

Louis-Olivier Taillon *(1887, 1892-1896)*

Honoré Mercier *(1887-1891)*

Edmund James Flynn *(1896-1897)*

Félix-Gabriel Marchand *(1897-1900)*

Simon-Napoléon Parent *(1900-1905)*

Lomer Gouin *(1905-1920)*

Louis-Alexandre Taschereau *(1920-1936)*

Joseph-Adélard Godbout *(1936, 1939-1944)*

Maurice Le Noblet Duplessis *(1936-1939, 1944-1959)*

Joseph-Migneault-Paul Sauvé *(1959-1960)*

Antonio Barrette *(1960)*

Jean Lesage *(1960-1966)*

Daniel Johnson *(1966-1968)*

Jean-Jacques Bertrand *(1968-1970)*

Robert Bourassa *(1970-1976, 1985-1994)*

René Lévesque *(1976-1985)*

Pierre-Marc Johnson *(1985)*

Daniel Johnson, fils *(1994)*

Jacques Parizeau *(1994-1995)*

Lucien Bouchard *(1996-2001)*

Bernard Landry *(2001-2003)*

Jean Charest *(2003-...)*

INDEX

Les numéros de pages en **gras** renvoient à l'entrée principale du sujet.

A

Abbassides 386
abeille 93, 100, 111
Aborigènes 274, 281, 283, 320, 331, **363**, 425
Abou-Simbel 241
acide chlorhydrique 144, 162
acides 162, 206
acier 174, 204
acné 149
Adam, pomme d' 136
ADN (acide désoxyribonucléique) **73**, 128, 148, **209**, 211
  empreinte **209**
Afghanistan 262, 263, 317, 407
Afrique **238-239**, 422
  australe **244-245**
  centrale **242-243**
  de l'Est **242-243**, 296, 395
  du Nord et de l'Ouest **240-241**
  médiévale **394-395**
Afrique du Sud 218, 238, 239, 244-245, 295
  apartheid 244, **245**, 305, 317, **434**
Agassiz, Louis 63
agnostique 281
agriculture 64, **66**, 67
  Andes 234
  Asie 270, 378
  Australasie 275
  biologique 66, 207
  Europe 247, 251, 252, 253, 257, 258, 259, 390
  plantations 67, 204, 413
  premiers agriculteurs **364-365**
  révolution agricole 412
aide sociale 308, **309**
aigle 98, 118, 268
Alaska 222, 223, **224-225**, 409
Albanie 219, 247, **256**, 257
Alberti, Leon Battista 321
alcalins 162, 206
alchimie 411
Aldrin, Buzz 30
Alexandre le Grand 375, **377**
Algarve 252
Algérie 238, 239, 240, 241, 334
algues 77, 85, **87**
Alhambra 387
Aliénor d'Aquitaine 391
aliments génétiquement modifiés **210**, 316
Allemagne 246, 254, 306, 406, 421, 430
  Berlin 255, 294, 328
  nazis 431, **432-433**
allergies 151
alliages 160, **174**, 175
Alpes 84, 247, 254, 255
alphabet **369**
altermondialisme **316**
alvéoles 137
amas de galaxies 27
Amaterasu 284
ambre 259
âme 282
American Tail, An 349
Amérique centrale **230-231**, 381, 403, 405
Amérique du Nord 214, 216, **222-223**, 224-229
  colonies 400, **409**, 414, 417
  Indiens 228, 281, **408**, 409, **417**
  préhistoire 363
  premiers Américains 380
Amérique du Sud 214, 215, **232-233**

Amérindiens 235, 236, 400
  conquistadores **405**
  Incas 234, 235, **402**, 405
  indépendance 420
  Mayas 230, 281, 339, **381**
  premiers Américains 380
améthyste 47
ammonite 76
amphibiens 102, **114-115**, 121
amphithéâtre 376, 382
ampoule électrique 171, 178, 418
Amritsar 291
Amundsen-Scott, base **276-277**
analphabétisme **339**, 369, 383, 390
ancêtres, culte des 283, 285, 395
Ancien Monde 400, **401**
Andes, cordillère des 45, 232, 234
Andreessen, Marc 191
Andromède, galaxie d' 10, 27
anémone de mer 101, 103
Angles et Saxons **384**
Angleterre 59, **250**, **251**, 306
  architecture 192, 306, 390
  histoire 360, 384, 389, 404, 406, 418
  monarchie 296, 361, 404, 406
anglicane, Église 404
animation **349**
animaux **96**
  à sang chaud 96, 121
  alimentation 98, 120
  cellules 73
  communication **100**, 101
  comportement 72, **97**
  cycles de la vie 71
  domestication 66, **365**
  espèces en danger **124**, 242, 245
  invertébrés 102, 103-111
  migration 99, **119**, 224, 277
  préhistoriques 74-75, 77-79
  protection **125**
  reproduction 101, 106, 115, 117, 121
  sens 99, 110
  vertébrés 102, 112, 123
année-lumière 10
annuelles, plantes 71
Antarctique 58, 84, 169, 214-215, 216, **276-277**
antennes 110
anthropologie 295, **361**
antibiotiques 151, 208
anticorps 151
Antilles 223, **230-231**, 401, 413
aorte 134, 135, 146
apartheid 244, **245**, 305, **434**
Apollinaire, Guillaume 343, 427
Apollo, projet 10, **30**
appendice 144
aquarelle 321
Arabie saoudite 260, 264, 265, 290, 317
arachnides 107, **108**
araignée 98, 108, 170
Aral, mer d' 260, 263
arbres 67, 88, **91**, **94-95**, 226
arc-en-ciel 52, 180
Archaeopteryx 76
archéologie 360, **361**, 363, 365, 367
architecture 202, 248, 262, **328-329**, 377, 387, 399
Arctique 84, 224, 225, **277**
Ardmore 388
Arecibo, radiotélescope 22
Argentine 232, 233, 236, 237, 420
argile 48
Ariane, fusée 10, 235
Aristote 292, 345, 377
Arjuna 293
armes :
  âge de pierre 363

anciennes 376, 377
  historiques 388, 391, 392, 405, 407, 424
  modernes 313, 427, 433
armistice **427**
Armstrong, Lance 354
Armstrong, Neil 30, 31
Arsène Lupin 341
Art déco 327, 329
artères **134**, 135, 146, 151
arthropodes **107**, 108-111
artisanat 204
artistes 292, 297, 320, 321, 322, 323, **324**
arts décoratifs **327**
Ashoka, roi 379
Asie :
  centrale **262-263**
  du Sud **266-267**, 430
  du Sud-Est **270-271**, 314, 397
  Extrême-Orient **268-269**, 430
  Proche- et Moyen-Orient **264-265**
aspirateur 194
Assyriens 373
astéroïde **23**
astrolabe 11
astronomie 11, 381, 386
Atacama, désert d' 232
Atget, Eugène 325
athéisme 281
Athènes 257, 329, **376-377**
athlétisme 356, **357**
Atlantique, océan 41, 45, 215
atmosphère :
  Lune 20
  planètes 18, 19, 20, 21
  Terre 10, 29, 36, **49**, 52
atomes 157, 159, 182
atomique, numéro 160, 161
Atomium, Bruxelles 174
attaque cérébrale 150
au-delà 282, 371, 378, 384
Audubon, John James 342
Australasie **272-273**
Australie 59, 123, 150, 220, 272, **274-275**, 283, 308, **425**
Autriche 246, 255, 421, 426, 430
avantage mécanique 196
avion 154, 165, 176-177, 199, 200, 233, 308, 398
  à réaction 176-177, 199
axe **16**
Ayers Rock *voir* Uluru
azote, cycle de l' 81
Aztèques 230, 282, **403**, 405

B

Babyloniens **372**, 373
Bach, Jean-Sébastien 333
bactérie 77, 81, **85**, 145, 149, 151, 154
Baekeland, Leo 170
Bagdad 386
bakélite 170
balance 141
balancier 165
baleine 84, 96, 99, 100, 109, 119, 120, 277
ballet 258, 308, 336, 337
Baltes, pays 258, 259
banane 211, 231
Banff National Park 225
Bangkok 260, 291
Bangladesh 51, 154, 261, 266, 267
banque centrale **309**
Barbares 384
bar-mitzva 287
barrages 57, 61, **203**, 241

basalte 46
base-ball 227, 352, 353, 354
bases (chimie) 162
basket-ball 352, 353, 355
Bass, Saul 326
bateaux et navires 199, 201, 378, 383, 387, **388**, 408
Batista, Fulgencio 435
bâtonnets et cônes de l'œil 141
battement cardiaque 135, 149
Beatles 334
bébés 129, 130, **148-149**
Beijing *voir* Pékin
Belgique 174, 246, 254, 255
Benelux 254
Benesh, notation 337
Ben-Hur 347
Bénin 238, 241, 395
Berlin, Allemagne 255, 294, 328
bernard-l'hermite 109
Berners Lee, Tim 191
bétail 66, 98, 125, 243, 365, 412
Bételgeuse 13
béton 171, 202
Beyrouth 264
Bhagavad-Gita 293
Bhagavata Purana 342
Bhoutan 261, 266, 267, 300
Bible 280, 287, 288, 373, 385, 399
bicyclette *voir* vélo
bidonville 236, 418
Biélorussie 247, 258, 259
big bang **26**, 156, 169, 281
bijoux 327, 375, 383, 388
bile 128, 146
binaire, code 177, 189, 190
biochimie **162**
biodiversité 80
biologie **72-73**
bioluminescence **113**
biotechnologie **208**, **210-211**
Birmanie 261, 270, 271, 289, 397
bisannuelles, plantes 71
Bismarck, Otto von 421
blé 364, 370
blitzkrieg 433
Bluth, Don 349
Bochimans 244
Bogotá 235
bois 248
Bolívar, Simón 420
Bolivie 232-233, 235, 237, 420
Bollywood 346
Bombay 267
bombe atomique 157, **433**
Borobudur 397
Bosnie-Herzégovine 247, 256, 257
Boston, partie de thé de 414
Botswana 150, 239, 244, 245
bouche **142-143**
Bouddha 289
bouddhisme 271, 280, 281, 286, **289**, 379, 397
Bougainville, Louis Antoine de 425
bouquetin 84
Bourbons **406**
boussole 183, 400, 401
Boyle, Robert 411
Brahma 286
brahman 286
branchies **112**
Brésil 218, 232-233, 236, 237, 400, 420
Britanniques, îles 246, **250-251**, 383, 384
Broglie, Louis de 159
broméliacées 82
bronches 136, 137
bronze 174, 323, **367**, 374
Brunelleschi, Filippo 321

Bruxelles 246, 254, 255
BT, tour 192
Budge, Donald 355
Bulgarie 247, 256, 257
Burundi 239, 242, 299
Bush, George W. 314
Byzantin, empire **385**

C

cactus 74, 84
Cafu 354
Cahokia, tumulus de 380
Caire, Le 240
Calcutta 267
calendrier 11, 281, 372, 381, 416
calife 386
Callisto 19
calorie 166
calotte glaciaire 58, 222
Cambodge 150, 216, 261, 270, 271
caméléon 96, 116-117
caméra 325
Cameroun 239, 242, 243
camouflage 97, 111, 115, 117, 175
Canada 222-223, 225, 388, **417**
    frontières 216, 226, 227, 312
    habitants 224, **408**, 417
canaux semi-circulaires 141
cancer 149, **151**, 167
caoutchouc 67
capillaires 134, 137
carbone 157, 161, 162, 174, 175
    cycle du 81
Carnac 366
carnivores **98**, 120
Cartier, Jacques 417
cartilage 102, 130, 131, 136, 143
cartographie 220-221, 396
Caspienne, mer 57, 247, 260, 261
Cassini, vaisseau spatial 29
castes, système des 304
castor 122
Castro, Fidel 312, 435
Çatal Höyük 365
Catherine de Russie 410
Cavaliers 406
Cavelier de la Salle, Robert 409
cécilie 114
ceinture de feu 43, 271
cellule souche **211**
cellules 73, **128**, 132, 133, 148, 149
Celsius 169
Celtes **383**
centrale électrique **187**, 199
centrifugeuse 173
cercle de pierre 366
Cérès 23
cerveau 128, 129, **138-139**, 140, 149
cervelet 139
Cervin 247
César, Jules 382
CFC (chlorofluorocarbones) 49, 65
chaîne alimentaire 40, **81**
chaînes de montagne 45
chaleur **168-169**, 170, 171, 198
chamans 283
chambres funéraires 366
champignons 71, 81, **86**, 87, 171
Chanson de Roland, La 343
Chanteur de jazz, Le 346
Chanteurs sans frontières 301
Chantons sous la pluie 338
char 426, 427
charbon 60, 418
Charlemagne 385
Charles Ier 406
Charles II 410
charognards 98, 109
Charon 21
Chartres, cathédrale de 385
chasseurs-cueilleurs 364

chat 99, 100
châteaux 255, **390**, 394
Chaussée des Géants 47
chauve-souris 99, 121, 176
chemins de fer 198, 201, 263, 418, 419
Chemises rouges 421
chenille 100, 101, 111
chevaliers **391**
cheveu 133, 149
chèvre 66, 243, 257, 365
Chicken Run 349
chien 99, 100, 365
Chili 12, 232, 237, 420
chimie 161, **162**, 172-173, 411
chimpanzé 72, 100, 122
Chine 260-261, **268-269**, 308, 314
    culture 339, 345, 367, 369, 401
    empire **378**, **393**, 410, 429
    Hongkong 202, 218, 219, 261, 268
    révolution **429**
chlore 160, 161
chloroplaste 73, 89
chorégraphie **337**
christianisme 280, 281, **288**, 390, 400
    Église anglicane **404**
    Église orthodoxe 246, 256, 385
    Réforme **399**, 404
Christo 324
chromosomes 73, 148
Chrysler Building 329
Churchill, Winston 435
chutes d'eau 56, 215, 220, 225, 239
cinéma 298, 326, **346-347**, 349, 351
cinétique, énergie 166
circuits **184-185**, 188
    imprimés nus 189
circulation **134-135**, 411
cistude 117
Cité interdite 393
cité-État 377
classification 71
Cliff, Clarice 327
climats **62-63**
Clinton, Bill 304
clones 211
Cnossos 374
coccinelle 101, 111
cochlée 141
Cocker, Joe 330
cœur 132, 134, **135**, 136, 185
colibri 72, 119
Colisée 382
colle 171
colline abyssale 41
Colomb, Christophe 400, 401
Colombie 232, 234, 235, 420
colonisation de l'Amérique **409**
colonne vertébrale 130, 131, 146, 149
Colorado 55
combustion interne, moteur à 198
comédie 345, 376
comédie musicale **338**
comètes **22**
commerce 314, 374, 394, 395, 400, 401, 417, 418, 422
communauté (écosystèmes) 80, 81
communauté internationale **314-315**, 317
communication 100, 101, 192-193
communisme **428**, 429, 435
compétitions **354-355**
composé 172
composition **333**
concentration, camps de 433
concombre de mer 104
condensateur 188
conducteur (électricité) 160, 185
conduction 168
Cône, nébuleuse du 29
confucianisme 280, 281, **285**
Congo 239, 242, 243
conifères **91**
Connelly, Maureen 355

conquistadores **405**
Conradie, Bolla 244
consommateur 303
consommation de carburant **199**
Constantin 385
Constantinople 264, **385**, 388, 389, 397
constellations 13, 24, 386
construction **202-203**
Conte de Genji, Le 341
continents **39**, 62
contrebasse 330
contrôle qualité 205
convection 168
Copenhague 248
coquille **106**
    Saint-Jacques 106
Coran 290, 407
coraux 42, 80, **103**, 275
cordes vocales 136
cordillère 45
cordon ombilical 120, 148
Cordoue 387
Corées 217, 218, 261, 268, **269**, 429
Coriolis, force de 51
cornée 140
corps humain **128-129**
    circulation **134-135**
    digestion 142, 143, **144-145**, 150
    foie 128, 144, 146
    hormones **147**, 149
    muscles 128, 129, **132**, 137, 145, 149
    peau 128, **133**, 149
    reins 146, 147
    reproduction et croissance 130, 148-149, 211
    respiration **136-137**
    santé et maladie **150-151**
    sens 140-141, 142, 143
    squelette 128, 129, **130-131**, 146
    système nerveux **138-139**
cortex cérébral 138, 139
Cortés, Hernán 282, **405**
côtes 59, 62
côtes (anatomie) 130, 137
coton 413, 418
Coubertin, baron, Pierre de 356
couleur 133, 140, 148, 163, **180**, 325
Coupe du monde 329, **354**
Court, Margaret 355
cow-boys 229, 236, 420
crabe 74, 109, 117
crâne 130, 149
crapaud 115
cratère 17, 18, 23
crayon 322
Création **281**, 287
Crète 374
crevette 109, 234
Crick, Francis 209
cricket 244, 352, 353, 354
crime 209, 310, 311
Crimée 247, 259
Crise de 1929 **430**
cristaux 47
Croatie 246, 256, 257, 312
crocodile 116, 117
croisades **389**
croissance 130, **149**
Croissant fertile 364, **365**
Croix-Rouge 313, 317
Cromwell, Oliver 406
crucifixion 288
crustacés 102, 107, **109**
Crystal Palace 418
Cuba 231, 312, 435
    crise de 435
cuivre 161, 174, 204, 232, 263
culture 66, 207, **210**, 235, 316, 364, 370
cultures 66, 207, 210, 235, 316, 364, 370
cunéiforme, écriture 369, 372
Curie, Marie 167
Custer, général George 417
cycas 91

cyclones 19, 21, **54**
cytoplasme 73

D

Daguerre, Louis 325
Damas 264
Danemark 216, 246, **248**, 249, 361, 388, 406
danse 237, 247, 270, 271, 322, **336-337**
Darios 375
Darwin, Charles **74**
datte 240
dauphin 99, 120
débarquement de Normandie 432
Déclaration d'Indépendance 293, **414**
décolonisation **434**
décomposition 81, 171
découvertes :
    Europe 395, **400-401**, 402, 409, 417, 422, 425
    musulmans 387
    Peuples de la Mer 374
    Vikings 388
Defoe, Daniel 341
déforestation 48, 55, 60, **67**, 154, 270
Degas, Edgar 322
delta 57, 266
démocratie 293, 306, **307**, 310, 377, 425
dendrites 138
dent 142, **143**, 144, 149
Dépression 309, **430**
derme 133
derviche tourneur 336
désertification 240
déserts 55, 63, 80, **84**, 121
    Afrique 84, 215, 220, 238, 240, 244, 265, 394
    Amérique 169, 223, 229, 232
    Asie 269
    Moyen-Orient 264, 265
design 154, **326-327**
dessin 292, **322**
Destivelle, Catherine 353
détecteur de métal 186
dette 315, **316**
développement durable 316
dialyse 173
diamant 47, 162, 244
diaphragme 136, 137
diatomées 87
dicotylédons 92
Diderot, Denis 411, 416
didgeridoo 331
didinium 85
Dieu 280, **287**, 288
diffusion 172
digestion 142, 143, **144-145**, 150
Dimanche rouge 428
dinosaures **78-79**, 124, 269
diodes 188
diodon 97
dionée attrape-mouches 89
dioxyde de carbone 136, 137
dispersion 180
disque dur 190
distillation 173, 206
documents **342**
dodécaèdre 155
dodo 124
Dolly 211
Dombasle, Christophe Joseph Mathieu de 412
domestication **365**
dorsale médio-atlantique 41, 45
drakkar **388**
drame 271, 344-345, 376
drapeaux 216, **434**
    Afrique 241, 242, 245
    Amérique 225, 231, 235, 237
    Asie 263, 267, 269, 271
    Australasie 273, 275
    Europe 249, 251, 253, 255, 257, 259

Moyen-Orient 265
Océanie 273
droits civiques **307**
droits de l'homme 304, 305, 310, **317**
druide 383
Dubaï 265
Dubrovnik 256
Dumas, Alexandre 341
Dun Aengus, fort 383
Dunant, Henri 313
Duncan, Isadora 336
DVD *(digital video discs)* 351
dynasties 410

E

Eastman, George 325
eau 156, 157, 162, 169, 172
　corps humain 130, 147, 150
　cycle 52, 81
　de mer 40, 172, 265
　érosion 55
ébullition 169, 171
échanges gazeux **137**
échecs 194, 257, 350, 390
échidné 123
échinodermes 102, **104**
échographie **129**
écholocation **99**
éclair 54, 182
éclipse de Soleil 15
écologie **80-81**
économie 253, 271, 295, **302-303**, 308, 309, 314,
　316, 430
Écosse 250, 251, 366, 419
écosystèmes **80**, 81
écriture **339**, 369
　voir aussi littérature
écritures, premières **369**
écrivains 340, 341, 342, 343, 345, **348**
edelweiss 84
Edison, Thomas 177, 346
éducation 304, 308, 309
effets spéciaux 347
égalité sociale **304-305**, 316, 317
Égypte 80, 239, 240, 241, 282
　ancienne 369, **370-371**, 372
Einstein, Albert 158
eisteddfods 251
Eldorado 405
élections 307, 317, 427
électricité **182**
　circuits **184-185**
　conducteurs 160, **184**
　courant 184, 185, 186, 187
　interrupteurs 185
　magnétisme **186**
　moteurs électriques **186**
　piles **184**
　production 186, **187**
　réseau électrique 185
　semiconducteurs **188**
　signaux 188
électroencéphalogramme 139
électromagnétisme 164, **186**
électron 157, 159, 160, 182
électronique **188-189**
　voir aussi ordinateurs
électrophone 351
électroscope 182
éléments **160-161**, 183, 411
éléphant 70, 71, 74-75, 96, 120, 124, 176, 238, 296
Élisabeth Ire 404, 409
Elmina, château d' 394
embryon 120, 148, 149, 211
Emeraude, île d' 250
Émirats Arabes Unis 218, 265
Empire **422-423**, 429, 434
Empire de Charlemagne **385**, 406, 421
Empire State Building 329
encéphale 138, 139
endocrinien, système 129

énergie **166**
　chaîne alimentaire **81**
　chaleur **168-169**
　électricité **182**
　éolienne 61, 248
　fossile 60
　hydroélectrique 61
　nucléaire 61, **167**
　photosynthèse **89**
　quanta 159
　renouvelable **61**
　solaire 61, 199, 248, 299, 315
　son **176-177**
engrenages **197**
environnement 64-65, 248, 254, 266, **316**
enzymes 144, **145**, 208
épiderme 133
épiglotte 136, 142
épiphytes 95
éponges 102, **104**, 117
Épopée de Gilgamesh, L' 343
équateur 221, 243
Équateur 232, 234, 235, 420
équateur céleste 13
équations 155, **163**
ères glaciaires 63, **77**
Éros 23
érosion **55**, 58, 59, 64
escalade 353
escargot 97, 102, **106**
esclavage 395, **413**, 424
espace **10**
　astéroïdes 23
　comètes 22
　étoiles 10, 13, **24-25**, 27
　et temps 158
　matière noire **26**
　météores 23
　système solaire 14, 15-21
　trous noirs 25
　vie extraterrestre 22
Espagne 150, 246, 252, 253
　flamenco 247, 336, 337
　guerre civile **431**
　histoire 387, 401, 405, **431**
espèces 71, 74
　en danger **124**, 125
essence 60
essieu 196
estomac 129, **144**, 145, 146, 147
Estonie 247, 258, 259
estuaire 57
État **308-309**
États-Unis 222-223, 310, 314, 435
　Alaska **224**, 225
　de l'Est **226-227**, 324, 329, 409
　de l'Ouest 43, 50, 55, 169, **228-229**, 380
　économie 218, 227, 309, 430
　frontières 216, 217, 226, 227, 312
　histoire 293, **413**, **414**, 417, 424, 427, 435
　Indiens 228, 281, **408**, 409, 417
　population 226, 294, 296, 361, 380, 409
　programme spatial 30-32, 227
　Thanksgiving 227
　voir aussi Hawaii; New York
Éthiopie 239, 241, 242, 243
éthique 293
ethnie **305**
étoile de David 287
étoile de mer 102, **104**, 117, 275
étoile Polaire 13
étoiles 10, 13, **24-25**, 27, 156, 386
　filantes 23
Europe 215, **246-247**
　centrale **254-255**
　de l'Ouest **252-253**
　du Sud-Est **256-257**
　îles Britanniques 246, 250-251, 383, 384
　médiévale **390-391**
　mégalithique 366
　nationalisme **421**
　orientale **258-259**
　préhistorique 366
　Scandinavie **248-249**

Europe, conseil de l' 246
Europe (satellite de Jupiter) 19
Everest 45, 215, 260, 266
Everglades, les 226
évolution **74-75**
　humaine **75**, 362
exosphère 49
exosquelette 102, 107
exploitation forestière **67**
Exposition universelle de Londres 418
extinction 124
extraterrestre, vie 22
extravéhiculaires, activités (EVA) **31**, 32, 33

F

fabrication industrielle **205**, 303
Facteur, Le 340
Fahrenheit 169
famille **300-301**
famille nucléaire 300
famine 243, 315
farce 345
fascisme **431**
favelas 236
fécales, matières 145, 146
fécondation 93, 148
fémur 130, 131, 151
fer 146, 161, 171, 174, 183, 204
fermentation **208**
Fès 241
fétiche 283
feuille 94, 95
fibroblaste, cellule 128
fièvre jaune 85
filtration 173
Finlande 247, **248-249**
fission 167
fjord 59, 249, 275
flamant rose 273
flamenco 247, 336, 337
Flaubert, Gustave 348
Fleming, Alexander 208
fleuves **56-57**, 220, 266
　Amazone 214, 233, **236**
　Danube 257
　Gange 266, 280
　Indus 368
　Mississippi 57, 223, 227, 409
　Niger 242
　Nil 239, 241, 370
　Rhin 255
　Yangzi jiang 260
　Zaïre 243
flipper **184-185**
Florence 399
Floride 226, 324
Flushing Meadow 355
flux 174
fœtus 129, **148**
foie 128, 144, **146**
football 237, 352, 353, **354**, 355
football américain 296, 352, 353, 354, **355**
force nucléaire 164
forces 56-57, 163, 164, 165, 170, 182-183, 196
Ford, Henry 205
forêts 62, 63, 67, **83**, 84
　boréales 63
　humides 63, 67, 83, 94, 95, 124, 235
　tropicale humide 94, 233, 235, 236
formule 1 352
fossiles 38, 74, **76**
Foster, Norman 328
fougère 90
　arborescente 90
Fountains Abbey 404
fourmi 96, 100, 111, 295
Fourmiz 349
France 246, 252, 253
　architecture 246, 385
　histoire 406, **415**, 416, 423
　préhistoire 362, 363, 366

Franco, Francisco 431
François Ier 404
Frank, Anne 342
Franklin, Rosalind 209
Frayn, Michael 345
fret **201**
friction **165**, 182, 196
fromage 86, 150, 208
frontières 216, 217, 244, **312**, 422
fruit **93**, 150
Fuji Yama 282
fuseaux horaires 220
fusées 10, **28**, 30, 227, 235, 263
fusion **171**
　nucléaire 24, 167

G

Gagarine, Iouri 10, 31, 263
Gainsborough, Thomas 321
galaxies 13, **27**
galeries d'art **324**
Galilée 10, 11, 19, 411
Gallé, Émile 327
Gallipoli 426
Gandhi, Mohandas 430
Gange 266
Ganymède 19
Gardes rouges 429
Gargantua 340
Garibaldi, Giuseppe 421
gauchos 236, 420
Gaulle, Charles de 435
gaz 60, 156, 169, 172, 173, 243
　à effet de serre 65
gemmes **47**, 162, 234, 244
générateur 186, 187
gènes **73**, 148, 151, 210, 295
génétique **209**
Gengis Khan 392
génie génétique **210-211**
génome humain, projet **209**
genres littéraires 341, 347
géologie 33, **38**, 167
géométrie 155
géothermique, énergie 61, 249
germination 93
gestation **120**
geyser 156, 275
Giganotosaurus 78-79
glace 53, **58**, 156
glaciers 55, 57, **58**
Glasgow 419
glissements de terrain **55**
globalisation 295, 296, **314-315**
glucides 145, 150
glucose 89
gnou 83, 119
Gobi, désert de 269
goémon 87
Golden Gate Bridge 50
golf 352
Golfe, le *voir* Persique, golfe
Goodall, Jane 72
gorille 120, 122, 242
gourou 291
Gozzoli, Benozzo 398
Graf, Stefi 355
graine 93
graisse 145, 150
gramophone 351
Grand Canyon 229
Grand Chelem 355
Grande Barrière de corail 220, 275
Grande-Bretagne 42, **250-251**, 422
Grande Charte *(Magna Carta)* 360
Grandes Plaines 222, 408
Grands Lacs 223, 227
Grant, Ulysses 424
graphite 162
gratte-ciel 202, 203, 226, **329**
Graves, Michael 326

gravité 10, 14, 17, 24, 26, 30, **164**, 165
Grèce 246, 247, 257, 421
  voir aussi Grèce antique
Grèce antique 292, 327, 375, **376-377**
  architecture **329**, 376-377
  dieux 282, 310, 342, 350, 376
  jeux Olympiques 356, 377
  théâtre 344, 345, 376
Greenwich, méridien de 220
grêle 53
Grenade 223
grenouille 82, 100, 101, **114-115**, 176
Grignon, Mme de 342
Groenland 42, 215, 223, **224**, **225**, 388
grottes 57, 362, 379
Guadeloupe 231
guépard 96-97
guerre 313, 315, 317, 372, 373, 377, 390
  civile anglaise **406**
  civile espagnole **431**
  de Sécession **424**
  de Trente Ans **406**
  du Vietnam **435**
  froide 314, **435**
  indienne **417**
  Moyen-Orient **435**
  napoléonienne **416**
  Première Guerre mondiale **426-427**, 428
  Seconde Guerre mondiale **432-433**
  voir aussi guerre civile
guerre civile **313**
  Afrique 243, 244
  Amérique **424**
  Angleterre **406**
  Chine **429**
  Espagne **431**
  Europe 256
  Moyen-Orient 264
  Russie 428
Guerre des étoiles, La 346-347
guerriers de terre cuite 378
Guggenheim, musée 253
Guillaume le Conquérant 389
guillemot 118
Guimard, Hector 327
Guinée équatoriale 242
guitare 334
Gulf Stream 40
Gutenberg 339, 399
Guyana 233, 234, 235
Guyane française 233, 234, 235
gymnastique 165, 357

H

habitats naturels **82-84**, 124, 125
Habsbourg 385, 406, **410**
Hadj 290
haiku 340, 343
Halley, comète de 22
Halpern, Deborah 323
Hammourabi 372
hamster 73, 120
Hancock, John 414
Hare Krishna 286
Harun al-Rachid 386
Harvey, William 411
Hastings, bataille d' 389
Hawaii 44, 45, 80, 432
Hébreux 373
hélium 159, 160, 161, 167
hémisphère 202
  Nord 214
  Sud 214
Henningsen, Paul 327
Henri le Navigateur 401
Henri VIII 361, 404
hépatiques, plantes 90
Hepworth, Barbara 324
herbe 83, 92, 364
herbicide 207
herbivores **98**, 120

hérédité **148**
héron 80
héros 342
Herschel, William 11, 20
hertz (Hz) 176
hibernation 111, **121**
hibou 99, 124
hiéroglyphes 339, 369, 371, 381
hi-fi 351
Himalaya 45, 260, 266
hindouisme 266, 280, 281, 282, **286**
  dieux et déesses 286, 293, 342, 379
  littérature 293, 340, 342, 379
  société 296, 300, 304
Hiroshima 433
histoire 296, **360-361**
  Afrique 394-395, 422, 434
  Amérique 380-381, 400-403, 405, 408-409,
    413-414, 417, 420, 424, 430
  Asie 368, 378-379, 392-393, 397, 407, 410,
    422, 429-430
  Australasie 396, 425
  civilisations anciennes 368-377, 382-383
  Europe 366, 382-391, 397-399, 404, 406,
    410-412, 415-416, 418-419, 421, 422-423,
    430-432
  guerres mondiales 426-427, 432-433
  Moyen-Orient 364-365, 368, 369, 372-373,
    435
  préhistoire 362-367
  Russie 410, 428
Hitchcock, Alfred 346
Hitler, Adolf 431, 432
Hittites 372
Hobbema, Meindert 321
hockey sur glace 222, 353
Holi 286
Holliday, Billie 331
Hollywood 298, 347
Holocauste 433
homard 107, 109
Homère 340, 360
homme-médecine 283
Hongkong 202, 218, 219, 261, 268
Hongrie 247, 257
Hooke, Robert 411
hoplites **377**
hormones 147, 149
Hubble, télescope 20, **29**, 31
humanisme 281
humus 48
Huns 384
Hussein, Saddam 264, 435
Huygens, sonde 29
hydrogène 160, 161, 167
hyène 98
hypertexte 191
hypophyse 147
hypothalamus 138

I

Ibn Battuta 387, 401
iceberg 58, 156, 233
ichtyosaures **79**
Iguaçu, chutes d' 215
îles 42, 56, 230, 231, 270, 272-273
illusionnisme 320-321
imagerie 128, **129**, 135, 151
  médicale **129**, 147
  thermique 168
impérialisme **422-423**
impôts 308, **309**
imprimerie 339
improvisation 333, 336
Incas 234, 235, **402**, 405
Inde 11, 210, 260, **267**, 270, 302
  britannique **422**, 430
  culture 323, 331, 336, 340, 342, 379
  Gupta et Maurya 379
  industrie du film 267, 346, 347
  moghole **407**

religion 266, 280, 286, 291
  système des castes 304
Indépendance américaine 293, **414**
Indien, océan 215
Indonésie 261, 270, 271, 283, 307, 335, 397
Indus, vallée de l' 368, 369
industrie 64, **204-207**, 255, 263, 418
  chimique 187, **206-207**
influence électrostatique **182**
infrarouge 193
ingénierie **203**, 328, 418
inondation 51, 266
insectes 99, 101, 102, 107, **110-111**, 207
instinct 97
instruments de musique 176, 177, 330, 331, **332**,
    333, 334, 335
Integral, satellite 28
intelligence 22, 122, 139, 148, 149, 194
  artificielle **194**
Internationaux de tennis **355**
Internet **191**, 298
interrupteur 185
intestin 144, 145, 146
intrigue 341
invertébrés 102, 103-111
Invincible Armada 404
Io 19
Iran 260, 264, 265, 284, 435
Iraq 260, 264, 265, 368, 386, 435
iris 140, 148
Irlande 47, 246, **250-251**, 337, 383, 388,
    421
IRM (imagerie par résonance magnétique)
    128, 139, 140, 146-147, 163
Islam 281, **290**, 336
  architecture 240, 262, 264, 386, 387
  civilisation 240, **386-387**, 394
Islande 246, **248-249**, 388
Isola, Maija 327
isolants thermiques **169**, 185
isotope 161
Israël 260, 261, 264, 265, 287, 306, 373, 435
ISS *voir* station spatiale internationale
Istanbul 264, 397
Italie 246, 252, 253, 421, 431
  culture 320, 323, 326, 328, 345,
    398-399
Ivanov, Lev 337

J

jade 378
Jagamara, Michael Nelson 320
Jakarta 271
Japon 43, 218, 261, 268, **269**
  culture 267, 297, 311, 328, 329, 343, 344,
    347, 350
  histoire **392**, 410, 429, 430, 432, 433
  religion 284
Jefferson, Thomas 229, 414
Jéricho 364
Jérusalem 261
Jésus-Christ 288
jeux 350, 351
  voir aussi sports
Jiang Jieshi *voir* Tchang Kaï-chek
  Jiang Zemin 314
Joconde, la 320, 398
Johannesburg 238, 353
Johnson Space Center 30
Jonson, Ben 345
Jordan, Michael 353
Jordanie 260, 264, 265
jouets 350
joules 166
jour et nuit 37, 70
journal intime 342
journaux 298, **299**
judaïsme 281, **287**, 288, 373, 431, 433
Juifs *voir* judaïsme
Junkanoo, fête du 223
Jupiter 14, **19**, 23

K

kabuki 344
Kalahari, désert du 238, 244
kangourou 123, 274
karma 289
Kayapo, indiens 236
Kazakhstan 260, 263
Kelly, Gene 338
Kelvin, degré 169
Kennedy, centre spatial 227
Kenya 239, 242, 243
kératine 133
Keys, Alicia 333
khanda 291
Khrouchtchev, Nikita 312
Kilauea 44
Kilimandjaro 220, 239
kilogramme 155
kilt 251
King, Martin Luther 307
Kirghizistan 260, 262, 263
koala 123, 274
Kong, Liuhui 357
Koweït 260, 264, 265, 435
Kremlin 259
krill **109**
Krishna 286, 293
Kuiper, ceinture de 21
Kurdes 265, 312

L

L'espion qui m'aimait 347
La Fayette, Marie Joseph, marquis de 414
La Silla, observatoire 12
lac **57**, 215, 220, 223, 227, 233, 239, 265
Lac des Cygnes, Le 337
lagon 59
lama 234, 235
lampe 172
lamproie 113
langage 139, 142, 225, **296-297**, 395
langue 128, **142**, 144
Laos 261, 270, 271
Lao-tseu 285
Laponie 249
larynx 136, 142
Lascaux, grotte de 362
laser **179**, 191
latine, Amérique 234
latitude 221
lave 34-35, **44**, 57, 80, 171
Laver, Rod 355
Lavoisier, Antoine de 411
Lear, Edward 343
Leblanc, Maurice 341
Lee, Robert E. 424
lémuriens 122, 244
Lénine, Vladimir Ilyich 428
lentilles optiques 99, 140, **181**
Léonard de Vinci 292, 320, 322, 325, **398**, 399
lepton 156, 157
Lesbos 257
Lettonie 247, 258, 259
leviers **196**
Lévi-Strauss, Claude 295
levure 86, 208
lézard 79, 116, 117
Liban 260, 264, 265, 313
libellule 38, 89, **110**
libre-arbitre 293
lichen **87**
Liechtenstein 255
ligament 131
ligne internationale de changement de date
    220
limerick 343
Lincoln, Abraham 229, 424
lion 71, 98, 120
liquide 156, 172

littérature 339, **340-343**, 348
Lituanie 247, 258, 259
Liu, Xuan 357
Live Aid 301
Livingstone, David 239, 422
Livre d'heures 339
livres de poche 341
loch 251
logique 292
logiques, portes **189**
loi **310-311**, 317, 360, 416
loisirs domestiques **351**
Londres 192, 250, 296, 306, 418
longitude 220, 221
Los Angeles 228, 296
Louis XIV 409, 410
Louis XVI 415
loup 98, 100, 365
loupe 181
Louvre, palais du 246
Lucas, George 346
lumière 163, **178-179**, 180, 193
Lumière, Auguste et Louis 346
Lumières, siècle des **416**
lunaire, module 30
Lune 10, 15, **17**, 30, 290
lunes 19, 20, 21
Luther, Martin 399, 404
Luxembourg 246, 254, 255
lymphatique, système 129

M

Macbeth 344
Macédoine 247, 256, 257
machines 165, 195, **196-197**, 412
Machu Picchu 234, 402
Mackintosh, Charles Rennie 326
Macmillan, Harold 434
Madagascar 117, 239, 244, 245
Maes Howe, Orkney 366
Magdebourg 406
magma 44
magnétisme **183**, **186**
Mahabharata 379
Mahomet 289, 386
maladie 72, 85, 86, 149, **151**, 211, 309
    du cœur 149, 150, 151
    génétique 151, 209
Malaisie 203, 261, 271, 329
Mali 238, 241, 242, 290
malnutrition 150
Malte 246, 253
mammifères 101, 102, **120-123**
mammouth 75, 77
Manche, tunnel sous la 203
manchot 84, 109, 119, 276
mandala 289
Mandela, Nelson 245, 307, **434**
mangrove 83, 234
Mantegna, Andrea 320
mantra 286
Mao Zedong 429
Maoris 275, **396**, 425
marais 83
marais salant 59
marchés 239, 241, 260, 262, 302
Marconi, Guglielmo 192
marées 17, **59**
Marie-Antoinette 415
Mariner, sondes spatiales 10, 18
Maroc 238, 239, 241
Mars 10, 14, **19**, 22, 23, 29
Mars (dieu de la guerre) 19, 282, 382
marsupiaux 120, **123**
Marx, Karl 428
Mary Rose 361
Masai 125, 243, 296
Masai Mara 242
masse **156**, 164
masse, nombres de 161
masse, production de 205, 303, 418

matériaux 159, **170-171**, 175, 178, **204**
    intelligents **175**
mathématiques **155**, 379
matière **156**, 157
matière noire **26**
matières premières **204**
Matrix 351
Matterhorn *voir* Cervin
Mauna Kea 45
Mayas 230, 281, 339, **381**
McCurry, Steve 325
McKinley, mont 223
McLellan, William 186
mécène 399
Mecque, La 290
médecine **151**, 163, 167, 194, 195, 207, 211
médias **298-299**
médicaments 150, **207**, 311
méditation 289
Méditerranée 63, 374
méduse 102, **103**
mégalithes **366**
mégaoctet 190
mélanges **172-173**, **174**
mélanine 133, 149
Melbourne Park 355
mélodie **331**
Mendeleïev, Dimitri Ivanovich 161
menorah 287
Mercure 14, **18**
méridien de Greenwich 220, 221
Mesa Verde 380
Mésopotamie 368, 369, 372, 373
mésosphère 49
mesures **155**, 164, 165, 176
métamorphose **101**, 115
métaux 160, 169, 174, 175
    détecteur de 186
    travail des 327, **367**, 372, 380, 383, 388,
        402, 405
météore **23**
météorite **23**
météorologie **50-54**
Metropolitan Museum of Art 324
Mexico 218, 231, 402
Mexique 217, 222-223, **230-231**, 296, 312, 339, 405
microbe 150, 151, 208, 210
microbiologie **72**
microclimat 63
micro-engrenages 186
microhabitat 82
micro-ondes 193
micro-organismes 72, **85**
microphone 177
microprocesseur 190
micropuce **189**
microscope 72, 181, 411
    électronique **72**
migration :
    des animaux 99, 111, **119**, 224, 277
    des peuples 217, 223, 231, 237, 362, **384**
Mille et Une Nuits, Les 340
Millennium Stadium, Cardiff 251
mille-pattes **107**
mime 325, 345
minaret 240, 290, 386
mine à ciel ouvert 204
minéraux 47, 131, 150
minière, industrie 204, 258
Minoens **374**
Mir, station spatiale 33
Miranda 20
miroir 179
moelle 131
moelle épinière 138, 139
moisissures **86**
Moldavie 247, 259
molécules 157, 159, 172
mollusques 102, **106**
momies 282, **371**
Monaco 218, 246, 253
monarchie 404, 406, **410**, 415
monde, cartes du **214-215**, **216-217**, **422-423**
monde politique **216-217**

Mongolie 261, 268, 269
Mongols 392
monocotylédones 92
monotrèmes **123**
montagnes 45, 62, 63, **84**, 220
    Afrique 220, 239, 244-245
    Amérique du Nord 44, 222, 223, 225, 229
    Andes 45, 232, 234
    Asie 45, 215, 260, 266, 282
    Europe 84, 214, 247, 254, 255
montagnes russes 163
montre 158
Monument Valley 229
Morris, William 327
morse 84, 277
Mort, vallée de la 169, 229
Morte, mer 40, 215, 265
mosquée 240, 264, 290, 386, 387, 394, 397
moteurs 176-177, **198-199**, 200, 418
    à vapeur 198, 199
moteurs de recherche 191
mouche 99, 110
moulin à prières 289
mousse **90**
mousson 51, 266
moustique 85
mouton 251, 275, 365
mouvement 165, 325
Moyen-Orient **264-265**, 314, 364-365, 368, 369,
    372-373, **435**
    empires du **372-373**
MP3 351
mucus 136, 142, 143, 145
muezzin 240, 290
Muraille de Chine, Grande 268
muscles 128, 129, **132**, 137, 145, 149
musées 324
musique 271, 297, **330-331**, **333**, 336, 338, 343
musulmane, civilisation 240, **386-387**, 394
musulmans 290
Mussolini, Benito 431
Muybridge, Eadweard 325
Myanmar *voir* Birmanie
Mycéniens 360, 374, 376
mythes 281, 340, **342**

N

Nagasaki 433
Namib, désert du 84, 220, 238
Namibie 238, 239, 244, 245
nanotechnologies **195**
Napoléon Bonaparte 310, 385, 415, **416**, 420
natation 357
nationalisme 312, **421**
nations 312, 314, 315, 317
Nations unies 315, 317, 434
nature :
    algues **87**
    animaux **78-79**, **96-124**
    biologie **72-73**
    champignons **86**
    fossiles **76**
    habitats **82-84**
    lichens **87**
    micro-organismes **85**
    plantes **88-95**
    vie sur terre **70-71**
navette spatiale 10, **32**, 227
navigation 400, **401**
Naysmith, James 418
nazisme 431, **432-433**
Neandertal, homme de 75, 362
nébuleuses **24**, 29
nectar 93
neige 53, 62
Nenets 263
Népal 260, 266, 267
Neptune 10, 14, **21**
neurones 138, 139, 149
    moteurs 138

neutron 157, 161
New York 218, 223, 226, 293, 324, 329, 409
Newman, Paul 346
Newton, Isaac 10, **163**, 180, 411
newtons 164
nez 136, **143**
Niagara, chutes du 225
nickel 161, 174, 175, 183
Nicolas II 428
nid 118
Niépce, Nicéphore 325
Niger 150, 218, 238, 242
Nigeria 238, 239, 242, 243, 395
nirvana 289
Noises Off 345
nomades 240, 262, 264, 387
nonnes bouddhistes 271, 289
Normands 389
Norvège 246-247, **248-429**, 388
nourriture *voir* digestion; nutrition
nouvel ordre mondial **314-315**
Nouvelle-Zélande 116, 119, 273, 274, **275**, **425**
    Maoris 275, **396**, 425
noyau 128
nuages 50, 52, **53**
Nuages de Magellan 13, 27
Nuremberg (parade de 1938) 431
nutrition **150**
    voir aussi digestion

O

obas 395
obésité 150
objets proches de la Terre 23
observatoires 12, **29**, 33
    spatiaux **29**
Océanie **272-273**
océans 17, 37, **40-41**, **82**, 214, 215
odorat **143**
œil *voir* yeux
Œil du chat, nébuleuse de l' 24
œsophage 136, 142, 144, 145
offre et demande 302
oie 97, 118
oiseaux 79, 96, 98, 100, 102, **118-119**, 124
oison 118
oléoduc transalaskien 224
Olympiques, jeux **356-357**, 377
Olympus Mons 19
ombre 178
ombre en dessin 322
Omeyyades 386
omnivores 98
ondes
    cérébrales 139
    lumière 178, 193
    radio 193
    sonores 176, **177**, 178
ongle 133
ONU *voir* Nations unies
Oort, nuage de 21, 22
opacité 178
opéra 308, **338**, 340
opossum 120, 123
optique, nerf 140, 141
or 47, 157, 160, 161, 173, 224, 233, 244, 309, 411
orage 50, 52, **54**
orbite 14, 21, 28
orbiteur 32, 227
orchestre 308, **335**
ordinateurs 154, 180, **190-191**, 326, 349
oreilles 130, **141**, 176
organes 129
organisations iinternationales **434**
orthodoxe, Église 246, 256, 385
oryx 125
os 118, 129, 130, **131**, 149
os à oracle 369
Oscars 347
Osman Ier 397
ostéoporose 149

Otavalo, indiens 235
ottoman, Empire 385, **397**
Oulipo (OUvroir de LIttérature POtentielle) 348
Our 368
ours 98, 121
    blanc 84, 121, 277
    en peluche 350
oursin 102, 104
Ouzbékistan 260, 262, 263
outils 174, 363, 365
    en silex **363**, 365
ovaires 93, 147, 148, 149
ovule 148, 149
oxydation 174
oxygène 30, 134, 136, 137, 160, 161, 411
ozone, couche d' **49**

P

Pacifique, océan 214, 215, 220
pagode 289
palan 197
Palestiniens 264, 312, 313, 435
Palissy, Bernard 327
pampa 236
Panamá, canal de 230
pancréas 144, 145, 147
paparazzi 299
papauté 385, 389, 404
papilles gustatives **142**
papillon 99, 100, 101, 111
Pâques, île de (Rapa Nui) 396
parachutisme 164
Paralympiques 356
paramécie 85
parasites **105**, 113
parcs nationaux 228, 242, 275
parents 301
paresseux 83
parlement de Londres 306
parsi 284
Parthénon 257, 329, 376–377
particule 156, 157, 159
Pasteur, Louis 85
Patagonie 233
Pathfinder, sonde spatiale 19
pauvreté 150, 309, 316
    Afrique 242, 243, 245
    Amérique centrale 231
    Amérique du Sud 236, 237, 304
    Asie 266, 267
pays de Galles 250, 251
paysans 391, 412
Pays-Bas 246, 254, 255, 317
Pearl Harbor 432
peau 128, **133**, 149
pêche **67**, 224, 241, 252, 267
peinture **320–321**, 325, 386, 390, 398, 407
    à fresque 360, 382
    des Aborigènes 320, 363
    paléontologie **76**
    rupestre 362, 379
Pékin 393
pèlerins 227, 409
pénicilline 86, 208
pénis 148
Pepys, Samuel 342
percussions 330, 332
Perec, Georges 348
périophtalme 112
péristaltisme 145
permanganate de potassium 172
Pérou 232, 234, 235, 304, 380, 402, 420
Perse, Empire **375**
Perséphone 342
Persique, golfe 264, 265
perspective 321
Peste noire 391
pesticide 207
Petipa, Marius 337
Pétra, Jordanie 264

pétrole 60, 65, 172, 204, 206, 224, 229, 234, 243, 251, 264
    plates-formes 206
    raffineries 206
Peuples de la Mer **374**
pH, échelle de 162
pharaons **370**, 371
pharmaceutique, produit **207**
pharynx 136, 143
Phéniciens 369, **374**
phéromone 100
Philippines 260, 261, 270, 271
philosophie **292–293**
phloème 89, 94
photographie 187, 220, **325**, 361
photon 159, 178
photosynthèse **89**
physique **163**
    appliquée **163**
phytoplancton 82, 85
phytosanitaires, produits **207**
piano 332
Picasso, Pablo 321, 323, **324**
pictogramme 369
pieuvre 106
pile **184**
pin 91, 248
Pinatubo 260
Pioneer, sonde spatiale 22
piston 196, 198
Pizarro, Francisco 405
placenta 120, 148
plancton 109
planètes **14**, 16, 18–21, 22, 24, 29
plans inclinés **197**
plantations **413**
plantes 84, **88–89**, 95
    à fleurs 71, 72, **92–93**, 254, 256
    arbres 88, **91**, **94–95**
    cellules 73
    cycle de vie 71
    photosynthèse **89**
    sans fleurs **90–91**
    transpiration **89**
    vivaces 71
plaque dentaire 143
plaques lithosphériques 39, 41, 43, 45
plasma 73, 134, 137, 156, 173
    sphère à 182
Platon 292, 377
platypus 123, 274
pluie 51, **52**, 215, 232
pluies acides 65
plumes 118, **119**, 363, 408
Pluton 14, **21**
pneumonie 151
poésie 340, **343**, 348, 379, 427
poids 148, 150, 164
point d'appui 196
point de fuite 321
poissons 70, 82, 96, 97, 102, **112–113**
polarisation 178
pôle
    climat 63
    habitat **84**
    magnétique 183
Poliakov, Valeri 30
police 310, **311**
politique **306–307**, 309, 310, 428, 431
pollinisation 72, 91, **93**
pollution **65**, 200, 228, 231, 257, 266
Polo, Marco 401
Pologne 247, 254, 255, 399
    histoire 410, 421, 432, 433
Polperro, Cornwall 59
polyéthylène 171
polymère 175
Polynésie 272, 273, **396**
polype 103
pont 203, 308
pop, musique **334**
population 64, **218–219**, 268, 300
porcelaine 327, **393**, 401
Porto Rico 223, 231, 401

Portugal 246, 252, 253
poterie 327, **367**, 374, 377, 380
poulies 197
poumons 128, **137**, 151
Poznan 255
Prague 255, 406
prairies 63, 66, **83**
précipitations **52–53**
prédateurs 81, 115, 118, 119, 120
préhistoire :
    agriculture, **364–365**
    hommes modernes 362
    mégalithes et chambres funéraires 366
    poterie **367**
    taille du silex 363, 365
    travail des métaux 174, **367**
    vie 74–75, **77**, 78–79
premier Empire 416
Première Guerre mondiale **426–427**, 428
Presley, Elvis 334
presse 193, 298, **299**, 351
Priestley, Joseph 411
primates **122**
principe d'incertitude 159
prisme 180
production 303
    chaîne de 205
protection de la nature **125**
protéine 133, 134, 145, 149, 150
protistes 85
proton 157, 160, 161, 182
protozoaires 71, 85
protubérances du Soleil 15
Proxima du Centaure 10
PRV (plastique renforcé de verre) 170
ptérosaures **79**
puberté **149**
publicité **299**
Pueblos **380**
puma 101
punaise des lits 110
pupille 140
pyramide alimentaire 150
pyramides 282, **371**
Pyrénées 214

Q

Qi 285
quanta, théorie des **158**, 159
quarks 156, 157
Quatre Cents Coups, Les 347
quasar 27
Quechua, indiens 235
Queneau, Raymond 348
Quetzalcóatl 282, 404

R

Rabelais, François 340
race **305**, 307
radar 158, 193, 433
radiations
    en médecine 151
    nucléaires 61, 157, 433
radio 188, **192**, 193, 299, 351
radioactivité **167**
radioastronomie, complexes de **12**
radiotélescope 12, 22, 229
radiothérapie 151
radius 129, 130
Raleigh, Walter 409
Raphaël 292, 321, 399
rapides 56
raton laveur 82
Rattle, Simon 335
rayonnement 159, 166, **168**
    électromagnétique 159, 168, 178
    espace 25, 26, 29
    ultraviolet 49

rayons gamma 193
raz de marée 41
Rê 282
réactions chimiques 145, **162**, 170, 171
réalité virtuelle 190
réchauffement de la planète 63, **65**
rectum 144
Redouté, Pierre-Joseph 321
référendum 307
réflexes 138
réflexion (optique) **179**
    télescopes 11, 29, 411
Réforme 399, 404
réfraction 179, 181
    télescopes 11
réfugiés 219, 242, 243, 250, 265, 313, 317, 435
régénération 117
régime 150
régions tempérées 37, 63
régions tropicales 37, 62, 63, 243
règne animal 71
Reichstag 328
reins 146, **147**, 173
relativité 158
religions **280–281**, 296
    anciennes **282**, 380, 381, 382, 388, 403
    confucianisme 280, 281, **285**
    Création 281, 287
    Dieu **280**, 287, 288
    shintoïsme 281, 282, **284**
    sikhisme **291**
    taoïsme 281, **285**
    traditionnelles 280, **283**, 417
    zoroastrisme 281, **284**
    voir aussi bouddhisme; christianisme; hindouisme; islam; judaïsme et juifs
Renaissance **398–399**
renne 87, 119, 249, 263, 277
reproduction :
    animale 101, 106, 115, 117, 121
    humaine **148–149**, 211
reptiles 79, 102, 116–117, 121
requin 40–41, 98, 99, 102, 112, 113
réseau national d'électricité 187
réseau trophique 81
réseaux **191**
résistance électronique 188
résonance 176
respiration 112, 115, **136–137**, 142, 143
Résurrection 288
rétine 140, 141
révolution
    agricole **412**
    industrielle 314, **418–419**
    russe **428**
    scientifique **411**
    verte 210
Révolution française **415**, 416
Rezradeh, Hossein 357
rhinocéros 125, 242, 245
richesse 305, 309, 316
rideau de fer 435
Rift Valley 243
rimes 343
rituels **283**, 284, 287, 295, 296, 367, 380
riz 66, 269, 270
rizière 66
Robespierre, Maximilien de 415, 416
robots **194**, 195, 346, 350
Rochambeau, comte de 414
roches 38, **46–47**, 55, 167
Rochester Castle 390
Rocheuses, montagnes 222, 225
Rock, The 347
rodéo 229
roi-dragon 266
Roland-Garros 355
roman 340, **341**, 348
Romanov 410
Rome antique 282, 320, 345, **382–383**, 384, 385
rongeurs 84, 120, **122**
Rosette, pierre de 369
Rosh ha-Shana 287
Rotterdam 254, 255

Roue du chariot, galaxie de la 27
roue 196, 201
rouille 171
Roumanie 247, 257, 280
Rousseau, Jean-Jacques 292, 293, 416
route 202, 308
  de la Soie 262
Rowling, J. K. 348
Roy, Arundhati 348
Royaume-Uni 246, **250-251**, 306, 421
rubis 47
rugby 244, 353
Rushmore, mont 229
Russie, Fédération de 216, 247, 258, 259, 260-261, **262-263**, 288, 308, 314
Rwanda 239, 242
rythme **330**, 343

S

sabbat 287
sacrifices humains 361, 383, **403**
sadhu 286
Sahara 215, 238, 240, 394
Saint Helens, mont 44
Saint-Basile, cathédrale 288
saisons 16, 37
salamandre 114, 117
salive 142, 144, 145
Salvador 55, 223, 231
Samarkand 262
Sami 249
samouraïs 392
San Andreas, faille de 43, 228
San Francisco 50, 228
sang 134, 137, 146, 147, 162, 173
sangsue 77, **105**
santé **150**
Santiago 237
Santorin 246
São Paulo 218, 232
satellites 10, **28**, 31, 38, 315
  communication 192
  météo 50
  photographie 187, 220, 361
satire 345
satrape 375
Saturne 14, **20**, 29
Saturne V 30
saut à l'élastique 166
sauterelle 108, 176
savane 83
Saxons **384**
saxophone 331
Scandinavie **248-249**, 388
scarabée 370
scène 345
Schneider, Eugène 418
Schumacher, Michael 352
Schwarzenegger, Arnold 347
science de la Terre 38
science-fiction 341, 346
sciences **154**
  biologie 72-73
  chimie 161, **162**, 172-173, 411
  découvertes **411**
  mathématiques **155**, 379
  mesures **155**, 164, 165, 176
  physique **163**
  sociales **295**
scinque 117
scorpion 77, 84, 107, 108
scrotum 148
sculpture **323**, 324
Sécession, guerre de **424**
Seconde Guerre mondiale **432-433**
sécurité 200, 314, **315**
  routière 166, **201**
sédiment 56, 57
sel, mines de 234
sélection naturelle **74-75**

sels 162, 174
semiconducteurs **188**
Sendak, Maurice 340
sens :
  animaux **99**, 110
  homme 140-141, 142, 143
Séoul 218, 269
serpent 99, 101, **116**
serpent à sonnette 98, 116
SETI, projet **22**
Sévigné, Mme de 342
sexe **305**, 317, 427
Shakespeare, William 251, 340, 341, 344, 345, 348
Shanghai 269, 308, 314
Shankar, Ravi 331
Sherpas 266
shintoïsme 281, 282, **284**
Shiva 286, 379
Shoah 433
shoguns 392
Sibérie 263
Sicile 389, 421
sida 150, 151, 245
Siddhartha Gautama *voir* Bouddha
Sierra Leone 150, 218, 238, 241
sikhisme **291**
silex 363, 365
silicone 160, 161, 188, 189
singe 72, 100, 120, 122, 242
Sirius 13
sismologie **43**
ski 254
Skarmeta, Antonio 340
Skylab, station spatiale 33
Slovaquie 247, 254, 255
Slovénie 246, 256, 257
snowboard 254, 352-353
société **294**, 295
  culture **296-297**
  droits civiques **307**, 310
  famille **300-301**
  loi **310-311**
  multiculturelle 218, 250
  politique **306-307**, 428, 431
  vie sociale **301**
Socrate 292, 377
sodium 160
soie 108, 111, 170, 378, 393, 401
sol 48, 64, 172, 207
solaire, système 14, 15-21
Soleil 10, 14, **15**, 27, 169
soleil de minuit 249
solides 156, 172, 173
solutions **172**
Soliman le Magnifique 397
Somalie 239, 242, 243
son 99, 141, **176-177**, 178, 331, 332, 336
son, hauteur du **331**
sondes spatiales 18, 19, 20, 22, **29**
Songe d'une nuit d'été, Le 341
Soudan 239, 241, 422
souk 239, 241
sources chaudes 249, 257
souris 122
Soweto 218, 245
Soyouz, vaisseau spatial 28, 30
spationaute 10, 30, 32, 33, 305
Spears, Britney 334
spectre :
  de la lumière 180, 193
  électromagnétique 180, **193**
sperme 148, 149, 211
sphère céleste 13
spongiaires 102, **104**, 117
sponsor 355, 357
spores 86, **90**
sports 296, **352-357**, 377
  extrêmes **353**
Spoutnik I 10, 263
Springboks 244
squelette 102, 128, 129, **130-131**
Sri Lanka 260, 267
Stahleck, forteresse de 255

stalactite 57
stalagmite 57
Staline, Joseph 428
Stanley, Henry Morton 422
station spatiale **33**
  internationale 10, 31, 32, **33**
Statue de la Liberté 223, 293
Stephano, satellite 20
Stephenson, George 419
stimulateur cardiaque 185
Stock Exchange 302
Stock, Dennis 325
stomate 89
Stonehenge 366
Strasbourg 246, 254
stratosphère 49
strophe 343
structure atomique **157**
stupa 379, 397
sucre 157
Suède 150, 246-247, **248-249**, 388, 406
Suisse 246, 253
Super Bowl **355**
Super Mario 351
Superman 298
supernovae 24, 25, 160
Suriname 233, 234, 235
sursaut 15
Sutton Hoo 384
svastika 431
Swahili **395**
Sydney 274, 308
symbiose 87
synapses 138
synthétiques, matériaux **170**
synthétiseur 177, 332
Syrie 243, 260, 264, 265, 386
système :
  immunitaire 129, 151
  nerveux **138-139**
  tégumentaire 129
  urinaire 129, 147

T

tabac 150, 151, 309, 409
table périodique des éléments **161**
Table, montagne de la 245
tache solaire 15
Tadj Mahall **407**
Talbot, William Henry Fox 325
Tallinn 258
Talmud 287
Tamerlan 392
Tanzanie 72, 125, 220, 239, 242, 243, 299
taoïsme 281, **285**
tarentule 108
Tchad 242
Tchaïkovski, Piotr 337
Tchang Kaï-chek 429
Tchèque, république 246, 254, 255, 406
Tchernobyl 61
technologie 75, **154**, 357, 418
  biotechnologie **208**, **210-211**
  électronique **188-189**
  machines 165, 195, **196-197**, 412
  nanotechnologie 195
  ordinateurs 154, 180, **190-191**, 326, 349
  robots **194**, 195, 346, 350
télécommande 351
télécommunications 191, **192-193**
téléphone mobile 192
téléphones 191, **192**
télescopes 11, **12**, 22, **29**, 181, 229, 411
télévision 168, 171, 175, **192**, 193, 299, 351
température 62, 133, **168**, 169
Temple d'or, 291
temples 285, 289, 291, 368, 377, 381, **397**
temps 158, 372
tendon 132
tennis de table 357

Terminator 347
termite 100, 111, 123
terrasse 66
Terre 16, 29, **36-37**, 39-48, 55-59, 183, 214-215
  atmosphère 10, 29, 36, **49**, 52
  climat **62-63**
  dans l'espace 10, 14, 37
  météorologie **50-54**
  saisons 16, **37**
  vie 16, 37, **70-71**, **74-75**
Terre de Feu 233, 237
Terre Promise 373
Terre-Neuve 224, 388
terrorisme 313, 314
testicules 147, 148, 149
têtard 101, **115**
Têtes rondes 406
Texas 229
textile 205, 232, 326, 327, 378, 387, 418
Thaïlande 67, 260, 261, 270, 271, 336
Thanksgiving 227
thé 204, 297
théâtre 308, **344-345**, 348, 376
  de rue 345
thermomètres 155, **169**
Thermos 169
thermosphère 49
thermostat 169
thon 67
Tiffany, Louis Comfort 327
Tigre & Dragon 346
tigres 71
tissu **128**, 129
Titan 20, 29
titane 161, 175
Titania 20
Titanic 347
Tollund, homme de 361
tomate 210, 235
Tombaugh, Clyde 10, 21
Tombouctou **394**
tomodensitométrie 129
tomographie par émission de positons (TEP) **129**, 139
Tonga 272, 396
TOPEX/Poseidon, satellite 38
Torah 287
torii 284
Toronto 225
tortue 71, 116, 117
totem 283
toucan 98, 119, 233
toundra 63
Tour de France 252, 354
tourbe 48, 60
tourbière 83
tours jumelles Petronas de Kuala Lumpur 203, 271, 329
Toussaint 230, 296
Toussaint Louverture 413
Toutankhamon 370
trachée 136, 137
tragédie 345, 346
traite des esclaves 395, **413**
tramway 228
tranchées, guerre des **426**
transistor 188, 189, 190
transpiration 89, 133
transport 158, 163, 166, **200-201**, 228, 231, 257, **419**
Transsibérien 263
Traviata, La 338
tremblements de terre 43, 55, 228, 271
tribunal 310, **311**, 317
tridimensionnel (3D) 323
Trinity College 250
triton 114, 115
Triton 21
trompette 332
troposphère 49, 53
trous noirs **25**
Truffaut, François 347
tsunami 41

Tubman, Harriet 424
Tull, Jethro 412
tungstène 161, 171
Tunisie 241
tunnel 203
turbines **199**
Turquie 247, 260, 264, 265, 397
Twiggy 326
Tyne Bridge 251

U

Ukraine 247, 258, 259
ultraviolet, rayon (UV) 49, 193
Uluru 274, 283
Union européenne (UE) 254, 255, 314, 434
Union soviétique 312, 314, 317, 428
Univers **26**, 156
uranium 160, 161, 167
Uranus 14, **20**
urbanisation 64, 418, **419**
Uruguay 233, 236, 237
usine 64, 187, 314, 418
utérus 129, 148

V

vacuole 73
vagues **41**, 59
vaisseau sanguin 133, **134**, 135, 136, 137, 146, 151
vaisseau spatial **28-30**, **32-33**
Van den Hoogenband, Pieter 357
Van Gogh, Vincent 321, 324
Van Leeuwenhoek, Anton 411
vapeur 156, 171, 418
Vatican 216, 218, **253**
vautour 98
Véga 13
veines **134**, 135, 146
vélo 200, 201, 252, 354, 357
Venezuela 232-233, 234, 235, 420
venin **116**
Venise 252, 323
ventricule 135
vent 50, 51, 54, 55
Vénus 14, **18**
Verdi, Giuseppe 338
vérité 293
Vermeer, Jan 324
verre 170, 178, 179
vers (poésie) 343
vers 48, 77, 101, 102, **105**, 117
Versailles 410, 415
vertébrés **102**, 112-123
vertèbres 128, 130, 131, 135, 138, 146, 149
vésicule biliaire 144, 146
vesse-de-loup 86
vessie 128, **147**
vêtement 31, 175, 297, 326, 336, 345
vibrisse 136, 143
Victoria, chutes 220, 239
Victoria, reine 422
vie sociale **301**
vie :
    carbone 162
    cycles **71**, 101
    espérance de 71, 150
    évolution **74-75**
    extraterrestre **22**
    marine 40, 77, 79, 82
    mode de 150, 151
    préhistorique 74-75, **77**, 78-79
    sur terre 16, 37, **70-71**
Vierge, amas de la 27
Vietnam 216, 261, 270, 271
VIH 151
Viking, module 29
Vikings **388**
ville 60, 64, 65, 218, 219, 368, 418, 419
vin 208, 252

virus **85**, 151
Vishnou 286, 293
vision 99, 122, **140-141**
vitamine 145, 146, 150
vitesse 165
Voie lactée 10, 13, **27**
voies aériennes 136, 137
voitures :
    moteurs 198-199
    sport automobile 352
    usine 204, 205, 237, 303, 314, 326
volcans **44**, 249, 260, 271
    îles 42, 231, 272, 374
    planètes 18, 19
Volpone 345
volt 185, 187
voyage spatial 10, **30-33**
Voyager, sondes 20, 22

W

Waitangi, traité de 425
Wall Street 430
Washington 226, 227, 435
Washington, George 226, 229, 414
Watson, James 209
Watt, James 198
watt 185
Weber, Mary Ellen 305
Wegener, Alfred Lothar 39
welwitschia 84
Whittle, Frank 199
Wilde, Oscar 345, 346
Williams, Serena 355
Wimbledon 355
Wolfe, James 417
Wonder, Stevie 304
Woods, Tiger 352, 355
Woodstock 330
World Wide Web 191
Wright, Joseph 411

X

X, rayons **129**, 130, 137, 143, 147, 151, 193
xylème 89, 94

Y

yeux 99, **140-141**, 148, 179, 181
Yijing 285
yin et yang 285
Yorubas 395
Yosemite National Park 228
Yougoslavie 256, 317, 432

Z

Zambie 150, 220, 239, 244, 245
Zamosc 399
Zanzibar 239, 395
Zapotèques 282
Zarathustra *voir* Zoroastre
zèbre 68-69, 83, 98, 120
Zephaniah, Benjamin 343
zéro 169, 379
Zhang, Ziyi 346
Zheng He 401
ziggourat 368
zones humides 57, 80, **83**, 259
zoologie 72
Zoroastre 284, 293, 375
zoroastrisme 281, **284**

REMERCIEMENTS

Dorling Kindersley remercie Jacqui Bailey, Kitty Blount, Laura Buller, Joe Elliot, Daniel Gilpin, Simon Holland, Jacky Jackson, Sarah Kovandzich, Esther Labi, Margaret Mulverhill, Margaret Parrish, et Nigel Ritchie pour leur aide éditoriale ; Alyson Lacewing, et Lee Simmons pour la relecture des épreuves ; Sue Lightfoot pour l'index et Martin Copeland pour la recherche iconographique.

ERPI décline toute responsabilité concernant la disponibilité et le contenu des sites Internet qui ne lui appartiennent pas et qui pourraient contenir des éléments jugés choquants, nuisibles ou incorrects. ERPI ne peut être tenu pour responsable de la perte ou du dommage de fichiers liés au téléchargement malencontreux d'un virus lors d'une visite sur un moteur de recherche ou sur un site recommandé. Les images téléchargeables sur le site de la présente encyclopédie sont la propriété de Dorling Kindersley Ltd et ne peuvent être reproduites ou utilisées dans une banque de données ou transmises, sous quelque forme ou par quelque moyen que ce soit – électronique, électrostatique, magnétique, mécanique, enregistrement ou photocopie – sans l'autorisation écrite préalable de l'éditeur.

Crédits photographiques

L'éditeur voudrait remercier les personnes suivantes pour leur aimable autorisation à reproduire les photographies :

Légendes :
h-haut, b-bas, d-droite, g-gauche, c-centre

1 AKG Londres : cg, cd. Corbis : Buddy Mays c. Getty Images : Helena Vallis cgg. Science Photo Library : Steve Horrell cdd. **2** Corbis : Christine Kolisch cd ; Hal Beral cddd ; Jim Winkley ; Ecoscene cgg. NASA : cg. Science Photo Library : cdd ; Dr. Arthur Tucker cggg. **3** Genesis Space Photo Library : NASA, Lockhead Martin, IMAX cddd. Getty Images : Raphael Van Butsele cd. Science Photo Library : Art Wolfe cgg ; Hugh Turvey cggg ; Richard Wehr cg. **5** NASA : hc. Science Photo Library : Simon Fraser hg ; Tek Image hd. **6** NASA : cg. Science Photo Library : c. **7** Getty Images : Raphael Van Bustele cb. **8-9** Science Photo Library : National Optical Astronomy Observatories. **10** DK Picture Library : ESA bd. **10-11** NASA. Science Photo Library : Eckhard Slawik c. **11** Science Photo Library : John Sanford cd. Topham Picturepoint : HPI/British Library cg. **12** Science Photo Library : David Nunuk bd ; David Parker hd ; Max-Planck-Institut Fur Radioastromie cg. **14** Science Photo Library : Mark Garlick cg. **15** Galaxy Picture Library : TRACE/Stanford-Lockheed Institute for Space Research cg. Science Photo Library : Dr Fred Espenak bd ; Mark Garlick c. avec l'aimable autorisation de SOHO/EIT Consortium. SOHO est un projet de coopération internationale entre l'Agence spatiale européenne et la NASA : cd. **16** NASA : bd, g. **16-17** NASA. **17** NASA : hd, c. **18** NASA : hg, c, bc, cg. Science Photo Library : NASA cdb. **19** NASA : cg, c, bg. Science Photo Library : NASA bd. **20** NASA : hd, cd, cg, bg. Science Photo Library : US Geological Survey bd. **21** NASA : hg, cd, cdb, cbd. Science Photo Library : Claus Lunau/Foci/Bonnier, Publications bc. **22** Anglo Australian Observatory : Royal Observatory, Édimbourg bd. Corbis : Gianni Dagli Orti bc. Science Photo Library : Dr Seth Shostak cg ; Jerry Lodriguss cb ; NASA hc. SETI League photo, avec l'autorisation : hd. **23** Corbis : Charles O'Rear bd. DK Picture Library : Natural History Museum bc, bcd. Science Photo Library : cg ; Dr Fred Espenak cd ; Lynette Cook hg. **24** NASA : cd, bg. **24-25** Science Photo Library : Konstantinos Kifonidis. **25** NASA : hd. Science Photo Library : Max-Plank-Institut Und Physik and Astrophysik c ; Mehau Kulyk bd. **26** NASA : cdb. Science Photo Library : Roger Harris cd ; W. Couch & R. Ellis/NASA bg. **27** Anglo Australian Observatory : David Malin cdh, cd, chd. Galaxy Picture Library : Omar Lopez-Cruz & Ian Shelton/NOAO/AURA/NSF bd. NASA : hd, c. Science Photo Library : Carlos Frenk, université de Durham bcd ; Chris Butler cgb. **28** ESA : cd. Science Photo Library : Starsem hd. **28-29** NASA : bd. **29** NASA : hd, ch. Science Photo Library : bd ; David Ducros bg. **30** NASA : cd, bc, bd, bcd, g. **31** DK Picture Library : Eurospace Center, Transinne, Belgique cg. NASA : bd ; c. Science Photo Library : hd. **32** Genesis Space Photo Library : NASA, Lockhead Martin, IMAX cdh. NASA : hd, c, cd, bg. **33** NASA : hd, c, bg. Science Photo Library : NASA cg. **34-35** Corbis : James A. Sugar. **36** Mark Garlick hg. **36-37** Science Photo Library : ESA c **37** Corbis : Sally A. Morgan, Ecoscene bd. Getty Images : Andre Gallant bg, bc, bcg, bcd. Science Photo Library : Mark Garlick cb. **38** Science Photo Library : David Ducros cg. **38-39** Science Photo Library : Jeremy Bishop. **39** Science Photo Library : hd, bg. **40-41** Corbis : Firefly Productions. **41** Getty Images : Helena Vallis bd. **42** GeoScience Features Picture Library : bg. Getty Images : Randy Wells h. Science Photo Library : Tom Van Sant, Geosphere Project/Planetary Visions bd. **43** Corbis : Lloyd Cluff bg. Rex Features : Sipa Press hd. **44** Corbis : Roger Ressmeyer cd. Hutchison Library : Robert Francis cdh. US Geological Survey : D. A Swanson bd. **45** Corbis : Wildcountry c ; Wolfgang Kaehler bg. **46-47** Getty Images : Tom Till c. **47** DK Picture Library : Natural History Museum hd. Getty Images/Photodisc Green : cd. Science Photo Library : Lawrence Lawry bd. **48** Science Photo Library : Dr Jeremy Burgess c. **49** Science Photo Library : NASA bd, h. **50** Corbis : Brownie Harris bc. Getty Images : Mike Surowiak hg. Science Photo Library : université de Dundee c. **51** Pa Photos : EPA European Press Agency bd. Corbis : g. **52** Science Photo Library : Peter Ryan cg. **52-53** Getty Images : Marc Muench c. **53** Corbis : George D. Lepp hcd. Science Photo Library : Alan Sirulnikoff hg ; Claude Nuridsany & Marie Perennou cg ; George Post hd ; Simon Fraser hcg. UCAR Communications : bd. **54** Corbis : Rob Matheson c. NASA : bg. Science Photo Library : Larry Miller hg. **55** Corbis : Owaki-Kulla cd. Getty Images : John Lamb cg. Rex Features : Sipa Press b. Still Pictures : M & C Denis-Huot hd. **56** Corbis : Craig Tuttle cg. **56-57** National Geographic Image Collection : Volkmar Wentzel c. **57** Corbis : Paul A. Souders cd ; Yann Arthus-Bertrand hg. Science Photo Library : NASA hd. Zefa : T. Allofs bc. **58** Bryan & Cherry Alexander Photography : John Hyde d. Corbis : Ralph A. Clevenger bg. **59** Corbis : Arthur Thevenart bd ; James Murdoch ; Cordaiy Photo Library Ltd. bg. Getty Images : Arnulf Husmo cdh ; Art Wolfe cdb ; Steve Dunwell hd ; Suzanne & Nick Geary c. **60** Getty Images : China Tourism Press hd ; Harald Sund hg. **61** Alamy Images : Henryk Kaiser bc. Corbis : Philip James Corwin bg. Getty Images : Jamey Stillings bd. Science Photo Library : John Mead c ; US Department of Energy hg. **62** Science Photo Library : NASA h. Getty Images : Stuart Westmorland c ; Terry Donnelly b. **63** Alamy Images : Brett Bauton hd ; Geoffrey Morgan cdb. Getty Images : Carlos Navajas cd ; Frans Lemmens bd. Science Photo Library : Science, Industry & Business Library/New York Public Library bg. **64** Corbis : Ted Spiegel hd. Getty Images : Andy Sacks cg. **64-65** Corbis : b. **65** Ecoscene : Robert Nichol cg. Getty Images : Ed Pritchard hd. Oxford Scientific Films : David M Dennis cd. **66** Corbis : David Stoecklein hd. Getty Images : Anthony Boccaccio cg. National Geographic Image Collection : Paul Chesley b. **67** Corbis : Macduff Everton cd ; Mark L Stephenson hd. Zefa : Eugen bg. **68-69** Alamy Images : Steve Bloom. **70** National Geographic Image Collection : Joel Sartore bg. **70-71** Alamy Images : Steve Bloom c. **71** Corbis : James Noble bc. Science Photo Library : David Scharf bd. **72** National Geographic Image Collection : Michael Nichols cd. Corbis : hg. Science Photo Library : Colin Cuthbert bg ; Eye of Science bc. **73** DK Picture Library : M.I Walker cd. Science Photo Library : Dr Gopal Murti c ; Dr Jeremy Burgess hd ; M.I Walker bg. **74** Corbis : Bettmann bg. N.H.P.A. : Ant Photo Library bd. **75** Corbis : NASA cdb. DK Picture Library : Parc zoologique de Paris cd. Science Photo Library : BSIP bc. **77** Corbis : Dean Conger bg, arrière-plan ; Jonathan Blair bg. The Natural History Museum, Londres : hd. **78-79** Eric Crichton Photos : arrière-plan. **79** Science Photo Library : Chris Butler bd. **80** Corbis : Ted Horowitz bc ; Winifred Wisniewski, Frank Lane Picture Agency g. Nature Picture Library : Jeff Rotman hd. **82** Bruce Coleman Ltd. : d. National Geographic Image Collection : Paul A. Zahl bg. N.H.P.A. : T Kitchin & V Hurst c. **83** Corbis : Galen Rowell d ; Hubert Stadler g. N.H.P.A. : Jany Sauvanet ch ; John Shaw c, arrière-plan. **84** Corbis : Peter Lillie ; Gallo Images cg. Getty Images : Bernard Roussel c ; Simeone Huber bc. N.H.P.A. : B & C Alexander bd ; Paal Hermansen cd. **85** DK Picture Library : AMNH cd. Science Photo Library : Dr Tony Brain bd ; Eye of Science hd ; Library of Congress bg ; Martin Dohrn cg. **86** Science Photo Library : David Scharf cd ; John Durham bd. **87** Oxford Scientific Films : Niall Benvie bg. Science Photo Library : Jan Hinsch hd. **88** Garden Picture Library : Frederic Didillon. **89** Science Photo Library : Dr Jeremy Burgess bcg, bcd ; John Durham hd ; Microfield Scientific Ltd. hg. **91** Getty Images : Peter Lilja ch. **92** N.H.P.A. : G. I Bernard c. **93** Science Photo Library : Darwin Dale hg ; David McCarthy ch ; Jonathan Watts bc. **94** Getty Images : Will & Deni McIntyre hg. **94-95** Getty Images : Christa Renee c. **95** Science Photo Library : Hermann Eisenbeiss hc, hd. **96** Getty Images : Andrew Mounter bg. Nature Picture Library : Peter Oxford cd. **96-97** Getty Images : James Balog c ; Tim Davis cg. **97** Corbis : Hal Beral bd. Getty Images : Art Wolfe cdb. **98** Getty Images : Jeff Rotman cd ; Joseph Van Os hd. Oxford Scientific Films : Chris Sharp bg. Visuals Unlimited Inc : cg. **99** Corbis : Joe McDonald cd. Getty Images : Photodisc Green/Santokh Kochar hd. N.H.P.A. : Stephen Dalton bd. Science Photo Library : Eye of Science cg. **100** Getty Images : Digital Vision bg ; Art Wolfe hg ; Steve Hopkin bd. N.H.P.A. : Stephen Krasemann hd. **101** N.H.P.A. : T Kitchin & V Hurst cd. Oxford Scientific Films : John Cheverton cg. **102** Alamy Images : Ali Kabas c-sponge. DK Picture Library : Natural History Museum cdb. **103** Image Quest 3-D : Jim Greenfield bd ; Valdimar Butterworth cd. Science Photo Library : Gilbert S. Grant hg. **104** Tom Stack & Associates : bd. **105** Alamy Images : SNAP hd. Oxford Scientific Films : cg. Science Photo Library : David Scharf cd ; Eye of Science bc. **107** Wild Images : Tim Martin hd. **108** Oxford Scientific Films : Marty Cordano hg. Science Photo Library : Science Pictures Ltd. hd. **109** DK Picture Library : Natural History Museum cd. Nature Picture Library : Brandon Cole bd. Oxford Scientific Films : hd. **110** Corbis : Naturfoto Honal g. Science Photo Library : Dr Tony Brain cd. **111** N.H.P.A. : Anthony Bannister bd ; John Shaw hd ; Rod Planck ch. **112** Getty Images : Tobias Bernhard cg. **112-113** Getty Images : Jeff Hunter h. **113** Image Quest 3-D : Carlos Villoch hd ; Peter Herring bd. Nature Picture Library : Reijo Juurinen/Naturbild cd. **114** Corbis : Michael & Patricia Fogden bc. National Geographic Image Collection : George Gall g. **115** Corbis : Buddy Mays hd. N.H.P.A. : Ernie Jones cg. **116-117** Getty Images : Raphael Van Butsele c. **117** Getty Images : Douglas D. Seifert hd ; Gallo Images cd. **118** Getty Images : Anup Shah bc ; Steve Bloom c. Science Photo Library : Eye of Science cd. **119** Corbis : Tom Brakefield hd. FLPA – Images of nature : S & D & K Maslowski bd. Science Photo Library : Manfred Kage hg. **120** Getty Images : Stuart Westmorland hg. N.H.P.A. : Stephen Krasemann cd. **121** Getty Images : Wayne R Bilenduke h. **122** Corbis : Darrell Gulin b. Nature Picture Library : Karl Amman hg. N.H.P.A. : Mark Bowler hd. **123** Auscape : Jean-Paul Ferrero ch. DK Picture Library : Jerry Young bc. N.H.P.A. : Dave Watts hg, bd. **124** The Natural History Museum, Londres : cd. Still Pictures : John Cancalosi hg ; M & C Denis-Huot b. **125** Corbis : W. Perry Conway bd. Getty Images : Nicholas Parfitt hd. Still Pictures : Michel Gunther cg. **126-127** Science Photo Library : D. Phillips. **128** Science Photo Library : Dr Gopal Murti cg. **128-129** Science Photo Library : Simon Fraser c. **129** Science Photo Library : Mehau Kulyk bc ; Institut neurologique de Montréal/université McGill/CNRI c ; Scott Camazine bd. **130** Science Photo Library : b ; Mehau Kulyk cd. **131** DK Picture Library : EScience Photo Library/Denoyer-Geppert bc. Science Photo Library : hd ; Andrew Syred cg ; Simon Fraser bd. **132** Biophoto Associates : bg, bc, bd. **133** Science Photo Library : Andres Syred bg ; Andrew Syred bd ; John Burbidge hd ; Richard Wehr/Custom Medical Stock Photo c. **134** Science Photo Library : bg, d ; John Bavosi hg. **135** Science Photo Library : cg. **136** Science Photo Library : BSIP VEM cg ; CNRI bc, bcg. **137** Science Photo Library : Innerspace Imaging hd ; John Bavosi bd. **138** Science Photo Library : Alfred Pasieka bg ; BSIP VEM bc ; Mehau Kulyk hg. **138-139** Science Photo Library : Alfred Pasieka c. **139** Biophoto Associates : hd. Science Photo Library : Wellcome Department of Cognitive Neurology cb. **140** Science Photo Library : Mehau Kulyk bc. **140-141** Science Photo Library : Alfred Pasieka hc. **141** DK Picture Library : Denoyer Geppert Intl cd, bd. Science Photo Library : Omikron bg. **142** Science Photo Library : Astrid & Hanns-Frieder Michler bd ; Omikron bg. **143** Science Photo Library : CNRI cb ; Dr Tony Brain cd ; George Bernard cg. **144** Science Photo Library : Eye of Science cg. **145** Science Photo Library : professeurs P. Motta & F. Carpino/université « La Sapienza » Rome cd ; professeurs P. Motta & T. Naguro bc. **146** Science Photo Library : BSIP/Cavallini James cdb ; Prof. P. Motta/département d'anatomie/université « La Sapienza », Rome bg. **146-147** Science Photo Library : Geoff Tompkinson h. **147** Science Photo Library : CNRI hd ; GJLP bd. **148** Robert Harding Picture Library : c. Science Photo Library : L.Willatt, East Anglian Regional Genetics, Service bg ; Neil Bromhall h. **149** Science Photo Library : hd ; Alfred Pasieka bg ; BSIP VEM hg ; Lauren Shear cd. **150** Corbis : Howard Davies hd. Getty Images : John Kelly g. **151** Science Photo Library : hd ; CNRI cg ; Simon Fraser bd. **152-153** Getty Images : Dia Max. **154** National Geographic Image Collection : Brian Skerry hc. Panos Pictures : Heldur Netocny cb. **154-155** Science Photo Library : NASA bg ; Tek Image c. **155** Getty Images : Jean Y Ruszniewski hcg. Image Source : hg. Science Photo Library : Bsip, Laurent hd ; Richard Duncan bd ; Tek Image hcd. **156** CERN : bd. Corbis : C.M. Leask/Eye Ubiquitous cgh ; Kennan Ward cdh ; Natalie Fobes cb ; Ron Watts ch. Science Photo Library : Chris Butler hg. **157** US Department of Energy : hd. Science Photo Library : Philippe Plailly cgh. **158** Science Photo Library : David Parker hd ; Roger Harris bg ; US Library of Congress cd. Geoffrey Wheeler : hg. **159** ©Choumov ROGER-VIOLLET bd. Science Photo Library : ArSciMed hd. **160** Science Photo Library : Erich Schrempp bd ; Julian Baum bg. **163** Corbis : Lester Lefkowitz hd ; Peter Beck bg. The Art Archive : Royal Society/Eileen Tweedy cg. Rex Features : cd. **164** Alamy Images : Pictor International/ImageState bg. Corbis : James Noble hd. **165** Corbis : Duomo cg ; Mark M. Lawrence bd. Getty Images : Allsport Concepts/ Christine Kolisch cd. **166** Agence France Presse : cd. Getty Images : Chabruken bc ; Terje Rakke g. **167** Corbis : Roger Ressmeyer bg. Archives Hulton/Getty Images : bd. Science Photo Library : Arthus Bertrand hd. **168** Rex Features : CNP cg. Science Photo Library : Dr. Arthur Tucker c. **169** Corbis : Christine Kolisch bd ; Mark L. Stephenson cdhh ; cdh, cd. Getty Images : Stuart Hunter cg. Science Photo Library : ESA hd. **170** Corbis : Gary W. Carter c ; Jay Dickman g. Science Photo Library : Volker Steger hd. **171** DK Picture Library : Stephen Oliver cd. Getty Images : hd. Robert Harding Picture Library : cg. Science Photo Library : Pascal Goetgheluck bd. **172** Corbis : Patrick Darby cd. Science

Photo Library : Kip Peticolas g. **173** Corbis : David Butow hd. Science Photo Library : Tek Image bd. **174** Corbis : Cees Van Leeuwen ; Cordaiy Photo Library Ltd. g. Getty Images : Phil Degginger bd. **175** Associated Press AP : bg. Science Photo Library : Lawrence Livermore National Laboratory hd. **176** Corbis : Joe McDonald hg ; Martin Harvey ; Gallo Images bg ; Roger Tidman cghh ; cgbb. Getty Images : Photodisc Blue cgb. N.H.P.A. : Kevin Schafer cgh. **176-177** National Geographic Image Collection : Stephen G. St. John c. **177** Alamy Images : David Bishop/Phototake Inc bd. Archives Hulton/Getty Images : ch. US Department of Defense hd. **178** PolaVisor, Copyright 2003 Winford Industries : cg. **178-179** Science Photo Library : Hugh Turvey c. **179** Science Photo Library : Alexander Tsiaras bd. Getty Images : Ashok Charles cgb. **180** Science Photo Library : Alfred Pasieka hd. **181** Science Photo Library : John Walsh hd ; K.H Kjeldsen hc. **182** Science Photo Library : Alfred Pasieka cg ; David Parker bc. **182-183** Science Photo Library : Kent Wood c. **183** NASA : hd. **184-185** Corbis : Louis K. Meisel Gallery h. **185** National Grid Transco : bd. Science Photo Library : Scott Camazine bg. **186** Ministry of Defence Picture Library : Crown Copyright/ MOD c. Science Photo Library : Alex Bartel g ; Volker Steger/Sandia National Laboratory bd. **187** Corbis : Grafton Marshall Smith bd ; Lester Lefkowitz cd ; Norbert Schaefer hd. ; cdh. Science Photo Library : Colin Cuthbert cdb ; Copyright W. T Sullivan cg. **188** Science Photo Library : D. Roberts. **189** Corbis : Stephen Grohe c. Science Photo Library : David Parker hd ; Rosenfeld Images Ltd. hg. **190** Getty Images : Photodisc Green/ TRBfoto cgb ; David Arky c. Zefa : Ausloser hg. **191** Associated Press AP : Elise Amendola cg ; Loudcloud Inc cgg. DK Picture Library : Science Museum bg. Getty Images : Roger Tully hg. Science Photo Library : Caida cd. **192** Corbis : collection Hulton-Deutsch hc. Rex Features : Barry Greenwood bg. Science Photo Library : Roger Harris cg. **192-193** avec l'aimable autorisation de BT Group plc 2003 c. **193** Alamy Images : Robert Harding Picture Library cdh. Getty Images : Christian Lagereek cdbb. Pa Photos : EPA cdb ; Martin Rickett cb. Science Photo Library : Mehau Kulyk hd. **194** avec l'aimable autorisation de Dyson : bg. Pa Photos : cg. **194-195** Science Photo Library : Peter Menzel c. **195** Science Photo Library : Peter Menzel c ; Victor Habbick Visions hd, bg. **196-197** Getty Images : Digital Vision c. **197** Corbis : Fukuhara Inc bd ; Richard T. Nowitz c. Getty Images : Sandra Baker hd. **198** ImageState/Pictor : g. Porsche AG : d. **199** Alamy Images : Steve Allen hd. Corbis : Bettmann hg. Science Photo Library : G. Brad Lewis bd. **200** Getty Images : Lineka hd. **200-201** ImageState/ Pictor : First Light b. **201** Corbis : Lester Lefkowitz cg ; hd. Getty Images : Wayne Eastep bc. **202** avec l'aimable autorisation de Microflat Company : bg. Science Photo Library : Colin Cuthbert hg. **202-203** Arup : Colin Wade c. **203** Alamy Images : Andre Jenny hg ; Doug Houghton hcd. Corbis : Grant Smith hcg ; Massimo Mastrorillo hd ; Sygma/Polak Matthew bd ; Tom Bean cd. **204** Corbis : Jeremy Horner ch. Getty Images : Chris Sattlberger bg ; **204-205** Getty Images : Mark Segal c. **205** Corbis : Bettmann ch ; Ted Horowitz cd. Getty Images : Jean Louis Batt bc. **206** Corbis : Lester Lefkowitz g. **206-207** Getty Images : Arnulf Husmo c. **207** Corbis : Mark Adams bc ; Steve Chenn bd. Science Photo Library : David Nunuk hc. 208 Corbis : Bettmann hd ; Charles O'Rear bc ; Layne Kennedy cgb. Science Photo Library : bg ; Andrew McClenaghan hg. **209** Science Photo Library : A. Barrington Brown cgh ; Dr Tim Evans d ; James King-Holmes cgb ; Tek Image bc. **210** Science Photo Library : Darque, Jerrican bg ; Simon Fraser ch. **210-211** Science Photo Library : Tek Image c. **211** Rex Features : Jeremy Sutton hd. Science Photo Library : Andrew Leonard bd ; Mauro Fermariello c. **212-213** Corbis. **214** Alamy Images : Gus hg. N.H.P.A. : Martin Wendler bg. **215** Corbis : Firefly Productions hd ; James A. Sugar bd ; Tibor Bognar hg. **216** Corbis : Tim Page bg. Alamy Images : Steve Allen h. **217** Corbis : Vince Streano h. Popperfoto : Reuters bd. **218** Pa Photos : Toby Melville h. Pictures Colour Library : bg. **219** Alamy Images : ImageState/Randa Bishop hd. Corbis : SETBOUN bd. **220** Corbis : cgb ; David Batterbury ; Eye Ubiquitous cghh ; Macduff Everton bg ; Stephen Frink hg ; Stocktrek c. Getty Images : Daryl Balfour cgh ; Digital Vision hd. Science Photo Library : Bernhard Edmaier cgbb. **222** Corbis : Terry W. Eggers bg. Getty Images : Harald Sund cg. **223** Getty Images : Bob Thomas cd ; Sandra Baker hd. **224** Bryan & Cherry Alexander Photography : cd, b. Corbis : Doug Wilson hd. **225** Getty Images : Eric Meola d ; Ron Thomas cg. Pictures Colour Library : eStock hg. **226** Corbis : Bob Krist cg. Getty Images : B & M productions b. Oxford Scientific Films : Philippe Henry hd. **227** Corbis : Duomo cd. Getty Images : Pat O'Hara hd ; World Perspectives g. **228** Getty Images : Jack Dykinga bg. World Pictures : hd. **229** Getty Images : Chris Speedie g ; Randy Wells cd. Robert Harding Picture Library : Photri hd. **230** Corbis : Joseph Sohm ; ChromoSohm Inc ch. Getty Images : Brian Stablyk bd ; Photodisc Green bg. ImageState/Pictor : International Stock c. **230-231** Nature Picture Library : David Noton. **231** Masterfile UK : Bill Brooks bd. Zefa : M. Fiala hd. **232** Corbis : Gavriel Jecan g. Getty Images : Andrea Pistolesi bc ; Digital Vision cb. South American Pictures : Tony Morrison ch. **233** Corbis : John Madere cd ; Stephanie Maze bc ; Theo Allofs hd. Getty Images : Hans Strand bd. **234** Corbis : Jeremy Horner cd. ; g. **235** Alamy Images : Tropicalstock.net hg. Corbis : Michael Freeman bd ; Omar Bechara Baruque ; Eye Ubiquitous cg ; Roger Ressmeyer hd. **236** Corbis : Hubert Stadler ch ; Michael Brennan bg. Lonely Planet Images : John Maier Jr bd. **236-237** N.H.P.A. : Martin Wendler c. **237** Action Plus : Neil Tingle bd. Corbis : Ricardo Azoury hd. Zefa : F. Damm cb. **238** Corbis : Yann Arthus-Bertrand c. Impact Photos : Visa Image bd. Still Pictures : G Hind/UNEP bg. **239** Corbis : Lindsay Hebberd cd. Getty Images : Glen Allison hc. Pictures Colour Library : bd. **240** Getty Images : John Chard cd. Robert Harding Picture Library : B Schuster bd. Panos Pictures : Mark Henley bg. **241** Getty Images : Geoffrey Clifford bd ; Glen Allison cgb. Lonely Planet Images : Craig Pershouse cd ; Geert Cole hg. **242** Corbis : Yann Arthus-Bertrand cd. N.H.P.A. : Martin Harvey b. Panos Pictures : Betty Press cg. **243** Corbis : Sygma/Campbell William c. Getty Images : Guido Alberto Rossi bd. Pictures Colour Library : h. **244** Corbis : Roger de la Harpe ; Gallo Images hg. Empics Ltd. : Mike Egerton c. N.H.P.A. : Nick Garbutt bg. **244-245** Pictures Colour Library : b. **245** N.H.P.A. : Martin Harvey h. Pictures Colour Library : cg. Rex Features : Richard Young cd. **246** Getty Images : David Norton bg ; Louis-Laurent Grandadam cg. Impact Photos : Ray Roberts hd. **247** Corbis : Elke Stolzenberg hd. Getty Images : John Downer bd. **248** Corbis : Hans Strand cg. Getty Images : Rick England bd. Lars Hallén : bg. Still Pictures : Dylan Garcia hd. **249** Corbis : Hans Strand hg ; William Findlay hd. Still Pictures : J Vallespir/UNEP bg. World Pictures : bd. **250** Corbis : Geray Sweeney bg ; London Aerial Photo Library bd ; Sygma/Elder Neville hg. Getty Images : Jeremy Woodhouse cd. **251** collections : Graham Burns cd ; Paul Felix b. Getty Images : Stewart Bonney News Agency hg. Lonely Planet Images : Anne C. Dowie ch. **252** Action Plus : Franck Faugere/DPPI bg. Impact Photos : Gold Collection hd ; Robin Laurance bd. Pictures Colour Library : cg. **253** Corbis : Jose Fuste Raga/FMGB Guggenheim Bilbao Museo. 2003 b ; Roger Antrobus cg. Impact Photos : Gold Collection hd. **254** Getty Images : Suzanne & Nick Geary cd ; Walter Bibikow b. Still Pictures : Magnus Andersson g. **255** Corbis : Ludovic Maisant cgb. Getty Images : Anthony Cassidy cdh ; Hans Wolf b ; Jorg Greuel hg. **256** Corbis : Michael Freeman cd. Getty Images : Robert Everts b. Lonely Planet Images : Paul David Hellander hg. **257** Corbis : Barry Lewis cg. Getty Images : Derek P. Redfearn cd ; George Grigoriou h. Impact Photos : Peter Arkell bg. **258** Lonely Planet Images : Jonathan Smith hg. Panos Pictures : Clive Shirley cd. Rex Features : Tony Kyriacou bd. Still Pictures : Bojan Brecelj bg. **259** Getty Images : Douglas Armand b. Art Directors & TRIP : V. Shuba hg. **260** Corbis : John Noble bg ; Tom Brakefield hd. Katz/FSP : Van Cappellen/Rea bd. Lonely Planet Images : Chris Mellor cg. **261** Corbis : Dallas & John Heaton hd. Getty Images : Andrea Pistolesi cb ; Piecework Productions ch. **262** Hutchison Library : C. Nairn/GTV Disappearing World g ; Trevor Page cd. Art Directors & TRIP : M. Lines bd. **263** Alamy Images : Bryan & Cherry Alexander b. NASA : cg. Panos Pictures : Heidi Bradner hg. **264** Getty Images : David Hanson cd. Panos Pictures : Jon Spaull cg. Pictures Colour Library : b. **264-265** Corbis : Roger Wood hc. **265** Alamy Images : Ashfordplatt hd. Corbis : Peter Turnley cgb. Pictures Colour Library : bd. **266** Robert Harding Picture Library : T. Laird bg. Panos Pictures : Paul Smith hg ; Penny Tweedie cd. **267** Alamy Images : Robert Harding Picture Library b. Corbis : Baldev/ Sygma hg ; James Davis, Eye Ubiquitous cd. **268** Getty Images : Travel Pix hd. National Geographic Image Collection : David Edwards bd. Pictures Colour Library : bg. **269** Alamy Images : Rex Butcher bg. Corbis : Bohemian Nomad Picturemakers bd ; Tibor Bognar h. **270** Corbis : Torleif Svensson hd. Robert Harding Picture Library : T. Hall bd. Pictures Colour Library : bg. **271** Corbis : Macduff Everton d. Impact Photos : Alain Evrard bg. Pictures Colour Library : hg. **272** Alamy Images : Jon Arnold Images bg. **273** Corbis bd. Getty Images : Kim Westerskov h. **274** N.H.P.A. : Gerard Lacz cg. Pictures Colour Library : hd, cd, b. **275** Corbis : Peter Beck bg. Getty Images : John Lamb bd. N.H.P.A. : A. N.T hg. **276** Getty Images : Johnny Johnson bg. Robert Harding Picture Library : Photri hd. **277** N.H.P.A. : Paal Hermansen cd. **278-279** Corbis : Dallas & John Heaton. **280** Corbis : David Cumming ; Eye Ubiquitous g. The Art Archive : Musée national de Bucarest/Dagli Orti hd. **281** Archives Werner Forman : collection Schindler, New York bd. Popperfoto : hg. **282** Ancient Art and Architecture Collection : bcg, g ; R. Sheridan bg. Bridgeman Art Library, Londres/New York : Musée égyptien du Caire cb. Corbis : Randy Faris h ; cd. The Art Archive : Musée du Louvre Paris/Dagli Orti c. **283** Corbis : Gunter Marx Photography bg ; Yann Arthus-Bertrand hd. **284** Corbis : John Dakers ; Eye Ubiquitous cdb ; Lindsay Hebberd hd. The Art Archive : Victoria and Albert Museum/Eileen Tweedy bg. **285** Alamy Images : Henry Westheim cg. Bridgeman Art Library, Londres/New York : Oriental Museum, université de Durham bg. Corbis : Archivo Iconografico, S.A hd. **286** Bridgeman Art Library, Londres/New York : Ann & Bury Peerless/India Office Library, Londres bc. Corbis : Lindsay Hebberd hd, bg. DK Picture Library : Judith Miller & DK Picture Library – Sloans, É.-U. cg. Rex Features : Geoff Dowen cd. **287** Corbis : David Reed hd. Getty Images : Photodisc Green/Michael Matisse bg. **288** Corbis : Andrea Jemolo hd. DK Picture Library : Glasgow Museum bd. Sonia Halliday Photographs : g. **289** Alamy Images : Robert Harding World Imagery hd. Corbis : Adam Woolfitt hg ; Geray Sweeney cd ; Richard Bickel b. DK Picture Library : Powell Cotton Museum bg. **290** Bridgeman Art Library, Londres/New York : Giraudon/Musée Condé, Chantilly, France bd. Panos Pictures : Karen Robinson cd ; Marcus Rose cg. Rex Features : Sipa Press h. **291** Corbis : Blaine Harrington III h. Art Directors & TRIP : H. Rogers bd. **292** Bridgeman Art Library, Londres/New York : Galleria dell' Accademia, Venise c. **292-293** Corbis : Alinari Archives b. **293** Getty Images : Michael John O'Neill cd. Ann & Bury Peerless : hg. **294** The Granger Collection, New York : hd. Rex Features : TDY cg. **294-295** Getty Images : Yann Layma b. **295** © KEYSTONE cd ; Inge Yspeert cg. **296** Alamy Images : Joe Sohm cgh, bg. Corbis : Peter Finger cd ; Wendy Stone cghh. Getty Images : Anthony Cassidy cgb. Pa Photos : AFP Photo/Hector MATA hg. Rex Features : David Hartley cgbb. **297** Alamy Images : Gianni Muratore bg ; Wilmar Photography c. Corbis : Frank Leather ; Eye Ubiquitous hd. Impact Photos : Javed A Jafferji bd. **298** Collection Kobal : Warner Bros/DC Comics cg. Rex Features : Nils Jorgensen bg. **298-299** Corbis : Ron Watts c. **299** Archives publicitaires : 'Coca-Cola' et 'Coke' sont des marques déposées de la compagnie Coca-Cola et sont reproduites avec l'aimable autorisation de Coca-Cola Company bd. avec l'aimable autorisation de Freeplay Foundation : c. ImageState/Pictor : Coccon hd. **300** Corbis : James A. Sugar bg. Hutchison Library : Eric Lawrie cg. 300-301 Corbis : Bob Krist c. **301** Corbis : Jennie Woodcock ; Reflections Photolibrary hd. Panos Pictures : Jeremy Horner cb. Popperfoto : bd. **302** Robert Harding Picture Library : cg. **302-303** Rex Features : Sipa Press c. **303** Associated Press AP : Brian Branch-Price bc. Rex Features : Action Press hd. **304** Corbis : Sygma/Balaguer Alejandro bd. Masterfile UK : Mark Tomalty bg. Popperfoto : Reuters hd. **305** Alamy Images : Rob Rayworth cd. Archives Hulton/Getty Images : Keystone bg. Science Photo Library : NASA hg. **306** Alamy Images : Gina Calvi cg. Pa Photos : EPA hd. Rex Features : Action Press (ACT) b. **307** Corbis : Peter Turnley hg ; Roger Ressmeyer bg. Getty Images : AFP/Hotli Simanjuntak cd. Archives Hulton/Getty Images : Central Press cg. **308** Corbis : Richard Cummins cdh. Getty Images : hd ; China Tourism Press cdb ; Ken Ross bd. Robert Harding Picture Library : E. Simanor g. **309** Corbis : Bettmann bd. Popperfoto : cg. Science Photo Library : Astrid & Hans Frieder Michler hd. **310** Getty Images : V.C.L hd. Rex Features : Greg Mathieson b. **311** Corbis : Julie Dennis Brothers cdb. Getty Images : bg. Pa Photos : hg. Rex Features : Sipa Press cdh. **312** Corbis : Bettmann hd ; Jay Syverson bd. Magnum : Francesco Zizola cg. **313** Associated Press AP : Mark Richards, Pool cg. Corbis : Yogi, Inc c. Popperfoto : Reuters d. **314** Associated Press AP : Joe Marquette hg. Panos Pictures : Trygve Bolstad cd. Still Pictures : Harmut Schwarzbach bg. **315** Science Photo Library : NASA bd. UN/DPI Photo : h. **316** Alamy Images : Karen Robinson/David Hoffman PhotoLibrary bd. Popperfoto : Rick Wilking/Reuters g. **317** Panos Pictures : Piers Benatar cg. Popperfoto : Reuters/Haider Shah bd ; Reuters/Jerry Lampen cd. UN/DPI Photo : hd. **318-319** Photographie de Josette Bushell-Mingo dans le rôle de «Rafiki» de l'Original London Company extrait du *Roi Lion* de Catherine Ashmore. **320** AKG Londres : Erich Lessing hd, cd. The Art Archive : Musée archéologique de Naples/Dagli Orti c ; Musée archéologique de Naples/Dagli Orti hc ; Palazzo Ducale Mantoue/Dagli Orti bd. Collection Mark Roots : avec l'aimable autorisation de Michael Nelson Jagamara, de la collection de Mark Roots cgb. **321** Bridgeman Art Library, Londres/New York : Mellon Coll., Nat. Gallery of Art, Washington hg, cg. The Art Archive : cb ; National Gallery/Eileen Tweedy cd. Réunion des Musées Nationaux Agence Photographique : Gérard Blot hc, c. **322** Corbis : Christie's Images hg. Topham Picturepoint : HIP/British Museum c. **323** © The British Museum : hd. Corbis : David Lees bd. Hutchison Library : Carlos Freire cd. **324** Bridgeman Art Library, Londres/New York : Kunsthistorisches Museum, Vienne cg. Corbis : Bettmann c ; Nathan Benn bg. Topham Picturepoint : UPP cd. Christo et Jeanne-Claude : *Îles cernées*, Miami, Floride 1980-1983. © Christo, Photo : Wolfgang Volz : hd. **325** Bridgeman Art Library, Londres/New York : collection Stapleton, UK hd. Magnum : Dennis Stock cg ; Steve McCurry bg. Réunion des Musées Nationaux Agence Photographique : Eugène Atget cd. **326** Alamy Images : Steve Allen cd. avec l'aimable autorisation de Apple : c, arrière-plan. © Christie's Images Ltd. : Charles Renni Mackintosh cg. The Art Archive : Villa la Pietra Florence/Dagli Orti hd. Collection Kobal : Paramount cgg. Popperfoto : cdd. avec l'aimable autorisation de Trustees of the V&A Picture Library : ch. **327** Bridgeman Art Library, Londres/New York : Victoria &

Albert Museum, Londres cbg. Cooper-Hewitt National Design Museum : Smithsonian Institution bcd. Corbis : Peter Harholdt bd. DK Picture Library : British Museum hg ; Cooper Hewitt cb ; Judith Miller & DK Picture Library – Lyon & Turnbull Ltd. ch ; Judith Miller & DK Picture Library – Gideon Hatch bcg. Marimekko : design de Maija Isola 1965 bg. Vitra Design Museum : George Nelson hd. **328** Corbis : Dallas & John Heaton cg ; **328–329** Corbis : David Bell c. Getty Images : AFP bd. **329** Associated Press AP : JAWOC hd. Corbis : Araldo de Luca cdb ; Dave Bartruff cdh ; Jim Winkley ; Ecoscene c ; Michael S. Yamashita bd. **330** Collection Lebrecht : bc. Redferns : Elliott Landy cg. **330–331** Getty Images : Nick White c. **331** Corbis : Paul A. Souders hd. Collection Lebrecht : David Farrell cdb. Redferns : David Redfern bc. **332** DK Picture Library : Johnny Van Derrick bd. Collection Lebrecht : bd. **333** Getty Images : Thinkstock cg. Rex Features : Brian Rasic (BRA) hd. **334** Apple Corps Ltd. : bd. Corbis : Europa Press/G.G/Sygma cd. Collection Lebrecht : Rue des Archives/BCA c. Rex Features : SNAP (SYP) g. **335** Collection Lebrecht : Wladimir Polak hd. Redferns : Graham Salter b ; Odile Noël hg. **336** ArenaPAL : Hilary Shedel bg. DK Picture Library : Stephen Oliver cd. **336–337** Corbis : Sandro Vannini hc. **337** Collection Lebrecht : Laurie Lewis b ; Ron Hill cg. Linda Rich : hd. **338** Collection Kobal : MGM b. Redferns : Henrietta Butler h. **339** DK Picture Library : INAH cg. The Art Archive : Musée des Beaux Arts Dole/Dagli Orti bg ; Victoria and Albert Museum/Eileen Tweedy hd. **340** Corbis : Philip Gould bg ; Sygma bd. Mary Evans Picture Library : hg. Collection Kobal : Joseph Shaftel Prods cd. **341** Mary Evans Picture Library : cd. Collection Kobal : 20th Century Fox/Tursi, Mario bc ; Hammer cb ; Selznick/MGM cbg. Collection Moviestore : 20th Century Fox cg. avec l'aimable autorisation de Penguin Books Ltd. : hg. Topham Picturepoint : Heritage Image Partnership/British Library hg. **342** AKG Londres : bg. Bridgeman Art Library, Londres/New York : Leeds Museums & Galleries (City Art Gallery) UK hd. The Art Archive : British Library cg ; Eileen Tweedy bd. **343** Bridgeman Art Library, Londres/New York : Fitzwilliam Museum, université de Cambridge hd. The Art Archive : Collection Lucien Biton Paris cd. Mary Evans Picture Library : bd. Pa Photos : Mok Yui Mok cg. **344** Arena PAL : Colin Willoughby cg. Corbis : Michael S. Yamashita c. **345** ArenaPAL : Rowena Chowdry c. Photostage : Donald Cooper hd. Rex Features : Reg Wilson hg. **346** Collection Kobal : Damfx bg ; Icon/Pathe/Bailey, Alex bd ; Universal cg. Collection Moviestore : Columbia bc. **346–347** Collection Kobal : Lucas Film/20th Century Fox c. **347** Corbis : Sygma bc. DK Picture Library : la statuette des OSCAR est déposée et le copyright est la propriété de l'Academy of Motion Picture Arts and Science car. Katz/FSP : PH Westenberger/Liaison cd. Collection Kobal : 20th Century Fox/Paramount hd ; TOHO bg. Collection Moviestore : Eon Productions bd. **348** AKG Londres : bg. Corbis : Bettmann cg ; Collection Hulton-Deutsch hd. Pa Photos : Stefan Rouseeau cd. Popperfoto : Reuters cdb. **349** Corbis : Barclay Graham/Sygma hd. Collection Kobal : Amblin/Universal cg ; Dream Works/Allied Film Makers A. Ardmaan cd ; Dreamworks LLC bd. **350** Corbis : Michael Neveux bd ; cd. avec l'aimable autorisation de Oware Society : cb. Getty Images : Brand X Pictures hd. Rex Features : David Marsden cg. avec l'aimable autorisation de Sony : hg. **351** avec l'aimable autorisation de Apple : cgg. Bang & Olufsen, AV Mediacenter 2003 cd, bg. avec l'aimable autorisation de BlueroomStore.com : hd. Mary Evans Picture Library : hg. Collection Moviestore : Warner Brothers cg. avec l'aimable autorisation de Nintendo : bd. Pure Digital, a division of Imagination Technologies : c. avec l'aimable autorisation de Sony : cdd. **352** Action Plus : Glyn Kirk bg. Getty Images : Mark Thompson cg. **352–353** Sporting Pictures (UK) Ltd. : Huzilar c. **353** Associated Press AP : Bill Kostroun cd ; Michael Conroy c. Corbis : Decamp Erik/Sygma bd. Getty Images : David Rogers hd. **354** Bridgeman Art Library, Londres/New York : Marylebone Cricket Club, Londres, UK hg. Rex Features : Robin Hume bc. **354–355** Getty Images : Pascal Rondeau c. **355** Associated Press AP : Mark J. Terrill hd. Topham Picturepoint : bd. **356** Alamy Images : Popperfoto hg. The Art Archive : Musée national archéologique d'Athènes/Dagli Orti bd. IOC/Olympic Museum Collections : hd. **357** Corbis : Sygma/Ruszniewski J.Y cg ; Sygma/Seguin Franck cd. Getty Images : Clive Brunskill hc ; Mike Powell/Allsport bd ; Scott Barbour/Allsport c. **358–359** Corbis : Neil Beer. **360** AKG Londres : hg. The Art Archive : British Library bg ; **360–361** The Art Archive : Musée national archéologique d'Athènes/Dagli Orti. **361** DK Picture Library : Mary Rose Trust hd. Archives Werner Forman : Ohio State Museum bd. Musée Silkeborg, Danemark : cd. **362–363** AKG Londres : hd. **363** Bridgeman Art Library, Londres/New York : Lauros/Giraudon d. DK Picture Library : British Museum c. **364** Ancient Art and Architecture Collection : Ronald Sheridan hd. Sonia Halliday Photographs : cg. **365** Ancient Art and Architecture Collection : R. Sheridan hg. DK Picture Library : Arlette Mellaart bd ; Museum of London cd. **366** Corbis : Werner Forman bc. Robert Harding Picture Library : Robert Estall hd ; Simon Harris c. **367** Ancient Art and Architecture Collection : hd. The Art Archive : Musée archéologique de Cagliari/Dagli Orti cg ; Genius of China Exhibition bd ; Musée Guimet Paris/Dagli Orti hg. **368** AKG Londres : Jean-Louis Nou bd. **369** Ancient Art and Architecture Collection : cd. **370** Ancient Art and Architecture Collection : hg. DK Picture Library : British Museum bg. Archives Werner Forman : Musée égyptien du Caire c. **370–371** Robert Harding Picture Library : George Rainbird Ltd. c. **371** DK Picture Library : British Museum bd. Archives Werner Forman : Musée de Louqsor d. Robert Harding Picture Library : Nigel Francis hc. **372** AKG Londres : Erich Lessing cd. Ancient Art and Architecture Collection : hd, bc. Bridgeman Art Library, Londres/New York : Musée d'Iraq, Bagdad hg. **373** AKG Londres : Erich Lessing c, bc. The Art Archive : Musée du Louvre Paris/Dagli Orti d. **374** AKG Londres : cd ; Erich Lessing bg. Ancient Art and Architecture Collection : Ronald Sheridan arrière-plan. DK Picture Library : British Museum hg. **374–375** The Art Archive : Dagli Orti c. **375** Ancient Art and Architecture Collection : hd. The Art Archive : Dagli Orti cd. **376** AKG Londres : National Archeological Museum cg ; Rainer Hackenberg hg. DK Picture Library : British Museum bg. Sonia Halliday Photographs : bd. **376–377** National Geographic Image Collection : Todd Gipstein c. **377** Ancient Art and Architecture Collection : hd. DK Picture Library : British Museum cd. The Art Archive : Musée national archéologique d'Athènes/Dagli Orti bd. Sonia Halliday Photographs : hc. **378** Ancient Art and Architecture Collection : hd. Bridgeman Art Library, Londres/New York : Oriental Bronzes Ltd., Londres c. Corbis : Lee White bd. DK Picture Library : British Museum cd. The Art Archive : Genius of China Exhibition g. **379** AKG Londres : Jean-Louis Nou hd, bd. Bridgeman Art Library, Londres/New York : Musée archéologique, histoire et culture, Vadodara, Inde bg. The Art Archive : c. **380** Corbis : Michael S. Lewis bd. DK Picture Library : American Museum of Natural History hg. The Art Archive : Musée archéologique de Lima/Dagli Orti hd. Archives Werner Forman : University Museum, Philadelphie hc. **381** AKG Londres : bd. DK Picture Library : INAH hd. Corbis : hg. **382** AKG Londres : bg ; Erich Lessing cg. The Art Archive : Galleria Borghese Rome/Dagli Orti hd. **382–383** Robert Harding Picture Library : Adam Woolfitt b. **383** AKG Londres : hc. Ancient Art and Architecture Collection : hd. Corbis : Michael St. Maur Sheil bd. **384** DK Picture Library : British Museum g. Sonia Halliday Photographs : hd. **385** The Art Archive : Biblioteca Nazionale Palerme/Dagli Orti hg ; Dagli Orti hd. Sonia Halliday Photographs : bd. **386** The Art Archive : British Library bd ; Musée national de Damas Syrie/Dagli Orti cd. Sonia Halliday Photographs : cg. **386–387** The Art Archive : Dagli Orti c **387** The Art Archive : Dagli Orti bd. Sonia Halliday Photographs : Bibliothèque Nationale hd. **388** AKG Londres : bd. Corbis : Richard Cummins hd. DK Picture Library : Musée national danois cb ; Statens Historika, Stockholm hg ; Musée des bateaux vikings, Norvège bg. **389** AKG Londres : hd, bg, bd. The Art Archive : Musée de la tapisserie de Bayeux cg. **390** Collections : Philip Craven bg. DK Picture Library : British Museum hg. **390–391** Ancient Art and Architecture Collection : b. **391** AKG Londres : Jean-Francois Amelot hg. DK Picture Library : British Museum bd. Sonia Halliday Photographs : hd. **392** AKG Londres : hd, bg. The Art Archive : bd ; Victoria and Albert Museum/Eileen Tweedy hg. **393** AKG Londres : Erich Lessing bd. The Art Archive : British Museum cd. Robert Harding Picture Library : T. Waltham hg. **394** Archives Werner Forman : hg. Robert Harding Picture Library : J. Pate bg. **394–395** The Art Archive : Antenna Gallery Dakar Sénégal/Dagli Orti c. **395** Archives Werner Forman : British Museum bd. Robert Harding Picture Library : N. Wheeler hd. **396** Archives Werner Forman : avec l'aimable autorisation de Entwistle Gallery, Londres bg. Robert Harding Picture Library : Geoff Renner d. **397** AKG Londres : Jean-Louis Nou c ; Robert O'Dea hg. The Art Archive : Musée des arts turcs et islamiques Istanbul/Dagli Orti bd. **398** AKG Londres : Turin Biblioteca Reale ch. Scala Group S.p.A. : Palazzo Medici Riccardi, Florence. **399** DK Picture Library : British Library cd. **400** Bridgeman Art Library, Londres/New York : Royal Geographical Society c. National Maritime Museum, Londres : b. **400–401** AKG Londres : c. **401** James Davis Travel Photography : bd. DK Picture Library : British Museum hd, cdh. Mary Evans Picture Library : cd. **402** AKG Londres : hg. Corbis : Galen Rowell b. **403** Scala Group S.p.A. : Biblioteca Nationale, Florence. **404** © BNF : hd, c. Robert Harding Picture Library : P. Craven bd. **405** AKG Londres : hd, c. The Art Archive : Musée Bruning Lambayeque Pérou/Mireille Vautier bd. **406** AKG Londres : hd. DK Picture Library : Collection Wallace bg. Mary Evans Picture Library : bd. **407** AKG Londres : Victoria and Albert Museum hd. DK Picture Library : Collection Wallace c. Archives Hulton/Getty Images : Ernst Haas bd. **408** DK Picture Library : Exeter Maritime Museum c. © Michael Holford : b. **409** Bridgeman Art Library, Londres/New York : Museum of the City of New York, É.-U. b. Archives Hulton/Getty Images : Archives Photos cg. **410** AKG Londres : bcd. Corbis : Archivo Iconografico, S.A. hg ; Gianni Dagli Orti bg. DK Picture Library : Établissement public du musée et du domaine national de Versailles c. The Art Archive : Christ's Hospital/Eileen Tweedy bcg ; Musée historique russe Moscou/Dagli Orti bd. Mary Evans Picture Library : bc. **411** Bridgeman Art Library, Londres/New York : Bibliothèque des Arts Décoratifs, Paris/Charmet bg ; National Gallery, Londres d. DK Picture Library : Science Museum bd. © BNF : cg. **412** Bridgeman Art Library, Londres/New York : Collection of the Earl of Leicester, Holkham Hall, Norfolk cd ; Royal Agricultural Society of England, Stoneleigh bd. Rural History Centre, University of Reading : hd. **413** AKG Londres : hg, bd. Corbis : Bettmann cg. DK Picture Library : Wilberforce House/Hull City Museums and Art Gallery h. **414** Bridgeman Art Library, Londres/New York : New York Historical Society bd. The Art Archive : Musée du château de Versailles/Dagli Orti h. **415** Bridgeman Art Library, Londres/New York : Bibliothèque Nationale, Paris bd. DK Picture Library : Collection Wallace hd, hcd. Mary Evans Picture Library : c. **416** Bridgeman Art Library, Londres/New York : Charmet/Musée de la Ville de Paris, Musée Carnavalet, Paris hg ; Peter Willi/Louvre, Paris bd. **417** AKG Londres : hc. Bridgeman Art Library, Londres/New York : Phillips, Fine Art Auctioneers, New York, É.-U. c. The Greenwich Workshop : 2003 Howard Terpning, avec l'aimable autorisation de Greenwich Workshop, Inc b. **418** Bridgeman Art Library, Londres/New York : Bibliothèque des Arts Décoratifs, Paris cgb. © Ecomusée Le Creusot-Montceau hd. Archives Hulton/Getty Images : Rischqitz bc. The Salvation Army International Heritage Centre : cgh. Science & Society Picture Library : hg, bg. **418–419** Archives Hulton/Getty Images : c. **419** Corbis : Gianni Dagli Orti cd. Mary Evans Picture Library : bd. **420** Bridgeman Art Library, Londres/New York : collection privée hd. The Art Archive : Museo Bolivar Caracas/Dagli Orti bg. **421** Bridgeman Art Library, Londres/New York : Archives Larousse, Paris bd ; Giraudon/Laurose/Bibliothèque Nationale, Paris bg. Mary Evans Picture Library : hd. **422** AKG Londres : bd. Archives Hulton/Getty Images : cg. **423** Mary Evans Picture Library : bc. **424** Corbis : Bettmann cd ; Museum of the City of New York hd. DK Picture Library : Gettysburg National Military Park bg. Archives Hulton/Getty Images : MPI bd. **425** Bridgeman Art Library, Londres/New York : Alexander Turnbull Library, Wellington, Nouvelle-Zélande bd. Corbis : Anders Ryman bg ; Dallas & John Heaton hd. Archives Gallimard hg. **426** AKG Londres : cg. **426–427** AKG Londres : bc. **427** © BNF : hc. Corbis : Collection Hulton-Deutsch hd, cd ; Michael St Maur Sheil bd. **428** AKG Londres : hd. Corbis : Bettmann hg. Collection David King : bg. **429** Bridgeman Art Library, Londres/New York : collection privée cg. The Art Archive : William Sewell hd. Popperfoto : bd. **430** AKG Londres : bg, bd. Art Directors & TRIP : Dinodia hd. **431** Corbis : Swim Ink hd. Mary Evans Picture Library : hg. Archives Hulton/Getty Images : Fox Photos bg ; Keystone bd. Art Directors & TRIP : E Young c. **432** AKG Londres : cg. **432–433** The Art Archive : Imperial War Museum b. **433** AKG Londres : bd. © Collection ROGER-VIOLLET hg. The Art Archive : Domenica del Corriere/Dagli Orti hd. Mary Evans Picture Library : cd. **434** AKG Londres : cd. Corbis : hd ; David Turnley bg. **435** Corbis : Françoise de Mulder cd ; Wally McNamee hg. Archives Hulton/Getty Images : Three Lions bd.

Couverture : Devant : FLPA – Images of Nature : Lanting cggg. Robert Harding Picture Library : cg. NASA : c, cdd. N.H.P.A. : Anthony Bannister rabat cd. Science Photo Library : Simon Fraser cd ; Steve Horrell rabat c ; Mehau Kulyk cgg ; Tek Image cddd. Derrière : Alamy Images : Robert Harding Picture Library c. DK Picture Library : British Museum cgg. Getty Images : Will & Deni McIntyre cg ; Ralph H Wetmore II rabat cd. Science Photo Library : Roger Harris cggg ; David McCarthy cd ; Detlev Van Ravenswaay rabat c ; M.E Yount/US Geological Survey cdd. Still Pictures : Annelies Van Brink cddd.

Toutes les autres images appartiennent à Dorling Kindersley.